52

600

DISCARDED

HISTORIA
DE LAS
LITERATURAS
DE VANGUARDIA

GUILLERMO DE TORRE

HISTORIA DE LAS LITERATURAS DE VANGUARDIA

EDICIONES GUADARRAMA
Lope de Rueda, 13
MADRID

© *Copyright by*
EDICIONES GUADARRAMA, S. L.
Madrid, 1965

Depósito legal: M. 16.650-1965.   Núm. Rgtro. 6.473-1965

Impreso en España por
TALLERES GRÁFICOS DE «EDICIONES CASTILLA», S. A.—MADRID

CONTENIDO

Introducción ... 15
Prólogo a la primera edición ... 71

1. FUTURISMO ... 105
2. EXPRESIONISMO ... 195
3. CUBISMO ... 237
4. DADAISMO ... 317
5. SUPERREALISMO ... 361
6. IMAGINISMO ... 461
7. ULTRAISMO ... 501
8. PERSONALISMO ... 609
9. EXISTENCIALISMO ... 651
10. LETRISMO Y CONCRETISMO ... 737
11. NEORREALISMO ... 763
12. IRACUNDISMO Y FRENETISMO ... 787
13. OBJETIVISMO ... 815
14. EPILOGO Y NUEVOS ISMOS ... 865

Indice de Ilustraciones ... 905
Autores citados en el texto ... 911
Indice General ... 937

INTRODUCCION

Fácil es adelantar lo comenzado; arduo el inventar.
BALTASAR GRACIÁN, *Agudeza y arte de ingenio.*

Il faut être absolument moderne.
J. A. RIMBAUD, *Une saison en enfer.*

En arte es nula toda repetición.
JOSÉ ORTEGA Y GASSET, *La deshumanización del arte.*

Le seul mot de liberté est tout ce qui m'exalte encore.
ANDRÉ BRETON, *Premier manifeste du surréalisme.*

CONFRONTACIONES A DISTANCIA

Hace ya más de un cuarto de siglo [1] que vio la luz mi libro *Literaturas europeas de vanguardia*. Aquella obra —muy pronto agotada, que la generación actual ignora o sólo conoce por referencias, y de la cual hoy se habla como de algo casi mítico— era (puedo decirlo sin énfasis: el testimonio consta escrito objetivamente en obras documentales, historias y enciclopedias) un panorama acabado de las tendencias, escuelas y figuras más nuevas y significativas; un muestrario crítico de los ismos literarios que entonces rasgaron horizontes y cuyo influjo se extiende hasta los días actuales. Pero antes que todo eso, antes que una obra de esclarecimiento y de crítica, era fundamentalmente un acto de fe, una profesión de entusiasmo —a tono con el mismo sistema criticista defendido y exaltado en sus preliminares—. Sentido, vivido, escrito en plena adolescencia del autor —de 1919 a 1924 y publicado en 1925—, *Literaturas europeas de vanguardia* venía a ser el testimonio de un espíritu, de un estado de ánimo ardiente, tanto o más que espejo de un tiempo. En último extremo se definía como el tributo apasionado, crédulo —y por ello deliberadamente excesivo—, rendido a una época que con optimismo apologético yo había calificado de inaugural.

Evocarla, aunque sólo sea de pasada, equivale para mí a retrotraerme hasta los días intelectualmente extremados y fervorosos en que finalizó la primera guerra mundial. ¿Moría un mundo? Tal decían los mayores. Pero a mí y a los adolescentes literarios de Europa, en 1918,

---

[1] Véase la fecha (1953) de esta Introducción, completada por una *addenda* (1965).

más bien nos parecía lo contrario. Nos pareció que alboreaba una sazón espléndida —y en rigor, mirada en perspectiva de relatividad con los ocasos que siguieron, así fue—. Hubo un nuevo despuntar de todo, un matinal —por decirlo con la imagen de nuestro primer poeta— "crevar de albores" en el horizonte literario y estético. Asistíamos —según otra imagen, ésta ya de un poeta menos primitivo— al descorrerse de grandes telones inaugurales. (No importa que muchos de ellos se ajaran o destiñeran al poco tiempo.) Hay unos versos que, a mi juicio, pudieran muy bien definir aquel deslumbramiento, aquella dehiscencia. Son —imprevistamente— de Valle-Inclán, quien sintiendo, aunque en otro estilo, el influjo carismático del momento, abría así, en 1919, su *Pipa de kif*:

> Mis sentidos tornan a ser infantiles, / tiene el mundo una gracia matinal, / mis sentidos como gayos tamboriles / cantan en la entraña del azul cristal.

Cuanto se diga sobre la audacia innovadora y la prodigalidad inventiva de aquellos años inmediatos a la primera trasguerra es poco. No solamente —como había escrito André Gide en *Les nourritures terrestres*— "cada novedad nos encontraba disponibles enteramente", sino que esta novedad se fomentaba con ardor y aun era suscitada e inventada míticamente. Por cierto, con referencia a aquellas *Literaturas europeas de vanguardia,* alguien —un inolvidable camarada, Benjamín Jarnés—, llegó a decir, con intención de loa, que mi libro "había obrado el prodigio de crear un período, unos movimientos literarios que de otro modo no hubieran existido". Pero la realidad es que, efectivamente, hubo una nutrida pululación de escuelas, deslumbrantes desfiles de teorías, unánimes concentraciones de movimientos. No importa que la mayoría de éstos tuviese una órbita temporal muy limitada —aunque sus proyecciones fueran más largas—. No importa que la dispersión, el cansancio y hasta las rectificaciones frenasen luego tanto ímpetu y arrojo. Era lógico y previsto. Pero el ademán insurrecto y el anhelo superador ahí quedaban. Lo demás, las decantaciones, la corrección del ángulo de mira, rectamente entendidas y aplicadas, también tenían derecho a abrirse paso en su día. Y no fui yo de los más remisos en dar la señal.

El objetivo esencial de *Literaturas europeas de vanguardia,* o más bien la serie de blancos hacia donde apuntaba —y que comprendía, desde los inmediatos: remover, incitar, polemizar, hasta otros muy vecinos, como cierto afán proselitista y la apología de nuevos estilos y valores— quedó logrado con creces. No hay hipérbole en recordarlo (de mejor grado me asociaría actualmente a las restas), puesto que perduran ejemplos de sus huellas. Aquel libro fue leído, comentado caudalosamente, parafraseado con prodigalidad (otro, menos cortésmente, diría: "saqueado"), promoviendo entusiasmos e indignaciones —todo ello "bella cosecha"—. Honrada o taimadamente, muchos se aprovecharon de sus páginas. De su masa documental se extrajeron a granel noticias, fermentos, sugerencias; de su estilo, calcos y rapsodias. Por el hecho de continuar siendo todavía, a través de los años, el único libro en nuestro idioma con carácter internacional, panorámico, superfronterizo, sin que tampoco haya encontrado equivalente en otras lenguas —pues todos los demás suelen limitarse a órbitas estrictamente nacionales—, hubo de continuar también sirviendo como fuente irremplazable de información y aun como norma de juicios y valoraciones.

Advertir esto último —aquí empieza el contracanto— casi nunca me fue grato. Aquel libro había prescrito en mí, pero continuaba vigente en los demás. Con mayor desazón íntima que halago externo vine asistiendo durante largos años a un espectáculo para mí anacrónico: la transcripción textual o paráfrasis servil de opiniones y modos de ver que yo había desechado o actualizado hace tiempo. Cierto es que la actualización conjunta era a mí a quien incumbía hacerla en primer término.

Muchas, incontables veces —amistosa y editorialmente— se me instó a la reedición de este volumen. Pero si yo entendía —con rigor intelectual— que en su primera salida cumplió plenamente su misión, ¿por qué avenirse a resurrecciones o actualizaciones? Porque el otro supuesto, reeditarlo sin más, me era insatisfactorio. Reeditarlo acometiendo su vasto material a una actualización y revisión a fondo era incurrir en riesgo de desnaturalizar el conjunto, de falsear el espíritu que informaba y unificaba sus páginas. Suponía también, en un sentido más íntimo o profundo, ir contra las leyes ineluctables de cierta estética temporalista bosquejada en el prólogo y expresa en las demás páginas. Llevada aquélla a sus últimas consecuencias, el libro, por el hecho de exaltar hasta el ardimiento el espíritu de un ámbito temporal rigurosamente demarcado, debía correr su misma suerte, quedarse en él. Estas y otras perplejidades íntimas (sin contar las materiales vicisitudes a que apenas es discreto aludir, pues fueron compartidas por tantos en los últimos lustros: salto de continentes, pérdida de libros y documentos) determinaron que dejara pasar los años, aplicando mi atención a otros temas, ya que, por mi parte, siempre consideré más incitante embarcarme en nuevos trabajos que volver sobre lo hecho y rematado años atrás. Sin embargo, como quiera que no cedían las insistencias de quienes me instaban, ya con sonrojo y reconcomio de mi parte, a una nueva edición, siempre prometida y siempre aplazada, de *Literaturas europeas de vanguardia*, llegó alguna vez tal momento.

Enemigo de las transacciones, amigo de lo absoluto, forzoso me fue, no obstante, avenirme conmigo mismo a un pacto. *Literaturas europeas de vanguardia* muda ahora ligeramente su nombre y se llama *Historia de las literaturas de vanguardia*. Es ya otro libro, pero sustancialmente sigue siendo el mismo —o, al menos, tal pretendo—. Los cambios y reformas abarcan desde el estilo —sin embargo, dejo intacto el prólogo de la primera edición como un "cuadro de época"— hasta el enfoque de ciertos temas, la estructura de todos los capítulos y el complemento o actualización de datos y juicios, dentro del período cronológico demarcado. Por encima de esos y otros detalles la leve mudanza del título sugiere el cambio que reputo fundamental: otro tono y otras metas. Ya no es un libro apologético, sino un libro histórico. Porque los temas que hace un cuarto de siglo fueron materia de litigio o polémica se han trocado hoy en temas de investigación y aun de erudición. (¿Acaso no los hemos visto más de una vez incluidos en programas universitarios y no son nuestros propios alumnos quienes más vivamente les tienden como arqueros las flechas de sus curiosidades?) Interesa hoy a los nuevos lectores conocer los movimientos literarios más característicos de este medio siglo, por sí mismos y como acceso o base de interpretación a tantas obras y estilos surgidos simultáneamente o después. Cierto es que algunos de esos movimientos cerraron su curva hace años, pero sus personalidades más representativas subsisten y las obras que engendraron siguen promoviendo reflejos. Otros movimientos han saltado el puente difícil de la segunda guerra —así el superrealismo, el personalismo—, y algunos, con un carácter más bien paraliterario, surgieron hace pocos años —tal el caso del existencialismo—. Pero salvo muy determinadas excepciones cronológicas, este nuevo libro define y estudia esencialmente, vista en sus orígenes, una época conclusa: la época entre dos guerras (1918-1939), que constituye a lo largo de esta media centuria —nunca estará de más la insistencia en este punto— el período más fértil, más rico en innovaciones literarias y exploraciones estéticas.

Al señalar el carácter fundamentalmente histórico que estas páginas ofrecen ahora, en su versión definitiva, no quiero significar, sin embargo, que me haya atenido a un criterio impersonal, objetivo. Mi esfuerzo tiende, por el contrario, a conciliar una doble perspectiva: la de ayer: vital, subjetiva, ardorosa; la de hoy: expositiva, historicista, crítica. Por lo demás, muchas de las atenuaciones, precisiones, reservas que —junto a otras tantas aprobaciones sin merma subsistentes— habrán de encontrarse aquí, fueron ya anticipadas por mí muy poco después de la primera edición de *Literaturas*: en un folleto de 1927, titulado *Examen de conciencia*, en parte incorporado ahora al antiguo prólogo. Y las sucesivas correcciones o ampliaciones a primitivos puntos de vista ultrajuveniles quedaron en su día registradas no sólo en docenas y aun centenas de artículos, sino menos efímeramente en algunos libros posteriores: *La aventura y el orden, Tríptico del sacrificio, Guillaume Apollinaire* y, sobre todo, *Problemática de la literatura*.

Quienes tan amable o curiosamente venían reclamándome —como una pieza rara, inencontrable—, aun por vía de préstamo privado, algún ejemplar de *Literaturas europeas de vanguardia*, aquí tienen ahora esta *Historia de las literaturas de vanguardia*. A sus páginas podrán acudir también los que, aun interesándose con preferencia por expresiones literarias más recientes, deseen descubrir orígenes o precedentes, hallar entronques y filiaciones. En este sentido, al menos, no defraudará a nadie. Frente a mis escrúpulos, la última excusa conmigo mismo sigue cifrándose en la unicidad de estas páginas, antes que en ningún otro de sus posibles valores. Confieso humildemente —en contraste con otras declaraciones que pudieran interpretarse inspiradas por un sentimiento inverso— que muy gustosamente hubiera renunciado a todo propósito de una reedición en el caso de haber aparecido algún otro libro equivalente en nuestro idioma o en cualquiera de los más familiares. Y como antes anticipé, de los movimientos aquí analizados —en secuencias filiales o contradictorias: es lo mismo— arranca buena parte de la literatura nueva hoy vigente, en especial la de signo poético y aun novelesco. De sus rescoldos, de aquel lejano ímpetu subversivo, de aquel soplo creador continúan nutriéndose en buena parte algunas de las expresiones extremas hoy en más favor. Por ello bien pudiera apellidarse ahora esta Historia: Introducción a la literatura de un tiempo ido y presente.

CONCEPTO Y EVOLUCION DE LA VANGUARDIA

A pesar de la modificación titular de este libro, la palabra "vanguardia" sigue intacta, desafiando los malentendidos o las repulsas que ya suscitó en la primera edición. El término data, desde luego, pero lo considero irremplazable. ¿Por qué? Precisamente porque define mejor que ningún otro el período histórico y el temple espiritual de los movimientos literarios en él comprendidos. Fue forjado en los días de la primera guerra europea, o al menos durante aquéllos adquirió carta de naturaleza en las letras francesas —*littérature d'avant-garde*—, extendiéndose luego a los otros países. Pero descontada esta reminiscencia bélica —que le resta originalidad propiamente literaria—, el apelativo "literaturas de vanguardia" resume con innegable plasticismo la situación avanzada de "pioneers" ardidos que adoptaron, a lo largo de las trincheras artísticas, sus primeros cultivadores y apologistas. Traduce el estado de espíritu combativo y polémico con que afrontaban la aventura literaria. Temple anímico que al manifestarse, en ocasiones, de modo burlón o irónico, algunos quisieron confundir con la simple actitud de "bluff". Mas por muy dada a la hipérbole, al disfraz, a todas las fantasías y extralimitaciones que sea en cierto momento una escuela experimental, no cabe confundirla en modo alguno con la facecia gratuita, según quiso hacerse frecuentemente. Porque no es justo identificar cierto ímpetu alegre, la irreverencia burlona motivada por el desdén de lo solemne y la desconfianza hacia el falso artisticismo, con la intención fundamental de liberaciones y descubrimientos que movía a sus protagonistas. En último extremo, el punto de llegada les importaba entonces menos que la ruta: quijotescamente preferían el camino a la posada.

Aun sin tener ese nombre por enteramente feliz, tampoco hay razones suficientes para remplazarlo, so riesgo de desnaturalización, respecto a los movimientos literarios que engloba genéricamente. Lo que procede en todo caso es situar las vanguardias en su momento, acotar su órbita, confrontar su ambición de absoluto temporal frente a las perspectivas de lo relativo intemporal. Movimiento de choque, de ruptura y apertura al mismo tiempo, la vanguardia, el vanguardismo o lo vanguardista, del mismo modo que toda actitud o situación extrema, no aspiraba a ninguna permanencia y menos aún a inmovilidad. En la misma razón de su ser llevaba encapsulado el espíritu de cambio y evolución, previendo, ambicionando sucesiones. ¿Cuál ha sido en rigor su destino, cómo fue evolucionando o se hizo irreconoscible?

A fines de 1930 *La Gaceta Literaria* de Madrid —publicación que como pocas otras había contribuido intensamente al auge y extensión de las vanguardias europeas—, aproximándose a sus contradictores, y considerando, no sin humor, que el espíritu vanguardista estaba en trance de prescribir, organizó una excursión a sus ruinas con criterio de pintoresquismo histórico: esto es, abrió una enquisa. La mayor parte de los consultados —elegidos un poco al azar— no vaciló efectivamente en proclamar abiertamente —puesto que la necrofilia aplicada a lo que acaba de nacer (¡cuántas veces, ya desde 1924, por ejemplo, se habrá enterrado al superrealismo!) tiene tantos adeptos entre la fauna letrada— la muerte de las vanguardias. Preferiría objetivamente exhumar alguno de aquellos testimonios, pero como en su mayor parte escapaban por la tangente o no aportaban razones valederas, opto por transcribir el mío.

Respondiendo así a la primera pregunta, formulada en tono dubitativo, afirmaba yo:

"Sí; ha existido la vanguardia en España, como fuerza de choque contra el obstáculo de las fuerzas pasadistas. Pronunciamiento bélico de una generación. Lo mismo que se manifestaron otras en épocas anteriores —la actualización centurial del romanticismo nos impide ser desmemoriados—. Pero la nuestra se manifestó originariamente con un fragor algo guerrero, como corresponde a la oriundez del término "vanguardia", que no saldría exactamente de las trincheras, pero que sí empezó a cernirse sobre el paisaje literario de Europa —hacia 1919—, cuando en aquéllas se dejó de combatir. Negar, por tanto, la pretérita existencia de la vanguardia literaria sólo podrán hacerlo los olvidadizos o los emparedados mentalmente."

Después, como se me preguntara si la vanguardia estaba vigente, respondía así:

"Por el contrario, su rigurosa existencia actual ya es algo hipotético. Pero no menos aventurado sería afirmar su absoluta desaparición, la inexistencia del estado de espíritu pugnaz que la vanguardia representó. Persiste potencialmente. De un modo implícito, aunque efectivo, se trasluce en obras y actitudes que son notorias, aunque no se curen de anteponerse esa etiqueta. Por eso el mal observador creerá en un abandono, en una retractación. Cosa inexacta. Pero no importa. Ya que hoy, al margen de esa etiqueta, lo que me interesa, lo que debe interesarnos en cualquier obra moderna es su calidad, su autenticidad, su perfección. Lo vanguardista, la modernidad debe ser algo implícito, un supuesto mínimo, pero no un valor absoluto."

"Precisamente, los que hoy se detienen en ese rótulo y hacen hincapié en él son aquellos rezagados, o surgidos posteriormente, que no cuentan con otra cosa en que apoyarse. Por consiguiente, hay —ha habido— vanguardia y "vanguardia". La que hoy vocifere y se jacte de serlo, con relación al estado de espíritu que nosotros recogimos, sin traducir otro diferente, sin hacer aportaciones, es, a mi juicio, la que merece menos crédito."

¿Qué escuela ha representado mejor ese espíritu? —preguntaban a seguido.

"La vanguardia, tal como yo la entiendo, en su sentido más extenso y mejor, no ha significado nunca una escuela, una tendencia o una manera determinada. Sí el común denominador de los diversos ismos echados a volar durante estos últimos años. Y a propósito, recientemente se ha publicado un inventario nominal de esos ismos literarios y artísticos: *Documents internationaux de l'Esprit Nouveau* (1929), que los enumera así:

— futurismo
— expresionismo
— cubismo
— ultraísmo
— dadaísmo
— superrealismo
— purismo
— constructivismo
— neoplasticismo
— abstractivismo
— babelismo
— zenitismo
— simultaneísmo
— suprematismo
— primitivismo
— panlirismo

Valen
un solo
espíritu nuevo
mundial:
descentralización.

En cuanto a los postulados, por los cuales se me preguntaba, de la vanguardia, yo los resumía así:

"Internacionalismo y antitradicionalismo. Ya he insinuado antes que éstos son —o han sido— los dos lemas más visibles de la vanguardia europea. El primero implica el segundo. Y recíprocamente. Internacionalismo no en la obra misma, sino en la extensión ecuménica del espíritu, de ciertas normas. Y por ello —reflejamente— desdén de lo particular, abominación de lo heredado y ritual, tanto en los motivos inspiradores como en su expresión. Criterio provisional, sin duda. Hoy es posible no cumplirlo con rigor. Y más bien cabe hasta contrariarlo. Pero téngase en cuenta que, para caracterizarla mejor, me estoy refiriendo a la vanguardia en su "estado naciente" y no en su fase declinante."

Como se advertirá, no me ablandaba en contemplaciones al reconocer nítidamente la extinción, ya en 1930, de aquel estado de espíritu. Tampoco era más suave al juzgar su cosecha:

"Los credos de la vanguardia son sus obras teóricas. Quiero decir que lo más representativo de ella está en sus manifiestos, en sus efusiones *yoístas*. De ahí que la obra de toda vanguardia, en su momento más típico, haya sido esencialmente lírica y teórica. Poblada de versos y erizada de manifiestos. Rebosante de desfogues líricos y vehemencias combativas. En cuanto sus componentes abordaron otros géneros, o, aun dentro de ellos, se propusieron metas menos radicales, más constructivas, dejaron caer automáticamente la etiqueta vanguardista. No por retractarse, sino para conseguir más libertad de movimientos, una sinceridad más ahincada que les satisficiese a sí mismos antes que a los colegas del grupo claudicante..."

Y ¿por qué vinieron a quebrar?

"La disolución del grupo: he ahí una razón de la quiebra virtual, de la disolución de las vanguardias. Pues éstas, como todo conglomerado humano, sólo existen en virtud de la armonía o de la cohesión disciplinaria. Cohesión que no puede sostenerse mucho tiempo. Empecatarse en ello es exponerse a las actitudes antipáticas, al ridículo. La estrecha convivencia plural únicamente puede ser momentánea. Y más táctica que espiritual. Además, para quebrarla, existe una razón de mayor pureza que la presunta "pureza" sectaria: la de vivir individualmente, con plenitud de movimientos propios, libertándose así, a la vez, de la confusión introducida por los indeseables elementos adventicios que, inevitablemente, se agregan a todo grupo en candelero."

"Eso, entre otras causas —concluía yo— es lo que originó la disolución de la vanguardia española como tal —si identificamos ésta con el concepto de grupo y éste con el ultraísmo—. Y algo semejante es lo que ha sucedido con las demás vanguardias. Pero esto no puede autorizar a nadie que no haya pasado por ellas, o reconocido el mínimum de sus propósitos, para decretar su muerte o cantar la palinodia. Vanguardia: fase que ha sido superada para dar paso a otra más libre, orgánica y constructora. Así lo entiendo yo. Así escribía ya hace tres años en mi *Examen de conciencia:* "Ha terminado la época del manifiesto, del prospecto, de la algarada. Lindamos con la edad más venturosa del alambique, en la cual se produce la obra destilada."

Lo que en última instancia no venía a significar otra cosa —puedo ampliar hoy— que el tránsito de la novedad a la calidad: cambio de estadio, entrada en la madurez. Tránsito que no suponía tanto una renuncia o retractación como un trueque de perspectivas, y muy estrechamente relacionado con la eterna y vital polémica entre novedad y tradición, entre *La aventura y el orden,* según quedó registrado en un libro mío de tal título. Se cumplía una vez más la ley de alternancia, el ritmo de sístoles y diástoles en el corazón de las letras. Cabalmente el año de aquella encuesta, 1930, fue el año bisagra en que el espíritu de la vanguardia giró sobre sus goznes. Cedió la ambición de originalidad absoluta que hasta entonces había utópicamente prevalecido, según hubo de comprobar un testigo tan perspicaz como Benjamin Crémieux. Para decirlo con sus palabras, a la "inquietud" sucedió —o pareció suceder— la "reconstrucción", y fuese abriendo paso una visión menos paroxista del arte.

Ahora bien, en esta nueva fase hubo quienes se pasaron de la raya, confundiendo equilibrio con reacción, el afán integrador con la simple media vuelta hacia atrás. Hubo —parafraseando unos versos de Gerardo Diego— quienes, por ejemplo, volvieron a encerrar el pájaro libre de la poesía en la jaula de la retórica y experimentaron cierta voluptuosidad al "volver a cruzar las piernas sobre el taburete escolar". En suma, se levantó una "ola de retorno" que dejó manchadas de légamo las hasta entonces limpias orillas. Fue el momento más agudo de la "desazón clasicista", denunciada ya, cuando sus primeros síntomas, en un capítulo del prólogo a la primera edición de *Literaturas europeas de vanguardia*. Pero no es posible —impunemente— alterar el ritmo natural de las estaciones. Cada afán tiene su hora —como sabemos desde el Eclesiastés— en el reloj de la vida. Al tiempo de las búsquedas había de seguir el de las decantaciones. Hay un ritmo frenético y un ritmo de sosiego —mas en este orden biológico, natural, no en el inverso—. ¡Desdichado quien pretenda alterarlo!

UNA LITERATURA EXPERIMENTAL

Si adelantándome a posibles objeciones he querido justificar la permanencia de la palabra "vanguardia" en el título de este libro remozado, del mismo modo, por un último escrúpulo, deberé explicar el mantenimiento de otra menos provocativa, menos expuesta a tales reservas: me refiero al cándido sustantivo genérico "Literaturas". En efecto, ¿acaso vista desde su estricto significado, sin contar las nuevas implicaciones con que se la gravó en los últimos tiempos —y a que luego aludiré—, pero dada la multiplicidad de especies que abarca, no resultará excesiva, desproporcionada, al comprobar que de hecho, en varios capítulos de este libro, se reduce la variedad de especies literarias a un género y apenas se hace mención de más obras que las poéticas?

No se trata en modo alguno de una predilección particular —por lo demás en el autor muy cambiada—, de ningún unilateralismo excluyente respecto a otros géneros y expresiones. Débese sencillamente a que las innovaciones de tipo vanguardista en el período descrito se abrieron paso esencialmente por vía poética y en parte ensayística, antes que en la novela y en el teatro. Fue en la poesía, particularmente, donde surgieron inicialmente modos, sentimientos, rasgos de estilo que luego se hicieron notorios al pasar a zonas de más alcance, más frecuentadas por los lectores, al encarnar en seres de ficción, en creaciones dramáticas. A tal punto que los no advertidos del proceso pudieran sospechar un trayecto inverso, dada la innegable mayor difusión y alcance de los últimos géneros. Pero al erudito autor de alguna tesis futura le está reservado demostrar —por ejemplo— la reminiscencia, la influencia de ciertos modos sintácticos propios de las poesías y los manifiestos futuristas sobre un lugar que aún nadie ha advertido: el *Ulysses* de Joyce. A partir de cierta fecha, cuando el ímpetu innovador de las vanguardias se debilitó, las innovaciones formales y temáticas se acusaron más visiblemente en el plano novelesco, mientras que la expresión poética se replegaba a paisajes conocidos o modos tradicionales. Recuérdese, si no, las aportaciones técnicas —independientemente o por encima de valores intrínsecos— hechas no sólo por el *Ulysses,* sino por *Manhattan Transfer, Point Counter Point, Berlin Alexanderplatz, Les hommes de bonne volonté,* entre otras muchas novelas de diversas literaturas. La literatura en la época de las vanguardias fue esencialmente poesía, del mismo modo que años después habría de ser "pathos", rebelión metafísica, trascendencia social... Por lo demás —como es notorio—, la predominancia de lo poético corresponde al período de pubertad en los seres y en las literaturas. Superado aquél, alcánzase otro estadio en que cobran predominio las ideas y conceptos sobre los sentimientos y palabras.

Confrontadas a la luz de años posteriores, medidas con las preocupaciones de la segunda trasguerra, habrá de asombrar también el puro desinterés estético de aquellas literaturas. Aunque tendieran hacia las mayores subversiones formales, en su raíz manteníanse fieles a su esencia; su última meta no rebasaba el concepto autónomo del arte. Eran, pues, si no gratuitas, sí desinteresadas; el plano de su trascendencia se confinaba a lo estético, lejos de toda intencionalidad políticosocial. Véase en estas características no tanto un mérito o demérito propio de tales literaturas como un signo más de aquella época que mereció incuestionablemente el epíteto de *inquieta,* pero no el de *revuelta* en sus entrañas cual la sobrevenida después. Hoy ya no sería hacedero —aunque pusiéramos en ello la misma voluntad— encarar tan limpiamente, en su pura proyección estética, el fenómeno literario, su díscola heteronomía. La realidad circundante cobró tal peso y gravedad, el contragolpe de las circunstancias se hizo sentir con tal intensidad sobre los modos y los fines del arte, sacándoles de quicio, replanteándoles desde su raíz, que aun los enfoques aparentemente más desinteresados resultarían fatalmente teñidos de una coloración obsesionante. Grandeza y miseria a la par del espíritu crítico actual que, aun sin renunciar a lo más inalienable de sí mismo, y rechazando cualquier imposición externa, no deja empero de sentirse afectado, solidario y partícipe en tales pugnas.

Por consiguiente, el lector no deberá perder de vista un momento que en aquellas páginas se hacía el análisis entusiasta de una *literatura experimental*: vibraba subyacente un trémolo apologético de la *novedad*; en suma, quedaba antepuesta la *originalidad* a la *perfección*. Este y no otro era el criterio que cuadraba al momento, al espíritu de aquella literatura. Reconocerlo paladinamente, fijar históricamente tal actitud no supone ninguna intención de perpetuarla, mas tampoco obliga a traicionarla o desfigurarla.

Tal advertencia es valedera para el antiguo prólogo —que más adelante podrá leerse—. Ruego, pues, al lector no pierda de vista en ningún momento que dichas páginas son, antes que nada, un manifiesto, redactado con el tono vehemente y la argumentación excesiva propias de todo manifiesto, destinado a sacudir y suscitar reacciones polémicas más que otra cosa. Muchas restas estaría hoy tentado de hacer en diversos pasajes, particularmente en aquellos donde se exalta la significación del tema moderno, a la luz de mi posterior desconfianza por la maquinización, y, sobre todo, la masificación del mundo. Pero sería vano empeño volver contra el que fuimos tanto como alzarnos contra el que podamos ser. Cada cosa, cada estado de espíritu —he de insistir— tiene su sazón. Y otros criterios, otras medidas para valorar los movimientos literarios de vanguardia podrán ser aplicados *desde hoy*, pero no desde aquel ayer —prescrito, mas vivo en sus continuaciones— coincidente con su tempestuosa floración. De otra parte, la literatura experimental, en marcha, se justifica por sí misma como base y fermento de todas sus demás expresiones: sin su existencia, ¿acaso en cualquier época aun la misma literatura a secas no corre el riesgo de estancarse, no está expuesta a desaparecer, del mismo modo que la ciencia aplicada no puede existir sin la ciencia pura?

Cierto es que a diferencia de lo sucedido en la primera posguerra, la última no se caracteriza tanto por el florecimiento de nuevas escuelas literarias, de nuevos estilos artísticos, como por la consolidación y expansión de todos los elementos entonces aportados. Mas no es sólo que disminuya el ímpetu innovador; es que prevalece el espíritu asimilador. Sucede siempre así: es una generación posterior aquella que incorpora plenamente y lleva a un punto de cristalización la contribución de los antecesores. Además, el paladar del público es lento en acostumbrarse a los sabores distintos. En la relación de productores a consumidores, en arte y literatura, hay siempre una distancia insalvable. De ahí que el reconocimiento mayoritario de lo nuevo sea siempre tardío: llega cuando precisamente en la mayor parte de las ocasiones ha dejado de ser nuevo. Quienes confundiendo los términos, deslumbrados por rencorosos o candorosos —tanto valen— espejismos imaginan lo contrario, intentando valorar el alcance de ciertas obras nuevas por su resonancia inmediata, en razón de su extensión multitudinaria, yerran la perspectiva. La literatura —lo mismo que el lenguaje— es sustancialmente comunicación, pero no desnaturalización. Proscribir lo hermético sin sentido no quiere decir, en modo alguno, abdicar ante el idioma demótico, los cánones vulgares. Poco importan las dificultades de comprensión que lleva anejas fatalmente toda obra nueva, desde el punto de vista del lector o consumidor habitual de literatura. Ciertamente, deberán allanarse las vías de su acceso, pero sin obligarse a aceptar por esto ningún criterio cuantitativo o mayoritario, con referencia a "lo más fácil" o "lo más directo". La literatura, creación del espíritu, emanación de lo más profundo del individuo, no tiene por qué regirse, ni se ha regido nunca, en sus valoraciones que hicieron historia, por las medidas multitudinarias. Aberraciones como las de un Van Wyck Brooks —en sus *Opiniones de Oliver Alston*— defendiendo, anteponiendo una "literatura primaria" y sus supuestos valores, en contra de una "literatura minoritaria", deben ser enérgicamente denunciadas y refutadas, según hizo Pedro Salinas en *El Defensor*.

Ello no quiere decir que la denominada "civilización de masas" no pueda encontrar tal vez en su día medios peculiares de expresión y de interpretación genuinamente estéticos. Mas antes será menester que llegue a ser verdaderamente una civilización y que sus productos literarios dejen de ser subproductos o sucedáneos, con miras más altas que su fácil e inmediata absorción multitudinaria o el proselitismo tendencioso. Porque hasta ahora los intentos ensayados en dos mundos opuestos y bajo signos políticos radicalmente antagónicos permiten muy pocas esperanzas. Aún más; ciertos testigos próximos —por ejemplo, Dwight MacDonald— consideran que "una cultura de masas no es ni será jamás buena, puesto que una cultura sólo puede ser producida por y para seres humanos". Y el mismo ensayista no vacila en reconocer que "de hecho la cultura superior de nuestro tiempo se identifica en gran medida con el vanguardismo", dando, por cierto, a esta palabra su más amplia acepción y haciéndola sinónima de calidad, de innovación. Luego, durante la primera mitad de este siglo, la literatura experimental se justifica, en último término, como fermento y continuidad, como razón de ser de la propia literatura.

EL ARTE COMO TRADICION Y EL ARTE COMO ORIGINALIDAD

Tradición o innovación. Repetición u originalidad. He ahí dos parejas de conceptos y de ideales históricamente hostiles. Todo el problema del arte creador, todo el secreto de las innovaciones —que, a su vez, en muchas ocasiones, llegan a ser tradición— reside en la forma como esta antítesis se encare y se resuelva. Conceptualmente la síntesis es sencilla: bastará sumar novedad y calidad. Pero en la realidad de las obras y de los hechos tal fusión no es tan fácilmente asequible. De ahí que vista la cuestión desde la atalaya teórica que corresponde para examinar las escuelas de vanguardia, con relación a las ambiciones innovadoras que cada nueva generación sostiene, la pugna se problematiza y adquiere cierta intensidad dramática cuando se traduce en este interrogante: ¿qué importa más: la tradición entendida como repetición o la originalidad entendida como razón de ser del mismo arte?

Mas antes debiéramos preguntarnos: ¿qué fatalidad, en el sentido de necesidad, determina que cada nueva generación se vea obligada a hacer la defensa de la originalidad contra el llamado "peso muerto" de la tradición? Fue así cuando los románticos, fue así cuando los simbolistas y modernistas, por citar sólo los dos movimientos que abren y cierran, respectivamente, el siglo XIX. Y el caso se ha repetido con más vehemencia en las escuelas de vanguardia durante el primer tercio de este siglo.

Ahora bien, no obstante los pocos lustros transcurridos desde que aquéllas alcanzaron su apogeo, las cosas han cambiado tanto que aun manteniéndose idénticos los términos de la ecuación, pudo darse poco después esta situación paradójica: algunos aplicaron su ingenio al esfuerzo contrario, a la negación de la originalidad y a la defensa de la repetición. Desmanteladas las ciudadelas académicas, asimiladas las innovaciones, convertidas en moneda corriente las subversiones, llegó a parecer más curioso y excitante abominar de todas aquéllas y ponderar contrariamente las excelencias de lo tradicional, dejándose llevar por las nostalgias del "orden" abolido... Pero no anticipemos. Y viendo la cuestión en sus sucesivas etapas, recordemos antes que hasta hace no mucho tiempo continuaba siendo válida aquella réplica de Rémy de Gourmont a los ataques de Max Nordau, el autor de *Degeneración,* contra la literatura finisecular. Denunciando su tesis central y subyacente —el conformismo, la repetición en literatura—, el autor de *Le livre des masques* la calificaba como "villanamente destructora de todo individualismo intelectual". Y a continuación enumeraba razones que, aun siendo algo ingenuas en su letra, conservan en lo esencial indudable vigencia y por ello no será inoportuno transcribir. "El crimen capital para un escritor es el conformismo, la imitación, la sumisión a las reglas y a las enseñanzas. La obra de un escritor debe ser el reflejo aumentado de su personalidad. La única excusa que un hombre tiene para escribir es escribirse a sí mismo, es revelar la especie de mundo reflejo en su mundo original; su única excusa es ser original; debe decir cosas todavía no dichas y decirlas en una forma inédita. Debe crearse su propia estética." Y repitiendo a Baudelaire, el mismo Gourmont, en otro lugar —*Le chemin de velours*— insistía en que "uno de los elementos del arte es lo nuevo, elemento tan esencial que por sí sólo casi constituye el arte enteramente; tan esencial que sin él, como un vertebrado sin vértebras, el arte se hunde y liquida en una gelatina de medusa..."

Estas defensas ardorosas de la originalidad y de la novedad absolutas seguirán siendo hoy compartidas pluralmente, salvo en un punto: aquel en que se niega con demasiada rotundidad la sumisión a las reglas y a las enseñanzas. Pero sumisión es una cosa, y ejemplaridad magistral o aprendizaje técnico cosa distinta. El valor de estas últimas virtudes nadie podrá conscientemente negarlas. Pues en rigor, aun para destruir las reglas u olvidarse de ellas, es menester —perogrullescamente— empezar por conocerlas. Y ya es sabido a qué hilarantes descubrimientos del Mediterráneo puede llevar un afán de originalidad del brazo de la indigencia.

Pero ¿qué es la originalidad? ¿Es acaso simplemente la novedad? No; va entre ellas la distancia que media entre lo profundo y lo formal, entre lo radicalmente sentido y la máscara fácil de sobreponerse. "Yo veo que hay dos cosas en la literatura —decía el primer Azorín en su mejor libro de juventud, *La voluntad* (1902)—: la novedad y la originalidad. La *novedad* está en la forma, en la facilidad, en el ardimiento, en la elegancia del estilo. La *originalidad* es cosa más honda: está en algo indefinible, en un secreto encanto de la idea, en una idealidad sugestiva y misteriosa. Los escritores nuevos son los más populares; los originales rara vez alcanzan la popularidad en vida..., pero pasan, pasan indefectiblemente a la posteridad." Y alegaba el caso cervantino. "En el tiempo de Cervantes, los Argensola eran lo que hoy llamaríamos los cronistas "brillantes". Sucede además —agregaré— que la originalidad radical tiene algo de demasiado sencillo, algunas veces, de desapaciblemente agrio las más, difícilmente comunicable, que sólo en los imitadores, en los epígonos o zagueros se hace más fácil y asequible.

Y, sin embargo, lo nuevo como tal tiene un poderoso imán. "Novedad, voluntad de novedad" —escribía Paul Valéry (*Choses tues*)—. "Lo nuevo es uno de aquellos venenos excitantes que acaban siendo más necesarios que cualquier alimento; una vez que se posesiona de nosotros hay que aumentar siempre la dosis y hacerla mortal bajo pena de muerte." Hipérbole valeryana que linda con lo caricaturesco, según se advertirá. Porque la novedad es un elemento de la originalidad, pero no es todo. Más certero era este crítico-poeta cuando después de haber mostrado su extrañeza por el hecho de "prenderse a la parte perecedera de las cosas que es su condición de ser nuevas", escribía: "Acaso no sabéis que es menester dar a las ideas más nuevas un no sé qué de nobles, no improvisadas, sino maduradas; no insólitas, mas como si hubieran existido hace siglos; no hechas y encontradas esta mañana, sino como olvidadas y reencontradas." Cierto es, agregaríamos; pero eso cabalmente ya no es originalidad —y ni siquiera novedad— en el sentido en que aquí la entendemos; eso es cabalmente la tradición, con las condiciones de lo tradicional frescamente aportado que se incorpora por modo insensible a lo tradicional histórico.

Ahora bien, insistir de un modo o de otro —por vía ingenuamente directa o por el camino de las agudezas laterales— en la defensa de la originalidad ¿no será ya, en cualquier caso, algo "anacrónico", visto el rumbo paradójico, cuando no abiertamente regresivo, que en busca de actitudes originales —mas solamente actitudes— emprenden algunos? Aludo, según pocas páginas más atrás anticipé, a quienes se aplican no a defender la tradición como originalidad, sino la tradición en su sentido más ritual: como continuación y repetición. Cierto es que tales restauradores no pasan de utilizar las previstas y transitadas razones del buen sentido o especulan con los valores fácilmente antitéticos de lo eterno y lo efímero, la perfección o calidad y la novedad o sorpresa, la contemporaneidad y el destiempo, atribuyendo, claro es, únicamente trascendencia a los primeros en esas parejas de términos rivales. "Reconozco de buen grado —escribe, por ejemplo, Roger Caillois (*Vocabulaire esthétique*)— el valor de los innovadores, pero no es el más duradero. Sobreviene una invención: cuando se perfecciona, olvídase el primer ensayo, que no obstante exigió el mayor ingenio. Nada escapa a esta ley más rigurosa que equitativa: lo importante no es inaugurar, sino superar." Criterio éste discutible, pero compartible; no así cuando afirma muy desembarazadamente que "sólo los talentos mediocres se apartan de todo modelo y emplean su esfuerzo en buscar lo inédito." Después, el mismo autor agrega: "Un genio tiene más audacia: imita un milésimo *Descendimiento*, esculpe otra *Venus* y elige para la tragedia que piensa escribir el tema más frecuentemente tratado. El escritor seguro de sí mismo no teme la trivialidad." Pero en rigor estos dos puntos de vista no pasan de ser otra versión —o la misma siempre— de la más confortable doctrina clasicista. Mas como quiera que a ella no se adaptan todos los temperamentos, y menos todos los gustos, sucede que muchos artistas atiénense precisamente a las normas opuestas; es decir, lejos de tomar como puntos de partida los modelos pretéritos, aspiran, aunque sea torpemente, a forjar otros, a abrir rumbos por su cuenta. Porque sin originalidad —radical o tradicional— no hay arte que valga. "En arte es nula toda repetición", escribe Ortega. En última instancia, originalidad equivale a individualidad, a una toma de posesión personal del mundo. "La originalidad que tiene que ver con lo prístino de cada uno es, en primer lugar, una actitud interna, un modo de enfrentarse con el mundo, de ser en él, un modo de vivencia", escribe Johannes Pfeiffer (*La poesía*), apuntalando esta afirmación de Kierkegaard: "No importa cómo sea el mundo; yo me atengo a una originalidad que no pienso someter al visto bueno del mundo."

Enfocando otro lado de la cuestión, sabemos sobradamente que el "prejuicio" de lo original es cosa moderna, es una preocupación que otros siglos no conocieron. "Las grandes obras —escribe André Malraux (*Les voix du silence*)— no son originales en el sentido moderno de la palabra; son únicas, no singulares. Original significa hoy día sorprendente; pero las grandes obras convencieron más que sorprendieron porque eran originales."

Antaño, los artistas, los escritores se vanagloriaban justamente de lo contrario, sobre todo en lo referente a la innovación temática. Continuar, aportar nuevos matices y variantes a los temas y conflictos tradicionales era lo honroso, no lo opuesto. Que consiguieran siempre exactamente o no tal propósito es ya otra cuestión. Y lo habitual es que vistieran personajes y sentimientos antiguos con ropajes de sus propios tiempos, sin lograr escapar nunca al influjo epocal. "Yo —nos dice Pío Baroja en el primer tomo de sus *Memorias*— no he partido nunca de la lectura de un libro para escribir otro. Esto no han querido reconocerlo mis críticos, sobre todo al comienzo de mi carrera literaria." Y con su sencilla ausencia de dogmatismo, aclara más adelante: "Yo no creo que esto sea un mérito ni un demérito. Escritores como Shakespeare, Lope de Vega y Goethe componían sus obras leyendo otras anteriores de distintos autores, imitándolas y modificándolas. En el tiempo de mi juventud yo discutí esta cuestión con Valle-Inclán y con Maeztu, que consideraban el sistema de la lectura anterior como el mejor para producir obra literaria. Valle-Inclán decía que tomar un episodio de la Biblia y darle un aire nuevo, para él era un ideal." Esta discrepancia entre Baroja y Valle-Inclán pudiera ser un ejemplo más de la eterna pugna entre dos conceptos del arte literario: el individualista y el colectivo, el adánico y el tradicional —por no hablar de la pugna entre romanticismo y clasicismo, palabras nunca precisas, pero que en este caso resultarían particularmente vagas. El primer tipo representa al humanista con ciertas ínfulas de arcaizante; el segundo, al autodidacto con un fondo de anarquismo indomable [2].

A la preferencia por los temas históricos, cargados de una sugestión tradicional, antes que al descubrimiento de otros recientes, se inclinaba

---

[2] Insistiendo en estas diferencias de dos casos concretos, Alfonso Reyes (*Simpatías y diferencias,* segunda serie, Madrid, 1921) puntualizaba sutilmente, sistematizando nociones dispersas del autor de *Divinas palabras*: "Sólo las figuras cargadas de pasado están ricas de porvenir. Valle-Inclán preferirá siempre a las figuras "improvisadas", a las "arribistas", aquellas en que la experiencia literaria se ha ejercitado ya reiteradamente, bien a través del poeta culto o bien en la mente vaga del pueblo, de modo que están ya como modeladas en el alma humana, encauzadas en la corriente de nuestro espíritu y huelen a refrán o a sentencia de oro: Don Juan, Don Quijote, Don Rodrigo, un rey, el de-

también Unamuno. Así, al comentar el poema *Castilla* de Manuel Machado (prólogo a las *Poesías escogidas* del mismo, 1907), donde este poeta da nueva forma a un episodio contenido en los primeros versos del *Cantar del Mío Cid*, escribía: "...la originalidad, como es sabido, pero no importa repetirlo con frecuencia, ya que con tanta frecuencia se olvida, no consiste en la novedad de los temas, sino en la manera de sentirlos".

Ahora bien, obvio es decir que esta manera propia de sentir presupone, y a la vez origina, un lenguaje y hasta un estilo personal o generacional. Porque precisamente en la actitud sensible personal, traducida por un estilo singular, es donde se expresa la originalidad peculiar de cada época literaria decisiva. El estilo es el cuño del tiempo. Inútil la pretensión de querer escapar a tal marca. Rebasar, trascender una época superando sus maneras, no quiere decir que no se haya pertenecido a aquélla e inclusive participado de sus "tics". Porque todo estilo creador, por muy neutro que llegue a parecernos en el transcurso de los años o los siglos, lleva inscrito en filigrana su fecha —aunque no todos sepan o cuiden de verla al trasluz.

Mas siguiendo con los testimonios, oigamos ahora a un poeta discurrir sobre este tema; escuchemos a León Felipe (prólogo a *Alas y jorobas o el rey bufón,* 1946): "...la originalidad no se apoya en el tema que ya viene planteado desde las sombras antiguas, sino en la manera de ir empujando, cada uno con su esfuerzo, este viejo tema hacia la luz. En las épocas clásicas y entre los poetas ya maduros, ésta es una vieja costumbre perdurable. Se desdeña la inventiva... y no se buscan nuevas fábulas. Todo está planteado y nada está resuelto..."

Pero ninguna otra defensa de la tradición, de los temas tradicionales, más apasionada y lúcida, al mismo tiempo, que la de Pedro Salinas, en su libro sobre *Jorge Manrique* que precisamente subtitula *Tradición y originalidad*. Cierto es que centrada esta defensa, o más bien ilustración, en un poeta medieval como el autor de las inmarcesi-

monio, la muerte, una moza de cántaro, un ciego limosnero, un perro sabio". Y aludía luego al poder de reminiscencia que en virtud de esa "estética panorámica", de esta visión pretérita de hombres y cosas, cobran hasta las más humildes figuras.

bles *Coplas,* y en un ámbito cultural donde tanto la preocupación de la originalidad como la del lugar común eran ignoradas, sus razones se prevalen de extraordinarias ventajas. El menosprecio del mundo, la preocupación de la muerte, la Fortuna, eran entonces, entre otros afines, los temas únicos y cardinales de toda especulación mental o poética. Lógico es, por tanto, que el agudo intérprete de Jorge Manrique exalte a su propósito, con motivo de las resonancias personalísimas que el poeta medieval supo dar a aquellos motivos, los valores de la tradición, considerándola como el *habitat,* el hogar natural del poeta, fuera del cual "no hay más que el grito inarticulado del cuadrumano, o el silencio inefable, el éxtasis glacial del que no halla palabra suficiente, porque por soberbia, timidez o miedo, no quiere juntarse al eterno grupo de los que hablaron a la tradición". El poeta como Pedro Salinas que, por su parte, en *La voz a ti debida,* ha renovado tan diestramente motivos tradicionales, garcilasianos, afirma: "En cualquier forma del espacio cultural que escoja el espíritu para asentarse se repite el caso: se vive sobre profundidades; las de la tradición." Y aún más; bordeando la paradoja, llega a defender no sólo la tradición culta, sino hasta la tradición inculta, lo que él llama "la tradición sin letra", emprendiendo una brillante apología de lo analfabético, de la cultura infusa, del fondo de creencias capitales sobre los puntos céntricos de la vida y del hombre que subyacen en ciertos seres de las viejas civilizaciones. Nadie podrá discutir la ingeniosidad, pero sí la fuerza convincente de sus páginas sobre "la grandeza de la tradición analfabeta en España" (ampliadas luego en un capítulo de *El Defensor*), ya que éstas ahincan en un fondo de realidades profundas. Para Pedro Salinas, en suma, la tradición, lejos de ser esclavizadora, resulta libertadora. "El artista —concluye— que logre señorear la tradición será más libre al tener más carreras por donde aventurar sus pasos. Ahí está también su trágica responsabilidad, la responsabilidad que hay siempre en el ademán del que escoge." Pues para él la tradición es selectiva, se queda con lo mejor, atenúa las discordancias y conserva las diferencias. De suerte que como la tradición supone presencia de las influencias, importa favorecer éstas, asumirlas, en vez de descartarlas. Y este propósito recuerda ciertas palabras muy conocidas de André Gide en su defensa de las influencias *(Prétextes)*: "Los que tienen miedo a las influencias, los que se hurtan a ellas, confiesan tácitamente la pobreza de su alma. Nada deben llevar dentro digno de ser descubierto, puesto que se niegan a dar la mano a nada de lo que podría llevarles a descubrirlo."

También T. S. Eliot había defendido hace años el valor de la tradición. Pero Salinas en su defensa de la tradición es quizá aún más absoluto, pues manifiesta su disconformidad con una idea del autor del ensayo *Tradition and the individual talent*, cuando éste escribe que "la tradición no se puede heredar y que si uno la quiere tiene que ganársela con arduo esfuerzo." "La cultura no se hereda, se conquista", ha escrito André Malraux, paralelamente, aunque desde un punto de vista revolucionario, opuesto al conservador de T. S. Eliot. Para éste, enamorado de los conceptos de orden, prevalece el sentido histórico de la continuidad. Y tal sentido "empuja al hombre a escribir no solamente con su propia generación en la sangre, sino con un sentimiento de que el conjunto de la literatura de Europa desde Homero, y dentro de ella el conjunto de la literatura de su propio país, tiene una existencia simultánea y constituye un orden simultáneo". De suerte que las obras clásicas constituyen un orden ideal, el cual se modifica por la introducción de la obra de arte nueva; mas ésta a su vez, ha de ajustarse a aquél. Luego, a su parecer, el "pasado se altera por el presente, así como el presente se orienta por el pasado". Conclusión ya excesiva, razonamiento forzado, aun con las apariencias opuestas, que rompe realmente la armonía de la integración de los contrarios y otorga, en suma, una preeminencia a lo pretérito. Lo que puede decirse —como asegura Malraux a propósito del "museo imaginario"— es que mediante su simple nacimiento toda gran obra moderna modifica nuestra perspectiva de las obras del pasado. Luego hay una interacción constante entre pasado y presente —cuando ambos están vivos—. Y el presente obra sobre el pretérito quizá con más fuerza que la influencia contraria.

Punto de llegada éste muy diferente a cualquiera de las definiciones unilaterales del clasicismo que tanto abundan. Por ejemplo, la que hizo famosa hace años, en España, Eugenio d'Ors: "Sólo hay originalidad verdadera cuando se está dentro de una tradición. Todo lo que no es tradición es plagio." Frase que pretendía rectificar ésta de Van

Gogh: "En arte sólo hay revolucionarios y plagiarios." Pero semejantes simplificaciones de una cuestión tan ardua no pueden engañar a nadie, como tampoco la habitual y desdeñosa homologación de originalidad y romanticismo. Más exacto en este punto es apuntar la posible alternancia (según hace Joan Hankiss, *La littérature et la vie*) determinada por la ley de las polaridades entre períodos masculinos y períodos femeninos a lo largo de la historia literaria. Así una época romántica sucede a una época clásica o precede a una preclásica. En esta dirección Valéry sostenía: "Todo clasicismo supone un romanticismo anterior. La esencia del clasicismo es venir después. El orden supone cierto desorden que aquél viene a reducir." Aunque más exacto fuera tal vez marcar el orden inverso: todo romanticismo supone un neoclasicismo anterior llevado a sus límites extremos. Los neoclásicos —más que los clásicos— son quienes acatan las reglas, sacrifican a la razón, restauran la mitología. Los románticos abominan de las reglas, exaltan la pasión, desprecian lo mitológico y rehabilitan un pasado intermedio.

Volviendo a Eliot. Por encima del ahistoricismo que sella su crítica hay en él el reconocimiento explícito de que ningún escritor consciente puede desligarse de su época, desde el momento en que "escribe con su propia generación en la sangre." Y aislando esta frase, ¿qué otra cosa quiere decir "escribir con su generación" sino aspirar a ser original, olvidando los modelos —temáticos o de procedimiento— que sirvieron para otras generaciones? La "fidelidad a la época" (que yo recomendaba en el prólogo a la primera edición de *Literaturas*), el "escribir para su época" que ha propagado Jean-Paul Sartre después, marcan ya el otro polo absoluto, la decisión unilateral de la alternancia.

En su último extremo nos encontramos con la tesis basada en el "arte como originalidad" que defendió lúcidamente Adriano Tilgher. Este sostiene (*Estética*) que "el placer estético consiste en sentir la vibración estética como vida y placer estético". "El imitador, contrariamente, se atiene a la forma de una obra de arte abstraída de la vida y cree que en esa abstracción reside el secreto del placer estético. Pero el suyo no es un amor de vida; es, todo lo más, cuando es sincero, amor de un amor a la vida. Y en una obra de arte la cantidad de arte que hay se halla siempre directamente relacionada con su cantidad de originalidad." Luego, concluye categóricamente Tilgher: "el arte es originalidad". La equivalencia de arte y originalidad es absoluta. Porque a su modo de ver hay obras originales que suscitan una nueva y vasta visión del mundo y otras que prolongan o particularizan alguna visión ya existente. Las primeras corresponden a un momento de actividad y creación; las segundas, a otro de pasividad y recepción. Y puesto que el arte es actividad y creación, sólo las primeras cuentan, sólo ellas merecen plenamente el nombre de obras de arte. Mas sucede que esta originalidad no brota de la nada. Su cuna es el tiempo, la atmósfera epocal de cada artista, en cuyo caos éste se adentra para extraer y organizar con unidad un mundo nuevo. Cuanto más grande es la obra de arte tanto mayor será el reflejo de su época —viene a inferir Tilgher—. Se advertirá fácilmente hasta qué punto estas ideas pueden considerarse precursoras de las que luego ha defendido J. P. Sartre en su ensayo ¿Qué es la literatura? (y sobre las cuales, así como sobre mis correspondientes prioridades, no necesito insistir, puesto que se hallan expuestas y discutidas largamente en mi *Problemática de la literatura*).

La conclusión de Tilgher supera, con todo, en audacia a las demás. Pero eso no quiere decir que no admita y aun necesite las naturales excepciones, al igual que toda norma estética, ya que precisamente lo valioso de la obra artística singular está hecho de excepciones y aun de violaciones. En cualquier caso estos dos conceptos: primacía de la originalidad, entendida como inventiva —susceptible de encajar en la tradición histórica o bien de abrir los caminos a otra nueva— y fidelidad a la época, al *Zeitgeist*, al espíritu del tiempo, son fundamentales en la formación y valoración de la literatura europea que media entre las dos guerras y que constituyen la llamada literatura de vanguardia.

No nos asuste, no intimide, por tanto, a nadie, que el predominio de las ideas mencionadas suponga el paso a segundo plano de otros conceptos antes preeminentes. Y en primer lugar, el del mismo concepto de la Belleza no cambiante, sin arrugas. Ya lo presentía Valéry: "La belleza es una especie de muerta." Lo que suena, por cierto, como un eco de Apollinaire: "Ese monstruo de la Belleza no es eterno." "Ha sido suplantada —agregaba Valéry— por todos los valores de choque:

la novedad, la intensidad, la extrañeza." Pero recordemos que el imperio de estos últimos tiene ya cierta prosapia. "La irregularidad, es decir, lo inesperado, el asombro, son una parte esencial y características de la belleza" —escribía Baudelaire—. Y por su parte añadía Apollinaire (*Méditations esthétiques*): "El espíritu nuevo reside en la sorpresa. La sorpresa es su mayor resorte." Afirmación que encuentra un eco definitivo cuando Jean Epstein (*La poésie d'aujourd'hui*) exclama: "La búsqueda de lo nuevo; he ahí el resorte de toda estética."

Mas como la conciliación de ciertos contrarios es difícil, sucede que la preeminencia de tal valor —la sorpresa— rebaja otro menos encantador, pero que en su fuero interno no deja nunca de tener en cuenta aun el artista más revolucionario: el valor de duración. Lo mismo que contemporaneidad o destiempo, lo mismo que *Zeitgeist* o eternismo, lo mismo que originalidad y tradición, los valores de sorpresa y duración son radicalmente antitéticos. Sin duda, aceptar los primeros supone renunciar a los últimos. Sin vacilación, al escribir la primera edición de *Literaturas* marqué mi criterio (que se encontrará expuesto en el capítulo "Contra el concepto de lo eterno"). ¿Haría yo mías ahora con tanto fervor y apasionamiento aquellas argumentaciones? No, ciertamente, y el punto de equilibrio a que posteriormente llegué —o traté de alcanzar— puede encontrarse en el ensayo preliminar de *La aventura y el orden*. Pero resolver un caso en lo personal no quiere decir resolverlo para todos. De suerte que la dualidad subsiste entre esas parejas de términos hostiles. No podrán escapar a él las nuevas generaciones, ni alcanzar una síntesis integradora al primer embate. Deberán resolverlo por sí mismas. Pero su misma permanencia ¿no es acaso una de las razones de la continuidad, de la renovación del arte, a lo largo de las generaciones?

MOVIMIENTOS Y PERSONALIDADES

Los movimientos literarios, sus teorías y sus obras definen quizá más cabalmente el perfil profundo de nuestro medio siglo que las personalidades aisladas. Sin duda esta afirmación, aun matizada, sonará con un grave acento de heterodoxia en los oídos tradicionalistas de muchos. Se estimará como un capricho imposible, y poco menos que como una aberración, el hecho de dar prioridad a los movimientos sobre las personalidades. Pero advirtamos ante todo que no se trata exactamente de eso: significa más bien que el punto de vista en que deberemos situarnos para examinar la literatura innovadora del medio siglo atiende con preferencia a las características de conjunto, a las aportaciones doctrinales, hechas no por entes abstractos, sino por personalidades perfectamente singularizadas, si bien éstas nos importen aquí casi siempre más como exponentes de una tendencia, de una estética que por sí mismas. En cualquier caso —reconozcámoslo— este modo de enfocar el fenómeno literario supone una considerable alteración en la óptica habitual de las valoraciones literarias. De ahí que no ya sólo este sistema, sino su motivo determinante, la existencia, extensión e influencia de las escuelas, tendencias, movimientos —en suma, de lo que es conocido más bien, como relación a su sufijo, por el apelativo de "ismos" [3]—, haya despertado y siga suscitando reacciones tan adversas.

Cuando apareció la primera edición de este libro se reprochó amistosamente al autor (y no por cualquiera, sino por un espíritu tan lúcido como Ricardo Güiraldes) que hubiera dejado fuera de sus páginas el análisis de ciertas figuras, tales como Valéry, Rilke, Joyce y Proust, quienes en ya aquellas fechas habían alcanzado primacía e influjo. La exclusión no era caprichosa ni implicaba menosprecio. Obedecía simplemente al hecho de que ninguno de ellos entraba rigurosamente en el marco de los movimientos estudiados. Como disculpa última pudiera haber alegado la frase de uno de esos autores, del autor de *Variété*, al afirmar: "Las obras de arte me interesan más que por sí mismas por las reflexiones que me sugieren sobre su generación". Cierto es que aquí esta última palabra está empleada como equivalencia de "génesis" o "formación", pero en cualquier caso apoya mi aserto. Porque mientras componía aquel libro sentí que al interés por las obras o por los autores propiamente dichos se anteponía

---

[3] Voz que, en lo sucesivo, yo escribo sin comillas ni bastardillas, con el fin de naturalizarla, de una vez por todas, en el idioma común.

en mí el interés por el cruce dialéctico de las teorías e intenciones, por el estado de espíritu genésico y generacional a la par, que entrañaban. Los diversos ismos me importaban en muchos casos por encima o al margen de sus realizaciones, es decir, por su potencia subvertidora, por la emoción descubridora que emanaban. Transcurridos los años, tales propósitos no suscitan ya reparos; contrariamente son de rigor y aparecen practicados en diversos panoramas e historias. Se recusa —leemos, por ejemplo, en la de Skira, *Histoire de la peinture moderne. De Picasso au surréalisme* (1950)— la inclusión "de artistas de calidad, pero que no han contribuido a la formación del gusto de la época"[4].

Volviendo a los movimientos literarios: negar su existencia equivaldría a tanto como negar un hecho biológico, las generaciones, desde el momento en que —según se verá más adelante— éstas sólo son concebibles en rigor como expresión de aquéllos; es decir, de grupos caracterizados por cierta homogeneidad, cierta común voluntad de estilo y un espíritu acorde de ruptura e inauguración a la par. Aun los que prefieren —terminología ya anacrónica— hablar de períodos habrán de aceptar que, en puridad, todos los períodos literarios y artísticos que han marcado su huella en la historia —Renacimiento, humanismo, barroquismo, romanticismo, etcétera— no son otra cosa que escuelas, corrientes, es decir, movimientos. Vista a esta luz una generación no es sino un movimiento literario o artístico en marcha —el movimiento por excelencia, el movimiento en su más feliz, coherente y memorable cristalización—. Si las generaciones suelen ajustarse a un ritmo trentenario, los movimientos no suponen ninguna rigidez matemática en las fechas de aparición; brotan cuando deben brotar, como expresión a su vez del factor más inalienable: las personalidades. Personalidades que, por su parte, son determinantes de los estilos. Movimientos, personalidades y estilos son así elementos estrechamente asociados en la historia literaria. Y si la existencia de generaciones no es siempre comprobable, por el contrario, la existencia de

---

[4] El mismo criterio ha seguido, años después, Herbert Read en su *Concise History of modern Painting* (1959) descartando aquellos pintores, cuyo propósito se limita a "reflejar lo visible".

los movimientos literarios es irrebatible. Y no sólo en la literatura francesa, desde la Pléyade hasta el superrealismo, si bien en ésta es donde se manifiestan de forma más común y visible; también en otras, inclusive en las más remisas u hostiles a agrupaciones y escuelas, como la inglesa; a prueba: los poetas "lacustres", el prerrafaelismo, etcétera. Advirtamos además que, en su acepción más amplia, los movimientos espirituales en la historia se extienden también a otros dominios —el religioso, el filosófico, el socialpolítico— con interferencias en el estricto dominio literario y estético.

Sin embargo, hay muchos que persisten en negar valor y trascendencia a los movimientos literarios, aduciendo una serie de argumentaciones que no será ocioso desmenuzar. No existen —vienen a decirnos— los movimientos colectivos, unánimes, con valor positivo; sólo existen las personalidades aisladas, señeras, irreductibles, que escapan a todas las agrupaciones. Gran lugar común es éste, con imponente aspecto de verdad inconcusa. Fácil es filiar el abolengo romántico de tan erróneo punto de vista. Parte del supuesto de que la expresión de grandes personalidades —no hablemos del genio— es algo providencial, algo que linda con lo mítico e indiscernible. Pero al mismo tiempo se apoya en un hecho real: que el espíritu estético es por esencia radicalmente individualista. Spranger (*Formas de vida*) vio claramente que el "homo aestheticus" está situado en los antípodas del "homo socialis". El hombre estético tolera, cierto es, difícilmente las agrupaciones y embanderamientos —sobre todo cuando le son impuestas desde fuera—. Trata de escapar a toda suerte de mallas, redes y catalogaciones. Se mueve únicamente a gusto en la soledad más completa. Y aún lleva a tal punto su afán de unicidad —particularmente el poeta, siempre predispuesto a la autoadoración, al ombliguismo narcisista— que cualquier punto de vista relativizador, enmarcándole como parte de un conjunto, semeja un agravio para sus locos deseos de imparidad. Luego, los movimientos —viene a inferirse— son en bloque la contradicción de tales características, y de ahí su imposibilidad. Los movimientos —concluyen sus enemigos, pasando a la ofensiva— son refugio de mediocres y segundones pronto desaparecidos; las personalidades verdaderas gustan de caminar solas y repugnan todo atraillamiento.

Pero ¡oh sueños insulares, oh candores robinsónicos! ¿Acaso todos los argumentos anteriores, aun siendo correctos en sí mismos, no presentan en conjunto un falso enfoque de la cuestión, y vista ésta de cerca, en su íntima realidad, no mostrará repliegues muy distintos? Ante todo, la pleamar del existencialismo ha venido a refrescar esta vieja evidencia: vivir es sustancialmente un "estar en el mundo". Además, ni el átomo anónimo ni el genio señero pueden escapar a su condición fragmentaria. Todos formamos parte de todo —viene a rezar una estrofa famosa de John Donne: "Ningún hombre es en sí semejante a una isla; todo hombre forma parte de un continente, es una porción de tierra firme". Luego la imparidad, el desasimiento de grupos, de corrientes, el divorcio de su época son imposibles, no ya en el hombre común, sino particularmente en el hombre más sensibilizado —el artista, el escritor—. Lo que sucede es que por lo mismo que estamos englobados en un conjunto humano o social, aspiramos violentamente a la soledad, a la unicidad. Acontece igual que con la idea de eternidad; por lo mismo —ha observado Ortega— que el hombre es y se sabe pasajero, aspira a ser eterno. Aquellas personalidades que imaginamos rigurosamente aisladas y aparte, de hecho nunca lo estuvieron: fatalmente aparecen uncidas, quiéranlo o no, a su época y a su medio. El hecho de que con frecuencia se opongan a su contorno —pero desde dentro— no hace sino ratificar esta ligazón esencial. Creer, soñar lo contrario equivale a suponer que el hombre vive, puede vivir totalmente escindido de sus circunstancias y habitar en un lugar inespecial, extratemporal, astral. Luego negar los movimientos es afirmar un utópico extratemporalismo, es una suerte de ucronía delirante. Supone rechazar nuestra historicidad esencial y olvidar el factor de la contemporaneidad, menospreciando el influjo del "aire del tiempo", factores todos ellos capitales e insoslayables en el arte.

Y contrariamente, aceptar la idea de los movimientos, contar con las generaciones equivale a definirse como historicista. Porque el ser del hombre tiene historia —verdad sentada por Dilthey—. El ser y el tiempo viven conjugados. Hay quienes utópicamente —para realzar grandezas o favorecerse de su brillo— se conciben ahistóricos, y como prueba de la admiración superlativa hacia una personalidad o una obra están dispuestos a calificarlas de "eternas" —imaginando así sustraerlas a la erosión temporal, al relativismo comparadista—. Lógico es que tales seres se revuelvan ante el doblegamiento temporal —y por ende relativizador—, ante el marco historicista que implica cualquier supuesto generacional, y máxime la existencia de los movimientos. Paul Valéry llegó a soñar una especie de historia de la literatura, cuyos protagonistas no fueran los autores o sus obras, sino el espíritu como productor o consumidor de literatura; historia que podría escribirse sin mencionar el nombre de un solo escritor. En definitiva, lo mismo que había practicado antes Wölflin en el plano de las artes visuales. (Recordemos, entre paréntesis, como ocurrencia lírica, que Juan Ramón Jiménez, en cierto momento, llegó a firmarse de cualquier modo: "K.Q.X." o "el cansado de su nombre".) Pero tal historia no sería una historia de la literatura, de sus vivencias humanas, sino la historia de una entelequia (en el sentido vulgar y peyorativo de la palabra), de algo abstracto e inaprehensible; cuando más la visión parcial de un estilo, una idea o una teoría, sin la pluralidad de referencias humanas y espirituales que caracterizan lo esencialmente histórico. Sería, cuando más, un estudio de ciertos ritmos verbales, de ciertos motivos temáticos que se reproducen regularmente a lo largo de las literaturas en los siglos. Karl Jaspers (*Origen y meta de la historia*) afirma que "aquello que en la historia no es más que profundamente físico y no hace más que repetirse idénticamente —las causalidades regulares— es lo ahistórico en la historia". "¿Por qué —añade— hay, en general, historia? Por el hecho de que el hombre es finito, incloncluso e inconcluible, debe, en su transformación, a través del tiempo, percatarse de lo eterno, y sólo por ese camino puede hacerlo. El carácter inconcluso del hombre y su historicidad son la misma cosa". Afirmar la existencia de las generaciones y de los movimientos supone, en última instancia, la preeminencia del factor humano en la historia; del hombre en cuanto espíritu y creación, frente al hombre en cuanto naturaleza o técnica.

Y respecto a aquellos que niegan los movimientos, desde el punto de vista de la personalidad todopoderosa, estimándolos incompatibles con los presuntos e ilimitados fueros de ésta, largo sería demostrar asimismo la sinrazón de sus razonamientos. Pero, resumiendo, apuntemos simplemente esta sospecha; ¿acaso tal hostilidad no nacerá de la confusión habitualmente extendida entre personalidad e individualidad? Mas ya Unamuno dejó establecida una muy sagaz distinción entre ambos valores, precisando (*Ensayos, IV*) que la noción de personalidad se refiere más bien al contenido, y la de individualidad al continente espiritual. "Cabe muy bien —escribía— una individualidad vigorosa con la menor personalidad posible, y una riquísima personalidad con la menor individualidad posible encerrada en esa riqueza". Confundir ambos valores y sobreestimar la personalidad significa en muchos, con relación al punto que nos interesa, infraestimar los movimientos literarios. Correlativamente, quienes tal cosa hacen no dan su debida importancia a los rasgos que yo llamo epocales, a las características comunes que definen todos los espíritus sensibles en una época dada; en suma, a aquello que yo también llamé hace años el "aire del tiempo", merced a cuyo envolvente, atmosférico, influjo se unifican tantos rostros diversos más allá de sus disparidades, y por muy lejanos que se hallen geográficamente unos de otros.

Aun en las letras clásicas —cuando no existían los movimientos literarios como tales o no se tenía clara conciencia de ellos— cualquier personalidad es, en buena parte, fruto y consecuencia de su época. Que ésta se manifieste o imponga a sus expensas o contra ella, ya es cosa distinta. Pero habrá de hacerlo desde dentro, y no desde fuera. Modernamente, a partir del siglo XIX esa evidencia se torna más clara, y pocas serán las personalidades literarias que pueden presentarse absolutamente inmunes e incomunicadas de las corrientes de ideas, sentimientos o gustos dominantes en su tiempo. C. M. Bowra, por ejemplo, ha escrito un libro (*La herencia del simbolismo*) sobre cinco poetas —Valéry, Rilke, S. George, Blok y Yeats— aparentemente disociados de los movimientos literarios que enmarcan sus respectivas obras. Y digo "aparentemente" porque del mismo modo que Bowra ha tendido a verlos aisladamente, cabría escribir otro libro examinándolos a la luz de los movimientos literarios que sellaron sus épocas y de los que no dejaron, en mayor o menor grado, de experimentar el contragolpe.

Los ejemplos más numerosos se encontrarán, desde luego, en la literatura francesa donde las filiaciones son tan claras, donde el aire de familia es siempre tan incuestionable. Sin hipérbole, y aludiendo a nuestro siglo, ha podido, pues, escribir André Breton —tradicionalista, empero su revolucionarismo, como lo es en el fondo todo francés— que "la historia de los movimientos intelectuales más recientes se confunde, en su conjunto, con las personalidades más trascendentes de nuestro tiempo". Hay otras literaturas, contrariamente, que por no presentar la misma continuidad, el mismo nivel regular —abundando contrariamente, junto a los huecos, en cumbres e imparidades— muestran intrínsecamente una naturaleza más bien reacia a los movimientos. Así sucede que en las letras de nuestro idioma las escuelas literarias apenas tienen tradición. Ni siquiera en el Siglo de Oro, cuando el nivel era uniformemente más alto y las afinidades más marcadas, los grupos fueron bien vistos. Recuérdese aquella alusión despectiva de Lope de Vega en *La Dorotea* contra "los poetas en cuadrilla". Podrá contradecírsenos mencionando, por ejemplo, ciertas escuelas poéticas —la salmantina, la sevillana, encabezadas respectivamente por Fray Luis de León y Fernando de Herrera—, pero ¿acaso tales escuelas tuvieron verdadera existencia en su día; no son más bien catalogaciones "a posteriori", hechas por los historiadores, con la intención de nombrar ciertas corrientes u obras derivadas de tales ingenios? Cosa muy distinta sucede con las escuelas de pintura, particularmente con las italianas —veneciana, florentina, veronesa, milanesa, etcétera—, pues en este arte existió en efecto una cohesión de grupo y de espíritu entre los artistas y artesanos de cada período, de cada foco artístico importante.

Si ya se empieza a contar con la existencia de las generaciones en los nuevos caminos de la historia y de la interpretación literaria, también será menester tener en cuenta a los movimientos. La aceptación de estas dos nuevas maneras de ver no supone convertirlas, de la noche a la mañana, en "Deux ex machina" irremplazables, capaces de explicar todo por sí mismas. Al revés, relativizar estos sistemas, hacerlos lo menos sistemáticos posibles, será el modo más cuerdo de extraer de ellos el mejor rendimiento. Recordemos el gesto tan humilde, tan poco petulante de Albert Thibaudet, quien —no obstante haber compuesto por vez primera una historia literaria basada en tal sistema— escribió (*Le liseur de romans*) sin demasiadas exigencias: "Aquello que se llama una generación literaria es quizá sencillamente cierta manera común de plantear los problemas, con maneras muy diferentes de resolverlos, o más bien de no resolverlos". Y parejamente cierta observación de Henri Peyre (*Les générations littéraires*) sobre los movimientos: "Un movimiento implica que un grupo o una sucesión de autores, sacudidos por las mismas fuerzas, inspirados por los mismos jefes, persiguen juntos un fin análogo." Limitar, y no extender arbitrariamente, con afanes imperialistas o exclusivistas, cualquier nuevo sistema es quizá el mejor medio para hacerlo fértil. Por lo demás, si los riesgos del método de las generaciones y los azares de la óptica de los movimientos quedarán más adelante apuntados, no por eso deberá infraestimarse las ventajas que de ellos pueden derivarse, sobre todo cuando se consideran como fermentos y estímulos del espíritu literario. En efecto, bien utilizados, en su aplicación no histórica, sino viva, constituyen, pueden constituir reóforos espirituales de gran potencia; insuflarán en sus protagonistas —los escritores— la noción de su individualidad y su historicismo, parejamente, favoreciendo además el ímpetu, la inventiva, que son la sal y el espíritu del fenómeno literario.

EL PUNTO DE VISTA DE LAS GENERACIONES

Puesto que en las anteriores páginas han surgido diversas referencias a las generaciones, considero ahora inexcusable precisar cierta interpretación de las mismas. Interpretación, digo, y no historia o crítica propiamente dichas, ya que felizmente contamos en español con un buen conjunto de libros y estudios que trazan cumplidamente los orígenes y trayectoria del "punto de vista" de las generaciones —o "método histórico" según algunos—. Además, el término de generación, aun antes de adquirir su actual contenido teórico, había entrado ya hace años en nuestro lenguaje literario, merced esencialmente a Azorín y a su concepto de la generación de 1898.

Dejando a un lado precedentes sueltos —que Pedro Laín Entralgo *(Las generaciones en la historia)* y Julián Marías *(El método histórico de las generaciones)* han rastreado minuciosamente—, sometiéndolas a una criba, las verdaderas aportaciones esclarecedoras son muy pocas. Puede decirse que la idea de generación, de modo efectivo y metódico, no azaroso u ocasional, tal como hoy la entendemos, amanece en Dilthey se consolida en Petersen y sólo cobra resuelta fisonomía en Ortega y Gasset. Por lo que concierne a su aplicación literaria —única que aquí nos importa— sus fundamentales teorías y aplicaciones están en Albert Thibaudet, en Hans Jeschke, Christian Sénéchal, Henri Peyre, Joan Hankiss y Guy Michaud, sin olvidar las derivaciones de Pinder y Passarge a las artes plásticas.

En su estudio sobre Novalis *(Vida y poesía)*, que data de 1885, Dilthey adelanta: "La obra filosófica y literaria de un hombre está parcialmente determinada, en su contenido y en su estilo, por la generación a que ese hombre pertenece". "La generación —explica en otro lugar— es un compromiso entre la arbitrariedad de la naturaleza creadora y las condiciones históricas que presiden la transformación espiritual de los hombres". ¿Quiénes constituyen una generación? "Un estrecho círculo de individuos que mediante su dependencia de los mismos grandes hechos y cambios que se presentaron en la *época de su receptividad,* forman un todo homogéneo, a pesar de la diversidad de otros factores". Y más claramente aún precisa Dilthey: "Quienes durante los años receptivos experimentaron juntos las mismas influencias rectoras constituyen juntos una generación". Si quisiéramos sintetizar estas palabras y captar los rasgos dominantes con que Dilthey caracteriza las generaciones, advertiríamos éstos: en primer término, el valor relativo, no absoluto, que otorga a la generación; es decir, que sólo parcialmente el contenido y estilo de una obra puede determinarse por aquélla; después, que la generación no es una clave única, sino un compromiso entre la arbitrariedad creadora y las condiciones históricas; es decir, Dilthey reconoce el factor irreductible de la individualidad, todo lo que hay de aleatorio e imponderable en el misterio de la creación intelectual o artística; y, finalmente, que el lazo más expresivo, el atadero fundamental entre quienes componen una generación, está determinado no sólo por la propia obra, por las aportaciones hechas, sino por las influencias que recibieron en la época de su aparición o formación.

Ahora, en cuanto a las iluminaciones fundamentales de Ortega sobre esta cuestión —particularmente en *El tema de nuestro tiempo* y *En torno a Galileo*—, sólo nos interesa recoger aquí aquellas que ofrecen un enlace específicamente literario. En primer término, su aserto sobre la existencia de un espíritu del tiempo. Y éste consiste en "las convicciones comunes a todos los hombres que conviven en su época". Hay, pues, "un mundo vigente que se nos impone, queramos o no, como ingrediente principalísimo de la circunstancia". Y ésta se traduce en las variaciones de la sensibilidad vital experimentada por cierto conjunto de espíritus en un momento dado: cabalmente por aquellos que constituyen una generación en toda su latitud. "La generación —escribe textualmente—, compromiso dinámico entre masa e individuo es el concepto más importante de la historia, y, por decirlo así, el gozne sobre que ésta ejecuta sus movimientos". Pese a las diferencias individuales que puedan existir entre seres de muy diverso temple, lo cierto es que existe un algo común; y esto hace que "cada generación represente una cierta altura vital, desde la cual se siente la existencia de un modo determinado".

Otra idea de Ortega, particularmente fecunda, es aquella que establece la distinción entre generaciones acumulativas y generaciones polémicas, según predomine en ellas lo recibido o lo aportado, la experiencia ajena o la incorporación propia. Desde luego, y a nuestro parecer, en el sentido que luego expondremos, sólo estas últimas cuentan positivamente como generaciones. Porque —escribe Ortega—, "cada generación tiene su vocación propia, su histórica misión. Se cierne sobre ellas el sagrado, severo imperativo de desarrollar sus gérmenes interiores, de informar la existencia en torno según el módulo de su espontaneidad". Asimismo, otra contribución esclarecedora capital del mismo pensador es la diferencia que traza entre contemporáneos y coetáneos. "Todos somos contemporáneos, vivimos en el mismo tiempo y atmósfera —en el mismo mundo—, pero contribuimos a formarlo de modo diferente. Sólo se coincide con los coetáneos; los contemporáneos no son coetáneos". Por consiguiente, sólo "el conjunto de los que son coetáneos en un círculo de actual convivencia es una generación. El concepto de generación no implica, pues, primariamente más que estas dos notas: tener la misma edad y tener algún contacto vital". Puesto a elegir un punto determinante de las generaciones Ortega elige la fecha en que un hombre señalado como centro de su generación cumple los treinta años. Pero esto sin caer en lo biológico, desde el momento en que advierte que la edad no es una fecha, sino una "zona de fechas", y que tienen la misma edad, vital e históricamente, no sólo los que nacen en un mismo año, sino los que nacen dentro de una zona de fechas.

Por su parte, Julius Petersen (en *Filosofía de la ciencia literaria,* de Ermatinger), aunque se apoye en lo biológico, reconoce que la "generación no puede significar el conjunto de todos los de la misma edad". A su parecer, coincidiendo en este punto de vista con la idea orteguiana de las generaciones polémicas, la nueva generación surge "en un sentido histórico-espiritual tan pronto como gentes de la misma edad cobran conciencia de que quieren algo distinto que los mayores". Y añade muy exactamente: "Se presenta una nueva generación siempre que la obra de la generación anterior se halla acabada en sus perfiles."

Mas para no traicionar su pensamiento, y aunque sean ya bastante conocidas —por haberlas transcrito Salinas en su aplicación a la generación del 98—, recordemos —entreverándolas con apostillas— los ocho factores o condiciones precisos que enumera Petersen como constitutivos de una generación. Son los siguientes: la *herencia,* la transmisión hereditaria de disposiciones familiares, si bien este factor, junto a los ejemplos probatorios que él aduce —casos de Bach, el Ticiano, Feuerbach o Mendelssohn— abunde aún más en casos negativos. La *fecha de nacimiento,* que coloca a los individuos a la misma distancia y en el mismo grado de receptividad de ciertos acontecimientos vitales. Pero respecto a este factor, deberá advertirse que la fecha de nacimiento que importa no es la biológica, sino la espiritual, la del momento en que el individuo aparece en escena (según ha sostenido también Kummer). Los *elementos formativos,* es decir, la homogeneidad de educación, de fuerzas concurrentes (glosa Salinas) a la especial modulación mental del individuo. La *comunidad personal,* la vivencia temporal que establece una afinidad por participación en los mismos acontecimientos. La *experiencia generacional,* que viene a ser el mismo factor precedente, pues supone acontecimientos —culturales o de otra índole— vividos en común por el mismo grupo. El *caudillaje,* la existencia de una suerte de guía rígido como arquetipo, pues cada generación tiene ante sus ojos un determinado ideal de hombre. Por ejemplo, en el Renacimiento, "l'uomo universale"; en el Barroco, el cortesano; en el siglo XVII francés, el "honnête homme"; en la Ilustración francesa, el "bel esprit"; en la época del "Sturm und Drang", el hombre sensible; en las postrimerías del siglo XIX, el "dandy". El *lenguaje generacional.* Anticipemos que éste es uno de los factores más exactos, y consiste en que cada generación verdaderamente definida redescubre un lenguaje, aporta un léxico, en el mejor de los casos un estilo, en el peor, maneras y tics, pero supone siempre un cambio de terminología, tiene sus fórmulas y sus "mots de passe". "El nuevo espíritu —escribe textualmente Petersen— que anima a una comunidad juvenil no sólo busca consignas, sino que puede decirse que es despertado mediante palabras mágicas, a las cuales insufla un contenido, oscuramente presentido, de conceptos, representaciones y sentimientos". Y, finalmente, el *anquilosamiento de la generación anterior.* Significa su entrega a la repetición de fórmulas que fueron novedades en su día, y su resistencia para captar o valorizar otras distintas que aparecen.

Si Petersen no hace hincapié resuelto en la fecha de nacimiento, y más bien relativiza su importancia mediante la acción de otros factores, contrariamente Wilhelm Pinder (*El problema de las generaciones en la historia del arte*) le otorga una importancia superlativa. Sostiene que las generaciones están predeterminadas por el nacimiento y que las experiencias, influjos y relaciones son factores secundarios. Para Pinder los problemas nacen con el mismo ser como determinados por el destino. Nos hallamos así con una especie de biologismo de la predestinación, con una teoría de aire cuasi astrológico —según ha observado Julián Marías—, cuya absurdidad no necesita ser subrayada. Muy seriamente sostiene Pinder la existencia de un "determinismo de los fenómenos en la historia del arte; el acontecer no es reversible"; es decir, que las cosas artísticamente son como estaba escrito que fueran. Convierte así la teoría de las generaciones en una suerte de milagrería, permitiendo suponer que hay años en que nacen genios y otros en que nacen solamente nulidades... [5].

Frente al puro disparate de Pinder, registremos finalmente una aportación ingeniosa sobre las generaciones. Ha sido hecha por Guy Michaud (*Introduction à une science de la littérature*, 1950), quien establece la sutil distinción entre generaciones diurnas y generaciones nocturnas, razonándolo así: "La duración media de treinta y tres años que se atribuye a una generación, y que representa un tercio del siglo, corresponde sensiblemente a la mitad de la duración media de una vida humana; es decir, a la mitad de un día o período de setenta y dos años. Luego si es cierto que, como se pretende habitualmente, las generaciones se suceden oponiéndose [Ortega, contrariamente, ha sostenido que las generaciones no tanto se suceden como se solapan o ensalman], se debe precisamente al hecho de que cada una de ellas corresponde a un medio día de doce horas, es decir, alternativamente, de un día y una noche." Y aduce como ejemplo un primer ritmo de alternancias: día tras noche, noche tras día, el realismo sucede al romanticismo, el simbolismo al realismo. Desde luego —ya antes hu-

---

[5] La teoría de Pinder al intentar esbozar una historia del arte por generaciones queda desmentida con un solo ejemplo. Pretende, por ejemplo, que existe una generación pictórica de 1860 constituida por varios artistas que nacieron en esa misma fecha o en sus alrededores: Seurat (1860); Toroop (1860); Munch (1860); Toulouse-Lautrec (1865); Kandinsky (1866); Nolde y Slevogt (1868), entre otros. Pero preguntémonos: ¿qué puede haber de común entre un Seurat, inventor del divisionismo, muerto prematuramente (1891), cuya obra y cuya influencia se sitúan en los finales del siglo, y un Toulouse-Lautrec (muerto a los 37 años, en 1901), de órbita semejante, cuya influencia se hace sentir, por las mismas fechas, en el primer Picasso; y mucho menos un Kandinsky (muerto en 1944), surgido a la notoriedad con el expresionismo de *Der Blaue Reiter* (1911), pero cuyo influjo, merced a la resurrección de la pintura no figurativa, sólo después de 1945 se ha hecho efectiva?

bimos de señalarlo— la ley de las polaridades existe y los ritmos alternos, el balanceo entre extremos, puede ser observado muy claramente en la historia de varias literaturas. Al clasicismo sucede el barroco, que es su desmesura, y al barroco el neoclasicismo en el otro extremo; y al afán de orden y medida extremados del neoclasicismo sucede el desorden y la desmesura del romanticismo; mientras que éste, a su vez, se ve remplazado por la observancia fiel del mundo real, representado por el realismo o naturalismo, hasta que a su vez éste es desplazado por una corriente de idealismo, etc. Por fijar un ejemplo próximo, el fin de siglo y los comienzos del siglo xx confrontados con nuestros días, marcan uno de los casos más claros en la sucesión de polaridades. 1900: anarquismo social, positivismo filosófico, decadentismo estético, exaltación y refinamiento de lo formal. 1950: lucha de ortodoxias (por no decir fanatismo) políticosociales, filosofías de la vida y de la existencia, idea del compromiso, menosprecio del arte gratuito. Todo ello confirma la existencia en la historia literaria e intelectual de las leyes de la alternancia. Es decir —según Guy Michaud—, alternancia entre períodos de introversión y períodos de extroversión, entre períodos de crisis y de equilibrio, entre acciones y reacciones. Los "corsi" e "ricorsi" de Vico y, en último extremo, el eterno retorno de Nietzsche, presiden esta idea del turno pendular de las generaciones, como reflejos que son de las sístoles y diástoles del corazón cósmico.

Si teniendo en cuenta las teorías expuestas, mas sin supeditarme a ellas, quisiera ahora precisar mi propio concepto sobre el tema, llegaría a las siguientes conclusiones: las generaciones existen, son particularmente comprobables en la historia literaria, mas para que exista de hecho una generación, con fisonomía definida claramente, es menester mucho más que una simple coincidencia cronológica entre sus miembros. No todas las agrupaciones de espíritus brotadas cada quince, cada treinta o cada cuarenta y cinco años son —como parece pretender, entre otros, Julián Marías— propiamente hablando, generaciones históricas, sino meramente biológicas. Es decir, no todas ellas se aglutinan como tales generaciones, realizando una tarea netamente definida, y dejando su huella singular en la historia, puesto que hay generaciones vacías, meramente nominales, diríamos. El ritmo histórico regular de la sucesión y empalme de las generaciones puede darse en épocas calmas, pero resulta roto y alterado en épocas inquietas, sacudidas por crisis y trastornos de toda índole, como las que vivimos en este siglo. Inclusive en el pasado, casi todos los cortes transversales que hoy se hacen, tendiendo a arracimar una serie de espíritus diversos en una generación, resultan convencionales y artificiosos. De ello se resiente un montaje tan ingenioso y erudito como el de Henri Peyre. En rigor, no existen más generaciones válidas que aquellas que comenzaron por tener conciencia de tales; es decir, las que podemos considerar bajo el nombre de movimientos. Y ello sólo sucede modernamente en todas las literaturas europeas y americanas a partir del romanticismo, cuando aparece el espíritu de grupo y la literatura cobra autonomía y se socializa al mismo tiempo.

De acuerdo, pues, con tales nociones —y sobre todo con personales vivencias literarias—, mi definición de la generación sería ésta: En términos literarios o artísticos una generación es un conglomerado de espíritus suficientemente homogéneos, sin mengua de sus respectivas individualidades, que en un momento dado, en el de su alborear, se sienten expresamente unánimes para afirmar unos puntos de vista y negar otros, con auténtico ardimiento juvenil. Repárese en el primer factor: el hecho fundamental de la "comunidad juvenil": haber tenido juntos veinte años —señala muy exactamente Peyre— es algo que liga de forma indubitable, es un sello de cohesión. Adviértase ahora la segunda y doble condición —afirmar unas cosas, negar otras—, haciendo más bien hincapié en la segunda. Porque lo peculiar de los jóvenes es esto: generalmente están más de acuerdo en lo que niegan que en lo que afirman. Su repertorio de motivos comunes podrá discrepar en las admiraciones, pero coincide siempre fatalmente en las repulsiones. Las *fobias,* aunque menos nobles, son, a este respecto, más expresivas que las *filias.* "Habitualmente —escribe Hankiss (*La littérature et la vie*)— la alternancia toma una forma más decisiva y se hace antítesis. El *sí* provoca el *no* más naturalmente que el *quizá,* y la oposición polar es una de las primeras relaciones de la vida espiritual". De ahí que cada generación, enteramente merecedora de este nombre, que surja signifique una ruptura y una inauguración al mismo tiempo. Ruptura, desasimiento del pasado, sobre todo del pasado inmediato —el que más pesa, del que interesa zafarse—; inauguración, deseo de abrir rumbos en un futuro indeterminado, pero, a la par paradójicamente cierto. Afirmarse por sí propio —resorte de lo generacional— es ante todo reaccionar contra los inmediatamente predecesores. Por ello Thibaudet escribe: "El problema de las generaciones parece ser por excelencia un problema de impulso vital, análogo al de las especies y los individuos".

Deberá subrayarse este factor inexcusable de la analogía y aun la identidad espiritual; el único que produce generaciones hasta cierto punto coherentes. Con razón escribe François Mentré —aunque sólo se refiera a las generaciones sociales—: "la base de toda teoría de las generaciones no puede ser sino psicológica; lo que diferencia una generación de la precedente y de la que seguirá es su psicología, es decir, el conjunto de sus creencias y sus deseos". "Una generación —resume— es, pues, una manera de sentir y comprender la vida opuesta a la manera anterior, o, al menos, diferente de ella." Cuando esa ligazón psicológica y espiritual falta, no pasan de ser agrupaciones cronológicas, promociones intermedias sin carácter, elaboradas a posteriori, con más o menos habilidad, pero no son propiamente generaciones. Las fechas importan, pero no son todo. Quienes sucumben al fetichismo, al espejismo de las puras fechas (casos de Petersen, Pinder y otros; Ortega, más cautelosamente, explica que no entiende por "generación histórica" simplemente una serie de hombres que nacen entre dos fechas: "las fechas, sin más, son pura matemática y no dicen nada sobre cosas reales") incurren en lo que Albert Guérard (*Preface to World Litterature*) llama muy ingeniosamente un totalitarismo cronológico, o corren el riesgo de convertirlo, según se ha dicho, en un sistema casi astrológico. Por este motivo yo entiendo absolutamente con Eduard Wechsler que "la fecha de nacimiento no es decisiva; lo verdaderamente importante es el momento de aparición en la historia".

¿Qué debemos entender por tal momento, aplicado a la literatura o al arte? A mi parecer, aquel momento en que una "comunidad juvenil" se manifiesta colectivamente, solidariamente; es decir, un primer libro, un prólogo resonante que suscita prosélitos, la publicación de un manifiesto, de una proclama, la definición por cualquier otro medio de una actitud coherente —adhesión, protesta, es lo mismo— de varios espíritus jóvenes ante ciertos hechos, personas o ideas. Y después aquella otra constelación de momentos representada por el lanzamiento de algunas obras decisivas, que singularizando inicialmente a sus autores les manifiestan también como miembros de una generación, puesto que traducen tanto las influencias recibidas como las aportadas y marcan el comienzo de su expansión.

En resumen —insistamos—: la edad biológica no cuenta fundamentalmente; lo que cuenta es la edad espiritual, la fecha de nacimiento de la obra, del espíritu propio que anima una corriente y define a un movimiento. Cierta demarcación de edades en las generaciones hecha por Segundo Serrano Poncela tiene aspectos exactos, pero otros erróneos, desde el momento en que parece querer sacrificar todo a un criterio estrictamente vitalista. Sostiene el teórico mencionado que hay una generación asimilativa, receptiva y pasiva, la cual se extiende de los quince a los treinta años; otra de gestación y creación propias, que va de los treinta a los cuarenta y cinco; otra de repliegue conservador o de defensa y consolidación, desde los cuarenta y cinco a los sesenta; y, finalmente, otra de deslizamiento hacia la inactualidad o pérdida de vigencia que se extiende desde los sesenta en adelante. Frente a esta demarcación y sus rasgos yo propondría otra más ajustada a la realidad de los hechos intelectuales: existe una generación que se extiende de los veinte a los treinta y cinco años, caracterizada por la afirmación intransigente de las propias aportaciones tanto como por la negación violenta de las anteriores; otra, de los treinta y cinco a los cincuenta, que podemos llamar de consolidación, dominio, expansión, donde se afirma el nuevo estilo de ideas o estado de sensibilidad propios de tal generación; otra de los cincuenta a los sesenta y cinco años, que en algunos miembros, ocasionalmente, puede presentar las mismas características del período anterior, pero que más frecuentemente supone un abandono de posiciones, el paso a cierto anacronismo; anacronismo que ya se hace más claro en el último de los cuatro períodos, es decir, desde los sesenta y cinco años en adelante. Pero esta coexistencia de cuatro generaciones diversas dentro del mismo ámbito temporal no quiere decir que tales situaciones no sean vividas también por la misma generación a lo largo de sus distintos períodos: son momentos de su proceso evolutivo. En todo caso, descontando las dos últimas fases nombradas, tenemos así la duración de la generación, en sus dos períodos realmente vigentes, reducida al ciclo ritual de los treinta años. Duplicar a sesenta años, mediante cuatro períodos, la duración virtual o latente de una generación, no supone en modo absoluto romper con el lapso de los treinta años que suele acordársele; porque precisamente, al mediar el tercer período, de los cincuenta años en adelante, es cuando ya ha surgido, o debe surgir, en buena teoría, otra nueva generación ambiciosa de desplazarla.

Ahora bien, ¿acaso hay siempre generaciones que se suceden con regularidad cronométrica? ¿Acaso no se producen más bien lapsos vacíos, desniveles de densidad? Porque es incuestionable que hay unas literaturas más tupidas que otras; hay además épocas colmadas en contraste con otras ralas. Literaturas tupidas y épocas colmadas son en los siglos xiv y xv la italiana; en el siglo xvi y primera mitad del xvii la española; en los siglos xvii y xviii la francesa, progresión que nos muestra un traslado del "acento" dominante de país en país europeo. Es la equivalencia de lo que sucede en el terreno de los hechos políticosociales con las preponderancias europeas que sucesivamente fueron adquiriendo varias naciones (recordémoslo, aunque sean hechos más sabidos): efectivamente, la preponderancia española se extiende desde 1559 a 1660 (aproximadamente de la batalla de Lepanto a la paz de Westfalia); la francesa desde 1661 a 1715 (es decir, el llamado "siglo de Luis XIV", que en realidad sólo es medio siglo); la inglesa desde 1715 a 1763. Del mismo modo, el siglo xviii, en su segunda mitad, y la primera del xix, marcan el predominio de la literatura alemana, así como en el siglo xix sucede la revelación de la literatura rusa y en el xx el de las literaturas americanas. Luego esta alternancia de los grandes momentos, obras o épocas capitales de hegemonía literaria a través de los países, puede indudablemente articularse en generaciones de espíritus creadores, pero es siempre más expresiva que la mera agrupación cronológica de los nacimientos.

"Más allá de los sesenta años —escribe Serrano Poncela— la generación no existe; es virtualmente ahistórica, aunque siga siendo una generación cronológica". Pero afirmación tan terminante sólo es una prueba del maniatismo matemático en que los teóricos absolutos de las generaciones nunca se libran de incurrir. La vitalidad o el acabamiento de una generación se comprueba de otra forma, sea cualquiera el punto cronológico en que se encuentre. Si continúa interesando a los llegados posteriormente, a la última promoción de productores y consumidores literarios, podremos decir que existe plenamente. Si, por el contrario, ha dejado de ejercer toda influencia sobre los jóvenes relevos, habrá perdido su influencia y su valor como generación ascendente. En relación con este último supuesto, recuérdese la vigencia extraordinariamente dilatada de ciertos autores, el ensanchamiento de la órbita de influencia lograda por sus obras. Es el caso de los hombres longevos que rebasan plenamente sus generaciones: en la antigüedad Aristófanes, Sófocles; después, Ticiano, Voltaire, Goethe, etc. Y, en nuestros días, los casos que podemos atestiguar de varios pintores: Renoir, Monet, Matisse, Picasso, Bonnard, Vuillard, Rouault, Kandinsky; algunos particularmente, como los últimos nombrados, al rebasar la setentena, es cuando logran el máximo influjo de su obra. Y en la memoria de todos están también los casos de escritores longevos, o muertos hace poco: Bernard Shaw, Claudel, Gide, Croce, Menéndez Pidal, Baroja, Azorín, Santayana; Dewey y Sanín Cano en el continente americano. Se argüirá que en algunos casos son "supervivientes" de sus propias obras, pero en otros la vigencia es efectiva, y ésta se traduce en la imposición y expansión de un estilo ideológico o artístico. Y quizá las influencias más extensas son las de "efecto retardado". Fijémonos, por ejemplo, en algunas de las que más se acusan durante los últimos lustros. Kierkegaard muere en 1855; *Los cantos de Maldoror,* de Lautréamont, se publican en 1868 y *Una temporada en el infierno,* de Rimbaud, en 1873; Henry James publica sus obras capitales en el último tercio del pasado siglo; Kafka, finalmente, muere casi desconocido en 1924... Y no hablemos de ciertos *revivals*, estrambóticos, como el del Marqués de Sade, extraído del siglo XVIII.

Inicialmente la generación es, sí, una voluntad de renovación, pero es también, después, la imposición de un estilo. Y las generaciones, antes que por las fechas, han de ser determinadas mediante la comprobación de si existe o no una unidad de estilo entre sus miembros. "El problema —escribe Petersen— radica en la cuestión de si la nueva voluntad de los ascendientes se halla implicada en la fecha de nacimiento, como predestinación de futuras aportaciones [según entiende Pinder], o si esa voluntad se engendra bajo la impresión de vivencias homogéneas en las que se coincide simpáticamente". El segundo supuesto nos parece el más cierto. Porque —diciéndolo de una vez— la generación no nace, se hace. Es un acto espiritual y no un hecho biológico. Responde a una homogeneidad de espíritu, cristaliza en una voluntad de estilo. De otra suerte, cualquier leva, cualquier promoción de escritores o artistas a lo largo de la historia constituiría una generación. Y la realidad es que sólo hay muy pocas generaciones de perfiles netos, claramente diferenciadas, que marquen una ruptura con lo inmediatamente anterior y abran nuevas vías al mismo tiempo. Generaciones que cumplan estas condiciones son, modernamente, el romanticismo alemán, el simbolismo francés, el 98 en España, el modernismo en Hispanoamérica, por citar sólo algunos de los ejemplos más conocidos, más fácilmente comprobables.

Los lapsos temporales elegidos para la determinación de cada una de las generaciones varían —aunque la medida común sean los períodos de quince a treinta años—. Pero es imposible fijar una isocronía absoluta, pues —como antes también advertí— hay en la evolución del espíritu y en la historia literaria épocas tupidas y épocas hueras. Ello indica, entre otras cosas, que las generaciones no son meras sucesiones, son accidentes y no constantes. Las "constantes" se producen más bien en el movimiento pendular de los espíritus, en las preferencias, las corrientes rectoras, pasando del orden a la aventura y viceversa. Si las generaciones fueran meras sucesiones, continuaciones, éstas se producirían automáticamente por el hecho de llegar a la adultez mental todos los años equipos de jóvenes entre 20 y 25 años. Mas sucede —en el arte como en la vida— que buen número de ellas son sucesoras, no fundadoras. Les falta ese fermento de disconformidad o rebelión, y también el apetito de lo radicalmente nuevo y presuntamente distinto; en suma, la actitud polémica; condiciones *sine qua non* para su efectiva existencia.

FUNCION DE UNA CRITICA LITERARIA

Como en otras varias cuestiones expuestas en la primera edición de este libro, las rectificaciones y las ratificaciones se imponen pareja y complementariamente al llegar al punto del sistema crítico elegido. Mejor dicho, entonces no hubo tal opción. Pues cuando en los alrededores de mis veinte años fui escribiendo aquel libro no hubo propiamente elección de un sistema crítico determinado. Estuvo resuelto en la simple actitud del enfoque literario que lo predeterminaba; es decir, la crítica afirmativa y constructora, la crítica impulsada por el entusiasmo, sin asomo de ambigüedades escépticas o ambivalencias irónicas prematuras, la crítica identificada amorosamente con su sujeto, y por ello capaz de alzarse desde su primitiva oriundez rapsódica a un plano de creación. Creación, entiéndase, porque en vez de seguir cortejos se adelantaba a abrirlos; en vez de limitarse a recorrer territorios ya colonizados se hacía intrépidamente exploradora de otros intactos; en lugar de ceñirse a apuntalar valores ya clasificados, tendía a establecer la preminencia de otros en discusión.

Para mí, en suma, la crítica de la nueva literatura equivalía entonces a descubrimiento, se identificaba con la creación. De ahí el apelativo de "crítica poética" que actualmente tendería a suprimir, dada la fácil garrulería, la oquedad sonora, la gratuidad irritante en que tal sistema hecho asistemático ha degenerado. Por ejemplo, cierto género de poema en prosa que pretende ser la crítica de una poesía, resulta una inocencia cuando no una impostura. Desde el momento en que dicho modo de interpretación degeneró en un aguachirle desabrido, hecha con residuos del más fácil impresionismo; desde el momento en que perdió de vista la obra en sí misma, convirtiendo los textos en pretextos y haciendo irrecognoscible el punto de partida, su descrédito estuvo sellado. Cuando Anatole France, en días finiseculares (prefacio a la primera serie de su *Vie Littéraire,* 1899) afirmó que "no hay crítica objetiva puesto que no hay arte objetivo" y que el "buen crítico es el que narra las aventuras de su alma en el seno de las obras maestras", subrayó evidencias, pero no previó lo que después vendría...

No se malentiendan estos reparos. Al cabo, si la subjetividad es irrenunciable en toda expresión artística, también lo es cierta dosis de impresionismo en cualquier quehacer crítico —inclusive en la erudición que pretenda ser más objetiva—. Y en tal sentido le asiste plena razón a Alfonso Reyes cuando afirma que el impresionismo es el común denominador de toda crítica *(La experiencia literaria)* y cuando explica que el "impresionismo es la crítica artística, creación provocada por la creación; no parásita, como injustamente se dice, sino inquilina, y subordinada a la creación ajena sólo en concepto, no en calidad, puesto que puede ser superior al estímulo que la desata" *(La crítica en la Edad Ateniense).* Por su parte, Albert Thibaudet *(Physiologie de la critique),* llevando la crítica al límite soberano de la autonomía, sostenía que ésta excluye toda idea de parecido, añadiendo: "El artista imita a la naturaleza, el imitador al artista, pero el crítico se esfuerza en imitar no a la naturaleza que crea las cosas y los hombres, según hace el artista, no al artista, quien recrea una naturaleza como hace el imitador, sino a la naturaleza que ha creado al artista; es decir, a la naturaleza encarnada en un momento particular y en una creación individual".

De suerte que apuntar las limitaciones de tal sistema no supone contrariamente pasarse al otro extremo y hacer la apología de la objetividad, cuya expresión última estaría en aquel escueto rimero de fichas presentadas como libros que Valéry Larbaud *(Sous l'invocation de Saint-Jérôme)* recomendaba a los eruditos para diferenciar netamente su tarea de cualquier otro intento crítico. Cierto coeficiente de subjetivismo, aun en la más severa exegética, será siempre necesario y hasta inexcusable. La intención objetiva debe existir en la fidelidad al motivo, en el punto de partida, pero no en el de llegada, forzosamente personal. Los modos de filosofar más entrañables, aquellos que precisamente se han mostrado más fecundos en los últimos tiempos, vienen a demostrar la "ilusión del observador absoluto" y la consiguiente verdad de las perspectivas relativas, referidas a un ser concreto y a una situación determinada.

De ahí que la crítica creadora haya de fijar preferentemente su atención sobre el presente irrenunciable —visto, por lo demás, con cierta latitud que puede extenderse a la articulación de sucesivas generaciones—. Es decir, lo opuesto al criterio dominante hace años, y que luego fue ya menos excepcional sostener, según prueba este párrafo desafiante de Jean Paulhan (*F. F. ou le critique*): "A quien descubre hoy a La Fontaine o a Esquilo es ya permisible preferir el crítico que sabe poner en su justo sitio a Rimbaud cuando vivo, a Joyce o Gide, antes de muertos. En suma, cabe preferir el crítico del tiempo presente al crítico del tiempo pasado por ser más audaz, más creador y también más crítico."

Crítica viva, crítica comprometida —aun antes de que apareciera esta palabra en el vocabulario intelectual— era la practicada por mí. En efecto, yo entendía la crítica como compromiso, empeño y riesgo. Encarar los valores nuevos en discusión, tratar de cuestiones en litigio y hacerlo abiertamente, sin evasivas verbalistas ni cómodas ambigüedades, ¿qué otra cosa era sino comprometerse? Más en general el "compromiso" se entendía al revés: como un pacto, como una transacción, como un procedimiento para escapar del plano arriesgado, prefiriendo los desvíos oblicuos o las fugas ucrónicas. Por mi parte —según escribí entonces— sólo me exaltaba espiritualmente aquello en lo que veía gérmenes de futuro; sólo me tentaban profundamente aquellos valores sobre los que cabía aplicar el lujo emotivo de la apuesta. En suma, únicamente suscitaban mi curiosidad y enardecían mi entusiasmo aquellas obras nuevas, ciertas personalidades y tendencias lejos todavía de la aceptación general, pero cuyos perfiles se reverdecían en cada aurora, brindando siempre un agraz incitante. Crítica prospectiva frente a crítica retrospectiva. Pues en rigor, y ampliando la órbita de la cuestión, sólo hay dos maneras esenciales de innovar —según ya escribí hace años—: mediante la rotura de lazos, cara al espacio virgen, ambicionando un neomorfismo total, o mediante una violenta torsión de retorno no a lo inmediato, sino a lo remoto, hacia las ocultas fuentes. Los descubrimientos pueden algunas veces ser redescubrimientos. La retrospección, cuando apareja confrontaciones imprevistas, resurrecciones fértiles, se equipara con la más audaz prospección.

Ahora bien, en cualquier caso exaltar la función de la crítica no supone —contra lo que pudiera temerse— su conversión en un sistema riguroso, cifrado en fórmulas o probanzas de aire matemático. Quiero decir con ello cuán lejos está de la *Literaturwissenschaft* y cosas semejantes la "interpretación en simpatía" de la crítica aquí defendida. Porque la crítica literaria (escribió con palabras no prescritas Menéndez Pelayo, *Orígenes de la novela*, III, XXVII) "nada tiene de ciencia exacta y siempre tendrá mucho de interpretación personal". Con todo, se dirá: ¿acaso no puede existir una "ciencia de la literatura"? Es lo que está por demostrarse. A primera vista, el simple ayuntamiento de esas dos palabras —ciencia, literatura— parece una insalvable "contradictio in adjecto". Después, una solemne pedantería de abolengo tudesco. Sin embargo —al margen de los métodos en que ya ha cristalizado tal "ciencia de la literatura" y que no es del caso examinar ahora —hay una razón suprema que justifica la apelación a algún método: y es cierta fatiga general del voltario subjetivismo, el simple juicio de gusto; cierto hastío de la mera paráfrasis de textos, que no aporta nuevas perspectivas y se limita a variantes verbales de la obra misma. Porque suele olvidarse algo elemental: que la crítica, de cualquier índole que fuere, no es descripción: es fundamentalmente *valoración*, y, precisamente, *situación* [6]. Este juicio de valor debe ser emitido en función de conceptos que no excluyan la sensibilidad; antes la completen y cimenten. Porque si bien es ilusorio crear una crítica ajena a la iluminación sensible, no es menos descaminado aspirar a cualquier interpretación valedera que no se apoye en conceptos. El ideal será alcanzar una integración, una totalidad de lo sensible y

---

[6] Véanse mis prólogos a *El fiel de la balanza* y a *La aventura estética de nuestra edad*.

lo conceptual. Poesía y ciencia conjugadas, dando a cada uno de esos términos su sentido más lato, menos restrictivo.

¿Alcanzan tal armonía algunos de los métodos críticos más en favor durante los últimos —o penúltimos— años? Parecería más bien que rehuyendo los escollos antes apuntados, algunos practicantes de los nuevos sistemas vienen a topar con otros no menos peligrosos, como son, por ejemplo, los derivados de la atención exclusiva al lenguaje, a los valores formales. Ven el estilo únicamente en una de sus vertientes, como pura forma, más como signo que como significado, desprendido del conjunto de las restantes intenciones expresivas que definen una obra, allende lo estilístico. No puede decirse que sea "la única realidad literaria" más que considerado en la lírica pura —¡y aún así!—, no en otros géneros literarios, donde el estilo deja de ser un valor absoluto y pasan a primer término diferentes valores e intenciones. Además, su método obliga a la estilística a juzgar las obras desde un punto de vista ahistórico, como hechos aislados, reclusos en sí mismos, desprendidos de su tiempo y de todos los demás factores epocales, sin cuya consideración no puede captarse el verdadero y último sentido de aquéllas. Prescindir de tales factores equivale a desvitalizar una obra, a secar sus jugos, remplazándolos por juegos de analogías, simetrías y —en su extremo más risible— por estadísticas de palabras. Unicamente escapan a los riesgos de la estilística aquellos que como Dámaso Alonso confiesan desde el primer momento (*Ensayos sobre poesía española*) anteponer a cualquier otro supuesto la intuición: esto es, los que trabajan esencialmente con su sensibilidad poética, penetrando en las tres dimensiones del idioma.

¿Qué decir de aquellos que separan radicalmente una obra del significado, que a fuerza de perseguir esencias escamotean presencias? Aludo a ese "New Criticism" que ya data, pues sus orígenes se remontan a J. E. Spingarn, con quien adquiere nombre y fisonomía desde 1911 *(Creative Criticism)*, sistema de tanto alcance e influencia en las literaturas de lengua inglesa, como inoperante y aun desconocido en las demás; aludo particularmente a sus últimas derivaciones que no son, en definitiva, sino una sublimación del más desaforado esteticismo, la vuelta, por otros caminos, a la encrucijada impresionista que más se intentaba evitar. Su primer cultivador, J. E. Spingarn, extremando conclusiones de Croce, concebía lo poético como pura forma, ligada a un significado indefinible, y negaba cualquier relación del arte con la naturaleza, con la vida. Años después Karl Shapiro lleva tal sistema a su punto extremo, pretendiendo separar radicalmente las palabras de su sentido. En John Crowe Ranson y en otros cultivadores del "New Criticism", por encima de las obras valiosas que haya originado, este método parece agotarse desde el momento en que desecha todas las medidas históricas y se define como pura especulación. Al intentar ser una ontología, al querer encerrar las obras en una especie de campana neumática, y proceder no por sumas, sino por eliminaciones de sentido, tachando asépticamente de impura cualquiera de las múltiples referencias que una creación lleva consigo, se sitúa resueltamente en un plano ahistórico. En definitiva, sus ambiciones (desmesuradas por algunos, refutadas por otros, como Ivor Winters, *In defense of Reason*), son parejas de sus limitaciones, porque si bien la obra literaria puede ser —o parecernos en la perspectiva a distancia— ahistórica, la crítica difícilmente podrá entrar en esa zona de intemporalidad, so riesgo de perderse en digresiones pseudolíricas, abstracciones ideológicas o puras especulaciones técnicas.

Si el arte —dijo Hebbel— es la conciencia de la humanidad, la crítica —se ha dicho también— es la conciencia de la literatura. Y esta conciencia sólo puede adquirirse desde el interior de la historia. Luego toda crítica válida —quiéralo o no— está necesariamente situada, es decir, sometida en mayor o menor grado, al condicionamiento historicista. Del mismo modo la inmanencia de toda obra válida se hace trascendencia y crea su propio ámbito histórico. Su interpretación, y no sólo su historia, pertenece a la dinámica de la literatura. En teoría nada más plausible que juzgar las obras "sub specie aeternitatis"; en la realidad, nada más falso, por no decir imposible, viene a escribir Claude-Edmonde Magny (*Les sandales d'Empédocle.*) "No se escapará —agrega, parafraseando a Sartre— a la condición humana intentando abstraerse de ella, sino al contrario, aceptándola plenamente." En este camino la nueva hipérbole o desnaturalización puede venir por el lado del punto de vista ético. En uno de los tránsitos experimentados durante los últimos años, el de lo estético a lo ético, y acompañando el paso a una literatura que replantea los problemas fundamentales del hombre frente a su destino, surge también una crítica dominada por el punto de vista moral, casi ajena a los demás valores. La presencia del espíritu ético, de la inquietud metafísica o del acento subversivo le importa más que cualesquiera otros elementos intrínsecamente artísticos. Se afana así en capturar mensajes y no en alumbrar virtudes estéticas.

Pero no es de este lugar exhibir un muestrario completo de las actuales direcciones críticas, ni menos aún dictaminar sobre su respectiva validez. Lo único congruente es advertir la perspectiva utilizada para el examen de la literatura innovadora durante el período aquí registrado: y ésta no es otra que la de su propia perspectiva en ismos. Cualquier otro modo de ver sería anacrónico y desleal respecto al tiempo y al estado de espíritu con que la "defensa e ilustración" de los movimientos de vanguardia fueron encarados por mí. Mas no he de repetir ninguno de los motivos ya antes apuntados para precisar distancias con relación a la atmósfera propia de su génesis. Unicamente advertiré que si hoy hubiera de juzgar exclusivamente con criterio último, rigurosamente actual, aquellos movimientos, haría mías ciertas palabras de Sainte-Beuve (*Portraits littéraires*, III, 1864), cuando después de haber superado sus fases de romanticismo militante y de impresionista, escribía: "He desempeñado el papel de abogado defensor durante bastante tiempo; ahora me toca ser juez."

Advertiré, finalmente, que no conviene dejarse engañar por la aparente abundancia de tales ismos. Y digo "aparente" porque en realidad, y pese a los catálogos innumerables trazados por algunos, los ismos esenciales son reductibles a unos cuantos. Su proliferación es puramente nominal, y, desde luego, engañosa. Conviene, pues, ponerse a salvo de la ismomanía —diríamos— en que algún compendio sin rigor incurre. No hay por qué dar carácter de movimientos a lo que no rebasa el ámbito de las intenciones individuales o de los caprichos sectarios. Como tampoco es aceptable la anteposición de los sufijos ísmicos a nociones abstractas o direcciones personales sin eco suficiente. Desde la publicación de aquel pequeño libro —*Die Kunstismen*— que abrió la serie, en 1925, y donde ya surgía ese defecto, ninguno de los demás que rozan o abordan tales temas se ha librado de él. Al menos tal exceso no podrá ser imputado al presente libro.

Buenos Aires, 1953.

ADDENDA

...Y, sin embargo, la relación de ismos inicialmente prevista hubo de alargarse. El tiempo transcurrido desde la fecha de la anterior Introducción hasta los dos últimos años, en que el presente libro fue definitivamente redactado, obligó a una ampliación de su contenido, permitiendo incluir las más significativas tendencias, correspondientes al período de la segunda postguerra. Así en el caso del letrismo y concretismo, del objetivismo y neorrealismo, de los iracundos y los vencidos. De suerte que sin modificar por entero cierta frase contenida en las primeras páginas de la Introducción, aquella donde se escribe que "este nuevo libro define y estudia esencialmente, vista desde sus orígenes, una época conclusa (1918-1939)", cabe ahora considerarla extendida hasta sus últimas prolongaciones en la década del 60; también, con mayor precisión, podría estirarse hacia atrás, fijando el punto de partida en 1908-1910, años en que aparecen los primeros movimientos de vanguardia, particularmente el futurismo y el expresionismo.

Ampliar datos, incorporar hechos y figuras es una cosa tan fatigosa como entretenida, pero siempre hacedera. Más difícil es mantener cierta unidad de criterio o armonía de valoraciones, conseguir que los cambios de perspectiva o mudanzas de juicio ofrezcan, al pasar los años, cierta coherencia y eslabonamiento. Pero toda Historia —particularmente la literaria— es más allá del esfuerzo objetivo, historia de una subjetividad inalienable. No extrañe, por tanto, ciertas diferencias de tono, visibles al contrastar parcialmente algunos de los primeros capítulos con los últimos. Porque este libro —siempre latente en mí, por encima de las largas pausas en su elaboración, aplicadas a otros— se hizo cada vez más nuevo y distinto del que fue en 1925. A tal punto que, en rigor, son muy contadas las páginas pasadas aquí sin profundos cambios, adiciones o supresiones. Hasta en el caso de temas sobre los cuales había yo publicado pequeños libros monográficos (existencialismo, superrealismo) la transformación resultó muy considerable. Lo único que se mantiene intacto —con algunas adiciones, tomadas de otras páginas mías, pertenecientes a la misma época— es el prólogo de la primera edición, reproducido aquí a título documental. Por lo demás, no necesito entrar en detalles sobre algunas ratificaciones o rectificaciones de concepto o de forma. Ninguna obra que historie y analice cualquier época, viva o reciente, puede alcanzar una "última hora", so riesgo de aplazarse indefinidamente. Pues, según escribí otra vez, todo libro, cuando el pensamiento del autor sigue su marcha, se corrige, debe corregirse —o ampliarse o ratificarse— no en sus propias páginas, sino en las de otros libros sucesivos.

Dos palabras últimas sobre las ilustraciones: no pretenden asumir la categoría habitual de láminas artísticas. Valen, quieren valer fundamentalmente, como documentos que ayuden al lector a imaginar y reconstruir por dentro la atmósfera de los movimientos estudiados.

1965

PROLOGO A LA PRIMERA EDICION

Quant à la critique proprement dite, j'espère que les philosophes comprendront ce que je vais dire : pour être juste, c'est-à-dire, pour avoir sa raison d'être, la critique doit être partiale, passionnée, politique, c'est à dire, faite à un point de vue exclusif, mais au point de vue qui ouvre le plus d'horizons.

CHARLES BAUDELAIRE, *La peinture romantique. Salon de 1846.*

EL SENTIDO DE LA NUEVA CRITICA

La crítica nueva ha de ser esencialmente afirmativa. La crítica de las tendencias vanguardistas europeas, analizadas en este libro, tiene como objetivo primordial una misión constructora. La crítica identificada amorosamente con su tema puede elevarse, desde su primitiva zona especuladora, a un plano de creación. He ahí tres afirmaciones fervorosas que considero urgente estampar a la entrada de la galería iluminada de este friso viviente de los ismos estéticos contemporáneos más significativos.

Hay actualmente un innegable y frondoso reflorecimiento del espíritu criticista. Desde nuestro ángulo visual advertimos cómo todas las vanguardias han cerrado, o se disponen a hacer una pausa, su preliminar etapa de análisis y destrucción, entrando en un período de síntesis o constructivo. Pero antes, los espíritus instalados a modo de vigías en las atalayas, se aprestan a realizar una confrontación clara y definitiva de los valores inéditos, de las aportaciones singulares y de los estilos recién nacidos que las nuevas estéticas han ido incorporando en sus primeros tiempos. Celebremos jubilosamente esta floración luminosa del espíritu crítico. Tal espíritu constituye el mejor impelente y complemento, a la vez, del espíritu creador. Como escribía Oscar Wilde las épocas sin criticismo suelen ser épocas inmóviles, dedicadas a la reproducción de tipos formales heredados, o exentas de arte alguno. Y no nos referimos solamente a aquel sentido crítico que ha de ir siempre adherido a la personalidad de todo auténtico espíritu creador, sino al que vive independientemente de éste y alcanza autonomía expresiva tanto como fuerza refleja.

Si mirásemos solamente a nuestro alrededor peninsular, las afirmaciones anteriores no tendrían un color tan puro y optimista. Pero acontece que estamos desposeídos totalmente de todo carcelario espíritu nacionalista. Nuestra mirada perfora las fronteras y enlaza plurales horizontes. Y si bien al contrastar aquí tales afirmaciones del espíritu criticista con los panoramas extranjeros sufren una reducción, ello no basta, afortunadamente, para que nos perdamos en una ruta escéptica. Séale, por tanto, permitido al autor de este libro señalar la independencia de su gesto y la inhibición de su responsabilidad en la culpa deducida al señalar la ausencia de nombres españoles en la lista que podría formarse de los teorizantes estéticos preocupados por desentrañar las direcciones del nuevo estado de espíritu internacional. Que no se le abrume, pues, con filiaciones arbitrarias ni se le obligue a pleitesías que repugna ante los nombres de otras generaciones. Mas ¿quiénes de entre ellos han sentido alguna curiosidad hacia las fórmulas aquí expuestas o han acertado a situarse en un plano de penetración simpática? Se comprenderá, pues, cuán agudamente ha de sentir el riesgo y el placer de la soledad ártica, el joven disconforme, que antes de partir, no por un "tradicional" espíritu antipasadista, sino por el afán y el deber elemental de ser sincero consigo mismo, se despide de todos los valores anteriores, inmolándolos en una tabla rasa expiatoria, y afronta audaz y solitariamente el viaje crítico de las nuevas regiones espirituales por ellos inexploradas.

Con todo, estas radicales y necesarias negaciones previas no contagian, afortunadamente, de análogo tono desdeñoso a mi sistema crítico. Al contrario, ya he afirmado que el espíritu crítico actual, el más fértil e incitante, posee una intención afirmativa, constructiva y creadora. La crítica negativa, menuda, adjetiva, que trata de descubrir manchas en el sol, que se indigesta con los neologismos y frunce el ceño profesoralmente ante las demás extralimitaciones, no es crítica propiamente dicha; quizá sea aún aceptable para "ellos", los obstinados en perpetuar procedimientos pseudocríticos y caseros del pasado siglo, pero resulta totalmente inadecuada para las letras de vanguardia. Tal "crítica", queda reducida a una categoría más baja, a una especie de crónica satírica superficial o "fe de erratas" arbitraria. Cerremos sus exequias.

Ha llegado, por tanto, la hora de afrontar sin rodeos el nuevo fenómeno literario. Cualquier ademán polémico respecto a las literaturas de vanguardia deberá ir precedido, por parte de los antagonistas, de una "admisión de principios". Detenerse en la puerta a discutir la disposición de una casa es labor necia y baldía: hay que atravesar el umbral, penetrar dentro, para adquirir el derecho de impugnar, con conocimiento de causa, la nueva arquitectura. Haga su esfuerzo el público, y no sólo el innovador. Recomienda Gracián: "No hallarse sobrado en el concepto; los más no estiman lo que entienden, y lo que no perciben lo veneran. Las cosas, para que se estimen, han de costar..."

La crítica, como nos aconseja Ortega y Gasset, debe ser "un fervoroso esfuerzo para potenciar la obra elegida". Suscribimos íntegra y férvidamente sus palabras: "Procede orientar la crítica en un sentido afirmativo, y dirigirla, más que a corregir al autor, a dotar al lector de un órgano visual más perfecto. La obra se completa completando su lectura" *(Meditaciones del Quijote)*. En efecto, la crítica debe ser colaboradora tanto como intérprete de la obra glosada. Sólo así, situada en un plano de tangencialidad anímica simpatizante, logrará penetrar abiertamente en los recintos de las modernas estéticas. Estas permanecen herméticas y amuralladas hoscamente ante las muecas obtusas y los alaridos selváticos de tantos antropopitecos enmascarados. En cambio, el crítico, el lector simplemente, que se acerquen a las obras de este tiempo, despojándose en todo lo posible del lastre hereditario, y sólo pertrechados con la sensibilidad alerta y el espíritu irradiante de simpatía perforadora, verán abrirse ante sí mágicamente todas las puertas con el sésamo de su simpatía milagrosa.

Y de esta suerte, por escalas ascendentes, el crítico podrá elevarse a la creación: la crítica no será esclava de su "motivo", adquirirá alas, autonomía y valoración propia. Pues como presintieron varios esteticistas, y especialmente Wilde, y como afirma en nuestros días Alfred Kerr *(Das Neue Drama)* la crítica es un arte, un nuevo género literario superior o distinto a los demás. "El verdadero crítico es siempre, en mi concepto, un poeta *(Dichter)*, un *hacedor*"; al cabo, lo mismo que en Platón. "El poeta —añade— es un constructor. Y el crítico es un constructor de constructores." Y a pesar de que la historia es una ciencia y la crítica un arte —según ha recordado Valéry Larbaud *(Techniques)*— la primera puede entrar en la segunda, auxiliarmente. Así en este libro, aparecen algunas necesarias líneas históricas que contribuyen al esclarecimiento de los momentos genésicos, difíciles y oscuros, tendiendo a evitar futuros equívocos y alteraciones.

¿El nuevo crítico será poeta, como condición *sine qua non,* según quieren algunos teorizantes de vanguardia? Por nuestra parte ninguna objeción, en principio. Tal dualidad, si se rehúye el peligro de caer en una "crítica lírica", en el sentido de gratuita, puede ofrecer múltiples ventajas. Ante todo, libertar a la crítica de los eruditos paleolíticos, los eclécticos insexuados, los arribistas sin documentación y demás "pingüinos" de ese linaje, y restituirle su verdadera misión al ponerla en manos de los poetas. Que si no activos, pueden serlo, al menos, *in potentia,* dotados de cierta capacidad y sensibilidad líricas. Los poetas críticos emproarán resueltamente su simpatía hacia los nuevos territorios estéticos. Estimularán todos los impulsos juveniles rebasadores e insurrectos. No asumirán el papel de fiscales acusadores. Abdicarán de todo prurito didáctico. No invocarán los cánones ortodoxos para hacer abortar fragantes nacimientos. No se basarán, empero, únicamente en el gusto subjetivo —a pesar de que el principio del gusto que llamamos estética, según Kant, sólo puede ser subjetivo—. Obedecerán a ciertas normas estéticas que tracen las coordenadas de su época. Atenderán especialmente a realizar una valoración de calidades, procediendo radicalmente a las extirpaciones cruentas. Advirtiendo a los circunstantes: "Para comprender nuestra exigente tabla de valores, antes que sumar debéis saber restar..."

Presumimos la objeción cardinal que puede hacerse a nuestra exaltación anticipada del poeta-crítico. Este —habrá de alegarse—, al enjuiciar las obras ajenas, lo hará siempre con un *parti-pris* deliberado, un punto de mira parcial o partidista, propio de su promoción o bandería. Es decir, incurrirá en lo que Albert Thibaudet llama la "critique de soutien" *(Physiologie de la critique).* Mas ello, en vez de ser un mal, constituye, a nuestro juicio, una garantía de penetración, de fervor, de lealtad crítica. Pues sostenemos que el crítico reflejo, el crítico pasivo, no podrá elevarse —salvo excepciones— a la verdadera comprensión, la comprensión de amor. Ese crítico por excelencia —o considerado como tal hasta hoy— caerá en un eclecticismo antimoderno, en el confusionismo habitual, en la transigencia ondulante; o, en último término —supremo avatar— se especializará en la sonrisa escéptica marginal. Y esta es su cualidad más perjudicial y vulnerable. Porque, a nuestro juicio, el crítico joven, el crítico de nuestros días procreadores y aurorales ha de tener una fe. Fe significa entusiasmo definido. Exaltación del esfuerzo personal. Creencia en las aportaciones originales. Intransigencia victimaria frente a lo caduco y lo falso. Imposible por tanto, para él, caer en el eclecticismo —o en la ironía, su máscara— que aún fascina a tantas mentes indecisas. Con razón Baudelaire postulaba una "crítica parcial, apasionada, política." "El eclecticismo —ha dicho agudamente Jean Cocteau *(Le coq et l'arlequin)*— es la muerte del amor y de la justicia." Pues, en arte, la justicia es "cierta injusticia". Injusticia necesaria —agregamos—, vital, salvadora. A veces, quizá el desdén sea arbitrario o excesivo. Mas no importa: la renovación del arte, la fidelidad a la época exigen esos sacrificios. Así decreta también el mismo poeta: "Toda afirmación profunda necesita una negación profunda." Y recordemos con Oscar Wilde en *Intenciones* que la crítica no puede ser imparcial: "sólo podemos ser imparciales con aquello que no nos interesa", y "es difícil no ser injusto con lo que amamos". Escribía Leonardo de Vinci, con frase aplicable a la crítica, que para hacer amar es necesario hacer comprender. Pues bien, diríamos que para comprender y valorar las estéticas modernas debe anteceder el amor, la disposición de espíritu simpatizante. De modo más radical afirma un esteticista del cubismo, Maurice Raynal *(Quelques intentions du cubisme)* que "se ama o no se ama y no debe buscarse el comprender. Lo que importa, ante todo, es gustar de una obra por la razón que sea y entonces la comprenderemos al punto". Declaración certera y exigente que debiera grabarse en el pórtico de toda exégesis, y especialmente en la frente del público, antes de que éste ose penetrar en las escuelas avanzadas.

Amor, no desdén. Simpatía expectante y no curiosidad malévola. Estos son los atributos esenciales con los que el lector debe afrontar el conocimiento de las nuevas obras. Lo demás se le dará por añadidura. Mas, ante todo, imprescindiblemente, que nos otorgue la simpatía del gesto y la limpieza del ademán aproximativo. A ciertos espíritus ortodoxamente partidarios de las vías intelectuales en el sistema de comprensiones, acaso les parezca excesiva esta invitación a las captaciones intuitivas, dejándose arrastrar voluntariamente por las corrientes de simpatía temperamental. Mas no hay que dudarlo: este es el camino más directo. Siguiendo esta trayectoria, en cierto modo bergsoniana, y —aceptando su vocabulario— al "colocarse simpáticamente en el interior de la realidad", todo se hará diáfano y accesible.

Por el contrario, la actitud predeliberadamente hostil, la acumulación de prejuicios desfavorables —originados por una educación espiritual supersticiosamente pasadista— forman un escollo para arribar a un puerto de lucidez panorámica. Así los espíritus mohosos, hundidos en légamos de estratificaciones tradicionalistas, que lanzan una superficial mirada desdeñosa hacia el plano de lo moderno, jamás llegarán a conquistar su significación y sus bellezas. Pero ¿por qué en vez de rasgar los ventanales de su espíritu a las auras matutinas vegetan en penumbras tristes, invadidas por sombras senectas? En lícito castigo, cuando intentan asomarse a más puros y vitales horizontes, sus pasos vacilan, y sus miradas naufragan, aquejadas por estrabismos pintorescos y miopías incurables. Urge, pues, que todos los espíritus rectores se impregnen del más fervoroso *amor intellettualis* y extiendan sus contagios a las zonas del público. Deberán sentirse impelidos por aquel "afán de comprensión" que predicaba un filósofo. Pues sentirse acuciado por todas las curiosidades y atraído por múltiples experimentos, ofrecer nuestra concavidad espiritual a las más puras y vírgineas resonancias que llenan el *aire del tiempo,* es signo de una perfecta calidad humana y de un noble intelecto.

AIRE DEL TIEMPO

En el párrafo anterior se me ha escapado voluntariamente un concepto, el referente al "aire del tiempo", que dicho así llanamente puede parecer falto de sentido, pero que a mi juicio lo posee en alto grado y se encuentra repleto de sugerencias.

Aire del tiempo. ¿Qué quiere decir esto? No sería inútil que nos detuviésemos unos minutos para escuchar las resonancias que suscita.

Aire del tiempo: es algo indefinible con palabras concretas, algo tal vez incapaz de adquirir una corporeidad visible, mas cuyo efluvio espiritual, sin embargo, percibimos muy claramente. Es un conjunto de cualidades, una serie de rasgos fisonómicos, mediante los cuales discernimos si una obra se halla o no próxima a nuestra sensibilidad, si es o no es verdaderamente coetánea nuestra. El aire del tiempo es una especie de modernidad difusa que integra por una parte la disconformidad radical con el pasado —sobre todo el inmediato— y, por otra parte, el anhelo de fraguar intactos módulos de expresión literaria y estética, el deseo de abrir nuevas vías al conocimiento y a la emoción. El aire del tiempo puede confundirse con los cambios atmosféricos de la moda, pero mientras que esta última sólo aparece registrada en los barómetros periodísticos, el primero deja huellas más evidentes, fructificando las espigas de los campos que atraviesa. El aire del tiempo, en suma, puede ser Proust, puede ser Joyce, puede ser Picasso, puede ser Ramón, puede ser Apollinaire, puede ser Freud, puede ser Pirandello: cualquiera de los "totems" estéticos o ideológicos del día europeo. Es algo que inevitablemente absorbemos en la atmósfera, como un perfume ozonizador. Lo asimilamos al asomarnos a un escaparate, al desvirgar un libro, al avistar un paisaje o una ciudad, al beber un vaso de agua. Es el común denominador espiritual de una serie de fenómenos contemporáneos, que comprenden desde el psicoanálisis a la teoría de la relatividad, pasando por la deshumanización del arte, el monólogo interior, el subconsciente freudiano y la risa de Chaplin.

El aire de la época penetra en nuestros pulmones, en los de los artistas jóvenes, queramos o no. Vaya un ejemplo. Yo recuerdo que un día al contemplar los cuadros de un pintor incipiente, modernamente orientado pero puramente intuitivo, encontré que su obra revelaba una influencia difusa del cubismo, y más concreta de Picasso, hasta el punto de que algunas de las obras de mi amigo semejaban débiles rapsodias de ciertas obras de aquél. Pero no era esto lo que sucedía. El pintor joven a que aludo —me consta positivamente— no conocía ningún cuadro de Picasso, ni había tenido ocasión de ver otra cosa sino escasísimas y malas reproducciones de éste. Apenas habían llegado a él vagos reflejos de la obra del maestro, y, sin embargo, la influencia era muy evidente. ¿Cómo explicar esto? La capacidad intuitiva del artista joven, y, más especialmente, la influencia difusa pero eficaz del aire del tiempo —en cuya atmósfera pictórica están disueltos los gérmenes cubistas— aclaraba el caso. Se comprenderá, pues, toda la potencia y vitalidad del aire del tiempo, pese a su carácter místico e impreciso, capaz de comunicar un aire de familia, un parentesco irrefragable a todas las obras artísticas más netas de nuestros días. Cierto que esta influencia no tiene fuerza para manifestarse con igual vigor sobre todos los espíritus. Sólo son capaces de experimentar su contagio los jóvenes auténticamente jóvenes.

EL ARTE DE SER JOVEN

Pero ¿quiénes son éstos? La especificación merece algún rodeo. Ser joven, así, a secas, no significa absolutamente nada. Es algo inevitablemente biológico. Todos lo han sido, lo son, o están en trance de serlo —con arreglo a la partida de nacimiento corpóreo, ya que no espiritual—. Ahora bien, lo difícil, lo que muy pocos consiguen, es ser dignos de la juventud, "saber llevar" esta edad, no como una rosa en el ojal, sino en la obra: inyectar en ésta la palpitación virgen, el estremecimiento creador que les posee, para quedarse después erguidos y alertas, dispuestos a nuevas y frescas acciones y reacciones ante la vida.

Mas no se infiera de estas restricciones que propendo a disminuir el papel de la juventud, movido de un prurito desconcertante contra los jóvenes, contra aquellos que inevitablemente están a mi nivel en el tiempo, ya que no en el espacio de las intenciones. Aspiro únicamente a precisar el concepto de la juventud auténtica, marcando sus diferencias con la apócrifa. Si la fórmula aforística fuese válida, yo diría que la juventud auténtica es aquella que permaneciendo perfectamente consciente de sus dotes pone una discreta elegancia en no hacerlas sentir demasiado; mientras que, por el contrario, la juventud apócrifa se nos muestra —sea cual sea la edad en que encarne— con un impuro descaro exhibicionista.

Porque la explotación de la juventud puede ser tan impura como la explotación del éxito o de la senectud. Ningún joven verdadero deberá convertirse en un empresario de eso con que los apócrifos especulan pomposamente llamándolo "mi juventud". Porque ¡hay tantos jóvenes apócrifos y hay tantas juventudes equivocadas o sumidas en una prematura senectud! Precisamente, así en España como en América, ¡se ha entendido tan mal el deber de esa edad juvenil! Las sirenas del pretérito, del conformismo, ululan siempre con demasiada fuerza en los puertos de embarque juveniles. Recordaré siempre el caso de aquellos pintores aprendices en la Academia oficial madrileña que, en cierto momento, para asegurar la salvación de su ánima, se apresuraron a declarar espontánea y orgullosamente que ni el cubismo ni ninguna otra de las modernas fórmulas pictóricas había llegado todavía a ellos... afortunadamente —subrayando con una inocencia especial esta última palabra: afortunadamente—. Que es como si un jefe de estación dijera que el tren X que hacía quince años que debió llegar allí, no había llegado aún "afortunadamente".

Con todo, lo urgente es dignificar la "edad de oro", la "edad ingrata" o la edad sin memoria —o como se guste llamarla— de la juventud. Es un espectáculo bochornoso el que ofrecen esos jóvenes, que a veces ya no lo son, y que cifran toda su presunta novedad en el hecho de aplicarse escrupulosamente al calco de los modelos encontrados en la guardarropía de sus antecesores inmediatos; o bien en repetir hueramente con un acento de "tradicional" —lo llamo así por desacreditado— anarquismo cuatro borrosos latiguillos, hablándonos de los fueros de la juventud, de la "necesidad de exterminar a los viejos" y fáciles canturrias de esa índole. La actuación de esos individuos que he llamado antes "antropopitecos enmascarados" hace lícitas y justificables aquellas irónicas palabras de Cocteau cuando afirmaba que "los jóvenes son casi siempre los campeones de una vieja anarquía, con cuyos gruesos conceptos se llenaban la boca y los oídos".

Con esta admonición a los jóvenes que se dejan arrastrar por la fácil pendiente del conformismo o del iconoclastismo —ambas son igualmente reprobables— no pretendo vulnerar susceptibilidades, sino señalar riesgos y evitar peligros. Ortega y Gasset ha dicho que existen épocas de viejos y épocas de jóvenes: épocas acumulativas y épocas eliminadoras y que la actual es una generación desertora. Sin contradecir —dada la perspectiva general que dicta tal aserción— más exacto me parece apostillar que dentro de toda generación caben dos fases: fase destructora y constructiva: eliminadora e integral. En la primera fase es permisible que la juventud se arrostre salutíferamente a las más encrespadas negaciones, sienta la duda cartesiana de todo y emprenda el replanteamiento radical de los problemas espirituales y estéticos. Esta actitud no implica un libertinaje nefando; al contrario, facilita el primer paso hacia una afirmación nueva, hacia un sistema de verdades intactas, hacia un orden nuevamente estructurado. Recordaré esta frase: "Toda afirmación profunda necesita ir precedida de una negación profunda" —decía sutilmente el agudo revelador del *Secreto profesional*." "Destruir es construir" —venía a afirmar el Pío Baroja juvenil de *Silvestre Paradox*—. Y yo agregaría: quien no pretende edificar nada no tiene por qué derribar ninguno de los iconos más o menos respetables que le legaron sus antepasados.

Pero tal fase previa ha de ser prontamente superada. Quedarse en ella es signo de inanidad. Rebasarla es signo de vitalidad, posibilidad de pervivencia.

EL DEBER DE FIDELIDAD A NUESTRA EPOCA

Hay un deber fundamental en toda generación disidente, en toda generación que marca un punto de ruptura con su antecedente y aspira de cierto modo a comenzar en ella misma: literariamente hablando, a inaugurar nuevas líneas de expresiones, de predilecciones y motivaciones. Y es éste: el de mantenerse fiel a sí misma, a su época, a su momento palpitante, a su atmósfera vital. ¿En qué consiste esta fidelidad de la actual generación literaria, la más joven, a su época? En el deber de afirmar sus valores, de interpretar sus características espirituales, de evaluar su alcance y repercusión. Y, especialmente, en la necesidad de subrayar su diferenciación explícita respecto a las figuras y jerarquías pasadas. He aquí los puntos concretos hacia donde deben disparar sus intenciones los más jóvenes. Pues "cada generación —como escribe Ortega *(El tema de nuestro tiempo)*— tiene su vocación propia, su histórica misión".

Libres como se hallan al nacer los jóvenes de todo pacto retrospectivo, ¿por qué han de formar tan luego en los cortejos rutinarios, por qué han de chamuscar sus manos impolutas con la antorcha mortecina que los más se transfieren mutuamente, alucinados por el espejismo de la mecánica ritual? Tal pecado radica, a mi juicio, en el hecho afrentoso de que gran número de promociones amorfas no sienten su época, no llegan a adquirir consciencia de su papel inaugural, de su deber de encontrar un nuevo estilo, y se limitan sonámbulamente a servir de muros ecoicos, devolviendo las palabras ajenas aún más debilitadas. Corroborando y avalando magistralmente estas nuestras fervorosas intuiciones —que datan de 1920— ha escrito luego Ortega en el libro aludido: "Hay en efecto generaciones infieles a sí mismas que defraudan la intención cósmica depositada en ellas. En lugar de acometer resueltamente la tarea que les ha sido prefijada, sordas a las urgentes apelaciones de su vocación, prefieren sestear alojadas en ideas, instituciones, placeres creados por las anteriores y que carecen de afinidad con su temperamento. Claro es que esta deserción del puesto histórico no se comete impunemente. La generación delincuente se arrastra por la existencia en perpetuo desacuerdo consigo misma, vitalmente fracasada."

Mas he aquí, feliz y triunfalmente, una ruptura neta, una "nueva partida sobre líneas de acero" —como escribe Cendrars—. He aquí la llegada de una generación europea que ha roto los cordones umbilicales, que se ha desasido de todas las amarras. Y que aspira a ser ella misma: a adquirir su plena y genuina significación: a trazar sus normas, a elegir sus valores, no tolerando nada de lo impuesto o heredado sin previa revisión. Una generación europea que no siente rubor de su época, sino que por el contrario cumple con su más ineludible deber espiritual afirmándola, exaltando sus valores, desentrañando sus direcciones y preparando la cosecha porvenista. ¿Que nuestra época —se argüirá— es incoherente, caótica, atravesada por dispares convulsiones y colectivamente mediocre? Es probable, mas ello no implica la mediocridad del arte que surja en este alba trepidante del siglo xx.

Por ello insistiré en sostener que el deber más importante del artista nuevo estriba en ser fiel a su época. De ningún modo podemos hacernos traidores a ella. Hundámonos totalmente en sus ámbitos, sin ninguna nostalgia de lo pretérito, pero tampoco sin demasiada apetencia de lo porvenir. Hacer arte hoy día mirando a los modelos antañones, queriendo ocupar una plaza al lado de ellos, equivale al gesto inocente de pretender hurtarles una porción de su gloria. Y, por el contrario, hacer arte con el deseo de prevalecer en lo venidero y de invadir una época subsiguiente, me parece algo de una ambiciosa inmoralidad excluyente: equivale a imponerse tardíamente en una época ajena, a suplantar los valores nuevos que fatal y biológicamente deberán surgir en ella. Así, pues, no aceptemos ni la fórmula pasadista ni la postumista: esforcémonos simple y humildemente por ser nunistas (*nun,* momento), esto es, fieles al día en que nacimos, a la época en que nos movemos y dispuestos a espejar en nuestra obra su sentido.

FISONOMIA DE LA MODERNIDAD

Sentido de la época quiere decir tanto como sentido de lo moderno. Pero ¿qué es lo moderno, dónde está la modernidad? Tratemos de fijar sus rasgos fugitivos, intentemos capturar la fisonomía de esa cacareada modernidad, a fin de resolver qué es lo que puede considerarse como tal y determinar su legitimidad como factor inspirador del arte actual.

"Abajo los ídolos: no hay nada más anticuado que lo moderno" —ordenaba un disidente cuando el futurismo llegó a su climax. ¿Afirmación sincera o burlesca paradoja? Quizá, más bien, una humorada por contraste de reacción contra la fuerza invasora de los elementos "modernos", que fluye muy caudalosamente en el estuario del arte nuevo. Bajo la transcrita condenación de tales elementos se actualizaba y latía virtualmente un doble problema estético cuyo planteamiento definitivo y resolución urge abordar. Se trataba, en síntesis, de descubrir si en la nueva era del arte habían de ser aun conservados los viejos y agujereados motivos de siempre, confinando la inspiración y la fantasía recreadora en los límites y elementos conocidos, o si, por el contrario, se imponía la instauración decisiva de los nuevos y actuales sujetos temáticos brindados por la época. Que tal problema estético, encaminado a valorar la significación de los elementos modernos, y su interpretación literaria o plástica preocupa hoy a los espíritus más vigilantes, nos lo demostraba la convocatoria de aquel curioso Congreso, convocado en París, en 1920, para la determinación de las directrices y la defensa del espíritu moderno. Una de las numerosas cuestiones que habían de ser planteadas era la réplica a la siguiente pregunta: "Entre los elementos llamados modernos, ¿un sombrero de copa es más o menos moderno que una locomotora?" Interrogación singular que, bajo su enunciado aparentemente humorístico, encerraba la clave de este problema estético y aguzaba la pugna polémica entre dos conceptos del arte y dos sectores rivales.

Hostil y paralela a la tendencia subrayada, que propugna la aclimatación espiritual de los valores y símbolos netamente modernos, se acusa una intención opuesta, rehabilitadora o, por mejor decir, perpetuadora de los temas rituales y endémicos. Y resulta extraño que los sostenedores de este criterio regresivo y estacionario sean espíritus inquietos, algunos de ellos con patente juvenil irrecusable, quienes después de haber coqueteado con las locomotoras, el "jazz-band" y el arte negro, más tarde, ya por debilidad o hastío, niegan el valor estético de los elementos modernos, quizá por no haber sabido estilizarlos, extraer un estilo.

Con todo, parece innegable que una nueva sensibilidad ha nacido con nuestra época y se halla en vías de encontrar su definitiva expresión. Nuestro deber juvenil de fidelidad a esta época nos obliga, por consiguiente, a registrar sus signos más característicos. Y a afirmar que las máquinas, su proyección estética, no son como varios pretenden, efectos de una sensibilidad, sino causa inequívoca, palmaria y beneficiosa de esta misma sensibilidad. ¿Acaso la función es anterior al órgano? Son, pues, las ruedas del nuevo maquinismo las que mueven nuestra sensibilidad en un sentido original. Ahora bien: en lo que sí deben disentir de Marinetti y de sus desbocados congéneres los nuevos poetas es en creer que esta nueva sensibilidad haya de ser proyectada exclusivamente sobre las máquinas, sobre los objetos recientes, aplicándolas también a los temas eternos, los motivos imperecederos que se transmiten de generación en generación. Conseguirán así rejuvenecerles, infundirles una faz inédita e incorporarlos al friso de sugerentes motivos contemporáneos. Pero sin olvidar que la poesía, para adquirir su más alto valor de autenticidad y coetaneidad, ha de objetivarse sobre elementos vitales y emocionales del contorno.

Es cierto que el recuerdo de una cosa —al extraerse del baño en penumbra de la memoria— parece y puede ser más interesante que la cosa misma. Es decir, un objeto, una emoción, un estado anímico en su proyección evocativa, es más fácilmente poetizable que un objeto actual. El minuto presente, por su misma imprecisión y movilidad, ofrece más dificultades para llegar a ser materia estética. Los recuerdos, en cambio, fermentan ellos solos al envejecer y destilan un alcohol de poesía. Así —por ejemplo— cuando Valle-Inclán nos habla de Santiago de Compostela o Darío de Versalles, su esfuerzo lírico, en rigor, no es tal: su intervención poética queda reducida al menor grado. Para esa labor de acumulación de recuerdos formados con nostalgias y esplendores pretéritos, ni Darío ni Valle-Inclán necesitarían su cerebro y su sensibilidad: les bastaría con poseer la normal subsconsciencia de un burgués paseante. Las solas palabras "Santiago", "Versalles", asociadas a la evolución de tales lugares que su simple nombre suscita, son ya poesía intrínseca. En cambio, tomad las palabras "Liquidación-Automóviles X - Próxima inauguración", divisadas, relampagueantes al pasar desde la plataforma de un autobús, sobre una valla de anuncios. Intentad poetizarlas; disponeos a convertirlas en materia estética, a extraer de su cotidianidad vulgar una visión de frescura y una metáfora original. Convendréis en que esto es muy distinto. Hace falta una agudeza visual, una sensibilidad lírica nunista y un vocabulario muy diferente al requerido para oscurecer, aún más, con llantos elegíacos, las piedras verdinosas, o para situar dos autómatas que se hacen el amor sobre los parterres geométricos.

Lograr un relieve y una emoción singular y fragante para el tema inédito, sea o no maquinístico, para captar el "aire del tiempo" constituye un "número de fuerza". Pues bien: antes que otros, los artistas que tienen músculos para vencer en estos *tours de force* líricos, son de los nuestros, son nuestros poetas.

VALORACION DEL PROPIO TIEMPO
O HEROISMO DE LO MODERNO

Sin duda, ningún otro grande espíritu como Baudelaire —cuya agudeza crítica es par de su genio poético— sintió tan viva y profundamente, hace cerca de un siglo, los deberes del artista respecto al sentido y la temática de su tiempo. Muestras de esa preocupación transparecen en varios de sus estudios sobre la pintura; de modo especial en el capítulo titulado "De l'heroïsme de la vie moderne" y en las páginas dedicadas a Constantin Guys, "Le peintre de la vie moderne", que sobrepasan en mucho al tema *(Curiosités esthétiques).* Merecen, pues, sus palabras ser recordadas y parafraseadas con alguna atención.

Antes que nada Baudelaire sienta esta afirmación capital: "Al igual que todos los fenómenos posibles, todas las bellezas contienen algo de eterno y de transitorio, de absoluto y de particular. La belleza absoluta y eterna no existe, o más bien es sólo una abstracción espumada en la superficie general de las bellezas diversas. El elemento particular de cada belleza proviene de las pasiones, y del mismo modo que nosotros tenemos nuestras pasiones particulares tenemos también nuestra belleza." Pero ¿qué es esta belleza, en qué consiste? ¿No es acaso una dualidad más que una unidad o un absoluto? "Lo bello —escribe Baudelaire— está hecho de un elemento eterno, invariable, cuya porción es excesivamente difícil determinar, y de un elemento relativo, circunstancial, que será si se quiere alternativamente o de una vez la época, la moda, la moral, la pasión." Y esos últimos elementos son los que el artista debe esforzarse por buscar en su propio tiempo, en vez de echar por el perezoso atajo de declararlo todo feo e ininteresante. "La modernidad —resume Baudelaire— es lo transitorio, lo fugitivo, lo contingente, la mitad del arte, cuya otra mitad es lo eterno e inmutable." Partición salomónica de evidencia pasmosa; equidistancia entre dos excesos que tan raramente se logra. Hay quienes arden en la llama de su tiempo por bascular totalmente del lado de la modernidad. Hay quienes sólo dan frutos insípidos, al querer borrar de su obra lo contingente y buscar lo intemporal, como garantía segura de pervivencia, sin advertir que en la mayor parte de los casos tal actitud equivale a tomar billetes para el Limbo. ¿Cuál de ambos excesos es más vituperable? A nuestro juicio el segundo, pues implica un fraude con el tiempo, mientras que el primero sólo es achacable a candor o desmedida confianza. Pero en cualquier caso el artista sensible a su época —vista ésta con cierta perspectiva amplia— no podrá suprimir de su obra aquel elemento actual, nunista, so riesgo de caer "en el vacío de una belleza abstracta e indefinible, como la de la mujer única antes del primer pecado" —según frase de Baudelaire—. "¡Malhaya —digamos con palabras del mismo— quien estudia en lo antiguo otra cosa que el arte puro, la lógica, el método general! Por hundirse demasiado en aquél pierde la memoria del presente; abdica del valor y de los privilegios facilitados por la circunstancia, pues casi toda nuestra originalidad proviene del sello que el tiempo imprime a nuestras sensaciones."

Que ese elemento temporal del arte esté ligado con el fenómeno de la moda, ya queda advertido; que, de consiguiente, la obra influida por tal factor pueda ser afectada por sus mismas vicisitudes, es algo innegable, pero no intimidante. La moda tiene —diríamos, remedando a Pascal— sus razones profundas que la razón no conoce. "Es un error —ha escrito Ortega *(Las Atlántidas)*— desdeñar los caprichos de la moda; si los analizamos nos servirán como datos de la más fina calidad para insinuarnos en lo recóndito de una época." La efimereidad de su destino no descalifica su importancia; al contrario, le agrega un encanto más, según ha advertido Georg Simmel. Y lo que importa, en último término, no es sólo extraer de la moda —según escribía Baudelaire— aquello que contiene de "poético en lo histórico", sino rebasarla, pero desde su propia esfera y no desde los aledaños hostiles...

CONTRA EL CONCEPTO DE LO ETERNO

¡Que el poema, el lienzo y el ritmo modernos vivan la dinámica, jubilosa y perecedera plenitud de su instante! —pudiéramos concluir—. ¡Que giren, evolucionen y procreen en la atmósfera de su época, sin preocuparse demasiado de su hipotética pervivencia futura! Porque además el artista actual debe aspirar a que su arte —renovador, destructor y constructor— sea reconocido y valorado en su misma época. ¿Acaso crear, desdeñosos de la época —sin aspirar a persuadirla: ¡tanto peor para los espíritus de la misma si no se prestan a ello!—; acaso trabajar con miras a una exclusiva celebridad póstuma no es algo de una ambiciosa inmoralidad excluyente? ¿Acaso no equivale a imponerse tardíamente en una época ajena, a suplantar a los espíritus nuevos y rebasadores que fatal y biológicamente surgirán en dicha época subsiguiente? Frente a cierta fórmula restringida —artistas vivos y obras póstumas—, opongamos ésta más sincera: ¡obras vivas y artistas más vivientes aún! Pues —pensemos por un momento—: si la inmortalidad es un juego de azar que niega el futurismo, y si toda obra maestra, según un dadaísta, no dura más de tres meses, el fiasco del eternismo sería demasiado trágico.

Pero soslayando cualquier desviación humorística, rehabilitemos seriamente las categorías del tiempo. Seamos fieles a la época. No nos dejemos devorar por el dragón amenazador de la eternidad. Y exclamemos con Quevedo: "Lo fugitivo permanece y dura." Porque es algo real, tangible, mensurable. La eternidad es un ente inaprehensible, urdido por los sofistas y los teólogos para calmar ese vago y empero contumaz hambre de infinito que padece el hombre. "El silencio eterno de esos espacios infinitos me estremece" —pensaba Pascal—. Por otra parte, no hay idea que imponga en nuestra mente tanto pavor y desánimo como este concepto abstracto y falso: eternidad. Ante la eternidad todo se diluye y se degrada, o, peor, se nivela en una común borrosidad. Ante ella, en la distancia —contra la común creencia— se hunden las categorías señeras y las diferencias jerárquicas establecidas por el tiempo. Creer en la eternidad es, en cierto modo, caer en el escepticismo. Establecer los dictados del tiempo contemporáneo implica la posesión de un entusiasmo y de una fe en el poderío transmutador del hombre. En trance de enjuiciar y definir nuestra época, aceptemos, pues, las normas del tiempo con toda su inherente relatividad.

La mayoría, empero, opina lo contrario. Sostiene ingenuamente que sólo lo eterno, lo consagrado por el tiempo, el arte clásico (o pseudo) que reposa en estratos apaciguados e inalterables es digno de entusiasmo, de fervor y de exégesis. Cree cándidamente en la perpetuación de ciertas fórmulas de arte y de los sistemas valoradores. Ignora el "aumento de velocidad" que —al decir de Jean Epstein— se ha producido en la marcha de las evoluciones espirituales y de los gustos literarios. "Ce monstre de la Beauté n'est pas eternel" —escribía Apollinaire. ¡La eternidad! ¡Oh, lo clásico! Y amparados en estos nombres nos apedrean, casi siempre, con obras de cartón piedra. Disponemos de un carcaj de réplicas flecheras contra sus argumentos. "Mas, ante todo, eterno no quiere decir nada —escribe Jean Epstein *(La poésie d'aujourd'hui)*—. Pongamos: durable. Una imagen no puede ser durable. Científicamente el reflejo de belleza se fatiga: la imagen se transforma en *cliché* al envejecer. Racine, en su tiempo, debía ofrecer a sus auditores imágenes nuevas y desacostumbradas. ¿Qué resta hoy día de ellas? Tonterías." La conclusión es excesiva, deliberadamente. Pero no deja de llevar encapsulada un átomo de verdad.

Esta incredulidad cuando no negación de la belleza eterna, ofenderá seguramente a todos los siervos que se prosternan ante las categorías de la eternidad —¡la gran niveladora, sí, mas también la gran corruptora!— Todos ellos ignoran el espíritu y la belleza nunista, la belleza genuinamente de nuestro tiempo, destinada a alcanzar sus máximos grados de elevación en su propio ámbito, y se sienten temblorosos de respeto ante los espectros milenarios o las convenciones de museo. Pero ya un arrostrado pensador contemporáneo, coincidiendo con la dirección ofensiva de los dardos más juveniles hacia el concepto de eternidad, lo ha afrontado con palabras sagaces: "A esta belleza que aspira sobre todo a ser incorruptible [alude al arte novelístico de Anatole France] y sin edad, confieso preferir un arte más saturado de vida, que se sabe hijo de su tiempo y con él destinado a transcurrir. Ese presunto carácter de eternidad, de incorruptibilidad, de insumisión a los gusanos, sólo se logra vaciando la obra de toda entraña viva, momificando el propio corazón, y haciendo del rostro animado un mascarón exánime." De ahí que las obras de ciertos autores remotos —viejos que no llegan a clásicos— nos dejen en el paladar cierta áspera sensación de cenizas y prefiramos gustar aquellas otras de un sabor más intenso y desconocido, aunque pasajero, o, mejor aún, las que nos brindan el agridulce de lo inmaturo, en vías de sazón.

Negar esa imagen abstracta de la eternidad, apologizar el instante en su profundidad, no es condescendencia frívola, contra lo que pudiera erróneamente suponerse; al contrario, se relaciona con esa "eternización de la momentaneidad" que exalta Unamuno, y en último término con la idea, tan desoladora y esperanzada a la par, del "eterno retorno" que descubrió —o redescubrió— Nietzsche cierto día de agosto en 1881 en Sils María, al pie de una roca piramidal, a 6.500 metros sobre el nivel del mar y a muchos más sobre el nivel de todas las cosas humanas, según él mismo escribió. Vio que si el tiempo es infinito, cada cierto período, de modo cíclico, volverá a ser idénticamente como fue. Somos —pensó— las sombras de una naturaleza ciega, y monótona, los prisioneros de cada instante. Pero "no olvidemos —parafrasea Daniel Halévy— que esta tremenda idea que nos prohibe toda esperanza, ennoblece y exalta cada minuto de nuestras vidas; si el instante se repite eternamente deja de ser una cosa pasajera, y exalta cada minuto de nuestras vidas; lo más mínimo se convierte en un monumento eterno, dotado de valor infinito y —si la palabra divino tiene algún sentido— divino." Pues bien, el instante que aquí exaltamos no es el que termina en sí mismo; es el que repitiéndose cíclicamente cobra una fuerza y un significado especiales durante aquellos períodos en que el hombre, frente al universo de las formas dadas, se siente fatigado y expectante, destructor y creador al mismo tiempo.

ACTITUD ANTE EL PASADO

Relativizar el concepto de eternidad y, por tanto, reducir el valor del pasado no significa —urge advertirlo— corear los fáciles latiguillos marinettianos de execración pasadista, ni asociarse a la liga vetustófoba para la incineración de museos y bibliotecas. Es decir, ni vetustofobia ni modernolatría. El pasado artístico, abstractamente, no nos interesa como tal, en su fría reducción museal, en su yacente esterilidad estatuaria. Nos interesa el pasado en función del futuro, y, mejor aún, del presente. En sus potencias no marchitas. Como substrato y base para garantizar la solidez del terreno ideológico sobre el que nos asentamos. Del pretérito remoto, su virtual pervivencia, visible no en sus ficticias evocaciones o continuaciones, sino en su eco vivo, en su prolongación ideal. No hay un pasado que, simplemente como tal, sea valedero, sea estético. El pasado se justifica y vitaliza al obrar sobre el presente y viceversa. La interacción constante del pretérito y de lo actual es, por tanto, necesaria para que el arte y la literatura vivan con plenitud, para que la misma historia no se desvitalice y pierda sus jugos. De ahí que los clásicos, ciertos clásicos, sólo nos interesen por sus virtudes asimilables, adherentes al espíritu moderno. En lo que muestran de afín con nuestra sensibilidad actual. En su fermento inagotable de posibilidades deveniristas. He ahí, a nuestro juicio, el único punto de vista admisible. Lo demás es... superstición y arqueología... Además "hay que conjugar el vocablo *arte*": "en presente significa una cosa, y en pretérito otra muy distinta" —escribe Ortega *(La deshumanización del arte)* acertando a recoger con extraordinaria felicidad sentimientos y razones de los más jóvenes—. "Es, pues —agrega—, frívolo e ininteligente censurar a los nuevos artistas por su secesión de los clásicos, de la tradición artística, y afanarse por ser originales. Al intentarlo no hacen sino aceptar el imperativo de nuestro tiempo, que obliga a separar con toda pureza el ayer del hoy. Así se explica, creo yo, que coexista un gran amor al pasado cuando se presenta como tal, en su virtual dimensión de inexistente, y un asco al pasado, cuando pretende prolongar fraudulentamente su gravitación sobre la actualidad. Ese pasado que se obstina en no pasar y aspira a suplantar el hoy, merece en efecto asco: es un viejo verde. El lema inevitable es el de los soldados de Cromwell: "Vestigia nulla retrorsum" (ninguna huella hacia atrás)".

El verdadero clasicismo no puede ser otro que el que resulta de mantenerse fieles a la época. El clasicismo auténtico debe darnos la medida exacta de nuestro tiempo. Debe encontrarse y no buscarse. Querer ser clásico de antemano —se ha dicho con donosura especial— es como partir para la guerra de los Treinta Años. El clasicismo de nuestra época ha de estar hecho a base de sumas e integraciones, pero no de restas y anacronismos. Ratificando estas previsiones íntimas André Gide *(Incidences)* afirma que "el único clasicismo legítimo hoy día, el único al que podemos y debemos pretender es aquel en cuyo ámbito todos los elementos que fermentan en el mundo moderno, después de haber encontrado su libre expansión, se organizarán de acuerdo con sus verdaderas relaciones recíprocas".

Así, pues, agucemos los sentidos, elevemos el fervor para dar una proyección duradera a esas moléculas infinitesimales que constituyen el aire del tiempo, y entre las que vuelan gérmenes de clasicismo. Situémonos en un plano de equidistancia con relación al ayer y al hoy, sin excluir ninguna porción de uno u otro hemisferio. Con agudos conceptos, Paul Valéry describe así la actitud ideal en el tiempo del hombre superior, a propósito de Leonardo: "El hombre superior imita e innova; no desdeña lo antiguo porque es antiguo ni lo nuevo por nuevo, sino que consulta y explora en sí mismo lo que hay en él de eternamente actual."

LA FALACIA DEL RETORNO

Las vanguardias han cerrado (1923-1924) —o han hecho una pausa— su etapa de análisis y disgregación, entrando ya en otra etapa, más seria y fecunda, de análisis y construcción. No otra cosa dejé sentado liminarmente en la primera página de este prólogo. Pero de la simple y sincera evidencia a la afirmación más discutible, sostenida por otros, de que tal etapa marca un movimiento de retorno y entraña fatalmente un renacimiento clasicista, hay mucha distancia. Ciertos glosadores apresurados o parciales —movidos de un prejuicio pasadista a ultranza— han querido salvarla demasiado rápidamente y tender un cable de nivelación común entre dos extremos distintos: la recapitulación y el retorno. El tránsito es demasiado brusco. No aceptemos sin recelos ese rápido y sospechoso viraje hacia la derecha. Cierto es que actualmente puede advertirse una especie de descanso, una nueva detención, antes de izar nuevamente las velas y de sondear el océano. Quizá algunos también, queriendo medir la distancia recorrida y buscar un punto de amarre prestigioso, unas raíces sólidas, vuelven la vista al pasado y esperan encontrar, entre las máscaras yertas, alguna faz luminosa y congraciadora.

Se dice que toda novedad, a poco andar, suele convertirse en *poncif*, en *cliché*, en lugar común. Pero eso sucede, más exactamente, sólo con las novedades ficticias, con los toques de estilo o modos de expresión adventicios y pegadizos. Porque todo estilo nuevo de arte, en su período de implantación, arrastra elementos de muy diverso carácter. Los destinados a perdurar, incorporándose a la corriente normal, y aquellos otros, de apariencia más cabrilleante, destinados a oscurecerse, a resultar rancios y manidos. Es la ganga sobrante de todo material excesivo. Pero al buen gusto de los perspicaces está reservada la discriminación.

Mas de todas suertes no hay por qué aceptar sin más esa nostalgia tradicionalista que algunos consideran fatal y necesaria. ¿Nudos tradicionales? Bien, pero los que se ofrezcan espontáneamente en el proceso de evoluciones y de descubrimientos, nunca los buscados de un modo sistemático y ficticio. Y, a la larga, ya es sabido que lo más revolucionario viene a ser lo más puramente tradicional. Desconfiemos, por tanto, de esa "ola de retorno" a los modelos museales o de antología que con cierta periodicidad viene atacando el arte de vanguardia. Especialmente, en la pintura ya son varias las "recaídas" (adviértase que damos a esta palabra una significación diametral y polémicamente opuesta a la imbuida por Eugenio d'Ors) que lleva experimentadas a lo largo de este siglo, para surgir luego otra vez más libre, inventiva y pujante.

¿Detención, vuelta a la derecha? —se preguntan algunos, momentáneamente desorientados y creyéndose bajo el peso ineluctable de la ley fatal de la gravitación clásica, o más bien tradicionalista. No —contestaríamos—: es menester vencer el fácil espejismo de un ciego retorno. Más sensato es buscar o dejar que surja un punto de integración. Integración que no tiene caracteres de "arrepentimiento", ni marca una renuncia, ni se halla estigmatizado, en los mejores casos, por ninguna suerte de nostalgia retrospectiva. Es algo más digno, consciente y viril. Frente al axioma —o más bien teorema sin demostración— que tanto gusta de repetir "Octavio de Romeu", el alter ego d'orsiano: "todo lo que no es tradición es plagio", opondríamos este otro más sencillo, evidente y fervoroso: toda gran época tiene como eje la inquietud y toda obra verdaderamente capital ha sido provocada por un sentimiento de inquietud. Luego, si fuésemos a atender las voces d'orsianas y los consejos de otros menos autorizados "quietistas", deberíamos renunciar a lo mejor y más genuino de nuestra época, a todos los estremecimientos de inquietud que recorren su rostro mutable y sitibundo, contraído en una mueca pesquisidora y marcado por un anhelo rebasador.

Clasicismo, neoclasicismo y clasicismo de lo moderno son términos equivalentes a pesar de los distingos que entre ellos establecen sus defensores. Son conceptos soberanamente equívocos. Dicen todo y no dicen nada. Ciertamente, si creyéramos a los hábiles trastocadores de enseñas y otorgásemos al clasicismo, sin discusiones, el monopolio de la perfección, la medida, la trascendencia y hasta —como prima— la posteridad asegurada —más otras ventajas que burlonamente calificaríamos de domésticas y burguesas y que lo equiparan a un "seguro de vida"—; y si viéramos por el contrario en el romanticismo el concepto del "arte por la belleza, la inquietud o la novedad", el predominio de la sensibilidad sobre la razón, con el desorden y la inquietud insatisfecha, pocos serían los jóvenes que no vacilasen y se adscribieran inmediatamente al culto del primero, del clasicismo.

Mas ni la calificación de ambos términos, ni el problema que envuelven, es tan sencillo como los manipuladores de ideas pretenden. Ante todo, a nuestros ojos, no hay en modo alguno esa oposición tradicional, tan subrayada, entre clasicismo y romanticismo. Y después, los atributos otorgados a cada uno de estos estilos no son inmutables, varían con las épocas y hasta llegan a intercambiarse. ¿Quién puede asegurarnos que tal artista conturbado, estremecido por hallazgos originales, hasta confuso y difícil, no pueda, con esas cualidades que se dicen románticas, ser considerado en un mañana como clásico? Y por otra parte, ¿quién nos asegura que tal frío y calculista enfilador de conceptos, tal razonador coherente, amamantado en las más acreditadas ubres clásicas, devoto del orden y de la medida, esté muy lejos de pasar a la posteridad como un clásico?

Cada época tiene su clasicismo y las obras modernas, rigurosas, poseedoras de una vibración nunista, son las que más cerca se hallan de ser clásicas en su día. "Actual; es decir, clásico; es decir, eterno" —afirmaba Juan Ramón Jiménez en uno de sus mejores aforismos de "estética y ética estética". Y coincidente, otro espíritu que merece crédito, Ortega y Gasset, ha venido a afirmar: "Clasicismo es actualidad como romanticismo es nostalgia".

LA VALORACION OPORTUNA

En estas páginas tienden a encontrar por vez primera, en castellano, todas las más características escuelas de vanguardia europeas, su más amplio y cordial reflejo. Hora es ya —según anticipábamos—, de que alguien afronte valiente y entusiásticamente el examen de la literatura de hoy, concediendo un amplio espacio y una máxima atención a las ideas, los hombres y las tendencias que los más desdeñan o ignoran. En tal hora arrostrada nos regocijaremos en recordar y lapidar el reproche que a nuestro intento opondrá cierta fracción, desenmascarada por Paul Neuhuys (*La poésie d'aujourd'hui*): "La vieja crítica conservadora tiene la costumbre de llamar a esto (el momento auroral y preñado de nuestra época) un período de formación. Esta fórmula les permite no prestar atención al arte viviente." Parapetados, en efecto, tras esta miedosa y absurda creencia se justifican de no prestar atención a las nuevas tendencias. Para ellos, en general, lo acatado y resabido, lo que en suma ya está corrupto o mancillado, es solamente digno de análisis. "Pero la literatura —puntualiza Neuhuys— ha estado siempre en un período

1. Portada de *8 anime in una bomba*, por F. T. Marinetti. Milán, 1919

2. Los futuristas en París, 1912. De izquierda a derecha: Russolo, Carrà, Marinetti, Boccioni y Severini

...ada de *Zang Tumb Tumb*, por F. T. Marinetti. Milán, 1914

IL FUTURISMO

RIVISTA SINTETICA
diretta da F. T. MARINETTI

DIREZIONE DEL
MOVIMENTO FUTURISTA:
Corso Venezia, 61 - MILANO

IL PUGNO DI BOCCIONI

BALLA

4. Papel de cartas de "Il futurismo". Membrete por Balla. Carta autógrafa de Marinetti

Mon cher ami,

Excusez mon silence tout involontaire. Je vous donne l'autorisation de traduire et de publier mon volume *Les Futuristes*, en renonçant sur la première édition complètement. — Mais je [...] essentielle à ce [...] contienne les p[...] en liberté et le [...]

Agréer en attendant une chaleureuse poignée de main de votre ami devoué
F T Marinetti

5. Marinetti y su retrato en Praga

de formación". Las fases de unidad marcan, en suma, más que la cristalización, la extinción terminal, el remanso apagado y monótono. Los movimientos poseen más interés, nos revelan su verdadera frase y nos permiten extraer pronósticos porveniristas en los instantes de su incrementación juvenil, de su amanecer.

Además, el verdadero papel de los jóvenes, de los *pioneers* resueltos que se adentren en las nuevas regiones literarias, estriba cabalmente en este gesto de adelantados: en reconocer y loar desde el primer momento los signos y valores peculiares de su época. Cabalmente, hay ciertas formas de belleza que por su identificación espiritual con el día en que nacen, deben tener su valoración y contraste inmediatamente, sin esperar a disecciones desplazadas, tardías. Imposible, por lo tanto, aceptar el criterio de aquellos que sostienen que "para juzgar lo nuevo es preciso que deje de serlo". Novedad y bondad son cosas distintas, ciertamente. Lo nuevo, en ocasiones, puede no ser bueno, carecer de autenticidad, de viabilidad formal. Mas para determinarlo no hay que esperar el transcurso de un siglo, como querrían los pacienzudos estafermos. La valoración puede ser realizada oportunamente, en su misma época. Ojalá las páginas que siguen cumplan plenamente tal objetivo.

Todas ellas han sido escritas con el máximum de amor comprensivo, con el mejor espíritu de investigación y valoración leal. El autor ha procurado siempre aproximarse a la entraña teórica de las nuevas estéticas, atendiendo a delinear netamente sus perfiles. Ha aspirado a componer la visión más completa posible de los movimientos estudiados, variando los puntos de vista, modificando sin cesar la abertura del diafragma, acumulando datos, referencias cuantiosas y líneas descriptivas. Con todo, *Literaturas europeas de vanguardia* no pretende ser un libro solemne y dogmático, aunque sí bastante satisfecho de cierta erudición contemporánea. Es, más sencillamente, un libro de documentación y de exégesis, construido lentamente, a partir de 1920, fecha en que empezaron a publicarse, en revistas, sólo fragmentariamente, algunos de sus capítulos, revisados y transformados y puestos al día bajo el influjo de las evoluciones acaecidas en estos últimos años.

Quizá, y a pesar del esfuerzo paciente otorgado a mis exégesis, no resulte un libro acabado, perfecto. Lo que no me descorazona, si es que perfección significa acabamiento, limitación. Pues mis *Literaturas europeas de vanguardia* no cierran ningún área: antes bien, abren horizontes intelectuales, roturan senderos de hoy, aún poco explorados. Sin atenerme a una metodización unilateral, he procurado combinar en la exposición, historia y crítica de figuras y tendencias, el máximum de elementos subjetivos y objetivos, documentales y hasta anecdóticos, clarificando sus esencias, desposeyéndolas de todo esoterismo, dándoles vibración, luces reverberantes. Por ello, yo quisiera, en suma, que la lectura de estas páginas cinemáticas resultase, para el lector joven o de alma ávida y aventurera, tan vivaz e incitante como la de una novela de aventuras espirituales.

Madrid, 1924

BIBLIOGRAFIA

Emile Bouvier: *Initiation à la littérature d'aujourd'hui.* París, 1932.
Francis Brown, editado por: *Highlights in Modern Literature.* Mentor Book, Nueva York, 1954. Trad. esp. Editorial Sur, Buenos Aires, 1957.
Léon Cahen, Raymond Ronze y Emile Folinais: *Histoire du Monde de 1919 à 1937.* Aubier, París, 1957.
Arthur Calder-Marshall: *The Changing Scene.* Chapman and Hall, Londres, 1937.
Cassell's Encyclopaedia of Literature, ed. by S. H. Steinberg. 2 vols. Cassell, Londres, 1954.
Jean Cassou y otros: *Débat sur l'art contemporain.* Rencontres internationales de Genève. Neuchâtel, 1949. Trad. esp.: *Coloquios sobre arte contemporáneo.* Ed. Guadarrama, Madrid 1958.
Jean Cassou: *Situation de l'Art moderne.* Minuit, París, 1951.
— *Panorama des Arts plastiques contemporains.* Le Point. Gallimard, París, 1960. Trad. esp. Ediciones Guadarrama, Madrid, 1961.
Jean Cassou, E. Langui y N. Pevsner: *Les sources du XXe siècle.* Deux Mondes, París, 1962. Trad. esp. *Génesis del siglo XX.* Salvat, Barcelona, 1963.
Cinquante Années de Découvertes, 1900-1950. Un bilan, recogido por Anna y André Lejard. Seuil, París, 1960.
Juan Eduardo Cirlot: *Diccionario de los ismos.* Argos, Barcelona, 1949.
— *El estilo del siglo XX.* Barcelona, 1952.
J. M. Cohen: *Poetry of this age. 1908-1958.* Arrow, Londres, 1959. Trad. esp. Fondo de Cultura Económica, México, 1963.
Columbia Dictionary of Modern European Literature, ed. by Horatio Smith. Columbia University Press, Nueva York, 1947.
Contemporary Movements in European Literature, ed. by W. Rose y J. Isaac. Routledge, Londres, 1928.
Benjamin Crémieux: *Inquiétude et Reconstruction.* Corrêa, París, 1934.
Ernst Robert Curtius: *Kritische Essays zur Europäischen Literatur.* Berna, 1954. Trad. esp. *Ensayos críticos acerca de la literatura europea.* Seix Barral, Barcelona, 1959.
Chadwick: *The Growth of Literature.* Cambridge, 1932-40.
Diccionario de la literatura española. Revista de Occidente, Madrid, 1949 y 1965.
Diccionario de literatura latinoamericana. Argentina, Colombia, Bolivia y Chile. Unión Panamericana, 1961.

Dictionary of World Literature. Criticism. Forms. Techniques, dirigido por Joseph T. Shipley. The Philosophical Library. Nueva York, 1943. Ed. esp. Argos, Barcelona, 1962.
Dictionnaire de Littérature contemporaine 1960-1962, bajo la dirección de Pierre de Boisdeffre. Edit. Universitaires, París, 1962.
Dictionnaire des Auteurs français. P. Seghers, París, 1962.
Dizionario biografico degli autori di tutti i tempi e di tutti la letteratura. Bompiani, Milán, 1961.
Dizionario letterario Bompiani delle opere e dei personaggi di tutti i tempi e di tutti la letteratura. Valentino Bompiani, editor. Milán, 1947. Trad. esp. *Diccionario González Porto-Bompiani.* Montaner y Simón, Barcelona, 1959.
Dizionario universale della letteratura contemporanee. Mondadori, Milán, 1960.
Carl Einstein: *Die Kunst des 20. Jahrhunderts,* en "Propylaen Kunstgeschichte". Berlín, 1926.
Encyclopaedia of the Arts, ed. by Dagobert D. Runes y Harry G. Schrickel. Philosophical Library. Nueva York, 1946. Trad. esp. ampliada, Argos, Barcelona, s. a.
Encyclopédie Française. Tomos XVI y XVII: *Arts et Littératures dans la société contemporaine.* París, 1936.
H. V. Eppelsheimer: *Handbuch der Weltliteratur.* Francfort, 1950.
Emil Esmatinger y otros: *Philosophie der Literaturwissenschaft.* Junker und Dünhaupt. Berlín, 1930. Trad. esp. *Filosofía de la ciencia literaria.* Fondo de Cultura Económica, México, 1946.
José Ferrater Mora: *Diccionario de filosofía.* 4.ª edición, Sudamericana, Buenos Aires, 1958.
Hugo Friedrich: *Die Struktur der modernen Lyrik. Von Baudelaire bis zur Gegenwart.* Rowohlt, Hamburgo, 1958. Trad. esp. Seix Barral, Barcelona, 1959.
William Gaunt: *The March of the Moderns.* Jonathan Cape, Londres, 1949.
Ivan Goll: *Les Cinq Continents. Anthologie mondiale de Poésie contemporaine.* Renaissance du Livre, París, 1922.
Ramón Gómez de la Serna: *Ismos.* Biblioteca Nueva, Madrid, 1921, 2.ª edición, Poseidón, Buenos Aires, 1943.
Peggy Guggenheim, ed.: *Art of this Century.* Nueva York, 1942.
S. Hampden Jackson: *The post-war world. A short political history.* Gollancz, Londres, 1938.
Arnold Hauser: *Sozialgeschichte der Kunst und Literatur.* Beck, Munich, 1953. Trad. esp. *Historia social de la literatura y el arte.* Guadarrama, Madrid, 1947. 3.ª ed. 1964.
— *Philosophie der Kunstgeschichte.* Trad. esp. *Introducción a la historia del arte.* Guadarrama, Madrid, 1961.
Gerald Heard: *These hurrying years (1900-1933).* Londres, 1938.

Harold Heard: *Panorama 1900-1942.* Londres, 1943.
Donald W. Heiney: *Essentials of Contemporary Literatures.* Barrons, Nueva York, 1954.
Walter Hess: *Dokumente zum Verständnis der Modernen Malerei.* Rowohlt, Hamburgo, 1956. Trad. esp. Nueva Visión, Buenos Aires, 1959.
Histoire de l'Art contemporain, dirigida por René Huyghe y Germain Bazin. Alcan, París, 1935.
Histoire des Littératures, tomos II y III, dirigidos por Raymond Queneau. Encyclopédie de la Pléiade. Gallimard, París, 1956 y 1958.
Curt Hohoff: *Geist und Ursprung zur Modernen Literatur.* Erenwirth, Munich, 1955.
Friedrich Markus Huebner y otros: *Europas Neue Kunst.* Rowolht, Berlín, 1920.
J. Huizinga: *Entre las sombras del mañana. Diagnóstico de la enfermedad cultural de nuestro tiempo.* Revista de Occidente, Madrid, 1936.
Karl Jaspers: *Die Geistige Situation der Zeit.* Gruyter, Berlín, 1931. Trad. española *Ambiente espiritual de nuestra edad.* Labor, Barcelona, 1933.
C. G. Jung: *Seelenprobleme der Gegenwart.* Zurich, 1932.
Erich Kohler: *The Tower and the Abyss.* Brazilier, Nueva York, 1957. Trad. esp. Fabril Editora, Buenos Aires, 1959.
Hans Hohn: *The Twentieth Century. A mid-way account of the Western World.* Nueva York, 1950.
S. J. Kunitz y Haicroft: *Twentieth Century Authors. A Biographical Dictionary of Modern Literature.* Nueva York, 1952. Suplemento por S. Kunitz, Nueva York, 1955.
André Lalande: *Vocabulaire technique et critique de la Philosophie.* Trad. española El Ateneo, Buenos Aires, 1953.
John Lehman: *New Writing in Europe.* Penguin, Londres, 1940.
El Lissitzky y Hans Arp: *Kunst-ismen: 1914-1924.* Zurich, 1925.
Living Authors. A book of biographies, editado por Dilly Tante. W. Wison Co., Nueva York, 1937.
L. Magnus: *A Dictionary of European Literature.* Londres y Nueva York, 1927.
Karl Mannheim: *Mensch und Gesellschaft im Zeitalter des Umbaus.* Leiden, 1935. Trad. esp. Fondo de Cultura Económica, México.
J. Macy: *The Story of World's Literature.* Nueva York, 1925.
René Marill-Alberes: *L'Aventure intellectuelle du XXe siècle.* Nouvelle Édition, París, 1950.
— *Bilan littéraire du XXe siècle.* Aubier, París, 1958.
— *L'Aventure intellectuelle du XXe siècle. Panorama des Littératures européennes.* Albin Michel, París, 1959.
Jean-Pierre Maxence: *Histoire de Dix Ans (1927-37).* Gallimard, París, 1939.

Movimientos espirituales, en González Porto-Bompiani, *Diccionario literario,* vol. I. Montaner y Simón, Barcelona, 1959.
Museum der Modernen Poesie. Antología por Magnus Enzensberger. Suhrkamp, Francfort, 1960.
José Ortega y Gasset: *Meditaciones del Quijote.* Residencia de Estudiantes, Madrid, 1914.
— *El tema de nuestro tiempo.* Calpe, Madrid, 1923.
— *La deshumanización del arte* e *Ideas sobre la novela.* Revista de Occidente, Madrid, 1925.
A. Ozenfant: *Art.* Budry, París, 1928.
Panorama des Idées contemporaines, dirigido por Gaëtan Picon. Gallimard, París, 1957. Trad. esp. Guadarrama, 2.ª ed. 1965.
Nikolaus Pevsner: *Pioneers of the modern movement, from William Morris to Walter Gropius.* Faber, Londres, 1936.
Renato Poggioli: *Teoria dell'arte d'avanguardia.* Il Mulino, Bolonia, 1962. Trad. esp. Revista de Occidente, Madrid, 1964.
Santiago Prampolini: *Historia universal de la literatura.* Tomos VIII, IX, X, XI, XII y XIII. Uteha Argentina, Buenos Aires, 1941.
— *Storie Universale delle Letteratura.* U. T. E. Nueva edición. Turín, 1960.
Samuel Putnam: *The European Caravan.* Brewer, Warren and Putnam, Nueva York, 1931.
Maurice Raynal, Jacques Lassaigne y otros: *Histoire de la Peinture moderne. De Picasso au surréalisme.* Skira, Ginebra y París, 1950.
Herbert Read: *Art Now.* Faber and Faber, Londres, 1934.
Répertoire chronologique des Littératures modernes. Droz, París, 1934.
André Rousseaux: *Panorama de la literatura del siglo XX.* Guadarrama, Madrid, 1961.
Luis Alberto Ruiz: *Diccionario de la literatura universal.* Raigal, Buenos Aires.
Federico Carlos Sáinz de Robles: *Ensayo de un Diccionario de la literatura.* Aguilar, Madrid, 1949.
— *Los movimientos literarios. Historia, interpretación, crítica.* Aguilar, Madrid, 1957.
Luis Alberto Sánchez: *Panorama de la literatura actual.* Ercilla, Santiago de Chile, 1935.
Michel Seuphor: *Dictionnaire de la Peinture moderne.* Hazan, París, 1954.
Homero Serís: *Manual de bibliografía de la literatura española.* Centro de Estudios Hispánicos. Syracuse, Nueva York, 1948.
José Simón Díaz: *Manual de bibliografía de la literatura española.* Gustavo Gili, Barcelona, 1953.
Josef Strygowski: *Die Krise der Geisteswissenschaft.* Viena, 1923.
Eckart von Sydow: *Die Kultur der Dekadenz.* Dresde, 1921.
Thèse, antithèse, synthèse. Kunstmuseum, Lucerna, 1935.

Guillermo de Torre: *Literaturas europeas de vanguardia.* Caro Raggio, Madrid, 1925.
— *Problemáticas de la literatura.* Tercera edición. Losada, Buenos Aires, 1965.
— *La aventura y el orden.* Tercera edición. Losada, Buenos Aires, 1960.
Varios: *Dix Ans d'Histoire du monde,* 1944-1945. La Nef, núm. 7. París, 1955.
— *Les Littératures contemporaines à travers le monde.* Hachette, París, 1961. Trad. esp. Vicens Vives, Barcelona, 1965. Prólogo de Guillermo de Torre.
— "40 años después (1923-1963)". "Revista de Occidente", núms. 8-9, Madrid, 1963.
— *Tradition et Innovation. La Querelle des Anciens et des Modernes dans le monde actuel.* Rencontres internationales de Genève, Neuchâtel, 1956. Traducción esp. en Ediciones Guadarrama, Madrid, 1965.
Vladimir Weidlé: *Les Abeilles d'Aristée. Essai sur le Destin actuel des lettres et des arts.* Gallimard, París, 1954.
Weltliteratur der Gegenwart. 1890-1931. I. Germanische nordische Länder. II. Romanische und östliche Länder, por Wilhelm Schuster y Max Vieser. Sieben-Stabe, Berlín, 1931.
P. Wiegler: *Geschichte der Weltliteratur.* Berlín, 1932.
R. H. Willenski: *The modern movement in art.* Faber, Londres, 1927.
Christian Zervos: *Histoire de l'Art contemporain.* Cahiers d'art, París, 1938.

1
FUTURISMO

ELEGIA, NO APOLOGIA...

En la primera edición de este libro, el capítulo sobre futurismo ocupaba el último lugar entre los dedicados a los movimientos de vanguardia. Esta colocación respondía quizá en mí no tanto a un criterio cualitativo como al convencimiento de que ya entonces el futurismo (frustrándose en su esencia tanto como realizándose hasta el acabamiento: más adelante veremos de cerca tal contradicción) era el movimiento más lejano, menos vivo y actuante. Mas he aquí que el mismo criterio, lógicamente fortalecido con el paso de los años, pero interpretado ahora con un sentido estrictamente histórico —al cual también se ajusta la ordenación de los demás capítulos— me lleva hoy a darle un lugar de prioridad. En efecto, visto según la cronología, el futurismo es el primer movimiento de vanguardia; es el primero en instalar sus trincheras (por continuar el símil a que obliga una denominación genérica de las corrientes innovadoras, que anticipa o recuerda la atmósfera bélica de la segunda década), en los nuevos y arriscados territorios. En suma: abre la nueva *Sturm und Drang* de los ismos en los días de nuestro convulsionado, absurdo y admirable primer medio siglo. Sólo visto a esta luz, y "cum grano salis", cabe aceptar la frase de un crítico italiano cuando afirma que nuestra centuria es futurista...

Cierto es que llevando al rigor la precisión cronológica, la absoluta prioridad ordinal del futurismo podría ser controvertida, ya que en torno a 1910 es asimismo cuando irrumpen en el mundo de las letras y las artes europeas, junto con el futurismo italiano, otras tendencias como el expresionismo alemán y el cubismo francés (este último en la vertiente literaria, pues su expresión pictórica es dos o tres años anterior). Con todo, por el hecho de haber sido la corriente que supo articular con más coherencia sus propósitos, dándoles un revestimiento plástico atrayente y un alcance espectacular, resulta incuestionable que el futurismo abre la historia de los movimientos de vanguardia; adelanta el paso en su día, tanto como veinte, treinta años después se nos aparece desvitalizado, remoto.

Primero en el tiempo y, después, último en el espacio de las valoraciones, el futurismo retrocede hasta el fondo de la perspectiva histórica vanguardista. Una paradoja más de las varias que matizan sus anales. La mayor quizá es que para encararlo con justicia debemos apelar precisamente a esa historicidad que el futurismo repugnó desde el comienzo como un rasgo esencial de su naciente fisonomía. Pues ¿acaso el afán máximo del futurismo no fue radicalmente antihistórico, queriendo romper en absoluto con el pasado (no ya con el inmediato, como es usual en toda generación que acaba de llegar, sino con el mediato, con el pasado en bloque), negándose a reconocer cualquier atadero umbilical y comenzando genésicamente en sí mismo y por sí mismo? Pero sólo utilizando esta mirada histórica, y por ello relativista, cabe años después intentar comprender diáfanamente su afán de totalidad, sus propósitos de absoluto.

Al cabo, aunque se le encare con otra perspectiva, el futurismo es vida, y por ello historia. Anécdota, más bien —podrán objetarnos los implacables—, recordando el predominio de los múltiples gestos exteriores, manifiestos y tormentas literarios con que se manifestó. Por ello, llevando al extremo las reservas, podrían preguntarse y preguntarnos: ¿no tendrá quizá su lugar más apropiado en la crónica anecdótica que en la historia? ¿Y qué es la historia —replicaríamos a la vez— literaria o general sino un sumario de anécdotas, tanto más vivas y dinámicas cuanto más trascendentes huellas hayan marcado? Basta recorrer la última grandiosa interpretación histórica intentada en nuestro tiempo —la de Arnold Toynbee— para comprobar que su mayor hechizo reside precisamente en el desfile incesante de "anécdotas" —o "excursos", por nombre más digno—, de episodios históricos concretos que iluminan, como figuras y escenas de retablo, el arduo trazado, la arquitectura teórica del libro. Recordemos, además, la homologación que hizo Unamuno de historia y vida, vida espiritual, por supuesto, es decir, vida humana: vida dentro de la historia. "Una ostra y un árbol —escribía Unamuno— no tienen historia. Y para un hombre, la vida, fuera del todo de la Historia, no es vida humana, no es verdadera vida" [1].

Histórico, aun a despecho suyo, y puesto que fue vida, es el futurismo. Y por ello resultaría sobremanera injusto desembarazarse de su recuerdo con un vistazo superficial o cuatro bromas desdeñosas —según pretendieron hacer algunos a raíz de la muerte de Marinetti, en 1944—. Sería también ingrato —inclusive por parte de los que aun ignorándole intenten hoy cualquier innovación—, pues supondría un olvido inexcusable del papel libertador que el futurismo —por encima de sus hipérboles, puerilidades o ridiculeces— desempeñó. "Entender el significado trascendente del futurismo —ha escrito un historiador tan ponderado como Alfredo Galletti— en la impulsión de la cultura italiana y europea es un deber imprescindible de la historia."

En este intento de valoración no nos interesa prever —o refutar— las reacciones que aquel propósito suscite; sí reconstruir, imaginar la atmósfera y las proyecciones del futurismo y de Marinetti, entidades que en puridad sólo son una y la misma. Ambas atronaron el mundo por espacio de varios años. Parecían una actualidad inagotable. Sus manifiestos ininterrumpidos, sus alardes llamativos, sus ocurrencias pintorescas valieron a Marinetti una popularidad de primer plano, como un personaje mitad revolucionario, mitad bufo. Una de sus debilidades fundamentales: era demasiado ingenuo y transparente, demasiado elemental y fácilmente comprensible. Le faltó ese nimbo de misterio, de últimos planos oscuros que necesita cualquier personalidad extrarradial para alcanzar a ser ídolo de algún culto... Pero no ironicemos "a priori", incurriendo en lo censurado. Más acá de todo entusiasmo, más allá de cualquier desdén, lo que debe importarnos ahora es hallar un punto de equilibrio entre el remoto subjetivismo simpatizante y la actual objetividad a distancia. Si ya en mi primera vista del futurismo, a despecho de cierto juvenil, glorioso e inencon-

[1] *De esto y de aquello,* I (Editorial Sudamericana, Buenos Aires, 1950).

trable candor modernizante a ultranza, prevalecían las reservas y objeciones, ahora deberé cuidar de no sucumbir a su alud.

Elegía, no apología —podría, pues, sin gran inexactitud, subtitularse toda esta parte del presente libro—.

UN FUTURISMO SIN FUTURO

¡Futurismo! ¡Qué lejanas sonaron luego, y resuenan hoy más silenciosamente en la opacidad de su semiolvido, las prédicas audaces de sus manifiestos; qué inofensivas sus bravatas e insultos; cuán inoperantes sus apologías del "esplendor geométrico y mecánico del mundo moderno"! ¡Qué anacrónicas habrían de parecer las incandescentes proclamas de Marinetti, su vitalismo desenfrenado, su rutilante optimismo, a las nuevas generaciones de la segunda postguerra mundial, descreídas, agobiadas por ruinas y sombras, orientadas hacia totems y consignas de signo diametralmente opuesto! El hecho es que pocas décadas después del primer manifiesto futurista, el ambiente hiperbólico —entre la apología desmesurada y la diatriba burlona— con que fue acogido el futurismo se trocó en una indiferencia también excesiva. Más aún: el futurismo y todo lo que representaba ha llegado a resonar en la segunda mitad del siglo como su antítesis; suena a pasadismo. Pero no se regocijen excesivamente quienes se adscriben de por vida al pasado y nada más que al pasado, por el simple hecho de serlo, cerrándose así a todo futuro, no menos que al presente, y escamoteando cómodamente toda dimensión problemática.

La situación temporal del futurismo, bien mirada, rectamente entendida, no supone, en definitiva, ninguna derrota. ¿Por qué? Porque el futurismo nunca fue actual y mucho menos quiso perdurar; consciente de su efimereidad, a modo de puente nietzscheano entre dos abismos —para una hipotética "superliteratura" que aún no ha llegado—, se avino a pasar; estuvo siempre proyectado hacia el futuro. Un futuro no inasible por remoto, sino convertido muy pronto en actual, que empezó ya —de aquí su tragedia— a estar demasiado presente y a carcomerse en su día; un futuro fatalmente destinado a pasar, a perecer, sin llegar a ser. *Panta rei*; sí, todo fluye, pero con un origen y una dirección. El voluntarismo ciego de Marinetti no entrevió ninguno de estos dos extremos. Si para Plotino no podía hablarse de futuro ni de pasado, puesto que lo eterno se encuentra siempre en el presente, hubiérase dicho que para Marinetti y los suyos ninguno de esos estados tuvo realidad inquietante. Aunque vivieran entre sus nudos y urdimbres no llegaron a avistar el problema del tiempo como tal, privando así a su arte de toda posible dimensión metafísica. Ni aun con el horizonte más despejado hubieran acertado, por ejemplo, a ver la flecha de Zenón de Elea que vuela y no vuela al mismo tiempo. Sus aporías eran más rudimentarias. Ni siquiera inventaron otra "máquina del tiempo" que, más allá de la imaginada por Wells, intentara trasladar todos los siglos pretéritos al futuro. Cerrar puertas, promulgar *antis*, les parecía más necesario que cualquiera otra cosa. No es extraño que en un momento dado anunciaran una sección de *antifilosofía,* a cuyo frente aparecía sólo un nombre tan versátil como el de Giovanni Papini, quien poco antes había escrito *El crepúsculo de los filósofos*. No obstante la incuestionable influencia del bergsonismo sobre ciertos principios futuristas, Marinetti y los suyos sólo experimentaron el contragolpe del "élan vital", sin reparar en otra posible dimensión del tiempo, al concebirlo únicamente como algo mecánico, como espacio, pero desdeñando el fértil sentido de la "duración pura". De ahí —como ha observado justamente Ugo Déttore— su incapacidad para evolucionar y madurar; su implícito reconocimiento de proyectarse enteramente en el futuro sin realizarse en lo actual.

Su error filosófico y empírico, a la postre, era igual al de cualquier movimiento de signo opuesto, arcaizante. Como ha escrito Toynbee [2], "futurismo y arcaísmo son dos tentativas para salir de un presente fastidioso, dando un salto para alcanzar otro tramo de la corriente del tiempo sin abandonar el plano de la vida mundana en la tierra. Y estos dos modos alternativos de tratar de escapar del presente, pero no de la dimensión del tiempo, se parecen también en ser *tours de force* que,

---

[2] *Estudio de la historia,* volumen VI.

al ponerse a prueba, resultan condenados al fracaso de antemano". Ambos, en último extremo, también se identifican como utopías, en el sentido directo de la palabra, es decir, se sitúan en "ninguna parte". Aunque Toynbee probablemente no haya pensado un solo momento en el futurismo de Marinetti —que tal vez ignore más allá del nombre—, resulta curioso comprobar cómo al mencionar la forma adquirida por un futurismo genérico o abstracto en las artes visuales, propone algunas caracterizaciones susceptibles de ser aplicadas al que nos ocupa. Por ejemplo, la iconoclastia, la negación a representar visualmente imágenes de la divinidad, recordando la prohibición islámica de reproducir lo humano y los objetos de la naturaleza; característica ésta, aclararíamos, que luego ha venido a ser privativa de todo el arte abstracto. Sin embargo, a juicio de Toynbee, aunque arcaísmo y futurismo fracasen porque ambos "intentan escapar del presente sin elevarse sobre la corriente del tiempo mundano", la bancarrota del primero lleva a "una aprehensión del misterio que es la transfiguración". Más acá de su significado espiritual, religioso, la transfiguración, efectivamente, se opera también en el futurismo artístico con referencia a una realidad que, tanto esta escuela como las demás afines, comienzan siempre por mirar como sospechosa.

AQUEL DIA DE 1909...

El futurismo fue programa y no obra —según puntualizaré más adelante—; ademán en el aire y no afincamiento raigal. Pero ¿acaso este programa deslumbrante, único, como nunca se había formulado antes, no se bastaba a sí mismo? La pregunta es menos ingenua de lo que parece. Aquel día de 1909 en que Marinetti estampó por vez primera esta palabra: futurismo, lo dijo todo. Cortó simultánea y paradójicamente las alas de su futuro. Negándose —él y su escuela— a todo tránsito, a la posibilidad de evolucionar y perdurar, se condenó a un porvenir sin rostro ni fecha. Al rechazar en bloque el pasado —erguidos como estaban "en el extremo promontorio de los siglos", según se lee en el primer manifiesto—, sin pararse a descubrir lo va-

6. Severini: *Jeroglífico dinámico del Bal Tabarin*. 1912

7. Cartel futurista por Prampolini

8. Gino Severini: *La danza del Pan-Pan en el Mónico*

<u>Les 4 étages de sensualité</u>
<u>d'un établissement de bains</u>

(Ces mots en liberté doivent être lus
en commençant du premier étage pour
monter ensuite jusqu'au quatrième)

<u>Quatrième étage</u>.— Argenterie fastueuse de
cés à vendre   Cric crac crac cric
ploum - plouff

Parterre de bonnets roses dans la verdeur
des flots   La chair brune rit sent bon
par un trou du maillot   Flirt visqueux
frétillant de poissons mariables   Chau
de cuisson de gommes physiologiques

Stratégie de prurits   Voltigeant
et glissant pelotage

F. T. Marinetti
futuriste

9. Un manuscrito original de Marinetti

1 OCTOBRE 1922
LE FUTURISME
REVUE SYNTHÉTIQUE ILLUSTRÉE
Directeur: F. T. MARINETTI
MILAN - Corso Venezia, 61
Abonnem. à 12 num. Italie: 6 lires - Etranger: 12 lires
(Tirage: 50.000 exempl.)

La nouvelle religion-morale de la Vitesse
MANIFESTE FUTURISTE

Dans mon premier manifeste (20 Février 1909), je déclarais: « La splendeur du monde s'
enrichie d'une beauté nouvelle, la beauté de la Vitesse ». Après l'art futuriste, ivre de machinis
voici la nouvelle religion-morale de la Vitesse. La morale chrétienne

LA DANSE FUTURISTE

Danse de l'Aviateur - Danse du Shrapnell - Danse de la Mitrailleu

MANIFESTE FUTURISTE

La danse a toujours extrait de la vie ses rythmes et ses formes. Les stupeurs et les é
vantes qui agitaient l'Humanité naissante, devant l'incompréhensible et menaçant univers
retrouvent dans les premières danses, qui devaient naturellement être des danses sacrées.
Les premières danses orientales imprégnées de terreur religieuse, étaient des pantomi
rythmées et symboliques qui reproduisaient le mouvement rotatoire des astres. La ronde na
ainsi. Les divers pas et gestes du prêtre catholique célébrant la messe imitent ces premi
danses et contiennent le même symbole astronomique.
Les danses cambodgiennes et javanaises se distinguent par l'élégance architecturale e
régularité mathématique. Elles sont de lents basreliefs en marche. Les danses arabes et pers
sont au contraire lascives: imperceptibles frémissements des hanches accompagnés d'un cla
ment monotone de mains et de battements de tambour: tressaillements spasmodiques et con
sions hystériques de la danse du ventre: énormes sauts furibonds des danses soudanaises, a

10. Cabeceras de dos mani
fiestos futuristas. 1922

ledero y perviviente, los futuristas no cortaron únicamente las raíces, sino también las ramas y el tronco, los conductos de cualquier savia, amurallándose en un recinto sin salida. Abolieron así la esperanza del ambicionado futuro tanto como la del condenado pretérito. El título más inverosímil de los varios libros que se publicaron sobre este movimiento resultó ser —con paradoja, vengativo— uno de John Rodker, *The Future of Futurism* [3]. Quemaron —con palabras pirotécnicas— museos y bibliotecas, pero sin prever que las paredes y anaqueles se volverían olvidadizos para sus obras. Aquella hermosa jactancia de un manifiesto afirmando que sólo tenían, a los treinta años, diez más para llevar a cabo su tarea, y que luego otra generación más joven les arrojaría "al cesto de los papeles como manuscritos inútiles", se cumplió trágicamente al pie de la letra. Pero lo más grave fue que el futurismo se convirtió en pasado inoperante sin haber llegado a ser con plenitud actualidad vigente. Tomó antes de tiempo el rostro de su enemigo más odiado: se hizo *passatismo*. La serpiente se mordió la cola.

Porque el futurismo absoluto, como el pasadismo absoluto, son extremos que se tocan, son dos inanidades que se equivalen. Si conjugadas dialécticamente pueden componer una imagen completa, aislados son dos perfiles en hueco, y ninguno de ellos es capaz de marcar una impronta durable. El anacronismo se iguala con lo ucrónico, con lo intemporal o supratemporal. Porque tampoco es permisible escapar por la tangente de la eternidad con las cantilenas consabidas del "arte sin fecha" y la "obra eterna". El reconocimiento del tiempo presente es insoslayable, pero no de forma aislada, sino visto y sentido en función de los dos tiempos complementarios: pasado y futuro. Ya en otro lugar, y también con otras miras, he establecido su correlación [4].

Otro aspecto del drama de Marinetti radica en que no acertó a

---

[3] Las precisiones bibliográficas sobre este libro y todos los demás citados o aludidos en lo sucesivo, concretamente referidos al tema central de cada capítulo, se encontrarán en la bibliografía correspondiente, inserta al final.

[4] "Quien escriba con verdad e intensidad sobre su propio presente será siempre un escritor del presente para otras épocas. Por el contrario, quien empiece por ser inactual, anacrónico en su época, lo será también para los que

ver cómo su futurismo era solamente actualismo; era estrictamente la salutación deslumbrada, cándida, hiperbólica, que en su instantaneidad cifraba todo su encanto, su fuerza y su debilidad. Por estar demasiado atento a lo inmediato acabó viéndolo solidificado, sin advertir su constante mutación. Supuso ingenuamente que todavía era poético, inasible, lo que ya acababa de doblar la esquina —o el cielo— más próximos. Queriendo a toda costa escapar de las tres dimensiones cayó en la postergación indefinida de una enésima dimensión, como todos los perseguidores de mitos.

EL MITO DE LA MODERNIDAD

Porque Marinetti fue un grandioso mitómano. Y su mito se llama Modernolatría: es el mito de lo moderno. Lo moderno —precisemos— entendido no como realidad fehaciente, no como algo que está ahí al alcance de la mano, sino como irrealidad fabulosa. Al idolizarlo, quedó falseado. Porque lo moderno existió, existe indudablemente, pero no puede reducirse a la imagen única de un dinamismo sincopado, sino que más bien llegó a desechar todo sacudimiento, haciéndose línea depurada y ritmo seguro. Precisamente, aquellos elementos que los manifiestos futuristas exaltaban como constitutivos de la modernidad son los que más precozmente se hicieron tópicos descoloridos, escorias eliminables. Además, como era previsible, los nuevos mecanismos de aquella modernidad, al depurarse, al dar paso a lo funcional, pronto hubieron de perder su faz pintoresca, rechazando todo asombro y deleite. ¿Qué relación, pues, puede haber entre las visiones fulgurantes de los manifiestos marinettistas, entre el lirismo desatado de sus "lunas eléctricas", su visión "multicolor y polifónica de las multitudes", sus apologías de la velocidad y la agresividad, y este revés molesto, cuando no caricaturesco, de realidades cotidianas en que to-

lleguen detrás de él. Si las estéticas cambian, los problemas se continúan a través de las épocas, y siempre queda tensa la línea ideal de una correspondencia de sensibilidades como vínculo de continuidad supertemporal." (*Problemática de la literatura*, pp. 201-202, segunda edición).

dos esos símbolos vinieron a degenerar? En el mejor de los casos, son hechos obvios, que no suscitan mayor entusiasmo ni indignación; son, literariamente considerados, elementos utilizables, pero no ineludibles.

He ahí, pues, por qué la modernolatría futurista se desrealiza e idealiza, asciende a una categoría mítica, se sitúa en un nuevo Monte Olimpo. Es, según ha escrito Déttore, "un mito lógico que quiere sustituir al mito", con un halo tan remoto como el de las divinidades grecorromanas. No es que aquella modernidad haya llegado a convertirse en algo anacrónico y superado; es que siempre fue ucrónica y latente. Por eso erraban quienes en el primer momento la impugnaron en nombre de un pasado ofendido; por semejante motivo la disección del futurismo no puede hacerse tachándolo burlescamente de *passatismo*; y lo que importa, para encontrar su sentido, es acentuar, hoy como ayer, su carácter de futuridad imposible en un espacio abstracto, sin ninguna referencia temporal. Cierto es que a la "belleza de la velocidad" cupo muy pronto volver a preferir la contraria, el "odio del movimiento que desplaza las líneas" —según un verso de Baudelaire—, y que el "esplendor geométrico y mecánico del mundo moderno" se resquebrajó al día siguiente, con la primera guerra europea; pero es una inocente coartada con el tiempo volver del revés todos aquellos supuestos menos ingenuos. La modernolatría fue siempre un mito, y, como tal, inactual, lejano.

EL PRIMER MANIFIESTO

Antes de avanzar más adelante en la explicación de su caso será conveniente reconstruir históricamente el itinerario de esta escuela con la exposición de sus más características teorías. Su acta de nacimiento es el primer *Manifiesto del futurismo,* publicado en *Le Figaro* de París el 22 de febrero de 1909. Tras una introducción sobremanera retórica y declamatoria (el texto italiano comienza así: "Avevamo vegliato tutta la notte, i miei amici ed io, sotto lampade di moschea dalle cupule di ottone traferato..."), Marinetti acertaba ya a condensar en once puntos los elementos esenciales de su doctrina, que después, a lo largo de una treintena o más de manifiestos se desdoblaron, pero sin nuevas aportaciones sustanciales. "Queremos cantar el amor del peligro, el hábito de la energía y la temeridad", comenzaba, como un eco de la atmósfera mitad nietzscheana, mitad d'annunziana, difusa en la primera década del siglo. Afirmaba que los elementos esenciales de la poesía futurista serían "el valor, la audacia y la revolución". Frente a la "inmovilidad pensativa, el éxtasis y el sueño", que la literatura había glorificado hasta entonces, ellos exaltarían el "movimiento agresivo, el insomnio febril, el paso gimnástico, el salto peligroso, el puñetazo y la bofetada". Y a continuación, tras este alarde pugilístico, una de aquellas afirmaciones plásticas, capaces de hacer "pum en el ojo" y que son la sal de los manifiestos marinettianos: "El esplendor del mundo se ha enriquecido con una belleza nueva: la belleza de la velocidad". A la cual seguía esta magnífica bravata que encrespó tantas indignaciones fáciles: "Un automóvil de carreras es más hermoso que la Victoria de Samotracia". Además, a su parecer, ya no hay belleza más que en la lucha "ni obras maestras que no tengan un carácter agresivo". (Maestras o no, pero el caso es que la agresividad estética —o más exactamente, la sorpresa— ha sido, en efecto —según antes recordé—, una de las características esenciales a todos los movimientos de vanguardia y que Apollinaire mismo adoptó la fórmula). La poesía debía ser, por tanto, "un violento asalto contra las fuerzas desconocidas para reducirlas a prosternarse ante el hombre". Seguía luego su afirmación más vulnerable, el talón de Aquiles por donde habría de penetrarle la flecha mortal: "El tiempo y el espacio han muerto ayer. Vivimos ya en lo absoluto, puesto que hemos creado la eterna velocidad omnipresente." Un absoluto que —como advertimos antes— no alcanzó siquiera a cuajar en lo relativo; una omnipresencia pronto superada por nuevas marcas de velocidades...

Otra frase que hizo fortuna, también de clara filiación nietzscheana y con reminiscencias de Sorel, pero que en su traslación a la realidad llevaba encapsulada la muerte del futurismo, era ésta: "Queremos glorificar la guerra, única higiene del mundo, el militarismo, el patriotismo...", primera presciencia del fascismo letal. Otra, ya aludida, de alcance más innocuo: "Deseamos demoler los museos y las bibliotecas...". Y finalmente, un párrafo donde se anunciaba que los poetas futuristas cantarían "las grandes multitudes agitadas por el trabajo, el placer o la rebeldía; las resacas multicolores y polifónicas de las revoluciones en las capitales modernas"; también serían materia de su canto las estaciones, las fábricas, "los puentes como saltos de gimnastas tendidos sobre el diabólico cabrillear de los ríos bañados por el sol", los "paquebots", las locomotoras, los aeroplanos...

Como puede advertirse, en la proclama marinettiana había una curiosa alianza de elementos muy heterogéneos, un retoricismo de color romántico-ingenieril, una mixtura imposible que, en sus últimas consecuencias, oponía individualismo y masificación. Se alzaba contra la "poesía enfermiza, el sentimentalismo, la obsesión de la lujuria, la obsesión del pasado", propios de D'Annunzio, aunque en rigor eran más las cosas que les aproximaban del "imaginífero" que aquellas otras que les separaban, y por momentos parecían sus continuadores en otro registro. "Renegamos —escribían también—, después de haberlos amado intensamente, de nuestros maestros los simbolistas, últimos adoradores de la luna: Poe, Baudelaire, Mallarmé y Verlaine." Mas, puestos a señalar predilecciones y afinidades, eran algo desconcertantes o contradictorios. Si por un lado advertían ciertos influjos evidentes —el Walt Whitman multitudinario, junto al Verhaeren de las "ciudades tentaculares"—, por otro diputaban como "grandes precursores del futurismo" a Zola, a Rosny el Viejo, autor de *Bilateral* y de *La ola roja*, Paul Adam, autor del *Trust,* Octave Mirbeau, autor de *Los negocios son los negocios;* incluían además a Gustave Kahn, el "inventor" —o uno de los inventores— del verso libre. Batiburrillo de nombres hoy incomprensible, pero que tiene su explicación por el hecho de que esos olvidados y secundarios —a excepción de Zola— novelistas habían escrito por aquellos años ciertos libros de temática algo imprevista, intentando sacar a la ficción francesa del "triángulo clásico del adulterio".

Pero más que discutir o analizar a distancia esos y otros deslumbramientos momentáneos, nos importa intentar reconstruir la atmósfera intelectual y general en que surgió el futurismo, buscando el fondo último de sus motivaciones.

ANTIPASADISMO O EL HARTAZGO DE LOS SIGLOS

¿Cuál era, pues, el panorama ambiental de las letras y la vida italianas —y, en general, europeas— durante el primer decenio de este siglo? Ante todo, ¿cómo era visto y sentido por sus nuevas generaciones? Cierta frase del primer manifiesto nos da ya alguna indicación: "Lanzamos en Italia este manifiesto de violencia incendiaria y arrebatadora, basado en el cual fundamos hoy el futurismo, porque queremos librar a nuestro país de la gangrena de profesores, arqueólogos, cicerones y anticuarios." Se quejaban, además, de que Italia fuera "la bolsa de los chamarileros", identificaban los museos con los cementerios, sostenían que "admirar un cuadro antiguo es verter nuestra sensibilidad en una urna funeraria, en lugar de lanzarla hacia adelante con un ademán de creación...". Reclamaban, pues, manos incendiarias de museos y bibliotecas, manos que empuñaran piquetas "desviando el curso de los canales y socavando los cimientos de las ciudades venerables". No vacilaban incluso en acentuar grotescamente su fobia contra el pasado y redactaron un cartel, para el día siguiente del terremoto deseado, que diría así:

"AL TEMBLOR DE TIERRA
SU UNICO ALIADO
LOS FUTURISTAS
DEDICAN ESTAS RUINAS DE ROMA Y ATENAS"

¿Humorismo? ¿Hipérbole gigantesca? ¿Afán sensacionalista? Desde luego, esas réplicas sin interrogantes, frente a tamaño energumenismo, que debieron dar en su día la mayor parte de los lectores, son tan previstas como legítimas, pero no explican nada, dejan intacta la cuestión de motivaciones más profundas. ¿Por qué les ahogaba el pasado, por qué fueron los futuristas los primeros en llevar al plano literario y artístico una repulsa tan violenta contra el "orden establecido" que el anarquismo finisecular de un Bakunin y otros habían planteado en lo político-social? Marinetti presentaba como una excepción el caso de Italia, donde el arte se había quedado estático, anquilosado, sin dejar ninguna brecha abierta para "las concepciones nuevas". Y argumentaba así, más o menos: Se nos dice que todo está hecho, que Dante es muy grande. Pero "nosotros no queremos ser el marido de la tiple ni el nieto del grande hombre".

En realidad, no eran ellos solos en sentir esa fobia del pasado; la experimentaban también otros bajo distintos climas. "Se nos dice que todo está hecho. Pero la tradición nos repugna, la repetición nos da náuseas", venían a decir, implícita o explícitamente, con modales más o menos violentos, pero con extraña y sistemática unanimidad, quienes al filo de dos siglos —pues el xx no comenzó en 1901— y nacidos en la cuna de viejas culturas, deseaban, intuían la llegada de algo nuevo, pero sentían obturados los caminos de acceso por topes prohibitivos, por pesos tradicionales. De ahí su violenta, descomedida rebelión. Y es que "llega una hora en los siglos en que dan ganas de vomitar", según escribió, con frase no muy pulcra pero soberanamente expresiva, Ramón Gómez de la Serna, años después, a propósito de otra rebelión, la superrealista. La repelencia de lo "déjà vu" tiene, por lo demás, una genealogía literaria más remota de lo sospechado: se produce con el barroquismo cuando llega la saturación del Renacimiento y se reanuda con los románticos. Pero modernamente quizá nunca como en esos alrededores de 1910 sintieron las generaciones que llegaban replanteada con tanta crudeza la vieja disputa entre tradición e innovación, lanzándose temerariamente "au fond de l'inconnu pour trouver du nouveau", según el verso famoso de Baudelaire.

LA ITALIA DEL ALBA FUTURISTA

En Italia probablemente hubo de sentirse esa ruptura de modo muy particular. Como todas las revoluciones, el futurismo inicialmente fue el fruto de una reacción acentuada. Antes que otra cosa —escribió Prezzolini en un balance, *La cultura italiana*—, era "el ¡alto ahí! gritado a la tradición, a la Venecia del claro de luna, al dantismo".

Surgía, además, en un momento político-social optimista, un momento de fe en el futuro, ya que esa primera década del siglo fueron los años en que aquel país realizó mejor —observa Benedetto Croce en su *Historia de Italia contemporánea*— la idea de un régimen liberal; la paradoja estribó en que prevalidos de tales circunstancias, no fueron los futuristas quienes menos contribuyeron a minar suicidamente las bases de tal liberalismo, con su exaltación delirante del espíritu nacional que les llevó a la guerra y consecuentemente al desastre del fascismo. Mas no anticipemos. Lo que importa es —insistimos— reconstruir imaginativa y someramente la fisonomía de aquellos años en que todo parecía seguro y nada prohibido, dándose así paso a las mayores audacias.

En lo literario, D'Annunzio —aunque fuera combatido por los futuristas— había preparado el terreno merced a su sensualismo dionisíaco. Algunos de sus personajes, como Andrés Sperelli en *Il piacere*, y el rey de Roma en *La gloria*, modelaron muchas almas jóvenes, dóciles al influjo d'annunziano —ha escrito también Croce, explicando el fenómeno con fines adversos, pero con óptica clara. Bajo el influjo de esa atmósfera —añade— el idealismo se hizo irracionalista y el espiritualismo sensualista. Por eso considera el futurismo como una más entre las tendencias —intuicionismo, pragmatismo, misticismo— que dieron entonces "una nueva interpretación de la vida y que eran, a su modo, una filosofía".

En un plano más puramente literario, el futurismo llegaba cuando ya comenzaban a perder prestancia los alardes d'annunzianos, cuando los tonos bajos, intimistas de los "crepusculares" se hacían más desvaídos que nunca. Carducci, la única fuerza, había muerto dos años antes. ¿Qué es lo que quedaba? Oigamos a un testigo próximo, Alberto Consiglio: "Los infantilismos de Pascoli, los esteticismos d'annunzianos, el provincialismo imperaban entonces." Por ello, "la trivialidad, el más descolorido academicismo, el frío clasicismo, la cursilería y los últimos desengaños y languideces románticas, que dominaban en todas las artes, fueron objetos de los dardos de Marinetti y de sus secuaces". De ahí, según el mismo crítico, la justificación de su empeño: "Al proclamar un arte nuevo, indicando metas absolutamente inaccesibles, pero que representaban el polo opuesto de todo el arte más o menos oficial, ejercieron los futuristas una función crítica auténtica. Al proclamar la necesidad de las síntesis poéticas y artísticas ponían al desnudo el excesivamente minucioso y vacuo análisis donde había vivido el arte. Con la exaltación de la máquina, de la velocidad, señalaban los futuristas la discontinuidad que se había creado entre el ímpetu de la vida moderna y la lentitud arqueológica del pensamiento y del arte."

El único impulso vital estaba representado por varias revistas que abrieron una brecha precursora: las dos que animó Papini, *Leonardo* de 1903 a 1907) y *Lacerba* (de 1913 a 1915), esta última junto con Soffici y Palazzeschi, además de *La Voce* dirigida por Prezzolini desde 1908 a 1913, y luego por otros en años posteriores. Hubo un momento en que todas estas memorables publicaciones, tanto como sus animadores, confluyeron en el futurismo.

ATMOSFERA DE UNA EPOCA INAUGURAL

El deslumbramiento de los futuristas ante el "mundo moderno", ante una "nueva era maquinística" en que parecían multiplicarse los poderes del hombre, no dejaba de tener justificación. Además, no eran ellos solos quienes lo experimentaban, aunque lo expresasen más ruidosamente, llevando su entusiasmo a las últimas y desaforadas consecuencias. Múltiples signos parecían darles la razón. En 1909 exactamente —año del primer manifiesto futurista— Blériot realiza la primera hazaña aérea: da un salto sobre el Canal de la Mancha; la producción de Ford supera los diez mil coches anuales; Lee de Forest hace los primeros ensayos de radiotelefonía, transmitiendo la voz de Caruso desde el Metropolitan de Nueva York; se ensaya la transmisión de imágenes por radiotelegrafía y se hacen los primeros intentos de televisión; se presentan los *Ballets* rusos en París. Dos años antes, en 1907, se habían botado dos grandes transatlánticos, el *Lusitania* y el *Mauritania*; se lanzan los primeros "superdreadnoughts"; el cinematógrafo en mantillas quiere —aunque equivocando el camino— ser un nuevo arte. En 1913, Elster y Gertel crean la fotocélula, de la que se derivan a la vez la televisión y el cine hablado. Aunque mecida en una cuna ambiental de rasgos muy opuestos —el "grutesco" del *art nouveau,* la *secession* vienesa y las casas de Gaudí—, la arquitectura funcional, que ya desde 1900 con Lloyd Wright, Tony, Garnier y otros se había insinuado, da sus primeros brotes: en 1909 exactamente se construye la primera ciudad jardín en Hellerau, Alemania. Recordamos estos avances técnicos porque, en general, los puramente científicos tienen una mención más frecuente: teoría de la relatividad, de los *quanta,* afirmación de la microfísica, experimentos del psicoanálisis. Dos obras filosóficas llamadas a ejercer larga influencia acababan de aparecer en 1907: *L'évolution créatrice,* de Bergson, y *The Pragmatism,* de William James. En el campo literario: con intenciones distintas a las del futurismo, pero revelando parejo deslumbramiento ante la poesía de lo multitudinario como tal, y ensanchando una brecha abierta ya por Whitman, surge en Francia el unanimismo, cuya primera expresión está en el grupo de "L'Abbaye" (1908): Georges Duhamel, René Arcos, Charles Vildrac en primer término, y sólo más tarde Jules Romains, aunque en su nombre viniera a quedar personificada tal escuela. El deslumbramiento ante el mundo moderno no fue sólo experimentado por los futuristas; queda reflejado en los primeros poemas chicagüenses de Carl Sandburg, en el lirismo viajero y las imágenes sincopadas de Blaise Cendrars, desde sus tempranos "poemas elásticos". En 1909 aparecen obras como las *Three lifes,* de Gertrude Stein, *Liliom,* de Molnar, y *El Dibuk,* de Ansky, que abren nuevas perspectivas en la novela y el teatro. En 1910, D'Annunzio, no queriendo dejarse ganar la delantera, proyecta sus viejos temas sobre un fondo del día: a su volatería mitológica incorpora un pájaro nuevo, el velívolo —así rebautiza al avión—, que exalta novelescamente en *Forse che si, forse che no.* Y Wells, que ya desde 1895 había inventado la "máquina del tiempo" y en 1901 lanzaba sus *Anticipaciones,* hace en 1909 un balance provisional de los prodigios nuevos en *Tono Bungay.*

Finalmente —completando el panorama con una ojeada al universo de las formas plásticas—, también en ese mismo año crucial —si no *mirabilis*— de 1909, Larionov pinta sus primeros cuadros "sometidos únicamente a la ley de la luz", dando así origen a la escuela que luego en Rusia se llamaría "radialismo". A la par, en Munich, efectúa Kandinsky alguna de sus primeras "improvisaciones" bajo el signo musical, ya en los umbrales de la pintura abstracta. El pasmo súbito de algunos pintores en París ante el descubrimiento casual de los ídolos negros origina la valoración de artes remotas en el espacio y en el tiempo. El cubismo está en el aire: como en el asombro del poeta "la primavera ha venido / nadie sabe cómo ha sido". Un cuadro de Braque —u otro de Picasso, puesto que la historia no está clara, debido a lo mucho que se ha revuelto— expuesto en 1909, en un salón de Independientes de París, suscita por vez primera, como epíteto irrisorio —pero irrevocable— el nombre de "cubismo".

MARINETTI Y SU OBRA PROGRAMATICA

"Marciare non marcire" (avanzar, no pudrirse), era el lema predilecto de Marinetti, el que aparece grabado con repetición obsesionante en las portadas de sus libros, folletos, prospectos, papeles de cartas: instrumentos de propaganda que las oficinas centrales del "movimento futurista, diretto da F. T. Marinetti", instaladas en el Palacio Rosa del Corso Venezia de Milán, lanzaban —con el ardor de una empresa publicitaria o política— a los cuatro horizontes de Europa y América. ¿Cómo era su ardido promotor? Podemos reconstruir su vida y andanzas merced a los datos que él mismo facilitó a algunos biógrafos oficiosos —como Emilio Settimelli, Bruno Corra y Mario Dessy; los dos primeros le dedicaron sendos libros—; podemos apelar a nuestros propios recuerdos; pero, en rigor, es sensible que a la hora actual no se disponga de una biografía y crítica objetivas más penetrante del personaje, pues tampoco llenan ese papel los retratos generalmente parciales que aparecen en algunas historias literarias de conjunto.

Filippo Tommaso Marinetti nace en Alejandría, Egipto, el 22 de diciembre de 1879, hijo de padres italianos acaudalados. Estudia las primeras letras y el bachillerato en un colegio religioso de París. Dispone así de un bilingüismo que luego utilizaría con éxito. Regresa a

Italia a los diecisiete años y se doctora en leyes en la Universidad de Génova, pero su vida literaria se desenvuelve inicialmente en París. Su estreno literario es perfectamente académico, convencional: una poesía suya en versos libres, "Les vieux marins", que había aparecido en 1897, en una *Anthologie Revue,* revista italo-francesa de Milán, fue premiada por Catulle Mendes y René Ghil y recitada por Sarah Bernhardt en el teatro de su nombre, en París, durante un "sábado popular". Todos los libros de la primera época de Marinetti aparecen en el mismo idioma: *La conquête des étoiles,* en 1902, poema épico, himno al mar muy altisonante. Dos años después publica otro poema de la misma naturaleza con un título subversivo y revelador, *Destruction,* donde amanecen ya otras predilecciones temáticas y se acusa su "paroxística sensibilidad". Precisamente tales cualidades antigálicas —señala un crítico— produjeron la admiración de algunos franceses; por ejemplo, Paul Claudel, quien exaltó entonces a Marinetti como uno de los pocos grandes poetas de la época. Un paso más y Marinetti hubiera derivado hacia un arte diametralmente opuesto del que se identifica con su nombre. Pero en 1905 funda en Milán la revista *Poesi,* órgano de los "grandes poetas incendiarios", los prefuturistas, en cuyas páginas, con la confusión propia de todos los orígenes —y también de los finales—, véanse también nombres conservadores o incoloros. Comienza a alzarse contra el *passatismo,* la tiranía del pasado, y lanza una campaña combatiendo a los simbolistas franceses, aunque por cierto Marinetti había sido el primero en traducir a Mallarmé al italiano. En París, continuando sus éxitos mundanos, la editorial del "Mercure de France" publica su tragedia bufonesca, *Le roi Bombance,* de claras reminiscencias rabelesianas por la índole del protagonista y la crudeza del lenguaje. Estaba dedicada a Paul Adam y fue estrenada en el Teatro de l'Oeuvre de París, sin mayor escándalo de nadie; antes al contrario, con el beneplácito y el elogio público de D'Annunzio, quien poco antes había sido víctima de una sátira marinettiana, *Les Dieux s'en vont, d'Annunzio reste.* El escándalo estalla tras la publicación, en 1909, de *Mafarka il futurista,* novela "antiafricana", mas no por esta tesis, sino por su acusado erotismo, particularmente el de un capítulo titulado "La violación de las negras".

Se le procesó por atentar contra la moral, y el fiscal pidió para él dos meses de cárcel. Pero en la audiencia pública, Marinetti se defendió a sí mismo con elocuencia y bizarría, arrancando aplausos de la sala; consiguió que un viejo escritor, Luigi Capuana, declarase a su favor, logrando finalmente ser absuelto.

Tras el primer manifiesto futurista (1909), la obra literaria de Marinetti adquiere un tinte violento, bélico, que el estallido de la guerra habría de acentuar. Su presagio es *La battaglia de Tripoli* (1912), escrita ya en italiano, y su confirmación es *Zang-tumb-tumb* (1914), descripción de la batalla de Adrianópolis, donde aparecen las onomatopeyas, las palabras en libertad y la apelación a lo visual con el uso de todos los recursos tipográficos. Más tarde haremos algunas puntualizaciones respecto a ese belicismo real, mezclado de un patrioterismo y un orgullo nacional ilimitados, que por un momento pareció significar el triunfo externo del futurismo, pero que de hecho se tradujeron en su acabamiento, tanto como respecto al papel precursor que sus teorías desempeñaron en el surgimiento del fascismo. Por ahora, para no apartarnos del itinerario de sus obras, mencionaremos otros títulos ya sin orden cronológico: un libro de vestidura externa llamativa, *L'alcova d'acciaio* (1912), que calificaba de "romanzo visuto" y donde, en efecto, Marinetti daba detalles de su vida, no obstante haber descalificado el *yo* en literatura y cualquier subjetivismo; *Otto anime in una bomba* (1919), presunto análisis de ocho espíritus contradictorios, pero en realidad miscelánea de textos muy diversos; una novela que él califica "profética", de intención anticlerical, en versos libres, *L'aeroplano del Papa* (1922); otras tres, ahora en prosa, que aparentemente incursionaban en el terreno de Guido da Verona, *Come si seducono le donne*, *L'isola dei baci*, en colaboración con Bruno Corra, y *Un ventre di donna* ("romanzo chirurgico"); unos cuentos titulados *Novelle colle labra tinte* (1930). "Frente a lo que fue —declaraba en el prefacio de dicho libro— cantemos lo que será". Pero esta declaración que parecía anunciar un profetismo a lo Wells se orientaba luego por carriles de una dirección muy incierta.

Los títulos mencionados sólo constituyen una parte mínima de la extensa bibliografía marinettiana, que aún no se ha trazado y que sería difícil reconstruir: tan dispersas, escondidas u olvidadas están sus páginas. Pero en rigor, su obra puramente literaria termina casi con la expansión del fascismo. Desde entonces, la producción de Marinetti se torna política en su mayor parte: *Democrazia futuriste, Al di là del comunismo, Fascismo e futurismo*... Inclusive su libro postrero aparece teñido de la misma intención; baste mencionar el título: *Canto eroi e macchine della guerra mussoliniana*. En 1929, Mussolini le nombra miembro de la Real Academia de Italia, entonces recién creada, y su disconformismo toma otro sesgo, por no decir que desaparece, o queda reducido a un artículo de exportación. En la vida privada, quien había predicado en sus primeros manifiestos, el "desprecio a la mujer", sucumbe cierto día "vulgarmente" a sus hechizos y matrimonia con una pintora futurista, Benedetta, que le acompaña en los viajes a distintas ciudades de Europa y América. Como en su juventud, sigue viajando, aunque sus "slogans" propagandistas carguen más frecuentemente en lo político que en lo literario. Hasta pasada la sesentena conserva una apariencia juvenil, con sus chaquetas ceñidas por un cinturón, su simpatía natural, sus ademanes vivos y su palabra entusiasta. Muere en Milán, en los estertores de la guerra, el 2 de diciembre de 1944, poco antes de cumplir sesenta y seis años, cuando se desmoronaba el tinglado político que él había exaltado, y cuando ya dominaba una literatura radicalmente diversa.

AL CUMPLIRSE CASI MEDIO SIGLO

Diez años después, en 1954, al cumplirse los cuarenta y cinco del primer manifiesto futurista, el semanario *La Fiera Letteraria* le consagró varios artículos de recordación, más melancólicos o evasivos que justicieros, tras advertir con lealtad que "F. T. Marinetti ha quedado entre los escritores menos leídos y más desfigurados de nuestro tiempo". Homenaje legítimo, pero insuficiente. En efecto, todos los articulistas, con excepción de Fortunato Bellonzi, se limitaban a exhumar remembranzas personales, o a vagas consideraciones, soslayando lo más urgente, eludiendo el examen frontal, que sólo a sus connacionales, a los conocedores cabales del hombre y su circunstancia, les incumbe plenamente.

Más que ante ningún otro escritor de vanguardia, correspondía en el caso Marinetti deslindar lo que hay en su obra de "vivo y de muerto", si es que esta famosa expresión titular de Croce —el enemigo más irreductible que tuvo el fascismo— ante Hegel cuadra al héroe futurista y a su movimiento. Pero ¿cabe hablar con plenitud de significado de una "obra" en el caso de Marinetti (no obstante las varias que he mencionado?) Ningún título suyo guarda vigencia ni parece ser leído por las generaciones actuales. Ni siquiera *Re Baldoria*, la farsa rabelesiana, que algunos consideran su libro más expresivo, aunque sea anterior al manifiesto futurista, ni novelas como *Mafarka il futurista*, han alcanzado la nueva vida de las reediciones. El hombre que fue llamado "la cafeína de Europa", que al modo de un Don Juan Tenorio de la literatura, "dondequiera que fue llevó el escándalo consigo", que recabó como una de sus más puras glorias "la voluptuosidad de ser silbado", ¿cómo no adivinó que su personalidad, un día magnética, al petrificarse en los mismos gestos, en palabras repetidas, se apagaría en la indiferencia?

Pero hay algo que explica sintéticamente su caso: y es que Marinetti, consciente o inconscientemente, se sacrificó a su programa. Porque el futurismo es esencialmente eso y nada más que eso: un fabuloso programa. Marinetti fue devorado por sus gestos y actitudes. Ardió casi íntegramente entre el alegre chisporroteo de sus manifiestos. Estos son su verdadera "obra", y aun, cabría decir, su obra maestra. Por primera vez quizá en la historia de la literatura nos encontramos ante un caso en que la teorética supera con mucho a la pragmática. ¿Qué vale *Otto anime in una bomba* junto al *Manifiesto tecnico de la letteratura futurista*, cómo equiparar las fáciles onomatopeyas, las fantasías tipográficas del libro *Zang-Tumb-Tumb* al impacto efectivo de la proclama *Uccidiamo il chiaro di luna!*? Su fértil imaginación, creadora de fórmulas y consignas ("marciare, non marcire", "imaginación sin hilos y palabras en libertad", "un automóvil de carreras es más hermoso que la Victoria de Samotracia", entre docenas de bravatas semejantes), eclipsa poderosamente todos sus demás dones.

Corresponde, por tanto, volver atrás, comenzar por donde él termina y echar una ojeada retrospectiva, tan anecdótica como crítica, a los manifiestos del futurismo.

MANIFIESTO TECNICO DE LA LITERATURA FUTURISTA

¿Cuántos fueron éstos: treinta, cincuenta? Hace años yo poseía la colección completa —luego perdida, entre otras pérdidas mayores de España—, enviada por su autor, pero hoy sólo tengo a la vista algunos pliegos sueltos de aquella serie. En el libro de Boccioni, *Pittura, scultura futuriste,* fechado en 1914, se inserta una relación de los hasta entonces publicados. Sumaban veinte exactamente, y entre ellos figuraban no sólo los de temas y propósitos literarios, sino otros de materias y alcances muy diversos, pues el ingenio —ya que no genio— renovador de Marinetti, se extendió también a las demás artes —pintura, escultura, música, teatro, danza, etc.—; asimismo, a otras invenciones como "la música de rumores", "la pintura de los sonidos, rumores y olores", "el contradolor", "el tacticismo", "la cocina futurista", etcétera.

Por lo que concierne a reformas literarias, la proclama más interesante de Marinetti es la que titulaba *Manifiesto técnico de la literatura futurista,* fechada en Milán el 11 de marzo de 1912. No la reforma parcial de la sintaxis, sino su destrucción absoluta: he ahí lo que reclamaba Marinetti. "Es menester —comenzaba textualmente— destruir la sintaxis, disponiendo los sustantivos al azar de su nacimiento." Y agregaba otras curiosas cláusulas: el empleo del verbo en infinitivo "para que se adapte elásticamente al sustantivo y pueda dar el sentido de continuidad de la vida y de la intuición que le percibe". "Abolición del adjetivo a fin de que el sustantivo guarde su color esencial", puesto que el adjetivo implica un principio de matiz y éste "es incompatible con nuestra visión dinámica; supone una pausa, una meditación". Abolición del adverbio, "que ata a la frase una fastidiosa unidad de tono". Que cada sustantivo tenga su doble, es decir, que éste se encuentre seguido, sin locución conjuntiva, por otro sustantivo analógico; y pone unos cuantos ejemplos: hombre-torpedero, mujer-rada, multitud-resaca. (De donde se infiere que Marinetti, advertido al instante de su error, trata no de la abolición del adjetivo —indispensable, ya que sirve para individualizar los objetos—, sino de disfrazarlo, dándole distinto emplazamiento en el ejército de la sintaxis). Supresión de los "como", "parecido a", etc., ya que "la velocidad aérea, al haber multiplicado nuestro conocimiento del mundo, ha hecho que la percepción por analogía sea natural al hombre".

No más puntuación, sustituyendo sus signos por los matemáticos × — : + = > < y los signos musicales. Puesto que "la poesía debe ser una serie ininterrumpida de imágenes nuevas", supresión de todas las "imágenes-clisés" de las "metáforas descoloridas"; abajo las barreras de sus categorías; todas al mismo nivel; sean nobles o groseras, excéntricas o naturales. Y, al fin, su afirmación más seria: ¡la supresión del "yo"!, pero cuya originalidad era algo tardía en la literatura. Ahora bien, Marinetti va más lejos y se pronuncia igualmente contra el "yo" reflejo, contra la psicología del hombre en todas sus expresiones, sustituyéndola por lo que él llama "la obsesión lírica de la materia". Tema ejemplar: la vida de un motor. Además, quiere Marinetti expresar "el peso" (facultad de vuelo) y "el olor" (facultad de difusión) de los objetos. En suma: sumergirse íntegramente en la materia, en la naturaleza, hasta alcanzar la "psicología intuitiva de la materia".

Todas las anteriores reformas desembocan en la "imaginación sin hilos" y en las "palabras en libertad", disponiendo éstas al azar de su nacimiento, no cosidas por los hilos lógicos. Por imaginación sin hilos entiende Marinetti la libertad absoluta de imágenes y analogías, expresadas por palabras sueltas, "sin hilos" conductores de la sintaxis, y exentas de puntuación. Mas las analogías que él propone nunca llegan a la metáfora: se quedan siempre a mitad de camino. Véanse sus descripciones bélicas en el libro *Zang-Tumb-Tumb*. Empero, anticipa ya Marinetti la afirmación de que la poesía ha de ser una serie ininterrumpida de imágenes nuevas; el punto donde, por lo demás, coinciden todos los poetas y teorizantes de los movimientos extremos.

Marinetti, en manifiestos subsiguientes al primero donde proclamaba la destrucción absoluta de la sintaxis, atenuó bastante su nihilismo, buscando sustitutivos y términos de conciliación. Proponía así el uso "semafórico" de los adjetivos calificativos, al considerarlos como "los discos o señales semafóricas del estilo, que sirven para regular el impulso, las aminoraciones y las paradas de las analogías a gran velocidad". Y, además, recomendaba el empleo de los "adjetivos-atmósfera", que sirven para resumir, dar la sensación de ésta, sintéticamente.

Pasemos ahora al examen de sus innovaciones más llamativas y más discutidas: las tipográficas. El libro, según Marinetti, debiera ser la expresión futurista de un pensamiento futurista. Protesta "contra lo que se llama habitualmente la armonía tipográfica de la página, contraria al flujo y reflujo que se extiende en la hoja impresa". "Nosotros —añade— emplearemos en una misma página cuatro o cinco tintas de colores diferentes, y veinte caracteres distintos, si es necesario. Ejemplo: cursivas para las sensaciones análogas y rápidas, negritas para las onomatopeyas violentas, etc." (Se recordará al punto que el "libro ideal" soñado por Mallarmé, muchos años antes, no era muy distinto. En *Un coup de dés* la tipografía es parte esencial del texto literario). Sustituía así, Marinetti, a la pura visión tipográfica de la página, una visión pictórica. Además, su revolución tipográfica comprendía no sólo el empleo de varios tipos de letras, sino también la transformación radical de la página por la dirección de las líneas: verticales, oblicuas, circulares, o enlazadas mediante paréntesis y llaves, espaciadas, con letras mayúsculas de gran tamaño. Todas estas innovaciones, que corresponden a una necesidad ultraexpresiva, pueden ser viables, y han sido utilizadas, simultánea o posteriormente, por varios, desde el Apollinaire de los *Calligrammes* hasta los manifiestos de Tristan Tzara y otros dadaístas, incluyendo finalmente a letristas y concretistas también, llegaron a ser un lugar común de la tipografía publicitaria. ¿Por qué, pues, promovió entonces la neotipografía tantas indignaciones? Aquello que la hacía en principio inaceptable era su práctica absoluta, con excepción de la tradicional, pero no su principio, que no tardó en ser asimilado. En Marinetti, lo reprobable, o al menos, poco asequible al lector distraído, era el hecho de emplearla mezclada con las ininteligibles —hasta cierto punto— palabras en libertad asintácticas, y con la onomatopeya ruidosa y caótica de la cual con el nombre de "verbalización abstracta", abusaba puerilmente. Véanse especialmente su citado libro *Zang-Tumb-Tumb,* más las *Otto anime in una bomba,* que encierra también páginas muy curiosas y plenamente reveladoras de este sistema.

LA NUEVA SENSIBILIDAD MAQUINISTICA

Marinetti, entre sus más esenciales postulados, incluía el "odio a la inteligencia, a favor de la intuición, don característico de las razas latinas", invocando para ello no al ascendiente indudable de las teorías de Bergson, sino unas palabras de Dante y otras de Poe —que había ya citado al frente de su primer libro *La conquête des étoiles,* 1902—, sosteniendo que la intuición es una forma más eficaz de la inteligencia y que la estética futurista apela, ante todo, a la sensación. Hablaba además, al pasar, de los fenómenos de la subconsciencia y de las sensaciones hiperestéticas, anticipándose, en parte, a las teorías de la cenestesia que, años más tarde, aunque aplicándolas a otros poetas, estudió Jean Epstein.

Todo ello arrancaba de una variación de la sensibilidad humana "bajo la acción de los grandes descubrimientos científicos". Y Marinetti, con su verbalismo peculiar, entonaba una loa al tren, al telégrafo, al avión, al transatlántico, a todos los instrumentos de esta civilización occidental que ha variado, o pretende variar, las condiciones de la vida humana, rasgando perspectivas y ofreciendo velocidades y ubicuidades antes desconocidas. Marinetti, por tanto, exaltaba entusiasta e irreflexivamente el maquinismo, reclamando una vez más la absorción del hombre en la materia.

Aquí, en suma, yacía quizá el error más vulnerable de toda la estética futurista. No en querer buscar el lirismo o los nuevos modelos de belleza en la materia o en los esplendores del maquinismo, sino en confundir esta fuente de temas estéticos con la belleza, con el arte mismo. Ello suponía una recaída en el antiguo error romántico de confundir la belleza virtual con la belleza recreada; lo real, obra de la naturaleza, con lo artístico, obra —artificial, evidentemente, y de ahí su categoría— del hombre. Mas el arte sólo nace cuando aparece el hombre. Pues, como escribía Hegel en su *Estética,* "la belleza, obra del arte, es más elevada que la de la naturaleza". Y los elementos artísticos necesitan ser vistos, recreados por la sensibilidad del hombre, sin lo cual permanecerán siempre *in potentia,* pero no trasuntarán en una obra estética.

El error futurista estaba —reiterémoslo— en tomar los elementos de la nueva belleza por la belleza misma; en creer que el solo hecho de utilizar un sistema tipográfico y sintáctico moderno bastaba para bordar un poema o una obra moderna sobre cualquier cañamazo temático, viejo o nuevo, sin cambiar la sensibilidad.

Marinetti obtuvo sus primeros éxitos en París, declamando un poema, "Al automóvil de carreras", del que nunca renegó, al parecer, pues gustó de incluirlo en antologías muy posteriores. Comenzaba así [5]:

> *Dieu véhément d'une race d'acier, | automobile ivre d'espace | qui piétines d'angoisse, le mors aux dents stridents! | O formidable monstre japonais aux yeux de forge, | nourri de flammes et d'huiles minérales, | affamé d'horizons et de proies sidérales, | je déchaine ton coeur aux teufs-teufs diaboliques, | et ses géants pneumatiques, pour la danse | que tu mènes sur les blanches routes du monde. | Je lâche enfin tes brides métaliques et tu t'élances | avec ivresse, dans l'infini libérateur!...*

[5] Como sistema general de este libro: transcribo en su idioma original todos los fragmentos poéticos franceses e italianos; respecto a los de otros idiomas, apelo a traducciones, prefiriendo las más fieles —aunque las paráfrasis poéticas resulten a veces más bellas—, puesto que estas muestras sólo tienden a ilustrar el texto. Se indica asimismo, al pie de página, el nombre del respectivo traductor, salvo otras veces en que deberán achacarse al autor de este libro.

Años después, sobre el mismo tema del poema transcrito, tejería otra variación diferente en la sintaxis y en la estructura tipográfica, pero cuya inspiración y cuyo espíritu no difieren grandemente del primer poema. He aquí también sólo el comienzo, titulado *Machine lirique*:

Piston chaudière piston chaudière p i s s s tton p i s s s-tton piss sston.
Premier Piston de Joie chaude PENETRER dans l'huile f r i r e rire f r i r r e i r e s a nostalgie graaasse graaasse graaasse.
Second Piston de VOLON VOLONTÉ VOOO LOON TÉE freiné par trop d'huile-sensualité (grave pénible mal rythmé) folle folle folle course folle de deux courroies de transmission (afection rancune).
3 roues de souvenir douloureux dont les dents entrent dans les dents de 3 roues d'ironies mal huilées (stridence et lenteur).
Premier tube d'échappement panpantomime —pan panpantomime panpantomime joiejoie dansante élégante et sublime de la fumée des vieux chagrins brulés pantomime— pan dans le tube en forme de bouche d'étudiant criard en vacance.
....

Lo primero que se advertía al leer el primer poema es que Marinetti, no por mucho abominar del romanticismo, lograba desprenderse de sus huellas. Cantaba a la máquina, pero con fraseología, con retórica romántica. No alcanzaba por entonces —ni lo logró enteramente luego— a vencer sus espectros. De ahí que ciertas consideraciones irónicas de Cocteau sean aquí de justa recordación. "Sentirse asombrado —escribía en *Carte blanche*—, entusiasmado por una máquina es de un lirismo tan soso como sentirse arrebatado por los dioses de la mitología. Gabriel d'Annunzio mirando una locomotora piensa en la Victoria de Samotracia. Marinetti mirando la Victoria de Samotracia piensa en una locomotora." Y agregaba: "Pero no comprender la belleza de una máquina es una debilidad. El error consiste en pintar las máquinas en vez de aprender de ellas una lección de ritmo y sencillez."

He aquí, por otra parte, dos actitudes, dos formas de reaccionar: ironía frente a entusiasmo. Así sigue escribiendo Cocteau: "Marinetti habla de un acorazado con el estilo de Byron. Describir un acorazado no es más nuevo que describir una galera. Lo nuevo es que en un poema se sienta el ritmo de un acorazado, del mismo modo que Racine evoca la pompa de una galera. Un espectáculo, un ruido que entran por los ojos y los oídos deben sufrir, antes de salir por la mano, metamorfosis profundas."

LA RELIGION MORAL DE LA VELOCIDAD

Mas sigamos con Marinetti. Como corolario a su fundamental afirmación: "El mundo se ha enriquecido con una belleza nueva: la velocidad", agregaba: "La velocidad ha empequeñecido la tierra. Nuevo sentido del mundo." La comprobación era evidente. Todos hacíamos nuestra fórmula de Kipling: "Civilización = Transportes". El hombre era, en fin, ubicuo. Se hallaba casi simultáneamente en todas partes. No existía el espejismo de las distancias. Cabalgaba sobre ambos hemisferios y perforaba los continentes. Rascaba las entrañas de la tierra y violaba la epidermis celeste aviónicamente... Etcétera. Blaise Cendrars, en *Profond aujourd'hui*, ha plasmado tal epopeya. Era la época del maquinismo, con su primer intento de adaptación a la estética. El hombre sentía necesidad de comunicarse con todos sus hermanos del globo. Desaparecía el espíritu localista. Se creaba un sentido universal, una conciencia cosmopolita.

Marinetti, que hizo algunas anticipaciones sobre la primacía e importancia de la velocidad, las ratificó y amplió luego en un nuevo manifiesto titulado *La nueva religión moral de la velocidad*. "En contraposición a la moral cristiana —comenzaba—, que ha prohibido al cuerpo del hombre los excesos de la sensualidad, la moral futurista, oponiéndose a la lentitud, al recuerdo, al reposo, quiere desarrollar la energía humana que centuplicada por la velocidad dominará el tiempo y el espacio." Y como uno de los caracteres de la nueva divinidad, hacía la apología de la línea recta, estallando en imágenes pintorescas. Quería ver "el Danubio fluyendo en línea recta y recorriendo trescientos kilómetros por hora". Reducir el área luminosa del sol, que aplasta e inmoviliza las ciudades tropicales, produciendo la paralización de todo. Desarrollo en ecuaciones paralelas de la velocidad y la literatura. La primera es pura, higiénica y estimulante. La segunda es anquilosadora y propicia a todos los romanticismos vagabundos. Cantaba las ruedas y los rieles, en los cuales "hay que arrodillarse para adorar la divina velocidad". Y, a continuación, su fantasía desbridada se desfogaba, considerando como lugares habitados por la nueva divinidad los trenes, las estaciones del Oeste americano, la Plaza de la Opera de París, el Strand de Londres, las ciudades modernas y trepidantes, etcétera. Con cierta razón decía Ezra Pound que el futurismo era un impresionismo acelerado.

En suma: Marinetti, a lo largo de su prosa torrencial, metafórica, hacía la más calurosa exaltación de todas las formas de la velocidad, del lirismo preciso que de ella deriva. El manifiesto estaba fechado: primera edición en mayo de 1916, y la segunda, aumentada, en septiembre de 1922. ¿Quería Marinetti, con esta sencilla fijación de fechas, subrayar su prioridad y marcar la huella de su epigonía sobre toda posible traslación posterior de su idea? Probablemente. Pues las teorías que Jean Epstein empezó a desarrollar en *Le phénomène littéraire* a mediados de 1921, en lo concerniente a la idea de la velocidad que éste denominaba espacial, revelaban cierto influjo marinettiano, aunque omitían en todo instante su cita y recordación.

Es curioso, sin embargo, que el desencanto sobreviniera tan pronto. No pasaron, en efecto, muchos años, sin que uno de los escritores que más habían contribuido a este culto de la velocidad, al entusiasmo por la aproximación de mundos remotos, en suma, al imperio del cosmopolitismo, se batiera en retirada o cantase irónicamente la palinodia. Aludo a Paul Morand [6], ya de vuelta de sus *Noches,* presentando nuestra civilización "no en marcha hacia el progreso, sino en fuga ante espectros", y concluyendo: "Gustemos de la velocidad, que es lo maravilloso moderno, pero comprobemos siempre nuestros frenos."

[6] *Papiers d'identité.* Grasset, París, 1931.

FILIACION DEL FUTURISMO

a) *Whitman*

Visto en los orígenes, y tal como se encaraba en su tiempo, cuatro sombras precursoras se proyectan sobre el cuerpo del lirismo futurista, otorgando, a su pesar, una suerte de abolengo a un movimiento que pretendía plantear todo *ab initio*. En primer término, Walt Whitman y Emile Verhaeren; después, Gabriele d'Annunzio y Rudyard Kipling.

Con "the good gray poet" —según frase de O'Connor—, con el atlante de *Leaves of grass*, que encierra en su medula un cosmos —según anticipó él mismo y luego corroboraron sus primeros críticos, Buckle, Bourroughs y Kennedy—, habían llegado de la América joven a la vieja Europa (calificativos que estampamos mecánicamente, pero que sería bueno resolverse a revisar...) no sólo un poeta democrático, el primer poeta de la democracia moderna, sino también el iniciador de una nueva dirección en la poesía contemporánea, cuya trayectoria pronto habrían de recorrer y prolongar tantos epígonos en las dos primeras décadas del siglo: futuristas italianos, unanimistas franceses, poetas sociales de lengua inglesa, humanistas germánicos y eslavos.

No era difícil descubrir la huella de *Leaves of grass* sobre muchos motivos de Marinetti. En el poema "Yo canto el cuerpo eléctrico" del primero, abreva el futurista su exaltación del hombre en plenitud, aunque deshumanizándole, trocando en materiales todas las fuerzas anímicas. Con Walt Whitman, lo maquinístico entra por vez primera en la poesía, pero no en pugna contra lo natural, sino como prolongando sus poderes. Recordemos solamente unos fragmentos del poema "A una locomotora en invierno" para señalar, de un lado, la identidad temática, y de otro, la diferencia de actitud espiritual con el poema de Marinetti transcrito páginas atrás:

Signo de lo moderno —emblema del movimiento y de la fuerza—, pulso del continente, esta vez al menos, ven, sirve a la musa y únete a los versos, tal como aquí te veo.

....

¡Belleza de voz fiera!
Rueda a través de mi canto con toda tu música desenfrenada,
con tus linternas nocturnas oscilantes,
con tu loca risa sibilante, retumbando, rugiendo como un terremoto,
despertándolo todo [7].

....

En Walt Whitman surge el espíritu cósmico, el afán de comunión plural, de abrazar el mundo, tanto el próximo como el lejano; aparecen los desfiles de océanos y continentes, de gentes y de ciudades. Bastará citar sólo el comienzo de su "Salut au Monde!"

¡Oh, tómame de la mano, Walt Whitman!
¡Qué maravillas desfilan ante nosotros! / ¡Qué espectáculos, qué armonías!
¡Qué eslabones unidos sin fin!
Cada uno responde a todos, cada uno de ellos / comprende la tierra de todos.

....

La latitud se expande, la longitud se prolonga dentro de mí.
Así, Africa, Europa están en Oriente / América tiene su puesto en Occidente, / rodea el vientre de la tierra el ecuador ardiente.

....

Dentro de mí se encuentra el día más largo [...]

---

[7] De aquí arrancan también ciertos poemas de Valéry Larbaud, en especial su "Oda" al tren de lujo (que ya he citado otras veces; véase *Las metamorfosis de Proteo*, p. 200).

Extendido dentro de mí, el sol de medianoche aparece a su tiempo sobre el horizonte, se hunde.

Detrás de mí, zonas, mares, cataratas, bosques, volcanes, archipiélagos,

la Malasia, la Polinesia y las grandes islas de las Indias occidentales.

... ...

"¿Qué ves, Walt Whitman?" "¿Qué oyes, Walt Whitman?", se pregunta al iniciar las estrofas siguientes. Ve todo, oye todo, coloca todo, panteísta supremo, en el mismo nivel; para él "una brizna de hierba no vale menos que la tarea diurna de las estrellas..." Hace realidad cierta frase de Emerson sobre ese realismo poético que, superando los confines del lirismo subjetivo, supone un amor sin límites hacia todos los elementos terrenos al alcance de la mano, considerándolos como fuentes nutricias de poesía. De ahí el fervor con que se asoma a los ventanales de la vida en su multánime "Song of the open road":

A pie, alegre, salgo al camino real, / soy sano, soy libre, el mundo se extiende ante mí. / El largo camino pardo me conducirá adonde yo quiera.

... ...

La tierra, ella me basta, / yo no exijo que las constelaciones se aproximen. / Sé que están muy bien donde están, / sé que bastan para aquellos que les pertenecen.

... ...

¡Oh, camino real! Respondo que no temo dejarte, y, sin embargo te amo.

Tú me expresas mejor de lo que yo puedo expresarme, tú serás para mí más que mi poema [8].

... ...

---

[8] Traducciones de Francisco Alexander, tomadas de la única versión íntegra de *Hojas de hierba*. Casa de la Cultura Ecuatoriana, Quito, 1953.

En suma, para concluir este rapidísimo esquema de Walt Whitman —que en modo alguno deberá tomarse como una apreciación suficiente de su obra—, visto aquí únicamente en función de sus relaciones con el futurismo: este poeta fue, como escribe Régis Michaud (*Mystiques et réalistes anglo-saxons*), el primero que acertó a infundir un sentido espiritual y poético a la civilización industrial del nuevo mundo.

b) *Verhaeren*

No cabe dar, ni con mucho, la misma significación de *faro* (dicho al modo de Baudelaire) a Emile Verhaeren, aunque en un momento dado se reconociera su influencia sobre la nueva temática del futurista. Ante todo, porque su extensa obra presenta varias fases, yendo desde los orígenes parnasianos y simbolistas hasta la exaltación de los motivos flamencos tradicionales. Para medir aproximadamente la ambiciosa vastedad de sus frescos —donde había, cierto es, algo de Walt Whitman, pero bastante más de Víctor Hugo...—, se han traído a colación también los nombres de Chateaubriand y Zola, de Miguel Angel y Rubens [9]. Se le llamó en su día (murió en 1916) "poeta de la vida moderna", de "la vida paroxista". Se le presentó como el introductor, en la poesía del siglo, del alma de las multitudes, de las ciudades "tentaculares", del ímpetu maquinístico. Pero sucede, en primer término, que ya los simples títulos de algunos de sus libros, *Les campagnes hallucinées* (1893), *Les villes tentaculaires* (1895), *Les forces tumultueuses* (1902), son más prometedores o expresivos en tal aspecto que sus contenidos. Los poemas de Verhaeren tienden a la exaltación visionaria y utópica de un mundo redimido por el trabajo, donde los campos renacidos desborden de campesinos jubilosos y las ciudades industriales se pueblen de proletarios felices... Así esta estrofa de su poesía "Vers le futur" (en *Les villes tentaculaires*):

Et c'est les villes, Debout.
De loin en loin, là bas, de l'un à l'autre bout/ Des plaines et

---

[9] Francisco Castillo Nájera, *Un siglo de poesía belga*. Labor, Bruselas, 1931.

des domaines | Qui concentrez en vous assez d'humanité, | Assez de force rouge et de neuve clarté, | Pour enflammer de fièvre et de rage fécondes | Les cervelles patientes ou violentes | De ceux | Qui découvrent la règle et resument en eux | le monde.

Hay una inevitable, insuperable contradicción entre su temática y su retórica, vistas con referencia a ese papel de precursor del "nuevo lirismo" que suele asignársele. Tanto como, examinadas con otra perspectiva —la tradicional, la que al cabo le corresponde—, hay una estrecha correspondencia. Pero en cualquier caso —como escribíamos hace años en la primera edición de este libro—, para considerar su obra dentro del nuevo estilo, insertando a Verhaeren en la línea de precursores, se requeriría una transcripción más legible y más ágil de sus densos cuadros y de sus ritmos morosos.

c) *D'Annunzio*

En cuanto a las conexiones o influencias de D'Annunzio sobre el futurismo: en este punto las hipérboles más contradictorias —como corresponde a una personalidad tan varia y espectacular—, abundan. Van desde aquellas que niegan todo eco a su obra (dejándose impresionar demasiado por el rumbo de la literatura italiana en esta segunda postguerra, ¿pues qué otra cosa es sustancialmente el neorrealismo sino la otra cara del esteticismo, la negación más violenta y radical de todo lo que huela a d'annunzianismo?) hasta aquellas otras que le atribuyen influjos desmedidos. Por ejemplo, uno de los últimos apologistas de D'Annunzio, Furio Lilli, pretende advertir sus huellas en todas las escuelas de vanguardia, considerándolas como "una degeneración de ciertos aspectos del d'annunzianismo"... Presunción tan gratuita como desmesurada se destruye a sí misma y no necesita rebatirse. Sin embargo, cuando después de haber frecuentado las obras futuristas, se ven de cerca las características más descollantes del d'annunzianismo, no es difícil advertir ciertas reminiscencias o más bien anticipaciones, cuando no identidades: sensualismo, irracionalismo, concepción violenta y heroica de la vida, nacionalismo, imperialismo... El autor de *Il piacere* situaba la existencia por encima de normas, como algo reservado a los fuertes, dominio del superhombre; asociaba la belleza a la lucha, a la voluptuosidad y a la muerte. "D'Annunzio y los estetas de *Il Convivio* —escribe el historiador Galletti, aludiendo a los que en la revista de dicho título hicieron juvenilmente causa común con D'Annunzio— querían destruir el positivismo, la democracia, la moral burguesa, el pacifismo, para suscitar un orden nuevo." ¿No fueron éstos también, en definitiva, *leit motivs* de los manifiestos futuristas?

Por lo demás, ambas vidas, la de D'Annunzio y la de Marinetti —sobre todo vistas en el plano externo y anecdótico—, ofrecen más de una semejanza. Marinetti escribe sus primeras obras en francés; D'Annunzio, en el momento cúspide de su fama, utiliza también ese idioma, a partir de 1911, no sólo en *Le martyre de Saint-Sébastien*, sino también en otras obras teatrales: *La Pisanella ou la mort parfumée* y *Le Chèvrefeuille*. Ambos son intervencionistas, belicistas. A *Les canzoni d'oltremare* que sugirió a D'Annunzio en 1911 la guerra italo-turca, corresponde el *Zang-Tumb-Tumb* de Marinetti. Los dos participan con arengas y acciones en la guerra del 14-18. El "diputado por la belleza" de 1899 tiene una réplica años más tarde en el vocero de los "arditi" futuristas. Si el primero, napoleónicamente, siente achaques de legislador durante la aventura de Trieste [10], promulgando la "Constitución de la Regencia del Carnaro", el segundo traza los estatutos de la democracia futurista. Uno y otro anticipan —no sólo acompañan— el fascismo y tratan de poder a poder con Mussolini... D'Annunzio escribe la primera novela de la aviación con *Forse che sì, forse che no*; Marinetti inventa la "danza aérea", la "pintura aerofuturista" y otras acrobacias supraterrenas semejantes... Ambos poseen extraordinariamente desarrollado el sentido de la publicidad espectacular. Al dandysmo del uno hace pareja el energumenismo del otro. El autor de las *Odi na-*

---

[10] Escribe Giuseppe Prezzolini en el artículo sobre D'Annunzio, publicado en *Columbia Dictionary of Modern European Literature:* "La famosa marcha de Ronchi, en 1909, libró a Fiume de formar parte de los Balcanes, pero al provocar una primera revuelta política en el ejército italiano, D'Annunzio balcanizó a toda Italia y abrió el camino de la "marcha a Roma" en 1922."

vali (1892) canta a una torpedera en el Adriático, y en la "Preghiera a Erme" —de *Maia,* el primer libro de los *Laudi*— exalta a Hermes como el dios de las máquinas, cierto es que mitificando éstas. A la famosa estrofa del poema que abren los *Laudi*:

> *Glorie al Latin che disse: "Navigare / è necessario: non è necessario / vivere. A lui sia in glorie tutto il mare!"*

no es difícil encontrar paralelismo en muchos pasos de la obra marinettiana. Aunque Marinetti —como señalé páginas atrás— publicara en sus primeros tiempos un folleto, *Les Dieux s'en vont, D'Annunzio reste,* no es muy improbable que padeciera, en lo subconsciente, su fascinación. La oración podría volverse por pasiva, recordando que años más tarde —en 1921— D'Annunzio moderniza, hasta cierto punto, su expresión con el *Notturno,* libro de técnica futurista según el juicio algo excesivo de Francesco Flora.

Este paralelismo —del cual sólo quedan apuntados los rasgos más salientes, pero que podría ampliarse y profundizarse, abriendo así perspectivas nuevas al estudio de uno y otro escritor— deja al margen su diferencia de calidades —en favor de D'Annunzio, por supuesto, dicho esto objetivamente y sin mezclarlo con preferencias personales—. El paralelismo sólo se quiebra al confrontar los últimos años de D'Annunzio y de Marinetti. Pero si el segundo no disfrutó el título de Príncipe de Montenevoso, sí se pavoneó con las plumas —o palmas— académicas. Y aunque el primero muriera —no "en olor de multitud", como había vivido— recluso en su *Vittoriale,* y el segundo en un departamento de Milán, uno y otro pudieron ya entrever el rostro de una nueva generación hostil, cuando no —lo que es más grave— indiferente.

d) *Kipling*

Veamos final y brevemente la supuesta o posible influencia de otro escritor que suele citarse entre los antecesores del futurismo: Rudyard Kipling. Trataríase, por supuesto, no del Kipling cuentista o novelista, sino del poeta —aunque su obra como tal ofrezca menor importancia, no obstante la reivindicación última hecha por T. S. Eliot al publicar y prologar en 1941 un *Choice of Kipling's verse*—, y aun éste debería ser limitado al Kipling de *The Seven Seas* y de los *Songs from Books,* sin excluir las *Barracks Room Ballads,* cuyas onomatopeyas pueden ser lejanamente cotejadas con las futuristas. Pero, en último término, el verdadero punto de enlace está en algo intrínsecamente ligado a la voz de Kipling, y que al mismo tiempo, hoy a la distancia, resulta un peso muerto de la obra: aludo, como se comprenderá, a su acento imperialista, a su exaltación de cierto pretérito y fulgurante momento británico. Se ha dicho que en Kipling el imperialismo es un accidente, que sólo le sirvió para expresar cierta filosofía de la acción. Tal vez, pero es sensible que el autor de *Something of Myself,* en trance de componer su autobiografía, fuera no ya tan reticente, sino tan absolutamente evasivo respecto a lo profundo de sus motivaciones políticoliterarias. Mas en cualquier caso, quien en el cruce de los dos siglos llenó con voz tan clamorosa los ámbitos de su lengua, ya en 1906, tras la guerra del Transvaal y el desquite de los liberales, hubo de sentir un impacto adverso, y no pasarían muchos años más hasta que E. M. Forster mostrara, en 1924, con su novela *A Passage to India,* el otro rostro del imperialismo.

OTRAS INNOVACIONES DEL FUTURISMO

La inventiva de Marinetti no termina con lo literario; apenas empieza. Se extiende a los más distintos planos del arte y de la vida. Sin ánimo de enumerar por completo sus demás manifiestos, señalemos algunos de los más característicos. He aquí, por ejemplo, uno titulado "Contra el lujo femenino" (marzo de 1920), donde combate —con más ingenuidad que persuasión, desde luego— esta "manía enfermiza de la mujer" —sedas, joyas, placeres sensuales— "en nombre del gran porvenir viril, fecundo y renovado de Italia." Condena a la par "el desbordante cretinismo de las mujeres y la imbecilidad ciega de los machos que colaboran en el desarrollo del lujo femenino, de la prostitución, de la pederastia y de la esterilidad de la raza". Aquí vuelve a asomar el "moralista" que ya años atrás había lanzado un manifiesto "contra el tango y Parsifal". También en una arenga a los ingleses, pronunciada en el Lyceum Club de Londres, había despotricado contra el "culto fanático de la aristocracia", acusándoles de homosexuales en su juventud, de snobismo, tradicionalismo y falsa religiosidad. Pero sus dardos más afilados iban dirigidos contra "este deplorable Ruskin...", satirizando "su ensueño enfermizo de vida agreste y primitiva, su nostalgia de quesos homéricos y de ruecas legendarias, su odio a la máquina, al vapor y a la electricidad". Le acusaba Marinetti de ser el culpable del falseamiento de su país, de haber creado la imagen turística de Italia para los ingleses. A parejas intenciones responde el "Manifiesto contra Venecia pasadista" (1910), donde proponía lisa y llanamente el dragado de los canales, llamando a los venecianos "viles guardianes del mayor pantano de la historia, enfermeros del más triste hospital del mundo, en el que languidecen almas emponzoñadas mortalmente por el virus del sentimentalismo". Naturalmente, el autor de tales arremetidas —no escritas desde lejos, sino dichas ante el mismo público veneciano, en el teatro de Le Fenice— se situaba más allá de todo reproche previsto ("podéis llamarme bárbaro, si queréis, incapaz de gustar la divina poesía que flota sobre vuestras islas; me es lo mismo"), pero no más allá o siempre a suficiente distancia de las réplicas más contundentes que los espectadores solían lanzarle, en forma de hortalizas, durante aquellas borrascosas veladas futuristas...

Porque sépase —o recuérdese— que semejantes teorías fueron expuestas cara el público, desafiando valientemente sus burlas o sus iras. Desde la primera velada que celebraron en el Teatro Rosetti de Trieste (12 de enero de 1910), seguida por otra en Milán (el 15 de febrero) y luego por numerosas más en varias ciudades italianas, hasta las manifestaciones de París y Londres (marzo de 1910), de Bruselas y Sofía (1911), llegando inclusive a Petrogrado y Moscú (en febrero de 1912), Marinetti y sus amigos los poetas Palazzeschi, Lucini, Cavacchioli, Altomare, Mazza... y los pintores Carrà y Severini, el escultor también apellidado Severini y el músico Russolo, exponen y defienden sus teorías, dando lugar a pintorescas réplicas y animados episodios. Tanto por estas actitudes como por los matices humorísticos que solían presentar, las veladas futuristas son un presagio indudable de las que pocos años después llevarían a cabo los dadás, irritando y desconcertando hasta el límite a los públicos. ¿Qué indican esos procedimientos sino un cambio completo en los sistemas de exteriorización de la obra literaria, suprimiendo intermediarios, saltando desde la página impresa a la "acción directa"? Para negar sentido a lo primero y hacer absoluto hincapié en lo segundo, solamente sería menester avanzar unos centímetros. Y ése es el paso que luego dieron dadaístas y superrealistas.

Sin duda todo era premeditadamente estridente, hiperbólico. Pero ¿acaso las hipérboles del futurismo no son sus verdades? Además, para situar en su verdadero plano la significación del ímpetu, del desmesurado vitalismo ofensivo que exhibían los futuristas, deberá no olvidarse la pugna en sus espíritus entablada entre su herencia temperamental y el carácter de sus doctrinas. La reacción contra el pasado es lógico que se produjera en ellos con maneras desaforadas, primitivas, si no antiguas... Venían, así, a dar corporeidad a aquellos "bárbaros" reclamados por quien más se alejaba de este tipo, por el dulce Charles Louis Philippe, al escribir: "Et maintenant, il nous faut des barbares!" Al combatir la "manía arqueológica", la "superstición de los museos", encarnaban un principio de barbarie latente, extremo que se toca con el del hombre supercivilizado. Por contribuir a explicar su caso con testimonios de la misma época, aunque en este caso se trate de un escritor con un signo estético en todo diferente, cabría recordar cierta frase de Péguy sobre la necesidad de "tout remettre en cause". "La humanidad —explicaba— no es un capitalista avaro que amontone y superponga, trozo por trozo, estratos sobre estratos, los tesoros acumulados de un saber muerto. No se es un verdadero artista si no se ha revisado por cuenta propia las adquisiciones anteriores. Más profundamente que en filosofía y más profundamente que en el arte no se es un hombre si en la vida no ha llegado a ponerse alguna vez todo en cuestión."

EL "TEATRO SINTETICO"

Continuando con las innovaciones espectaculares de Marinetti no hay que olvidar sus manifiestos del teatro sintético y de la sorpresa (1919 y 1921). Marinetti, que en un manifiesto anterior había exaltado como únicos espectáculos tolerables el "music-hall" y el circo, propugna ahora la creación de un teatro sintético. "Es decir, rapidísimo. Apresar en pocos minutos, en pocas palabras y en pocos gestos innumerables situaciones, sensibilidades, ideas, hechos y símbolos." Así lo escribe en el prólogo a los dos pequeños volúmenes con muestras del *Teatro futurista sintético*. "Los escritores —agrega en el mismo prólogo-manifiesto, que firman con él Settimelli y Bruno Corra, fechado en 1915— que quisieron renovar el teatro (Ibsen, Maeterlinck, Andreiev, Claudel, Bernard Shaw) no intentaron alcanzar una verdadera síntesis, libertándose de la técnica, que implica prolijidad, análisis minuciosos, largas preparaciones". Ellos, los futuristas, "están convencidos que a fuerza de brevedad se puede alcanzar un teatro absolutamente nuevo, en perfecta armonía con nuestra velocísima y lacónica sensibilidad futurista". Quieren, pues, ofrecer escueta y desnudamente, en su esqueleto dramático esencial, esos momentos-cumbres y esas frases decisivas a los cuales puede quedar reducida toda obra teatral. Suprimir los estudios de caracteres psicológicos diluidos en infinidad de situaciones a lo largo de tres o más actos. No explicar, librarse de la preocupación de verosimilitud artística. Para ello repugnan toda la técnica y los medios habituales que conducen a tales resultados. Y defienden, en cambio, un teatro dinámico y simultáneo. "Es decir, salido de la improvisación, de la intuición fulminante, de la actualidad sugestiva y reveladora." Además, este teatro sería "autónomo, ilógico e irreal". Otros párrafos muy curiosos contiene el manifiesto, como uno en que se habla de "sinfonizar la sensibilidad del público, explorando y despertando por todos los medios posibles sus nervios dormidos". Y otro en que declaran su propósito de "abolir la farsa, la comedia y la tragedia para crear en su lugar la simultaneidad, la compenetración, el poema animado, la hilaridad dialogada, el acto negativo, la discusión extralógica".

En suma, la expresión programática es sugestiva, pero el "teatro sintético", como todas las demás invenciones futuristas, no pasa de ese estadio: su realización es muy inferior. Así nos lo revelan muy crudamente las muestras imaginadas por los autores ya citados, junto con otras originales de Arnaldo Corradini, Francesco Cangiullo, Decio Conti, Remo Chiti, Paolo Buzzi, Corrado Govoni, Luciano Folgore, Balilla Pratella, Depero, Auro d'Alba, etc. El máximo mérito de estas obras está en su extrema brevedad. Las más largas ocupan un par de páginas y su representación —pues efectivamente, muchas de ellas fueron representadas en varias ciudades italianas— no rebasaría los diez minutos. Son apuntes de escenas, esbozos antes que síntesis de situaciones, más mímicas que habladas, sin que falte la ocurrencia ingeniosa, como en una escena imaginada por Marinetti, donde el telón sólo se levanta unos centímetros y el público únicamente ve las piernas de los personajes; o bien otra obra donde aparece un escaparate de tienda en el cual se ven manos masculinas y femeninas efectuando diversos signos y ademanes como única acción.

No contentos con estos alardes, otro miembro del grupo, el aviador F. Azzari, inventó los "vuelos dialogados, las danzas aéreas, los cuadros futuristas aéreos", explicando —sobre el papel, seguramente con más elocuencia que en el aire— sus acrobacias aviónicas en otro manifiesto, "El teatro aéreo futurista", arrojado desde el cielo de Italia en abril de 1919. A la misma serie de ocurrencias pertenecen las danzas futuristas proyectadas por el propio Marinetti en otro manifiesto de 1917: danza del aviador, danza del "shrapnell", danza de la ametralladora, cuyo acompañamiento musical habían de ser los ruidos organizados", y también la "orquesta de los interumori", inventados por Luigi Russolo, que resucitan años después con los experimentos de la "música concreta" y electrónica.

Vistos en su tiempo tales alardes aparecen como ocurrencias joculares, divertidas por innocuas. Carácter muy distinto ofrecen cuando se las confronta a la luz de la historia posterior, pues entonces surge su latencia grotesca, cuando no trágica; cuando, por ejemplo, se recuerdan las "hazañas" de la aviación italiana incendiando las chozas de paja y adobes de Abisinia. Y es que todas esas violencias espectaculares llevaban dentro un morbo agresivo. Por lo demás, el heroísmo aéreo no estuvo representado por ningún futurismo; encarnó años después en seres de excepción como un Lauro de Bosis, quien dio figuración real a su poema *Icaro,* al volar un día de 1931 sobre Roma, en un pequeño aparato, lanzando manifiestos antifascistas y pagando tal heroísmo con su vida.

EL FUTURISMO EN LAS ARTES PLÁSTICAS

Las más válidas y fecundas innovaciones del futurismo se sitúan en otro terreno que el de las artes verbales, en el de las artes plásticas, y por ello su examen detallado rebasa los límites que nos hemos acotado en este libro. Sin embargo, no es posible dejar de recordar sucintamente algunos rasgos de la "revolución plástica futurista", tan estrechamente ligada a todos los movimientos artísticos —cubismo, simultaneísmo, radialismo, suprematismo, abstractismo, etc.— de los mismos años, inmediatamente anteriores y posteriores a la primera guerra mundial. El primer "Manifiesto de los pintores futuristas" fue leído el 8 de marzo de 1910 desde el escenario del Teatro Chiarella de Turín. Lo suscribían Umberto Boccioni, Carlo Carrà, Luigi Russolo, Giacomo Balla y Gino Severini [11]. He aquí algunas de sus principales afirmaciones: "El gesto, la actitud que nosotros queremos reproducir sobre el lienzo no será un

---

[11] En el capítulo "La mia esperienza futurista", de su libro *La mia vita,* Carrà ha narrado cómo, de hecho, el manifiesto fue redactado por él, juntamente con Boccioni y Russolo (febrero de 1909), en un café de la Porta Vittoria de Milán; Marinetti y Decio Conti, secretario del grupo, le dieron la última mano y poco después fue impreso en varios miles de ejemplares, "promoviendo, en el grisáceo cielo artístico de nuestro país, el efecto de una violenta descarga eléctrica". Narra asimismo el desconcierto del público, durante la primera lectura del manifiesto en Turín, y cuenta el siguiente sucedido. Para calmar el escándalo se le ocurrió a Carrà sugerir a uno de los participantes, el poeta Armando Mazza, que declamara algunos fragmentos de la *Divina Comedia* sabidos por él de memoria. Pero he aquí que al escuchar estos tercetos se agravaron los gritos, silbidos y protestas. Al terminar Mazza, Marinetti subió al proscenio y gritó con voz poderosa: "¡Sabed que habéis silbado a Dante Alighieri, futurista!".

instante fijo del dinamismo universal; será resueltamente la sensación dinámica eternizada como tal." No hay líneas ni imágenes fijas —venía a añadir—, los objetos en movimiento se deforman con vibraciones precipitadas en el espacio. "Así, un caballo que corre no tiene cuatro patas, sino veinte, y sus movimientos son triangulares." Visión que entonces parecía caprichosa, pero que el cinematógrafo en "ralenti" demostraría como exacta, o muy cercana de la realidad, poco después. Partiendo de esta visión de los cuerpos en movimiento, ningún trabajo les costaba llegar a sostener que "el espacio no existe", tampoco la opacidad de los cuerpos, y por consiguiente, lo único que cabe reflejar es "la compenetración de los planos". Estas premisas suponían una modificación total de la visión de la obra pintada. "Los pintores nos han mostrado siempre los objetos y las personas colocados ante nosotros. Nosotros colocaremos en lo sucesivo al espectador en el centro del cuadro." De esta suerte, el futurismo pretendía fundir al autor y al espectador, hacer una síntesis de lo visto y lo recordado o imaginado. Un cuadro de Gino Severini, titulado "Recuerdos de viaje" y donde se ve una síntesis de casas, árboles, figuras en las ventanas del camino, es la mejor ilustración de este propósito. Los aspectos de una manifestación callejera, la multitud agitada con los puños alzados o las cargas de la caballería eran representados en el lienzo por otro pintor, Russolo, mediante haces de líneas que correspondían a las "fuerzas" en conflicto. Estas "líneas de fuerza" debían envolver al espectador hasta el punto de hacerle un partícipe más en la escena representada.

El escultor Boccioni —muerto joven, cuyas obras rebasan el valor de documentos y cuyo talento teórico superaba el de sus colegas— amplió luego en un extenso libro estos puntos de vista. Se extendía así sobre las "líneas-fuerza", el dinamismo, la compenetración de planos, la simultaneidad, el trascendentalismo físico y los estados de ánimo plásticos, en sendos capítulos bajo esos enunciados, escritos con pleno conocimiento del tema y una vehemencia persuasiva. No es extraño, pues, que las obras más valederas del futurismo sean algunas esculturas de Boccioni. La escultura, al no hallarse limitada bidimensionalmente, era la materia más adecuada para expresar el movimiento de las formas. Un cuadro de Boccioni como el titulado "Las fuerzas de una calle", otros de Severini, como "El pan-pan del baile Mónico" y "Jeroglífico dinámico del baile Tabarin", otro de Carrà, como "Los funerales de un anarquista", todos ellos famosos, abundantemente expuestos y reproducidos, pueden considerarse verdaderas obras maestras de tal estilo.

Pero ¿era posible una pintura del movimiento? ¿Acaso tal supuesto no comportaba una contradicción de principio respecto a las leyes propias, fatales, en el sentido de necesarias, de la pintura? A este propósito escribía ya Apollinaire en un artículo de 1912: "Los futuristas apenas tienen preocupaciones plásticas. Se preocupan, ante todo, del tema. La naturaleza no les interesa. Quieren pintar "estados de alma". Es la pintura más peligrosa que pueda imaginarse." Concebido inicialmente como una reacción contra el cubismo (y a este respecto el capítulo de Boccioni titulado "Lo que nos separa del cubismo" es muy ilustrativo), no tuvo la fertilidad de éste. Indirectamente, cierto es, no dejan de verse reflejos del futurismo pictórico en alguno de los mil y un estilos —nominalmente considerados, pero no en su esencia, poco variable— que pretenden abrirse paso en los últimos años; pero el hecho es que sus iniciadores fueron los primeros en abandonarlo. Severini volvió al cubismo y luego abordó la pintura religiosa entre otras fases; Carrà pasó a la pintura metafísica —lo más opuesto al futurismo, arte del estatismo, de la nostalgia—, como etapa tampoco definitiva. Otros como Balla se hundieron en el convencionalismo, aún más, en el pompierismo afligente, según tuvimos ocasión de comprobar al reencontrar algunos cuadros irreconocibles de este pintor en una exposición romana de hace pocos años. De la segunda generación de pintores futuristas, Enrico Prampolini, Fortunato Depero, Filia, Dottori, Tato, son los más significativos, pero sus obras más valederas tuvieron un carácter decorativo, cuando no arquitectónico. En este último aspecto, el malogrado Antonio Sant'Elia se alza con figura de precursor —empero el trato desdeñoso que le otorga su compatriota Bruno Zevi [12]—, no indigna de equipararse con las de F. L. Wright, Walter Gropius o J. P. Oud, entre otros arquitectos creadores o precursores del funcionalismo en el mismo período.

---

[12] *Storia dell'architettura moderna* (Einaudi, Turín, 1950).

UNA SINTESIS DE MANIFIESTOS

A fin de no alargar más esta parte dedicada a glosar algunos de los manifiestos e innovaciones del futurismo, concluyámosla por donde tal vez debiéramos haber empezado: por transcribir literalmente un manifiesto-síntesis de Marinetti. Es el siguiente:

"Arte vida explosiva. Italianismo paroxístico. Antimuseo. Anticultura. Antiacademia. Antilógica. Antigracioso. Antisentimental. Contra las ciudades muertas. — Modernolatría. Religión de la nueva originalidad velocidad. Desigualdad. — Intuición e inconsciencia creadoras. — Esplendor geométrico. Estética de la máquina. Heroísmo y mojiganga en el arte y en la vida. Café-concierto, fisicolocura y veladas futuristas. — Destrucción de las sintaxis. Imaginación sin hilos. Sensibilidad geométrica y numérica. Palabras en libertad ruidistas. Cuadros palabras libres sinópticos coloreados. Declamación sinóptica andante. — Solidificación del impresionismo. Síntesis de forma-color. El espectador en el centro del cuadro. Dinamismo plástico. Estados de alma. Líneas-fuerza. Trascendentalismo físico. Pintura abstracta de sonidos, ruidos, olores, pesos y fuerzas misteriosas. Compenetración y simultaneidad de tiempo espacio lejos-cerca exterior-interior, vivido-soñado. Arquitectura pura (hierro-cemento). Imitación de la máquina. Luz eléctrica decorativa — Síntesis teatrales de sorpresa sin técnica y sin psicología. Simultaneidades escénicas de alegre-triste realidad-sueño — Drama de objetos — Escenodinámica — Danza librepalabra mecánica del cuerpo multiplicado — Danza aérea y teatro aéreo — Arte de los ruidos. Sonadores. Arcos inarmónicos — Pesos medidas premio del genio creador. — Tactilismo y mesas táctiles. A la busca de nuevos sentidos. Palabras en libertad y síntesis teatrales y olfativas — Flora artificial. Complejo plástico motorruidista — Vida simultánea — Protección de las máquinas — Declamaciones en varios registros."

LOS ADEPTOS Y SU EVOLUCION

Y en cuanto a los poetas y otros escritores adeptos del futurismo, tan abundantes y ruidosos en un tiempo, ¿qué fue de ellos? —se preguntará—. ¿Cómo evolucionaron, qué significación actual tienen figuras como Paolo Buzzi, Corrado Govoni, Aldo Palazzeschi, Luciano Folgore, Enrico Cavacchioli, Emilio Settimelli, Bruno Corra, Francesco Cangiullo, Libero Altomare, Armando Mazza, etc.? De este etcétera podemos desde luego excluir a los tránsfugas, pero más notorios, que habían afirmado antes y después del futurismo su personalidad independiente, como Giovanni Papini y Ardengo Soffici. Si hasta ahora aquellos otros nombres, al historiar la trayectoria de ese movimiento, sólo aparecieron ocasionalmente, débese a una razón obvia; junto a Marinetti, en rigor sólo hacían figura de acompañantes, su posible voz quedaba ahogada por la más poderosa del tronitonante conductor.

La primera pregunta que cabría, por lo tanto, formularse es ésta: ¿existió una generación futurista? ¿Tuvo coherencia de tal —aunque en ella se den abundantemente varias otras de las condiciones señaladas por Petersen para la existencia de una generación— o fue una "creación" más de Marinetti? Su personalidad avasalladora y "transformadora", convirtiendo en ocasiones a sencillos "vates" provincianos en "grandes poetas futuristas", se evidencia inclusive en algunos hechos anecdóticos, al rebautizar nombres y títulos. Libero Altomare, por ejemplo, es un seudónimo, pero infinitamente más sonoro que el vulgar que poseía el interesado y que no recordamos. Como un poeta futurista —salvo por ironía, cualidad que faltaba en Marinetti— no podía llamarse Omero Vecchi, mató a éste, haciendo nacer a Luciano Folgore. Del mismo modo Marinetti, a veces, no vacilaba en trocar títulos de libros e intenciones con objeto de plegarlos a la común orquestación. Así, hizo rotular *L'incendiario* (1910) un libro de Palazzeschi plácidamente intimista; cambió otro por el de *Poesie elettriche* (1911) de Govoni... Por lo demás, esos títulos —como otros similares, *Canto dei motori*, *La città veloce*, de Folgore, *Aeroplani* y *L'ellise e la spirale*, de Buzzi— no hacían sino acentuar la primacía que se daba como motivos de inspiración, como pretextos para las palabras en libertad, a los nuevos elementos del mundo mecánico. El contraste y discordancia se producían en casos como el de Palazzeschi, cuya sensibilidad era más bien pareja de los poetas antagónicos —los crepusculares— y que al aproximarse al futurismo mudaban de piel, pero no de estro. Con Palazzeschi, el decano por su edad —nació en 1883— comienza precisamente una de las últimas antologías de la poesía italiana, compilada por Giacinto Spagnoletti en 1950 y que llega hasta la última generación, pero que sólo retiene del futurismo (junto con la reproducción del manifiesto inicial a modo de encabezamiento del libro, lo que es buen homenaje), además del nombrado, los nombres de Soffici, Papini y Govoni. Si ha de tomarse por un balance definitivo, escasa resulta la aportación de movimiento tan cuantioso. En cuanto a los prosistas, no parecen haber corrido tampoco mejor suerte. Settimelli y Carli derivaron muy prontamente hacia la polémica política y hacia la novela; en este último género, Corra buscó éxitos fáciles. La versatilidad de Cavacchioli, que pareció un momento fijada en el teatro, no alcanzó en este género realizaciones sobresalientes, aunque fuera uno de los iniciadores del "grottesco" a la par de Chiarelli y Antonelli.

Aconteció, por otra parte, que los más dotados fueron poco a poco desertando del futurismo. Aquello que aparentemente, en los años iniciales, constituía su fuerza, no tardó en revelarse como su debilidad: nos referimos al reclamismo escandaloso, desmesurado, de que hacía gala Marinetti, a su falta de tacto, no ya sólo de escrúpulos, para sumarse adeptos como quiera que fuera, sin reparar en la calidad intelectual de los recién llegados —achaque común a todos los fundadores de capillas y que se imputa también a André Breton—, hecho que naturalmente suscitaba la indignación o el apartamento de los fundadores. Carrà y Severini, en sus respectivos libros de memorias, aun evocando con simpatía y nostalgia la atmósfera de juveniles jornadas, no dejan de reconocerlo así. Tenía Marinetti —dice el primero— "desarrolladísimo el lado reclamista y llevaba al mundo literario métodos propios del comercio...". En la propaganda del "producto" ponía sus mayores desvelos. Agréguese a ello el espíritu monopolizador, unilateral, que caracteriza a todos los fundadores de sectas y se tendrá explicado por qué los mejores, que en un momento dado había logrado sumar a sus filas, fueron desertando. Con la misma facilidad que conseguía adeptos, Marinetti los perdía. Rico ("i suoi millioni", escribe un historiador como Pellizzi), o al menos con una total independencia económica, pudo darse el gusto de organizar viajes, publicar libros de sus amigos y sostener una especie de oficina de propaganda, si bien, personalmente puedo recordar que todos los envíos de cartas e impresos del futurismo me llegaban expedidos de su puño y letra. Su espíritu absorbente rechazaba a las figuras pariguales, prefiriendo el cortejo de los mediocres. "El pequeño grupo temerario —escribió ya Papini en 1919— y aristocrático de los primeros tiempos se había transformado en una especie de baja democracia donde todos podían entrar, desgranando un rosario de palabras incomprendidas. Abandonada toda "mística", la iglesia estaba ya madura para convertirse en un partido político, en una asociación electoral". Las prontas rupturas de Soffici y Papini entre los escritores, de Carrà y Severini entre los pintores, no reconocen otro origen. Dos de sus primeros y más valiosos compañeros, el pintor Boccioni y el arquitecto Sant'Elia, cayeron en la primera guerra. La más cruel, pero quizá la más verídica historia de estas rupturas, está en un libro de Papini, *L'esperienza futurista* (*1913'-1914*).

LAS ESCISIONES
PAPINI Y SU "EXPERIENCIA FUTURISTA"

El encuentro entre Marinetti y Papini se produjo en Florencia, en las Giubbe Rose, café que ha pasado a los anales literarios, pero hoy día completamente desfigurado, vulgarmente modernizado, como el Aragno de Roma y tantos otros célebres cafés europeos. Fue en 1919, con ocasión de las primeras manifestaciones de los futuristas italianos en Florencia. Era el momento de *La Voce,* revista que Papini publicaba con Prezzolini. El primero tenía ya renombre merced a sus libros *El crepúsculo de los filósofos, Lo trágico cotidiano, El piloto ciego*... Demoledor, subversivo; pero su mundo mental era otro. ¿Cómo acogió el futurismo de Marinetti y su banda? El propio Papini lo ha contado de forma muy vívida en un libro, *Esperienza futurista* (1919), que recoge también en su primera parte otra de fecha anterior, *Il mio futurismo* (1914). Tres fases tuvo su primera reacción, calificadas así por el propio autor: "benévola expectativa", "simpática defensa" y "afectuosa aceptación", con el apéndice posterior de una "strocantura" contra Marinetti. "Me adherí al futurismo —explica— creyendo encontrarme con hombres verdaderamente nuevos y libres que se proponían una efectiva renovación del arte italiano, del espíritu italiano. Al cabo de un año advertí que había caído en una iglesia, academia o secta más pintoresca o simpática que las demás, pero donde se buscaba la fe antes que la libertad, el ruido antes que la creación, la obediencia a la ortodoxia más que la riqueza de la exploración. Imaginaba entrar en un república de poetas y de artistas, y descubrí que me había enrolado en una teocracia de políticos donde el pontífice rey acariciaba como los viejos déspotas, halagaba a la última plebe para tener sujetos a los nobles." "Dentro del grupo —sigue escribiendo Papini— la apariencia contaba más que el genio; la improvisación más que el esfuerzo laborioso; el número de los afiliados más que su valor. Y acabé por persuadirme de que el futurismo —como teoría y expresión— era bastante más viejo y antiguo que muchos de sus adversarios."

La alianza de Papini con el futurismo duró poco más de un año. Lo abandonó al mismo tiempo que Soffici y Palazzeschi. Poco después, Carrà haría lo mismo. Fueron bajas considerables. Papini pagaba su tributo a Marinetti —haber revelado poetas nuevos como Palazzeschi, Govoni y Folgore—, pero no ocultaba sus defectos: manía de predominar, necesidad de acción inmediata, desplazamiento hacia la política... Por lo demás, Papini nunca fue un iluso respecto al contenido del futurismo. Advirtió —decía— todo lo que en él había de pasadismo: "El fondo del programa no era nuevo; Walt Whitman, Verhaeren, D'Annunzio (el de los *Laudi*). El deseo de arrasar la cultura pasada, de quemar las bibliotecas y museos, de volver puros y jóvenes el arte y la naturaleza, no era más que un reflejo de la gran paradoja russoniana. Otras teorías futuristas de los comienzos (como el verso libre) derivaban demasiado evidentemente de la última literatura francesa. El desprecio por la mujer venía en lo más profundo de Strindberg y de Weininger." Y en cuanto a lo demás: el cambio de temas —motores en vez de ruinas— era cambio de contenido, de materia prima, no de alma y de arte. Se puede hacer también retórica y d'annunzianismo cantando los automóviles y los aviones (el mismo reparo que luego haría Cocteau, según he señalado). Y el arte debe surgir de la sensibilidad inmediata del artista, expresada con libertad y vibración. Sin busca no hay creación nueva. Respeto a lo antiguo, pero nada más.

Sin detenernos en el comentario de esas opiniones, añadiremos únicamente cuán natural era que un espíritu como Papini sintiera en un momento dado la tentación del futurismo y luego su rechazo. En el capítulo "¿Quién soy?", de su admirable *Uomo finito,* Papini se había pintado como "un poeta y un destructor, un fantástico y un escéptico, un lírico y un cínico". Y en cuanto a sus irreverencias: "Nada hay para mí sagrado: ni la grandeza de los muertos, ni las glorias cimentadas por los siglos, ni las verdades aseguradas por milenarias experiencias, ni la terribilidad de los códigos, ni los axiomas de la moral, ni los lazos de los más profundos afectos. Quiero volver toda cosa de arriba abajo, revolucionar las creencias, etcétera". Quítese un poco del teatralismo que hay en esta enfatización de su personalidad y se tendrá una idea bastante exacta del fondo papiniano, lo que explica no sólo su abjuración futurista, sino su conversión católica, su adhesión mussoliniana y los demás avatares. Ratificando aquel futurismo suyo, agregaba: "Todo mi pasado intelectual me conducía al futurismo. Futurismo es destrucción y asalto. Mi primer libro, *El crepúsculo de los filósofos,* era ya obra de asalto y destrucción, y toda mi obra de polemista sin piedad testimonia que yo no soy ni un tímido, ni un conservador, ni un bellaco."

Mas no obstante esas afinidades y otras muchas que enumera Papini, sus discrepancias con el futurismo no tardaron en manifestarse. La ocasión fue un artículo, "Il cerchio si chiude", enderezado al pintor Boccioni, y donde Papini reprochaba al futurismo quedarse en las exterioridades. Le molestaba el espíritu de capilla. Reprochaba a Marinetti su sectarismo, pretender que la literatura no existía fuera de las "palabras en libertad". Respecto a las artes plásticas, hacía objeciones muy valederas que siguen conservando actualidad. Por ejemplo, la tendencia a transcribir en bruto los elementos de la realidad, sin someterlos a una transformación estética. Se alzaba contra la realidad realística y pedía una transposición estilística. Recordaba Papini una frase que escuchó a Picasso: "Comprendo que se empleen los pelos del bigote para hacer un ojo, pero si usted pone el bigote verdadero en el verdadero lugar del bigote no hace más que imitar al Museo Grévin." Finalmente, en un capítulo, "Futurismo e marinettismo", Papini señalaba implacablemente sus diferencias, ante todo temperamentales, con el jefe del movimiento. Y denunciaba que el futurismo había degenerado en un *ismo* personal, el marinettismo. "Al marinettismo —escribía— que se sirve de una técnica nueva le falta una sensibilidad renovada, purificada. Refutando ciegamente el pasado, tiende ciegamente al porvenir; mas como no hay arte o pensamiento que no sea un retoño de un arte o de un pensamiento anterior, el marinettismo se encuentra como un movimiento aislado, sin real enlace con el pasado. En vez de superar la cultura absorbiéndola y profundizándola, la odia con el odio del campesino que nunca ha visto la máquina. Cae en rebuscas programáticas superficiales." Y luego establecía a dos columnas una relación de contradicciones entre las dos tendencias y teorías del futurismo y del marinettismo. ¡*Stroncatura* sin piedad!

UN RENEGADO: SOFFICI

Veamos ahora los cargos contra el futurismo de otro tránsfuga que más justo sería llamar renegado, Ardengo Soffici. Pintor, poeta —*Biffssz†8, Simultaneitá, Chimismi lirici*—, novelista —*Lemmonio Boreo*—, teórico del arte y la literatura nuevas —*Cubismo e oltre, Cubismo e futurismo, Scoperte e massacri*—, espíritu incisivo —*Arlecchino, Giornale di bordo*—, Soffici fue uno de los ingenios más versátiles de aquellos años y una de las incorporaciones más valiosas hechas al movimiento de Marinetti. Venía de *La Voce* y junto con Papini había fundado en 1908 *Lacerba*. Su formación cultural era en buena parte francesa. Había residido varios años en París; había sido amigo de

Apollinaire y los primeros cubistas. En cierto momento rivalizó con Marinetti en el arte del dicterio y del epigrama. Su *Giornale di bordo* rebosa dardos hirientes por todas sus páginas. Considera a Rafael "el genio de la mediocridad". La Gioconda le parece "la piedra de toque del filisteísmo estético, el paradigma del lugar común, la cloaca de la imbecilidad internacional". Arremete, al igual que Marinetti y Papini, contra D'Annunzio y Croce. ("La filosofía de Croce —escribía Papini en 1913— es la quintaesencia estilizada del perfecto burguesismo civil e intelectual.") Su evolución posterior, que contradice enteramente esta primera etapa, mostrándose ultranacionalista, belicista, fascista, llevando el péndulo literariamente al extremo opuesto, renegando de todo lo que había exaltado, parando no en clasicista, como pretendía —a partir de *Elegia dell'Ambra*—, sino en un tremendo reaccionario, no nos interesa aquí. Acotamos únicamente el momento de su ruptura con Marinetti, expresada en 1920, en la revista romana *Valori Plastici*.

Al abrir juicio del futurismo se presentaba "como una de las pocas personas capaces de pronunciar sobre ese movimiento una palabra desinteresada e imparcial". Por ello comienza protestando contra la "penosa recrudescencia del lugar común, del pedagogismo, de la trivialidad escolar que, so pretexto de reacciones contra las incontinencias, las degeneraciones y otros peligros del futurismo, intenta en el fondo resucitar ciertos valores desacreditados, vilipendiados y para siempre destruidos". Señala luego que la historia nos demuestra cómo en el momento en que un movimiento de ideas, o una imposición de formas nuevas, alcanzan su fin, inmediatamente se produce una reacción de signo contrario, tan legítima como fatal. Y sobre todo —apostillaríamos por nuestra cuenta— cuando tal movimiento se queda a la mitad del camino, pues lo más común es que toda revolución abortada, de cualquier orden que sea, engendra una reacción violenta. Pero oigamos nuevamente a Soffici: "El futurismo, dicen los unos, no es más que la exageración de cierta tendencia filosófica y estética extranjera y más propiamente francesa, inadecuada para nosotros. El futurismo, dicen otros, no es más que la última llamarada que arroja el romanticismo. Es una especie de apología de las extravagancias y de los funambulismos, que sólo puede resultar dañina para nuestros espíritus. El futurismo, dicen los de más allá, es más bien el comienzo de una decadencia absoluta del gusto y una destrucción de todos los valores de la cultura estética y moral, que puede conducirnos a la barbarie." Por ello considera que el futurismo ha muerto y está bien que así sea.

Pero ¿qué es lo que va a sucederle? "¿Dónde están los principios, las acciones, las obras, que deben remplazar las suyas, falsas y ridículas, arrojadas con razón al carro de basuras?" Al llegar a este punto, Soffici da la voz de alerta contra la reaparición de ciertos valores que deben seguir desahuciados: "el romanticismo lombardo, el simbolismo a la francesa, el estetismo a lo Ruskin, el historicismo a lo Carducci, el paganismo a lo D'Annunzio, el humanismo a lo Pascoli"; pudiendo haber agregado poco después "el verismo a lo Verga". Además, ya se insinuaba la reacción llevada a cabo por revistas y grupos como *La Ronda*.

Y mirando hacia atrás, viendo ya el futurismo en 1920 como algo prescrito, se pregunta qué función ha cumplido. Una función eminentemente práctica, contesta. De "obra práctica", de "hecho social" lo calificaron también años después sus críticos, Francesco Flora y Camilo Pellizzi. Soffici ve además en el futurismo una "afirmación de vitalidad", "una explosión de juventud", merced a su ruptura con el peso de la tradición y a la instauración de nuevas formas. Que éstas hayan cuajado o no de modo valedero es lo que Soffici no llega a precisar, aunque poco trabajo le hubiera costado verlo ya en aquellas fechas; así, por un lado, en lo temático, ciertos nuevos elementos de la vida moderna, introducidos por el futurismo, estaban llamados a dejar una huella fértil, mientras por otra parte, lo formal, las palabras en libertad, no tardarían en desaparecer.

...Y UN TRANSFUGO EMINENTE: PREZZOLINI

La mejor o la más favorable semblanza de Soffici se encuentra en un libro de Prezzolini *(La cultura italiana)*, en aquellas páginas donde nos cuenta haberle encontrado cambiado hasta el límite, vuelto del revés, después de la primera guerra, mudado de internacionalista en fascista, "reaccionario en arte, letras y pensamiento", y describiéndole como "el hombre que no pudiendo ya avanzar más, dio vuelta atrás". A la vez, una cálida y emotiva semblanza de Giuseppe Prezzolini se encuentra en el libro más auténtico de Papini —*Uomo finito*—, retratado bajo el nombre de "Giuliano". "Giuliano il sofista", firmaba Prezzolini, mientras Papini se escondía bajo el seudónimo de "Gian Falco" en las páginas de la revista florentina pilotada por ambos, *Leonardo*. Al evocar Papini, diez años después, de forma vívida, con emoción comunicativa, aquella amistad fraterna, los ardores y avideces de dos jóvenes intelectuales pobres y fervorosos, describe la buhardilla del Palacio Davazanti donde instalaron la redacción y hace historia de las luchas y entusiasmos suscitados por *Leonardo*. Pero Prezzolini tuvo siempre quizá una serenidad, logró desde joven un punto de equilibrio que no alcanzaron Papini ni Soffici, hombres de bandazos extremos. Además, la literatura pura nunca le fascinó —quizá haya sido el único de su generación que no escribió poesías—; se sentía ante todo un agitador de ideas, un hacedor de cultura. Tras la experiencia de *Leonardo*, fundó otra importante revista, *La Voce*, que vivió desde 1908 a 1915, aunque en los últimos años cambiara de rumbo y de personal. No hubo exactamente una literatura de *La Voce* —ha precisado Benjamin Crémieux—, hubo un espíritu de *La Voce* que, visto a distancia, aparece como un mito, como un símbolo único. Y agrega que *La Voce* fue "el verdadero *Sturm und Drang* italiano como la *scapigliatura* había sido su esbozo". Removió ideas, abrió las ventanas, aportó influencias extranjeras, descubrió nuevos valores propios. La obra de Prezzolini ha sido muy diversa y abarca desde los estudios sociales y políticos hasta los ensayos críticos —*Uomini 22 e città 3*— y los recuerdos personales —*Tutta la guerra, Amici*—, pasando por una *Vida de Maquiavelo*. Pero aquí sólo nos interesa en cuanto crítico del futurismo, a través de su libro *La cultura italiana,* en su definitiva edición reformada de 1927.

¿Qué ha sido para Italia el futurismo? —comienza preguntándose Prezzolini. "Ha sido —contesta— un programa de la obra de arte, pero no la obra. El programa era la parte exterior y más conocida, mecánica, formulista. La obra no podía representar todo el arte de Italia, aunque sí buena parte. Muchos de los mejores sintieron la necesidad, al menos por algún tiempo, de decirse futuristas. Querían crear en Italia un arte de nuestro tiempo, donde todo fuera permitido." Es curioso, a primera vista, que el futurismo no haya nacido en América, observa Prezzolini con incongruencia, seguramente antes de conocer este continente —después, en 1930, fue a Estados Unidos, y allí reside como ciudadano norteamericano—, pues de otra suerte habría intuido que todas las tendencias nuevas nacen en buena parte como reacciones contra el medio. En Italia fue "el fruto de una reacción contra la arqueología, la Venecia del claro de luna, el dantismo..." "Tuvo fuerza porque coincidió con el nuevo sentimiento de orgullo nacional" —que a la vez, agreguemos, fue causante de su pérdida y desnaturalización...

En cuanto a sus aportaciones puramente literarias, el balance de Prezzolini es más bien negativo. La poesía futurista le parece falsa de contenido y también un poco vieja después de Kipling, Verhaeren, Whitman. Marinetti —señala— tenía un ingenio vivaz, pero "grossolano"; fuga y robustez, sin concentración. Con él "estábamos aún en pleno d'annunzianismo atemperado por el simbolismo francés: estrépito de palabras y fondo de sensualidad, exaltación furibunda del yo, sin profundidad de pensamiento". No obstante las personalidades que un tiempo se le sumaron, "el futurismo fue simplemente la escuela de Marinetti". "Apenas cumplida la función de suscitar cierto rumor en torno a algunas ideas y de introducir el gusto por algunos artistas, el futurismo comprendió que ya no era ocasión de hablar de arte." Y habló de guerra: cambio que ahora —contradiciéndose— le parece bien a Prezzolini, dado su insoslayable nacionalismo, o al menos pactando con la época fascista en que escribía, pero que antes, en el prólogo del mismo libro, estimó deplorable. "La guerra —dice, aquí sí, ateniéndose a la verdad histórica— fue la ocasión para liquidar el futurismo. Después de los cañones nadie podía oír el *Zang-Tumb-Tumb* de Marinetti." Y todavía es más concluyente e irónico Prezzolini en el artículo sobre literatura italiana del *Columbia Dictionary of Modern European Literature*: "Marinetti —escribe—, una vez completada su tarea como heraldo de los tiempos catastróficos que interrumpieron la paz lograda desde 1870, sobrevivió como los paganos en las aldeas romanas después del triunfo del cristianismo: como un fenómeno provinciano. La guerra por él profetizada enterró su movimiento literario, que ahora pertenece a las vitrinas de museo."

FUTURISMO, "APICE DE LA DECADENCIA ROMANTICA"

En diversas ocasiones, a lo largo de estas páginas, quedó insinuada más que subrayada cierta característica romántica —dando a este concepto su más lato sentido—, en último extremo, del futurismo, no obstante su ruptura externa con todo pasado y particularmente con el que estaba acechante a la vuelta de la esquina histórica. Que haya algo —y aun mucho— de reminiscencias románticas en los manifiestos —o más exactamente en sus preámbulos— y en las poesías de Marinetti y los suyos, es cosa que puede ser advertida por cualquiera que tenga una mínima experiencia literaria. Paolo Vita-Finzi lo precisó con algunos detalles. Sus temas —escribe— son abultados y retóricos: "la lucha fantástica entre las olas tempestuosas y las estrellas inalcanzables" *(La conquête des étoiles);* la epopeya de un personaje africano que quiere "libertarse de la doble servidumbre del miedo y de la hembra" y crea un hijo alado sin concurso de mujer, "símbolo de las ilimitadas y gloriosas posibilidades de la vida" *(Mafarka il futurista)".* Comentando este último libro, Rachilde dijo que tenía todos los defectos de Víctor Hugo.

Ahora bien, quien ha hecho hincapié decisivo en tales reminiscencias románticas, convirtiéndolas en eje de todo su sistema interpretativo, es Francesco Flora en un libro que se estima como el más penetrante análisis de aquel movimiento, tanto como de sus antecedentes y continuaciones: *Dal romanticismo al futurismo,* insistiendo luego en el tercer tomo de su *Storia della letteratura italiana.* Advirtamos, ante todo, que Flora da al término futurismo una significación muy amplia, entendiendo por él toda la literatura que ha "perdido el sentido de las leyes éticas, enviciándose con la concupiscencia, poniéndose al servicio del amor, del sexo, de la mundanidad, del capricho", admoniciones que delatan su origen croceano más que moralista. En su libro la palabra futurismo tiene, pues, un doble significado: sirve tanto para designar una difusa tendencia literaria como para nombrar el movimiento marinettiano. Futurista, en suma, es para Flora "toda la literatura decadente de hoy" (la década del 20), aunque advierta que este calificativo ha de entenderse "cum grano salis".

Concretamente, estima que "el futurismo es el ápice de la decadencia; la última expresión de la decadencia romántica"; y ésta, para Flora, empieza después de Carducci —último clásico, a su parecer—, con D'Annunzio y Pascoli. Cabría hacer muchas objeciones sobre la elasticidad y, por consiguiente, la inexpresividad que han llegado a adquirir esas etiquetas genéricas que el crítico italiano utiliza —y que a un Paul Valéry le hacían sonreír—, pero dejémoslas a un lado y continuemos objetivamente exponiendo sus puntos de vista. El futurismo, decíamos, le parece un romanticismo, pero negativo, polémico. "El futurismo negativo lleva a su culmen la falta absoluta de conciencia religiosa de la vida, de seriedad, de pasión, y por ello de toda lírica verdadera y grande." "Es la disolución de todo el contenido romántico en cuanto lo niega en la teoría y en la práctica y lo convierte en caricatura involuntaria de aceptación o de desdén". Ahora bien, por el hecho de tener el futurismo su "centro positivo en la conciencia de la enfermedad contemporánea", su valor "no es únicamente negativo —crisis necesaria para el desarrollo del nuevo arte—, sino también positivo: conciencia de la enfermedad contemporánea y voluntad de renovación". Lo ve, pues, como un voluntarismo antipasadista, antihistórico —tal como ya había sido en Italia el romanticismo—, que, volviendo del revés la vieja fórmula, proclama: "Todo es nuevo bajo el sol". De ahí su concepto del "arte como novedad", cuya raíz encuentra Flora en la estética bergsoniana, pero que sólo Adriano Tilgher ha llevado a su formulación completa. Señalando los múltiples puntos de contacto que pueden establecerse entre Bergson y los futuristas, escribe: "La *simultaneidad* del futurismo aparece como una rumia bergsoniana; "vitesse et simultaneité". "La "compenetrazione" futurista recuerda la bergsoniana "pénétration mutuelle". Y los "stati d'animo", más que el estado de ánimo croceano que los futuristas quizá ignoraban, evocan los "états d'âme". Bergsoniano es, por último, el concepto del lenguaje que les lleva a las "palabras en libertad".

Ahora bien, estas conexiones e influencias filosófico-literarias resultan siempre muy delicadas y problemáticas; y el intuicionismo, la penetración simpática de la duración real, de la vida, es, al cabo, un concepto difuso en aquellos años que traspasa atmosféricamente los más diversos climas mentales. También Crémieux veía el programa futurista como "una torpe deformación de la estética de Croce". Consideraba que las "palabras en libertad" no eran sino la búsqueda de un arte completamente puro, exento de cualquier didactismo, el cual sólo procedía por iluminaciones, por síntesis intuitivas, tal como Croce había recomendado. Pero insistamos en que tales aproximaciones, aun teniendo alguna base cierta, nunca podrán tomarse como concluyentes y menos aún aclaran totalmente la peculiaridad irreductible del futurismo o de cualquier otro movimiento de vanguardia, en los cuales las raíces no importan tanto como la formulación estética y sus consecuencias.

HUELLAS DEL FUTURISMO

Dejando ya de lado lo retrospectivo, más que sus raíces ha de importarnos ahora, con el fin de allegar elementos para un balance final del futurismo, investigar sus influjos, algunas de sus posibles huellas o continuaciones. Francesco Flora, que no escatimó reservas en su libro juvenil antes mentado, *Dal romanticismo al futurismo,* ha querido ir más allá que nadie, años después —en su *Storia della letteratura italiana*— al afirmar categóricamente que "el futurismo hizo tantas experiencias que hoy todo el arte moderno, confiéselo o niéguelo, le es deudor por algún lado". "Hasta el hermetismo, tan lejano de los cánones futuristas, debe algo al analogismo y a las palabras en libertad del futurismo; hasta el automatismo de los superrealistas se vincula con el principio de que las palabras deben disponerse al azar, según nacen. Escritores como Joyce confesaron abiertamente su deuda. Fue una influencia que yo llamaría antológica, porque recogió todos o casi todos los motivos de la moderna rebeldía contra la razón, la civilización, la historia, afirmando el dominio de la ciencia aplicada y de las máquinas". Hemos transcrito las anteriores palabras del profesor de la Universidad de Milán, sin querer interrumpirlas con ninguna observación, aunque más de una pudieran suscitar. Pero respecto a su ascendiente o, con más exactitud, sus analogías respecto a otras escuelas de vanguardia, algo hemos ya anticipado y tendremos ocasión de puntualizar con más detalle en las páginas siguientes.

Queda, sin embargo, lo referente a Joyce. No me parece que esté documentalmente probada la confesión de esa deuda que se le atribuye; al menos no se encuentran rastros de ella en la minuciosa biografía de Herbert Gorman ni tampoco en diversos libros críticos que reconstruyeron el proceso de la formación joyciana, como los de Harry Levin y Jean Piel, entre otros. Pero cierto es que al intrincarnos por dédalos de *Ulises,* por su red de estilos y lenguajes, por ese mundo verbal que unos (Eugène Jolas) han llamado "el lenguaje de la noche", otros (Harry Levin) "el lenguaje fuera de la ley", más de una vez nos han asaltado reminiscencias de los "paroliberi" futuristas.

Por lo demás, que Joyce, interesado hasta el extremo en toda suerte de experimentos y subversiones idiomáticas, haya conocido en el momento mismo de publicarse, durante sus temporadas en Roma y otras ciudades italianas, particularmente durante su larga residencia en Trieste, las publicaciones futuristas, sumándolas en su memoria, como un metal más, a la aleación que preparaba en su secreto laboratorio, no tendría nada de extraño. *Ulises* —tanto como *Finnegans Wake*— es una imparidad gigantesca —especialmente vista a la luz del lenguaje— nutrida de muy varios y disímiles acarreos: tan numerosos, en suma, como los influjos difusos que luego ha ejercido en la novelística contemporánea. No menores e igualmente difusas, a la vez, son las huellas indirectas del futurismo, más allá de su frustración esencial.

Por su parte, Giuseppe Prezzolini —en *La cultura italiana*—, limitando las influencias del futurismo a la literatura de su país, veía trazas en el *Libro di Mara* de Ada Negri, en la obra poética de Papini, en Piero Jahier y aun en el *Notturno* de D'Annunzio. Pero ha sido otro crítico itálico, A. Momigliano —autor de una tesis doctoral sobre el futurismo— quien, en términos generales, ha hecho el más favorable balance de aquel movimiento: "Ninguna tentativa —escribe— de rebelión artística fue nunca tan radicalmente revolucionaria y tan íntimamente nueva." Y protestando contra el menosprecio sufrido ulteriormente, añadía: "No merece el desdén de los sabios que aturdidos por los muchos saltos funambulescos y las inauditas exageraciones donquijotescas, no han visto la rebelión legítima, la finura satírica, la grandiosidad metafísica que aquí y allí apuntan; y por eso no han previsto que el futurismo podría tener una vida tan larga y, con relación al resto de la literatura italiana, no del todo ingloriosa." A estas alturas de nuestra exposición, el lector por sí solo podrá descontar todo lo que hay de hiperbólico en semejante juicio.

Nos falta ahora oír otra voz sobre la influencia futurista, opinión interesada y parcial, desde luego, puesto que corresponde a su promotor, pero asimismo digna de registrarse para completar el cuadro. Mas para ello conviene dar un rodeo, tomando nuevamente otro punto de vista.

LA ESQUINA PELIGROSA:
FUTURISMO Y FASCISMO

No fue ninguno de sus apologistas quien más se equivocó sobre este aspecto de las influencias ejercidas por el futurismo, fue el propio Marinetti. En efecto, éste, en sus penúltimos y últimos años, pasaba casi por alto las repercusiones puramente literarias de su escuela, y contrariamente ponía todo su orgullo en recabar sus primacías como fascista. ¡Incomprensible —mas, por otro lado, fatal— aberración! Se ha visto el pluralismo, la diversificación de intenciones que practicó el futurismo, en muy diversos planos, al punto, podría decirse, que no dejó ningún arte —desde la literatura a la danza— o ningún aspecto de la vida —desde el sexo a la cocina— sin pretender cambiarlos. Se verá más adelante cómo el futurismo, no tanto por sus aportaciones positivas como por su riqueza programática, sobre todo al surgir tempranamente y por el hecho de hallarse cronológicamente situado en el comienzo de una era mundial de subversiones, tuvo una repercusión difusa en casi todos los demás movimientos de vanguardia que siguieron, por mucho que reaccionaran contra él, ridiculizando o falseando sus rasgos originales, ya por sí mismos joculares y desmesurados.

Pues bien, es el caso que todo ello parecería, en definitiva, haber sido relegado a un segundo plano por Marinetti, a partir de cierto momento, cuando por sí mismo o por alguna pluma oficiosa, hizo la "historia oficial" de su movimiento. Me refiero al artículo sobre futurismo y a la biografía suya, sobre todo a la última, que aparecen insertos en una obra enderezada a la mayor gloria del régimen que entonces dominaba a su país, como fue la *Enciclopedia Italiana* de Treccani.

Vemos allí cuánto relieve asigna Marinetti a sus "hazañas" políticas, insistiendo sobre ciertos episodios que los biógrafos futuros harán bien en olvidar pulcramente; por ejemplo, un manifiesto de 1911, exhortando a la conquista de Trípoli por Italia; agitaciones en 1914, durante la batalla del Marne, por la intervención de su país contra Austria; la fundación en 1919 de la Asociación de los "arditi", una de las primeras células de donde saldría el fascismo; detenciones, procesos políticos, etc. Aun al margen de ello, lógico es que su exaltación italianista, llevada al paroxismo, encontrara un terreno fértil de cultivo en el nacionalismo delirante del fascismo. Porque Marinetti no es sólo el autor de aquella frase suicida tan mentada: "¡Guerra, única higiene del mundo!", sino de otras afirmaciones que desembocarían en la violencia fascista: "La palabra Italia debe dominar sobre la palabra libertad", "Política exterior cínica, astuta, agresiva"... Estas estridencias, de aire entonces gratuito, no tardaron en mostrar su reverso empírico, su realidad infamante. El juego intrascendente se hizo juego trágico, cuando no grotesco. Y a Marinetti, junto a los honores oficiales de una Academia uniforme —no sólo exterior, sino interiormente— sólo le cupo exhibir tristemente sus precedencias. No importa que estas analogías fueran exageradas ("el fascismo —escribía textualmente Marinetti en 1924—, nacido del intervencionismo y del futurismo, se ha nutrido de los principios futuristas"); tampoco importa que aquel régimen, con la habitual impudicia totalitaria (¿qué no hicieron o intentaron hacer los hitleristas con Nietzsche?), tratara de anexionarse todo, llevando cualquier agua a su molino o toda clase de municiones a su polvorín. Pues la consecuencia postrera es que ambos se hundieron, al fin, en la misma sima.

Quizá, a título pintoresco, solamente merecen recordación algunas teorías políticas marinettianas. "Un movimiento artístico crea un partido político", se titulaba el primer capítulo de su libro *Democrazia futurista (Dinamismo politico)*, que Marinetti publicó en 1919 y donde desarrollaba un programa pintoresco, mezcla de audacias y contradicciones (anarquismo estatista, "el proletariado de los geniales", abolición del ejército voluntario y militarización de todos..., abolición del matrimonio y multiplicación de la natalidad, revisión del marxismo), y de cuyos puntos, si no enteramente cumplidos por el fascismo, se encuentran reflejos en la incongruencia doctrinal de ese y otros totalitarismos.

Benedetto Croce (quien dos años después vería su biblioteca de Nápoles saqueada por los fascistas) señalaba sin regocijo y con tanta ironía como cautela —pues Mussolini ya estaba en el poder— esas implicaciones y antecedentes, en un artículo de *La Stampa* de Turín, mayo de 1924: "Para quien posea el sentido de las conexiones históricas, el origen del ideal fascista se encuentra en el futurismo, en aquella decisión para bajar hasta las plazas a imponer su voluntad, a cerrar la boca de los disidentes, a no temer tumultos ni trifulcas; en aquella sed de lo nuevo, en aquel ardor para romper con toda tradición, en aquella exaltación de la juventud que fue propia del futurismo... Y no quisiera que con esto..., recordando mi constante frialdad y oposición al futurismo, mi completa desconfianza en la fecundidad de aquel movimiento, alguien pensara que yo, afirmando los orígenes futuristas del fascismo, pretendo extender el mismo juicio de desaprobación del uno al otro".

Aquí, sí; aquí es donde cabría aceptar plenamente el calificativo de "romanticismo negativo" que Flora adjudicaba al futurismo. Agregaremos que los *antis*, las rebeliones y hasta las blasfemias arrastran siempre fatalmente una cola muy 1830. En las turbias aguas del futurismo se incubaban ya, desde el primer momento, larvas fascistas.

11. Restaurante "Montmartre", en Praga

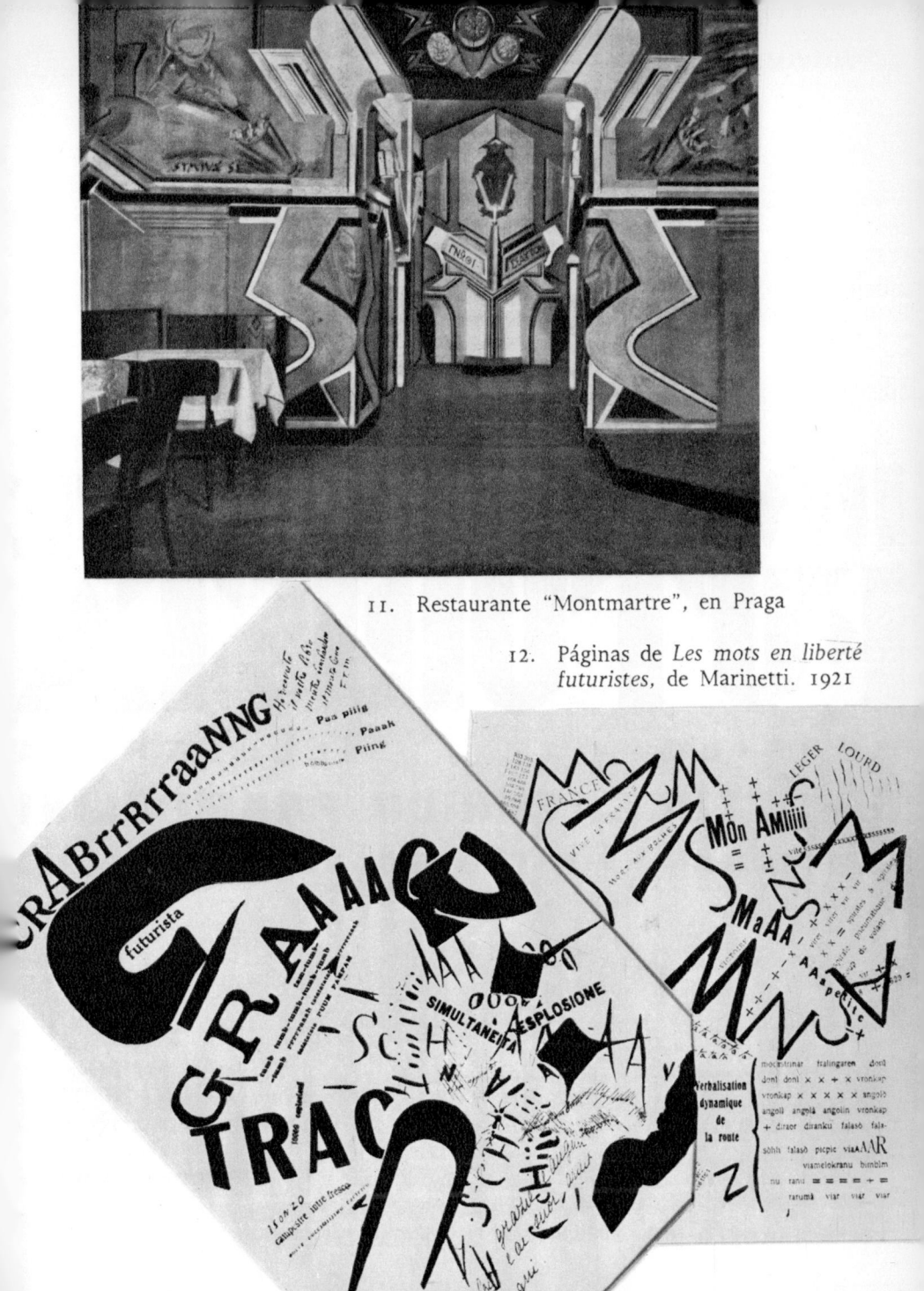

12. Páginas de *Les mots en liberté futuristes*, de Marinetti. 1921

IL MOVIMENTO FUTURISTA DIRETTO DA MARINETTI PUBBLICA

"NOI"
RIVISTA D'ARTE FUTURISTA

MENSILE — ILLUSTRATA

DIRETTORE: ENRICO PRAMPOLINI

(36) ROMA — VIA TRONTO, 89 — ROMA (36)

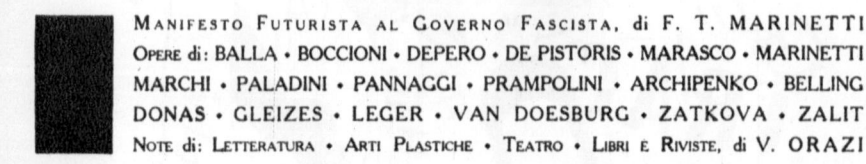

n° 1

Manifesto Futurista al Governo Fascista, di F. T. MARINETTI
Opere di: BALLA · BOCCIONI · DEPERO · DE PISTORIS · MARASCO · MARINETTI
MARCHI · PALADINI · PANNAGGI · PRAMPOLINI · ARCHIPENKO · BELLING
DONAS · GLEIZES · LEGER · VAN DOESBURG · ZATKOVA · ZALIT
Note di: Letteratura · Arti Plastiche · Teatro · Libri e Riviste, di V. ORAZI

SERIE II - ANNO I - N. 1 - APRILE 1923 Conto corrente postale UN FASCICOLO Lire 3

Portada de "Noi", revista futurista de Roma. 1923

14. Portada del número correspondiente al décimo aniversario de la revista "Die Aktion", Berlín

15. Cubierta del semanario "Der Sturm". 1910, con un dibujo y el comienzo de un drama por Oskar Kokoschka

16. Georg Kaiser

17. Georg Trakl

18. René Schickele

19. Herwarth Walden, dibujo de Koko

Lo admirable, en cierto modo, es que aun gravado por el lastre pretérito de una ideología especiosa, Marinetti alcanzara a definir algunos emblemas de otro signo ideológico. Pero al cabo, el peso de la hipoteca inicial le fue nefasto.

Y junto al futurismo no debiera olvidarse el d'annunzianismo, cómplice y colaborador intelectual-emotivo en el surgimiento del fascismo; ambos cavaron junto a éste su fosa y yacen ahí menospreciados por las nuevas generaciones. Perdida así toda su vigencia y casi su recuerdo en Italia, el futurismo sólo importa visto históricamente y en un cuadro internacional de las vanguardias. Si quisiéramos resumir este punto más allá de toda aversión, objetivamente diríamos: Lo que el futurismo dio al fascismo es evidente; la aportación recíproca es menos clara. Verdad es que, al principio, ese régimen político pareció favorecer ciertas nuevas tentativas artísticas, que Marinetti y los suyos multiplicaron sus órganos de expresión con periódicos como *La Testa di Ferro, L'Impero*. Sabido es también que Mussolini, al crear la Academia de Letras, llevó a ella a Marinetti, y que éste no vaciló en dar por nulos todos los dicterios que había lanzado contra el academismo ni en adornarse con la casaca y el espadín clásicos. Pero el fascismo no tardó mucho en declararse —también en el plano intelectual— tradicionalista y misoneísta, ultranacionalista estrecho y, por ello, no sólo antieuropeo, sino antiinternacional. Que estos sentimientos no cobrasen las manifestaciones reaccionarias, agresivas, ni degeneraran enteramente en un dirigismo sectario del arte, como sucedió en Alemania bajo el nazismo, a la peculiar idiosincrasia italiana o a cierto fondo de sensatez última se debe.

BONTEMPELLI Y EL "900"

La expresión más significativa de aquellos sentimientos está en el movimiento de "strapaese" en los semanarios *Il selvaggio* (Florencia, 1924), publicado por Mino Macari, y *L'Italiano* (Bolonia, 1925), dirigido por Leo Lomganesi. Uno y otro impusieron el nombre de *strapaese* para designar una corriente no tanto "provinciana" como antiinternacional, tradicionalista, estrechamente apegada a lo indígena. Clasificaron de *stracittá* a la tendencia de características rigurosamente opuestas, representadas por los novecentistas, encarnada en Massimo Bontempelli y en la revista que éste comenzó a publicar en 1926, titulada *900*. ¿Pero acaso una y otra corriente no eran, en el fondo, las dos caras de una misma medalla: el imperialismo fascista? "*Strapaese* —escribía entonces Crémieux— señala el orgulloso repliegue sobre sí mismo de un pueblo que en adelante quiere hacerlo todo *da se*. *Stracittá* marca un paso más en la vía del imperialismo, una tentativa para hacer resonar en el mundo la voz de la Italia literaria, aunque sea por medio de un idioma no nacional". En efecto, *900* aparecía publicada en francés y con un comité directivo internacional donde se agrupaban, tras el de Bontempelli, los nombres de Ramón Gómez de la Serna, James Joyce, Georg Kaiser y Pierre Mac Orlan. Queriendo paliar esas objeciones, Bontempelli, en una nota de *900*, escribió que si por un lado los adversarios italianos habían denunciado su revista como "una turbia empresa de internacionalismo europeísta", y por otra los adversarios extranjeros le habían presentado como "una temible avanzada del voraz imperialismo italiano", ambos reproches se destruían mutuamente. Con todo, la verosimilitud del juicio antes transcrito sobre el hecho de que las dos corrientes, en realidad, sólo eran una, se acentuaba cuando hojeando las páginas publicitarias de *900* veíamos que en ella se anunciaban las revistas presuntamente rivales, *Strapaese* y *Stracittá*, cuando sabíamos que era Curzio Suckert Malaparte la mano que movía los hilos de todo, y cuando no ignorábamos que Bontempelli había hecho acatamiento a la política dominante, aunque entre sus amigos y colaboradores más próximos hubiera algunos disidentes, como Corrado Alvaro; y a este respecto puedo recordar conversaciones mantenidas con uno y otro en Roma, durante el verano de 1926.

Pese a todo ello, el novecentismo —nombre que, por otra parte, ya había utilizado anteriormente y siguió utilizando un grupo de pintores— de Bontempelli es la única tendencia considerable de la literatura italiana entre las dos guerras, después del futurismo. ¿Qué pretendía este novecentismo? "La obra más urgente —explicaba Bontempelli abriendo el primer cuaderno de *900*— del siglo XX será edificar de nuevo el Tiempo y el Espacio". Por ello afirmaba: "Nuestro único instrumento de trabajo será la imaginación". Pretendía un arte hecho todo de imaginación y fantasía. Para Bontempelli, en la historia de la humanidad, había existido un "época clásica", desde el nacimiento del hombre hasta la muerte de Pan; una segunda época "desde Cristo a los *ballets* rusos". Ahora se abría la tercera época, la del "realismo místico" (como él escribía, pero que más exacto hubiera sido llamar "realismo mágico"), en la cual el hombre debía inventar "nuevos mitos". Pero más que estas teorías, abundantemente expuestas por Bontempelli en su revista, y sobre todo expresadas en algunas originales novelas que entonces publicó: *Vita e morte d'Adria, Il figlio di due madri* y su comedia *Nostra Dea,* nos importa señalar la situación del novecentismo respecto al futurismo.

En un libro que publicó años después, recogiendo sus campañas, *L'avventura novecentista,* subtitulado *Dal realismo magico allo stile naturale,* Bontempelli tendió a puntualizar las posibles analogías y sus más obvias diferencias: "El futurismo —escribía— es sobre todo lírico y subjetivo; nosotros pretendemos la creación de obras que se desprendan todo lo posible de sus creadores y se conviertan en un objeto de la naturaleza". De ahí el predominio absoluto que otorgaban a lo narrativo, su afán por "inventar los mitos y las fábulas necesarias a los tiempos nuevos". Frente al futurismo, que había desdeñado todo empeño meditativo, "el novecentismo lleva en su fondo una tendencia especulativa y filosófica, que constituye la más segura base y la más abundante reserva". Con todo, en este capítulo, Bontempelli terminaba rindiendo un homenaje a Marinetti, "quien ha conquistado, y valerosamente guarda, trincheras avanzadísimas. Detrás de ellas yo he podido comenzar a edificar la ciudad de los conquistadores".

PERSPECTIVA INTERNACIONAL

Visto ahora en la perspectiva internacional, ¿en qué modo y hasta qué punto el futurismo marinettiano tuvo ascendiente sobre otros movimientos europeos de avanzada? Si diéramos crédito absoluto a Marinetti, sin contrastar con otros su parecer, tal influjo sería avasallador, decisivo. En uno de sus manifiestos (fechado el 11 de enero de 1924), titulado "El futurismo mundial", no vacilaba en proclamar sin empacho que la irradiación del futurismo era universal, no reconocía fronteras. Cierto es que la abertura de su compás futurista era muy amplia: "Todos aquellos espíritus poderosos que han colaborado con nosotros, o paralelamente lejos de nosotros, profesando la gran religión de lo nuevo contra todos los retornos y contra los pesimismos, *son en realidad futuristas*". Como "futuristas sin saberlo o futuristas declarados" hacía suyos los más diversos nombres de la literatura y del arte entonces actuantes, sobre todo franceses, desde Valéry Larbaud hasta los superrealistas; y en cuanto a los de otros países, su abrazo era aún mayor, acogiendo con generosa indiscriminación escritores de los cuatro puntos cardinales, probablemente sólo conocidos por él en persona, o firmas entrevistas en las publicaciones del momento [13]. Y en otro manifiesto semejante afirmaba que todas las escuelas de vanguardia (el cubismo, el orfismo, el dadaísmo, el simultaneísmo, el creacionismo, el superrealismo franceses; el radialismo ruso, por no hablar del egofuturismo del mismo país; el vorticismo inglés; el imaginismo anglonorteamericano; el expresionismo alemán; el constructivismo

[13] A título pintoresco y retrospectivo, anotaré que entre los escritores de nuestra lengua incluía: "Madrid, Barcelona, con De la Serna, De Torre, Rivas; las capitales de América del Sur, con Huidobro, Luis Borges (sic), Oribe, Torres Bodet, Lozano, Maples Arce, Ortelli, Caraffa, Smith, Guglielmini, De Andrade, D'Almeida, Prado." Agreguemos que la revista *Prometeo,* de Madrid, publicó en 1910 una "Proclama futurista a los españoles" de Marinetti, que el director de aquella revista, Ramón Gómez de la Serna, glosaba así: "¡Futurismos! ¡Insurrección! ¡Algarada! ¡Violencia sideral! ¡Pedrada en un ojo de la luna!".

flamenco; el ultraísmo español; el zenitismo yugoslavo) debían algo al futurismo. A lo cual la mínima réplica hubiera podido ser —y lo fue— que el futurismo era una de las formas adquiridas por un mismo movimiento o estado de espíritu general, que en otros momentos y en otros países se tradujo por el cubismo, el imaginismo, el expresionismo, etcétera.

a) *El futurismo en Portugal*

Más adelante examinaré sus conexiones con algunas de estas escuelas, por lo demás sabidas o sospechadas. Antes habré de seguir un itinerario menos previsto, llamando —o refrescando— la atención sobre empalmes futuristas tan lejanos y disímiles como los que se sitúan en dos extremos literarios europeos: Portugal y Rusia. Respecto al primero —víctima de la escasez bibliográfica y documental común a todo lo ibérico moderno—, sólo me es dable apuntar un dato que demuestra, empero, el pronto reflejo de las más nuevas doctrinas aun en los lugares más extrarradiales. Me refiero a Portugal, al significado que tuvo la temprana publicación de una revista como *Orpheu*, de Lisboa, en 1915; en ella intervienen Fernando Pessoa, Mario de Sá Carneiro, Almada Negreiros, Adolfo Casais Monteiro y José Regio; páginas complementarias son las de *Contemporánea* (1922) y *Athena* (1924); en todas ellas había reflejos del futurismo y de otros ismos nacientes. Más propiamente futurista fue otra revista, apellidada así de modo preciso, *Portugal futurista* (1917), que fundó el malogrado pintor Santa Rita; su punto de madurez y final está en *Presença* (1912-1940).

b) *El futurismo en Rusia*

Contrariamente, de las repercusiones futuristas en Rusia cabe dar más amplia noticia. No hay nada asombroso en la expansión de esa tendencia hasta tales latitudes, advirtiendo la fecha en que se produjo. Las naciones no se habían atrincherado aún tras verjas de púas hirientes, ni cosa parecida. Europa era antes del 14 un continente fluido y sus capitales vasos comunicantes, sobre todo en lo intelectual. Se hablaba menos de internacionalismo, nada de la "unidad europea" o de una "Europa federal", pero de hecho disfrutábanse muchas de sus ventajas. Al menos, así tendemos a imaginarnos los itinerarios libres quienes hubimos ya de comenzar a trotar por el mundo entorpecidos por visas, maculados de sellos y sospechas. Sobre Rusia aún no había caído ninguna sombra aisladora. Y Moscú era tan asequible como París, Londres, Berlín... Marinetti, que anduvo por esas ciudades predicando su "buena nueva" y gozando, entre otras "voluptuosidades", la de "ser silbado" —de ello se envanecía—, llegó, pues, en dos ocasiones, 1910 y 1912, a Moscú.

La avidez de nuevas formas literarias se propagaba allí entonces con no menor rapidez que la de fórmulas políticosociales, particularmente en la lírica. Slonim y Ravey han escrito que en Rusia la revolución fue inmediatamente precedida y acompañada por un despertar poético. Movimientos como el simbolista, en la década del 90, cuyos principales representantes eran Alexander Blok y Andrei Biely, comenzaban a perder su imperio. *Los doce,* el gran poema de Blok —donde el poeta hace aparecer a Cristo al frente de los Guardias Rojos—, señala el canto de cisne del simbolismo. Como reacción contra esa tendencia, dos poetas que habían pertenecido a la misma, Serguei Gorodestki y N. S. Gumilyev, publican en 1912 un manifiesto revolviéndose contra "las formas vagas" y anunciando su intención de "cantar la alabanza del mundo viviente". Nace así la escuela acmeísta con Anna Akmátova y su marido Gumilyev a la cabeza; ambos, por cierto, revolucionarios líricos, terminaron trágicamente, primeras víctimas de la inconformidad revolucionaria programática: Gumilyev fue fusilado en 1921, Akmátova cesó en absoluto de publicar.

c) *Khlebnikov y Maiakovsky*

Cuando Marinetti llegó a Moscú, la ciudad hervía de escuelas nuevas. Algunas se habían anticipado al futurismo; otras surgieron bajo el estímulo de su presencia y sus manifiestos. Entre las primeras, la integrada por un grupo de poetas prefuturistas, inventores de la lengua *zaum* (*zaumny jazik*: lengua trasasmental —una jerga onomatopéyica de raíces eslavas y pretensiones panlingüísticas, donde se mezclaban neologismos y folklorismos. Su centro había estado en Járkov; su órgano de expresión, la revista *Las Espigas* —remplazada luego por otra titulada *7 y 3*—; sus jefes Kruchenik, Igor Severyanin y Velemir Khlebnikov. Este último, de origen tártaro, barbudo y errante. Cultivaba una poesía de intención "ultranacional", vertiéndola en el antedicho lenguaje *zaum*. Con todo —ha escrito Alexander Kaun— el lenguaje de Khlebnikov tiene su lógica y es esencialmente un ruso morfológico, aun cuando las palabras usadas no existan y carezcan de sentido. Su intento no está muy lejos del que luego llevaron más a fondo Gertrude Stein y James Joyce, sobre todo este último, y no tanto en *Ulysses* como en *Finnegans Wake*. Algunos años más tarde —en París, en casa del pintor Delaunay— tuve ocasión de conocer a un poeta de esa escuela, Ilya Zdánevich, y de escuchar sus extraordinarias (pero no absolutamente incomprensibles, dada la expresividad onomatopéyica del idioma *zaum*) recitaciones. Zdánevich fundó después otra escuela, "Grado 41", suerte de hiperdadaísmo, y siguió cultivando su "idioma", atento únicamente a las analogías sonoras de las palabras, con prescindencia absoluta del sentido lógico. En el fundador, en Khlebnikov, no nos han dicho todavía si efectivamente había un gran poeta, pero sí un bufón de calidad; se llamaba "el rey de los poetas", y cuando murió, en 1920, sus amigos grabaron en la tumba esta inscripción: "Aquí yace Khlebnikov, presidente del Globo Terrestre."

No es Khlebnikov el poeta más importante del futurismo ruso. Tampoco lo fueron Boris Pásternak ni Nicolás Asseyev, que comenzaron siguiendo tales rumbos, si bien el primero, único superviviente de la generación, que no abdicó nunca de su individualismo, haya venido a ser el de obra más trascendente. El poeta más característico del futurismo ruso ha sido Vladimir Maiakovsky. Sería difícil determinar hasta dónde su egofuturismo o cubofuturismo —como sucesivamente fue denominándose— mostraba reflejos marinettianos o simplemente analogías. Pero lo incuestionable es que el ejemplo del agitador milanés contribuyó a estimular en Maiakovsky el cultivo de las onomatopeyas, exclamaciones y ritmos libres, que se unieron a un tono de arenga, coloquial, popular, subversivo, ya prexistente en él. Sin traducir a ninguna lengua occidental está su libro *Maiakovsky y el futurismo,* en gran parte autobiográfico, que pudiera esclarecernos estos puntos. Había nacido en el Cáucaso, en 1893. Su padre era guardabosques. En Moscú, de estudiante, se mezcló en manifestaciones obreras; estuvo preso; comenzó a escribir con estilo tradicional, pero muy pronto se lanzó a otras experiencias. Alcanzó notoriedad merced a *La nube con pantalones,* libro poemático que abunda en alardes y desplantes burlones, donde se mezclan el individualismo y los motivos sociales. El futurismo se ensancha, incorporando nuevas figuras: los poetas Kaniensky, Asseyev, Kruchenik; los teóricos Brik, Konehner y Orvatov. Todos ellos son los primeros en sumarse a la revolución de 1917. Maiakovsky, sin cambiar sustancialmente ni en el fondo ni en la forma, llegó a encarnar —mas sólo en un primer momento—, según se ha escrito, "el estrambótico casamiento del futurismo y de la revolución bolchevique".

Firmado por D. Burluke, Alexander Kruchenikl, Vladimir Maiakovsky y Víctor Khlebnikov, y fechado en diciembre de 1912, aparece en Moscú el manifiesto titulado "Una bofetada a la opinión pública", al cual pertenecen los siguientes párrafos:

"El pasado es estrecho. La Academia y Pushkin son más incomprensibles que los jeroglíficos. Debemos arrojar a Pushkin, Dostoievsky, Tolstoi, etc., por la borda del navío de la actualidad. Quien no pueda olvidar a su primer amor no podrá reconocer a su último amor". "Los Gorky, los Kuprin, Blok, Sólogub, Remizov, Averchenko, Cherny, Kuzmin, Bunin, etc., sólo necesitan ya una villa junto al mar. Así es como se recompensa a los sastres. Miramos su nulidad desde lo alto de los rascacielos. Y ordenamos que se respete el derecho de los poetas: 1.º, a aumentar el volumen del vocabulario con palabras arbitrarias y derivadas; 2.º, alimentar un odio implacable contra el lenguaje que existió antes de nosotros; 3.º, apartar con horror de nuestra frente orgullosa la barata corona que habéis fabricado con ramas de escoba; 4.º, hacerse fuertes sobre la roca del "nosotros" en medio del oleaje de silbidos y de indignaciones. Y si en nuestros libros subsisten aún huellas de vuestro "buen sentido" y de vuestro "buen gusto", éstas, sin embargo, aparecen ya iluminadas por los primeros resplandores de la Belleza Nueva, de la Palabra con valor intrínseco."

Como se advertirá, nada hay en este escrito que no sea rigurosamente típico de los manifiestos literarios más comunes: el ataque violento a la generación anterior, el anuncio jactancioso de nuevas fórmulas...; nada tampoco que traduzca de forma expresa su vaga filiación futurista; y menos aún, nada que presagie la posterior extensión de Maiakovsky al plano políticosocial.

En uno de sus primeros libros anteriores a la revolución, *La flauta de vértebras*, encontramos una poesía titulada "Orden del día al ejército del arte", donde Maiakovsky utiliza su habitual tono de arenga:

"Futuristas, ya hemos avanzado bastante. / Hay que saltar en el porvenir. / Basta de verdades de a un cuarto. / Borrad el pasado de los corazones. / Las calles son nuestros pinceles, / las plazas nuestras paletas. / No hay página / en el libro del tiempo / para la Revolución. / A la calle, patriotas, / tambores y poetas."

Más allá de su rudimentarismo, por encima de su ingenuidad, la poesía de Maiakovsky es, al cabo, el fruto más expresivo de la revolución bolchevique. En su poema dramático de 1918, *Misterio bufo*, glorifica la revolución de octubre. Dos años después publica *150 millones*, una suerte de sátira y de propaganda revolucionaria, invectiva contra el mundo capitalista occidental que personificaba en el presidente Wilson. Este espíritu satírico y bufonesco anima igualmente sus obras teatrales: *La pulga* y *Los baños*.

Pero tornando a considerarle especialmente en relación con el futurismo: esta escuela evoluciona y es absorbida poco después. Cuando comienza a sentirse la presión política se transforma en *Lef*, Frente

Izquierda de las Artes, agrupación que, a la vez, no dura mucho. Pese a su ardor combativo, a su entrega absoluta a la revolución, a la popularidad que disfrutó mediante sus recitaciones, Maiakovsky no fue, en rigor, parejamente estimado por los jefes revolucionarios. Bujarin le reprochaba su individualismo y su bohemia. Lunacharsky negó que representara el arte del Estado revolucionario. Trotsky no gustaba mucho de sus poesías. Y en cuanto a Lenin, se cuenta que oyendo un día recitar un poema de Maiakovsky se indignó y abandonó la sala. No obstante, su temprana muerte evitó a Maiakovsky las coerciones del realismo socialista impuesto autoritariamente, a partir de 1932. Desilusionado, se suicidó en 1930 —amarguras amorosas y descontento político conjugados—, a los treinta y seis años, dejando como testamento una carta lírica, entre burlesca y patética, como los mejores de sus poemas. De ella son las siguientes líneas:

A todos:
No acuséis a nadie de mi muerte. Y nada de pantomimas, por favor. El difunto se horrorizaba de ellas. | Mamá, hermanas mías, perdonadme: esto no es una solución (no se lo aconsejo a nadie), no me quedaba otra salida.
....

Como suele decirse: "El incidente ha terminado". | La canoa del amor se ha roto contra la vida corriente. | Estoy en paz con la vida. | Inútil pasar revista a los dolores, las desgracias y las equivocaciones recíprocas. |
¡Sed felices!"

c) *La reacción antifuturista. Yesenin y*
el imaginismo. Los constructivistas

Otro grupo de vanguardia ruso es el de los imaginistas, influidos de una parte por el futurismo, mas por otra en reacción violenta contra él. A su cabeza estuvo Serguei Yesenin, secundado por Vladimir Chercheneviévich. Anatol Marienhof, Alexander Kussikov y Nicolás Erdman. Los imaginistas se reunían en un café de Petrogrado al que llamaban "el establo de Pegaso". El manifiesto del grupo data de 1915, y en él los imaginistas se revolvían contra el futurismo, considerándole caducado. Reaccionaban contra el contenido en poesía y hacían hincapié únicamente en la forma. Para ellos la imagen era la base de la creación poética. "Expresa lo que quieras —aconsejaban—, pero con la rítmica actual de las imágenes". "La poesía no es un organismo, sino un grupo de imágenes" —resumían, de modo semejante a como lo harán pocos años más tarde los imaginistas anglonorteamericanos. Cuando estalló la revolución, creyeron con natural ingenuidad que ésta iría de par con su revuelta lírica. Y fijaron en las calles unos carteles donde bajo la frase: "Imaginistas de todos los países, uníos", convocaban a una gran manifestación "a los imaginistas, futuristas y otros grupos". "Causa de la movilización: la guerra declarada contra el arte activo. Quien no esté con nosotros, está contra nosotros". Pero apenas había comenzado a hablar el primer orador, un tal Yakulov, la milicia soviética cargó contra la concurrencia y el estado mayor imaginista fue conducido preso a la Cheka, donde se le retuvo un par de días. Encontraron cerradas, además, todas las puertas de las publicaciones, de suerte que se vieron obligados a editar hojas y folletos por su cuenta y a fijar carteles poemáticos en los muros de la ciudad. Nueva condena. Pero los imaginistas no cesaban en su afán de hacerse escuchar, declarándose "hijos de la época". Sucedió, empero —de ahí su heterodoxia naciente—, que tomaban la revolución social no como un fin, "sino como un medio para desencadenar la ofensiva en el frente de las artes". En otra ocasión, mezclando humorismo y audacia, arrancaron las placas que habían rebautizado las calles con los nombres de los líderes comunistas, rebautizándolas a su vez con nombres de poetas, en primer término los suyos.

En fin, no hemos de seguir —puesto que su narración puntual sería materia de otra historia— las peripecias de los imaginistas, que ha reconstruido anecdóticamente Goriely. El resultado final fue que el grupo, asediado tanto por hostilidades externas como por disensiones interiores de sus miembros, no tardó muchos años en disolverse, emergiendo únicamente la figura de Yesenin.

Este alcanzó, merced a sus recitaciones, una popularidad pareja, si no superior, a la de Maiakovsky, con la diferencia de que en vez de corear las consignas del nuevo régimen ("estamos contra el arte estupefaciente, por el arte belicoso, el arte de clase", había declarado aquél), más bien las contradecía o guardaba en tal momento su libertad. De suerte que aun ejerciendo ancha influencia, no es nada extraño que en un momento dado los soviets calificaran el "yesenismo" como "una peligrosa enfermedad política". Si en 1918, Yesenin aprueba entusiásticamente la revolución, a lo largo del poema *Tovarisch Inonia,* lo hace "con los acentos de un mesianismo revolucionario parejos a los de Alexander Blok y Andrei Biely, cantando los sentimientos que en la terminología de los partidos políticos eran más bien peculiares de los social-revolucionarios de izquierda que de los comunistas". Así ha explicado su caso Gleb Struve, agregando que cuando la revolución manifestó sus tendencias antialdeanas, proletarias e industriales, Yesenin —campesino auténtico de la provincia de Riazan, que había sido vaquero hasta su adolescencia— experimentara una desilusión creciente. Se dio a la bebida, publicó libros poemáticos como *El Moscú de las tabernas,* las *Confesiones de un bergante, El hombre negro* y una tragedia sobre los campesinos rebeldes bajo el reinado de Catalina II, *Pugachov.* Su casamiento con la bailarina Isadora Duncan en 1922, su viaje por varias ciudades de Europa y Estados Unidos, su divorcio al año siguiente, dieron pasto a muchas anécdotas y críticas. Estas peripecias íntimas, unidas al descontento externo, le llevaron a la muerte; se ahorcó en una habitación de hotel, en Leningrado, el mes de diciembre de 1925. Quien había de seguirle cinco años después en el mismo destino, Maiakovsky, le despidió con una elegía donde condenaba el suicidio...

Otro ismo de aquellos años soviéticos —no retornados, en que se permitían los libres experimentos literarios y artísticos, pues corresponden a la época en que Chagall y Kandinsky, entre otros, volvieron a Rusia y, favorecidos por el comisario Lunatcharsky, trataron de reformar la enseñanza oficial del arte— fue el constructivismo, que acusaba también, más o menos próximamente, reflejos del futurismo. El teórico principal era Kornely Zelinsky; sus poetas más descollantes Ilya Selvinsky y E. Bagritsky. El constructivismo se manifestaba antitradicional respecto al futurismo, precisamente en el sentido de que no rechazaba en bloque lo tradicional, la cultura del pasado. Intentó establecer el principio de la organización en la obra poética, introduciendo los métodos de la prosa —según Gleb Struve—, lo que fue llamado el "método local", que consistía en subordinar las imágenes y el vocabulario al tema, "localizándolas" desde el punto de vista del estilo. Con todo, esa tendencia conservaba el culto de los futuristas por las realizaciones técnicas. El grupo se disolvió en 1930. Donde el constructivismo alcanzó mayor importancia fue en las artes plásticas, con figuras tan significativas como Vladimir Tatlin, Naum Gabo y Antón Pevsner; se enlaza, pues, con el radialismo de Larionov y el suprematismo de Malévitch, escuelas todas ellas relacionadas en mayor o menor grado con el cubismo iniciador.

FUTURISMO Y DADAISMO. LA DOCTRINA DE "LACERBA"

Retornando a los ámbitos idiomáticos más próximos, ¿fue tan cierta la influencia del futurismo sobre otros movimientos vanguardistas como el cubismo y el dadaísmo? ¿Acaso le habrá estado reservado el singular destino de frustrarse en sí mismo y prosperar en su descendencia?

Al prologar, en 1922, su "Antología mundial de la poesía contemporánea", *Les cinq continents,* Ivan Goll escribía: "El primer grito bastante estridente para hacer levantar la cabeza a la Europa adormecida partió de Italia. Aunque perdiera el aliento rápidamente, después de su primer vuelo en aeroplano, el futurismo conserva todavía el título de campeón de la poesía moderna. Fue imitado en todas partes. Este fenómeno sísmico ha sido registrado en Francia por espíritus receptores muy finos, quizá demasiado finos, quienes han insistido más sobre los detalles que sobre las grandes formas de conjunto. El resto de los espíritus latinos sigue el paso, sencillamente". Pero desde la capital de la "otra hermana latina", se alzó acto seguido la réplica por boca de Philippe Soupault [14]: Esta afirmación me parece absoluta-

---

[14] *Revue Européenne,* núm. 3, París, 1923.

mente inexacta. Dos poetas, a mi parecer, hicieron que la Europa adormecida levantara la cabeza: Walt Whitman y Rimbaud. Marinetti no ha sido más que un brillante y ruidoso vulgarizador. Ha seguido el movimiento." La precedencia de Walt Whitman es incuestionable, no así la de Rimbaud, respecto al futurismo, cuyos restantes penates —como ya antes señalamos— son Verhaeren, Kipling y D'Annunzio.

Sin embargo, he aquí que poco antes ya algún comentarista francés había hecho remontar a Marinetti: "lo esencial de las innovaciones cubisto-dadaístas"; y otro agregaba [15]: "Directamente (Blaise Cendrars) o indirectamente, por la transversal de Apollinaire, los hombres y las escuelas llamadas de vanguardia deben su libertad a la revolución futurista. Marinetti es el gran inventor. Ha aportado lo que hay de viable en las tentativas actuales. Sería menester proclamarlo violentamente". Afirmaciones todas ellas desmesuradas, sin matices, como propias de cronistas no especializados, atentos únicamente a las manifestaciones externas (en este aspecto y comparando los actos espectaculares futuristas con las veladas dadaístas, desde luego Marinetti resultaba el "gran inventor"), que recordamos únicamente a título de testimonios.

Aun a riesgo de violentar el natural orden expositivo —puesto que el examen de las teorías dadaístas se encontrará en un capítulo posterior de este libro—, es imprescindible anticipar ahora algunas claras relaciones entre futurismo y dadaísmo. En la actitud negativa y violenta de uno y otro existían, desde luego, numerosos puntos de contacto. Quien mejor acertó a precisarlos fue Giuseppe Ungaretti, en un artículo titulado "La doctrina de Lacerba", haciendo hincapié particularmente en ciertas teorías del primer Soffici, expuestas en su *Primi principi di estetica* [16]. He aquí sintetizados algunos de los puntos

---

[15] André Varagnac y Dominique Braga en *Le Crapouillot,* París, 1 y 15 de abril de 1920.

[16] Datado en 1922, aunque recoge textos anteriores; antes (1913) había publicado Soffici otro libro de título semejante: *Primi principi di una estetica futurista.*

de vista que Ungaretti aducía —al parecer objetivamente, pero con inocultable satisfacción nacionalista— como antecedentes italianos de las franco-suizo-germánicas teorías dadaístas. Ante todo, los referentes al concepto del arte como juego, ya entrevisto por Schiller: "El arte —afirmaba Soffici— no es cosa seria. Ya es hora de quitarle su aspecto solemne y considerarle como un ejercicio estrictamente personal, como una bagatela perfectamente inútil, que puede existir sin que la sociedad se dé cuenta". Pero Tristán Tzara había escrito ya en su primer manifiesto dadá de 1916: "El arte no es una cosa seria, os lo aseguro", en tanto que el libro mencionado de Soffici data de 1922, si bien reúne escritos muy anteriores, pues a partir de 1918 este escritor —como antes explicamos— dio media vuelta a la derecha y renegó de todo lo defendido hasta entonces. Mas sería demasiado ingenuo enredarse en una minuciosa determinación de fechas o precedencias sobre teorías que en rigor no pueden atribuirse a una sola persona, puesto que gravitaban disueltas en el oxígeno de aquellos años y formaban parte del *aire del tiempo* común.

Véanse otros cruces de líneas. "El arte tiende a una liberación suprema al convertirse en una suprema distracción" —escribía Soffici—. Y coincidente, Max Jacob, en el prólogo de *Le cornet à dés* (1917): "El arte es una distracción". Mientras, ensanchando el coro, Francis Picabia exclama en un manifiesto dadá: "El arte no es un dogma ni una religión. El arte es un placer, una liberación". Y luego, desafiando las mofas del público ante quien lo leía: "Nosotros estamos muy satisfechos de hacer reír porque el arte es una liberación" ¿Qué más? La gratuidad, el desinterés, la intrascendencia de aquel concepto del arte era compartido por muchos otros, aunque fueran diferentes sus divisas. Había llegado, en cierto modo, a ser un lugar común... de minorías. Así Ortega y Gasset, al caracterizar poco tiempo después el que llamó —subrayando uno de sus rasgos, haciendo recaer todo en él, con originalidad, pero suscitando equívocos— "arte deshumanizado", podía escribir: "El arte ha sido desalojado de la zona seria de la vida; ha dejado de ser un centro de gravitación vital". Y en otro lugar, apologizando "el nuevo sentido deportivo y festival de la vida", añadía: "Ciencia, arte, moral inclusive, no son cosas serias, graves, sacerdotales. Se trata meramente de un juego". Lo que no parecía sino una transcripción de Soffici, glosado por Ungaretti: "El arte no tiene ninguna función social, ética, religiosa y ni siquiera sentimental. El principal defecto del arte del pasado es haberle impedido —con su lógica, su didactismo implícito, latente, fundamental— que registre —como hubiera sido menester—, con resplandores de rayo, sensaciones, imágenes, analogías".

Una teoría complementaria, pero que también presentaba la misma unanimidad, orientábase a justificar la incomprensibilidad de aquel arte nuevo. "L'arte —escribía textualmente Soffici— nella sua purezza non puo essere capita e gustata che degli artisti. L'arte avendo per unica funzione di sviluppare la sensibilitá non fa che preparare i suoi cultori a questo: di non aver piu bisogno che di un segno per intenderse". O sea, que el lenguaje del arte podía reducirse a una jerga de iniciados, para cuya inteligibilidad sería menester la posesión de una cifra clave: desideratum que nos regresaba extrañamente a los tiempos presuntamente abolidos de la torre de marfil y a un fin de siglo mallarmeano. Cierto es que Ungaretti, sacando conclusiones por su cuenta, insinuaba otra meta menos prevista —pero que sería poco después la misma de los superrealistas—; esto es, el afán de que "toda realidad pueda ser un día expresada y condensada sin el intermediario de ninguna revelación artística".

También se argüía otra prioridad futurista o "lacerbiana" al recordar que los escritores de esos grupos habían exaltado la primacía del instinto sobre la inteligencia, el no sentido o sin sentido, juntamente con la duda escéptica, la ironía, "única atmósfera de gracia ligera y de libertad sin término ni fines donde el arte puede vivir". Nuevas semejanzas con el dadaísmo. Creemos inclusive estar escuchando a un dadaísta cuando oímos a Soffici: "El arte no encarnará una doctrina y tampoco la negación de ésta. Tomará su esencia y su impulso en la ironía que está por encima de las doctrinas". Y Louis Aragon (que aún no se había suprimido el nombre de pila), en una página de *Les aventures de Télémaque*: "El sistema Dadá os hace libres. Romped todo. Dudad de todo. Así podréis hundir vuestras uñas ensangrentadas en las ideas más pueriles".

Por encima de la cuestión de precedencias entre futurismo y dadaísmo o cubismo —cuestión hoy secundaria, pero que en su día fue ferozmente discutida por los integrantes de uno y otro grupo— está la de sus identidades últimas. Hubo entre unos y otros una acentuada hostilidad a la que no eran completamente ajenos turbios sentimientos nacionalistas, expresados de modo orgulloso por los escritores italianos, con intención burlona por los franceses. Cuando en la época más agitada del dadaísmo —en 1921—, Marinetti presentó en París su tactilismo (o arte de aguzar las papilas digitales sobre registros de muy diversas materias, desde el hierro a la seda...), sufrió interrupciones y rechiflas de aquéllos. Poco más tarde, André Breton, en *Les pas perdus*, cambiaba de tono, tendiendo más bien a precisar diferencias, ya con impasibilidad retrospectiva: "El cubismo fue una escuela de pintura. El futurismo, un movimiento político. Dadá, un estado de espíritu. Oponer uno a otro revela ignorancia o mala fe." Tristán Tzara, por su parte, respondiendo a un afán mío de precisiones, me decía verbalmente en París: "No le dé usted más vueltas. Dadá es un estado de espíritu, mientras que el futurismo no es más que una técnica." En tanto que Jean Cocteau, combatido por unos y por otros, quería situarse en el fiel de la balanza, al describir en *Carte Blanche* las intenciones de cubistas y futuristas, presentaba a la primera tendencia como "constructiva" y a la segunda como "destructiva", pero advirtiendo que, en suma, ambas eran siempre las mismas, desde hace siglos. "La primera dibuja —agregaba—, mientras que la segunda embrolla." Y ponía el cubismo bajo el signo de Apolo, mientras colocaba el futurismo bajo el signo de Dionisos. En suma, Cocteau agregaba un ladrillo más al imponente y conocido edificio del "orden, la medida y la claridad francesas", que felizmente, y para mejor guardar su equilibrio, incluye también algunas piedras dionisiacas... ¿No hubiera sido, por lo tanto, más exacto e inteligente poner esos y otros similares movimientos bajo el mismo signo báquico y desmelenado de Dionisos?

DESTRUCCION Y CONSTRUCCION

Destrucción, construcción: tales eran las dos divisiones esenciales marcadas en el manifiesto de Apollinaire *L'antitradition futuriste*, fechado en 1913 y que Marinetti publicó entre los suyos [17]. En esa bipartición, el primer apartado aparecía más nutrido que el segundo, aunque al pasar de lo programático a la obra, tal preponderancia no fuera siempre cumplida de modo general por el mismo Apollinaire y otros de sus coetáneos. Pero en lo que afecta específicamente el futurismo, ¿podría hacerse el mismo balance, engrosando la columna de beneficios o adquisiciones más que la de restas? La realidad es que Marinetti destruye, pero aunque no se niegue a las construcciones, éstas apenas logran tenerse en pie. He ahí otra característica muy peculiar de su espíritu, que embarcado en el proceso dialéctico de toda aventura innovadora, carga más el acento sobre la antítesis que sobre la tesis, sin llegar a una integración equilibrada. Simplificando voluntariamente y aun rozando lo caricaturesco, podríamos decir que como el prestidigitador del cuento, después de pulverizar ante el público un reloj a martillazos, que le prestó un espectador, advierte impasible que se le ha olvidado la segunda parte del juego: el arte de volver a armarlo.

Destructivismo, negativismo de pura cepa romántica —ya se dijo páginas atrás—, aunque Marinetti matara el claro de luna y exaltase el "esplendor mecánico del mundo moderno". Era fatal que así fuera. En cuanto movimiento precursor —bronco, imperfecto—, el futurismo debía arrastrar escorias muy revueltas que no llegarían a alcanzar la debida decantación. Aún más, estaba ingenuamente destinado a ser sepultado por los epígonos, olvidándose o menospreciándose sus aportaciones e influjos —no ejercidos casi nunca directamente, pero sí, como también escribimos antes, de modo infuso y atmosférico. Influjos en lo superficial, no en profundidad, desde luego, quizá por su

---

[17] Para más detalles véase mi libro *Guillaume Apollinaire. Su vida, su obra, las teorías del cubismo.* (Poseidón, Buenos Aires, 1946).

misma ambición extensiva. La ingenuidad de sus ambiciones sólo quedaba compensada por su buen humor, su alegría inventora.

Lo más grave es que nunca supo o pudo superar sus contradicciones. Antitradicional, pero académico a la postre; irracionalista, pero sentimental; empeñado en "libertar la literatura de la tiranía de los sentimientos", pero sin entrever la deshumanización que aparejaría el maquinismo; cantor de las potencias individuales de lo instintivo, pero sin presumir que todo elementalismo lleva a la masificación. Cierta frase de Hart Crane, aunque no referida específicamente al futurismo, da a su fracaso un alcance más general. "Si no logra —escribía el poeta norteamericano— absorber la máquina, o sea *aclimatarla* tan natural y espontáneamente como los árboles, el ganado, los galeones, los castillos y las demás cosas asociadas a la vida humana en el pasado, la poesía habrá fracasado en su función contemporánea." Y aún queda por apuntar otra contradicción mayor. Nacido el futurismo para proyectarse en un plano internacional, no supo, empero, superar el localismo de sus pretextos, es decir, cierto antipasadismo sólo válido —en un momento concreto— desde el punto de vista italiano, en cuanto pretendía librarse de algo muy próximo y opresivo. La vuelta a nacer, a que la ruptura histórica del futurismo obligaba de modo inexcusable como contrapartida, no fue nunca alcanzada; la nueva criatura no pasó del estado embrionario y todo quedó en una falsa epifanía.

"Futuro, tú me exaltas, como en otro tiempo mi Dios", había escrito Marinetti. Pero su sentimiento de la Divinidad no debía ser muy intenso, cuando tan poco le ayudó en la transferencia. De ahí que el futurismo de Marinetti no pase de ser —como escribió Marcel Raymond— "la imagen hiperbólica de una poesía de lo moderno". Hipérbole, sin embargo, agregaríamos, que por sí misma ya es poesía. Y no asombren estas contradicciones. Como tampoco la de Ugo Déttore al calificar el futurismo como "una fantasía razonada que nace de una voluntaria ausencia de fantasía...". Tales antinomias son su clima natural.

"Noi siamo i primitivi di una nuova sensibilità" —escribía el malogrado Boccioni. Afirmación sólo exacta en su primer término. Porque cabalmente la sensibilidad había sido voluntariamente eliminada. En su remplazo, Marinetti proponía la "obsesión lírica de la materia". Tan obsesionado por ella se mostró siempre, tan vencida a las fuerzas materiales, al bruto estridor de "sonidos, rumores y olores" se produjo su obra y la de sus conmilitones que, al final, lo único que de toda ella emerge (terminemos musicalmente con un *da capo*), lo único que guarda vitalidad, alegría y fresco ímpetu, siguen siendo los manifiestos futuristas.

BIBLIOGRAFIA

Jorge Enrique Adoun: "Maiakovski", en *Poesía del siglo XX*. Casa de la Cultura Ecuatoriana, Quito, 1957.
A. Alfieri: *Il futurismo è morto*. Parma, 1922.
Gabriel Alomar: *El futurismo*. L'Avenç, Barcelona, 1905.
M. Apollonio: *Ermetismo*. Padua, 1945.
— *I Contemporanie*. Milán, 1957.
Archivi del Futurismo, recopilados por Marie D. Gambrillo y Teresa Fiori. 2 vols. De Luca, Roma, 1958 y 1962.
Michel Arnaud: *Littérature italienne*. En *Histoire des Littératures*, vol. II. Encyclopédie de La Pléiade, Gallimard, París, 1956.
V. Astrov: *La literatura rusa*, en "Revista de Occidente" núm. 34. Madrid, 1935.
Guido Balla: *Preistoria del futurismo*. Maestri, Milán, 1960.
Emilio Ballagas: *Pasión y muerte del futurismo*, en "Revista Cubana", La Habana, enero de 1935.
Piero Bargellini: *Panorama storico della letteratura italiana. Il novecento*. Vallechi, Florencia, 1950.
Fortunato Bellonzi, a cura di...: *Marinetti e il movimento futurista*. En "La Fiera Letteraria", año X, núm. 7. Roma, 14 de febrero de 1954.
F. Bellonzi: *Marinetti*. Pisa, 1929.
Rafael Benet: *El futurismo y el movimiento Dadá*. Omega, Barcelona.
Umberto Boccioni: *Pittura sculttura futurista (Dinamismo plastico)*. Poesía, Milán, 1924.
— *Testi e documenti d'arte moderno*. Milán, 1946.
Massimo Bontempelli: *L'avventura novecentista: Selva polemica (1926-1938)*. Florencia, 1938.
G. A. Borgese: *La vita e il libro*. Bocca, Turín, 1911.
— *Tempo di edificare*. Treves, Milán, 1923.
C. M. Bowra: *A Book of Russian Verse*. Londres, 1943.
— *A Second Book of Russian Verse*. Londres, 1946.
— *The futurism of Vladimir Maiakovski*, en *The Creative Experiment*. Londres, 1948.
— *Alexander Blok*, en *La herencia del simbolismo*. Trad. esp.: Losada, Buenos Aires, 1951.
Cesare Brandi: *La fine dell'avanguardia e l'arte d'oggi*. Milán, 1924.

Nicolas Brian-Chaninov: *La Tragédie des Lettres russes.* Mercure de France, París, 1938.
Giovani Bucci: *Primi passi di Marinetti,* en "L'Italia Letteraria". Milán, 13 de septiembre de 1931.
F. Cangiullo: *Le serate futuriste.* Nápoles, 1930.
A. Capri: *Letteratura moderna.* Vallechi, Florencia, 1928.
Carlo Carrà: *La mia vita.* Rizzoli. Milán, 1945.
— *Guerrapittura.* I. E. I., Milán, 1915.
— *Pittura metafisica.* Vallechi, Florencia, 1919.
R. T. Clough: *Looking Back at Futurism.* Nueva York, 1942.
Gustave Coquiot: *Cubistes, Futuristes, Passéistes.* Ollendorf, París, 1923.
Carlo Consiglio: *Epicedio del futurismo,* en "Escorial" núm. 49, Madrid, 1944.
Benjamin Crémieux: *Panorama de la Littérature italienne.* Krâ, París, 1928.
— *Les Littératures de Langue italienne,* en *Encyclopédie Française,* vol. XVII, París, 1936.
Benedetto Croce: *Storia de l'Italia contemporanea.* Laterza, Bari, 1925.
Giorgio di Chirico: *Commedia dell'arte moderna.* Traguardi, Roma, 1945.
— *Memorie della mia vita.* Astrolabio, Roma, 1945.
R. Chitti: *Creatori del teatro futurista.* Quattrini, Florencia, 1915.
Jean Chuzéville: *Anthologie des Poètes italiens contemporains.* Delagrave, París, 1921.
D'Arrigo: *Il poeta futurista Marinetti,* 1937.
Mario Dessy: *Il poeta Marinetti,* en "Poesia". Milán, dic. 1924.
Ugo Dettore: *Futurismo,* en "Movimenti spirituali", *Dizionario letterario Bompiani,* vol. I. Bompiani, Milán, 1947.
Babette Deutsch, Abraham Yarmolinsky: *Russian Poetry.* Londres, 1930.
Enrique Díez Canedo: *El futurismo... a los seis años,* en "España", Madrid, 28 de febrero de 1918.
I. Domino: *F. Marinetti,* Siciliana, Palermo, 1911.
Max Eatsman: *Artists in Uniform. A Study on Literature and Bureaucratism.* Nueva York, 1934.
Ecrivains Italiens d'aujourd'hui, en "Les Cahier Jaunes" núm. 2, Corti, París, 1932.
Ilia Ehrenbourg: *La Poésie russe et la Révolution,* en "Signaux de France et de Belgique" número 4, Bruselas, 1921.
— *La Littérature russe en 1922,* en "Le Disque Vert", número 3, Bruselas, julio de 1922.
Victor Ehrlich: *Russian Formalism: History-Doctrine.* La Haya, 1955.
E. Falqui y E. Vittorini: *Scrittori nuovi. Antologia italiana contemporanea.* Carabba, Lanciano, 1930.
Enrico Falqui: *Il futurismo. Il novecentismo.* Turín, 1953.
— *Marinetti ai suoi bei di,* en "La Fiera Letteraria", número. 44, Roma, 1954.

Enrico Falqui: *Bibliografia e iconografia del futurismo.* Sansoni, Antiquariato, Florencia, 1959.
Fillia: *Il futurismo.* Sanzogno, Milán, 1932.
Lionello Fiumi y Armand Henneuse: *Anthologie de la Poésie italienne contemporaine.* Les Ecrivains Réunis, París, 1928.
Lionello Fiumi y Eugène Bestaux: *Anthologie des Narrateurs contemporains.* Delagrave, París, 1933.
Francesco Flora: *Dal Romanticismo al Futurismo.* Mondadori, Milán, 1925.
— *Historia de la literatura italiana, siglos XIX y XX.* Vol. III de la *Historia...*, de De Sanctis-Flora. Losada, Buenos Aires, 1953.
Angel Flores: *Literature and Marxism: A controversy of Soviet Critics.* Nueva York, 1938.
Alfredo Galletti: *Storia letteraria d'Italia. Il novecento.* 2.ª ed. Vallardi, Milán, 1939.
Edoardo Gennarini: *G. Rovani, G. Dessi e le origine di Futurismo.* L'Arciere, 1957.
Eduardo González Lanuza: *Marinetti,* en "Sur" núm. 123. Buenos Aires, enero de 1945.
Benjamin Goriély: *Les Poètes dans la révolution russe.* Gallimard, París, 1934.
— *Science des Lettres soviétiques.* París, 1947.
— *La Nouvelle Poésie en URSS.* Canard Sauvage, París, 1928.
N. Gourfinkel: *Le Théâtre russe contemporain.* París, 1931.
Lía Guerrero: *Maiakovski.* Claridad, Buenos Aires, 1945.
Franz Hellens: *Serge Essenine,* en "Le Disque Vert" núm. 4, Bruselas, agosto de 1922.
R. Iacuri Ristori: *F. T. Marinetti.* Modernissima, Milán, 1919.
Halina Izdebska: *La Poésie russe des Journées bolcheviques,* en "L'Esprit Nouveau" núms. 11-12, París.
A. Lanocità: *Scrittori del tempo nostro.* Ceschina, Milán, 1928.
E. Lehrmann Gandolfi: *De Marinetti à Maiakovski: Destins d'un mouvement littéraire occidental en Russie.* Friburgo, 1942.
P. Leonetti: *Dal futurismo alla "maniera oscura". Aspetti letterari.* Nápoles-Roma, 1954.
Bendik Lifscitz: *Marinetti en Rusia,* en "L'Europa Letteraria", año VI, número 33, enero-febrero de 1965.
Furio Lilli: *Gabriele d'Annunzio.* Editions Universitaires, París, 1953. Trad. española: La Mandrágora, Buenos Aires, 1954.
Kurt London: *The Seven Soviet Arts.* Faber & Faber, Londres, 1937.
Gian Pietro Lucini: *Antidannunziana.* Studio Editoriale Moderno, Milán, 1914.
M. Marceletti: *Le Fascisme italien et l'Art,* en "Commune", núm. 21, París, 1934.

F. T. Marinetti: *El futurismo.* Trad. esp. Sempere, Valencia, s. a.
— *Les mots en liberté futuristes.* París, Milán, 1919.
— *Enquête internationale sur le vers libre.* Poésie, Milán, 1929.
— *I manifesti del futurismo.* 4 vols. Instituto Editoriale Italiano, Milán, 1915.
— *Noi futuristi.* Quintieri, Milán, 1918.
— *Democrazia Futurista.* Facchi, Milán, 1919.
— *I poeti futuristi: Antologia.* Poesía, Milán, 1919.
— *Futurismo e fascismo.* Campiletti, Foligno, 1924.
— *Nuovi poeti futuristi.* Poesía, Milán, 1925.
— *Les nouveaux poètes futuristes.* Poesía, Roma, 1925.
— *Futurismo e novecentismo.* Milán, 1930.
— *Spagna veloce e toro futurista.* Morreale, Milán, 1931.
— Artículo sobre Futurismo en la *Enciclopedia Italiana,* vol. XV. Treccani, Milán, 1932.
— *Teatro di...* recopilado por Giovanni Calendoli. Bianco, Roma, 1960.
F. T. Marinetti, Settimelli, Bruno Corra: *Il teatro futurista sintetico.* 2 volúmenes. Instituto Editoriale Italiano, 1919.
B. Migliore: *Bilanci e sbilancie del dopoguerra letterario.* Optima, Roma, 1929.
D. S. Mirsky: *Contemporary Russian Literature.* Nueva York, 1926.
Attilio Momigliano: *Impressioni di un lettore contemporaneo.* Mondadori, Milán, 1928.
— *Marinetti e la poesia futurista.* (Tesis presentada en la Universidad de Milán), 1929.
Pietro Pancrazi: *Scritori del novecento.* Laterza, Bari, 1939.
Giovanni Papini: *Il mio futurismo e Contro Firenze passatista.* Lacerba, Florencia, 1914.
— *L'experienza futurista.* Vallechi, Florencia, 1919.
G. Papini y P. Pancrazzi: *Poeti d'oggi (1900-1925).* 2.ª ed. Vallechi, Florencia, 1919.
Corrado Pavolini: *F. T. Marinetti. Medaglie.* Formiggini, Roma, 1925.
— *Cubismo, futurismo, expresionismo.* Zanichelli, Bolonia, 1926.
Camillo Pellizzi: *Le lettere italiane del nostro secolo.* Libreria d'Italia, Milán, 1919.
T. Panteo: *Il poeta Marinetti.* Soc. Ed. Milano, Milán, 1908.
V. Piccoli: *Le notti novecentesche.* Treves, Milán, 1925.
E. Piceni: *La bancarella delle novità.* Alpes, Milán, 1928.
Renato Poggioli: *The Phonix and the Spider. Essays about Some Russian Writers and their View of the Self.* Harvard University Press. Cambridge, 1957.
— *Le avanguardie. Del futurismo all'imaginismo,* en *Il fiore del verso russo.* Mondadori, Roma, 1961.
— *The poets of the advanceguard,* en *The Poets of Russia. 1890-1930.* Harvard University Press. Cambridge, Massachusetts, 1960.

Viacheslav Polonski: *La literatura rusa de la época revolucionaria.* España, Madrid, 1932.
Vladimir Pozner: *Anthologie de la Prose russe contemporaine.* Hazan, París, 1929.
— *Panorama de la Littérature russe contemporaine.* Kra, París, 1929.
Giuseppe Prezzolini: *La cultura italiana.* Mondadori. Roma ,1923.
— *Repertorio bibliografico della storia e della critica della letterature italiana dal 1932 al 1942.* S. F. Vanni, Nueva York, 1946.
— *Italian Literature,* en *Columbia Dictionary of Modern European Literature.* Columbia University Press, Nueva York, 1947.
Mario Puccini: *De D'Annunzio a Pirandello.* Sempere, Valencia, 1927.
Giuseppe Ravegnani: *I contemporanei.* Bocca, Turín, 1930.
— *Il novecento letterario italiano. I contemporanei.* Testa, Bolonia.
G. Reavey: *Soviet Literature today.* Londres, 1946.
G. Reavey y M. Slonim: *Anthologie de la littérature soviétique.* Gallimard, París, 1935.
Angelo Maria Ripellino: *Futurismo,* en *Almanacco Letterario Bompiani, 1960.* Bompiani, Milán, 1960.
Armand Robin: *Quatre Poètes russes: Maiakovski, Pasternak, Blok, Essenin.* Seuil, París, 1949.
John Rodker: *The Future of Futurism.* Kegan Paul, Londres, 1926.
— *Soviet Anthology.* Londres, 1943.
Luigi Russo: *I narratori.* Leonardo, Roma, 1923.
— *La critica letteraria contemporanea,* vol. II. Laterza, Bari, 1947.
G. Sanzin Bruno: *Marinetti e il futurismo.* Trieste, 1924.
J. Sazonova y A. Beucler: *La Littérature soviétique.* Cahiers de la Quinzaine, París, 1933.
Francesco Sapori: *Il fascismo e l'arte.* Mondadori, Milán, 1938.
Gino Severini: *L'Italie et le Futurisme,* en *Histoire de l'Art contemporain.* Alcan, París, 1935.
— *Tutta la vita di un pittore.* Garzanti, Milán, 1946.
G. Sciortino: *Esperienze antidannunziane.* Il Ciclope, Palermo, 1928.
V. Schiliro: *Dall'amarchia all'Academia. Note sul futurismo.* Palermo, 1932.
Settimelli: *Marinetti. L'uomo e l'artista.* Poesía, Milán, 1921.
Michel Seuphor: *Le futurisme...hier,* en "L'Oeil", núm. 14. París, febrero 1956.
Marc Slonim: *Modern Russian Literature.* Nueva York, 1953.
Marc Slonim y Georges Reavey: *Soviet Literature, an Anthology.* Wishart, Londres, 1934.
Ardengo Soffici: *Primi principi di una Estetica futurista.* La Voce, Florencia, 1913.
— *Cubismo e futurismo.* Florencia, 1914.
— *Scoperte e massaccri.* Vallechi, Florencia, 1919.

Ardengo Soffici: *Cubismo e oltre*. Vallechi, Florencia, 1920.
— *Apologie du Futurisme*, en "Valori Plastici", año II, núm. 3, Roma, 1920.
— *Primi principi di Estetica*. Vallechi, Florencia, 1920.
— *Ricordi di vita artistica e letteraria*. Florencia, 1930.
— *Cubismo e futurismo: Estetica futurista*. Vallechi, Florencia, 1959.
Gleb Strube: *Twenty-five Years of Soviet Russian Literature*. Routledge, Londres, 1943.
— *Histoire de la Littérature soviétique*. Chêne, París, 1946.
A. Tilgher: *Voci del tempo*. Scienze e Lettere, Roma, 1921.
Guillermo de Torre: *Efigie de Marinetti,* en "Grecia", Sevilla, 1.º de julio, 1920.
— *Una revisión. Marinetti y el futurismo,* en "La Nación". Buenos Aires, 13 de junio, 1954.
— *Tres autobiografías de pintores: Carrà, Chirico, Severini,* en *Minorías y masas en la cultura y el arte contemporáneos*. Edhasa, Barcelona-Buenos Aires, 1963.
Elsa Triolet: *Maiakovski, poète russe*. Seghers, París, 1945.
León Trotsky: *Literatura y revolución*. Trad. esp.: Aguilar, Madrid, s. d.
Giuseppe Ungaretti: *La Doctrine de Lacerba,* en "L'Esprit Nouveau" núm. 2, París, noviembre 1920.
Varios: *La Littérature des Peuples de l'URSS,* en "V.O.K.S.", núm. 7-8, 1934, Moscú.
— *Arts et Littératures en U.R.S.S.,* en "La littérature internationale", Moscú, mayo de 1937.
M. Vincinguerra: *Un quarto di secolo*. Turín, 1925.
Paolo Vita-Finzi: *La cultura italiana. Equivocaciones literarias,* en "La Nación", Buenos Aires, 23 de septiembre, 1945.
Karl Vossler: *Die Neuesten Richtungen der Italienischen Literatur*. Marburgo, 1925.

2
EXPRESIONISMO

POLIFACETISMO

Entre todos los movimientos de vanguardia estudiados en este libro, el expresionismo germánico es aquel que ofrece un rostro más definido y a la vez más difícil de asir con exactitud. ¿En qué radica tal dificultad? Precisamente en su polifacetismo, en la variedad de rasgos y multiplicidad de géneros con que se manifiesta, en sus desdoblamientos internos y proyecciones exteriores. En efecto, el expresionismo supera los límites poéticos donde otras escuelas de vanguardia se confinan, extendiéndose a la novela, el drama y el ensayo. Su acción en las artes plásticas no es una secuela literaria; al contrario, tiene autonomía y aun prioridad —según veremos—, al punto de que más bien pudiera decirse que del expresionismo artístico deriva el literario. Influye en la arquitectura, el urbanismo y la decoración por vía del funcionalismo; llega a la música y al cinematógrafo. Alcanza además visibles implicaciones en el plano general del pensamiento filosófico y hasta religioso. Y no deja asimismo de relacionarse con el curso de los hechos políticosociales durante el segundo y tercer decenio del siglo. De suerte que el expresionismo, siendo un auténtico movimiento —quizá el único que merece plenamente tal título—, rebasa los caracteres de grupo o escuela, comunes a todos los demás: cristaliza un estado de espíritu, con más rigor que pretendieron hacerlo el futurismo y el superrrealismo. Con razón se ha escrito que toda la nueva generación alemana —entre 1910 y 1933— fue expresionista o estuvo influida por el expresionismo. Alguien ajeno al mismo, Heinrich Mann —en su manifiesto *Geist und Tat*, 1910—, venía a reconocerlo así, viendo en tal movimiento la confluencia de ambos factores, "el espíritu vivificado por la acción".

ORIGENES

¿Dónde y cuándo surge el expresionismo? En un lugar y en un período que forman una encrucijada de la historia de Europa, allí donde se reflejaron inicialmente con más intensidad y violencia los cambios y las conmociones que sacudieron el primer cuarto de siglo; en un territorio lleno de contradicciones espirituales, donde suelen coexistir grandeza y barbarie, lo demoniaco con lo cándido, y la "cultura" no siempre cuaja en "civilización". Se han apuntado algunas influencias germánicas y de otros países que contribuyeron a la preparación de esta especie de nuevo *Sturm und Drang*: son las que van desde la transmutación de valores de Nietzsche a la experiencia abismal de Dostoievsky, desde Ibsen y Strindberg en el drama hasta Kierkegaard, Georg Simmel, Martín Buber y Rudolf Steiner en el pensamiento. Si se repasa la bibliografía final que incluye Hermann Bahr en uno de los primeros libros sobre este movimiento *(Expressionismus*, 1920) se advertirá que, en contraste con las reproducciones de cuadros que lo ilustran, prevalecen las referencias a autores filosóficos, inclusive religiosos —como San Agustín, Meister Eckhart, Tauler— sobre los de carácter literario o artístico. Quizá sea hacerse culpable de esa curiosa extravagancia que es la profecía del pasado, pero al menos no se cae en lo arbitrario asintiendo a quienes ven en el expresionismo la premonición y la consecuencia, a la par, de ciertas sacudidas que rebasan el plano estético. Antes de 1914, el expresionismo —se ha escrito— denuncia la remoción inminente; después, con el derrumbamiento de toda estructura social, con la irrupción de fuerzas instintivas e irracionales en el choque de la guerra, el expresionismo "levanta su bandera en defensa del hombre fuera de la historia, del hombre que no quiso reingresar en aquella sociedad incapaz de mantener ninguna de sus promesas". Urge aclarar, frente a cualquier posible equívoco, que ni el expresionismo como tendencia, ni tampoco ninguno de sus escritores y artistas pueden relacionarse, de cerca ni de lejos, con la culminación del estallido irracionalista representado por el nacionalsocialismo; al contrario, fueron opositores y perseguidos [1].

Pudiera establecerse un curioso paralelismo entre las fechas que marcan los anales expresionistas y los principales acontecimientos politicosociales de los mismos años. 1905, por ejemplo, fecha de "El Puente", primera congregación expresionista, es también la del desembarco provocativo de Guillermo II en Tánger. Es también el año de Potemkin y de las primeras agitaciones revolucionarias en la Rusia zarista. En 1914, triunfa la oleada expresionista y con el asesinato de Sarajevo estalla la primera guerra mundial. 1919: revolución de Spartakus y replegamiento del grupo activista-expresionista. Y así pueden estirarse los paralelismos hasta el hitlerismo en 1933.

Si al igual que todos los demás ismos de vanguardia el expresionismo surge en pugna abierta con su medio, con el estado de cosas dominante en la Alemania kaiserina, a medida que se desenvuelve, deja de oponerse al medio; pero no porque se academice ni cosa parecida, sino porque acierta a captar y reflejar con asombrosa fidelidad el estado anímico de la sociedad que forma su contorno inmediato. Por ejemplo: una revista como *Der Sturm*, un cuadro de Franz Marc, un drama de Georg Kaiser, una colección de poesías cual *Wir Sind* de Franz Werfel, no van contra la corriente germánica general de la primera preguerra; al contrario, penetran en ella, la incorporan y reflejan a modo de bruñidos espejos. La deformación de la realidad externa que tales obras suponen no es, en última instancia, sino el traslado directo de un talante anímico muy concreto que rebasa lo aparencial y cala en lo profundo germánico.

---

[1] Hay una excepción que por su misma imparidad resulta más visible: la de Hans Johst, escritor, al cabo, de segundo plano, quien ejemplifica después el fracaso del nazismo en el teatro. El caso de un tardío converso a ese credo, como Arnolt Bronnen, y el de Gottfried Benn, con su adhesión y rectificación posterior, son más ambiguos o menos vituperables. En cambio, la simple relación de los escritores alemanes perseguidos, muertos en el exilio o suicidas, resulta impresionante. (Véase la que reuní en mi *Problemática de la literatura*, segunda edición, pp. 254-255, Losada, Buenos Aires, 1958.)

Además, si el estilo del expresionismo —pues aquí cabe hablar de un estilo, sin duda con más propiedad que en otras escuelas de vanguardia— rompe formalmente con el estilo del naturalismo anterior, de hecho, sustancialmente, viene a reanudar otras corrientes más genuinas; en lo remoto la línea gótica y barroca (Spengler escribía que "el gótico y el barroco son la juventud y la vejez de un mismo plantel de formas"); la del *Sturm und Drang* en el más próximo romanticismo —o prerromanticismo, con más exactitud. Con razón se ha visto en las esculturas del arte gótico flamígero, correspondiente a la primera mitad del siglo xv, un carácter expresionista. Del mismo modo, ciertos elementos de la arquitectura germánica en la baja Edad Media constituyen a modo de una resistencia postgótica frente al empuje del Renacimiento. Pareja asincronía y disidencia se advierte literariamente en el siglo del barroco germánico, pero marcando un principio normativo frente a la libertad renacentista. Al único país que en este trance, por su actitud "defensiva" más que conservadora, se aproxima al espíritu germánico, es al español: el punto de colindancia, no sólo de influencia, por parte del último, se halla en una de las pocas rapsodias extranjeras del Quevedo de los *Sueños*: la novela de Moscherosch, *Visiones curiosas y verídicas (Wunderliche und Warhaftige Gesichte) de Philander von Sittewald,* puesto que en el *Simplicissimus* de Grimmelshausen —también de mediados del siglo xvii— la influencia de la novela picaresca se alía con el germen de lo que había de ser más adelante el clásico y germanísimo *Bildungsroman* o etopeya de los *Lehrjahre*.

Ahora bien, aun dentro de los caracteres comunes a todo estilo barroco, en el del arte y la literatura alemanes se acusan de modo exacerbado algunos rasgos: la tensión espiritual es desesperación, la crudeza se hace crueldad, la burla de lo bello canónico llega a ser apología de la fealdad, lo irracional se convierte en demonismo. ¿Y acaso no son éstas algunas de las constantes que tres siglos después más se acusarían también en la plástica, la lírica y la ficción expresionistas? Unase a ello cierta fatal debilidad por el "poder de las tinieblas", un gusto sádico-masoquista por el catastrofismo que ejemplificaría muy bien Spengler, y no tanto con su *Decadencia de Occidente* —libro, por cierto, concebido antes de la derrota del 18— como con *Años decisivos*. Recordemos que Wilhelm Schlegel al fijar los caracteres de la poesía romántica alemana señalaba en ésta cierta aspiración secreta hacia el caos. Y ¿no es muy significativo que sólo en Alemania se haya escrito —por Walter Muschig— una *Historia trágica de la literatura*?

Las conexiones apuntadas se confirman al advertir que lo clásico, el punto de equilibrio, serenidad y madurez, apenas se da, en su día, dentro de la literatura alemana. Pero ¿y Goethe? —se nos argüirá. Cabalmente, por su situación cronológica, confirma el asincronismo, antes aludido, peculiar de su literatura, representa un clasicismo "extra", tardío; y por su ambigüedad espiritual, a caballo entre los truenos del *Sturm und Drang* y las neblinas del primer romanticismo, viene a ser, en último extremo, la perduración de un desasosiego barroco. ¿Hipótesis aventurada? No es la primera vez que se empalma al creador del *Fausto* con lo barroco. Herman Hefele ha celebrado "la fuerza y el esplendor barrocos de la noche de Walpurgis" (que resucitó una vez más Thomas Mann en *La montaña mágica*), añadiendo taxativamente: "El barroco es la forma bajo la cual el espíritu alemán ha sabido dar mejor forma al clasicismo." Y Mario de Michelli (al prologar la versión italiana del *Expresionismus* de Hermann Bahr) subraya cómo "en el expresionismo se conjugan los elementos del gótico y del barroco, elementos inseparables del espíritu germánico; pero estos elementos se encuentran mezclados, no diferenciables separadamente; el ansia mística del gótico se apesadumbra y la contorsionada complejidad del barroco se alarga, apunta al cielo".

Más allá de su interés histórico en cuanto movimiento literario y artístico, allende sus doctrinas y sus obras, el expresionismo importa porque en su seno viene a conjugarse un haz de direcciones que sin dejar de aparecer como parcialmente europeas son, de modo peculiarísimo, germánicas. Fusión del "pathos" nórdico con lo irracional alemán, del lirismo de vuelo extraterrestre con la protesta muy a ras de tierra frente a una época de muda y prerrevolución. Alianza de una oscura veta tradicional con una línea siglo XX. Encrucijada de corrientes históricas e intenciones transformadoras. Coinciden en tales caracterizaciones todos sus tratadistas, desde el primero, Hermann Bahr, hasta uno de los últimos, Fritz Martin, pasando por Albert Soergel *et al*.

CAMBIO DE ÓPTICA

Con todo, quizá el expresionismo, antes que otra cosa, supone una mutación óptica, un cambio del modo de ver. Se explica así que uno de los primeros en escribir la palabra expresionismo fuera un crítico de arte, venido de otra esfera y cuyos intereses eran distintos. Me refiero a Wilhelm Worringer, quien aisló el espíritu de empatía —que identificaba muy extensivamente con el impresionismo— frente al de abstracción, diferenciando las formas vivas, orgánicas, de las formas inorgánicas y cristalinas, y poniendo en segundo plano las formas naturales. Mas el origen de tal reversión no arranca del autor de *Abstraktion und Einfühlung*, sino de Alois Riegl. A las doctrinas de éste, como antecesoras inmediatas del modo de ver la realidad por los expresionistas, se refiere ya explícitamente Hermann Bahr. Con su teoría de la *Kunstwollen*, Riegl instaura una suerte de voluntarismo estético que el autor de *Los problemas formales del gótico* aplica a la historia del arte, viéndola no como una historia de la capacidad artística, sino de la voluntad artística. Objetivo último de tales puntos de vista: la descalificación de lo natural y el predominio del estilo, si bien identificado éste muy parcialmente con el espíritu de abstracción. Por su parte, Wilhelm Hausenstein (*Die Bildende Kunst der Gegenwart*), escribía en 1914, con anterioridad al pleno desarrollo del expresionismo, que dicho estilo "representa en mayor grado que ningún otro el principio coherente de la deformación artística".

En el plano literario, la pugna contra el naturalismo —ya declinante al comenzar el siglo—, puede advertirse —desde los primeros tiempos expresionistas— en la reacción que entonces se marca contra un Gerhart Hauptmann y un Hugo von Hoffmansthal. No importa que éstos fueran los valores dominantes en la media docena de años que precedió a la guerra, junto con Wedekind en el drama, Thomas Mann y Jakob Wassermann en la novela, Dehmel, Rilke y George en la poesía. Lo cierto es que tal reacción antinaturalista resultaba ya visible, merced a la influencia del último, de Stefan George, con su revista *Blätter für die Kunst* y su credo del arte por el arte, si bien el espíritu de este poeta es más bien finisecular y deriva tanto de los prerrafaelistas como de los simbolistas.

IMPRESIONISMO, FUTURISMO, EXPRESIONISMO

Trocar este calificativo, al pasar al plano de las artes plásticas, por el de impresionistas, favorece la confrontación ambivalente con el expresionismo. Así William Rose *(Contemporary Movements in European Literature)* cuando escribe —sin demasiada novedad— que si los impresionistas aspiraban a reproducir la variedad de la vida, dando una impresión óptica momentánea, los expresionistas —agrega con alguna mayor originalidad— tienden a visualizar lo eterno y dejan de lado el mundo de las apariencias. El distingo, con todo, no deja de ser algo elemental, pero con las pretensiones de parecer extraordinariamente sutil, tampoco alcanza nitidez el cuadro establecido por Walter Falk. Por ejemplo, resulta discutible que —según el autor de *Impresionismo y expresionismo*— mientras el primero "tiene su origen en una actitud de pasividad", el segundo sea simplemente "la expresión de una realidad espiritual". Más exactamente Herwarth Walden habla de dos corrientes alternas en la historia del arte y del pensamiento: la impresionista y la expresionista. La primera tiende a la reproducción, más o menos fiel, de las sensaciones ópticas provocadas por la visión espectacular del universo; la segunda tiende más bien a lo ideológico, con independencia de la naturaleza y de la realidad. Toma menos en cuenta el mundo exterior y la experiencia individual que la imaginación y el sueño. Es la antítesis entre lo decorativo y lo expresivo, entre la cordura apolínea y el frenesí dionisiaco, entre el clasicismo y la barbarie, entre latinismo y germanismo.

Hay un cotejo más que ilumina mejor la estética y los propósitos expresionistas: es el que se alcanza cuando se toma como punto de referencia otro movimiento coetáneo: el futurismo. "Mientras este último —escribe Hermann Bahr y parafrasea Mario de Michelli— dirige sus ditirambos a la periferia de la realidad, el primero carga el acento en los elementos espirituales que operan desde dentro." Agreguemos que el expresionismo, aun especulando con lo material y fenoménico, tiende a convertirlo en sustancia animada, contorcida y aun patética, infundiéndole así una máxima expresividad. Por lo demás, el afán de traducir lo cinético, tan peculiar del futurismo, así plástico como literario, se torna en el expresionismo afán de trascendentalizar el movimiento interior de las cosas y los seres, sometidos a intensa presión.

Pero viniendo de una vez a esta escuela en sí misma, y no obstante sus fatales vaguedades definitorias, se considera de modo unánime que el término expresionismo, al contrario de lo que suele suceder con otros nombres que designan las escuelas de vanguardia, es una feliz elección. Así lo corrobora el más minucioso historiador de tal tendencia, en lo literario, Albert Soergel (*Dichtung und Dichter der Zeit. Im Banne des Expressionismus*). Afirma que refleja con claridad la oposición a los estados de espíritu naturalista e impresionista. Añade obviamente que con el expresionismo "lo que fue expresión desde fuera se cambia en expresión desde dentro: aquello que fue reproducción de un trozo del natural es ahora liberación de una tensión espiritual. A este fin todos los objetos del mundo exterior pueden ser únicamente signos sin significado propio. Por tanto lo que antes era una atención humilde al lenguaje del objeto es ahora una disolución personal del objeto en la idea, a fin de desprenderse de aquél y redimirse en ésta". Como se observará, esta jerga filosófica en que fatal y muy germánicamente incurren hasta los más claros expositores del expresionismo, sólo nos aclara a medias sus intenciones últimas.

Otra exploración menos germánica, más latina, es la de Giacomo Prampolini: "Mientras el impresionismo significa la pasiva reproducción de sensaciones, el expresionismo actúa empleando elementos del mundo interior; el yo del artista, que se impone a la naturaleza y a las cosas concretas, ejerce sobre ellas una violencia, las relabora y vuelve a plasmar y acaba por construir una realidad. En otras palabras, el impresionista trabaja con el espejo, el expresionista con el crisol, imprimiendo sobre los productos el sello de su tensa y exasperada humanidad: lucha mientras los otros sueñan, cree mientras los otros no profundizan."

Algo más diáfano puede entreverse entre las brumas cuando el antecitado Soergel nos habla de otros elementos y cambios; por ejemplo, el remplazo del "observador frío por el confesor ferviente"(anticipemos que el primero reaparecería años después, en los finales del expresionismo, con el "orden frío" de la *Neue Sachlichkeit*); del poeta por el político" (hasta cierto punto, pues este último encontró su lugar más propio en el grupo *Die Aktion);* "de la retórica por el patetismo" (que es una retórica elevada al cubo); del "hombre lógico por el hombre espiritual"; del "yo por el tú y el nosotros" (lo que sugiere un deseo de extensión plural y compartida).

Si, en suma, el impresionismo, o más exactamente, el naturalismo, pretendía reflejar la verdad del ser, el expresionismo captará la verdad del alma. En el último se aglutinó y encontró su cauce una generación nacida entre 1880 y 1890, distinta de la precedente, puesto que no hay en ella propósitos de continuación, sino de ruptura; el deseo —dice Soergel— de un comienzo sin puentes. "Der Mensch beginnt Wieder, wo er Jahrmillionen began". O sea, el hombre vuelve a empezar en el mismo punto en que empezó hace millones de años —confirma Friedrich Markus Huebner *(Europas Neue Kunst und Dichtung,* 1920) más categórico o apologétieo que ningún otro expositor—. Por ello afirma también que el expresionismo cree en la omniposibilidad ("Allmögliche") y viene a ser una concepción del mundo propia de la utopía. Enemigo de la naturaleza, niega su predominio y duda de su verdad. Esta es sólo materia; es la nada a la cual el hombre da forma y sentido. Tal sentido de la naturaleza, semejante estado de ánimo no es producto de la guerra y de la derrota en Alemania —según ya he anticipado—; la guerra de 1914-1918 vino solamente a confirmarlo con el derrumbe de todas las tradiciones, hecho común, por otra parte, a todo el Occidente.

Para Paul Westheim (*Die Welt als Vorstellung*) la simple palabra expresión "marca la voluntad activa de penetrar la naturaleza con el espíritu, imponiéndole una forma, proyectando el propio temperamento del artista en el mundo visible". En lo que por cierto —acotemos— no se diferencia gran cosa de cuantas tendencias innovadoras en este mismo mundo han sido. Pero sigue Westheim: adelanta —o revive— la idea de que el artista quiere formar a su manera el universo. "El mundo comienza en el hombre", exclama entonces, en una de sus primeras poesías, Franz Werfel, transformándolo en uno de los lemas más compartidos, junto con los de "el hombre es bueno" (título luego de una novela de Leonhard Frank), "el hombre es el centro del mundo", que delata su espíritu antropocéntrico y aún humanitario.

Para Albert Soergel (quien sufrió su hechizo y lo prueba el hecho de que titule un capítulo de su historia "Bajo la fascinación del expresionismo") este movimiento cubre enteramente el decenio 1910-1920. Alcanza su clímax en 1918, y en rigor sólo termina en 1927, con el surgimiento de su apéndice, la "nueva objetividad". En cuanto al nombre, se afirma que fue empleado por vez primera, sistemáticamente, por el poeta Otto zur Linde, perteneciente a una generación anterior, para designar la reacción del grupo y la revista *Charon* (1904) contra el arte impresionista. Cuando años más tarde aparecieron los libros teóricos —o ya históricos— como el de Kasimir Edschmid (*Über der Expressionismus*, 1919), además del ya citado de Hermann Bahr, la etiqueta no vino a bautizar un hecho reciente, sino algo que ya existía y contaba con numerosas obras en su haber, literarias y plásticas.

EXPRESIONISMO EN EL ARTE.
DESDE "EL PUENTE" AL "JINETE AZUL"

Sobre todo, las últimas. Pues no deberá olvidarse que en este caso —como en el cubismo— las artes visuales adelantan el paso a las verbales; en suma, son el vehículo del espíritu innovador [2].

[2] Arnold Hauser (*Historia social de la literatura y el arte*, II, Ediciones Guadarrama) confirma esta apreciación, que yo he expresado repetidamente hace

Así, pues, con el fin de alcanzar una perspectiva histórica del expresionismo, aunque sin propósito de trazar un cuadro completo del artístico, se hace imprescindible dar previamente una síntesis del último. Sus orígenes están en los grupos *Die Brücke* y *Der Blaue Reiter*. El primero —*El puente*— se constituye en Dresde, en 1905 —otros dan la fecha de 1903—, integrado por los pintores Kirchner, Hickel y Schmidt-Rottluff. Pronto se les unen otros que alcanzarían personal relieve como Emil Nolde y Max Pechstein; también Otto Mueller. Los artistas del Brücke, inspirados quizá por una interpretación romántica de las *Guilds* medievales, vivieron y pintaron juntos, compartiendo lienzos, estudios y todos sus bienes; inclusive expusieron juntos, sin firmar individualmente sus cuadros. Pero el individualismo no tardó en triunfar y el grupo quedó disuelto en 1913, cuando se fundó la "Nueva Asociación Artística" de Munich.

Diferente fue el segundo grupo expresionista fundado dos años antes, en 1911, en Munich, por Franz Marc y Wassili Kandinsky, bajo el nombre luego famoso de *Blaue Reiter (El jinete azul)*. A ellos pronto se unen August Macke, Heinrich Campendok y Paul Klee. Sin duda este último, junto con Kandinsky, son los que han realizado obra más personal, adquiriendo nombradía internacional. Eran precisamente los únicos que ya en aquel momento renuncian expresamente a la figuración, encaminándose hacia el abstractismo. En las obras de todos ellos la línea, sin rehuir la naturaleza y menos aún la figura humana, se despliega con la máxima libertad, llegando a muy violentas —aunque siempre recognoscibles— anamorfosis, los volúmenes se interpenetran y, en suma, la forma se define mediante la intensidad del color. Por el predominio de este último elemento, y aunque los pintores expresionistas nazcan y se desenvuelvan con independencia de los "fauves", no ha dejado de relacionárseles con ellos: Rouault, el primer Matisse, el primer Vlaminck. Pero los precedentes y empalmes de la pintura expresionista se sitúan más atrás: en Van Gogh (Herbert Read encuentra preformulada la teoría del expresionismo en cierta frase de su epis-

años, con la diferencia de que él sitúa tal adelantamiento en la segunda mitad del siglo XIX, cuando el impresionismo impone un esilo autónomo, mientras la literatura gira todavía en torno a los supuestos naturalistas.

tolario, datada en Arles, 1888: "Expresar lo físico por lo psíquico en imágenes y colores"). Y en tres artistas, hoy más bien marginales, pero en los finales y comienzos de siglo influyentes: James Ensor, Edvard Munch y Ferdinand Hodler. El primero, un flamenco vital, pintor de máscaras y procesiones; el segundo, un noruego, en cuyo cuadro *El grito*, transido de patetismo, quiere verse un anticipo expresionista; el tercero, un suizo, cuyos cuadros nos parecen hoy fundamentalmente decorativos y alegóricos. Paul Westheim cita maestros más lejanos como patrones: Cranach, Grünewald, Durero... Arnold Rüdlinger escribe que "un arte expresionista surge siempre que a los problemas estéticos anteceden los del alma".

Junto a Kandinsky aparece una figura tan singular con la de Alfred Kubin, autor e ilustrador de una novela prekafkiana, *Der Anderes Seite* (1909). Otto Fischer redacta un manifiesto titulado "Cuadro moderno", donde se lee: "El cuadro no es solamente expresión, sino también representación. Un cuadro sin objeto no tiene sentido; un cuadro que fuera mitad alma y mitad objeto constituiría una verdadera locura." Poco antes Kandinsky había publicado, en 1912, *Über das Geistige in der Kunst* (*Sobre lo espiritual en el arte*); la flecha que se le dirige es evidente. *El jinete azul* toma su nombre de los caballos y jinetes azulados que eran motivo preferente en los cuadros de Franz Marc, cofundador con Wassily Kandinsky de tal grupo. A la vez da título al albumalmanaque artístico que publican en Munich los dos artistas nombrados, en 1912. En el catálogo de la primera exposición del *Jinete azul* se imprimía una suerte de manifiesto donde se habla de "desplazar el centro de gravedad en las artes", la "necesidad de volverse hacia la naturaleza interior", motivos muy ligados con el espíritu nativamente ruso de Kandinsky. "Al contrario del fierismo y del cubismo —escribe Will Grohman— el *Jinete Azul* proclama un evangelio según el cual el arte es portador de un mensaje sobre los fines últimos del hombre." "Sacar a luz las impulsiones internas en todas las formas que provoquen una reacción íntima en el espectador": tal es el fin del *Jinete Azul*.

Aunque la crítica francesa, afanosa siempre de llevar todas las aguas a su molino, haya insistido en las semejanzas del *Jinete Azul* y el fierismo, lo real es que mayor influjo alcanzan sobre esos primeros expresionistas cierto primitivismo o negrismo común igualmente a los primeramente mencionados y a los cubistas. Sin embargo, Kirchner descubre —y revaloriza— el arte africano y polinésico en el Museo Etnológico de Dresde, en 1904, con independencia de la aparición de estatuas e idolillos semejantes en los talleres parisinos de Picasso y Braque. Pero los artistas alemanes no se limitaron a admirar los ídolos negros, estudiaron su estirpe. Al mismo tiempo que a estos territorios exóticos vuelven sus miradas hacia el arte medieval, encontrando en los grabados góticos y en las esculturas románicas un estímulo para hacer un arte que diese la espalda a cualquier propósito naturalista, imitativo. Los artistas del *Jinete Azul* (apunta Alfred H. Barr, *Modern German Painting and Sculpture,* 1931, al hacer una retrospectiva en el Museo de Arte Moderno de Nueva York) fueron menos ingenuos, más beligerantes y más doctrinarios que los del *Puente*. Publican en 1912 un manifiesto. Pero dos años después el estallido de la guerra termina con todo lo programático artístico. Kandinsky vuelve a su Rusia nativa, beneficiándose, según antes recordamos —lo mismo que Chagall y otros— de la ola de favor que el comunismo inicial de 1917 dispensó momentáneamente al arte nuevo. Pero torna a Alemania en 1921, incorporándose como profesor a la Bauhaus de Weimar, donde rencuentra a Klee. Dos de los artistas más esencialmente pintores, Franz Marc y August Macke, mueren en la guerra. Otro de los primeros participantes del expresionismo, muy dotado, el austriaco Oscar Kokoschka, emprende rumbos varios hasta el punto de parar más bien en lo contrario de lo que fue, en un impresionismo sensual, según he visto en su exposición londinense de 1962. Contrariamente Karl Hofer y Max Beckmann se mantuvieron siempre fieles a sus orígenes. A los demás sobrevivientes y continuadores del expresionismo habremos de rencontrarles más adelante al reseñar las manifestaciones artísticas del postexpresionismo o Nueva Objetividad, junto con las literarias del mismo período.

EXPRESIONISMO, ACTIVISMO.
REVISTAS Y GRUPOS

No obstante la amplitud y fecundidad del expresionismo resulta difícil encontrar un cuerpo de doctrina coherente. Además, la descentralización de la vida intelectual alemana contribuye a la dispersión y multiplicación de grupos y revistas. Con todo, dos tendencias se distinguen inicialmente. Un expresionismo fundamentalmente literario y plástico que cuaja en 1910 con *Der Sturm,* la revista y galería berlinesas, dirigidas por Herwarth Walden; otro, de acentuado carácter políticosocial que tiene su órgano en *Die Aktion,* revista acaudillada por Franz Pfemfert. Empero, justo es reconocer que el activismo que de ahí deriva se inicia con Kurt Hiller, quien suma adeptos en un "Neue Klub", en cierto "Neopathetische Kabarett", en *Gnu*; publica antologías y manifiestos, combatiendo simultáneamente la democracia, la reacción y el "marxismo sin espíritu". Su finalidad política es la Logocracia, es decir, la constitución de una "junta moral de inteligencias". El libro en que se expone tal doctrina lleva una fecha muy significativa: 1921: ilusiones de la constitución de Weimar, ingenuidad de los socialdemócratas, sectarismo comunista. Faltó que se hiciera efectivo el título de un libro de poesías de Ludwig Rubiner: *El hombre en el centro.*

Por cierto, Ludwig Rubiner —a quien rencontraremos como poeta— bien pudiera figurar entre los antecesores izquierdistas del arte dirigido. Creía a pie juntillas en la formación de una sociedad sin clases y estimaba que los intelectuales debían disolverse en el proletariado. "El escritor no merece tal nombre si no siente en sí la responsabilidad de destruir el mundo actual."

Pero la relación de grupos y publicaciones no termina aquí —apenas empieza—. Los años inmediatamente anteriores a 1914 conocen una verdadera pululación. Aparecen así *Pan* y *Forum,* entre otras, hoy inencontrables. Se forma un primer grupo, en torno a René Schickele y Ernst Stadler con la revista *Der Stürmer.* Otros grupos son los constituidos alrededor de *Bücherei Maiandros* y de los *Lyrische Flugblätter,* de Alfred Richard Meger; de Paul Zech y sus *Das Neue Pathos,* en Heidelberg; de Ernst Blass con los *Argonauten;* de Hermann Meister con *Saturn.* El mismo publica la primera *Anthologie der Jüngsten Literatur.* En Munich aparecen dos revistas de F. S. Backmair: *Die Revolution* y *Neue Kunst.* Entre toda esa abundante cosecha de publicaciones, la más importante —junto con *Sturm* y *Aktion*— o la más memorable es la que se inicia en 1913, en Leipzig, *Weise Blätter,* dirigida por René Schickele. Pero *Hojas blancas,* con su director, que se beneficia de su condición de alsaciano, toman desde 1915 el camino del destierro, huyendo de la censura de guerra y se establecen en Zurich. Fueron desde entonces la tribuna de aquellos expresionistas más inclinados a la participación en lo políticosocial, quienes se negaron a someterse a las consignas nacionalistas acentuadas por la guerra: Johannes R. Becher, autor de *Verfall und Triumph (Decadencia y triunfo)* —que terminaría por pasarse al otro extremo, al comunismo, instalándose en Moscú desde la llegada del nazismo hasta el final de la guerra— y Ludwig Rubiner —que seguiría el mismo itinerario.

Soergel habla de una "segunda oleada" del expresionismo. Sostiene que este segundo tiempo se inicia con el drama *Der Sohn* (1914) de Walter Hasenclever, 1890-1940, muerto en el exilio —obra donde surge el tema de la oposición entre generaciones que reaparece abundantemente en otras, según veremos— y que fue detenido por la guerra. Pero a distancia es difícil advertir tal hiato. Lo único indudable es que el espíritu del "activismo" se extiende y que el expresionismo se define más acentuadamente como una "literatura de choque", según la expresión de Félix Bertaux. De hecho tal movimiento encontró en la guerra el vértice de una inquietud que superaba el descontento y la protesta.

POESIA Y SOLIDARIDAD

Sin embargo, es curioso anotar que los numerosos poemas inspirados por la catástrofe bélica traducen más bien sentimientos de horror, sufrimiento y solidaridad con el prójimo. Cierto es que esta última actitud había sido anticipada en un libro de título ya tan significativo como *El amigo del mundo (Der Weltfreund)*, que data de 1911, primera producción de Franz Werfel, autor más conocido y famoso años después a través de sus dramas, cuentos y novelas. Tanto en ese libro primigenio al igual que en otros del mismo autor, *Canto de los tres reinos,* Werfel (nacido en Praga, 1890 —como Kafka, Rilke y Meyrink; muerto, exiliado en Estados Unidos 1945), expresa un noble sentimiento de solidaridad universal, con claras reminiscencias whitmanianas. Véanse, por ejemplo, los siguientes trozos:

> "*Mi solo deseo, Hombre, es ser pariente tuyo, / Ya seas negro o acróbata o reposes todavía en el profundo seno maternal / ya tu canto de muchacho tintinee en el patio, / ya conduzcas tu almadía en el fuego de la tarde, / ya seas soldado o aviador de coraje extremo / yo te pertenezco a ti y a todo hombre. / Te lo suplico, hermano, no me resistas. / ¡Ah, si pudiera ser que cayésemos, hermano, uno en brazos del otro!*"

Parejo sentimiento de comunión plural humana se aprecia en este poema de Alfred Wolfenstein (1880-1945) que en cierto modo es una rapsodia del "Canto de la vía pública" de Walt Whitman: "Encuentros".

> "*Paseando por las calles, os contemplo, / muchacha llena de deseos, muchacho lleno de angustia / ... surgen de pronto rostros relampagueantes, / tan lentos y luminosos como luces en la noche. / En la espesa multitud invisible / he aquí que brotan vuestros goces celestiales: / tú con los profundos ojos de mercurio, tú / cuya cabellera llama la quietud del pensamiento / ... Vosotros poco numerosos, pero ligados: / el nivel es un centro, la luz es común. / El mundo sólo sirve para reconocernos a nosotros mismos / manteniendo muy lejos de nosotros su torbellino. / Sin embargo, os abrazo con palabras dulces, / pues nunca, amor mío, te estrecho contra mí. / Llegáis, yo voy, y pasamos de un lado a otro / en la monotonía de los bulevares.*"

Y este sentimiento de fraternidad humana no desapareció en estos poetas con la guerra. Lo prueba un libro de Wilhelm Klemm (1891), *Poemas del campo de batalla* y estas estrofas de "La batalla del Marne":

"*Lentamente la tierra comienza a moverse y a hablar./Las hierbas se congelan en un metal verde. Los bosques,/refugios bajos y espesos, se tragan las lejanas columnas./El cielo, pálido secreto, amenaza estallar./Dos horas tremendas extienden sus minutos./El horizonte vacío se hincha./Mi corazón es grande como Alemania y Francia juntas./Está agujereado por las balas del mundo entero./La batería gruñe con su voz de león/y clama por seis voces, los obuses silban,/calma. A lo lejos hierve el fuego de la infantería/a lo largo de los días, de las semanas.*"

Es inevitable asociar en el recuerdo un poema como el precedente con los que Drieu la Rochelle, desde el otro lado de las trincheras, reunió en sus primeros libros, *Interrogation* (1917) y *Fond de cantine* (1920), analizados en el capítulo de este libro sobre el cubismo. La diferencia es que si en aquéllos se mezclaban cierto belicismo cándido (al igual que en *Case d'armons,* de Apollinaire), la admiración por el enemigo y un vago espíritu superfronterizo, internacionalista, en los poemas expresionistas prevalece el odio a la guerra y una clara intención pacifista que pronto se tornaría revolucionaria. Los últimos sobresalen además por su riqueza y originalidad de imágenes.

Jorge Luis Borges, tomando como base la primera antología publicada durante la guerra *(Die Aktion Lyrik,* recopilada por Franz Pfemfert) extrajo, en su día, algunas de las metáforas más llamativas. Por ejemplo ésta de Julius Talbok Keller:

"*Chillan las balas,/pájaros astrales/de una fauna metálica sin sangre.*"

Esta otra, más bien sentimental, de Wilhelm Klemm:

"*Las ametralladores charlan todavía un rato/y se van entretejiendo con las horas larguísimas./Pero a las seis de la mañana bebe el inglés/su café./Entonces podemos enterrar a nuestros muertos."*

O bien la siguiente de Walter Ferl:

"Los heridos en las ventanas son plantas marchitas."

Y finalmente, de Hermann Plagge:

"Sobre nosotros chorrean los shrappnells y cantan los insectos de las balas./A un muerto le arrojan por el parapeto como lastre de un barco,/una pandilla de hombres temerarios corre como jugadores de fútbol./De pronto, no se sabe por qué, está sin segar el trigo y las patatas se pudren./Y por qué hay formas que, hacia nosotros avanzan,/enormes en la tarde,/y alzan los brazos como mendigos estáticos."

Es conmovedor observar la serie de recuadros de luto que orlan muchos nombres en la mencionada antología: Kurd Adler, Walter Ferl, Georg Hecht, Hugo Hinz, Alfred Lichtenstein; la mayoría sin obra suficiente para un renombre póstumo, puesto que al morir en la guerra frisaban la veintena. Excepciones en punto a la conquista de nombradía son otros también caídos en el frente: Georg Heym, Ernst Stadler, August Stramm.

GEORG TRAKL Y OTROS

Georg Trakl (1887) sólo alcanzó a publicar dos libros (el mismo año en que desequilibrado por la guerra, se suicidó, 1914): *Poesías* y *Sebastian im Traum (Sebastián en el sueño)*. Durante bastante tiempo, su nombre no pareció alcanzar relieve particular (Soergel le situaba al final de su copioso inventario), pero en los últimos ha encontrado devotos y turiferarios entusiastas, entre ellos Heidegger. Se afirma (Rodolfo Modern) que con Trakl "se vuelve a oír, en la lírica alemana, después de más de un siglo de silencio, la voz de otro Hölderlin". Walter Falk le empareja con Rilke y Kafka al estudiar minuciosamente el proceso de *Dolor y transformación* bajo el signo del expresionismo.

¿Hasta qué punto esa colocación es exacta, más allá de preferencias personales? A primera vista la poesía del autor de las *Elegías del Duino* nada de común manifiesta con la de ningún expresionista típico; la suya es, sustancialmente, una poesía de la "interioridad" frente a la "exterioridad", o más bien fidelidad al mundo del contorno inmediato en que se apoyan, al menos como punto de partida, tanto los expresionistas como los poetas de las demás vanguardias. En cuanto al autor de *La metamorfosis,* si bien es cierto que aun situado epocalmente en la órbita del expresionismo (sus primeros relatos aparecen a partir de 1913 y llevan el mismo pie editorial —Kurt Wolf— que el de los expresionistas) nunca tuvo ningún contacto directo con él, en rigor su universo, los temas y los personajes alucinados que inventa constituyen por sí mismos todo un orbe expresionista autónomo. Sin embargo, de hecho, ninguna gran personalidad, por grande y poderosa que sea, puede considerarse inmune a las corrientes directivas de su época. "El estilo de época es como un soberano, y a él están supeditados hasta los más altos genios", escribe Walter Falk a propósito de Georg Trakl.

Más allá del hermetismo de este poeta, de su crepuscularismo elegíaco, de lo que el citado crítico llama la "desconsolación", no dejan de advertirse en él otros sentimientos y aspiraciones más directamente suscitados por las circunstancias, que le emparejan con el humanitarismo doloroso —inclusive acentuadamente trágico— de varios expresionistas. Así en esta poesía titulada precisamente "Humanidad", donde se mezclan las vivencias de guerra con una reminiscencia evangélica:

"*¡Oh, los hombres de cráteres vacíos!/Tambores y guerreros tenebrosos/entre sangre; las negras armas suenan./Noche, locura y melancolía,/la codicia, la raza y la mujer./Nubes, luces que nacen y la cena./La dulce paz habita el pan y el vino./Y* *doce son aquellos reunidos.*/*En sueños gritan bajo los olivos:*/ *Tomás toca la llaga con sus manos*" [3]

Con no mucha exactitud Paul Fechter afirma que los poemas de Trakl son la versión poemática de los cuadros de Franz Marc. Pero la distorsión de las formas, inclusive la conmoción apocalíptica que sacude algunos cuadros de ese pintor, más bien puede encontrar su equivalencia en la sintaxis sacudida mostrada por los poemas de Georg Heym, August Stramm, Ernst Stadler y Ludwig Rubiner.

En este último, como en el Werfel juvenil, predomina un sentimiento de pluralidad cósmica. Quiere adivinar, entre las negruras, la raya naciente de una "luz celeste". *Das himmlischelicht* se titula precisamente la poesía a que pertenecen las siguientes estrofas; advierte dicha claridad después de haber revistado las ciudades del mundo:

"*¡Pero han llegado los tiempos nuevos! Y todavía no habéis visto la nueva luz en la ventana resplandeciente de la tierra*/ *Los hombres trasudan ensombrecidos. Las casas abotagadas se transforman en una blanda yesería.*/*Y vosotros, hombres, os arrastráis en las ciudades, como pútidas hierbas de agua.*/*Sopló el viento, pero los hombres continuaron recogiendo su dinero.*/*Y el abanico del cielo se irisaba con siete colores, se abría*/*mientras ellos, pesados, borrachos, volvían*/*a calarse los sombreros negros y sus ojos se cerraban.*"

Una visión semejante, pero mezclando el pesimismo a la confianza, se da en Albert Ehrenstein (nacido en Viena, en 1886, exiliado a Estados Unidos en 1932), según muestra un poema, "Europa muere", de su primer libro *El tiempo blanco* (1914):

"*¡Qué deslumbramientos!* / *¿Por qué estos fanales ardientes?* / *¿Para quién esos sacrificios?* / *¿A quién hace señales el trueno?* / *¿Está muerto el diablo?*/*Por encima de las trincheras*/*el cielo*

---

[3] Traducción de R. E. Modern.

extiende los gritos de auxilio (...)/Pero la naturaleza continúa cantando:/¡Yo no creo en la guerra!/Mira las aguas, los ríos de alas azules,/los árboles que retoñan y crecen,/las rocas que escalan el cielo./Y mira la que ama a todos:/la Primavera, la amiga de labios verdes."

MAS ANTOLOGIAS Y REVISTAS

Los años 1919 y 1920 marcan simultáneamente un final y un recomienzo. Surgen varias antologías y obras colectivas; así las de Kurt Pinthus: *Symphonie jüngster Dichtung (Sinfonía de la joven poesía)* y *Menscheitsdämmerung (Crepúsculo de la humanidad);* la de Ludwig Rubiner *(Dichtungen zur Weltrevolution, Kameraden der Menscheit (Poesía para la revolución mundial. Camaradas de la humanidad);* en 1921, las de Rudolf Kayser, *Anthologie Jüngster Lyrik.* Con un título no excesivamente humilde —*Der Genius* (1919- 1920)— aparece una revista y dos números de un anuario —*Die Erhebung (La elevación)* —editado en los mismos años por Alfred Wolfenstein. Surge además una suerte de compendio con las obras esenciales del expresionismo y conexas: *Jüngsten Tages (El día del juicio).* En sus páginas aparecen, junto con Strindberg, Claudel y Francis Jammes, páginas de Benn, Becher, Hasenclever, Kafka, Shickele, Sternheim, Trakl, Paul Casirer, marchante del nuevo arte y editor al mismo tiempo, publica en 1920 *Unser Weg,* donde reaparecen algunos de los nombrados con los artistas Barlach, Kokoschka y Grosz. Revistas de arte como *Das Kunstblatt* y *Ararat,* provistas de un radio mayor de intereses —como lo serían luego, para la "nueva objetividad", *Quersnichtt* y el *Omnibus* del marchante Flechteim— contribuyen a la irradiación del movimiento. De esta suerte —escribe Soergel— "el expresionismo, que algunos años antes parecía un lenguaje cifrado, poco después se vuelve una moda, llega a ser el idioma común. Tanto que le llegó la hora de ser atacado a su vez y Dadá —en Alemania— ridiculizó su énfasis y su subjetivismo"...

En el marco de la vida colectiva: la serie de peripecias dramáticas, políticas y sociales, que fueron desencadenándose durante aquellos años en la sociedad alemana, contribuyen a la aceleración del expresionismo, en sus últimas intenciones subversivas. Recuérdense no más algunos de los hechos principales: en noviembre de 1918 cae el Imperio y se proclama la República. Asciende al poder la social-democracia, que es boicoteada por el grupo Spartakus. Se proclama la constitución de Weimar (11 de agosto de 1919); sobrevienen ataques suicidas desde todas partes contra el nuevo régimen: el putsch reaccionario de Kapp, el asesinato de Rathenau. Agravando ese estado de cosas, la ocupación del Ruhr, la inflación, y el putsch de Munich (noviembre de 1923), donde asoma ya su oreja sangrienta el nazismo.

Pero dejando a un lado estas implicaciones, pasemos a echar una ojeada sobre otros aspectos y personalidades capitales.

NOVELA Y TEATRO.
LA REBELION DE LOS HIJOS

Aunque hayamos dedicado las anteriores páginas a algunas de las manifestaciones poéticas del expresionismo, ello no supone que tal género sea el más significativo o definitorio de tal corriente. Desde un principio anticipé que sus obras más características, además de ser las más leídas e influyentes, se dan en la novela y en el teatro. Mas en puridad no nos es posible atenernos aquí a ningún orden genérico; simplemente, a cierta agrupación temática u ordenación de los motivos más descollantes en la ficción y en la escena. Varios autores cultivan alternativamente uno y otro género. Así en los casos de Franz Werfel, Georg Kaiser, Walter Hasenclever, Kasimir Edschmid y Arnolt Bronnen.

Hay un tema dominante: el "vater-shon motiv", la revuelta de los hijos contra los padres, la protesta contra un mundo heredado; en suma, el pleito de las generaciones, iniciado ya antes de la guerra, pero que culmina en la crisis posterior. El grito famoso de André Gide en *Les nourritures terrestres* ("Familles, je vous haïs") parece casi inocuo comparado con la violencia expresionista. El hecho de que fuese más que un tema literario se comprueba en Kafka, cuando, en vez de verterlo novelescamente, lo hizo por vía privada en su *Carta al padre* —que, por lo demás, no llegó a enviarle nunca—. En algún autor la rebelión llega inclusive al crimen. *Vatersmord (Parricidio)*, 1920, se titula precisamente un drama de Arnolt Bronnen. Su nudo argumental —la rebelión de un hijo contra un padre fracasado y colérico— no deja de anticipar el de *Death of a Salesman,* de Arthur Miller, con la diferencia de que en Bronnen no hay ninguna novedad de asociaciones oníricas y, en cambio, priva con demasía lo exclamativo. Su complemento se encuentra en un ensayo del mismo autor *Die Geburt der Jugend (El nacimiento de la juventud,* 1922), himno de odio contra los padres y los maestros. Pero ese motivo ya tenía, en parte, un precedente en una obra muy conocida de un dramaturgo perteneciente a la generación anterior; *Frühlings Erwachen (El despertar de la primavera,* 1891) de Franz Wedekind (1864-1918).

Ahora bien, donde dicho tema quizá logra su mayor expresión es en *Der Sohn (El hijo,* 1914) de Walter Hasenclever (1890-1940). Su protagonista es un muchacho que rechaza la tutela paternal, escapa del hogar, se hace revolucionario y al empuñar un revólver, sin llegar a dispararlo, contra el padre, que a la vez le amenaza con un látigo, le mata simbólicamente. El truculento folletín se salva de caer en tal pozo merced a los versos de una suerte de himno que el parricida indirecto entona sobre el tema de la emancipación.

En la misma época expresionista parejo tema ya es también abordado por Fritz von Unruh (n. 1885) con sus comedias *Ein geschlecht (Una generación,* 1918) y *Platz (La plaza,* 1920). El tema del asesinato visto ahora con la ironía que ya señala el título había asomado ya en *Mörder, Hoffnung der Frauen (Asesino, esperanza de las mujeres,* 1907), obra del pintor Oscar Kokoschka (n. 1886), quien también escribió en su juventud otras obras teatrales apoyándose más en la luz y en las imágenes plásticas que en el puro diálogo. Por cierto, no es el único artista del expresionismo que hizo incursiones en la escena. Está también el caso del escultor Ernst Barlach (1870-1938) y de su drama poético *Der tote Tag (El día muerto,* 1912). Es la alegoría del día sin Dios, preocupación religiosa que reaparece en sus demás obras.

FRANZ WERFEL

En cuanto al tema, antes señalado, el conflicto de las generaciones, alcanza su culminación no en la escena, sino en la novela de Franz Werfel (1890-1945), *Nicht der Mörder, der Ermordete is schuldig (El asesino no es el culpable, sino la víctima)*. La víctima en este caso es un oficial prusiano; pero no se trata de una invención novelesca, sino de un tipo de humanidad o de inhumanidad más bien —según se ha escrito— que existió, pululó en la Alemania kaiserina. Es un ejemplo vivo de deformación profesional; ante él se rebela un hijo de espíritu muy distinto; enloquecido por la opresión, le asesina moralmente mediante un simulacro tan guiñolesco como freudiano. En un soliloquio final el parricida simbólico declara: "Hay un viejo proverbio albanés: el culpable no es el asesino, es la víctima. Yo no quiero declararme inocente. Yo, el asesino, y él, la víctima, somos los dos culpables. Pero él, un poco más."

Este motivo, con variantes, reaparece en *Der Abituriententag (El día del bachillerato)*, también visto como la defensa del alma personal contra la invasión ejercida por una personalidad ajena, y en otras obras de Werfel. Así, la reacción de Verdi contra la influencia que sufrió, en un momento de crisis, por parte de Richard Wagner, es el problema que se desenvuelve en *Verdi o la novela de la ópera* (1924). Poco antes, en *Spiegel-mensch (El hombre-espejo,* 1920) Werfel había desenvuelto, de forma más abstracta, el conflicto entre la verdad del ser y su apariencia. *Juárez y Maximiliano* (1924), opuestamente, desarrolla de forma muy concreta la tragedia que enfrenta al revolucionario y al emperador mejicano. En cuanto a sus novelas, quizá la mejor no sea la más extensa, *Bárbara o la piedad* (1929) —que reconstruye el hundimiento de la monarquía austriaca—, no la más ambiciosa, *Los cuarenta días de Musa Dagh* (1933), cuyo fondo histórico está dado por la lucha de armenios y turcos durante los sangrientos días de 1913. Por mi parte, entre toda la obra de ficción de Werfel, daría la preferencia a sus novelas cortas; en primer término, *La muerte del pequeño burgués, Secreto de un hombre, Casa de tristeza*[4]. El realismo cruel de la primera se hace piadoso en la segunda y satírico en la última; tres lunas de un mismo espejo expresionista. La hondura del mundo refractado en sus láminas justifica por momentos el calificativo de dostoyevskianas con que fueron gratificadas. Por su habilidad técnica, su destreza, su sabiduría literaria, "la sensibilidad de sus antenas para captar los hálitos que vienen y adivinar una coherencia en el caos", se ha dicho que Werfel es respecto al expresionismo lo que Hoffmansthal fue respecto al impresionismo.

Puestos ya a citar las obras principales de Werfel —y aunque ni esta semblanza, como ninguna otra del presente capítulo, aspire a ser completa—, no debemos dejar de mencionar la última y más popular de las novelas que escribió, como pago de la promesa hecha en Lourdes, durante el éxodo de 1940, perseguido en su doble condición de judío y anti-nazi, si lograba huir a Estados Unidos. Allí publica, en 1942, *El canto de Bernadette,* que rehuye discretamente lo hagiográfico y se inscribe más bien a mitad de camino entre lo legendario y lo poético. Francamente utópico es su último libro, *Stern der Ungeborenen (La estrella de los no nacidos,* 1946). Pero esta utopía no se refiere al futuro político del mundo, como *1984* de George Orwell, sino al futuro humano, en lo cual se asemeja más bien al *Brave New World* de Huxley y a la sátira de Evelyn Waugh titulada *Scott-King's Modern Europe* (1947). Recordemos también otra utopía, esta germánica, *Heliópolis* de Ernst Jünger, ambiciosa construcción mítica y simbólica. Werfel describe una humanidad cuyo desarrollo ha seguido una dirección psíquica y espiritual, no políticosocial. ¿Los seres son felices así? Más que a dar una respuesta abierta, el copioso libro se aplica no tanto a alabar el mundo del año 10000 como a satirizar el de 1945.

En torno al tema con que comenzamos a hablar de Werfel, el de la rebelión de la juventud, parece inexcusable recordar otras novelas como *Die Rauberbande (La partida de bandoleros)* de Leonhard Frank,

---

[4] Fueron reveladas en español por la *Revista de Occidente* y difundidas en libro por la Editorial Losada.

Knäben und Mörden (Muchachos y asesinos) de Hermann Ungar, *Ein Geschlecht (Una generación,* 1918) de Fritz von Unruh. Agreguemos *Los criminales* (1929) de Bruckner, aunque este último sea un autor menos ligado al expresionismo.

GEORG KAISER, STERNHEIM, TOLLER, Y OTROS DRAMATURGOS

Por el contrario, firmemente enclavado en la tendencia que nos ocupa está Georg Kaiser (1878-1945). Kaiser fue esencialmente un hombre de teatro: aparte de dos novelas, el resto de su extensa producción (más de cuarenta comedias) es escénica; y se le considera, pues, como el dramaturgo por excelencia de la estética expresionista, así como Bertolt Brecht sería el de la época postexpresionista. Compartió este reinado con Carl Sternheim, al punto de que en un momento dado pudo decirse: "En Alemania todo lo que no es Georg Kaiser es Carl Sternheim." Técnicamente aparece como uno de los pocos innovadores profundos de dicho período. En cuanto al contenido, un crítico, Bernard Diebold, le califica de "actor del pensamiento", fórmula que otro crítico, Paul Fechter —quien no le encara con mucha simpatía— modifica al llamarle "un matemático", en el sentido de que Kaiser establece y desarrolla premisas impecablemente. Pero ya el mismo Kaiser declaró que no escribía obras de espectáculo *(Schauspiele)*, sino de pensamiento *(Denkspiele)*, aunque tampoco fueran éstas al modo de las de Bernard Shaw.

"Yo comienzo —escribió Kaiser— allí donde acaba Rimbaud." Palabras que revelan no tanto una oriundez poética como un afán de evasión. "Je me cherche? Non, je m'évade" —había escrito el poeta de la *Saison en Enfer*—. También los personajes de Kaiser (tanto el cajero de *De la mañana a la media noche* (1916), como el hombre que lucha contra la deshumanización del maquinismo, en *Die Koralle (Coral)* (1918), y en las dos partes de *Gas* (1918 y 1920), quieren antes que dar con sí mismos fugarse de una realidad opresiva. Pero lo que más allá de estos contenidos argumentales presta originalidad al teatro de Kaiser es la sucesión dinámica de las escenas y los diálogos elípticos. No desdeña la psicología ni la inventiva —así en *Un día de octubre* (1928), donde la fuerza de imaginación amorosa de la heroína crea demiúrgicamente a su amante—; tampoco rehuye afrontar temas tradicionalmente literarios —como en *Flucht nach Venedig (Huida a Venecia,* 1923), donde revive las figuras de George Sand y Alfred de Musset—, ni lejanamente históricos, como *Der Gerettete Alkibiades (Sócrates y Alcibíades,* 1920) o *Gilles und Jeanne (Juana de Arco,* 1923). Quizá en su obra más ambiciosa, *Hölle, Weg, Erde (Infierno, camino, tierra,* 1919) el tránsito alegórico que señala el título se pierde en abstracciones, aunque algunos señalen esa pieza como su obra maestra. Más allá de tal reparo es incuestionable que —según escribía Benjamín Crémieux— "Kaiser ha incorporado al expresionismo una suerte de cadencia, un ritmo (...) El gusto por la acción gratuita y fortuita que traduce lo irracional, el caos de la vida, más un color poético que falta en Wedekind y en Sternheim y que difiere de la poesía de Strindberg."

Naturalmente lo poético (elemento que ha sido sobrevalorado durante los penúltimos años, *in genere,* de modo abstracto, porque sí, con independencia de su realización nula, mediocre o excelente) no puede ser traído a colación a propósito de Carl Sternheim (1878-1943), puesto que lo dominante en su espíritu es la ironía, la intención satírica. En su famoso ensayo *Berlin oder Juste Milieu (Berlín o la medida,* 1920), la crítica social y de costumbres hace presa en un mundo de postguerra donde ya se acusaban tendencias estatistas, beligerantes. Sus ácidos croquis pueden emparentarse con los dibujos implacables, sacando lo grotesco a la superficie germánica de una época, que entonces publicaba Georg Grosz. Un *Don Juan* (1910) figura entre las primeras obras de Sternheim. Pero sólo al año siguiente con *Die Hose (La bombacha)* inaugura la serie de amargas críticas contra el mundo de los valores burgueses; ya el título genérico con que bautiza dicha serie es bastante expresivo: *Stücke aus dem bürgerlichen Heldenleben (Comedias de la vida heroica de los burgueses).* Se le reprocha —más allá del lejano parentesco con Molière—, que fatalmente sus personajes degeneren en símbolos, y antes que seres dotados de autonomía estética, parezcan portavoces del autor: es el tributo fatal, anteayer propio de toda obra de tesis, ayer del mensaje, y hoy —en la década del 60— del compromiso... Con todo, pocas obras —inclusive las novelescas, al hacer sus héroes del cocinero *Napoleón,* del caballo del Kaiser, *Libussa*— como las de Sternheim tan típicamente expresionistas, no sólo en punto a intención, sino en lo referente a técnica constructiva.

Finalmente —pero sin agotar la relación de dramaturgos— mencionemos a Ernst Toller (1893), exiliado, suicida en Estados Unidos (1939), autor de dos, tres dramas, al menos, que mucho se beneficiaron con la escenografía de Piscator —el otro gran técnico, innovador escénico del período, junto con Max Reinhardt—. Es uno de los primeros en llevar al teatro la tragedia de los *Masse-Mensch (Hombres-masa,* 1920) pero alegorizados exclusivamente en los proletarios; se continúa en otra titulada *Maschinenstürmer (Destructores de máquinas,* 1922). En *Pastor Hall* (1939) compone una de las primeras y más penetrantes sátiras de la delación familiar utilizada por el nazismo. En cuanto a Ferdinand Bruckner (1891-1958) habitualmente —como antes señalamos— se le considera fuera del expresionismo. Sin embargo, la primera parte de su trilogía *Jugend Zweier Kriege (Juventud de dos guerras),* es decir, la comedia titulada *Krankheit der Jugend (La enfermedad de la juventud)* se relaciona muy directamente con un motivo capital antes apuntado (la rebelión de los hijos) en la novela y el teatro expresionistas.

La relación de obras y autores expresionistas está lejos de agotarse con los nombrados, ya que se trata de una época y de un movimiento extraordinariamente fértiles. Faltarían referencias —en el sector de la prosa— a otros novelistas y dramaturgos como Alfred Döblin (el autor de *Berlin Alexanderplatz),* Theodor Däubler, Erich Kästner, autor de una fuerte novela *Fabien* y de un singular relato para niños *Emil und die Detektive (Emilio y los detectives).* Sin olvidar a algunos ensayistas que en su día tuvieron eco, desde Walter Mehring, Alfred Polgar, Rudolf Kayser, Max Rychner —con su revista *Neue Schweizer Rundschau*—, Peter Panter (Tucholsky) —y su *Die Weltbühne*—, cruelmente perseguido por el nazismo, entre otros.

UMSTURZ UND AUFBAU

20. Cubierta de L. Meldner para un libro de Johannes R. Becher

Johannes R. Becher
EWIG IM AUFRUHR
ERNST ROWOHLT VERLAG · BERLIN

21. Ilustración de von Hofmann para una novela de Franz Werfel

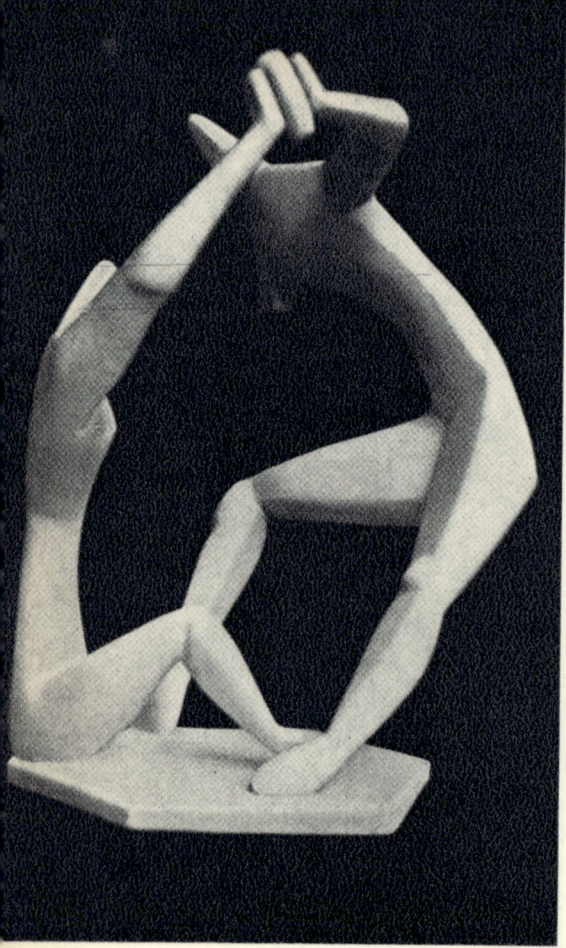

22. *La danza*, por Archipenko

23. Cartel de Herbert Bayer

24. Cubierta de la revista "Der Sturm", 1925

NUEVA OBJETIVIDAD

El último tiempo del expresionismo está señalado por la llamada *Neue Sachlichkeit* o "nueva objetividad", cuyo sinónimo más exacto sería "orden frío". Pero sucede que también esta fase, antes que en lo literario, se expresa en las artes visuales. Aparece la nueva objetividad cuando el primer expresionismo declina, hacia 1927. ¿Qué significa exactamente? Se ha dicho —por Soergel— que es el paso del éxtasis al conocimiento, viéndolo como una especie de ducha fría tras la exaltación colectiva. A cierto iluminismo utópico sucedió una vuelta del realismo, pero con otra cara. "Los visionarios —glosa Bertaux, aludiendo a los cambios sociales en la década del 20— se volvieron lúcidos. Les fue menester abandonar la ilusión de que el caos pudiera originar espontáneamente una armonía. El espíritu de subversión perdió para estos escritores su carácter apocalíptico. Había cambiado el orden de las cosas, pero no las cosas en sí mismas, sin engendrar otras en su lugar." En suma, resumiríamos por nuestra cuenta, hubo de cumplirse la ley de alternancia, y del extremo ardoroso se pasó al orden frío. Pero aconteció que este empeño de objetividad, en el seno de un mundo desquiciado, era quimérico.

Algunos han confundido la Nueva Objetividad con un neorrealismo, diciendo que es una actitud intermedia donde se concilian intelecto y corazón, verosimilitud y fantasía. Otros le han identificado con una vuelta atrás, afirmando que el expresionismo carecía ya de salida. Se le ha presentado como un fenómeno parejo y sincrónico al de la restauración del orden público, después de los años agitados inmediatos de la postguerra. "Desapareció —escribe Soergel— la ola de ilusiones líricas al mismo tiempo que cedía la exaltación colectiva. Al iluminismo sucedió el nuevo realismo. Los visionarios que habían creído en una metamorfosis mágica volvieron a encontrarse con la cabeza fresca." "El yo, que se había extravasado en el universo en desorden y había sufrido en él choque tras choque, asombrado de tanta resistencia se replegaba sobre sí mismo."

El bautista de la Nueva Objetividad fue Gustav Hartlaub, director del museo de Mannheim, y no Franz Roh, aunque éste diera vuelo al término merced a su libro *Nach Expressionismus,* excepcionalmente traducido en su día al español (1927). Cuenta Hartlaub que la etiqueta fue inventada por él en 1924 y se aplicó inicialmente al "nuevo realismo que despedía cierto sabor socialista". Aludía a un sentimiento de cinismo y resignación, después de un período de exuberantes esperanzas. "Este era su lado negativo. El positivo traducía el entusiasmo por la realidad inmediata como consecuencia de un propósito de tomar las cosas con entera objetividad."

ESPEJO DE LA REALIDAD PALPABLE

Más concretamente la nueva objetividad quiso designar a aquellos artistas que —según Alfred H. Bahr—, dando de lado el expresionismo y la abstracción, "se propusieron concentrarse sobre el mundo objetivo". Frente al irrealismo fundamental y al subjetivismo radical de la visión expresionista, "el postexpresionismo —escribe Franz Roh— pretende reintegrar la realidad en el nexo de la visibilidad. La alegría elemental de volver a ver, de reconocer las cosas, entra nuevamente en juego. La pintura vuelve a ser el espejo de realidad palpable". Pero solamente los cuadros de muy pocos postexpresionistas, Schrimpf, Mense, Scholtz y Otto Dix, consigue dar, muy fragmentariamente, tal sensación de objetividad. El origen de la divergencia entre obras y teorías radica en la vaguedad elástica de las últimas. Curándose en salud, uno de los teóricos, Fritz Schiff, escribe que "el término de Nueva Objetividad tiene una doble significación: desde el punto de vista psicológico define la intención de describir los objetos sin ninguna afectación; desde el punto de vista metafísico adquiere paradójicamente el carácter de cierta "materialización". En otros de estos cuadros los contornos claramente delineados, los colores tectónicos, crean una atmósfera que, a mi parecer, pudiera calificarse de "luz de acero". De esta suerte la superclaridad —opuesta a la sombría deformación lineal, a los colores intensificados de los primeros cuadros expresionistas— crea un mundo real, pero situado más allá de la percepción inmediata, en una atmósfera inquietante. ¿Y acaso de esta suerte la presunta nueva objetividad no recae más bien en una nueva subjetividad?

Por lo demás, deberá advertirse que la citada tendencia distó mucho de ser algo coherente, y menos aún propiamente germánico. Fue una especie de común denominador, comprensivo de artistas de muy distintas procedencias y aún con metas opuestas, pero que, en un momento dado de sus respectivas evoluciones, mostraron caras convergentes. Sólo así se explica, por ejemplo, que guiado ante todo por la similitud temática, Franz Roh empareje en su libro algunos cuadros de Picasso —pertenecientes a su época clásica o monumental, en la década del 20— con los arlequines postcubistas de Severini, e incluya también la fase metafísica de Chirico y Carrà. Cabalmente estos artistas, con otros del grupo, no movimiento, que durante los mismos años se congregó en *Valori Plastici*, de Roma, vienen a ser, paradójicamente, los más significativos —y a la vez los más ajenos— del incierto postexpresionismo. En cuanto a los alemanes, Otto Dix, Georg Schrimpf, Drawinghauser y Georg Grosz, la deformación antinaturalista, cuando no satírica —como en el último de los nombrados— sigue prevaleciendo, al igual que en el primer expresionismo de quince años antes. Por todo ello pudiéramos concluir que agrupación tan heterogénea como la que proponían Hartlaub y Franz Roh carecía de bases sólidas y estuvo destinada, desde el primer momento, dada su artificialidad, a no dejar huellas orgánicas.

Respecto al otro apelativo, el de "realismo mágico", éste sí tuvo existencia autónoma, merced a las obras —que, desde luego, no dejaba de incluir Roh— de Marc Chagall, Paul Klee y aun Max Ernst, aunque los pegotes y los cuadros de este último ocupen un lugar muy preciso primero en Dadá y luego en el superrealismo. El cuadro final con que Roh concluía su ensayo, sintetizado en una columna las características esenciales del expresionismo y en la frontal las del postexpresionismo (objetos estáticos frente a objetos sobrios, lo rítmico frente a lo presentativo, lo excitante frente a lo hondo, lo cálido frente a lo frígido, etcétera) resulta tan esquemático como poco convincente.

EL "ORDEN FRIO" EN OTRAS ARTES

Sin embargo, algunas de esas últimas cualidades —que pudieran sintetizarse en la dominante de un "orden frío" frente al desorden apasionado—, donde cuajan más felizmente es en las artes derivadas; en la tipografía, con la nueva compaginación aireada de Molzahn, con el uso exclusivo de minúsculas y cuerpos grasos (inicialmente llamados "Futura") que impuso —en la década del 30— el suizo alemán Jan Tschichold; en la decoración de casas o más bien la arquitectura interior que inaugura —con claras influencias de Léger— Willi Baumeister. Y, finalmente, en la arquitectura propiamente dicha que, sumando tendencias y aportaciones de Mies van der Roh, Walter Gropius, Erich Mendelsohn, Bruno Taut y Oud halla su expresión más cabal en la Bauhaus, durante sus tres fases o épocas: la primera en Weimar, desde 1919 a 1926; la segunda en Desau, desde esta última fecha a 1933, cuando con la llegada del nazismo al poder fue clausurada —lo mismo, por supuesto, que toda otra manifestación de arte moderno o independiente. La Bauhaus, no obstante, pudo resurgir pocos años después, 1937, en Chicago, nuevamente con Walter Gropius a la cabeza. A través de sus traslados y evoluciones, el espíritu de la *Bauhaus* ha marcado una huella considerable en muy varios sectores de las artes, más positiva que ninguna otra escuela, porque ésta no lo fue con el carácter restricto de las demás, sino con un sentido formativo del gusto, educador de la sensibilidad plástica; en suma, con el alcance de una academia de la "nueva visión". Además en las sucesivas épocas y lugares de la *Bauhaus* vienen a rencontrarse, entre otros, Klee y Kandinsky con Feininger y Albers, más los fundadores holandeses de *Die Stiyl,* Mondrian y Van Doesburg. Figura dominante, de superior alcance a las anteriores en las artes aplicadas, es la del húngaro Moholy-Nagy, cuyas innovaciones comprenden un amplio territorio, y van desde el diseño industrial a la tipografía, desde la decoración al film.

Ciertamente, en este último renglón también el expresionismo marca sus huellas. Valga simplemente como ejemplo, los films de Fritz Lang, G. W. Pabst, Murnau, Paul Leni; y como caso más memorable *El gabinete del Doctor Caligari* (1919), de Robert Wiene.

¿Y en la música? Aquí bastaría con recordar la innovación más subversiva de los años que cubre el expresionismo: es el sistema dodecafónico, con los nombres de Gustav Mahler, Paul Hindemith y Arnold Schönberg en primer término. El *Pierrot Lunar*, de Schönberg, data de 1912 y precede sólo en un año a otra obra musical decisiva de la preguerra, *Le Sacre du Printemps,* de Strawinsky, aunque este artista efectuase luego varias tornavueltas. *Wozzeck* —compuesto sobre el drama romántico, 1887, de Georg Büchner, que los expresionistas revalidaron— de Alban Berg se considera el ejemplo más logrado del teatro musical expresionista, así como el más popular es *La ópera de tres monedas* (que pueden ser "pfennings", "pennies", "sous", "cents", céntimos o centavos, y en ocasiones elevarse a cuatro, según el idioma a que se viertan...) de Kurt Weill sobre el texto de Bertolt Brecht.

BERTOLT BRECHT

Por la fecha de su aparición, 1928 (exactamente dos siglos después del estreno en Londres de la *Beggars Opera,* de John Gay, en la cual se inspira muy próximamente), por la ironía burlona, la intención antiburguesa que reflejan las escenas, los diálogos y las canciones, *Die Dreigroschenoper* dio la vuelta al mundo. Teniendo en cuenta la satisfacción con que fue recibida precisamente en los medios que más tendía a satirizar, aunque no perdonaba a ninguno, se ha recordado —por Hans Egon Holthusen— el "regocijo suicida" con que la sociedad aristocrática del "ancien régime" celebró *Las bodas de Fígaro* de Beaumarchais, en vísperas de la Revolución francesa.

A veces precediendo los acontecimientos, a veces a su zaga, Bertolt Brecht ha sido, en buena parte de su obra, un cronista dramático de nuestro tiempo... basado en otros. Porque lo curioso es que casi nunca inventa sus temas; a semejanza de los clásicos, toma como punto de partida motivos ajenos, y no sólo en *La ópera de tres mone-*

das. La oriundez de *Madre Coraje y sus hijos* (1949), crónica de la guerra de los Treinta Años, arranca de Grimmelhausen en su *Landstorzerin Courage,* del siglo XVII. Del XIII y de la literatura medieval derivan los motivos del *Círculo de tiza caucasiano* (1938). Además, tan pronto adapta a Gorki *(La madre)* como a Marlowe... Naturalmente no le fue menester retrotraerse tan lejos para documentar las veinticuatro escenas de *Furch un Elend des Dritten Reiches (Miedo y Miseria del Tercer Reich,* 1945); le bastó oír informes de testigos oculares y leer noticias periodísticas, ya que durante esos años, Brecht vivió exiliado en varios países europeos y en Estados Unidos. A testimonios semejantes hubo de apelar para componer, sobre la guerra española de 1936-1939, *Die Gewehre der Frau Carrar (Los fusiles de la señora Carrar,* 1940). Pero, se dirá, ¿acaso son documentos estas comedias de Brecht? No, enteramente; pero en cuanto sátira y denuncia tienen una buena parte de realidad, realzada por un ingenio espectacular y una poesía prosaica que cuaja en baladas, al modo de Villon, y en canciones narrativas. Respecto a la intención política que trasuntan —Brecht se adhirió en un momento dado al comunismo, terminó sus días (1956) como director de un teatro en el Berlín oriental, pero sin callar sus ironías al sistema político allí dominante—, cabe decir que pocas veces degeneró en lo sectario o apologético. Con todo, el lector imparcial deplorará siempre que sus flechas contra el stalinismo y continuaciones no fueran tan aguzadas como las que prodigó al hitlerismo. Junto a las obras ya mencionadas, de su extensa producción, y entre las que se estiman más significativas, están la *Vida de Galileo* (1938), *El alma buena de Sezuán* (1938-1940) y *El señor Puntila y su criado Matti* (1941). Lo grotesco y lo patético, lo lírico y lo realista, se mezclan en Brecht e insertan sus comedias en los límites de la estética general postexpresionista.

BIBLIOGRAFIA

An Anthology of German Poetry (1880-1940), por Jethro Bithell. Methuen, Londres, 1946.
Umbro Apollonio: *Die Stücke e la cultura dell'espressionismo.* Alfieri, Venecia, 1953.
Giulo Carlo Argan: *Walter Gropius y el Bauhaus.* Trad. esp. Nueva Visión, Buenos Aires, 1957.
H. G. Atkins: *German Literature through nazi eyes.* Methuen, Londres, 1946.
Hermann Bahr: *Expressionismus.* Delphin, Munich, 1920. Trad. it. Bompiani, Milán, 1945.
Otto Barth: *Petite Histoire de la Poésie allemande.* H. Didier, París, 1939.
Alfred H. Barr, jr.: *Modern German Painting and Sculpture.* Museum of Modern Art, Nueva York, 1931.
G. Benn, dirigida por ...: *Lyrik des Expressionistichen Jahrzehnts. Von den Wegbereitern bis zum Dada.* Wiesbaden, 1955.
Max Bense: "Excurs über Expressionismus", en *Plakatwelt.* Anstalt, Stuttgart, 1952.
Félix Bertaux: *Panorama de la Littérature allemande contemporaine.* Krâ, París, 1928.
— *Anthologie des Romanciers allemands contemporains.* Denoël, París, 1932.
Geneviève Bianquis: *La Poésie autrichienne de Hoffmansthal à Rilke.* Presses Universitaires, París, 1926.
— *Histoires de la Littérature allemande.* París, 1936.
Jethro Bithell: *Modern German Literature (1880-1938).* Methuen, Londres, 1939.
Jorge Luis Borges: *Poetas expresionistas,* en *Cervantes,* Madrid, octubre de 1920; en *Grecia,* núm. 50, Madrid, diciembre de 1920, y en *Ultra,* número 16, Madrid, octubre de 1921.
Otto Braun: *Studien zum Expressionismus,* en "Zeitschrift für Aesthetik und Allgemeine Kunstwissenschaft." Bds. 13, 1919.
Ilse T. M. de Brugger: *Teatro alemán expresionista.* La Mandrágora, Buenos Aires, 1959.
Alfredo Cahn: *Literaturas germánicas.* Mirasol, Buenos Aires, 1961.
Juan Eduardo Cirlot: *Del expresionismo a la abstracción.* Seix Barral, Barcelona, 1955.

Juan Eduardo Cirlot: *La génesis del expresionismo,* en *Arte contemporáneo. Origen universal de sus tendencias.* Edhasa, Barcelona, 1958.
Paul Colin: *Allemagne (1918-1921).* Rieder, París, 1923.
— *Kasimir Edschmid,* en "L'Esprit Nouveau", núms. 11-12, París.
Paolo Chriarini: *Caos e geometria. Per un "regesto" della poetiche espressioniste.* Nuova Italia, Florencia, 1964.
B. Deutsch y A. Yarmolinsky: *Modern German Poetry.* Lane, Londres, 1923.
Kasimir Edschmid. *Über den Expressionismus in der Literatur und die neue Dichtung.* Reisz, Berlín, 1919.
— *Die doppelköpfige Nymphe. Aufsätze über die Literatur und die Gegenwart.* Berlín, 1920.
— *Frühe Manifeste. Epochen des Expressionismus.* Wegner, Hamburgo, 1957.
— *Lebendiger Expressionismus.* Kurt Dasch, Viena, 1961.
Arthur Eloesser: *Die deutsche Literatur von Barock bis zur Gegenwart.* Cassirer, Berlín, 1932.
— *Modern German Literature.* Hamish Hamilton, Londres, 1933.
Carl Einstein: *Die Kunst des XX Jahrhunderts.* Propylaen Kunstgeschichte, Berlín, 1922.
Deutsche Literatur im 20. Jahrhundert. Der Expressionismus, ed. por H. Friedmann y D. Mann. Heidelberg, 1954.
P. Fechter: *Deutsche Dichtung der Gegenwart.* Leipzig, 1929.
— *Der Expressionismus (Impressionismus, Expressionismus, Kubismus, Futurismus),* Munich, 1929.
— *Geschichte der deutschen Literatur,* Berlín, 1952.
— *Das europäische Drama. II. Von Naturalismus zum Expressionismus.* Manheim, 1957.
Willi R. Fehse: *Anthologie jüngster Lyrik.* Gebrüder Enoch, Hamburgo, 1927.
Walter Fintz: *Lied und Verwandlung.* Müller, Salzburgo, 1961. Trad. esp. *Impresionismo y expresionismo. Dolor y transformación en Rilke, Kafka, Trakl.* Guadarrama, Madrid, 1963.
H. Friedmann und O. Mann, ed.: *Expressionismus. Gestalten einer Literaturischen Bewegung.* Rothe, Heidelberg, 1056.
Pierre Garnier: *La Poésie expressioniste allemande,* en "Critique", núm. 153, París, febrero de 1960.
Ivan Goll: *La Nouvelle Poésie allemande,* en "L'Esprit Nouveau", núm. 1, París, 1920.
— *Le Jeunes Revues allemandes,* en "L'Esprit Nouveau", núm. 5, París, 1921.
— *Le Mouvement théâtral en Allemagne,* en "L'Esprit Nouveau", núm. 7, París, 1921.
Will Grohmann: *L'Art contemporain en Allemagne,* en "Cahiers d'Art", números 1 y 2, París, 1938.
— *Le Cavalier bleu,* en "L'Œil", núm. 9, París, septiembre de 1955.

Wilhelm Hausenstein: *Die Bildende Kunst der Gegenwart.* Stuttgart, 1914. Trad. esp. *Un siglo de evolución artística.* Poseidón, Buenos Aires, 1945.
Martin Heidegger: *Georg Trakl,* en "Nouvelle Revue Française", París, noviembre-diciembre de 1958.
Kurt Hiller: *Begegnungen mit Expressionisten,* en "Der Monat", núm. 148, Berlín, enero de 1961.
Hans Egon Holthusen: *Brecht.* Trad. esp. Seix Barral, Barcelona, 1963.
Karl Jaspers: *Strindberg et Van Gogh. Hölderlin et Swedenborg.* Trad. fr. Minuit, París, 1953.
Ludwig Justi: *Von Corinth bis Klee.* Berlín, 1931.
W. Kandinsky y Franz Marc: *Der Blaue Reiter.* Pipper, Munich, 1912.
Rudolf Kayser: *Verkündigung: Anthologie junger Lyrik.* 1921.
Hermann Kesser: *Expressionismus. Zeitgeschichte,* en "Der Neuen Bücherschau", Berlín, noviembre de 1928.
Wolker Klotz: *Bertolt Brecht.* Trad. esp. La Mandrágora, Buenos Aires, 1959.
Max Krell: *Die Entstaltung: Novellen an die Zeit.* 1921.
H. Kröller-Müller: *Die Entwicklung der Modernen Malerei.* Leipzig, 1927.
C. L. Kuhn: *German Expressionismus and abstract art.* The Harvard Collections. Harvard, Mass., 1957.
Gonzalo R. Lafora: *Estudio psicológico del cubismo y expresionismo,* en *Don Juan, los milagros y otros ensayos,* Biblioteca Nueva, Madrid, 1927.
F. Landsberger: *Impressionismus und Expressionismus.* Klinkhardt und Biermann, Leipzig, 1922.
Jacques Legrand: *La Conception de la Mort terrestre chez Trakl,* en "Cahiers du Sud", núm. 341, Marsella, junio de 1957.
Raymond Lenoir: *L'Expressionisme dans l'Allemagne contemporaine,* en "L'Esprit Nouveau", núm. 2, París, 1920.
Edgar Lohner: *Die Lyrik des Expressionismus. Gestalten einer literarischen Bewegung,* ed. por H. Friedmann y D. Mann. Heidelberg, 1956.
C. Lorck: *Expressionismus.* Lübeck, 1947.
George Lukacs: *Grösse und Verfall des Expressionismus,* en "International Literatur", núm. 1, Moscú, 1934.
— *Courte Histoire de la Littérature allemande.* Nagel, París, 1949.
— *Der Expressionismus y Von Expressionismus zum neuen Realismus (Die neue Sachlidhkeit),* en *Deutsche Literatur der Gegenwart. Probleme. Ergebnisse. Gestalten.* Sieben Stübe, Berlín, 1931.
Werner Marholz: *Die Deutsche Dichtung der Gegenwart.* Berlín, 1926.
Fritz Martini: *Was war Expressionismus?* Port, Urach, 1948.
G. Marzjuski: *Die Methode des Expressionismus.* Klinkhardt und Biermann, Leipzig, 1920.
Walter Mehring: *The lost library.* Bobbs-Merrill, Nueva York, 1951.
P. Merker: *Neuere deutsche Literaturgeschichte.* Stuttgart, 1922.

Rodolfo E. Modern: *El expresionismo literario.* Nova, Buenos Aires, 1950.
— *Historia de la literatura alemana.* Fondo de Cultura Económica, México, 1951.
Josef Nadler: *Literaturgeschichte des Deutschen Volkes.* Berlín, 1958.
H. Naumann: *Die Deutsche Dichtung der Gegenwart von Naturalismus bis zum Expressionismus.* Metzlersche, Stuttgart, 1933.
Estuardo Núñez: *Expresionismo en la poesía indigenista del Perú.* "The Spanish Review", II, 2, 1935.
W. Paulsen: *Expressionismus und Aktivismus. Eine typologische Untersuchung.* Berlín, 1935.
Franz Pfemfert: *Die Aktions-Lyrik. 1914-1916. Eine Anthologie.* Die Aktion, Berlín, 1916.
O. Pfister: *Der Psycologische und Biologische Untergrund expressionisticher Bilder.* Berna, 1920.
Kurt Pinthus: *Menschheitsdämmerung. Symphonie jüngster Dichtung.* Rowohlt, Berlín, 1920.
Walter Rathenau: *Critique de l'Esprit allemand,* en "L'Esprit Nouveau", número 10, París.
P. O. Rave: *Kunstdiktatur im 3. Reich.* Hamburgo, 1949.
Robert Riemann: *Von Goethe zum Expressionismus.* Leipzig, 1922.
Luigi Rognoni: *L'expressionismo.* Radio Italiana, Turín, 1953.
Franz Roh: *Nach Expressionismus (Magischen Realismus).* Berlín, 1925. Traducción esp. *Realismo mágico. Post-expresionismo.* "Revista de Occidente", Madrid, 1926.
William Rose: *Men, myths and movements in German Literature.* Allen & Unwin, Londres, 1932.
Hans Roselieb: *Die Zukunft des Expressionismus.* M. Grünewald, Mainz, 1920.
Robert Rovini: *George Trakl,* en "Cahiers du Sud", núm. 341. Marsella, junio de 1957.
— *George Trakl.* Seghers, París, 1964.
Ludwig Rubiner: *Kameraden der Menschheit. Dichtungen zur Revolution.* Berlín, 1919.
Max Rychner: *Zur europäischen Literatur zwischen Weltkriegen.* Atlantis, Zurich, 1943; segunda edición, 1951.
Richard Samuel y R. S. Thomas: *Expressionism in German life, literature and theatre. 1910-1924.* Heffer, Cambridge, 1939.
Ernst Schumacher, ed.: *Lyrik des Expressionismus,* en *Neue Deutsche Literatur,* I, 1956.
Albert Soergel: *Dichtung und Dichter der Zeit.* Vol. II. *Im Banne des Expressionismus.* Voitgländer, Leipzig, 1926.
— *Kristall der Zeit. Eine Auslese aus der deutschen Lyrik der letzen fünfzig Jahre.* Grethein, Leipzig, 1929.

Walter H. Sokel: *The writer in extremis. Expressionism in 20th century German Literature.* Stanford University Press. Stanford, 1960.
Eckart von Sydow: *Die Deutsche Expressionistiche Kultur und Malerei.* Berlín, 1920.
Peter Thoene: *Modern German Art.* Penguin, 1938.
Guillermo de Torre: Prólogo a *La muerte del pequeño burgués,* de Franz Werfel. Losada, Buenos Aires, 1938.
— Prólogo a *Gas, Un día de octubre, De la mañana a la medianoche,* de Georg Kaiser. Losada, Buenos Aires, 1938.
Varios: *Georges Trakl.* Frontón de "Cahiers du Sud", núm. 341, Marsella, 1956. Berlín, 1917.
Umbro Apollonio: *Die Brücke e la cultura dell'expressionismo.* Alfieri, Venecia, 1953.
Emil Utitz: *Die Überwindung des Expressionismus. Charakterologische Studien zur Kultur der Gegenwart.* Stuttgart, 1927.
Herwart Walden: *Expressionismus, Futurismus, Kubismus.* Der Sturm, Berlín, 1924.
— *Einblick in Kunst. Expressionismus, Futurismus, Kubismus.* Der Sturm, Berlín, 1917.
Emile Waldmann: *La Peinture allemande contemporaine,* Crès, París, 1930.
O. Walzel: *Deutsche Dichtung von Gottscheid bis zur Gegenwart.* Quelle und Meyer, Leipzig, 1925.
René Wintzer: *Littérature allemande d'Aujourd'hui,* en "Cahiers du Sud", número 343, Marsella, 1957.
Wilhelm Worringer: *Nachexpressionismus.* Klinkhardt urd Biermann, Leipzig, 1926.
G. Zink y otros: *Littérature allemande.* Aubier, París, 1959.

3
CUBISMO

EL PORQUÉ DE UN NOMBRE

¿Puede hablarse con exactitud terminológica del cubismo en literatura? Mientras que tal denominación en el mundo de las artes plásticas es rigurosamente exacta, posee una historia, una teoría (y no digamos un anecdotario) que la fundamenta, más un conjunto de obras que marcan fechas capitales en la evolución del arte de este siglo, la referencia del cubismo a las letras siempre ha sido hecha de un modo aproximado, lateral, cuando no con un aire de incertidumbre o de perplejidad. Maurice Raymond *(De Baudelaire au surréalisme)* escribe siempre "poesía cubista" entre comillas. Gaëtan Picon *(Panorama de la nouvelle littérature française)* lo cerca de interrogaciones: ¿Una poesía cubista? Sin embargo, bajo el nombre de cubismo literario se ha comprendido siempre cierto movimiento difuso, mejor dicho, cierto estado de espíritu manifiesto en algunos escritores franceses de modo sincrónico, paralelo, al de los pintores cubistas a partir del segundo decenio del siglo.

Ahora bien, sépase que casi ninguno de los nombres asignados a las escuelas de vanguardia resulta en puridad voluntario ni exacto; son más bien productos del azar, cuando no de la burla o la hostilidad encontradas en sus primeros tiempos. Las excepciones de nombres voluntariamente dados son mínimas: futurismo, imaginismo, ultraísmo... Pero respecto al caso contrario, recuérdese que, tanto en literatura como en pintura, ni siquiera nombres que hoy parecen ajustarse inequívocamente a lo que representan —cuales los de simbolismo e impresionismo— fueron enteramente voluntarios o explícitos al principio. Respecto al primero: en la famosa réplica de Mallarmé ("no nombrar, sugerir") a la encuesta de Jules Huret (1891) está ausente la voz "simbolismo"; Moréas en su manifiesto de unos años antes (1885) no había logrado darle sentido suficiente, utilizándolo más bien para desplazar el calificativo primero de "decadentismo". En cuanto al impresionismo, su nombre deriva de un cuadro de Claude Monet, titulado "Impression, soleil levant", exhibido en un salón no oficial de 1874, donde expusieron también Cézanne, Renoir, Dégas, Sisley, Pissarro... Nombre que por lo demás estaba ya en el aire desde diez años atrás —en que tales pintores venían exponiendo aisladamente— y se agranda con los primeros y nada favorables comentarios periodísticos. Por su parte, Renoir propuso algo más tarde definirlo así: tratar un motivo en términos de tonos y colores, y no del tema por sí mismo, es lo que distingue a los impresionistas de los demás pintores [1].

En cuanto a la tendencia que le sigue, el "fauvisme", tal rótulo no pasa de ser una metáfora al azar, con intención irrisoria: "¡Dontello en el país de las fieras!" —exclama un crítico al ver una estatua vagamente renacentista en la misma sala donde, durante una exposición de 1905, exhibían conjuntamente sus cuadros pintores que utilizaban formas no sólitas y violentos colores, tales como Matisse, Rouault, Vlaminck, Dérain, etc. Por lo demás, esta "ferocidad salvaje", este "paroxismo", cuyo mejor exponente está ya en Van Gogh, no se limita a un país, se manifiesta casi sincrónicamente a los preorígenes del expresionismo alemán, surgido —se recordará— con "Die Brücke", en Dresde, 1905. Menos sentido que ningún otro —y también, por supuesto, una importancia o huella más relativa— tiene el nombre de "nabis" aplicado a un grupo de pintores postimpresionistas, discípulos de Gauguin, en 1889; sin embargo, tal apelativo hebreo de "nabis" o "nabiim" (profetas, iluminados) les fue dado por uno de ellos, Paul Sérusier, según cuenta otro del mismo grupo, Maurice Denis (en su *ABC de la peinture*); este último, influido por Gauguin y Van Gogh, fue quien fundó otra agrupación, la Escuela de Pont-Aven.

Pero cortemos aquí —apenas bosquejada— esta memoranda de rotulaciones originariamente impropias, pero definitivas a la postre, con que han quedado en la historia diversas corrientes, movimientos o estilos, tanto pictóricos como literarios, ya que por sí sólo tal registro

---

[1] V. John Rewald, *The history of impressionism* (Museum of Modern Art, New York, 1946); Jacques Lethève, *Impressionistes et symbolistes devant la presse* (Colin, París, 1959).

Portada de un número extraordinario de la revista "Bauhaus", 1924

26. Cartel para una exposición
Kandinsky, 1926

27. Los catorce volúmenes
de la editorial "Bauhaus"

28. Folleto de propaganda del
"Bauhaus", en Weimar (1919-1923)

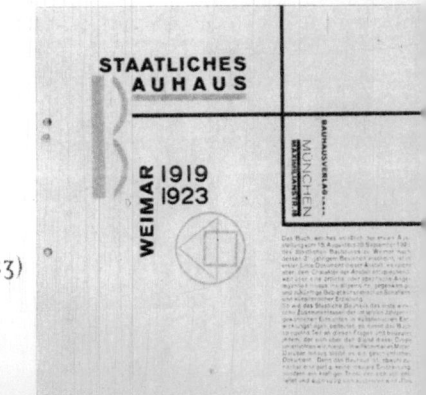

29. Franz Marc:
Destinos de animales

30. Kirchner:
Escena callejera

construiría a la vez un largo y curioso capítulo de una historia no escrita. ¿Quién piensa hoy, por ejemplo, al hablar de clasicismo, de un autor clásico, que "scriptor classicus" fue originariamente, según la denominación de Aulo Gelio, lo opuesto al "scriptor proletarius", es decir, el que se leía por los cultos, en las escuelas, en las *clases*? ¿Quién tiene hoy presente —entre el público general, no calificado— al motejar o ensalzar (más frecuentemente lo primero que lo segundo) una obra de barroca, que barrocas llamábanse originariamente a cierta clase de perlas irregulares, según la versión admitida durante muchos años, aunque hoy domina otra? ¿Cuántos recuerdan que lo romántico fue primitivamente, en las postrimerías del siglo XVIII, un mero equivalente de lo pintoresco, de los paisajes ruinosos o selváticos?

CUBISMO PLASTICO Y LITERARIO

Pero viniendo a la rotulación del cubismo: si bien la historia de su génesis ha sido contada numerosas veces, no creo superfluos los siguientes datos. En 1907, Picasso, influido —según la versión más común— por las estatuillas negras y polinésicas, que en esos momentos comenzaban a aparecer misteriosamente en algunos talleres de artistas, pinta un cuadro, *Les demoiselles d'Avignon,* donde opone una deformación, una geometría "bárbara" a la óptica impresionista entonces dominante. Sin embargo, no en ese cuadro conjunto, sino en su mitad derecha —dos desnudos femeninos, en contraste con los tres de la mitad izquierda— es donde se ha querido ver —primero por Kahnweiller y luego por Cassou, con el voto en contra de Paulhan [2]— el punto de arranque del estilo cubista. Desde luego, aunque haya existido el influjo de las máscaras y los ídolos de la Costa de Marfil, del Congo y de Oceanía, no es único. Hay reflejos del estilo gótico, del románico, y su confrontación más exacta quizá se halle en los fron-

[2] Henry Kahnweiller, *Juan Gris, sa vie, son oeuvre, ses écrits* (Gallimard, París, 1946); Jean Cassou, *Le cubisme (1907-1914)* (Musée National d'Art Moderne, París, 1953; Jean Paulhan, "La peinture cubiste", en *La Nouvelle Revue Française,* núms. 4 y 5, París, abril y mayo de 1953.

tales del medievo catalán, sin descartar las posibles huellas de Cézanne [3]. También, entre 1907 y 1908, Picasso compone varios paisajes —los de Horta del Ebro— donde la dislocación formal es acusada geométricamente. Y asimismo Braque, más bien bajo la influencia de Cézanne, ejecuta otros paisajes de análoga estructura, entre ellos "Les maisons à l'Estaque", cuyos tejados fundidos con árboles en perspectiva planista dan la sensación de cubos. Al exponerse en el Salón de Otoño de 1908, Matisse, que formaba parte del jurado, los califica de "caprichos cúbicos". La frase recogida por un cronista de exposiciones (Louis Vauxcelles, el mismo que bautizó a los "fauves", y cuyo nombre se retiene sólo por estos motivos), aplicada más bien en son de burla, hizo fortuna.

Aunque en rigor la calificación de cubistas solamente convenga a algunos cuadros iniciales de tal estilo —los de Picasso y Braque; posteriormente a otros de Juan Gris, Gleizes, Metzinger...— cubismo fue en adelante aquel arte de descomponer y recomponer la realidad. Sus principios o rasgos capitales pudieran sintetizarse así: bidimensionalismo, compenetración de planos, simultaneísmo de visión, color local [4].

Y cubistas fueron todos los pintores, y asimismo los poetas, que de un modo u otro compartían la manera de ver y expresar el mundo exterior.

Porque la literatura contribuye en gran medida a dar coherencia y sentido a tal estilo. Tanto de un modo teórico como anecdótico; especialmente lo último: y aquí es donde empieza la leyenda del Bateau-Lavoir en las alturas de Montmartre. Con todo, la leyenda fue realidad y el primitivo grupo cubista comprendía tanto pintores como

[3] Son los puntos de vista expuestos sucesivamente por Wilhelm Uhde: *Picasso et la tradition française* (Quatre Chemins, París, 1928); Helen F. Mackenzie: *Picasso* (University of Chicago Press, Chicago, 1940); Herbert Read: *A concise History of Modern Painting* (Thames and Hudson, Londres, 1959).

[4] V. el capítulo "El cubismo desde dentro" y subsiguientes en mi libro *Guillaume Apollinaire, su vida, su obra, las teorías del cubismo* (Poseidón, Buenos Aires, 1946); páginas transcritas en *La aventura estética de nuestra edad* (Seix-Barral, Barcelona, 1962).

escritores y aficionados o coleccionistas. Así, junto a los nombres de Picasso y Braque, aparecen los de Apollinaire, Maurice Laurencin, Max Jacob, André Salmon, Maurice Raynal, Gertrude y Leo Stein, Kahnweiller. En un Salón de Independientes de 1911 los cubistas hacen su primera aparición conjunta; allí se veían cuadros de algunos de los anteriormente nombrados, junto con otros de Delaunay, La Fresnaye, Marcel Duchamp, etc., y esculturas de Archipenko [5]. En el mismo salón del año siguiente aparece Juan Gris con un retrato titulado "Homenaje a Picasso". El cubismo encuentra su primera articulación teórica merced al libro de Gleizes y Metzinger *(Du cubisme,* 1912) y a la recopilación y síntesis de las crónicas y estudios que había venido publicando Apollinaire, *Méditations esthétiques. La peinture cubiste,* en 1913.

Ahora bien, lo que interesa destacar, como primera y poderosa razón de que el nombre cubismo fue aplicado también a la literatura, es la incuestionable influencia que el autor de *Calligrammes,* junto con Max Jacob, Salmon, Raynal, y más tarde Reverdy, ejerció sobre la formación de dicha estética. Influencia confraternal, por así decirlo, no dogmática, como consecuencia de la estrecha camaradería en que vivieron durante aquellos años pintores y literatos. Exagerándola quizá se ha llegado a ver [6] el cubismo como una derivación de tal vecindad, de las conversaciones y discusiones del Bateau-Lavoir, y de la calle Ravignan —donde tenía el estudio a la sazón Picasso— en Montmartre, de "Le Lapin à Gill" y de los demás cafés y figones donde solían reunirse. Cuando unos pocos años más tarde se produjo la emigración hacia Montparnasse, en la primera Rotonde veíase juntos a Max Jacob, Salmon y Cocteau con Picasso, Derain y Metzinger. Análogos encuentros personales en Céret, un pueblo de los Pirineos Orientales, donde residía el escultor Manolo y veraneaban los pintores cubistas. Más tarde, Cendrars vive en estrecha camaradería con Delaunay y

---

[5] "Histoire du cubisme", por Germain Bazin, en la *Histoire de l'art contemporain* (1925), dirigida por René Huyghe, y *Le cubisme,* catálogo de la retrospectiva 1907-1914, en el Museo de Arte Moderno, París, 1953.

[6] Georges Lemaître, *From Cubism to Surrealism in French Literature* (Harvard University Press, 1941).

Léger, Chagall y Modigliani; Reverdy apareja sus días con los de Juan Gris y el escultor Lipchitz [7].

Hubo, pues, más allá de coincidencias estéticas —ya que en los recién nombrados figuran artistas que nunca practicaron propiamente el cubismo—, entre pintores y poetas, una interacción fértil durante aquellos años, marcada —según la expresión de Jean Cassou [8]— por una "proliferación de ideas que se combina con la proliferación de formas, constituyendo uno de los momentos excepcionales y verdaderamente felices de la historia del género humano". Pintores y poetas tienden a liberarse del objeto y a eliminar lo anecdótico, tanto en la lírica como en la plástica. "El cubismo —ha escrito Cassou— es un estilo de ruptura intelectual, y sus obras se presentan como combinaciones de formas discontinuas. Por ello éstas se aproximan a la poesía moderna que huye del discurso, de la regularidad métrica, de la puntuación y se manifiesta en forma de fragmentos o instantáneas". No importa que Gaëtan Picon, por su parte, señale cierta contradicción entre el "equilibrio estático" de los cuadros cubistas y el "dinamismo" de los poemas de Apollinaire y otros, impulsados por el vértigo de la palabra. En cualquier caso, el mejor equivalente poético de ciertos cuadros cubistas —particularmente los de la primera época o analítica— bien pudiera estar en algunas de las piezas que el autor de *Alcools* llamaba "poemas-conversación", donde, situadas en el mismo plano, se mezclan percepciones directas, girones del recuerdo, trozos de

---

[7] Requeriría una bibliografía especial la simple relación de los libros anecdóticos concernientes a tal período; recordamos únicamente: Francis Carco, *De Montmartre au Quartier Latin*; Fuss Amoré y M. de Ombiaux, *Montparnasse*; André Warnod, *Les berceaux de la jeune peinture*; algunas novelas como *Les Montparnos,* de M. G. Michel; *La Negresse du Sacré Coeur,* de Salmon; algunas escenas de *La femme assise,* de Apollinaire... Entre las contribuciones —posteriores— de otras procedencias: William Gaunt, *The March of the Moderns* (Jonathan Cape, Londres, 1949); Roger Shattuck, *The Banquet Years. The Origins of the Avant-garde in France. 1885 to World War I* (Anchor Books, Doubleday and Co., New York, 1961).

[8] *Panorama des arts plastiques contemporains* (Gallimard, París, 1960. Traducción española: *Panorama de las Artes Plásticas Contemporáneas* (Guadarrama, Madrid, 1961).

diálogos oídos en el café o en la calle, titulares de periódicos; estos últimos, equivalentes de los "collages". Mas dicho simultaneísmo sólo se haría comprensible para muchos al pasar años más tarde a la novela; uno de sus primeros ejemplos está en la trilogía *USA* de Dos Passos. Pero las precedencias e influjos del cubismo no se limitan a este punto, y ocasión habrá de señalarlas más adelante.

Sin embargo, cuidemos que este reconocimiento de prioridades no nos lleve a la hipérbole. Por mi parte no he de reproducir ningún término de la "Apología del cubismo y de Picasso" que hace años escribí (en *La aventura y el orden*). Pero aun cambiados los tiempos y las perspectivas, no ha dejado de halagarme que alguien como Jean Cassou, en años más recientes, llegue a señalar categóricamente el cubismo como "el estilo del siglo xx". Correlacionando las letras y las artes de esa época, resulta empero hiperbólica cierta expresión de Georges Lemaître donde, para ponderar la influencia de Apollinaire, escribe que "éste reveló el cubismo a los cubistas". Más exacto es cuando concluye: "Sin Apollinaire, el cubismo pronto hubiera expirado; sin el cubismo, Apollinaire no habría sido capaz de descubrir plenamente su personalidad". Por algo yo dije hace años que cuando Apollinaire, al igual que Picasso, descubre el cubismo y Ramón la greguería se descubren a sí mismos [9]. Todo ello demuestra cómo a despecho de perplejidades hay razones suficientes para extender la denominación de cubistas a los escritores franceses del período señalado, sin que puedan dejar de acogerse al pabellón más amplio del "Esprit Nouveau", título de la gran revista de Ozenfant y Jeanneret que en 1920 habría de marcar la consagración de tal corriente.

---

[9] La recopilación hecha últimamente de todos los artículos, reseñas y prólogos que Apollinaire escribió (*Chroniques d'art,* Gallimard, París, 1960), y las variaciones de su criterio sobre el cubismo y los pintores de dicha escuela no revelan una línea muy firme, pero tampoco permiten poner en duda la continuidad básica de sus ideas, según llega a hacerlo L. C. Breuning, "Apollinaire et le cubisme" en *La Revue des Lettres Modernes,* núms. 69-70, París, 1962.

SUMARIO DE TEORIAS-CLAVES

En realidad, nunca se ha hecho una coordinación teórica del cubismo literario. Se describieron minuciosamente, amplificados bajo la lente anecdótica, sus rasgos pintorescos, pero nadie se cuidó de darnos una sistematización coherente de los principios esenciales. Una excepción es el intento de Jean Epstein [10], aunque prematuro en todos los sentidos. Más bien tardía es la contribución de Marcel Raymond [11], si bien lo que gana en equilibrio y en amplitud del diafragma visual —puesto que de hecho abarca muy diversos autores y tendencias—, lo pierde en precisión y detalle respecto a la que aquí nos importa. Dos circunstancias —si no permanencias— se opusieron a la valoración oportuna del cubismo literario: en primer término, cierta predisposición antisistemática de la crítica francesa, entregada —salvo excepciones últimas— al toque impresionista y a la evocación anecdótica; después, la misma dificultad de la empresa: el hecho de que las teorías no se hayan expuesto nunca de modo expreso, o sean inequívocamente deductibles de las obras, y deban captarse entre líneas, con riesgo de hallar a cada paso contradicciones desconcertantes. ¿Ejemplo? Max Jacob teoriza a placer no sólo en el prólogo de *Le cornet à dés* (1917); ha escrito un libro de máximas y reflexiones, titulado precisamente *Art poétique* (1922), aumentado tanto como rectificado, años después, en sus *Conseils à un jeune poète* (1945); pues bien, eso no le impide desdecirse en el penúltimo libro y dar una pirueta evasiva, escribiendo: "La poesía moderna se salta todas las ex-

---

[10] *La poésie d'aujourd'hui. Un nouvel état d'intelligence* (La Sirène, París, 1921). Del mismo autor, véase el complemento y a la par reducción: "Le phénomène littéraire", en *L'Esprit Nouveau*, núms. 8 a 15 inclusive, París, 1920-1921. **Exento casi de pretensiones teóricas, pero finamente descriptivo es otro libro de los mismos años:** Paul Neuhuys, *Poètes d'aujourd'hui* (Ça Ira, Anvers, 1922).

[11] *De Baudelaire au surréalisme* (Correa, París, 1933; 2.ª ed. Corti, París, 1940).

plicaciones. Es una prueba de que en materia de poesía únicamente la poesía importa". Muy bien: mas para semejante tautología, para este viaje podría haberse ahorrado alforjas tan cargadas...

MANUMISION DE LA REALIDAD
CREACION

Por nuestra parte, intentaremos fijar algunas líneas de demarcación y exégesis. Para ello, aun reduciendo la órbita del panorama literario, habremos de tomar necesariamente como punto de arranque y casi de referencia exclusiva la poesía, ya que —según hemos advertido varias veces— estas literaturas de vanguardias se vaciaron inicial y esencialmente en las formas líricas. Ciertos rasgos comunes, ciertas constantes son advertibles aun en las muestras tan diversas de poetas como Apollinaire, Max Jacob, Cendrars, Reverdy y Cocteau. Por ejemplo, el predominio —señalado ya por Epstein— de la realidad intelectual sobre la realidad sensorial. "Los sentidos nos engañan, el entendimiento nos ilumina" gustaban de repetir, con cita filosófica, los primeros intérpretes del cubismo plástico, por boca de Maurice Raynal. Se pretendía una traslación, una trasposición de los hechos y formas del mundo exterior, pero no según se ofrecen a los sentidos, sino como son captados por el espíritu; de tal modo que el resultado —la obra— fuera no un reflejo más o menos subjetivo, sino un equivalente poético.

De los equivalentes pictóricos se hablaba paralelamente en los estudios de los pintores en la década del 20. Correlativa es la noción de las "metáforas plásticas", como transposición diferente de los objetos del mundo real. "El arte —escribía Léonce Rosenberg [12], que fue no sólo un activo "marchand" del cubismo, mas también un teórico eficaz— tiene por finalidad no reconstruir un aspecto de la naturaleza, sino construir sus equivalentes plásticos, y el hecho artístico así constituido llegar a ser un aspecto creado por el espíritu". Y junto a tal de-

---

[12] *Cubisme et tradition* (L'Effort Moderne, París, 1920).

seo, el de otorgar una autonomía absoluta a la obra así realizada. Escribía Max Jacob en su *Cubilete de dados*: "Una obra de arte vale por ella misma y no por las confrontaciones que pueden hacerse con la realidad." Y aún se iba más lejos, anticipándose, por supuesto, a la teorética vigente treinta, cuarenta años después, e inclusive rebasándola: creación, y no ya invención, era la meta. Lo expresa así —entre otros— Pierre Reverdy, en *Self-Defense* (1919): "Crear una obra de arte que tenga vida independiente, su realidad y su finalidad propia me parece más elevado que cualquier interpretación fantasista de la vida real." Agreguemos testimonios coincidentes de dos poetas que en su día no tuvieron quizá menor estimación que otros hoy más notorios, si bien luego hayan quedado en la sombra; Paul Dermée y Pierre Albert-Birot; este último poseyó un ismo personal, el nunismo. Dermée [13] escribe: "El fin del poeta es crear una obra que viva fuera de sí, con su vida propia, y que esté situada en un cielo especial como una isla en el horizonte." Y Birot [14]: "Para hacer una obra es menester crear y no copiar. Nosotros buscamos la verdad en la realidad pensada y no en la realidad aparente." Las obras de arte no deben ser una representación objetiva de la naturaleza, sino una transformación de ésta, a la vez objetiva y subjetiva. ¿Cómo alcanzarla? Mediante la penetración de lo objetivo en lo subjetivo y de lo interior en el exterior, del idealismo en el realismo. Mas ¿acaso esta presentación no conviene a obras de muy lejanas épocas? Con todo, el afán de ir más allá de la realidad aparencial y crear una obra de arte que "se baste a sí misma" aparece como característica común a toda la pléyade de los años cubistas.

---

[13] "Quand le symbolisme fut mort", en *Nord-Sud,* núm. 6, París, agosto de 1917.
[14] *Apud* J. Pérez Jorba, *Pierre Albert-Biret* (Bibliothèque de l'Instant, París, 1920).

ELIMINACIONES

Otro rasgo común es la eliminación de lo anecdótico y de lo descriptivo, si bien esto no siempre se cumple; de hecho, se remplaza mediante el fragmentarismo y la elipsis. El poema queda así reducido a una sucesión de anotaciones, una presentación de estados de ánimo, sin visible enlace causal. Correlativamente, se produce un cambio de sujeto: el poeta se desdobla en otro y se interpela a sí mismo; en lo confesional, la autoscopia muestra el yo en el espejo del tú [15]. Ejemplo más logrado es el poema "Zone", que abre *Alcools* de Apollinaire. Desde el comienzo en que el poeta expresa su laxitud, su hartazgo de lo déjà vu":

> *A la fin tu es làs de ce monde ancien / Bergère ô Tour Eiffel le troupeau des ponts bêle ce matin / Tu en as assez de vivre dans l'antiquité grecque et romaine/.*

hasta la estrofa final que marca un repliegue interior:

> *Tu marches vers Auteil tu veux aller chez toi à pied / Dormir parmi tes fétiches d'Océanie et de Guinée / Ils sont des Christs d'une autre forme et d'une autre croyance / Ce sont ·les Christs inférieurs des obscures espérances / Adieu Adieu / Soleil cou coupé /.*

Pero la avidez de lo nuevo aparece casi con la obsesión de un "ritornello" en otros pasajes del mismo libro; también en "Toujours" de *Calligrammes*:

> *Qui donc saura nous faire oublier telle ou telle partie du monde / Où est le Christophe Colomb à qui l'on devra l'oubli d'un continent.*

[15] He ahí, por cierto, un antecedente imprevisto del paso del *moi* al *vous*, como sujeto que narra, y que ha sido estimado, años después, como una novedad de la novela objetiva, según aparece en *La modification* (1957) de Michel Butor.

Con todo, es en Paul Morand *(Feuilles de température)* donde la misma ambición adquiere su expresión irónica definitiva:

Prêtez votre concours à une oeuvre de charité / Le monde est à recommencer.

Al suprimir la continuidad cronológica, las sensaciones y los recuerdos van o vienen del presente al pretérito, confundiendo sus itinerarios. Así sucede en el poema citado de Apollinaire con evidente fondo autobiográfico, donde se superponen distintos momentos de su existir. En suma, este desorden voluntario, "sugestivo y sucesivo" (que años más tarde Leo Spitzer [16] calificaría como "enumeración caótica", dejando fuera, sin embargo, uno de sus más logrados ejemplos, la prosa de Léon-Paul Fargue) significa el paso al "plano intelectual único", según Epstein. "Las diferencias —escribe el mismo— se anulan. Los ojos, el oído, la boca toman parte en el poema, y sus recuerdos componen un mosaico fantástico, cuya complejidad se respeta escrupulosamente. Si un hecho viene a interrumpir una sinfonía de recuerdos, se le anota por respeto a su verdad cerebral, por fidelidad a su estado intelectual".

Tanto en Apollinaire y en Cendrars como en los primeros libros poéticos de Breton, Aragon y Soupault se hace evidente la supresión de los enganches lógicos, la rotura de las transiciones habituales. Ninguna elaboración —señala Epstein—: las sensaciones en bruto, mas no como pueden presentarse ante los ojos de un niño o un salvaje, sino ante un hombre que olvida sus hábitos y se atiene a las corrientes del azar mental. Instantaneísmo, en suma. De ahí que el nombre quizá más feliz que se dio a este tipo de poesía fue el de nunista, si bien es el que menos cundió. Paul Dermée, en unas notas de estética, aparecidas en el número inicial de la revista del cubismo literario [17] y que, por lo tanto, asumen un carácter de manifiesto colectivo, escribía:

---

[16] *La enumeración caótica en la poesía moderna* (Instituto de Filología, Universidad de Buenos Aires, 1945).
[17] *Nord-Sud,* marzo de 1917.

"...Nada de desarrollo. Todo lo que se cuenta, se explica y hace intervenir un elemento de raciocinio que ha encadenado siempre la poesía a la tierra". Y en otro estudio similar [18] insiste: "Nada de ideas. Nada de desarrollo. Nada de lógica aparente. Nada de imágenes comprobables por la plástica. Hay que dejar al lector sumido en su yo profundo. Dar al lector imágenes hiperrealistas."

¿Y qué son estas imágenes hiperrealistas? —preguntamos—. No otras, sino las que pocos años más tarde fueron llamadas superrealistas, y que por el momento, en el cubismo, eran imágenes desdobladas o más bien metáforas llevadas a un grado de desrealización.

ILOGISMO, ANTIINTELECTUALISMO

Ilogismo, antiintelectualismo son, pues, los caracteres envolventes más acusados de aquella poesía cubista, los más duraderos también, los que se mantendrían hasta nuestros días, extravasados en otras estéticas. Ya Epstein señalaba la importancia del "rechazo de la lógica", estableciendo una división entre el "pensamiento-frase", racional, lógico, concreto, y el "pensamiento-asociación", que se mueve entre la conciencia y la subconciencia; sostenía, no sin paradoja, que éste se halla en el nivel más profundo de la conciencia y es el que prevalece en las poematizaciones cubistas. Jean Cocteau, por su parte, en *Le coq et l'arlequin,* afirmaba que los poetas modernos quieren "sentir antes que comprender". Tendía a justificar así no sólo su ilogismo sino su peculiar antiintelectualismo. Otro teórico de entonces, Riccioto Canudo, hoy olvidado, llegaba a defender sin rebozos la incoherencia, "incoherencia en el encadenamiento de sonidos y acordes, palabras e imágenes, líneas y colores". "Incoherencia —agregaba— naturalmente para aquellos cuyos oídos y miradas no están familiarizados con los nuevos modos, recibiendo un choque desorientador."

El *continuum* lógico tradicional desaparece. Surge contrariamente el imperio de lo discontinuo, tan evidente en los cuadros como en las

[18] *L'Esprit Nouveau,* núm. 1. París, 1920.

poesías del cubismo. A guisa de ejemplos véase este fragmento de "Charlot mystique", en *Feu de joie* (1920) de Louis Aragon:

> *L'ascenseur descendait toujours à perdre haleine et l'escalier montait toujours | Cette dame n'attend pas les discours | elle est postiche | Oh le commis | si comique avec sa moustache et ses sourcils | artificiels | Il a crié quand je le ai tirés | [...] | C'est toujours le même système | Pas de mesure ni de logique | mauvais thème.*

Y este otro de Blaise Cendrars (en *Du monde entier*):

> *Effeuille la rose des vents | Voici que brouissent les orages déchaînés | Les trains roulent en tourbillon sur les reseaux | enchévétrés | et ne se rencontrent jamais | D'autres se perdent en route | Les chefs de gare jouent aux échecs | Tric-trac | Billard | Caramboles | Paraboles | La voie fermée est une nouvelle géométrie | Syracuse | Archimède |.*

ANTISENTIMENTALISMO. INSTANTANEISMO

Ya antes hemos aludido al designio de proscribir el tema, calificado desdeñosamente como anécdota. En rigor, no fue así; se produjo más bien el abandono de toda efusión subjetiva pura o, aun más exactamente, su enmascaramiento bajo una dilatación, una supervaloración de los elementos del mundo exterior. Sin duda, hay un menosprecio de lo sentimental: mas no del sentimiento en cuanto expresión individual, incanjeable, pero sí del sentimentalismo mostrenco o comunal. De tal suerte se deja a un lado la cantera tradicionalmente más cuantiosa, la erótica, el sempiterno diálogo entre el tú y el yo amorosos. En compensación, se exaltan ciertos aspectos de la vida múltiple, multánime, más que unanimista, del entonces amaneciente y deslumbrante maquinismo. Haciendo el balance de tal cambio, Marcel Raymond escribiría unos años después: "En 1909 se abre el período *Sturm und Drang* del vanguardismo, preparado por Whitman, por Verhaeren; aparece *La vie unanime*. Pero si Romains quería imponer un orden a sus cantos, y su propósito era en realidad espiritualista, Marinetti proclama un futurismo integral que sólo habría engendrado obras inorgánicas si Apollinaire, y sobre todo Cendrars, de 1912 a 1914, no hubieran intentado captar y orientar las potencias existentes en tal poesía." Por su parte, con visión más inmediata, escribía Paul Neuhuys: "El mundo ha cambiado de faz. La nueva poesía deja de explotar quimeras y aspira a desarrollarse cada día más en contacto con la realidad." Y subrayando este ansia de compenetración lírico-vital exclama con euforia: "Todo es tema de poesía. Los poetas quieren vivir en su tiempo. El poeta se abandona al impulso primero de su pluma y a la visión simultánea de todas las cosas que hieran su sensibilidad, su inteligencia y su memoria. Es un arte puramente integral y, diríamos, sinóptico."

"La poésie date d'aujourd'hui" —llega a escribir audazmente Cendrars. Por cierto, nada dará quizá mejor noción de tal estado de espíritu que este comienzo del poema del mismo Cendrars, "Contraste" (en sus *Dix-neuf poèmes elastiques*):

> *Les fenêtres de ma poésie sont grand'ouvertes sur les boulevards et dans les vitrines | Brillent | Les pierreries de la lumière | Écoute les violons des limousines et les xylophones des linotypes | Le pocheur se lave dans l'essuie-main du ciel | Tout est taches de couleur | Et les chapeaux des femmes qui passent sont des comètes dans l'incendie du soir.*

Visión instantánea y dinamismo; influencia de la velocidad, reflejos del cinematógrafo, de las primeras imágenes de la pantalla en los films de aventuras, de las sagas del Far West. Philippe Soupault da su equivalente en un poema titulado precisamente "Cinema-Palace" (de *Rose des vents*, 1920):

> *Le vent caresse les affiches*
> *Rien*

> *La caissière est en porcelaine*
> *l'Écran*
> *le chef d'orchestre dirige la pianola*
> *il y a des coups de revolver*
> *applaudissements*
> *l'auto volée disparait dans les nuages*
> *et l'amoureux transi s'est acheté un faux-col*
> *... ... ...*
> *Tous les vendredis changement de programme* [19].

SENTIDO PLANETARIO

Unido a los anteriores elementos, anótese la aparición de un sentido planetario: influencia de los viajes, de los paisajes exóticos, de las ciudades entrevistas. Algunos de los mejores ejemplos de este género de poesía están en Valéry Larbaud, quien no pertenece al grupo cubista, pero viene a ser en este aspecto un precursor, merced a sus *Poésies de A. O. Barnabooth* (1908):

> *Des villes, et encore des villes; | J'ai | des souvenirs des villes comme on a des souvenirs d'amours.*

Y en efecto, en los itinerarios de Barnabooth se entremezclan recuerdos de múltiples lugares, merced a un desfile fascinante; la musa del poeta se viste con los mil colores de la geografía:

> *O ma Muse, fille des grandes capitales! tu reconnais les rythmes |*
> *Dans les grondements des rues interminables.*

[19] Del mismo modo que en otras partes de este libro sólo respetamos la disposición tipográfica original en la transcripción de aquellas composiciones donde presenta formas distintas a las habituales.

Por algo la pieza maestra de este tipo de poesía errática, cosmopolita es su *Oda al tren de lujo* (en la Europa anterior a 1914), tan famosa como de largo influjo en otros poetas:

> *Prête-moi ton grand bruit, ta grande allure si douce | Ton glissement nocturne à travers l'Europe illuminée, | O train de luxe! Et l'angoissante musique | Qui bruit le long de tes couloirs de cuir doré, | Tandis que derrière les portes laquées, aux loquets de cuivre lourd | Dorment les millionnaires.*

Con menos delicadeza y un vuelo poético más corto, parejos elementos geográficos se reproducen no sólo en Apollinaire, Cendrars y Morand, también en los epígonos del cubismo. Así Philippe Soupault, en "Antipodes" (de *Rose des vents,* 1920):

> *Le souffle d'une pensée fait tourner le mappemonde illuminé | Dakar Santiago Melbourne | [...] Tananarive | La valise et le montre | 18 heures 39 | Le cri des locomotives déchire le tumulte | On a toujours derrière soi une sombre qui s'attarde | Nagasaki | Un coup de sifflet est un bref adieu | En quittant le port on songe aux rendez-vous inutiles | On voit la terre qui s'en va | On regarde l'horizon qui fuit | San Francisco | A table.*

La aplicación sistemática del lirismo viajero —si bien con la evaporación de lo poético, reducido a pura crónica, a tarjetas en colores turísticas— fue llevada a cabo por Cendrars en libros como *Kodak* (1924), itinerarios de Estados Unidos, y *Feuilles de route. Le Formose* (1924), viaje al Brasil.

HUMOR

Otra característica importante, junto a este vitalismo pluralista, es cierto sentido del humor, visible en varios poetas, desde Max Jacob a Paul Morand. Paul Neuhuys lo señalaba así: "La vida es gris, pero hay ardientes placeres que pueden romper su monotonía. El vértigo de las ideas, lo mismo que la sensación de velocidad, ahuyentan la monotonía. Los poetas crean alegrías nuevas..." Y de modo más preciso, aunque quizá generalizando demasiado: "La risa caracteriza a los poetas actuales (los del 20); pero es una risa que no procede de la ironía amarga y que no es tampoco efecto del optimismo. Es una risa que deriva irresistiblemente de la visión instantánea y simultaneísta del mundo (...). En el siglo pasado se inventaba una nueva manera de ser triste; ahora los poetas nos señalan una nueva manera de conocer la alegría." Coincidente, Philippe Soupault, al hacer una especie de balance de los caracteres dominantes en la primera antología internacional de vanguardia (con motivo de *Les 5 continents,* de Ivan Goll), escribe: "Vibra en ellos una extraña alegría. Los poetas del siglo xx han rencontrado la alegría. Saben reír y no se toman desesperadamente en serio." En cualquiera de los poemas de Paul Morand hay abundantes muestras de tal humor. Así en esta visión caricaturesca de El Escorial, tan original en su óptica como hecha de lugares comunes en sus elementos (*Feuilles de température,* 1920):

> *Paquebot sur | la montagne, —tempête durcie—. | Qui n'a dejà vu l'Escorial dans les rêves illustrés?|Pourrissoir; rois condensés.| La forêt espagnole sent la sacristie. | [...] Géométrie du gril de Laurent. | [...] Nid d'abeilles; monastère; poing de Dieu; central télégraphique, | Le Roi standard tend d'innombrables fils | vers la messe, le bourreau | la Flandre et les préfets américains | [...] On peut entendre la messe de son lit, | grâce à l'invention jésuite du théophone. | L'hostie est le plat du jour.*

No estaba, pues, descaminado Ortega y Gasset cuando por los mismos años hablaba —con gran escándalo de los "putrefactos", según la terminología que nos era más familiar en el círculo de García Lorca— del "sentido deportivo y festival de la vida". Recuérdese además cómo al filiar el arte nuevo —en *La deshumanización del arte*— Ortega no olvida señalar el papel desempeñado por la ironía y consecuentemente la ausencia de patetismo; aún más: haciéndose eco del sentido último de los iniciales manifiestos dadaístas, concluía que el arte nuevo "es la burla de sí mismo", "ridiculiza el arte".

Sin embargo, como quiera que la rosa de los vientos del arte se ha negado siempre a eternizarse en un cuadrante determinado, he aquí que por los mismos años otro escritor joven, Marcel Arland [20], podía hablar de "un nuevo mal del siglo".

Jovialidad, alacridad, antisentimentalismo. Marcel Raymond calificó años después, un poco excesivamente, toda esta poesía, tan apegada al mundo real —si bien con el afán de trascenderlo, de estilizarlo—, como una poesía "materialista". Más exacto era al explicar: "Se trataba de acabar con la tiranía de los sentimientos, con las "ansias" del corazón", con las "aspiraciones del alma"; en suma, de olvidar esta naturaleza de encantos anticuados y monótonos". Cierto que no es tal escuela, sino la futurista, aquella que representa la imagen hiperbólica de una poesía de lo moderno —según escribe también Raymond—. Que tal estado de espíritu no prospera definitivamente, que muy pronto se iniciara una tendencia de vuelta hacia el *yo* sentimental —mas por vías oscuras o subterráneas, las del inconsciente—, logrando esta última corriente mayor duración o solidez, en nada hace desmerecer el significado de las obras cubistas en sus mejores ejemplos. Sucede lo mismo con el cambio que pocos años después habría de producirse —como una consecuencia más de la mutación del temple de vida general al transcurrir la década del 20 a la del 30, pasando de la exaltación de lo vital y lo jovial al extremo opuesto: nihilismo, patetismo. El reinado del humor puro es breve; lo que sobreviene es el humor negro.

INNOVACIONES : LO QUE DESAPARECE Y LO QUE QUEDA

A la distancia de treinta, de cuarenta años, algunos estimarán que estos procedimientos han prescrito, que aquellas innovaciones ya no son tales; aún más: podrán fallar expeditivamente que descartando su valor testimonial o el impacto de su choque, poco queda en ellas de

[20] *Essais et nouveaux éssais critiques* (Gallimard, 2.ª ed., París, 1952).

valedero. Sin embargo..., el sentido historicista que preside nuestro tiempo, en la segunda mitad del siglo, debe hacernos abandonar el criterio que rigió otros: considerar anacrónico o transicional lo que no se aviene al gusto inmediato o al que se presume inminente. Por lo mismo que todo es efímero, también —en una auténtica perspectiva histórica comparativa— todo es permanente en el plano de una relatividad inconclusa. Ayer y hoy no son compartimientos estancos, sino vasos comunicantes. Cabalmente la aceleración del tiempo —en la historia y en la literatura— contribuye a darnos una percepción más exacta tanto de lo remoto como de lo actual, sin el "clásico" empeño de pulverizar lo "romántico", a la par que nos libera de la debilidad "romántica" por lo retrospectivo. Ni arcaísmo ni futurismo son metros de valor, si bien de todos los pretéritos el más difícil de justificar, de hacerlo convivir con nosotros, es el inmediato, y entre los posibles futuros, aquel menos previsible es el que se nos parece. No es el caso, sin embargo de recordar aquellos conmovedores versos de Apollinaire cuando en "La jolie rousse" —el poema de *Calligrammes* que puede considerarse testamentario—, tras afirmar que "no somos vuestros enemigos, queremos darnos vastos y extraños dominios", pedía "perdón para nosotros que combatimos siempre en las fronteras de lo ilimitado y del porvenir", puesto que tal porvenir ofrece ya un rostro distinto.

Incurrirían en antihistoricismo flagrante o ligereza punible quienes pretendieran despachar desdeñosamente el espíritu literario de la década del 20, infravalorizando en general, sin tasaciones particulares, las obras que engendró, juntamente con su estética y su técnica. No advertirían que si ciertos procedimientos han dejado de impresionar es porque, al ser asimilados por otros autores y vertidos en géneros más asequibles que lo poético, han sufrido una vulgarización inevitable; no es, pues, que hayan sido olvidados; todo lo contrario, han sido en exceso recordados. Las innovaciones, al extenderse, dejan de serlo. Pero ¿es ello motivo suficiente para pronunciar su condena? No se olvide además que los primeros beneficiarios —o los primeros culpables, según el punto de vista que se tome—, fueron algunos de los propios creadores al llevar estos sistemas a otros géneros —la novela, el teatro—, radio más ancho que el minoritario poema lírico. Fueron, por ejemplo, un Cendrars en sus novelas *L'or y Moravagine,* un Morand en sus relatos de *Ouvert la nuit* y *Fermé la nuit,* etc. Pero buena parte de las técnicas implantadas en aquellos libros, con menos estridencia, asimilada a otras intenciones, claro es, sigue inspirando algunos libros de vigencia más actual. El procedimiento, por momentos cinematográfico, que utiliza un André Malraux en sus novelas *Les conquérants* y *La condition humaine* y su exaltación de la vida peligrosa, de aquellas técnicas deriva. También la técnica de multiplicación y desdoblamiento de planos de algunos novelistas norteamericanos, como John Dos Passos en su trilogía *U. S. A.,* la visión de detalles y primeros planos de Grahan Greene en *The power and the glory,* la simultaneidad espacio-temporal que practica Sartre en *Le sursis.* La comicidad incoherente de un Ionesco sale casi totalmente de algunos "sketches" de *Dadá,* según se verá en el capítulo correspondiente. Y pasando a otra literatura: el hecho de que nadie haya advertido —según dijimos en otro capítulo— algunos reflejos de la técnica futurista en el *Ulysses* de Joyce (quien durante sus años en Trieste leyó con fruición y provecho los manifiestos de Marinetti y compañía) no significa que dejen de existir. Luego, si quiere verse con claridad de dónde arrancan algunas de las actuales técnicas literarias, a aquellos poemas tan denostados —pero influyentes— del cubismo deberá acudirse.

UNA GENERACION Y SUS LIMITES

Como quiera que algunos de los caracteres señalados no son privativos del cubismo y se dan también en otras tendencias de vanguardia, conviene, a fin de no incurrir en exclusividades, cambiar el punto de enfoque, particularizándolo sobre algunas figuras. Pero ante todo ¿quiénes son exactamente los poetas del cubismo? ¿Cómo agruparlos, mejor aún, aislarlos?

Llega aquí ahora una oportunidad de intentar una aplicación del método de las generaciones, entendido no como una simple coordinación de fechas, sino como un nexo de afinidad estética. Es decir, anteponiendo en los autores, al hecho del nacimiento biológico, el del nacimiento literario, en contra del criterio más frecuentemente aplicado. Pues lo que forma en esencia una generación —según ya recordé— es, en primer término, la circunstancia de haber cumplido juntos varios seres veinte años, constituyendo una comunidad juvenil; después —aceptando, aquí sí, algunos de los caracteres señalados por Petersen— la identidad de influjos recibidos, la coincidencia en las mismas predilecciones y en las mismas negaciones. De suerte que no cabe establecer esas fechas periódicas, determinantes de los cambios estéticos o ideológicos, fijándolas cada quince o treinta años, partiendo en trozos a sus protagonistas y a sus fases. Más bien corresponde, en último extremo —pero cuidando siempre de no incurrir en un determinismo astrológico—, aceptar una "zona de fechas" —según delimitación orteguiana— en que surgen las personalidades capitales, a la vez que afines, de una época-bisagra.

¿Cuál es la zona de fechas del cubismo literario? Está definida con bastante exactitud mediante la breve serie de años en que aparecen los primeros libros, en ocasiones fundamentales, de tal estado de espíritu; cuando tienen curso las revistas más expresivas de tal período, y que se llaman *L'Élan, Sic, Nord-Sud, Littérature*. 1917-1920 es, por lo tanto, el espacio temporal que cubre, al definirse, la generación literaria del cubismo. Hacia atrás, diez años antes, en 1907, se sitúan los orígenes del cubismo plástico. Y hacia adelante, desde 1920 y durante un decenio, vienen a inscribirse obras y personalidades epigónicas en lo literario. No importa la diferencia de edades entre los protagonistas. En 1918 aparecen los *Calligrammes,* de Apollinaire, su libro capital, y *Spirales,* de Paul Dermée. De 1917 datan los poemas en prosa de Max Jacob, *Le cornet à dés,* con su prólogo teórico tan significativo, ya antes citado. En 1917 aparecen también los *31 poèmes de poche,* de Pierre Albert-Birot, quien dirigía la revista, *Sic,* prologados por Apollinaire. 1919 se aparecer los *19 poèmes élastiques,* de Blaise Cendrars, y *Mont de piété,* de André Breton. Del mismo año son *La guitarre endormie,* de Pierre Reverdy, y *Prikaz,* de André Salmon. *Le cap de bonne espérance,* el primer libro poético de Jean

Cocteau, donde éste marca su evolución hacia el nuevo estilo, después de haber practicado otro muy distinto, es también de 1919.

En 1920 aparecen *Les animaux et leurs hommes,* de Paul Eluard, *La rose des vents,* de Philippe Soupault, y el *Calendrier cinéma du coeur abstrait,* por Tristan Tzara. De 1921 son *Lampes à arc,* de Paul Morand, afín al cubismo en este libro de poesía. Y a partir de 1921 comienzan a aparecer los libros de los primeros epígonos, como Benjamin Péret *(Le passager du transatlantique),* René Crevel, Antonin Artaud, Robert Desnos y otros que luego se incorporarían más exactamente al superrealismo, tras el primer *Manifiesto,* de Breton, 1924.

Se habrá advertido que en esta memoranda quedan registrados no sólo los poetas, peculiares del cubismo (Apollinaire, Cendrars, Cocteau, Reverdy, Salmon, etc.), sino otros que, aun habiendo surgido en el mismo ámbito espiritual, pronto derivaron hacia campos distintos, como el dadaísmo y el superrealismo: tal es el caso de Paul Eluard, Aragon, Breton, Soupault, etc. No hay, pues, confusionismo en tales agrupaciones, sino todo lo contrario: marcan las coincidencias de ciertas personalidades que en determinado momento dan la señal de partida y constituyen el torso de una generación, a reserva de que luego pasen a engrosar otra, recaben su acción independiente o se pierdan en la nada. Nos situamos así no en la acostumbrada posición histórica "a posteriori", sino en una perspectiva sincrónica; tendemos, para explicarlas mejor, a establecer las cosas como fueron en su día, en su *status nascens,* no como luego se pretende que hayan sido en sus deformaciones ulteriores. Es un privilegio que nos brinda el encarar fenómenos de los cuales fuimos testigos, o cuyos testimonios fidedignos pueden reconstruirse sin necesidad de apelar a la paleografía... La división de tendencias, en aquellos momentos aurorales, aún no había sido hecha (así, por ejemplo, en los tres números de *Dada* que publicó Tristan Tzara, en Zurich, entre 1917 y 1920, colaboraron juntos no sólo cubistas y dadaístas, sino los que luego fueron superrealistas; también se da acogida a poetas de dirección tan opuesta como los futuristas italianos); pero la idea de generación sólo presupone identidades genéricas, no el último grado de las diferencias específicas.

De acuerdo con el anterior criterio, si 1917-1920 es la fecha, la zona de fechas, en que se centra la generación cubista, pasa a segundo plano la diferencia de edades entre sus componentes. Entenderlo de otro modo origina errores: por ejemplo, el que supone atenerse estrictamente a la cronología biológica y los esfuerzos que deben hacer quienes sucumben a tal espejismo para agrupar de modo artificioso a los espíritus "parecidos" o desglosar taimadamente a los de otras familias.

Henri Peyre [21] fija una generación de escritores nacidos alrededor de 1885, los que "alcanzaron veinte o treinta años en vísperas de la primera guerra mundial y crearon entonces una pintura nueva, cubista y abstracta, una música original, una poesía revolucionaria (Apollinaire, Jacob, Reverdy, Saint-John Perse)...". Pero acontece que también en torno a la misma fecha —limitándonos únicamente a la literatura francesa— nacen otros escritores en los que sería difícil establecer la menor relación con la vanguardia: Pierre Benoit, André Maurois, Henri Massis, etc., o bien Jules Romains, que pertenece a una generación literaria anterior, la del unanimismo (1908). ¿Y tiene algo que ver Max Jacob con la Condesa de Noailles, nacidos ambos en 1886? [22] Más exacto, por lo tanto, resulta la clasificación generacional practicada por Thibaudet [23], con arreglo a las fechas de "nacimiento literario", cuando data de 1920 lo que llama "decompresión": "revoluciones del yo..., estallidos de la conciencia que se expresan de modo natural en la literatura mediante palabras en *ismo;* lo fueron el dadaísmo, el superrealismo, es decir, una conciencia de fin y de comienzo absolutos, de desorden y de liberación absolutas".

---

[21] *Les générations littéraires* (Boivin, París, 1948).

[22] El error de las rígidas agrupaciones establecidas por Henri Peyre se hace particularmente grave en un caso más conocido por los lectores hispánicos: para encontrar los componentes de la generación española de 1898 hay que saltar varias páginas —entre las largas relaciones de nombres pertenecientes a diversas literaturas— y ver así cómo primeramente figuran Valle-Inclán (1866) y Rubén Darío (1867), y sólo mucho después se menciona a Azorín (1875), Maeztu (1876) y Miró (1876), leyéndose que estos tres últimos "abren la generación de 1880-85": generación inexistente.

[23] *Histoire de la littérature française, de 1789 à nos jours* (Stock, París, 1936). Trad. esp. Losada, Buenos Aires, 1939).

Dada esta afinidad y aun identidad epocal, poco significa, en definitiva, la disparidad de edades; es decir, que en 1920, cuando los escritores nacidos entre 1880 y 1885 tienen de treinta y cinco a cuarenta años (tal es el caso de Apollinaire —aunque éste muriese prematuramente en 1918—, de Salmon, de Cendrars), los nacidos hacia 1895 (como Breton, Aragon, Soupault, Eluard, Tzara...) cuentan alrededor de veinticinco años.

No hiperbolizaré diciendo que 1920 sea un "annus mirabilis", pero sí que es un año generacional del cubismo literario, bien porque en tal fecha, o en las colindantes, se publican los libros más significativos (no importa que algunos poemas de Apollinaire, pertenecientes a su primer libro *Alcools,* y editado en 1913, estuvieran escritos desde finales del siglo anterior, o que *La Prose du Transsibérien,* de Cendrars, sea de 1913); o bien porque entonces adquieren extensión y relieve ciertos modos y técnicas literarias que hasta dicha fecha no habían logrado eco o influencia positiva. En último caso, buscando una más exacta delimitación, aceptaríamos, dentro de la misma generación cubista, dos tandas o promociones: una integrada por los que pudiéramos llamar iniciadores, otra por los continuadores; la primera de los nacidos entre el 80 y el 90 comienza en Apollinaire y termina en Paul Dermée; la segunda de los nacidos entre el 90 y el 900 comienza en Cocteau y concluye en Radiguet, este último mucho más joven que los anteriores, puesto que nació en 1903, pero cuyo primer libro —en la huella de Jacob y Cocteau—, *Les joues en feu,* aparece en 1920.

GUILLAUME APOLLINAIRE

Tras las generaciones, las semblanzas. Después de estos rasgos generales, he aquí ahora algunas siluetas particulares de las principales figuras del cubismo literario, empezando por Guillaume Apollinaire. La tarea sin duda fue más sencilla en 1920 y en 1923 —cuando redacté las páginas sobre Apollinaire, que luego pasaron a la primera edición del presente libro—; inclusive en 1946, cuando hube de dedicarle un estudio especial [24], que ahora. ¿Por qué? Porque así como antes era fácil asir sus rasgos esenciales, hoy el bosque de la copiosa bibliografía crecida a la vera de su existencia nos impide ver los árboles de sus libros. Sin ánimo de paradoja, diríamos que todo se ha hecho, por lo que concierne a Apollinaire, demasiado claro, demasiado concreto. ¡Y cierta bruma de leyenda, casi de mito, prestaba un marco tan apropiadamente ambiguo, cuando no misterioso, a este personaje afecto a los enmascaramientos, las bromas y las supercherías! La prueba es que empezó por fantasear sobre sí mismo, sobre sus orígenes familiares. Pero hoy, después de tantas averiguaciones, sobre todo de Marcel Adéma [25], ya no es posible seguir tomándole como el hijo de un cardenal italiano, según Apollinaire gustaba de dar a entender, ni Picasso podría volver a dibujarle con la tiara y la mitra... Algo de lejana verdad había, con todo, en tal superchería puesto que nació en un ambiente romano de clerecía; fue allí donde la madre (la polaca Angélica Alexandrina Kostrowitzka), hija de un camarero papal, conoció a un gentil hombre del mismo mundo, Francesco Flugi d'Aspermont, que habría de ser padre natural del futuro poeta. Se han rehecho minuciosamente todos los pasos de Wilhelm Apollinaire desde su llegada a París en 1900, después de haberse educado en colegios de la Costa Azul, hasta sus últimos años en la tertulia del Flore, la historia de sus revistas *Le Festin d'Esope* y *Les Soirées de Paris,* sus viajes y amistades, la lista completa de sus amores... Se han rencontrado todas las páginas sueltas que prodigó generosamente, y, de modo más particular, poemas eróticos que cuentan entre los mejores suyos, como los titulados *Ombre de mon amour* (1947). Pero sin perdernos en la selva de su anecdotario, ni volver a revisar con detalle todos sus escritos, lo que importaría es determinar en qué parte radica lo esencial de su personalidad tan prismática y hasta contradictoria.

Hay entre su producción un libro de cuentos fantásticos, *L'Hérésiarque et Cie.* (1910); relatos de aire bufonesco y rabelesiano, como el que da título a las aventuras del poeta Croniamantal, *Le poète as-*

---

[24] *Guillaume Apollinaire. Su vida, su obra, las teorías del cubismo* (Poseidón, Buenos Aires, 1946).
[25] *Guillaume Apollinaire, le mal aimé* (Plon, París, 1952).

31. Franz Kafka

32. Una página del manuscrito de *El proceso*, de Kafka

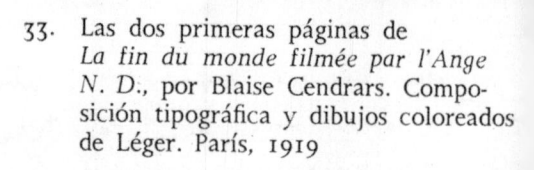

33. Las dos primeras páginas de *La fin du monde filmée par l'Ange N. D.*, por Blaise Cendrars. Composición tipográfica y dibujos coloreados de Léger. París, 1919

34. *Apollinaire académico y Su Santidad Apollinaire.* Caricaturas de Picasso

35. Caligrama-poesía de Apo

tout terriblement

Guillaume Apollinaire

L'ANTITRADITION FUTURISTE

Manifeste-synthèse

ABAS LEPominir Aliminé SS korausu
otalo EIScramir MEnigme

ce moteur à toutes tendances impressionnisme fauvisme cubisme expressionnisme pathétisme dramatisme orphisme paroxysme **DYNAMISME PLASTIQUE MOTS EN LIBERTÉ INVENTION DE MOTS**

DESTRUCTION

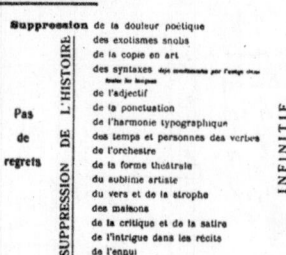

Suppression de la douleur poétique
des exotismes snobs
de la copie en art
des syntaxes déjà condamnées par l'usage
Pas
de
regrets
de l'adjectif
de la ponctuation
de l'harmonie typographique
des temps et personnes des verbes
de l'orchestre
de la forme théâtrale
du sublime artiste
du vers et de la strophe
des maisons
de la critique et de la satire
de l'intrigue dans les récits
de l'ennui

SUPPRESSION DE L'HISTOIRE

INFINITIF

MER . . . . DE . . . .

aux

Critiques
Pédagogues
Professeurs
Musées
Quattrocentistes
Dixseptiémesiéclistes
Ruines
Patines
Historiens
Venise Versailles Pompéi Bruges Oxford Nuremberg Tolède Benarès etc.
Défenseurs de paysages
Philologues

Essayistes
Néo et post Bayreuth Florence Montmartre et Munich
Lexiques
Bongoûtismes
Orientalismes
Dandysmes
Spiritualistes ou réalistes (sans sentiment de la réalité et de l'esprit)
Académismes

Les frères siamois D'Annunzio et Rostand
Dante Shakespeare Tolstoï Goethe
Dilettantismes merdoyants
Kachyle et théâtre d'Orange
Inde Égypte Fiesole et la théosophie
Scientisme
Monsigne Wagner Beethoven Edgard Poe Walt Whitman et Baudelaire

ROSE

aux

Marinetti Picasso Boccioni Apollinaire Paul Fort Mercereau Max Jacob Carrà Delaunay Henri-Matisse Braque Depaquit Séverine Severini Derain Russolo Archipenko Pratella Balla F. Divoire N. Beaudin T. Varlet Buzzi Palazzeschi Maquaire Papini Soffici Folgore Govoni Montfort R. Fry Cavacchioli D'Alba Altomare Tridon Metzinger Gleizes Jastrebzoff Royère Canudo Salmon Castiaux Laurencin Aurel Agero Léger Valentine de Saint-Point Delmarle Kandinsky Strawinsky Herbin A. Billy G. Sauvebois Picabia Marcel Duchamp B. Cendrars Jouve H. M. Barzun G. Polti Mac Orlan F. Fleuret Jaudon Mandin R. Dalize M. Brésil F. Carco Rubiner Bétuda Manzella-Frontini A. Mazza T. Derême Giannattasio Tavolato De Gonzagues-Frick C. Larronde etc.

PARIS, le 29 Juin 1913, jour du Grand Prix, à 65 mètres au-dessus du Boul. S.-Germain

GUILLAUME APOLLINAIRE
(202, BOULEVARD SAINT-GERMAIN - PARIS)

DIRECTION DU MOUVEMENT FUTURISTE
Corso Venezia, 61 - MILAN

36. *La antitradición futurista.* Manifiesto de Apollinaire. París, 1913

37. *La calle del Cubismo en Bruselas*

38. *Les demoiselles d'Avignon,* por Picasso,

sassiné (1916); una novela, *La femme assise* (póstuma, publicada en 1920), que empieza con una historia de los mormones y concluye con cuadro costumbrista-anecdótico de ciertos medios artísticos, parisienses, mediante la inserción de personajes reales, transparentes bajo seudónimos: Picasso, Sonia y Robert Delaunay, etc. Sin salir de los dominios de la prosa, en la bibliografía de Apollinaire encontramos además dos tomos de crónicas: *Anecdotiques* (1926) y *Le flâneur des deux rives* (1928); obras de teatro, *Couleur du temps* (1920) y *Les mamelles de Tirésias*, subtitulada esta última "drame surréaliste" al ser estrenada en 1917, antes, por tanto, de que André Breton lanzase el primer *Manifeste du surréalisme* (1924). En *Les mamelles de Tirésias*, cuyo aire de farsa trae visibles reminiscencias de *Ubu roi*, Apollinaire paga tributo al deslumbramiento que ejerció sobre él Alfred Jarry y su "patafísica", "ciencia de las soluciones imaginarias", según queda definida en *Le Docteur Faustroll*: broma desmesurada, que al pasar de los años cobraría aparente seriedad, no sólo por el hecho de haber considerado los superrealistas a Jarry como un maestro del "humor negro", sino merced a la sistematización o sublimación pseudofilosófica de tal extravagancia llevada a cabo por los miembros parisienses del *Collège de Pataphysique*... Sépase que los superrealistas entienden el "humour" [26] como una "revolución superior del espíritu".

Mostrando la fertilidad de la pluma apollinairiana, en una docena de años, aparecen también varios libros de encargo: la serie de rediciones, traducciones o arreglos de clásicos libertinos, Aretino, Sade, Crébillon..., sin olvidar otros licenciosos salidos de su propia minerva como *La fin de Babylone* y *Les trois Don Juan*.

Ahora bien, los verdaderos pilares de la fama apollinairiana no se asientan ahí, sino sustancialmente en dos géneros que aún no hemos mencionado: poesía y crítica de arte. Del segundo apartado, en rigor, si descontamos numerosos artículos y reseñas, recopilados sólo en los últimos años (*Chroniques d'art*), únicamente queda un libro, pero esencial, sobre todo por su fecha: *Méditations esthétiques. Les peintres cubistes* (1913). Pero en cuanto a la poesía, si bien con muestras

---

[26] André Breton, *Anthologie de l'humour noir* (Sagitaire, París, 1940).

más abundantes, los libros fundamentales pueden reducirse a dos: *Alcools* (1913), que comprende piezas escritas desde 1898, y *Calligrammes* (1918); agréguense otros dos de menos importancia, su primigenio *L'enchanteur pourrissant* (1909) y *Le Bestiaire ou cortège d'Orphée* (1911); además, una serie de páginas póstumas, verso y prosa, bajo el título de *Il y a* (1925); la edición original lleva un prólogo de Ramón Gómez de la Serna y finaliza con una serie de poemas en prosa, "Onirocritique", donde pueden verse también los antecedentes de la escritura automática, de *Les champs magnétiques,* que en 1921 publicaron Breton y Soupault.

Tras esta enumeración somera, reveladora del polimorfismo de la obra ¿cómo definir el espíritu, el tono predominante en Apollinaire? *Mutatis, mutandis* sucede casi lo mismo que si se quisiera apresar en un solo estilo o un calificativo único la obra diversiforme de Picasso. Y como en el caso del pintor, los amigos del poeta no se mostraron parcos en el elogio. "Ha sido el más formidable y más completo temperamento de poeta contemporáneo" —escribía André Salmon—. Y Cendrars exclama en uno de sus "poemas elásticos": "Apollinaire —1900-1912— durant douze ans seul poète de la France." El porqué de esta última fecha —cuando Apollinaire continuó escribiendo hasta sus postreros días, en 1918—, quizá se explica porque en ella dio Cendrars a la estampa su *Transsibérien...* Su temperamento exuberante, su jovialidad vital le llevaban a abordar —según se ha visto— diversos géneros, sin rehuir lo escatológico ni la mixtificación. ¿Acaso durante algún tiempo no se ingenió en publicar poesías y críticas de poetisas, bajo el seudónimo de "Louise Lalanne", en la revista *Les Marges?*

De tal conjunto los caracteres que sobresalen en Apollinaire son su facundia y su originalidad poéticas. Lo primero porque era un rimador de una fluidez inagotable, al punto de que solía sucederle —guardadas las distancias— lo que a Lope de Vega: en verso era cisne; en prosa, lerdo ganso. Lo segundo, porque hizo siempre hincapié al mostrarse como poeta en aquello que más sustancialmente le importaba: la poesía propiamente dicha y la crítica de arte entendida como creación, si bien en esta última no rebasara los límites de una suerte de impresionismo puntillista, más rico, por consiguiente, en sugerencias que en conceptos. De ahí su invocación a "un arte completamente nuevo, que será a la pintura lo que la música es a la literatura"; en suma, una "pintura pura, de la misma suerte que la música es literatura pura". Mas ¿cómo conciliar este ideal de pureza —tan extendido, según hemos recordado varias veces, en el alba de todas las vanguardias— con la confusión de las artes a que inevitablemente conduce el préstamo o suplantación de las cualidades específicas de cada una de ellas? Pero el espíritu fogoso de Apollinaire no se paraba en semejantes contradicciones. Al contrario, diríase que de tal debilidad extraía su fortaleza, lo mismo que del prosaísmo derivaba el lirismo. La fusión y aun identificación de poesía y pintura queda para él resuelta mediante la invención —relativa como todas, puesto que hay ejemplos remotos (en un poema dibujado en forma de flauta, "La siringa", atribuido a Demócrito, en la botella dibujada del libro quinto de Rabelais, etc.)— de los caligramas, los poemas dibujados. *Anch'io sono pittore* se titula su primer álbum de ideografías líricas de 1914 pasadas luego al volumen conjunto de *Calligrammes*.

Sin embargo, su más personal hallazgo no radica en esa técnica —que la neotipografía de los futuristas explotaría a fondo, sistemáticamente—, sino en la captación de lo que pudiéramos llamar el lirismo atmosférico. Utiliza la fusión, la interpenetración de planos temporales y espaciales: técnica pareja a la del cubismo analítico en pintura. Comienza por abandonar los dos recintos más comunes: el puro subjetivismo y la motivación limitada. Cuenta con el mundo exterior pero entreverándolo con el de su interior psíquico. Por decirlo con palabras de alguien que le debió bastante, Jean Cocteau (*Carte blanche*): "Apollinaire fue uno de los primeros que desdeñaron el lirismo puramente imaginativo y la analogía. Buscó un equilibrio entre ambos excesos. Adoptaba el menor detalle, al alcance de su mano, transportándolo a un medio distinto, donde inviste un aspecto inesperado, sin perder nada de su fuerza objetiva".

Su numen corta, aparentemente, las amarras con la realidad inmediata, pero se hunde en la fluidez movediza del contorno, apresando los mil guiños sueltos —como en las greguerías de RAMON— que nos hacen las cosas incoherentes. De ahí ese aspecto de inventarios sorprendentes que asumen algunos de sus más singulares poemas, tal como el antes citado "Zone", además de "Il y a", "Les fenêtres" y "Lundi, rue Christine". "Il y a" es una enumeración ininterrumpida, rigurosamente alógica —nacida una noche en las trincheras, pues pertenece a la serie escrita y publicada en el frente, durante la guerra del 14-18, "Obus couleur de lune"— de visiones y recuerdos, tan pronto sentimentales como grotescos:

Il y a un vaisseau qui emporte ma bien aimée/Il y a dans le ciel six saucisses et la nuit venant on dirait les asticots dont naîtraient les étoiles/Il y a un sous-marin ennemi qui en voulait à mon amour/Il y a mille petits sapins brisés par les éclats d'obus autour de moi/Il y a un fantassin qui passe aveuglé par les gaz axphysiants / [...] / Il y a des femmes qui démandant du mais à grands cris devant un Christ sanglant à México/Il y a le Gulf-Stream qui est si tiède et si bien-faisant/Il y a un cimitière plein de croix à 5 kilomètres/Il y a des croix partout de ci de là/[...].

"Lundi, rue Christine" está formado íntegramente con frases sueltas, lugares comunes, oídas en una taberna de obreros. Apollinaire no era el lírico que necesitaba aislarse para encontrar su vena; al contrario, mezclado a la vida, en la terraza de un café, entre la greguería de las conversaciones o sobre la imperial de un ómnibus podía componer algunos de sus más felices poemas. En el último de los lugares nombrados, parece ser que compuso su "Poema leído en el casamiento de André Salmon". "Interrumpido —nos dice, por cierto, el mencionado amigo— en aquello que los parnasianos llamaban meditación, apoderábase al vuelo de la frase más insignificante, la más trivial —y si era incoherente tanta mayor fortuna podía llevarse al "espíritu nuevo"—, y sin adornarla, sin hacer traición alguna a la "revelación", se alzaba desde aquel último plano superpuesto, por un milagro de unidad, a nuevas ascensiones, en un cielo libre, sin perder de vista la tierra." Así nacieron los que Apollinaire bautizó con el nombre de "poemas-conversaciones" y donde tanta parte tiene lo subconsciente; pero un subsconciente en estado puro, prefreudiano, no sofisticado con arrequives científicos, ni endiosado solemnemente, según aparece en las posteriores producciones del superrealismo.

El ejemplo más significativo de tal manera de componer es "Les fenêtres", pieza arquetípica de la nueva estructura poemática; del poema concebido no como un todo organizado, sino como un tejido de imágenes y visiones yuxtapuestas, según una personalísima óptica. Sobre la forma y el lugar como fueron escritas "Les fenêtres" existen distintas versiones que ya expuse en otro lugar y que no he de repetir ahora. Pero bien se trate efectivamente de una improvisación redactada en un café, junto a dos amigos, con la intervención ocasional de éstos, o bien se escribiera en el taller de Delaunay —ya que es un poema a este pintor dedicado, sugerido por la serie de sus cuadros "Las ventanas", y con el fin de incluirlo en el catálogo de una exposición—, mézclense o no ciertos elementos de mixtificación (del poeta consigo mismo), nada de ello mengua el valor e interés de tal pieza que comienza así:

Du rouge au vert tout le jaune se meurt /

y concluye:

La fenêtre s'ouvre comme une orange / Le beau fruit de la lumière

El carácter de tal poema y de otros similares se atiene, en último extremo, a la norma sin pautas de lo que luego, en James Joyce, se bautizaría como "monólogo interior", nombre que contribuye a propagar Valéry Larbaud en sus primeros escritos sobre el autor de *Ulises*, y que él, por su cuenta, aplica en las novelas cortas *Amants, heureux amants,* pero atribuyendo la iniciativa del sistema a un simbolista, Édouard Dujardin. "¡Ah!, ¿quién libertará a nuestro espíritu de las pesadas cadenas de la lógica?", escribiría años después André Gide (*Les nouvelles nourritures*). Pues bien, Apollinaire no sólo se anticipa a este designio, sino que prefija una nueva cosmovisión en los límites particulares del poema, superponiendo sobre un mismo plano diferentes tramos tempo-espaciales, cuyo mejor ejemplo se halla en su tantas veces citado "Zone", que debe leerse íntegramente.

Por otra parte, filiar las raíces de sus poesías no es tarea fácil por la mezcla de reminiscencias que en ella se advierten: más que el Rimbaud tan exaltado y próximo, otros más distantes: Villon, Ronsard, Heine; y en la prosa, más aún que Jarry, Rabelais. Contrariamente, resulta más hacedero buscar sus concomitancias y, sobre todo, derivaciones. Influye así sobre cierto tipo de poesía planetaria, la que se sintetiza simplemente en un título de Cendrars: *Du monde entier*. Y en ciertas estrofas suyas, como las de "Vendimiaire" (en *Alcools*) bien pude verse un punto de partida:

J'ai soif villes de France et d'Europe et du monde / Venez toutes couler dans ma gorge profonde

Del mismo modo su avidez de descubrimientos expresada paradójicamente:

Perdre/Mais perdre vraiment/Pour laisser place à la trouvaille.

Con todo —epilogaba yo en 1925 la semblanza de Apollinaire—, no es una figura completa ni terminal. Situado en una época-bisagra, su obra representa tanto una ruptura como un comienzo. Se mueve en un tiempo intermedio, entre un estilo que ya ha perdido vigencia y otro que no ha alcanzado a tenerla. Sufre el deslumbramiento de la modernidad, pero mantiene visibles los hilos retrospectivos. Su manifiesto "El espíritu nuevo y los poetas" es ambiguo. Cierto es que pesan mucho las circunstancias en que fue escrito —al finalizar la guerra del 18 y pocos días antes de la muerte del autor—, dándole un aire de compromiso más que de afirmaciones categóricas. La única absoluta es ésta: "El espíritu nuevo reside íntegramente en la sorpresa. La sorpresa es el mayor resorte del arte nuevo." Es decir, hace entera la mitad de sorpresa que ya Baudelaire fijaba como ingrediente esencial del arte. Pero el autor de *Curiosités esthétiques* comenzaba por negar la belleza absoluta y eterna para concluir que todas las bellezas contienen algo de eterno y algo de transitorio. Apollinaire en un poema testamentario ("*La jolie rousse*" de *Calligrammes*) no llega a juzgar, según dice, el "largo pleito entre la tradición y la invención", fallo, por lo demás, que nunca podría ser definitivo mientras la interacción fertilizante de una y otra corriente continúe. Más bien solicita indulgencia para los buscadores de la aventura, como él, ante quienes les comparen con "la perfección del orden". Porque su obra, lógicamente, no lo es, no hubiera podido ser perfecta. Asume así, en definitiva, Apollinaire la condición de un adelantado en territorios entonces poco menos que vírgenes; es un *pioneer* que hace prospecciones en "las fronteras de lo ilimitado y del porvenir". Adivinó una sazón:

Voici qui vient l'été de la saison violente/O Soleil c'est le temps de la Raison ardente/

pero no le fue dado coger sus frutos.

MAX JACOB

"Yo me declaro mundial, ovíparo, jirafa, sediento, chinófobo y atmosférico. Me abrevo en las fuentes de la atmósfera que ríe concéntricamente y echa pestes por mi ineptitud." ¿Cómo "traducir" esta anotación que aparece en *Le cornet à dés?* No basta con decir que Max Jacob es un humorista. Habría que agregar que tal humorismo poco tiene de común con lo cómico habitual, sin que tampoco pueda asimilarse al "humour" negro. Es una mezcla de bufonada y "pathos", con porciones abundantes de lirismo exclamativo y otro tanto de religiosidad "sui generis"; lo último porque en la segunda mitad de su vida abjuró de sus orígenes judíos, convirtiéndose al catolicismo, viviendo como lego en un monasterio, Saint-Benoît sur Loire. Dos acontecimientos —según él mismo— jalonan su vida: la aparición de Cristo en su miserable tabuco de Montmartre (1909) y el encuentro con Picasso (1901) —quien sería su padrino de bautizo—, y con Rivera junto a los que compartió los años negros de forzada bohemia. Hubo de darse así Max Jacob a numerosos menesteres extrartísticos, la cartomancia, por ejemplo, a la par que vendía acuarelas y dibujos de su elaboración. Alternando temporadas mundanas y de retiro, fue, empero, en el monasterio aludido donde un día de febrero de 1944 cayó preso de las tropas nazis y murió poco después en un campo de concentración; había nacido en Quimper, Bretaña, en 1876. Las fechas apuntadas revelan que Max Jacob ha sido el decano de los escritores franceses de vanguardia.

Pero ¿entra exactamente en tal clasificación un autor al cabo más costumbrista y satírico que inventivo, un poeta que nunca renunció al verso regular y ejerció el virtuosismo de la rima, un especialista del retruécano? Paul Dermée le llamó el Mallarmé del cubismo; tal vez lo fuera por el ascendiente que ejerció sobre algunos de los que vinieron después, en particular sobre Cocteau, mas no por el sentido último de su obra, abierta y aun jovial, antes que hermética. Y sin embargo, ¿cómo calificar cierto libro suyo, perfecto ejemplo de incongruencia sin meta visible, empezando por el título, *Le Phanérogame* (1918)? Mas no es ése su libro más representativo, sino el que publica un año antes: *Le cornet à dés*. Con él intentaba Max Jacob renovar un género siempre tan ambiguo como el poema en prosa. Quizá la singularidad de los dados de su cubilete estribe en que los puntos negros de los cuadriláteros aparezcan cambiados; en que lo poético se haga prosaico, sin que lo contrario suceda siempre y el efecto resulte ambivalente. Por lo pronto, el prefacio con aire de manifiesto, cumple exactamente varios requisitos del género. Considera las *Illuminations* de Rimbaud como "la vitrina de un joyero: los poemas en prosa de Baudelaire "sorprenden", pero no "transplantan"; esto último sólo se logra cuando la obra está "situada" y "estilizada". "El estilo o voluntad crea; es decir, separa. La situación, aleja; es decir, excita a la emoción artística. Se reconoce que una obra tiene estilo en que da la sensación de lo cerrado; que está situada, en el choque que uno recibe, o bien en el margen que la rodea, en la atmósfera especial donde se mueve." Y a continuación, como corresponde a todo manifiesto que se respete, sendos ataques contra los que no lograron dar "situación" o "estilo" a sus obras; Flaubert, Musset, Mallarmé, Rimbaud. Cierto es que exceptúa a dos maestros "canónicos" del poema en prosa —dentro de la misma lengua—: Aloysius Bertrand con su *Gaspard de la Nuit* y Marcel Schwob con el *Livre de Monelle*. Pero rechaza a Jules Renard en sus *Histoires naturelles* y omite a Jules Laforgue en sus *Moralités légendaires*.

Max Jacob comienza a publicar en 1903; su larga producción comprende una cuarentena de volúmenes, todos muy semejantes en espíritu, empero su diversidad de géneros y de temas. Pero no puede trazarse una exacta raya divisoria entre los libros anteriores y los siguientes a su conversión, si bien los más atractivos sean los que reflejan —de modo indirecto, burlón— tal crisis de espíritu. Por ejemplo, *La défense de Tartuffe* (1919), subtitulado "Extasis, remordimientos, visiones, plegarias y meditaciones de un judío converso", *Visions infernales* (1924), *Les pénitents en maillots roses* (1925). También aborda la novela. Pero

Mes romans n'ont ni rangs ni bords / et je n'ai pas de caractères /

escribe en cierto poema. Lo primero es exacto porque ninguna de las seminovelas que escribió (*Le terrain Bouchaballe*, 1922, *Filibuth ou la montre en or*, 1922, *L'homme de chair et l'homme reflet*, 1924) adquieren forma definitiva; en cuanto a lo segundo, sucede que a Max Jacob, desdeñoso de la trama argumental, le preocupa únicamente la pintura de caracteres, cuanto más estrafalarios mejor. Por ello los libros en prosa que mejor le representan son otros misceláneos, de relatos y fantasías: *Cinematoma* (1920), *Le cabinet noir* (1922); este último contiene parodias del estilo epistolar usado por la clase media; la misma clase social que refleja luego en un *Tableau de la bourgeoisie* (1930).

Ahora bien, la fama de Max Jacob se cimenta en otros puntales: su anecdotario, inclusive su leyenda (cultivada en vida merced a los panegíricos biográficos de André Salmon, Henri Hertz, Herbert Fabureau, André Billy, Robert Guiette...) y su poesía. Esta última se afirma, no a despecho de su humorismo, con ribetes de permanente mixtificación, sino precisamente por él. Pues sucede —escribía Cocteau a propósito de Max Jacob— que "los inventores se divierten. Con frecuencia, un juego, una farsa, puede ser origen de la belleza nueva. El público se enfada. Para él, el artista es un hombre grave que escucha a Beethoven con la cabeza entre las manos. La parte de juego que entra en todo movimiento revolucionario hace que éste le sea sospechoso".

Porque el autor de *El cubilete de dados* (libro del que perpetré una versión), y a quien yo recuerdo como un hombrecito menudo, afable, con algo de abacial, traicionado por la malicia de sus ojos y su verbo, no se arredraba ante ningún juego, balanceándose en la cuerda floja del *calembour,* del retruécano.

Sobremanera diestro en todas las juglarías hace malabarismos con las rimas, las aliteraciones, las consonancias y asonancias. *Le laboratoire central* (1921) pudiera ser un buen ejemplo de tales destrezas. He aquí el comienzo de una poesía titulada "Honneur de la sardane et de la tenora", dedicada a Picasso:

Mer est la mer Egée qui dépase Alicante./*Ah que je n'ai vingt-cinq milles libres de rentes!*/*Les montagnes vieillaient sur la mer en la ville.*/*Sur les murs s'étalait le blason de Castille:*/*Des églises carrées et les maisons aussi* / *Et les gens ont toujours l'air de vous dire merci.* / *Tous ces Romains seraient de l'Opéra-Comique* / *Si la toge jamais pouvait être comique.*/

Durante algunos años el humorismo de Max Jacob llega a estimarse como un equivalente del chaplinismo en literatura. Jean Cassou pone en el mismo plano su sentido eutrapélico de la realidad que el de Ramón Gómez de la Serna y el de Chesterton —guardadas todas las distancias—, inventores de una risa nueva. Pero la realidad es que, en el caso de Max Jacob, eutrapelia y misticismo forman una alianza demasiado abigarrada. No es extraño que su persona fuese vista inclusive por sus compañeros como un "fumiste", según nos cuenta Cocteau, quien agrega: "Max les divierte. Max es un tipo. Ejecuta "calembours". Peligro horrible. Mas la poesía es un vasto juego de palabras. El poeta asocia, disocia, resuelve las sílabas del mundo." Pero más allá de la atracción estética suscitada por una metáfora como la anterior, hay el hecho insuperable de que así como asociar o disociar ideas puede abrir nuevas perspectivas tanto al espíritu como a la imaginación, enlazar o disociar palabras no pasará nunca los límites de un círculo, de un circo y su pista de acrobatismos. Con el agravante además de que los retruécanos son intraducibles:

"*La belle mère amère du maire.*" "*Il y a deux tourelles, deux toutourelles de tourelles.*"

O bien otros volatines, antecedentes inmediatos de algunos juegos dadaístas:

Boum! Dame! Amsterdam/Barège n'est pas Baume-les-Dames./ Papa n'est pas là/L'ipéca du rat n'est pas du chocolat/

Juegos verbales que más bien emparentan a Max Jacob con los poetas fantasistas, P. J. Toulet, Tristan Derême, que con el grupo cubista, donde aparece enclavado, ya que en el autor del *Laboratorio central* la imaginación busca sus asideros en zonas opuestas al "mundo moderno" donde se asientan otros, particularmente un Cendrars.

BLAISE CENDRARS

Como en el caso de Max Jacob, su obra, vista años después, vale tal vez menos que la influencia ejercida. Ahora bien, la obra y la acción en Cendrars son indisolubles y ambas marcan un momento muy característico en la génesis del cubismo plástico-literario. Tal es el verdadero orden de los factores. Porque la pintura —ya lo advertimos— adelanta el paso sobre la poesía: marca sobre el lirismo nuevo una fuerte impronta. Sin duda, en las pinturas, los motivos capitales, los rasgos definidores son más permanentes que en lo escrito, donde a poco andar de los años parecen ya curiosidades de museo. Sin embargo, refiriéndonos directamente a Cendrars, no importa que sus exaltaciones de la vida moderna, cifrada en las máquinas, los transatlánticos, las grandes ciudades, los "affiches" luminosos, los viajes, el cosmopolitismo, la sed de otros horizontes, suenen ya, después de la segunda guerra, irremediablemente, a cosas sobrepasadas, cuando no olvidadas —dicen algunos; digamos más exactamente, asimiladas, digeridas—. Pero fuera injusticia olvidar la influencia libertadora que todos esos elementos, incorporados al lirismo, ejercieron. Con la circunstancia además de que en Cendrars los motivos de sus libros no son postizos; son auténticos; los vivió antes de escribirlos. De hecho "es —como escribía Cocteau— quien mejor realiza entre nosotros un nuevo exotismo. No sigue una moda. Se encuentra con ella. Mezcla de motores y de fetiches negros. El empleo de este material es legítimo en su obra. Cendrars ha viajado. Ha visto y testimonia. Vuelve de América con un aire de buscador de oro, y arroja gruesas pepitas en nuestra mesa. Le queda un solo brazo. El derecho. El otro se lo arrancó un obús. Se diría que la guerra le ha podado este brazo por donde bajan las palabras para que sus poemas florezcan con colores más luminosos".

Porque su existencia —según cabe deducirla de sus libros, en los cuales no se sabe dónde acaba la verdad y comienza la fantasía— es extraordinariamente accidentada, supernovelesca. Más cerca que del "self-made-man" norteamericano, deambulante por muchos oficios antes de recalar en las letras, la vida de Cendrars es la del escritor europeo que, aun habiéndose acunado en la literatura, aparenta menospreciarla, anteponiendo la aventura. Si creemos a uno de sus biógrafos —Louis Perrot—, si creemos al personaje que dice *yo* en sus libros, la mitad de las peripecias que le han acontecido bastarían para colmar varias vidas ajenas. Suizo por el nacimiento (1887-1961), francés por la lengua, temperamentalmente cosmopolita, encarna muy bien aquel momento de la primera postguerra en que la Geografía se incorpora a las musas. De chico ya reside en Italia y Egipto. Abandonando sus estudios a los quince años, huye a Alemania. Conoce allí a un judío de Varsovia, quien recorre el Asia a la manera aventurera de Miguel Strogoff, traficando con perlas y diamantes. Cendrars viaja con él por América, Persia, China y Rusia. Allí es testigo de los primeros episodios de la revolución de 1905-1908. Al año siguiente trabaja como equilibrista en un music-hall de Londres; su compañero de pensión es Charlie Chaplin. Vuelto pronto a los vagabundeos, hace en Rusia su primera publicación, *La légende de Novgorod* (1909). Pero es tres, cuatro años más tarde, de regreso de Nueva York, e instalado en París, cuando comienza a escribir y a publicar con cierta regularidad.

Les pâques à New York (1912) es un poema que no encontrará equivalentes en los posteriores del mismo autor —en cambio, no es excesivo advertir sus reflejos sobre "Zone" de Apollinaire—, merced a su acento humano, su emoción religiosa y los ortodoxos alejandrinos en que se articula:

> *Seigneur, l'aube a glissé froide come une suaire/Et a mis tout nu le gratte-ciel dans les airs. / Déjà un bruit immense retentit sur la ville,/ Déjà les trains bondissent, grondent et défilent./Les métropolitains roulent et tonnent sur la terre,/Les ponts sont sécoués par les chemins de fer./[...]Trouble, dans les fouillis empanachés des toits,/Le soleil, c'est votre Face souillé par les crachats./*

Una especie de folletín lírico-aventurero es la *Prose du Transibérien et de la petite Jeanne de France* (1913), y asimismo *Le Panama ou les aventures de mes sept oncles* (1914). El primero impreso en una hoja plegable de dos metros, decorada por Sonia Delaunay; el segundo con el formato alargado de un folleto de turismo. A través de uno y otro se metamorfosean las aludidas andanzas del autor:

> *J'étais à 16.000 lieues du lieu de ma naissance/J'étais à Moscou dans la ville de mille et trois clochers et des sept gares/[...]/Le Kremlin était comme un immense gateau tartare/Croustillé d'or/ Avec les grands amands des cathédrales toutes blanches/ Et l'or mielleux des cloches./[...]/un vieux moin me lisait la légende de Novgorode/[...]Je préssentais la venue du grand Christ rouge de la révolution russe.../Et le soleil était une mauvaise plaie/Qui s'ouvrait comme un brassier./*

La guerra. Se enrola en la Legión Extranjera. Pierde un brazo. Cendrars se convierte en "sans bras". Paga su tributo a la atracción común por el cinematógrafo: compone un guión, *La fin du monde filmée par l'Ange Notre Dame* (1916), que se queda en el libro sin pasar a la pantalla. En cambio colabora con el director Abel Gance en *La Roue*. También da su tributo a los *ballets* rusos: argumento de *La création du monde,* con música de Darius Milhaud y decorados de

Fernand Léger. Reúne sus *Dix-neuf poèmes clastiques* (1921), que es quizá, pese a su fragmentarismo, el libro que más exactamente le representa: sublimación de la "poesía de circunstancias" o gran cartel del que hemos llamado lirismo planetario. El título que mejor le define: *Du monde entier,* bajo el cual recopila sus poemas nómadas, aventureros. O si no este otro, tan nietzscheano: *Éloge de la vie dangereuse* (1937) donde reúne varios relatos y novelas cortas. "Ce monstre de la beauté n'est pas éternel", había escrito Apollinaire, uno de cuyos nuevos aspectos completa o prolonga Cendrars:

La poésie date d'aujourd'hui/La voie lactée autour de mon cou/ Les deux hémisphères sur les yeux à toute vitesse/

Su arte poética se funde con una visión simultaneísta:

Oser et faire du bruit/Tout est couleur, mouvement, explosion, lumière/La vie fleurit aux fenêtres du soleil/Qui se fond dans ma bouche/Je suis mûr/Et je tombe translucide dans la rue/[...]/ La poésie est en jeu/

y el mundo es para Cendrars no un espectáculo quieto, sino una contradanza de paisajes.

Je suis un monsieur qui en/des express fabuleux traverse les toujours mêmes Europes et régarde découragé par la portière/Le paysage ne m'interesse plus/Mais la danse du paysage/

Cendrars, por cierto, no descubre este filón. La veta inicial —recordemos— está en el *Barnabooth* de Larbaud —como antes en H. J. Levet—, y básicamente en el Walt Whitman del "Saludo al mundo", en el Verhaeren de las "ciudades tentaculares". Sus ramales se extienden en varias direcciones, particularmente la del exotismo: las poesías y las primeras novelas de Paul Morand —*Ouvert la nuit, Fermé la nuit*—, tan celebradas en su día, son los mejores ejemplos.

"La vierge, le vivace et le bel aujourd'hui" —había escrito Mallarmé con un sentido que no es el literal, dado el contexto de la poesía. Más directamente, fascinado por el mundo maquinístico, científico, optimista, en suma, que precisamente resurgía contra la vuelta atrás bárbara significada por la primera guerra, Cendrars publica su *Profond aujourd' hui* (1917). Es una especie de afirmación del poderío del hombre, mezclada con el asombro ante los descubrimientos de los laboratorios.

"La materia está tan bien amaestrada como el potro del cacique. Obedece a la menor señal. El chorro de vapor hace moverse la biela. El hilo de cobre hace temblar la pata de la rana. Todo se sensibiliza. Está al alcance de los ojos. Casi se toca. ¿Dónde está el hombre? El ademán de los infusorios es más trágico que la historia de un corazón femenino. La vida de las plantas, más emocionante que un drama policíaco. [...] El semáforo hace una señal. Se abre un ojo azul. El rojo se cierra. Pronto todo son colores. Compenetración. Disco. Ritmo. Danza."

En suma, una mezcla de percepciones sueltas, intuiciones paracientíficas, unidas a un reflejo de las teorías de ciertos pintores. Especialmente, Delaunay, a cuyas teorías del simultaneísmo se aplican estos párrafos pertenecientes a otro texto de la misma época, original del propio Cendrars (recogido en un libro titulado más sintéticamente *Aujourd' hui*, 1931):

"Nuestros ojos llegan hasta el sol. Un color no es un color en sí mismo. Lo es sólo por el contraste con otros. [...] El contraste es el arte de la profundidad. Lo "simultáneo" es una técnica. La técnica trabaja la materia prima, materia universal, el mundo. La poesía es el espíritu de esta materia."

Se dirá que tal estilo sincopado llegó a ser pronto más periodístico que lírico. Pero, en cualquier caso, fija un momento, ya que no "un tatuaje indeleble", como escribió entonces Cocteau. Más bien —dijo a la sazón Drieu la Rochelle— "es como un temblor de tierra. Bajo las palabras, por las hendiduras, aparece la realidad del mundo: un infierno ardiente y acerbo". Y más allá de tales imágenes, la actitud de Cendrars y las numerosas páginas que consagra a los pintores cubistas (Léger, Braque, Survage), haciendo suyas sus teorías, o prestándoselas, viene a ser un ejemplo más de la estrecha correlación en que vivieron de 1907 a 1914 poetas y plásticos; en suma, de la unidad del cubismo. Un ejemplo más preciso: Cendrars, a semejanza de Picasso, Braque y otros en sus cuadros, utiliza el "collage", la inserción de rótulos de periódicos y etiquetas comerciales en alguno de sus poemas. Así en el titulado "Atelier", sugerido por el de Marc Chagall:

> *La Ruche* / *Escaliers, portes, escaliers* / *Et sa porte s'ouvre comme un journal* / *couverte de cartes de visite* / *Puis elle se ferme* /. [...] / *Et au dos* / *Au dos* / *Des oeuvres frénétiques* / *Et des tableaux* / *Bouteilles vides* / *"Nous garantissons la pureté absolue de notre sauce* / *Tomate"* / *Dit une étiquette* / *La fenêtre est un almanach* /.

Naturalmente, dada su fecha, todos los libros mencionados de Cendrars son más bien descripciones que asimilaciones del "mundo moderno": reflejan más que interpretan, si bien con una técnica menos rudimentaria que la utilizada por los futuristas italianos, pero con un espíritu todavía no emancipado del choque inicial. Ello se advierte sobre todo en libros poemáticos —antes citados— como *Kodak,* documental de Estados Unidos, y *Feuilles de route. I. La Formose,* itinerario de un viaje al Brasil (ambos de 1924).

Al año siguiente traspone al plano de la ficción todos los elementos que antes había utilizado, compone su primera y mejor novela, *L'or* (1925), narración tan verídica como fantástica, "la maravillosa historia del general John August Suter", el hombre que en 1848 descubrió el oro en California y murió en la miseria. Su *Anthologie nègre* (1921) responde muy bien —junto con los libros de Frobenius— a un momento de atracción estético-etnológica por las civilizaciones primitivas y el mundo africano. *Moravagine* y *Le plan de l'aiguille,* novelas sobrecargadas de peripecias, lindan más bien con el folletín. Luego es una sucesión de libros que entran en el campo del reportaje, pero entre los cuales hay algunos oscilantes entre la ficción y la autobiografía novelada —si no tal vez de su verdadera vida, sí de sus posibles vidas—: *L'homme foudroyé* (1943), *Bourlinger* (1945); la propia de Cendrars termina en 1961, cuando ya la manera poético-novelesca por él instaurada, y a la par divulgada, había sido sustituida por otras preferencias; y lo que pudiéramos llamar el movimiento hacia la exterioridad, cumplido su ciclo, mordiéndose la cola, torna hacia la interioridad.

JEAN COCTEAU

Averiguar con exactitud si la obra de Jean Cocteau (1889-1963) puede o no incluirse rigurosamente bajo el pabellón del cubismo literario es una cuestión difícil. Si nos atuviéramos sólo a los datos externos, a su enmarcamiento en la época donde nace, a la atmósfera donde se desenvuelve originariamente, el problema no se plantearía. Pero una producción multiforme como la del autor, por un lado, de un poema tan hermético como *Discours du grand sommeil* y, por otro lado, de una comedia de gran público como *La machine à écrire*, escapa ágilmente a todas las clasificaciones. Lo singular es que, aun habiendo adoptado máscaras contradictorias, su perfil se mantenga sustancialmente incambiable, apuntando hacia el mismo vértice de agudeza y donaire. ¿Teatralismo —"cabotinismo."—, sinceridad? Ambas cosas —superando la antinomia— se identificaban en él. Por eso la frase más verídica —y más citada— de Cocteau es ésta: "Yo soy una mentira que dice la verdad."

Mas tratemos de reconstruir, aunque sea de forma incompleta, el itinerario de sus pasos, sus mudas, sus abundantes obras. De hecho surge prendido a la estela de Apollinaire, puesto que muy pronto abandona el mundanismo de sus preorígenes (tres libros pronto repudiados, al filo de los veinte años, entre los cuales hay uno de título casi autobiográfico, *Le prince frivole*, 1909), y da un salto hasta la ribera izquierda. De la Magdalena a Montparnasse. Como marchamos

de modernidad en seguida erige sus totems: Picasso, ante todo (con quien colabora en el "ballet" *Parade,* 1917, al que dedica una *Ode,* y que le dibuja más de una vez) y Erik Satie, músico que exalta como un símbolo de reacción contra Debussy, al proponer "una música a la medida del hombre", sin nubes ni ondinas. Además se respalda en un nuevo grupo de músicos jóvenes para el que no esfuerza mucho su imaginación al bautizarle como los *Six*; con ellos, con Auric, Poulenc, Honneger..., etc., colabora en su primera salida teatral, *Les mariés de la Tour Eiffel,* 1921. De Max Jacob adquiere el gusto por los retruécanos poéticos. Porque Jean Cocteau tiene una marcada inclinación hacia lo lúdico. Fundamentalmente ingenioso, no se puede decir que su ingenio le pierda; al contrario, le lleva a encontrarse consigo mismo. Al revés que otros, por lo superficial llega —pretende llegar— a lo profundo. Equilibrista en la cuerda floja, entre la vida y la muerte (que a él, tan vital, no le intimidaba, más bien le fascinaba), entre lo jocular y lo serio, vive siempre confundiendo los campos entre una y otra ribera. Mediante el fluido eléctrico —así define la poesía en *Le secret professionnel* (1922)— que recorre su espíritu, enciende luces en parajes oscuros. Con todo, algunos de los primeros que atravesó siguen en la penumbra. Por ejemplo, el de *Le Potomak* (1918), libro de transición y título que no corresponde al río que pasa por Washington, como tampoco sus personajes, los Eugènes, tienen existencia positiva al margen de unos dibujos caricaturescos con que les describe el autor mejor que mediante palabras. He ahí, en último término, lo único memorable del frustrado libro: dar paso al Cocteau dibujante, dotado de una pluma soberanamente expresiva con la línea. Sus *Poésies graphiques* —según tituló algún álbum de dibujo— son arabescos, a veces más sutiles y expresivos que los dibujados con el verbo. Cierta frase que le dedica Curtius podría invertirse en los términos: "Cocteau —dice— maneja su pluma como el dibujante su lápiz."

Mas la multiplicidad de dotes del autor de *Le mystère laïc* (libro en que define, mediante aforismos, la pintura de Chirico y Dalí) no termina con las apuntadas. En rigor, a todas las artes trató de tú por tú. "Touche-à-tout", "hombre orquesta", ha sido apellidado Cocteau sin malicia, con admiración. Utiliza todos los temas y los géneros con

que se topa. Primero, la guerra, la de 1914, con su poema al aviador
Garros, *Le Cap de Bonne Espérance* (1919), la novela *Thomas l'imposteur* (1924); a la vez, se asimila los elementos mecánicos en el alba
de la modernidad (introduce el ruido de las máquinas de escribir en la
orquesta de *Parade*); más tarde da un impulso al cine de vanguardia
(con *Le sang d'un poète* (1930); pero simula menospreciar tales adquisiciones antes de que empiecen a herrumbrarse. Si es efímera su conversión *(Lettre à Maritain*, 1926) tanto como su sometimiento a las
drogas *(Opium. Journal d'une désintoxication*, 1930), más duradera
es su fascinación por el misterio, el más allá de los espejos (*L'ange
Heurtebise*, *Orphée*), las metamorfosis de objetos (manos que se transforman en candelabros, en el film *La belle et la bête*).

"Una obra de arte debe satisfacer a las nueve musas. Es lo que yo
llamo prueba por 9" —escribe Cocteau en *Le coq et l'arlequin*—; ese
librito madrugador (1918) que entre todos los suyos guarda mis preferencias; nunca me aburre repasar sus aforismos; a despecho de profundas mudas —en el autor, en el lector— conservan siempre frescor
y agudeza. No resisto a la tentación de citar algunos: "Un joven no
debe comprar valores seguros." "Cien años después todo fraterniza.
Pero antes es menester haberse batido duramente para ganar un puesto
en el paraíso de los creadores." "Es duro negar, sobre todo, las obras
nobles. Pero toda afirmación profunda necesita una negación profunda." "Lo que el público te reprocha, cultívalo; eso eres tú." "El eclecticismo es la muerte del amor y de la injusticia. Pero en arte la justicia
es *cierta* injusticia." "En el creador hay necesariamente un hombre y
una mujer; y esta última es casi siempre insoportable." Se dirá que
esta flecha le alcanza, puesto que Cocteau cultiva no sólo determinada
ambivalencia, sino el narcisismo sin tapujos, aunque al cambiar constantemente de sitio el espejo se salve de la monotonía. Para él —si es
que no es del mismo Cocteau; atribuyámosela, en último caso, a Oscar
Wilde, o más atrás a Voltaire— parece haber sido escrita esta frase:
"Todos los estilos son legítimos, excepto el estilo aburrido." Lo contrario de lo fastidioso se encontrará siempre en cualquier página escrita
por el autor de *Le secret professionnel*.

Ni siquiera este libro consigue irritarnos a diferencia de otros del mismo género que exaltan el panlirismo y dan vueltas a la noria de los mismos cangilones, vertiendo ininterrumpidamente ditirambos sobre la misión del poeta, idénticas demasías sobre el misterio, el milagro, la revelación del arte (que en su versión última, heideggeriana, algunos escriben, con pedantería conmovedora, "des-ocultación"), lo inasible. Cocteau lleva más lejos que nadie el afán de reducir todo (o más exactamente, según sus designios, aumentarlo) a poesía, puesto que enumera sus libros seriándolos bajo los títulos genéricos de Poesía, Poesía de novela, Poesía crítica, Poesía de teatro, Poesía cinematográfica, etcétera. Sin duda, aun entendiendo perfectamente qué sentido tenía para Cocteau el común denominador aplicado a expresiones muy diversas, ¿acaso no resulta deseable la aparición de un nuevo Lessing —más radical que el del *Laocoonte*— que marque mojones y acabe con ese imperialismo absorbente, a la larga desnaturalizador, atribuido a un género?

Más francés que ninguna otra cosa —frente al internacionalismo de la vanguardia estética—, más conservador que subversivo, pese a su juvenil aire díscolo, Cocteau es el primero de sus contemporáneos en sucumbir a una de esas periódicas "olas de retorno" que sobrevienen siempre tras la pleamar revolucionaria. Es decir, da un grito de "rappel à l'ordre", si bien lo disfraza presentándolo así —título de una conferencia en 1923—: *D'un ordre considéré comme une anarchie*. Pero detallemos.

Si en un primer momento Cocteau, en cuanto poeta en verso, no se queda corto en punto a subversiones de la forma y adopta la estructura típicamente cubista del poema, la disposición tipográfica de espacios, suprimiendo la puntuación, no tarda en volver a la rima, "ese viejo estimulante de buena marca". Pasa así de las acrobacias del *Discours du grand sommeil* a las estrofas regulares de *Plain chant*, que nos traen casi reminiscencias de un Alfred de Musset. Explicando el salto, en la primera estrofa leemos:

> "*J'ai, pour tromper du temps, le malsonnante horloge, / Chanté de vingt façons. / Ainsi de la habitude évitai je l'éloge, / El les nobles glaçons.*"

Pero véase el contraste con su manera anterior mediante esta visión de España (en *Poésies*, 1920):

"*Le Christ couché dans le crypte | est un cheval de picador | [...] La procession se déroulera toute la nuit. | Le taureau | come la vierge noire, fleuri | de sept couleurs, | s'a | genouille | dans le tonnerre du Sud Chine. | Guitarre | ô | trou de la mort |* "

Y de nuevo esta estrofa de *Plain chant* (1923):

"*Je n'ai jamais d'argent et chacun me croit riche, | J'ai le coeur sans écorce et chacun le croit sec. | Toujours sur ma maison mentira cette affiche, | Même un aigle viendrait l'en arracher du bec |* "

Cuando este último texto se publicó, a la par que el de "la anarquía como un orden", recuerdo que los tomamos por una deserción; era el momento en que acababan de alcanzar sus crestas más altas las olas de vanguardia y cualquier conato de clasicismo, lógicamente, parecía sospechoso. Sin duda, con menos pasión y más distancia que otros, E. R. Curtius acertó a verlo de otra manera: "Clasicismo puede significar derrota y puede significar triunfo. En muchos poetas la vuelta al clasicismo es expresión de una mengua de vitalidad. Tienen una manera de convertirse al orden que nada bueno puede presagiar. Nos angustia ver cómo se vuelven razonables. Cocteau sigue siendo irrazonable a su adorable manera..."

Sin embargo, ante su mutabilidad, ante la variedad de direcciones y la heterogeneidad que presenta su obra conjunta, un lector malévolo podría inferir ligeramente que Cocteau carece de un sello propio. Pero ¿no será más bien que en tal proteísmo y facilidad para las mutaciones es donde radica su singularidad? De ahí que juegue con los conceptos de vanguardia y academismo, de pureza lírica y confusión de las artes, entremezclando el orden con la anarquía. En el mencionado escrito teórico, Cocteau hace un alegato contra la "modernidad", pero no la que él mismo había suscitado o favorecido, las de las orquestas negras, por ejemplo. Endosa a otro el encargo: "Max Jacob proponía fundar la liga antimoderna. Yo, la desaparición del rascacielos y la reaparición de la rosa. Frase mal comprendida. Se la convirtió en el retorno a la rosa. Exactamente lo contrario." Adviértase, al pasar, cómo estas frases definen mejor que nada la alacridad, el modo elíptico de Cocteau, su arte de jugar al escondite con los conceptos y de aparecer en el rincón opuesto a aquel donde ha dado el grito.

"Quisiera —escribía en cierto lugar— ser el Paganini del *violín de Ingres*". Pero ¿cuál es el suyo, si en definitiva Cocteau cultiva todas las artes con un virtuosismo contrario al del aficionado? ¿Dónde está su "violín": en el jazz-band del bar *Le boeuf sur le toit* que tocaba cuando joven, o en las paredes que decoró para dos capillas, ya sexagenario?

Por lo demás, ninguna de sus vueltas o tornavueltas, aunque en un momento dado parecieran revolucionarias, dejan de ser normales, tradicionales, sobre todo en la perspectiva de la vida intelectual de Francia, que hostiliza a los discrepantes en su momento inicial, a reserva de incorporarlos a un "Grand-Siècle" pocos momentos después... Por eso cuando a los sesenta y seis años entra en la Academia Francesa, le es tan hacedero defenderse de los reproches, escribiendo: "Si se exige de mí lo insólito y se encuentra que es insólito que yo entre en la Academia, todo está en regla." Por lo demás, la originalidad de Cocteau —según escribí hace años [27]— quizá no estuvo nunca tanto en la aportación de verdaderas novedades como en reaccionar veloz y maliciosamente contra las ajenas, sin perjuicio de asimilárselas.

De esta suerte hace que en él se vean con más claridad los influjos ejercidos que los experimentados. Así sucede cuando no ocultando, sino más bien exhibiendo preferencias, que en otro tiempo se mantenían secretas, inventa o magnifica a algunos de sus más jóvenes seguidores: Raymond Radiguet, Jean Desbordes. Sólo en el primer caso, en el autor de *Le diable au corps* y *Le bal du Comte d'Orgel* encontramos plena justificación literaria. Esta última novela traduce singularmente

[27] *Las metamorfosis de Proteo* (Losada, Buenos Aires, 1956).

una plural, compartida ambición; ejemplifica el clasicismo, entendido al modo gálico, por la mesura, la economía de medios y la pasión contenida. En una palabra, realiza el ideal que —según me confesó Camus— obsesiona a todo escritor francés: rescribir *La Princesse de Clèves*, de Madame de Lafayette.

En cuanto a las novelas del propio Cocteau: abordó el género porque —asimismo, otra característica de las letras francesas— todo escritor de tal idioma, en virtud de la ley de la demanda, aunque sus dotes no le predestinen al género, se cree obligado a incurrir alguna vez en la novela. Pero ni la ya antes mencionada, *Thomas, l'imposteur* (1924), ni *Le grand écart* (1923) son obras imprescindibles. Solamente *Les enfants terribles* (1929), una historia de colegiales, agrega rasgos nuevos a la compleja —y a la par unitaria— fisonomía del autor. Pero indudablemente resulta muy superior su réplica —por el título, no por los personajes y la acción, distintos— en el teatro: *Les parents terribles* (1938). Aquí sí, su sentido para las réplicas que hacen diana, sus diálogos incisivos se explayan a sus anchas; en el teatro, la humanidad —o inhumanidad— de sentimientos que en lo narrativo se disfrazan bajo otros adornos, adquieren relieve y densidad. Pues probablemente ha sido en la escena donde Cocteau, hombre de candilejas (que había contraído desde la infancia la "enfermedad rojo y oro", según dice en sus *Portraits-souvenirs* (1900-1914): libro de memorias de su adolescencia y juventud y que en realidad son los recuerdos de un espectador antes de ser autor) da la máxima medida de su destreza y aun de su valía. Hace la comedia —psicología y aun patología— de los comediantes en los *Les monstres sacrés;* vitaliza un género tan convencional como el monólogo en *La voix humaine;* se arriesga a bordear el melodrama, pero manteniendo la tensión dramática en *L'aigle à deux têtes*. Aún más, se aplica con fortuna a rejuvenecer mitos —en *Antigone* y *Oedipe roi*— o leyendas —*Les chevaliers de la Table Ronde*... Finalmente —y a semejanza de Sartre en *Le diable et le Bon Dieu*— mezcla audazmente en *Bacchus* lo religioso y lo patético.

Con todo, puestos a preferir, yo antepondría siempre en Cocteau aquellos otros libros y escritos donde sin veladuras, sin necesidad de personajes interpósitos habla de sí mismo, inclusive de sus *tics,* de sus símbolos obsesivos. Como en todos los espíritus ingeniosos, la teoría supera a la praxis. Personalmente, si me cuesta volver a sus poesías, confesaré que siempre hojeo con deleite los sencillos artículos de *Carte Blanche,* crónicas de estrenos, conciertos, semblanzas de escritores y pintores —Picasso, Apollinaire, Cendrars, etc.—; en suma, vivaz memoranda de un momento (1919) muy fértil en innovaciones y experimentos. Las confidencias, las opiniones que abundan en *Opium* salvan la monotonía, la pesadumbre de los sueños artificiales. En *La difficulté d'être* (1949) la digresión espontánea a propósito de mil temas ligados con la atmósfera del autor, adquiere plena naturalidad. Confiesa, por ejemplo, su gusto por los jóvenes, queriendo limpiarlo de los motivos ambiguos que siempre se le achacaron.

El espectro de la juventud, de la propia, no dejó de habitarle nunca. Pero, naturalmente, también experimentó el contragolpe de los últimos años, los de la segunda postguerra, advirtiendo que "es muy difícil vivir en una extraña época cuando las mayorías se adornan con las plumas de las minorías pensantes y actuantes". "Nunca ha venido nada bueno de una mayoría. Las minorías dirigen secretamente el mundo. Pero ahora el snobismo ha cambiado de dirección y las mayorías de hoy quieren adoptar la actitud de las minorías de antes." Todo el mundo quiere estar en el escenario, representar en vez de mirar. "Antes había una izquierda ignorada y a su alrededor una conspiración del silencio. Ahora hay una izquierda atrapada en la conspiración del ruido."

Por consiguiente —cabría apostillar— ya no puede llamarse izquierda puesto que carece de oposición. Y si la edad del disconformismo en un escritor, en un artista no puede prolongarse indefinidamente —so riesgo de estatismo, todo lo contrario de lo que se busca—, quienes nacen en el conformismo, y se ven aceptados desde los primeros balbuceos, corren el peligro de no marcar la menor huella. Si en el caso particular de este escritor su "purgatorio" fue breve, pues no tardó en ser reconocido y festejado, es ingenuo achacarlo a que aligerase su estilo; más cerca de la verdad es decir —recordando una frase de Unamuno sobre sí mismo, y sálvense las distancias—, que muy pronto los lectores, los espectadores —inclusive los críticos— aprendieron el "idioma" de Cocteau.

PIERRE REVERDY

Quien lea hoy, por vez primera, los poemas de Pierre Reverdy quizá no acierte a imaginar dónde radica la importancia del autor de *La lucarne ovale*. Pero ya la simple fecha (1916) de este libro primigenio habrá de facilitarle una pista. Porque, en efecto, el significado de Reverdy, a mi parecer, depende en buena parte de su situación generacional. ¿Supone esto rebajar el valor propio de su poesía? No; simplemente fijar sus coordenadas relativistas, ya que en un plano de valores intemporales resultaría difícil darle una dimensión absoluta. Por lo mismo que aspira a ella y se desentiende en lo temático —no en lo estructural— de lo moderno, no llega a alcanzar ni estremecimiento nuevo ni resonancia clásica. Permanece en una suerte de terreno abstracto, empero la abundancia de materiales concretos que pueblan tal poesía. Los elementos que Reverdy baraja por lo común son puramente espaciales; de "la puerta que no se abre", de "la lámpara que echa humo", de "la casa donde no se entra" está ausente, además, toda idea de tiempo. Todas las presencias —y no es paradoja— se dan como ausencia. Sin que esta ausencia sea —a la manera de Mallarmé— la traducción metafórica de un sujeto aludido por su sombra o su envés. Pero véase sin más un ejemplo, "Nomade" (de *Les ardoises du toit*, 1918):

> *La porte qui ne s'ouvre pas*
> *La main qui passe*
>   *au loin un verre qui se casse*
> *La lampe fume*
>   *Les étincelles qui s'allument*
>   *Le ciel est plus noir*
>   *sur les toits*
> *Quelques animaux*
> *sans leur ombre*
>   *un regard*
>   *une tache sombre*
> *La maison où l'on n'entre pas.*

Por lo pronto, hay una filiación simbolista evidente: la de *Serres chaudes* (1889) y el primer teatro poético de Maeterlinck —*Les aveugles, L'intruse*— cuyos personajes divagan entre brumas "constantemente arrancados de un sueño" y repiten con obsesión "ritornellos" nostálgicos, enumerando llanamente, una tras otra, sus percepciones elementales. Del mismo modo, todos los poemas de Reverdy —muy semejantes, empero la multiplicación de títulos— son trémolos, balbuceos, tejidos por visiones inconexas, a mitad de camino entre la conciencia y la subconsciencia.

Tras esta primera vista de su poesía, precisemos ahora su contrapeso: la antes aludida situación generacional del autor. Muy tempranamente Reverdy toma posiciones en el cubismo naciente. Funda la revista *Nord-Sud* en marzo de 1917, que reúne a las figuras más nuevas o interesantes a la sazón, desde Apollinaire a Breton, y a los que habrán de engrosar las filas superrealistas, tras hacer escala en Dadá. Tal fundación, la actitud en cierto modo magistral ejercida desde entonces —y no tanto de forma positiva, sino por su altiva lejanía del estrépito literario— es el hecho más saliente de su existencia sin peripecias. Nacido en 1889, meridional, llega a París muy joven, trabaja como corrector de pruebas, compone por sí mismo sus primeros libros e intima con pintores y escritores en la colina del Montmartre de la tercera década del siglo; en 1926, durante la época de las conversiones, hace declaración de fe católica y se retira a la abadía de benedictinos de Solesmes; muere en 1960. Distancia, pureza, intransigencia son los motivos externos que determinan, en un momento dado, el influjo de Reverdy sobre los más jóvenes. Lo prueba el hecho de que Philippe Soupault, al trazar su semblanza en una antología famosa [28], escribiera: "Los poetas de hoy admiran a Reverdy como hace treinta años admiraban a Mallarmé, por el ejemplo y el noble desinterés de su vida y por su poesía desprendida de todos los oropeles". Y agregaba: "En una carta reciente Soupault, Aragon y Breton declaraban que Reverdy es "el más grande poeta vivo actualmente", añadiendo que a su lado eran solamente unos niños." Y caracterizando su arte: "Los

---

[28] *Anthologie de la nouvelle poésie française* (Kra, París, 1924).

versos de Reverdy son voluntariamente desnudos. Nunca anota ni atrapa al vuelo. Sus imágenes se escalonan y están ligadas unas con otras. Este enlace determina que sus poemas sean un todo, un círculo. El último verso no concluye, pero se junta con el título. Ninguna sutura, ninguna chispa turba esta limpidez. La dificultad está en evitar la monotonía."

¿Lo consigue Reverdy? Esa es la cuestión. Pero el lector que tome en sus manos un libro o antología de Reverdy [29], aun por muy adepto que sea a tal forma de lirismo, no podrá evitar esa sensación de monotonía. En rigor, tanto sus primeros once libros, los que van desde 1915 a 1922, reunidos bajo el bello título de *Les épaves du ciel,* como los veinte posteriores, repiten con deliberada insistencia la misma fórmula, análogas motivaciones. Se sostiene que es un poeta puro porque su mundo de preocupaciones comienza y termina en la poesía. Inclusive algunos libros suyos de escritos en prosa —desde *Self Défense* (1919) hasta *Le gant de crin* (1927) y *Livre de mon bord* (1948)— dan vuelta implacablemente a los mismos cangilones. Es un caso muy representativo de autotelia —o más bien de autofagia—, puesto que el autor devora lo mismo que secreta. Cabría, en tal punto, relacionarle con Juan Ramón Jiménez, si bien en éste las variantes se tejen sobre el bastidor de otro mundo —el del amor, tradicionalmente poético— que en Reverdy ni siquiera se insinúa. El horizonte del autor de *Plupart du temps* se limita, pues, a una suerte de "lección de cosas" sin materia ni finalidad definidas; sus poemas son presentaciones de objetos concretos, mas sin un perfil que los singularice; son descripciones de paisajes y lugares, pero sin ningún asomo de localización. Se le ha llamado "poeta de la realidad"; más exactamente sería decir de los fragmentos de una realidad inconexa que no llega a cobrar cuerpo organizado, ni tampoco el desmadejamiento alucinante de los sueños. Sin embargo, pocos han insistido tanto como Pierre Reverdy sobre el afán de realidad. "La poesía —escribe— no es más que el resultado de la aspiración hacia una realidad absoluta..." Lo que no le impide

---

[29] *Pierre Reverdy,* por Jean Rousselot y Michel Manoll (Poètes d'aujourd' hui, Seghers, París, 1951).

expresar en otra ocasión: "La realidad no motiva la obra de arte. Se parte de la vida para alcanzar otra realidad." Exacto, mas ¿acaso esa otra realidad traspasa el recinto algo hermético de sus poemas fragmentarios? Pero todo se explica cuando leemos esta frase imperial del poeta: "La naturaleza soy yo..." Ante ella, como ante todo *dictum*, sólo cabe el acatamiento o pasar de largo, pero no el menor intento de examen o discusión.

He aquí algunos trozos de varios poemas que pueden aislarse sin desmedro de los conjuntos; al contrario, acusan así mejor su voluntario fragmentarismo:

> *La guitare est de nouveau sur la table*
> *et le tapis marron*
>   *sous le ciel*
>   *le nuage enfermé*
>   *la tête qui grimace*
>   *l'horizon recourbé*
> *Le bruit c'est le soleil qui s'éparpille et tinte le matin*
> ... ...
>
>   *La cloche vide*
>   *Les oiseaux morts*
> *Dans la maison où tout s'endort*
>   *Neuf heures*

Sin duda, algunos de estos elementos —la guitarra, el tapete marrón...— son algunos de los objetos recognoscibles en los cuadros cubistas, pero ¿justifica ello el apellidar a Reverdy poeta cubista como suele hacerse? Por lo pronto, en tales poesías no hay trasposición ni estilización. ¿O basta quizá la intención, la voluntad que una testigo del momento [30] atribuye a Reverdy al describirle así: "...mostraba un espíritu grave y coherente; quería coincidir con el cubismo"? Más cerca de la verdad está, sin embargo, al describir así sus poemas: "Casi todos son trágicos, de una desnudez sin par. Tienen un carácter aluci-

---

[30] Adrienne Monnier, *Rue de l'Odéon* (Albin Michel, París, 1960).

nante que viene de la extrema rigidez de la mirada sobre el objeto-sentimiento. Como en los cuadros de Braque el objeto está cercado fuertemente y aparece con su ímpetu elemental y su carga magnética". Más allá o más acá de este género de libres paráfrasis, lo evidente es que Reverdy simplifica todo: deja la sintaxis reducida a esqueleto, suprime la puntuación, después de Apollinaire; pero restablece los blancos, las alineaciones irregulares que marcan los versos.

Si algunos en aquellos años se esforzaron por determinar los límites absolutos entre literatura y poesía, Reverdy traza una división más sutil, pero también más problemática. Al parecer de un crítico —Stanislas Fumet— "el gran descubrimiento de Reverdy fue que la poesía era una cosa y que un poema podía llegar a ser un objeto". Lo que nos recuerda cierta frase de un poeta norteamericano —Archibald Mac Leish—: "Un poema no significa nada, es". Y esta ambición de sustantividad, este endiosamiento no ya del poeta, sino del poema, es lo que otorga su grandeza, sin ocultar sus limitaciones, a una obra de exterior tan sencillo, pero de intimidad tan compleja, como la de Pierre Reverdy.

En cuanto a sus aforismos y reflexiones, contenidos en los tres libros antes citados, su tema es único, la poesía, la propia obra, sin extenderse nunca a juicios sobre el mundo o sobre las obras ajenas. De ahí su limitación temática; sólo a fuerza de excavar en sí mismo en contraste con numerosos trozos sin relieve, los impactos resultan más excepcionales. Por ejemplo: "El arte comienza donde acaba el azar. Y sin embargo todo lo que éste aporta es lo que enriquece el arte." "No se escribe para uno mismo; no se escribe para los demás; se escribe a los demás, aunque no se sepa exactamente a quiénes."

PARENTESIS

Ninguna otra de las figuras con que pudiéramos completar esta pequeña galería de poetas cubistas alcanza la talla de los anteriores. O dicho con más exactitud, ningún otro escritor de ese período conserva la vigencia de un Apollinaire, un Jacob, un Cocteau, un Cendrars y un Reverdy. En la primera aparición de este libro el desfile de poetas cubistas comprendía también los nombres y semblanzas de Raymond Radiguet, Paul Morand, Drieu la Rochelle, André Salmon; finalmente, los de Nicolás Beauduin, y Pierre Albert-Birot. Atendiendo a la significación posterior tan diversa que adquirieron tales autores, en algunos casos; en otros, a la falta de ecos o la borrosidad de sus obras, la insistencia en tal inclusión puede parecer hoy caprichosa, errónea. Pero la historia es algo más que crítica: supone una continuidad que permite relacionar una perspectiva de época, sin perjuicio de cambiar el ángulo de mira en lo que respecta a la tasación de valores. Cada generación que se sucede —sucesión que puede darse también en un mismo individuo, en las diversas etapas de una vida— ve las obras con distinto enfoque. De suerte que aun cambiando el espectador, en este caso el crítico, el cambio que origina mayores transformaciones no está en él, tampoco en la obra examinada propiamente dicha, sino en su confrontación con otras, y sobre todo en el encuadramiento, en la disposición de los focos que la iluminan o sombrean, según sucede con las fotografías de estatuas clásicas.

En cualquier caso, el rigor histórico —insistamos— obliga a reconstruir hechos y fijar actitudes tales como fueron verdaderamente en su día; no como luego se cree —por insuficiente conocimiento de una época o por afán de ajustar el juicio a conceptos muy posteriores— que debieron ser. Sin duda, hay siempre el riesgo de un margen de error en cualquier valoración o simplemente ordenación al día, pero ¿acaso no existe un riesgo equivalente de deformación en las clasificaciones hechas muchos años después? Es curioso cotejar unas y otras. En la *Anthologie* de Kra (1924) se sigue un orden más bien cronológico que de tendencias; por ello Apollinaire y su pléyade aparecen después de los unanimistas (Romains, Vildrac, Arcos, etc.) y de los fantasistas (Toulet, Pellerin, Derême, etc.), si bien, no sin malicia, inmediatamente de estos nombres, se incluye el de Cocteau. La de Díez-Canedo, en su segunda edición (1945), al llegar a la época que ahora nos importa, establece primeramente un apartado, bajo el rótulo "Libertad y modernidad" que encabeza O. W. Lubicz-Milosz y donde aparecen justamente, entre otros, Fargus, Larbaud, St. John

Perse, pero asimismo algunos que debieran figurar más bien en el apartado siguiente —"Escuelas de vanguardia"—, como Morand y Drieu la Rochelle. Si saltamos desde estas primeras antologías a una de las últimas, como la de G. E. Glancier, observaremos algo supremamente arbitrario: bajo el epígrafe de "Cubistas" acoge únicamente a tres figuras (Salmon, P. A.-Birot, Cocteau) en tanto que los verdaderos o más característicos titulares de aquella escuela —a partir de Apollinaire— son reunidos bajo el título de "Poetas del espacio"; nombre que en rigor sólo pertenecería en propiedad a V. Larbaud, H. J. M. Levet, Cendrars, Morand... Más acertada es la agrupación, bajo el título de "Hautes solitudes" de poetas que efectivamente escapan a cualquier clasificación de grupo y poseen una originalidad distante, tales como Supervielle, Milosz, J. de Bosschère, Saint-John Perse y P. J. Jouve.

En cuanto a los panoramas críticos, la misma variedad o caprichosidad de agrupaciones. Neuhuys, en su condición de testigo próximo, es quizá el único que se libra de la distorsión, puesto que agrupa separadamente en un capítulo a los inequívocamente cubistas y en otro a los dadaístas; lo incongruente, sin embargo, acecha en la disposición del capítulo final que abren Nicolás Beauduin y Pierre Reverdy, y cierra Paul Valéry... Finalmente, la obra que debiera proporcionar la perspectiva más equilibrada del período señalado, la de Marcel Raymond, queriendo hacer una distinción entre "la poesía de la acción y de la vida modernas" (Cendrars, por ejemplo) y la de "los juegos del espíritu libre" (Jacob, Cocteau...) suprime identidades y no marca claramente diferencias.

Tratemos, por nuestra parte, de situar a los más difícilmente clasificables: Paul Morand, en primer término.

PAUL MORAND

Si se recuerda que Paul Morand (1888) fue uno de los primeros que lograron trasponer a la prosa novelesca la imaginería moderna, merced a la larguísima difusión que alcanzaron sus libros de novelas cortas, *Tendres stocks* (1921). *Ouvert la nuit* (1922) y *Fermé la nuit* (1923), quizá no asombre saber que muy pocos años antes colaboró en la revista —entonces dadá— *Littérature* y que sus libros de poemas apareciesen bajo el pabellón de "Au sans pareil", el mismo editor de las primeras obras de Breton, Aragon, Soupault, etc. En sus prosas novelescas Morand prolonga el procedimiento instaurado por Giraudoux: traer al mismo plano sensaciones procedentes de distintos momentos y lugares, poniendo de relieve la discontinuidad de lo simultáneo; técnica que después agotaría Pierre Girard, el autor de *June, Philippe et l'Amiral*. En sus poemas, Morand prolonga a la vez flecos sueltos de Apollinaire y de Cendrars, ampliando la órbita de la temática moderna y sazonando el conjunto con una veta de ironía. *Lampes à arc* (1919) y *Feuilles de température* (1920) (refundidos luego, con páginas nuevas, en *Poèmes* (1924) recogen las hojas de sus diagramas poéticos, parecidos a despachos cablegráficos o a una cinta de cotizaciones. Hay siempre un punto de partida recognoscible en sus síntesis que es precisamente lo contrario de cualquier paraje usualmente "poético": un hotel de montaña, unas minas, una sesión de Bolsa:

La Bourse pend à un ciel | dont l'azurage est assuré pour la journée. | Toit, tendre prairie. | Entre les colonnes noires coulent les transactions. | Les ordres sont chantées -Symphonies | pastorales. | Les valeurs montent et descendent facilement, | souffles d'une jeune poitrine |

Se trata de un mundo moderno, pero transcrito sin asombro ni desdén, buscando sus salientes y contrastes:

Derrière la pynacothèque | les dynamos |

O mejor aún, caricaturizado con un humorismo a lo Chaplin:

Chaque souvenir perfore, dit-il, | déchirez-moi en suivant le pointillé. |

Guitarra y compotero. Juan Gris, 1919

Cher ...
je n'ai [?]
de Bon[?]
sur la ma[?]
vous l'en[?]
que cela m[?]

Croyez moi de coeur
avec la jeunesse
Espagnole qui nous
aide.
             Jean Cocteau

40. Autorretrato de Cocteau y carta

41. Juan Gris: *Reverdy* y facsímil de un poema

Traits et figures
Une éclaircie avec du bleu
dans le ciel; dans la forêt, des
clairières toutes vertes; mais dans
la ville, où le dessin nous emprisonne,
l'arc de cercle du porche, les
carrés des fenêtres, les losanges
des toits.
Des lignes, rien que des lignes
pour la commodité des bâtisses
humaines.
Dans ma tête des lignes, rien
que des lignes — si je pouvais y
mettre un peu d'ordre seulement.

42. Dibujo, retrato y autógrafo de Max Ja[cob]

45. Picasso, Marie Laurencin, Apollin[aire,] Fernande Olivier y la perra Frika, por Marie Laurencin

/ Monastère de S' Benoît s/ Loire
Loiret
le 24 janvier 1922.

Cher confrère,

Je vous envoie le papier d'autorisation que vous me demandez mais je vous fais remarquer qu'elle ne porte que sur une édition. S'il arrivait que le livre eut 2ᵗˡˢ de succès dans l'avenir pour en savoir d'autres, un contrat devrait intervenir. et ceci décidé, nous voilà libres de nous

P.S. cher confrère, je vous demande le service [de] ne supprimer d'ans votre traduction deux o[u trois] poèmes qui ont un caractère forcé, que j[e'ai] évolué aujourd'hui et préface fait. [paru] en France pour une seconde édition.

Max Ja[cob]

43. *La torre Eiffel*, por Robert Delaunay

44. *Naturaleza muerta.* "Collage", por Picasso, 1913

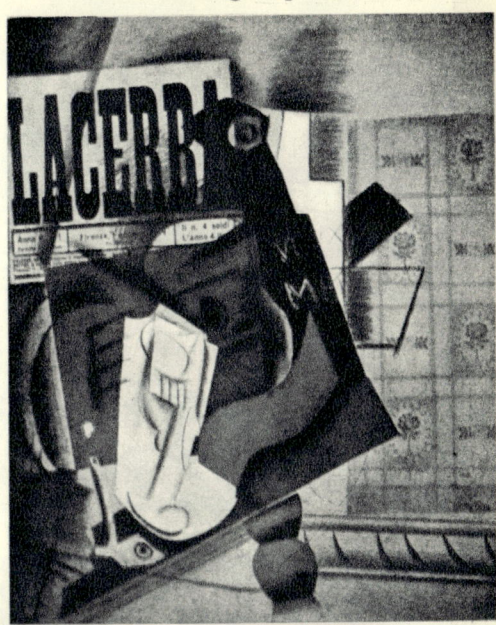

46. *Tres músicos,* por Picasso, 1921

47. *Minotauromaquia.* Grabado por Picasso, 1925

"Ravenna", "El canto de Charin-Cross" (Londres), "San Sebastián", "Pintura sobre seda" (El Escorial), "Feria de la Florida" (Madrid), "Fauna de la calle Reáumur" (París), "Don Juan" (Sevilla), "Paradiso-Belvédère" (Italia), "Baños públicos" (diversas playas de tres continentes); tales son algunos de los títulos que revelan la mutabilidad constante de paisajes en los poemas de Morand. Descriptivos, cambiantes, cosmopolitas; más allá de la superficie brillante en que se muevan, les eleva cierta alacridad, cierto desgaire burlón, la visión irónica de soslayo; esto es, la más justa aplicada al mundo de la primera postguerra europea.

En las *Noches,* tanto como en sus novelas posteriores, a partir de *Lewis et Irène,* Morand instaura un estilo elíptico, un desenfado, una indiferencia respecto a sus héroes que le permite siempre tratarlos con agudeza incisiva. Además, el autor de esos baedeckers personales que consagró a Londres y a Nueva York, es —como al principio advertimos— uno de los primeros en traspasar a la prosa recursos imaginistas y metafóricos que sólo se consideraban propios de la poesía. Acompaña al cinematógrafo o más bien le precede en algunos aspectos, en la forma de visualizar la realidad; es decir, describe los hechos y los personajes no en función de sus pensamientos, sino de los actos, gestos y ademanes que condensan aquéllos. Así, en la descripción de la corrida de toros —página de antología— que aparece en "La nuit catalane" (de *Ouvert la nuit),* "El sol fogoso se adelanta sin encontrar la capa desplegada de una nube", Isabel, la heroína de "La nuit romaine", "se esfuerza por despistar la rutina, ese animal que vomita cadenas y cuya cola es un péndulo". En "La nuit de Portofino-Kulm" leemos: "El día había evacuado ya los pisos inferiores perseguido por un potente voltaje"; y "los ojos de O'Patah venían rectos como un chorro de sifón". Y aún esta última imagen: "Oí cómo cedía el agujereado y el cheque pasó a manos de Crumb", nos da la clave de la manera fotogénica que Morand inaugura en su día.

ANDRE SALMON

Cronológicamente, André Salmon (1881) antecede a otros autores ya aquí revisados y es rigurosamente contemporáneo de Apollinaire. Dotado como éste de muy diversos dones, no llega a sobresalir con tan fuerte impronta. Por sus orígenes enlaza con las últimas postrimerías del simbolismo. Se estrena en *La Plume*, revista de aquella escuela, en 1903; es secretario de la revista sucesora, de Paul Fort, *Vers et Prose* (1905); contribuye poco antes a la aparición de *Le festin d'Esope* (1903), la primera revista de Apollinaire, anterior a *Les soirées de Paris* (1913). Asiste a los orígenes del cubismo; vive en estrecha intimidad con los iniciadores de la escuela. Ayuda a su expansión mediante sus crónicas sobre el arte nuevo y los libros *La jeune peinture* y *La jeune sculpture française* (1912 y 1914), que valen meramente como testimonios de una época germinal. Algo más cernidos son otros similares que les siguen, *L'art vivant* (1920) y *Propos d'atelier* (1922), crónicas escritas al hilo de los días y de las exposiciones y donde es difícil aislar algunas líneas teóricas.

Que la crítica de arte, si bien continuada durante largos años, fue en André Salmon una preocupación marginal lo confirma el hecho de que la mayor parte de su producción literaria se haya vertido en otros géneros: el novelesco y el poético. *Monstres choisis* (1918) contiene cuentos reveladores de una fantasía inventiva, semejante a la del autor de *L'hérésiarque et Cie*. *La negresse du Sacré-Coeur* (1920) es una crónica novelada de los ambientes artísticos montmartreses en los comienzos del siglo. Hay en sus páginas personajes recognoscibles: así Max Jacob —quien por su parte describió el mismo escenario en *Filibuth ou la montre en or* (1923); y, en suma, puede considerarse un complemento de *La femme assise* de Apollinaire, novela basada en los mismos medios y seres pintorescos. Obras de técnica más singular —por la mezcla de ficción y de poesía— son el *Manuscrit trouvé dans une bouteille* (1919) y los *Archives du Club des Onze* (1923).

En cuanto a su obra poética: no rompe tan abruptamente con las formas tradicionales como las de otros. Su media docena larga de libros poéticos (recopilados en dos tomos bajo los títulos *Créances*, 1926, y *Carreaux*, 1928), comprende algunas obras significativas: por ejemplo, *Le livre et la bouteille* (1920), *Prikaz* (1921) y *L'âge de l'humanité* (1922). El título del primero alegoriza una nueva encarnación de la eterna pugna entre vida y arte. *Prikaz* fue quizá —descontando las obras de Alexander Blok y Maiakowski— el primer y más logrado intento hecho por un poeta occidental para dar un reflejo poético de la revolución rusa de 1917 en su alborear, antes de la osificación sectaria. Visión tan imaginada como extraída de la realidad, pues André Salmon, que ya había vivido en Rusia cuando joven, en 1902 —como hijo de un funcionario de la embajada francesa—, volvió luego como periodista a Petrogrado durante el período de Kerensky y meses subsiguiente. *Prikaz*, poema narrativo, es una suerte de paseo vertiginoso a través de una Rusia contorsionada. Su símbolo pudiera ser ese "tren sin dirección, ese tren sin horario, conducido por un estudiante loco" que avanza al azar, hendiendo las tinieblas. En este poema como en *L'âge de l'humanité*, Salmon pretendió —decía— "restituir la emoción a lo impersonal; hacer un arte que crease cada cosa mediante su descripción verbal". Quiso dar el cuadro trágico de la aventura contemporánea, "excluyendo deliberadamente toda intención de absolver, glorificar o condenar: la aceptación del hecho en el plano de lo maravilloso".

PAUL DERMÉE, IVAN GOLL, PIERRE DRIEU LA ROCHELLE

He aquí otros nombres de poetas pertenecientes al período cubista que figuraban con sendas semblanzas en la primera edición de este libro; carecería de sentido reproducirlas hoy literalmente. En el primer caso porque aun habiendo sido Dermée uno de los adelantados en tal dirección y aun debiéndosele algunas aportaciones teóricas, no llega a alcanzar en su obra poética madurez ni expansión. Iván Goll, por razones análogas, y otra más de consecuencias paradójicas; su bilingüismo franco-alemán (dado su origen alsaciano), en vez de favorecerle, más bien le perjudicó a la postre, sin darle asiento en ninguna de las dos literaturas. En cuanto a Drieu la Rochelle, si bien su nombre es el único de los tres que sigue recordándose, esto se debe preferentemente a razones en cierto modo extraliterarias: al interés reivindicativo que algunos ponen en desagraviar su memoria y su lamentable fin, ya que pagó trágicamente sus tornavueltas políticas, su adhesión al nazismo: con el suicidio, a raíz de la liberación de Francia. Mas en cualquier caso, tales exculpaciones no han hecho revivir la parte sustantivamente literaria —sus primeros libros de poemas, sus novelas— de la obra.

Ahora, no obstante la relegación que las tres figuras mencionadas padecen, demos aquí, de modo objetivo y muy somero, con el propósito de completar el cuadro de una época, algunos rasgos particulares de cada uno. En los años iniciales del cubismo, de 1917 a 1922, Paul Dermée publica varios libros poéticos: *Spirales, Beautés de 1918, Films, Le volant d'Artimon, Lyromancie;* este último adornado con el subtítulo de *Poèmes prophétiques.* Las ilustraciones que llevan, originales de Juan Gris, Marcoussis, el escultor Henri Larens, testimonian la convivencia de Dermée con los artistas del cubismo.

Cuando se repasan hoy tales conjuntos, la primera impresión es que exteriormente y en su disposición tipográfica —además de numerosos rasgos internos— no se diferencian gran cosa de los libros de un Reverdy o un Huidobro; por lo tanto, no puede reprimirse un primer movimiento de protesta contra las injusticias de la posteridad. De modo que muchas de las imágenes de Dermée no desmerecen visiblemente en contraste con otras más recordadas. Combinan el mundo estático de Reverdy con sugestiones sueltas del contorno dinámico.

Sur mes talons la nuit se renferme / avec un bruit de porte.
. . ..

Mon bâton ferré sème des étincelles. / L'avenir s'ouvre comme une rose au coeur pommé. /
... ...

De Montmartre à Montparnasse
   cheval de Troie
      pour la paix et la guerre
Tu vas et viens

NORD-SUD

Coursiers sonnaillant des lumières
... ...

Gaves refuges contre la beauté du ciel.

Marcel Raymond, transcribiendo precisamente esta poesía, agrega que "sólo pareció audaz durante pocos días". Desde luego; pero contra lo que cree el mismo crítico, tal composición y otras semejantes no significan que sus autores, al aislar algunas reacciones inmediatas de la conciencia, sin propósito ninguno de organización, renunciaran a hacer un poema; es que creían —y en el trasfondo de tal ambición, dentro de la misma literatura, se erguía la sombra de Mallarmé— que esa suma silepsis y elipsis era ya un poema; por otra parte, su pecado mayor residía en la ingenuidad de dejar al desnudo el mecanismo.

Pero si esta obra poética ha quedado completamente sumergida, tampoco se recuerda —quizá con mayor ingratitud— sus aportaciones teóricas —artículos en *Nord-Sud* y en *L'Esprit Nouveau*, que fundó con Le Corbusier— ya antes mencionadas. Apenas en los anales del dadaísmo —donde militó junto con su mujer, Céline Arnauld, autora, entre otros libros de *Poèmes à claires voies*, 1920— hay rastros del paso de Paul Dermée.

De Iván Goll quizá la huella —relativamente— de más permanencia sea la marcada por su "Antología mundial de poesía contemporánea" *Les cinq continents* (1922), intento memorable aunque sólo fuera por una cosa: su insólita —en una compilación de idioma francés— apertura internacional. Se explica merced a la condición antes recordada de Iván Goll: su bilingüismo innato, raíz de sus curiosidades superfronterizas. Dicha antología se extendía inclusive hasta la poesía de los indios de Norteamérica y los negros de África, además de dar una selección de la poesía occidental de avanzada que asumía entonces caracteres de novedad absoluta; por ejemplo, las primeras muestras en francés de poetas anglonorteamericanos como Sandburg, Ezra Pound, Eliot..., o alemanes como Georg Trakl, Else Larker-Schuler y otros expresionistas. Por cierto, más próximo en realidad que a otras tendencias, al expresionismo germánico, solidario con cierto afán de comunión humana que se abría paso por encima de las trincheras, Iván Goll comienza con unas *Elégies internationales* en 1915 y sigue un año después con *Requiem pour les morts d'Europe*. Con todo, aparte de tales cantos y de otros poemas sueltos, recopilados en *Le nouvel Orphée*, 1922 (con ilustraciones de Delaunay, Grosz y Léger), sus obras más significativas son: *Paris brûle* y *La Chapliniade*. Una y otra pagan tributo a ciertos temas de aquellos días (lo mismo que poco después, pasado Goll a la novela, habrá de pagarlos, en *A bas l'Europe*, las fuerzas orientales y antirracionales adversas). *Paris brûle*: documental poético de la ciudad, que para subrayar este carácter aparece ilustrado con tarjetas postales. *La Chapliniade* es una farsa escénica de aire alegórico; presenta a Chaplin nada menos que como un nuevo Cristo martirizado por otorgar la risa a los hombres:

> *Je rends aux hommes ce qu'ils ont perdu depuis des siècles / Le joyau de leur âme:* LE RIRE / *Et pourtant je suis le plus seul des hommes /*

Aunque los rumbos posteriores de Drieu la Rochelle (1893-1945) fueran muy distintos, debe saberse que en sus comienzos —aun guardando siempre una actitud independiente— estuvo muy próximo a los cubistas, dadás y superrealistas. Colaboró en *Littérature*, participó en algunas veladas escandalosas —tal la del proceso a Barrès, que en su lugar queda registrada—, junto al grupo de Breton y de Tzara. Descartados sus ensayos —el más significativo, *Le jeune européen*, 1927— y las novelas —la más expresiva *La valise vide*, en el volumen

Plainte contre inconnu, 1926—, aquellos libros iniciales que aquí nos importan pertenecen al género poético, en el cual Drieu la Rochelle no insistió: *Interrogation* (1917) y *Fond de cantine* (1920). Ambos son poemas de guerra o motivados por la guerra. Pero el espíritu que los informa y el tono que en sus páginas predomina son muy diferentes de los entonces habituales. Tan distantes de la exaltación como de la abominación bélicas. Más bien se aproximan a ciertos escritos que entonces se filtraban desde la otra orilla del Rhin, o desde Suiza, queriendo situarse "au dessus de la mêlée". Me refiero no solamente a Romain Rolland, sino a varios poetas de la ribera expresionista germánica, tales Ludwig Rubiner, Franz Werfel, Wilhelm Klemm. Particularmente el último, no por ser el mejor ni el que más huellas acertase a dejar, sino por el hecho de haber causado mayor impacto con un poema, entonces discutidísimo, sobre "La batalla del Marne", ya citado en el capítulo sobre el expresionismo:

> *Mi corazón es amplio como Alemania y Francia reunidas.* /
> *Está agujereado por las balas del mundo entero.*

Estrofas que en el autor de *Interrogation* encuentran —sin pretenderlo deliberadamente— este eco:

> *Pour moi il n'est qu'amour dans cette guerre.* / *Où voyez-vous la haine dans cette guerre?* / *J'ai connu des camarades.* / *Nous nous cherissions ignorant l'ennemi.* / *Et l'ennemi exténué avait-il la force de nous haïr...?* /

Ahora bien, Drieu la Rochelle vibraba movido no tanto por el espíritu antibélico y pacifista de aquellos poetas, tampoco por el trasfondo whitmaniano o afán superior de humanidad cósmica que en los mismos se advertía, sino por otro sentimiento más elemental y especioso a la vez —donde está la raíz de todos los cambios ideológicos que experimentó hasta el último momento—; en una palabra, por la fuerza. Así dirigiéndose a los alemanes exclama:

Mais vous êtes forts. / Et je n'ai pu haïr en vous la Forme, mère des choses. / Je me suis réjoui de votre force. /

Les combatía, pero no les negaba, considerándoles "iguales ante el triunfo sobre la muerte". Sin embargo, líneas más adelante incluía expresiones de una complacencia sospechosamente prefascista, prehitleriana; así al hablar del "orgullo de las razas maduras", de "la generosa ambición de los pueblos fuertes que se entregan al sueño temerario de propagar, más allá de sus horizontes, la Idea que adoran"; en suma, una equívoca apología del racismo nazi "avant la lettre".

Junto a esta debilidad por la fuerza se mezclaba en Drieu la Rochelle un gusto muy del momento por la "restauración del cuerpo", centrado en el deporte. Ello origina no tanto una depreciación del espíritu, como un vitalismo tumultuoso de alcance antiintelectual. No llegará a proclamar, como otros en aquellas fechas, "el espíritu, enemigo de la vida", pero sí hace suyo el nietzscheano y d'annunziano "vivir peligrosamente". Por eso, reintegrado a la paz, en los poemas de *Fond de cantine*, Drieu exalta el deporte y la máquina, pero con un sentido, en que si bien se reconoce la genealogía futurista, así como el parentesco —o más bien la precedencia— con el primer Montherlant, que penetra más el fondo de su última realidad.

En ces temps bénis, la terre jette la floraison extricable des machines qui se nourrisent du cerveau. / Je raresse le fer de la grue / Son feuillage abstrait orne mes yeux. /

SUPERABUNDANCIA DE ISMOS

Finalmente, conexos con el cubismo, pero independientes, hay dos ismos —nunismo y simultaneísmo— que no obstante su efimereidad y su representación rigurosamente unipersonal —Pierre Albert-Birot y Nicolás Beauduin— importa registrar.

Al menos, como una muestra de la ebullición inventiva, de la avidez experimental —en todas las artes— propia de la década del 20;

no se ha reproducido después y sólo admite parangón, en menor escala, con otra floración de ismos inmediata, la que se produjo en el gozne de dos siglos [31]. Su tronco se halla en las reacciones que muy prontamente suscitaron tanto el decadentismo y el simbolismo (1886); por ejemplo, la escuela románica (1891) de Moréas; el naturismo (1896) de Saint-Georges de Bouhélier, el humanismo (1902) de Fernand Gregh, el sintetismo (1902) de Charles Morice, el integralismo (1904) de Adolphe Lacuzon. Simples rótulos de los que no queda nada (apenas otra cosa que los nombres de sus promotores, pero logrados por otros caminos); con todo, ya aquéllos por sí solos son muy expresivos de cierta tendencia hacia lo "humano", lo "natural" que se abría paso tras la "artificialidad" y el "esteticismo" de la época simbolista. A partir de las mencionadas escuelas, acciones y reacciones se suceden; hay un balanceo casi permanente de tendencias antagónicas. Así, a un unanimismo de acento humanista (1909), el del grupo de l'Abbaye de Créteil, personalizado casi únicamente (aunque sea de modo injusto, en Jules Romains), sucede —o se imbrica— un "fantasismo" de juegos retóricos (1913, visible en las contrarrimas de P. J. Toulet, Tristan Derême, etc.); a la gran riada de los ismos revolucionarios y minoritarios del 20 quiere remplazar un populismo de arraigo en lo humilde (uno de cuyos pocos representantes valederos es, en la novela, Eugène Dabit, *L'hôtel du Nord*); tras la última guerra, extinguidos los rescoldos del superrealismo y aunque en otro plano que el estrictamente literario, el existencialismo —que nunca quiso ser una escuela literaria— acapara casi todas las curiosidades juveniles, aún intentan, sin embargo, abrirse paso, intenciones más puramente vanguardistas; así el letrismo y los demás ismos estudiados en los capítulos finales.

Ante esta superabundancia de escuelas —en una sola literatura y en el espacio de poco más de medio siglo— algunos se sentirán inclinados a considerarla como una consecuencia fatal del colectivista

---

[31] Cierta *Histoire contemporaine des lettres françaises de 1885 à 1914*, por Florian-Parmentier incluye un cuadro, mucho más amplio, de las escuelas literarias. *Apud* Christian Sénéchal, *Les grands courants de la littérature française contemporaine* (Malfère, París, 1934).

tiempo presente, añorando presuntas épocas individualistas. Habría que recordarles que en Francia, desde los días de la Pléiade (mediados del siglo XVI), las promociones que surgieron casi siempre se manifestaron de la misma manera; y en lo que concierne a España el "mal" tiene también precedentes. La demostración más notoria se halla en cierto parlamento de *La Dorotea* (acto segundo, escena cuarta) de Lope de Vega, donde Gerardo, ponderando unos versos que acaba de leer, explica que su autor "no es de los poetas que andan en cuadrilla..."

NUNISMO

Este neologismo, o más bien grequismo (de nun = ahora), que pudiera haber sido un rótulo genérico llamado a perdurar mejor que otros, de hecho fue demasiado fiel a la letra, quedándose clavado en el estricto momento de su aparición.

Destino semejante al del nunismo sufrió su inventor, Pierre Albert-Birot (1885). Como un "pirógeno" le presentaba Apollinaire en el "poema-prefacio-profecía" que escribió para el primer libro *31 poèmes de poche,* en 1917, del director de *Sic* (sigla de "Sons, idées, couleurs"). *Sic* pretendía, muy prematuramente, una fusión de las escuelas de vanguardia. De ahí su fórmula: nunismo igual a guerra, más cubismo, más futurismo. Quizá su impacto más conseguido fue no acantonarse en la poesía, apelando al teatro, a la música, a la pintura, en un ideal —por lo demás muy compartido a la sazón— de renovar todas las artes. Aparte de la frase: "El arte comienza donde acaba la imitación", otra consigna de *Sic* es ésta: "Buscad otra cosa, siempre otra cosa, pues buscar es vivir, encontrar es morir". En suma: el ideal de la revolución permanente, del *perpetuum mobile* que, sin duda, ha existido y existirá siempre, pero no a cargo de actores permanentes, inmutables, sino cambiables, merced al relevo de las generaciones. En cualquier caso, *Sic* —aparecida en 1915— fue una de las pocas en mantener, durante los primeros años de guerra, la llama literaria. Apollinaire, Reverdy, Cocteau, Jacob y otros se reúnen por vez primera en sus páginas. Pero desaparecida esta revista, en 1919, cabalmente cuando el llamado "espíritu nuevo" comenzaba a extenderse Albert-Birot y sus libros —de tiradas mínimas— se hacen casi invisibles. Invisibilidad aumentada por el hecho de que su autor se mantuvo aparte de toda agrupación posterior; solamente bastantes años después, cuando publica *Gabrinoulor*, vuelve a recaer alguna luz sobre su nombre. La obra de este poeta comprende numerosos libros no desdeñables si bien las puerilidades están quizá en mayor número que los aciertos. Basta asomarse a la primera página de *La joie de sept couleurs* (1919) para comprobarlo:

Je dirais la joie de sept couleurs / Atchou Atchou le ciel est bleu.

En el mismo libro se encuentran cinco poemas, paisajes dibujados tipográficamente, o sea derivaciones del caligrama apollinairiano. Sus *Poèmes quotidiens* (1919) quieren ser una suerte de diario sintético en forma de santoral caprichoso. He aquí muestras, que excepcionalmente preferimos dar en español, aprovechando la versión de E. Díez-Canedo [32]:

San Hilario

Cuando entraba el metro en la estación / he visto a la verdad / danzar en los carriles. / Pero no / era / una mujer desnuda.

San Gerardo

El mar es un cielo gris / y el cielo es un paisaje / y quizá en el cielo ya no quede azul. / Porque el cielo dio todo su azul / para el traje de punto de aquel chico. /

San Adrián

El viento / les tira del pelo a los árboles / de tanto como los quiere. / Pero los árboles son patriotas y el viento se va solo / como un poeta. /

[32] *España*, núm. 372, Madrid, 1923.

En estos poemitas, lo mismo que en la parte final de *La triloterie* (1920), mezcla su autor —según señala René Lalou— la inspiración de las *Rubaiyat* y de los hai-kais japoneses con el humor de Toulet.

P. A.-Birot, que había montado *Les mamelles de Tirésias,* intenta por su parte el teatro. Compone *Matoum et Tevibar* (1919) y *Larountala,* en el mismo año; en los sucesivos otros de títulos más jocosos: *L'homme coupé en morceaux, Les femmes pliantes.* *Matoum et Tevibar* representable por marionetas, delata su elementalismo candoroso ya en el subtítulo: "historia edificante y recreativa del verdadero y del falso poeta". Matoum, el verdadero, y Tevibar, el falso, recitan versos para curar la neurastenia de un rey a lo Jano, con doble rostro: un lado triste y el otro risueño. Pero mientras Tevibar aumenta la melancolía regia al recitar poesías simbolistas, Matoum consigue alegrar al rey y hacerse el favorito, declamando versos de Apollinaire y su pléyade. *Larountala* se subtitula polidrama y es una sucesión de escenas excéntricas en el sentido geométrico. El carácter experimental de este teatro no logrado es evidente; con todo, releyéndole cuidadosamente quizá surgieran claros antecedentes de técnicas que años después serán celebradas; inclusive en los parlamentos hay trozos de una jerga perfectamente impronunciable que se anticipa al letrismo de la segunda postguerra.

POLIPLANISMO

Idénticas razones que en el caso del nunismo nos llevan a recoger algunos rasgos de este ismo, también a través de un solo autor, su fundador, Nicolás Beauduin (1883). ¿Fundador? Hasta cierto punto, hasta el matiz de un sinónimo o de una pequeña variante derivada del tronco del simultaneísmo. Nombre y tendencia que designan, hacia 1912, tanto la pintura de los colores simultáneos practicada por Robert Delaunay como los poemas de Cendrars. De hecho, quien parece acaparar en lo literario el rótulo de simultaneísmo es Henri-Martin Barzum. Para remediar la dilución de la poesía —nos explica Christián Sénéchal— en la expresión "sucesivista", haciéndola perder su carácter monódico unilateral, y alcanzando la amplitud polifónica que posee la música, el simultaneísmo quiere introducir en la literatura que procede mediante la sucesión de palabras una vista de conjunto instantánea. El arte se convertiría así en drama y podría reflejar la época presente mediante la presencia simultánea y la lucha de voces diversas: lo individual, lo colectivo, lo humano, lo universal. Aun siendo tan brumoso como ambicioso su programa, el caso es que esta especie de drama musical wagneriano (sin música) o teatro de multitudes (para una minoría) dio origen a numerosas obras, tanto del propio H. M. Barzum como de Sebastien Voirol y Fernand Divoire, entre otros.

Muy próximo a esta tendencia se encuentra el sincronismo de Marcello Fabri y de Nicolas Beauduin, si bien este último, por variar ligeramente, prefiere hablar en ocasiones de paroxismo y en otras de poliplanismo. En rigor, su poesía es una más de las que pagan tributo al deslumbramiento de la modernidad mecánica. Alguien habló de un "romanticismo maquinista", y al cabo esta sería la calificación que mejor correspondería a Beauduin, a sus muy laboriosas composiciones. Ya algunos de los títulos, pertenecientes a las series *Sept poèmes paroxistes à la gloire de Paris moderne* y *La Beauté vivante* (que publicó en la revista *La Vie des Lettres*, en 1914, por él dirigida) tales como "Nuestras señoras de la fábrica", "Las campiñas en marcha", "Un mitin en la bolsa del trabajo" no suenan enteramente a cosas nuevas; por una parte, evocan la "pintura social" del momento anarquista (fines del siglo XIX); por otro lado, traen el recuerdo más próximo de Emile Verhaeren: *Les champagnes allucinées*... Entre los varios libros que Beauduin publicó después de 1918, el más representativo, el que agota todas las posibilidades de su manera, es *L'homme cosmogonique* (1922). Basta apuntar los títulos de algunas partes: "La belleza nueva", "La nueva pasión del poeta: la ciudad", "La estación, templo moderno", etc., no sólo para darse idea del contenido, sino hasta para prescindir de su lectura; y esto a pesar de la atracción de la temática; pero el autor apenas agrega nada a lo evidente o a lo fácilmente imaginable, quedándose en las descripciones externas, en lo genérico; por ejemplo este comienzo de "La beauté nouvelle",

                                    vibrations
                                    fluides cris
Art jailli des forces en présence   chromatisme inédit
                                    transmutation
                                    des valeurs en puissance

                  Ha la moderne beauté
                  vitesse-audace-vérité
tu la voyais   RYTHME EMPORTÉ

                            (Nouvelle équation des forces)

O bien se agota en lo enumerativo, en fáciles catálogos de cosas y lugares:

ô monde organisé selon l'Esprit Nouveau
les ingenieurs anonymes
constructeurs de ces cathédrales sublimes: les Paquebots
... ...

A la beauté froide et estatique   cristallisations
vieille mécanique classique   gestes convenus
nous te préférons moderne Beauté.   poses roides
                                    âme-chair
fluide éclair

qui va multiple, dansante, nouvelle
Dardant, moteur de feu, tes ailes
et tes yeux clairs

En suma, un futurismo de primer grado, que mediante esa técnica pretende expresar "el pluralismo cinemático de la época", pero que al cabo es menos expresivo que las palabras normalmente sucesivas. Si engendra una poesía débil o forzada, y por consiguiente rechazable, ello no se debe, contra lo que cree la mayoría, a la temática inhumana.

Tampoco a la supresión de los elementos habituales, sentimentales, sino a su torpeza para despegar de la tierra, para levantar vuelo, rasgando algunas capas del azul. No es tanto el presunto cientificismo lo que aleja de esta poesía, sino un más evidente convencionalismo. Trae al recuerdo el caso de René Ghil —discípulo de Mallarmé— que quiso hacer del simbolismo poco menos que una ciencia mediante la "instrumentación del verbo" y construir una especie de epopeya cosmogónica. Pero en ese caso, como en los manifiestos de Marinetti, lo programático salva y ameniza la monotonía de las aplicaciones. No es así en Beauduin. Su sola y muy relativa aportación, en lo técnico, reside en la disposición del texto sobre tres planos, consiguiendo un efecto más visual que auditivo, de tal suerte que en la grafía de estas experiencias debiera haberse atrevido a suprimir de una vez las palabras, remplazándolas por una suerte de ideogramas pictóricos, mas no orientales, occidentalizados.

BIBLIOGRAFIA

Marcel Adéma: *Guillaume Apollinaire, le mal aimé.* Plon, París, 1952.
Emmanuel Aegerter: *Guillaume Apollinaire et les Destins de la poésie.* Haleda, París, 1937.
Emmanuel Aegerter y P. Labracherie: *Au Temps de Guillaume Apollinaire.* Julliard, París, 1945.
Pierre Albert-Birot: *Naissance et Vie de Sic,* en "Les Lettres Nouvelles", número 7, París, septiembre de 1953.
Anthologie de la Nouvelle Poésie française. Krâ, París, 1924. Nueva edición, 1928.
Guillaume Apollinaire: *Les Peintres cubistes. Méditations esthétiques.* Figuière, París, 1913.
Enrique Azcoaga: *Cubismo.* Omega, Barcelona, 1949.
Alfred H. Barr: *Cubism and Abstract Art.* Museum of Modern Art. Nueva York, 1936.
Germain Bazin: *Notice historique du Cubisme,* en René Huyghe: *Histoire de l'Art contemporain.* Alcan, París, 1925.
Marcel Béalu: *Dernier Visage de Max Jacob.* Fanlac, París, 1946.
Julien Benda: *La France byzantine ou le Triomphe de la Littérature pure.* Gallimard, París, 1945.
André Bergé: *L'Esprit de la Littérature contemporaine.* París, 1929.
André Billy: *Apollinaire vivant.* La Sirène, París, 1923.
— *Max Jacob.* Seghers, París, 1946.
— *L'Epoque contemporaine.* Tallandier, París, 1956.
Maurice Blanchot: *Lautréamont,* en "Critique", 25. París, 1948.
E. Bonfante y J. Ravenna: *Arte cubista.* Venecia, 1945.
C. M. Bowra: *Order and adventure in Guillaume Apollinaire,* en *The Creative Experiment.* Grove Press, Nueva York, 1958.
L. C. Breunnig: *Apollinaire et le Cubisme,* en "La Revue des Lettres Modernes", núms. 60-70, París, primavera de 1962.
Pierre Cabanne: *L'Epopée du Cubisme.* La Table Ronde, París, 1963.
Jean Cassou: *Pour la poésie.* Corrêa, París, 1935.
Blaise Cendrars: *Aujourd'hui.* Grasset, París, 1932.
— *Blaise Cendrars vous parle...* Denoël, París, 1951.
Henri Clouard: *Histoire de la Littérature française du symbolisme à nos jours.* Albin Michel, París, 1947-1949.

BIBLIOGRAFIA

Jean Cocteau: *Le Rappel à l'ordre*. Stock, París, 1926.
— *Le Mystère laïc*. Grasset, París, 1928.
— *La Difficulté d'être*. Paul Morihien, París, 1947.
— *Choix de Lettres de Max Jacob à...* Morihien, París, 1949.
Benjamin Crémieux: *XXe siècle*. Nouvelle Revue Française, París, 1924.
— *Inquiétude et Reconstruction*: *Inventaires*. Corrêa, París, 1931.
Cubisme, número especial de "Art d'aujourd'hui", serie 4, núms. 3-4. París, mayo-junio de 1963.
Cubisme, 1907-1914. Prólogo de Jean Cassou. Musée National d'Art Moderne, París, 1936.
Joseph Delteil: *Mes amours... spirituels*. Messein, París, 1926.
H. Dérieux: *La Poésie française contemporaine*. Mercure de France, París, 1935.
Geo Dorival: *Les Etapes de la Peinture française contemporaine*. III. *Depuis le Cubisme 1911-1944*. Gallimard, París, 1946.
Jean Epstein: *La Poésie d'Aujourd'hui. Un Nouvel Etat d'intelligence*. La Sirène, París, 1921.
— *Le Phenomène littéraire*, en "L'Esprit Nouveau", núms. 8, 9, 10, 11-12, 13 y 15, París, 1921-1922.
Hubert Fabureau: *Guillaume Apollinaire, son oeuvre*. Nouvelle Revue Critique, París, 1932.
— *Max Jacob, son oeuvre*. Nouvelle Revue Critique, París, 1935.
Louis Faure-Favier: *Souvenirs sur Apollinaire*. Grasset, París, 1945.
Bernard Fay: *Panorama de la Littérature française contemporaine*. Krâ, París, 1927.
Antoine Fongaro: *La Poétique de Pierre Reverdy*, en "Cahiers du Sud", número 327, Marsella, 1955.
C. Giedion-Welcker: *Die Neue Realität bei Guillaume Apollinaire*, Benteil, Berlín, 1945.
Albert Gleizes: *Du Cubisme et des Moyens de le comprendre*. La Cible, París, 1920.
E. Gómez Carrillo: *La nueva literatura francesa*. Mundo Latino, Madrid, 1927.
Roch Grey: *Guillaume Apollinaire*. Sic, París, 1918.
Robert Guiette: *Vie de Max Jacob*, en "La Nouvelle Revue Française", París, 1 de julio y 1 de agosto de 1934.
Guillaume Janneau: *L'Art cubiste*. Charles Moreau. París, 1929. Trad. esp. Poseidón, Buenos Aires, 1944.
Daniel Henry Kahnweiller: *La Naissance du Cubisme*, en *Juan Gris, sa vie, son oeuvre, ses écrits*, Gallimard, París, 1946.
René Lalou: *Histoire de la Littérature française contemporaine*. Crès, París, 1923.
Roger Lannes: *Jean Cocteau*. Seghers, París, 1948.

André Lebois, Fernand Verhesen y Henri Chopin: *Pierre Albert-Birot,* en "Courrier du Centre International des Poètes", núm. 47, Bruselas, s. a.
Georges Lemaître: *From Cubism to Surrealism in French Literature.* Harvard University Press, Cambridge, 1941.
André Malraux: *Les Origines de la Poésie cubiste,* en "La Connaissance", París, diciembre de 1919.
H. Mancardi: *Reflexions sur Jean Cocteau,* en "L'Esprit Nouveau", núm. 13, París, 1921.
Jacques Maritain: *Art et Scholastique.* Rouart, París, 1927.
— *Frontières de la Poésie.* Plon, París, 1927.
Jacques Maritain y Raïsa Maritain: *Situation de la Poésie.* Desclée de Brouwer, París, 1938.
Henri Massis: *Dix Ans après.* París, 1932.
E. Mériel: *Henry de Montherlant.* Nouvelle Revue Critique, París, 1936.
Adrienne Monnier: *Rue de l'Odéon.* Albin Michel, París, 1960.
Jeanine Moulin: *Manuel poétique d'Apollinaire.* Cahiers du Journal des Poètes, Bruselas, 1939.
— Introducción a *Textes inédits* de G. Apollinaire. Droz, Ginebra, 1952.
Paul Neuhuys: *Poètes d'aujourd'hui.* Ça Ira, Amberes, 1922.
Fernande Olivier: *Picasso et ses amis.* Stock, París, 1933.
Louis Parrot: *Paul Éluard.* Seghers, París, 1944.
Pascal Pia: *Apollinaire par lui-même.* Seuil, París, 1954.
Jean Paulhan: *La Peinture cubiste,* en "La Nouvelle Revue Française", números 4 y 5, abril y mayo de 1953.
J. Pérez-Jorba: *Pierre Albert-Birot.* L'Instant, París, 1920.
Henri Peyre: *Hommes et Œuvres du XXe siècle.* Corrêa, París, 1938.
Maurice Raynal: *Quelques Intentions du Cubisme.* París, 1916.
Pierre Reverdy: *Self-Défense.* Nord-Sud, París, 1919.
— *L'Esthétique et l'Esprit,* en "L'Esprit Nouveau", núm. 6, París, 1921.
— *Le Gant de Crin.* Plon, París, 1926.
— *Le Livre de mon bord.* Mercure de France, París, 1948.
A. Rolland de Renéville: *Rimbaud le voyant.* Au Sans Pareil, París, 1929.
— *L'Expérience poétique.* Nouvelle Revue Française, París, 1938.
J. Romero Brest: *Reflexiones sobre la historia del cubismo,* en "Imago Mundi", núm. 1, Buenos Aires, septiembre de 1953.
J. Romero Brest: *Qué es el cubismo.* Columba, Buenos Aires, 1956.
Daniel-Rops: *Notre Inquiétude.* Perrin, París, 1926.
Jean Rousselot: *Le Pénitent assassiné* y *Correspondance inédite* de Max Jacob, en "La Nef", núm. 17, París, 1945.
— *Max Jacob.* Laffont, París, 1947.
Marie-Joseph Roustan: *Reverdy ou la poésie du poète,* en "Cahiers du Sud" número 319, Marsella, 1953.

Marie-Joseph Roustan: *Le Temps poétique, de Paul Éluard*, en "Cahiers du Sud", núm. 322, Marsella, 1954.
Jean Rousselot y Michel Manoll: *Pierre Reverdy*. Seghers, París, 1951.
André Rouveyre: *Souvenirs de mon commerce. Guillaume Apollinaire*. París, 1921.
— *Apollinaire*. Gallimard, París, 1945.
— *Amour et Poésie d'Apollinaire*. Seuil, París, 1955.
Claude Roy: *Louis Aragon*. Seghers, París, 1945.
Maurice Sachs: *La Décade de l'Illusion*. Gallimard, París, 1950.
André Salmon: *Max Jacob, poète, peintre mystique et homme de qualité*. Girard, París, 1927.
— *Souvenirs sans fin* (vols. II y III). Gallimard, París.
Denis Saurat: *Modernes*. Denoël, París, 1935.
Marcel Sauvage: *Poésie du Temps*. "Les Cahiers du Sud", Marsella, 1927.
Alberto Savinio: *Apollinaire*, en *Narrati, uomini, la vostra storia*. Bompiani, Milán, 1954.
Christian Sénéchal: *Les Grands Courants de la Littérature française contemporaine*. Malfère, París, 1934.
G. Severini: *Du Cubisme au Classicisme*. Povolozky, París, 1920.
Roger Shattuck: *The Banquet Years. The original avant-garde in France. 1885 to world war I*. Anchor Books, Nueva York, 1961.
Ardengo Soffici: *Cubismo e oltre*. La Voce, Florencia, 1914.
— *Cubismo e futurismo*. Florencia, 1924.
Philippe Soupault: *Guillaume Apollinaire ou les Reflets de l'incendie*. Cahiers du Sud, Marsella, 1927.
Francis Stietmugler: *Apollinaire, poet among the painters*. Rupert Davies, Londres, 1964.
Albert Thibaudet: *Historia de la literatura francesa, desde 1789 hasta el día*. Losada, Buenos Aires, 1939.
— *La Poésie de Stéphane Mallarmé*. Nouvelle Revue Française, París, 1912.
Thierry-Maulnier: *Introduction à la Poésie française*. Nouvelle Revue Française, París, 1939.
Guillermo de Torre: *Vida y arte de Picasso*. A. D. L. A. N. Madrid, 1936.
— *Guillaume Apollinaire. Su vida, su obra, las teorías del cubismo*. Poseidón, Buenos Aires, 1946.
— *Cocteau, la revolución y la Academia*, en *Las metamorfosis de Proteo*, Losada, Buenos Aires, 1956.
— *Apología del cubismo y de Picasso. Picasso, escritor*, en *La aventura estética de nuestra edad*. Seix Barral, Barcelona, 1962.
Varios: *Examen de Conscience*. "Les Cahiers du Mois", núms. 21-22, París, 1926.
— *Passage de Max Jacob*, en "Les Cahiers du Sud", núm. 273. Marsella, 1945.

— *Guillaume Apollinaire. Souvenirs et Témoignages inédits.* La Tête Noire, Albi, 1946.
— *Guillaume Apollinaire, le Cubisme et l'Esprit nouveau,* en la "Revue des Lettres Modernes". París, primavera de 1962.
— *Vient de Paraître,* núm. 24, París, noviembre de 1923.
— *L'Esprit Nouveau,* núm. 36, París, octubre de 1924.
— *Souvenirs et Témoignages,* por Marcel Adema. La Tête Noire, París, 1947.
— *L'Esprit nouveau et les Poètes,* en "Mercure de France", París, diciembre, 1918.
— *Chroniques d'Art.* Gallimard, París, 1961.
— *Pierre Reverdy (1889-1960).* Mercure de France, París, 1962.
Pierre Varillon y Henry Rambaud: *Enquête sur les Maîtres de la jeune littérature.* Plon, París, 1923.
J. Werrie: *Leyenda y realidad de Apollinaire,* en "Insula", núm. 168, Madrid, noviembre de 1960.

4
DADAISMO

I

DADAISMO

Dada c'est le déluge après quoi tout recommence.

André Gide

HISTORIA PASADA; INFLUJO PRESENTE

Anarquía, romanticismo... He aquí dos principios, entendidos en su máxima latitud, con distintas raíces y metas, pero convergentes en su último alcance; dos conceptos de la sociedad y del arte, a primera vista hoy absolutamente anacrónicos, pero cuya vigencia e influjo, más allá de extravasamientos bajo otros nombres, es recognoscible siempre. En el primer tercio del siglo XIX el dadaísmo hubiera podido confundirse con una hipérbole extravagante del "mal del siglo"; en los finales, un Max Nordau le habría catalogado como un decadentismo más. Y, por su parte, los adictos a Bakunin, en caso de triunfar, cuando la disolución de la Primera Internacional, 1872, no hubieran rechazado la aportación del "terror en las letras". La "romantic agony" no está solamente en los lugares que ha fijado Mario Praz; va más allá del esteticismo, del satanismo: se extiende a doquiera haga presa lo irracional. Pues, aunque la actitud protestataria de raíz parezca muy moderna, la ira o el sarcasmo contra lo convencional no tienen fecha. ¿Significa esto negar por anticipado modernidad al dadaísmo? Desde el momento en que no se apoyaba en el pretérito ni contaba con lo por venir, la presunta objeción carece de sentido. Pero es incuestionable que una particular coyuntura histórica, la quiebra total de valores provocada en agosto de 1914, dio al dadaísmo un pretexto válido para su aparición. En el plano estético (asimilación impropia, si respetásemos sus designios, puesto que Dadá quiso ser esencialmente un anti-arte, una anti-literatura) aparece, después del futurismo, como el movimiento más rico en manifiestos y actos, desbordante de peripecias y desafíos a la lógica.

Narrar aquel tiempo, historiar con algún detalle los pasos del dadaísmo equivale para mí, en cierto modo, y como en otros casos, a revivir una juvenil aventura en cuyos episodios, aun manteniendo ciertas distancias, no dejé de estar mezclado, atraído quizá por lo contrario que Tzara y los suyos; es decir, por su vitalidad afirmativa, no por el negativismo radical de sus principios; por la novedad de procedimientos literarios, no por su intención de arrasar con todos... Y más que nada, lo que nos imantaba a algunos en Dadá era la doble máscara de "humour" y "pathos" con que se exhibía. Que acentuase más el primer rasgo —mientras que lo patético sólo alcanzaría plena expresión pocos años después con el superrealismo—, prodigando la burla, la irreverencia sin medida, hizo que algunos tomasen únicamente el dadaísmo como una enorme facecia lúdica. Hubo más, pero frente a los excesos de lo solemne, desinflando las oquedades sonoras que siempre proliferan, cualquier alzamiento se justificará siempre como una vindicación del espíritu libre.

Pero —me atajaré— si en la antigua redacción de este capítulo se advertía —quizá aún más que en otros del presente libro— muy claramente un tono de solidaridad simpática, lindante por momentos con lo apologético, hoy —como al examinar los demás ismos— debe prevalecer la visión objetiva; inclusive habré de refrenar a veces otra intención —irónica, censoria— radicalmente opuesta a la de antaño. Por cierto, ¡tan pronto antaño! (*Déjà jadis!*), exclama Ribemont-Dessaignes [1] al volver la vista hacia atrás veintitantos años después. No comparto el asombro, pues ese rápido paso de algunos hechos, en que fuimos parte, al dominio de lo histórico, es común. La diferencia del enfoque actual con el pretérito se marca mediante la aplicación de otra escala para medir perspectivas. La mía de antaño fue milimétrica, aplicándome a ver el fenómeno con una simpatía pareja a la del conmilitón (actitud de la cual no tengo por qué arrepentirme, si bien esto no constituirá nunca la mejor recomendación para cualquier Academia); contribuía a ello la posibilidad de utilizar todo el material informativo

[1] Todas las referencias precisas de libros y revistas concernientes al Dadaísmo y al Superrealismo aparecen detalladas en la sección correspondiente de la bibliografía final.

y crítico sobre Dadá, reunido según iba publicándose, que abarcaba desde libros, manifiestos y revistas hasta los menores catálogos y hojas volantes. La nostalgia es legítima como el anacronismo es vituperable. Cada sazón da sus frutos y la rueda de la historia no admite retrocesos. Tautologías abrumadoras que traigo a colación para decir cuán explicable considero el sentimiento de añoranza reflejado en los recuerdos ya aludidos de Ribemont-Dessaignes; también los reflejos de deslumbramiento visibles en las memorias de algunos testigos extranjeros, tales Malcolm Cowley y Mathew Josephson (aludo a los capítulos sobre Dadá de sus respectivos libros, *Exile's Return* y *My life with the surrealists*). Pero me parece excesiva la actitud de un amigo, Philippe Soupault, actor de primer plano en las jornadas de 1920-1922, cuando, después de haber pasado por diversos avatares, proponía no hace muchos años, en 1957, un retorno a Dadá, incitando a la juventud de la última postguerra para que se sublevase nuevamente "contra todo y contra todos". Desenfoque de perspectivas, confusión de los tiempos, semejante a la de un dadaísta de la rama germánica, Richard Huelsenbeck, cuando en 1949 lanzaba desde Nueva York un manifiesto alegando que "los principios de Dadá están todavía vivos..." No; en todo caso, las anécdotas son las que no han perdido sabor. Pero reclamar la continuidad, la reproducción de un "estado de espíritu" que precisamente cifraba su razón de ser en la fidelidad al instante, que exclamaba jocosamente, por odio a la solemnidad, al vacío de un convencional eternismo: "las obras maestras dadás no deben durar más de cinco minutos", sería un delito de lesa incongruencia. Una vez aceptado tan heroico relativismo ¿qué sentido tiene, podrá decírsenos, reconstruir tan minuciosamente la historia del dadaísmo? Precisamente ése: el hecho de que Dadá es historia pretérita, abolida, puesto que, del mismo modo que el superrealismo, no admite dúplicas; es vivo e influyente, en cuanto sus huellas son perfectamente visibles por medio de escritos o imágenes que en las décadas del 50 y del 60 quieren presentársenos como virginalmente nuevos, pretendiendo asombrar o sacudir al lector, al espectador. Que estos ignoren o hayan olvidado los puntos de arranque de las obras que ahora se le ofrecen resulta algo lamentable; pero ¿constituye ya por sí misma una razón suficiente para que no consideremos tiempo perdido el describir las realizaciones (o destrucciones, ambigüedad que anula el principio de contradicción) llevadas a cabo (en efecto, hasta el fin, implacablemente) por Dadá tanto como por otras escuelas (que no quisieron serlo) de vanguardia? Insistamos en que todas ellas son puntos de partida. En sus páginas están prefiguradas gran número de las "audacias", las "invenciones" (quítense las comillas cuando lo sean de veras) que treinta, cuarenta años después continúan agitando las artes.

GENESIS, DEFINICIONES

Si en el principio fue el Verbo (aunque en este caso pudo más la acción), comencemos con el nombre. ¿Por qué Dadá? Poner nombre a una cosa es inventarla, venía a decir Unamuno (acostándose más a los Evangelios que a Goethe) con motivo de las enumeraciones líricas de Walt Whitman. Y el nombre, en este caso, aun siendo soberanamente caprichoso, resulta fundamental, revelador. Cuadro letras: D A D A. ¿Qué significa Dadá? D DA NO SIGNIFICA NADA —escribía Tristan Tzara, en versalitas, precediendo esta categórica definición-negación de una manecilla; uno de los recursos tipográficos que ya habían utilizado los futuristas y en que abundó RAMON en libros como *El circo*. Así descorría el telón en el primero de sus *Sept manifests Dada*, leído en la inicial manifestación del grupo, Zurich, 14 de julio de 1916. Y añadía: "Los negros Kru llaman DADA a la cola de una vaca santa. El cubo y la madre en cierta región de Italia: DADA. Un caballito de madera, la nodriza, la doble afirmación en ruso y en rumano: DADA." Y acabada esta rápida excursión etimológica, Tzara se perdía deliberadamente en el capricho de las disociaciones: "No se construye la sensibilidad sobre una palabra; toda construcción conduce a la perfección que aburre, idea estancada en una charca dorada, relativo producto humano", etc. Pero, sin embargo, no es muy azaroso intuir que Tzara, rumano, aunque trilingüe desde la infancia, se dejó llevar por su inconsciente idiomático.

Otra explicación sobre la génesis del nombre que después proporcionó, por lo mismo que más lógica, resulta menos verosímil: "Encontré el nombre por casualidad, insertando una plegadera en un tomo cerrado del Petit Larousse, y leyendo luego, al abrirse, la primera línea que me saltó a la vista: DADÁ." Y en otro lugar ni siquiera nos ahorraba la fecha y el lugar del "descubrimiento": 8 de febrero de 1916, café Terrasse, Zurich. Más explícitamente, añadía en el citado manifiesto: "DADA nació —en el cabaret Voltaire de Zurich, 1916— de un deseo de independencia, de desconfianza hacia la comunidad. Los que pertenecen a nosotros guardan su libertad. No reconocemos ninguna teoría. Basta de academias cubistas y futuristas: laboratorios de ideas formales." Sin embargo —según hemos de comprobar—, ecos, reflejos de tales tendencias, más la colaboración de algunos miembros de las mismas, se advierten en la primeras publicaciones dadaístas. Mas acotando su campo, Tzara añadía: "Mi propósito fue crear solamente una palabra expresiva que mediante su magia cerrase todas las puertas a la comprensión y no fuera un *ismo más*" ¿Cómo lo consiguió? Mediante la *reductio ad absurdum* de todos.

Pero, si al cabo es curioso no dejar de conocer el origen y el sentido exacto del término Dadá, resulta indiferente, linda con lo cómico que, como si se tratara de un filón de oro, más tarde se haya pleiteado sobre su verdadera paternidad, quitándosela a Tzara y atribuyéndosela a otros como Richard Huelsenbeck, Hugo Ball o Val Serner, quienes convivían con él durante la guerra en Zurich. La "magia" encandiladora de esa palabra estaba ya en el aire, removiendo curiosidades, hiriendo conformismos. Y como muy bien escribió algo después André Gide (*Incidences*), con Dadá "se trataba de inventar lo que no me atrevo a llamar un método; método que no solamente no ayudara a la producción, sino que hiciera la obra imposible. Efectivamente, el día en que fue encontrada la palabra *Dadá,* no restó ya nada por hacer. Todo lo que se ha escrito después me pareció un poco diluido. *Dadá*: estas dos sílabas habían alcanzado el fin de la "inanidad sonora", una insignificancia absoluta. En esta sola palabra, *Dadá,* habían expresado de una sola vez todo lo que tenían que decir *en cuanto grupo*; y como no hay medio de encontrar nada mejor dentro de lo absurdo, será menester ahora o bien empantanarse, como harán los mediocres, o bien evadirse".

EL PRIMER MANIFIESTO DE TZARA

Pero dejando ya el continente y aproximándonos al contenido, ¿qué es, qué fue en síntesis Dadá? Quizá la mejor definición epigráfica la dio el mismo André Gide al escribir: "Dadá es el diluvio después del cual todo recomienza." Porque indudablemente si Dadá se proponía alguna meta precisa no era otra que ésta: hacer tabla rasa de todo lo existente, empezar desde el cero. Tratábase, pues, no de una empresa de construcción, sino de una tentativa de demolición; era un saldo de valores. Accediendo aparentemente a dar más explicaciones, con una sintaxis revuelta —que respetamos—, Tzara escribía:

"Hay una literatura que no llega hasta la masa voraz. Obra de creadores, procedente de una verdadera necesidad del autor y para él mismo. Conocimiento de un supremo egoísmo donde las leyes se agotan." "Cada página debe estallar, sea por lo serio, profundo y pesado, el torbellino, el vértigo, lo nuevo, lo eterno, por la broma aplastante, por el entusiasmo de los principios o por la manera de estar impresa." Y más adelante, con cierto aire nietzscheano: "Yo os digo: no hay comienzo y no temblamos: no somos sentimentales. Nosotros desgarramos, viento furioso, la ropa de las nubes y de los rezos, y preparamos el gran espectáculo del desastre, el incendio, la descomposición."

Pero más expresivos aún —en su inexpresividad— son los párrafos donde Tzara divaga extensamente sobre uno de los motivos-claves: la espontaneidad dadaísta: "Yo llamo "je m'enfoutisme" el estado de una vida donde cada uno guarda sus propias condiciones, sabiendo, sin embargo, respetar las demás individualidades, ya que no defenderse, el "two step" convirtiéndose en himno nacional, almacén de "bric-à-brac", telefonía sin hilos trasmitiendo las fugas de Bach, anuncios luminosos de los burdeles, el órgano difundiendo los claveles de Dios, todo esto junto, remplazando la fotografía y el catecismo unilateral." Y a modo de contrapunto con este abigarramiento de monstruo miriápodo, una declaración menos elusiva: "El hombre no es nada. Medida con la escala de la eternidad toda acción es vana." ¿Reminiscencia de sesgo pascaliano? Más bien premonición de un punto de vista de André Breton que encontramos en el primer manifiesto del superrealismo: "Es inadmisible que un hombre deje huellas de su paso por la tierra." Y luego el mismo Tzara, acentuando su intención disolvente en la más pura e ideal línea de la acracia: "Que todo hombre grite: hay que cumplir un gran trabajo destructor, negativo. Barrer, limpiar. La limpieza del individuo se afirma tras el estado de locura, de locura agresiva, completa, de un mundo abandonado entre las manos de los bandidos que se destrozan y destruyen los siglos" (Obsérvese que seguimos respetando escrupulosamente la sintaxis de Tzara, estudiante de filosofía que poco antes se había destetado con Hegel...). Este primer manifiesto concluye nada imprevistamente con una parte titulada "Disgusto dadaísta", de cuya larga cadena de negaciones solamente extraemos las siguientes: "Todo producto del espíritu susceptible de llegar a ser una negación de la familia es *dadá*; protesta con todos los puños del ser en acción destructiva: DADA; abolición de la lógica, danza de los impotentes de la creación: DADA; abolición de la memoria: DADA; abolición de la arqueología: DADA; abolición de los profetas: DADA; abolición del futuro: DADA... Libertad: DADA, DADA, DADA, aullido de los colores crispados, entrelazamiento de los contrarios y de todas las contradicciones, de los grotescos, de las inconsecuencias: LA VIDA."

En suma, el *no* pesaba con más fuerza que cualquier posible *si* —a no ser que éste encabezase un condicional—. "Escribo un manifiesto —decía Tzara— y no quiero nada; digo, no obstante, ciertas cosas y estoy por principio contra los manifiestos." "Estamos contra todos los sistemas, pero su ausencia es el mejor sistema." Todo ello mezclado con actitudes desafiantes, burlonas. Y este buen humor de Dadá —insistiré— es lo que hizo que fuera mirado como una simple facecia. No deja de serlo, pero tras esta máscara humorística esconde un gesto amargo, un sentimiento de protesta en apariencia gratuito, pero en rigor muy fundamentado por un estado de cosas, un momento, un lugar muy concretos.

SITUACION HISTORICA.
AMBIENTE, PERSONAJES

¿Cuáles eran éstos? La guerra europea, Zurich, 1916. Porque aquella guerra no apareció con los caracteres de fatalidad —en el sentido de necesidad— que tuvo la de 1939-1944; no fue precedida por los ataques a la dignidad humana que, más allá de turbiedades, contradicciones y egotismos nacionales, dieron a la última lucha cierto fermento ideológico. Por ello entonces se abrió paso, desde el primer momento, un fuerte estado de disconformidad; se impuso un desengaño absoluto, acrecido por dos años de sangre, en las conciencias jóvenes. Romain Rolland desde Ginebra encarnaba el disconformismo moral, la apelación a los últimos fondos —ya entonces casi inhallables— de la solidaridad humana.

La ineficacia de pacifistas y socialistas, manifestada por las conferencias de Zimmerwald (1915) y de Kriensthal (1916), que habían predicado el fin de la guerra a cualquier precio (adivinando, frente a los reproches de derrotismo, que éste nunca sería tan caro como "el precio de la victoria"... y mucho menos la cola de su grave saldo veinte años después), aumentaba la sensación de una quiebra total. Protestar contra las convenciones literarias, ideológicas era una manera —quizá la única viable, aun en un país neutral— de protestar contra cierta "literatura" que por primera vez glorificaba las matanzas en masa. Si tantos supuestos habían fracasado —venían a decirse aquellos disconformes—, si la ciencia se convertía en balística, si la moral se bastardeaba casuísticamente, ¿por qué habíase de seguir creyendo en el arte, en la literatura, máxime cuando ésta se avenía a convertirse en propaganda o anestésico? Un escepticismo implacable, una burla total, una negación sistemática debía ser el resultado de tal estado de espíritu según lo manifestaron los dadaístas.

¿Quiénes eran éstos? Entre la marejada de objetantes de conciencia, pacifistas alemanes, revolucionarios rusos, disconformes con distintos colores de la Europa central, vivía en Zurich un joven rumano, Tristan

Tzara, que había dejado sus estudios de filosofía en Bucarest para entregarse a la literatura. Había además un pintor alsaciano, Hans Arp, autor de extraños relieves en madera; otro rumano, Marcel Janco, pintor; un médico, Val Serner; dos escritores alemanes, Richard Huelsenbeck y Hugo Ball. Este último, con su mujer, la actriz Emmy Hennings, tuvo la ocurrencia de fundar un café literario-musical. Así nació el Cabaret Voltaire, inaugurado en febrero de 1916. Hubo música y recitaciones de "una confusa tendencia expresionista-futurista-pacifista" —según ha escrito Ribemont-Dessaignes—. Sesiones de música negra, los primeros "jazz-band", recitación de poemas simultáneos —esto es, dichos por varias voces [2]

Tanto estas características como el número único de la revista *Cabaret Voltaire,* órgano del naciente movimiento y donde se publica el primer manifiesto del grupo, revelan que el carácter propio del dadaísmo aún no se había manifestado. Efectivamente, lo que da relieve a aquellas páginas, más que los textos de los dadaístas, son las colaboraciones de pintores y escritores de muy otras procedencias: Apollinaire, Marinetti, Cendrars, Picasso, Modigliani, Kandinsky... —nombres que tanto habrían de pesar en la historia de los años por venir—. Luego Dadá se presentaba entonces como un movimiento internacionalista, un vértice de confluencias vanguardistas, a pesar de los propósitos diferenciadores de Tzara y de que pocos años después, en una réplica a Jacques Rivière, insistiera: "Nosotros no queríamos tener nada de común con los futuristas y cubistas."

Sin embargo, ciertas huellas —aparte de las señaladas— son inne-

[2] Tal procedimiento traducía una doble influencia: por un lado el de los "corales" de H. M. Barzum, autor de un libro teórico, *Voix, rythmes et chants simultanés,* iniciador de un tipo de poesía simultaneísta, inmediatamente antes de la guerra del 14, pero que luego fue olvidada por completo, si se exceptúan sus reflejos sobre el poliplanismo de Nicolas Beauduin (véase el capítulo sobre Cubismo); por otro lado el de los aparatos "intonarumori" futuristas, inventados por Russolo. Como ejemplo no audible, sino visible, queda la reproducción de una página en el compendio de Robert Motherwell (*The Dada Painters and Poets*), titulada "L'amiral cherche une maison à louer", poema simultáneo recitado por Huelsenbeck, Janco y Tzara en dos idiomas recognoscibles, francés y alemán, y una jerga puramente vocálica.

gables. A semejanza de los primeros futuristas de 1910, y en vez de limitarse a lanzar sus escritos, los dadás se "lanzan" ellos mismos con sus obras, convirtiéndose en espectáculo, manejando los resortes más espectaculares, batiendo cajas y timbales. Con una diferencia empero: y es que estos actores espontáneos, que traspasan el exhibicionismo y la "fumisterie" —según haría Dalí treinta, cuarenta años después—, más que "dar un espectáculo" realizan su revés: el contraespectáculo, la burla de todo acto literario y artístico, actitud que culminará con las veladas parisinas de 1920-1922. En escala más limitada, pero al mismo tiempo más inequívocamente personal, recuérdese alguna conferencia de Ramón Gómez de la Serna, donde éste, con una enorme mano postiza, de cartón, caricaturizaba las "cinco razones" del conferenciante dogmático.

El dadaísmo sólo comenzaría a tener perfil propio con la publicación del primer número de *Dada, recueil d'art et de littérature* (subtítulo que es una contradicción en los términos), publicado en julio de 1917, y merced a las veladas, en el Cabaret Voltaire, de un carácter ya francamente provocativo.

PROTODADAISMO EN ESTADOS UNIDOS

Es curioso comprobar cómo el estado de espíritu muy personal, difícilmente compatible, que estudiamos, tuviera casi simultáneamente exteriorización en lugares distintos; o más bien premoniciones a cargo de algunos que pudiéramos llamar protodadaístas. En efecto, algo semejante se urdía en Nueva York por las mismas fechas, merced a la coincidencia en esa ciudad de dos pintores europeos, Marcel Duchamp y Francis Picabia, más un norteamericano, Man Ray. El primero —hermano del escultor cubista Duchamp-Villon y del pintor Jacques Villon, quien sólo en la segunda postguerra adquiriría celebridad— había pintado algunos cuadros que rompían con el cubismo y tendían a explorar lo fantástico; así cierto "Desnudo bajando las escaleras", anticipo de otro superiormente incongruente, "La casada desnudada por sus propios célibes"... El mismo Marcel Duchamp, con intenciones —relativamente— más claras comienza a exhibir en las exposiciones una serie de objetos "ready-made", productos de bazar, con alguna pequeña modificación o bajo un título insólito, que les hace incongruentes; entre ellos, un porta-botellas y un urinario de porcelana, puesto del revés y titulado "Fuente"... "Mediante este símbolo —explica Georges Hugnet (*L'esprit Dada dans la peinture*), Duchamp entendía significar su disgusto por el arte y su admiración por los objetos fabricados."

Además Duchamp publicó en Nueva York dos revistas protodadaístas de vida efímera: *The blind-man* y *Wrong-wrong*. Estas revistas, junto con *291* (titulada así porque éste era el número de la Quinta Avenida donde tenía su galería, "Armory Show", el fotógrafo y promotor artístico Alfred Stieglitz, primer introductor del arte de vanguardia en los Estados Unidos, director de la revista de arte *Camera Work*), revelaban un estado de espíritu negativo y humorístico, semejante al que muy pronto, desde Europa, propagaría Dadá. Man Ray, conocido posteriormente como fotógrafo experimental, uno de los renovadores de esta técnica, comenzó siendo pintor. Inaugura la fotografía que llamaríamos animista, compone "rayogramas", fotografías directas del objeto sobre la placa fotográfica. Junto con Duchamp se aplica a sacar un nuevo partido de los elementos mecánicos, tan típicos de la industria norteamericana, deformándolos, insuflándolos de un carácter extraño, fantástico.

También participaban del mismo espíritu las primeras búsquedas de Francis Picabia, sus dibujos de mecanismos incongruentes, hechos con un anárquico sentido del humor. Por ejemplo, bajo el título de *Novia*, en una cubierta de su revista *391*, que en 1917 tuvo un número en Barcelona, publicaba un dibujo representando unos engranajes. Pero sus "obras maestras" son: una fotografía de la Gioconda adornada con bigotes y un manchón de tinta sobre un papel blanco —suerte de anticipado "test" de Rorschach— que titula "La Virgen Santa". Picabia llega en ese mismo año a Zurich y contribuye positivamente a la subversión dadaísta.

Otro personaje estrafalario que exaltan como antecesor dadás y superrealistas (André Breton, *Anthologie de l'humour noir*) es Arthur

Cravan (su verdadero nombre: Fabian Lloyd); se titulaba sobrino de Oscar Wilde. Publicó una revista, *Maintenant,* de 1913 a 1915, en París. De talla atlética se dio al boxeo, afrontando a un púgil negro en la Plaza de Toros Monumental de Barcelona, 1916. Pero como en previsión de la derrota había llegado borracho al "ring" fue dejado fuera de combate en la primera vuelta. Una hazaña parecida repitió en Nueva York, donde habiendo anunciado una conferencia sobre el humor, subió a la tribuna completamente borracho, intentando desnudarse, mientra la sala se vaciaba y entraba la policía. Pasa luego al Canadá, a Méjico; allí casa con la poetisa norteamericana Mina Lloyd. Y un día de 1919 se embarca en un bote y desaparece, sin dejar la menor huella, en el Golfo de Méjico. Aunque toda su obra literaria se reduce a unos cuantos artículos, Cravan ha encontrado apologistas que alaban su "sentido de la provocación".

EN ZURICH: 1916-1918

Dada I, Dada II, Dada III. A partir de ese número los títulos cambian en cada salida, llamándose sucesivamente *Anthologie Dada, Dadaphone,* etc. Se extienden de 1917 a 1919 [3]. En *Dada III* (Zurich, diciembre de 1918) aparece un manifiesto de Tzara, del cual ya antes cité algunos trozos. Otro manifiesto del mismo (publicado en la *Anthologie Dada,* Zurich, 15 de mayo de 1919), contiene una "Proclama sin pretensiones", pero no sin algunos rasgos nuevos, concernientes de modo

---

[3] En la primera edición de este libro, previendo quizá cuán rara e infrecuente llegaría a ser tal revista, hice una reseña bastante detallada de sus sumarios. Como quiera que después he perdido para siempre (una mínima consecuencia más de la pérdida general y del extravío colectivo que fue la guerra de España; o dicho con palabras más adecuadamente patéticas de Alfonso el Sabio en su *Estoria*: de la última "arremessa", en que "este regno tan noble fue derramado e astragado") tales piezas impares de hemeroteca, y en la imposibilidad de confrontarlas, debo reiterar aquellas transcripciones, después tan abundantemente utilizadas por otros; por mi parte, sólo habré de beneficiarme con parquedad de las reseñas y comentarios posteriores debidos a Tzara, Ribemont-Dessaignes, Hugnet, Huelsenbeck...

más particular al arte y que por eso conviene recoger aquí: "El arte se adormece para el nacimiento del mundo nuevo. Arte —palabra loro—, remplazado por Dadá, plesiosaurio o pañuelo. El talento que puede aprenderse hace del poeta un droguero. [...] Músicos, romped vuestros instrumentos ciegos en el escenario [...] El arte necesita una operación [...] Nosotros no buscamos nada, afirmamos la vitalidad de cada instante, la antifilosofía de las acrobacias espontáneas [...] Si alguien dice lo contrario es porque tiene razón."

En el mismo número de la *Anthologie Dada* se publica un "Pequeño manifiesto" de Picabia al que pertenecen los siguientes párrafos de una retórica muy semejante a la de Tzara: "Cantar, esculpir, escribir, pintar. ¡No! Mi único fin es una vida más sedante y dejar de mentir. Ser la multitud que cree en sus actos, hacer el mal, emoción genital y catástrofe, filtros y cirugía, olores y ortografía, entusiasmo y acariciar, gastar los muebles, contacto con la realidad, provecho efectivo, grande y bello. La palabra de la definición es absoluta: Alí-Baba."

Frases como las precedentes, tan pronto certeras en su última intención nihilista, como bufas, sarcásticas o fácilmente incongruentes revelan sin ambages el verdadero rostro de Dadá. Unase a ello que fueron pronunciadas ante el público curioso, huracanado, durante la serie de sesiones celebradas en Zurich desde comienzos de 1916 hasta fines de 1919, en diversas salas, puesto que el Cabaret Voltaire funcionó sólo seis meses; que habitualmente las veladas resultaron tempestuosas, como no podía menos de ser, empero la civilidad del público suizo; que en una de ellas se representó *La première aventure céleste de Monsieur Antiphyrine,* comedia (¿?) de Tzara; que en otra hubo una danza "negro cacadou", en la cual —según una reseña del mismo Tzara— "los tubos bailan la renovación de los pitecantropos sin cabeza, asfixia la rabia del público".

Y durante los últimos tiempos del dadaísmo suizo comienzan a colaborar en sus publicaciones los jóvenes escritores que poco antes habían fundado *Littérature*: André Breton, Louis Aragon, Philippe Soupault, así como algunas otras firmas procedentes de *Sic,* de *391,* la publicación irregular de Picabia. La llegada de Tzara a París, fines de 1919, requerido por sus amigos de *Littérature,* pone término al período suizo de Dadá e inicia la era de los festivales y revistas parisienses que dieron su máxima y más ruidosa expresión a dicho movimiento. De esta suerte venían a juntarse en un solo haz dos grupos que representaban orientaciones y ambiciones diversas: el grupo suizo-alemán de Tzara; el de *Littérature,* acaudillado por Breton y Francis Picabia; este último más bien solo, pero dotado quizá de mayor espíritu disolvente que ningún otro. Pero antes de registrar la crónica del dadaísmo en París echemos una mirada sobre otro aspecto menos conocido: la suerte que corrió en Alemania.

DADÁ EN ALEMANIA

Al llegar el armisticio, el dadaísmo termina en Zurich y se extiende hacia otros climas. Cuando penetra en la atmósfera superliteraria de París, sucede que las intenciones de Dadá, sin perder virulencia, se canalizan inevitablemente en una vía literaria, a despecho de apariencias adversas. Contrariamente, en su expresión germánica, la protesta contra la sociedad, contra la situación del mundo en la postguerra, se combina con lo políticosocial. Berlín, Colonia y Hannover son las principales ciudades donde se organizan exposiciones, actos diversos y aparecen libros y revistas de grupo. A los nombres de los que habían intervenido en las manifestaciones de Zurich —Tzara, Arp, Janco, Huelsenbeck...— se unen otros procedentes del expresionismo y de las filas socialrevolucionarias. En Berlín, en 1918, se publican dos revistas de Richard Huelsenbeck: *Club Dada* y *Der Dada.* El mismo escritor, asociado con los espartaquistas, había figurado durante la semana del "putsch" de 1917 como "comisario de Bellas Artes". Cierto "ukasse" que, en unión de Raoul Hausmann, firma el mismo Huelsenbeck, pide, en uno de sus artículos, el humanitario reparto de "comidas para todos los artistas creadores en la Postdamer Platz de Berlín"; pero incluye otros de un carácter tan jocoso como totalitario; por ejemplo, "la compulsiva adhesión de todos los curas y maestros a los principios de la fe dadaísta" y "la incautación de iglesias para la ejecución de los poemas ruidistas, simultaneístas y dadaístas..." Cierto es que en el estado caótico de Alemania, tras la derrota, entre el hambre y la revolución, durante las vísperas de Weimar, nada de lo anterior podía causar mayor asombro.

Bajo la instigación de Hans Richter —luego cineísta notable, autor del film *Sinfonía metropolitana*—, quien había participado en las veladas de Zurich, sin abandonar el grupo expresionista de la revista *Die Aktion*, se forma una "Asociación de Escritores Revolucionarios". Cuando estallaron los "putchs" de Munich y de Budapest algunos dadaístas se enrolaron, estimando —con la ingenuidad propia de aquellos años— que de esta suerte "revolucionarían" también el arte que iba a prepararse. En tales intentos convergen sobre todo algunos pintores más bien procedentes del expresionismo, como George Grosz y John Heartfield, con otros ya conocidos como dadaístas: Arp, Janco, Eggeling... Grosz y Heartfield, junto con Max Ernst —salido del grupo expresionista *Der Sturm*, la revista berlinesa de Herwarth Walden y que, por lo demás, son las tres figuras que en el arte alcanzaron más duradera notoriedad—, participan en las publicaciones *Der Zeltweg*, de Zurich, y *Die Schammade*, de Colonia. En esta ciudad también aparece *Der Ventilator*, dirigida por Baargeld, quien desde Zurich había estado a caballo entre el dadaísmo y el comunismo. Carácter desinteresadamente estético asume la revista *Merz*, publicada en Hannover por Kurt Schwitters, uno de los que más temprana y sistemáticamente practicaron el "collage" en pintura y el fotomontaje. En Hannover también aparece *Der Marstall*, un almanaque Dadá. Específicamente así —*Dada Almanach*— se llama la antología publicada en Berlín, 1920, por Richard Huelsenbeck.

En cuanto a las actividades puramente artísticas, anotemos algunas. En 1920 los dadaístas de Berlín organizan una cuantiosa exposición. Grosz y Heartfield exhiben un gran cartel: "Die Kunts is tot. Es lebe di neue maschinenkunst Tatlins". Tatlin fue uno de los artistas de la línea constructiva rusa que en unión de Lissitzky, Malevitch, Gabo y Pevsner participaron de la breve "luna de miel" del arte nuevo con la revolución soviética. Pero la frase citada, al afirmar que "el arte ha muerto" y exaltar el maquinismo, traía más que nada claras reminiscencias futuristas. En aquella exposición Max Ernst, que se firmaba "Dadamaxernst", exhibía una obra: "Dadafex maximus". Al margen de estos divertimientos, aún hubo otros más audaces. Johannes Baader, cuando las sesiones constituyentes de la República de Weimar, distribuyó unos panfletos: *Dadaisten Gegen Weimar,* supuesta alocución del "Presidente del Globo terrestre en la silla de montar de Dadá". El humor dadaísta cobró un carácter de sátira violenta y directa en las caricaturas de Georges Grosz, quien compuso dibujos antiburgueses y antimilitaristas para un libro de Huelsenbeck. En la gran exposición Dadá de Berlín, 1920, la atracción principal era un maniquí con cabeza de porcino, disfrazado de oficial alemán y colgado del techo. Por su parte, J. T. Baargeld (su verdadero nombre: Alfred Grünewald), joven millonario, bolchevista en Colonia antes de hacerse dadá, funda, en unión de Arp y Max Ernst, una sociedad para la manufactura de cuadros "Fatagaga"; o sea "fabricación de cuadros garantizados gasométricos". En algunos casos se trataba de "collages" al modo cubista; buscaban más bien las combinaciones del azar, de un modo parecido al que Tzara recomienda según una famosa receta para hacer un poema dadaísta, antes transcrita. Por ejemplo, Baargeld y Ernst descubren en un dibujo determinado las líneas de otro supuesto prexistente; una suerte de palimpsesto, sombras espectrales, al modo de apariciones; en suma, algo como las sugerencias posibles en una pared ruinosa sobre las que llamó la atención Leonardo da Vinci. Con todo, la técnica del pegote llega al culmen, durante Dadá, con Kurt Schwitters y su revista *Merz.* (No se busque esta palabra en ningún diccionario. Es un fragmento, las cuatro letras finales de la palabra "kommerz" que aparecía en un recorte de diario utilizado en uno de los primeros pegotes de Schwitters.) Schwitters había confeccionado una "maquette" para el proyecto de "un monumento a la humanidad", donde entraban las más diversas materias: maderas, yeso, corsés de mujer, muñecos musicales, casas suizas que debían tener un tamaño natural; algunas piezas de este monumento se movían y emitían sonidos... En cuanto a sus pegotes estaban hechos de papeles recogidos entre el barro de la calle, billetes del tranvía, sellos postales, billetes de banco... anulados. Si describimos con cierto detalle tales obras es para demostrar cómo, al repasar la historia de Dadá, se advierten ya los mismos procedimientos que en la década del 60 algunos todavía osan presentar como "hallazgos" últimos.

DADÁ EN PARÍS

Cuando Tzara llega a París *Littérature* era una revista juvenil, disidente, pero no especialmente subversiva y nacida bajo el influjo tangencial de Paul Valéry, quien le había dado el título: *Littérature* por antífrasis, recordando el famoso verso despectivo de Verlaine: "Et tout le reste est littérature..." Luego *anti-littérature* era lo que debía leerse. Y cabalmente fue ese el flanco por donde en sus páginas penetró el espíritu del dadaísmo y su más acreditado representante, Tristán Tzara. Cierto es que los directores de *Littérature* —el trío durante unos años inseparable, Breton, Soupault y Aragon— se hallaban más que predispuestos a recibir y extender su mensaje. Ya se habían constituido una tabla de valores exclusivos, una suerte de santoral herético, a cuya cabeza estaban las sombras de Rimbaud y Lautréamont, las más próximas aún de Apollinaire y Jarry, junto con Jacques Vaché; este último, el más influyente sobre André Breton, quien lo tomó como modelo; Vaché había llevado al extremo el desdén de la literatura, no escribiendo, salvo unas *Lettres* supremamente despectivas que reunió quien no habría de seguirle al pie de la letra, Breton, en ese ideal de anulación, como tampoco en el del suicidio. Veremos más despacio esta figura en el capítulo siguiente.

Littérature organizó una primera velada en el Salón de Independientes, el 5 de febrero de 1920. No rebasó al principio el carácter común a tales manifestaciones y en ella participaron poetas muy combatidos después por el grupo Dadá, como Cocteau. Sin embargo, ya había un indicio de mixtificación voluntaria que hizo acudir en forma inusitada al público: el anuncio de que Charlie Chaplin asistiría "en persona" a una sesión dadaísta. Además —entre los treinta y ocho conferenciantes previstos— se anunciaba que el manifiesto de Picabia sería leído por diez personas, el de Breton por nueve, el de Eluard por seis, el de

Aragon por cinco, hasta llegar a Tzara, cuyo texto lo leerían "cuatro personas y un periodista". Pero cuando Tzara subió al estrado y en lugar de un manifiesto comenzó a leer un vulgar recorte de periódico, con voz muy baja, mientras sonaban unos timbres estrepitosos, el público se desencadenó gritando: "¡Basta, basta...!" y la velada terminó escandalosamente. Pero aquello —ha explicado luego Ribemont-Dessaignes— constituyó para los dadaístas "una experiencia provechosa". Vieron claramente el lado destructor de Dadá; y el efecto de indignación en el público (que había ido para reclamar una "pitanza artística", no importa cuál siempre que se tratase de arte), les indicó su camino... Dadá entró en su fase de escándalo, ayudado por los múltiples comentarios de prensa y por una publicidad verdaderamente "fabulosa". No retroceden ante ningún medio provocativo. No les intimidan las payasadas propias de la pista de un circo. En uno de los festivales anuncian: "los dadás se harán esquilar en escena". Por cierto, uno de ellos —Ribemont-Dessaignes— exhibía ya una solemne calva. La verdad es que los futuristas les habían precedido en muchas de estas actitudes, pero aquéllos trataban de propagar o imponer unos principios estéticos mientras que Dadá los negaba todos. Así, en un manifiesto, escriben: "Cada *ismo* quiere mezclar algo. El ultraísmo recomienda la mezcla de siete ingredientes artísticos. Pero ¿qué hace Dadá? Cincuenta francos de recompensa a quien encuentre el medio de explicárnoslo."

Comienzan entonces a multiplicarse las revistas, boletines y hojas volanderas del dadaísmo. Una de ellas es *Dada 5,* boletín bicolor, con aire mixto de proclama revolucionaria y de folleto industrial, llamativo por su abigarrada tipografía. Inserta una relación de 71 presidentes del movimiento Dadá, multiplicidad que anulaba cualquier pujo unipersonal, precedida de estas frases: "¡Todo el mundo es presidente y presidenta! ¡Vivan las concubinas y los concubistas!"[4].

[4] He aquí la lista completa: Dr. Aisen, Aragon, Archipenko, Arensberg, Maria d'Arezzo, Céline Arnauld, Arp, Cansinos d'Assens *(sic),* Alice Bailly, Albert-Birot, Breton, Buchet, Gabrielle Buffet, Cantarelli, Carefoot, Maja Chrusecz, P. Citroen, Cravan, Crotti, Dalmau, Mabel Dodge, M. Duchamp, Suzanne Duchamp, Jacques Edwards, Eluard, Ernst, Germaine Everling, J. Evola,

En la misma hoja un manifiesto conjunto del grupo parece agotar todas las negaciones: "No más pintores, no más literatos, no más músicos, no más escultores, religiones, republicanos, monárquicos, imperialistas, anarquistas, socialistas, bolcheviques, políticos, proletarios, demócratas, burgueses, aristócratas, ejército, policía, patria; en fin, basta de todas esas imbecilidades. No más nada, nada, nada. De esta manera esperamos que la novedad llegará a imponerse menos podrida, menos egoísta, menos mercantil, menos inmensamente grotesca." Y después estos apotegmas lapidarios, francamente burlescos: "A priori, es decir, a cierra ojos, DADA pone antes que la acción y por encima de todo, la duda. *Dadá* duda de todo. Todo es *Dadá*. Desconfiad de *Dadá*." Completa este lema algunos de los más curiosos aforismos doctrinales del Movimiento: "El anti-dadaísmo es una enfermedad: la autocleptomanía. El estado normal del hombre es dadá." Y luego, contradiciéndose y llegando a la reciprocidad del absurdo: "Los verdaderos dadaístas están contra DADA." Hay petardos de Picabia: "Todas las gentes de gusto están podridas." Cohetes buscapiés: Buscamos amigos y otras cosas tan vituperables a las vocaciones gramaticales de los equilibristas en conserva", firmado por "Tristán Tzara, siniestro farsante". Estos y otros calificativos que prolongan la firma del mismo como "loco y virgen", y la de Picabia que se titula "cannibale, loustic y raté", no son sino los calificativos que desde la otra banda les lanzan hostiles. Constituye este detalle un aspecto del carácter autodegradante que sostienen los miembros de DADA.

Hasta poco antes, ninguna separación estricta había entre el dadaísmo y otros grupos de vanguardia. Pero a medida que aquél fue acentuando su lado destructivo y burlón, se alzó una frontera. La in-

O. Flake, Th. Fraenkel, A. Giacometti, G. Grosz, A. Guallart, Hapgood, R. Hausmann, P. Hardekopf, W. Heartfield, Hilsun, Huelsenbeck, V. Huidobro, F. Jung, J. M. Junoy, Mina Lloyd, J. Marin, W. Mehring, F. Meriano, Miss Norton, Edith Olivié, W. Pack, C. Pansaers, Pharamouse, F. Picabia, Katherine N. Roades, G. Ribemont-Dessaignes, H. Richter, Sardar, Ch. Schad, K. Schwitters, A. Segal, Dr. V. Serner, Ph. Soupault, A. Stieglitz, I. Strawinski, Sophie Traüber, Tr. Tzara, G. de Torre, A. Vagts, Lasso de la Vega, G. Verly, A. Wolkowits, Mary Wigman.

compatibilidad se hizo más visible en la pintura y estalló durante una borrascosa reunión convocada por los artistas de la Section d'or. Esta era una agrupación de la que formaban parte, entre otros, el escultor Archipenko y los pintores cubistas Gleizes y Survage; habían rechazado para su salón una obra de Max Ernst, alegando que estaba ejecutada mecánicamente. Pero, además, las intenciones constructivas de ese grupo diferían en lo profundo del espíritu radicalmente negativo que encarnaba Dadá. En síntesis, los cubistas, creían en el arte; los dadás se burlaban del arte. Las tres "obras maestras" del dadaísmo son sarcasmos. Ya hemos citado dos de ellas: una firmada por Marcel Duchamp, reproducción de la Gioconda, adornada con unos soberbios bigotes; otra de Picabia, que apareció a plana entera en su revista *391*: un manchón de tinta, con este título: "La Santísima Virgen"; la tercera, también del último, consistía en la reproducción de un mono de terciopelo, con los rótulos "Retrato de Cézanne", "Retrato de Renoir", "Retrato de Rembrandt".

APOGEO

De marzo a junio de 1920 transcurre la temporada de máxima agitación dadaísta. Las veladas, que en ocasiones adoptaron el título de festivales, comprenden la representación de obras teatrales o musicales, interpretadas por los propios dadaístas. Entre las últimas figuraba un "Paso de la achicoria rizada", por Ribemont-Dessaignes, cuyo simple título, en la línea iniciada por Erik Satie, excusa cualquier glosa; entre las primeras algunos "sketches", como "La primera aventura celeste del señor Antypirine", por Tzara; "Si ustedes gustan", de Breton y Soupault; "El ventrílocuo desacordado", de Dermée y "El canario mudo", de Ribemont-Dessaignes. Eran una especie de semi-sainetes, deshilvanados, a base de facecias y gratuidades, absolutamente olvidados hoy, pero en los que no sería difícil reconocer un antecedente de ciertas incongruencias últimas más famosas como *La cantatrice chauve, Les chaises* y otras comedias de Ionesco.

El ardor que poseían aquellos hipervitalistas dadás demuestra que, en efecto, y de acuerdo con una carta que, desde Zurich, me dirigió

Tzara en octubre de 1919, "Dadá antes que una escuela literaria o artística, es una intensa fórmula de vivir." Y agregaba: "Sin embargo, para guardar cierta continuidad de tendencias que no se hallan reglamentadas, DADA cambia y se multiplica constantemente." Este cambio es visible no en el espíritu, pero sí en los títulos de las sucesivas publicaciones.

Una lluvia de revistas caracteriza su época más expansiva. Cada escritor del grupo llega a poseer su órgano de expresión personal. Paralelamente, al grito "todo el mundo es director del Movimiento Dadá", dicen: "todos los dadaístas son directores de revistas". Y en efecto, durante el mes de abril y ornando el papel timbrado del Movimiento DADÁ —donde aparece como central París y ciudades sucursales Berlín, Ginebra, Madrid, Roma, Nueva York y Zurich— se anuncian las siguientes revistas: *Dadá,* dirigida por Tzara; *Proverbe,* de Paul Eluard, que cuenta hasta cinco números, *Cannibale,* de Picabia; *Z,* de Paul Dermée y *391,* de Picabia. *(Dd 04 H2,* de Ribemont-Dessaignes y *M'amenez* y, de Céline Arnauld, no llegaron a salir.)

Aprovechando la expectación promovida por sus primeras veladas, los dadaístas celebraron otra en la *Maison de l'Œuvre* el 27 de marzo de 1920. Allí es donde se definió más intencionalmente su carácter anárquico y burlesco, abocando a un nihilismo destructivo total. El *climax* de esta velada fue el "Manifiesto Caníbal en la oscuridad", trajes y música de Breton, leído por Francis Picabia, donde éste daba rienda suelta a su hostilidad contra los cubistas y a sus irreverencias anti-estéticas: "El arte es un producto farmacéutico para imbéciles. El cubismo representa la penuria de las ideas. Los cubistas han cubicado los cuadros de los primitivos, las esculturas negras, las guitarras, y ahora van a cubicar el dinero." Y, para terminar: "D DA no quiere nada, no pide nada. Sólo se mueve y gesticula para que el público diga: nosotros no comprendemos nada, nada, nada."

No fue menos accidentada la siguiente manifestación, última de la temporada, celebrada en la Sala Gaveau el 26 de mayo bajo el título de "Festival Dadá". Sólo la redacción del programa de dicho festival es ya una de las piezas más fuertes y expresivas de la anti-literatura dadaísta. Comienza con un capítulo, "El sexo de Dadá", y síguele "El célebre ilusionista Philippe Soupault" Este "número" consistía en lanzar desde el escenario globos de colores, que Soupault pinchaba y hacía estallar al volver a sus manos. Cada uno de esos globos llevaba el nombre de una personalidad conocida. Mas la pieza que suscitó el huracán tormentoso fue la interpretación al piano, por Marguerite Buffet, de *La nodriza americana,* música "sodomítica" de Picabia. Agravó este escándalo *La segunda aventura celeste del señor Antiphyrine,* por Tzara, representada por los afiliados, que salían enmascarados con unos gorros cilíndricos de papel y unos delantales negros donde constaba el nombre de cada personaje.

Otros "números de fuerza" en el programa eran: "Manera fuerte", por Paul Eluard: "Festival manifiesto présbita", por Francis Picabia; "Tu me olvidarás", *sketcht* por André Breton y Philippe Soupault; "Danza frontera", por Ribemont-Dessaignes; "Sistema D D", por Aragon; "Vaselina sinfónica", por Tzara, representada por veinte personas. El escándalo, en ciertos momentos, llegó a tal punto que los intérpretes de estos números —los mismos dadaístas— recibieron la indignación del público en forma de hortalizas sobre sus rostros. Este desencadenamiento del huracán, favorecido, claro es, por los mismos dadaístas, dejó a muchas gentes confusas como ha contado luego uno de los actores. ¿Se trataba de un arte o de un verdadero sacrilegio, cometido en detrimento de cosas verdaderamente respetables? Por su parte, Tzara fue más explícito al escribir años después: "Hubo hasta cierta emulación en nuestro empeño de pasar por imbéciles. A tal punto que algunos críticos comenzaron a dudar si no nos harían obrar así móviles secretos. A pesar de la parte considerable de gratuidad en nuestros actos, destinados a desconcertar, hasta a los mejores intencionados, lo que caracterizaba nuestra posición negativa frente al plano de la realidad era un sentido polémico muy vivo, sostenido por invectivas acerbas. De hecho, la rebelión entre el arte y la vida fue más compleja, pero a ese esquema, en definitiva, puede reducirse el sentido de nuestras manifestaciones en aquellos años."

DECLINACION

1921 marca en los fastos dadaístas el fin del apogeo y el comienzo de la decadencia. No obstante, aún se celebran sesiones espectaculares y no dejan de salir publicaciones. Entre las más curiosas, una hoja titulada "Dada soulève tout", suerte de manifiesto homeopático colectivo. "Dadá conoce todo. Dadá escupe todo. Dadá no tiene ideas fijas. Dadá no atrapa las moscas. Los ministerios caen. ¿Por quién? Por Dadá. El futurismo ha muerto. ¿Por qué? Por Dadá. Una joven se suicida. ¿A causa de qué? De Dadá. Dadá es la amargura que abre su risa sobre todo lo que ha sido hecho, consagrado, olvidado..." Y por si no bastara lo anterior, agregan: "Dadá no tiene ninguna razón. Los imitadores de Dadá quieren presentarnos Dadá bajo una forma pornográfica, bajo un espíritu vulgar y barroco que no es la *idiocia pura reclamada por Dadá*, sino el dogmatismo y la imbecilidad presuntuosas." ¿Gracioso todo esto? No siempre. ¿Trágico como la broma o la embriaguez que quiere ocultar el pesimismo o la desesperación? En modo alguno puesto que la vitalidad y la alegría de quienes tales cosas afirmaban no era ficticia.

Las manifestaciones colectivas, primaveralmente, en la Galería Montaigne, dispuestas con el mismo carácter de las primitivas, ya no gozaron del mismo favor por parte del público, una vez aplacado el primer hervor de curiosidad. Además, en aquel momento estalla públicamente la escisión que venía fraguándose en silencio, empero la aparente solidaridad. Y aquí copio unas líneas del informe privado y esclarecedor que me envió entonces Philippe Soupault: "Movíanos un gran deseo de actividad que nos impulsaba a expresarnos en público: los unos por una especie de vocación (Tr. Tzara, A. Breton), los otros por convicción (Ph. Soupault, L. Aragon, P. Eluard), y otro, en fin, por un deseo morboso de publicidad escandalosa (Picabia). Reinaba una gran confusión, pero nadie lo advertía por estar todas las miradas pendientes de nuestros gestos y ademanes durante la era de las manifestaciones. Se vio, sin embargo, cómo iban surgiendo las diferencias y Picabia, especialmente, fue quedando al margen. Este se dio cuenta de que no poseía ya valor para mostrarse en público, y como quiera que los periódicos hablaban menos de él que de los demás dadaístas, intentó entonces reanudar su publicidad personal. Y comenzó por declarar que el dadaísmo había muerto y que sólo Picabia existía." Efectivamente, en un artículo del diario de espectáculos *Comoedia* anunciaba su separación del grupo Dadá. "El espíritu *Dadá* sólo ha existido de 1913 a 1918, época durante la que no ha cesado de evolucionar y transformarse; a partir de ese momento se ha transformado en algo tan insustancial como la producción de la Escuela de Bellas Artes o como las lucubraciones estáticas ofrecidas por la *Nouvelle Revue Française*. Queriendo prolongarse, *Dadá* se ha encerrado en sí mismo." Agregaba que le interesaban las ideas nuevas, mas no su especulación; que es preciso ser nómada, atravesar los países, como las ideas, a gran velocidad, etc. Picabia, posteriormente, en *L'Esprit Nouveau*, reiteraba que para él Dadá sólo había existido (ahora alteraba las fechas de antes) de 1912 a 1916, antes de su aceptación por el público. Una vez impuesto, cuando Dadá corría el peligro de formar discípulos, comenzando a dogmatizar, ya no le interesaba y se alejaba de él.

En el capítulo de festivales, el último fue la "Soirée du Coeur à Barbe", celebrada en julio de 1923. Pero en realidad, aquí el escándalo superó todo lo imaginable, rebasó el de las veladas anteriores, ya que no fue el público, sino los mismos dadaístas quienes se pelearon en escena, al punto de que su final fue la entrada de la policía. La escisión se acusa en varias hojas de 1921. Por parte de Picabia, en un número único de *Le Philaou-Tibaou*; a modo de réplica aparece una revista de Tristan Tzara, *Dada-Tyrol en plein air,* que puede considerarse como última salida de las revistas puramente dadás. Del mismo Tzara, una vez fracasado el Congreso de París —que más adelante señalaremos— es *Le Coeur à Barbe,* donde ya colaboraban distintos elementos y abundaban los ataques contra los antiguos dadaístas. A ese número impar responde Picabia con otro también excepcional de *La Pomme à Pin.*

INTERLUDIO.
SEMBLANZAS DE TZARA Y DE PICABIA

Al llegar a este punto conviene hacer una pausa en la crónica narrativa para examinar más de cerca la personalidad de Tristan Tzara y de Francis Picabia, ya que ambos pertenecen estrictamente a Dadá; las semblanzas particulares de otros —Breton, Soupault, Aragon...— encajan más exactamente en el capítulo sobre el superrealismo. Hay un aspecto de Tzara que hasta ahora no habíamos anotado, el poético. Pues aunque su renombre provenga fundamentalmente de sus manifiestos, el mayor esfuerzo lo aplicó siempre a la poesía. Sólo en este sentido tiene razón un articulista de *Arts* (París, diciembre 1963), cuando afirma, a raíz de la muerte del poeta, que el Tzara de los manifiestos ha ocultado durante largos años el rostro del Tzara poeta. Más exacto sería decir que ambos se completan, y la prueba es que para entender su poesía es menester confrontarla siempre con sus teorías, restando de las últimas la parte más provocativa. "No hay más que dos géneros —escribió Tzara hacia 1933—: el poema y el libelo. Inspiración y cólera." Se equivocarían, pues, los que tomaran al pie de la letra la fórmula que años antes, en 1920, durante la época de mayor efervescencia del movimiento creado por Tzara, había dado él mismo. Me refiero a su "receta para hacer un poema dadaísta", que dice así:

"Tomad un diario y unas tijeras. Cortad un trozo de artículo que tenga la extensión prevista para vuestro poema. Recortad cada una de las palabras y metedlas en una bolsa. Removedlas suavemente. Extraed después cada una de las palabras al azar. Copiadlas concienzudamente. El poema se os parecerá. Y heos aquí un escritor infinitamente original y de una sensibilidad encantadora, aunque incomprendido por el vulgo."

Al margen de esta ocurrencia se situaba Cocteau cuando escribía que Tzara es un poeta y que haga lo que hiciere produciría poesía. A lo cual yo agregué hace años de modo más congruente —comentando la impresión de descarga torrencial que daba su libro *L'antitête*—: el fluido de Tzara es de tal naturaleza que consigue dar sentido poético hasta al estornudo. Y ya que he citado un libro, importa no dejar de anotar algunos de los restantes. Entre los iniciales: *Npala Garroo* (1915), *La première aventure céleste de M. Antiphyrine* (1916) y *Vingt-cinq poèmes* (1918). Los tres llevan grabados en madera de Janco y Arp, dato que indudablemente otorga un valor de singularidad a estas piezas (puesto que Dadá, al igual que el superrealismo, se cotiza quizá hoy más en su expresión artística que en la literatura). Contienen poemas, más exactamente, palabras en libertad, pero en un sentido muy distinto al de Marinetti; y el primero intercala párrafos parafraseados luego en un manifiesto. Por ejemplo: "Dadá es nuestra intensidad. Dadá es el arte sin pantuflas ni paralelo; que está contra y por la unidad y resueltamente contra el futuro..."

En cuanto a sus trozos poéticos, oigamos a Soupault: "Los poemas de Tzara son banderas. Sus colores son deslumbrantes: ultravioleta, azul eléctrico, escarlata. Los pobres ojos de los lectores de hoy no pueden resistir mirarlos de frente. Hacen falta los lentes del tiempo y quizá los de la muerte." Un solo ejemplo:

> *Les papillons de 5 mètres de longeur se cassent / comme les miroirs, comme le vol des fleuves nocturnes / grimpent avec le feu vers la voie lactée.*

Del mismo modo que —según antes dije— no conviene tomar demasiado en serio su receta poética, tampoco procede tomar en broma su sintaxis descoyuntada. Como en tantos otros casos contemporáneos el orden de sus palabras obedece a otro engranaje que el lógico. Y aun dentro del aparente azar se esconde un orden de conexiones que no por arbitrario deja de tener sentido. Porque su verbo —escribe Soupault— "es un torrente y todas las raíces gramaticales y sintácticas que retienen las palabras son arrancadas por el huracán de su lirismo". De forma análoga René Crevel insiste en la misma sensación. "El antifilósofo (alusión al supuesto otro yo de Tzara, a su "Monsieur Aa l'antiphilosophie") es un torrente que sonroja a todas las cascadas por su chatura.

Las frases saltan, caen, danzan en cascada. La luz cabrillea sin tiempo para detenerse en ningún objeto". Sí, esta fluencia torrencial, esta desvertebración verbal de un subconsciente en bruto, más que sublimado, es la característica de su segunda época. Por ello los libros más representativos de tal manera —una vez vencida la primera etapa, a la que pertenecen— junto con los libros antes indicados, *Calendrier cinéma du coeur abstrait* (1921) e *Indicateur des chemins du coeur* (1928), son: un vasto poema de intención cosmogónica, *L'homme aproximatif* (1930), y sobre todo dos libros que mezclan poesía y prosa teórica: *L'antitéte* (1933) y *Grains et issues* (1935). Confirman que si el azar tiene un gran papel en esta poesía, la parte de la arbitrariedad es mucho menor de lo que parece. Pues Tzara razona agudamente y sabe adónde va.

A prueba: el lúcido ensayo sobre la situación de la poesía en la revista *Le surréalisme au service de la révolution*. Tzara opone ahí con toda nitidez dos conceptos de la poesía que, aun bajo distintos nombres pelean y han peleado siempre en muy distintos climas y épocas. La poesía, medio de expresión, y la poesía actividad del espíritu. La crisis y acabamiento de la primera le parece indudable, mientras ve cómo se acrece constantemente la segunda. Ahora bien, según Tzara, para que la poesía actividad del espíritu se establezca plenamente será menester que se desprenda del lenguaje. Y aquí radica la utopía de tales empeños, ya que la poesía rigurosamente inefable no pasa de ser un espejismo, se viene abajo al fallarle el soporte del verbo; y lo que quede, una vez consumado el derrumbe del lenguaje, serán gestos, sonidos, movimientos, imágenes (mímica, música, danza, cinematógrafo), pero sin nada de común con la literatura. ¿O es ésta, al cabo, la meta suicida adonde quieren llegar los apologistas unilaterales del panlirismo? Pero puesto que estas consideraciones rebasan el campo expositivo en que venimos moviéndonos e interfieren en el polémico, cortémoslas aquí. Cierto es que a continuación debemos aclarar que lo perseguido por Tzara y otros no era sino la expresión de una violenta hostilidad contra la "poesía-arte", contra la "belleza estática". A éstas se opone Dadá, y en tal sentido el mismo Tzara recuerda los hechos siguientes. Cuando en 1920 Picabia, en la primera manifestación parisiense de Dadá, expone un dibujo ejecutado sobre un pizarrón, que borra en seguida (anticipándose así a cierta máquina de Tinguely que forma un "objeto artístico" para destruirlo acto seguido); cuando el propio Tzara lee un recorte de periódico, mientras suena un timbre eléctrico que apaga su voz; cuando bajo el título de "Suicidio" Aragon publica un alfabeto en forma de poema, etc., "¿acaso no conviene ver en todo ello la afirmación de que la obra poética no tiene valor estático, puesto que el poema no es el fin de la poesía y ésta puede existir muy bien en otra parte?"

Los títulos de los libros de Francis Picabia dicen ya por sí mismos mucho más que su contenido: *Poèmes et dessins de la fille née sans mère* (1918), *Pensées sans langage* (1919), *Jésus-Christ rastaquoère* (1920), *Unique eunuque* (1921). Escribía de él Tzara en la *Anthologie Dada*: "Francis Picabia escribe sin trabajar. Desdeña el oficio. Sus poemas no tienen fin y sus prosas jamás comienzan". Y luego: "En pintura Picabia ha destruido la belleza, constituyendo con los residuos —cartón, dinero— el pájaro del mecanismo eterno: cerebro en relación con las cualidades de las máquinas." Conatos de una semblanza que bajo su apariencia elogiosa transparecen más bien lo contrario. Se justifica: aun siendo Francis Picabia el menos valioso intelectualmente, en rigor pudiera encarnar mejor que ningún otro el prototipo del dadaísta puro. Le importaba destruir, como meta única y definitiva, sin vistas ulteriores a ninguna construcción. Fue el más encarnizado defensor de la nada absoluta, excepto en su vida, pasablemente colmada de viajes, amores, peripecias. ¿Hasta qué punto influía en él cierta vitalidad y escepticismo conjugados con posible abolengo hispánico? Su apellido completo: Martínez de Picabia. Era el más viejo de los dadaístas —había nacido en París en 1879; murió en 1952. Su padre era español, cónsul de Cuba, y su madre francesa. Hombre de alguna fortuna, subvencionó manifestaciones y revistas de Dadá.

Aunque en este período se aplicara más a pintar —o dibujar simplemente disparatadas fantasías mecánicas —pero sin nada de común con la maquinolatría futurista—, comenzó muy joven, en una línea muy distinta, la del impresionismo. Expuso en el académico "Salón de Artistas Franceses" (1894), para terminar disidente de todos los grupos, al hacer que le expulsaran del Salón de Independientes (1921). Fue alumno y seguidor de Picasso. Después, bajo la influencia de Apollinaire, pasó por el cubismo, y junto a Alfred Stieglitz y Marcel Duchamp, en Nueva York, inició las primeras buscas dadaístas. Un libro de Pierre de Massot *(De Dada à 391)*, una biografía apologética de Marie de la Hire y artículos de la que fue su mujer, Gabrielle Buffet, reconstruyen curiosos, extravagantes pasos de la existencia de Picabia. Nada dotado para el desarrollo discursivo, más propenso a los aforismos, pocos de éstos consiguen, sin embargo, dar en el blanco. Entre las excepciones: "Toda convicción es una enfermedad". "La vida sólo tiene una forma: el olvido". "La parálisis es el comienzo de la sabiduría". Pero realmente, a juzgar por su actuación en el dadaísmo y por la "puñalada trapera" que le asestó cuando todavía no se había resuelto a desaparecer voluntariamente, su frase más sincera es otra: "Sólo hay un sistema bueno y es el sistema *épatant*". Se le debe el argumento de uno de los más audaces films del período experimental de este arte: *Entr'acte* (1924), realizado por René Clair, como intermedio efectivo del "ballet" *Parade*, de Cocteau, con música de Eric Satie. Los títulos que daba a algunos de sus cuadros son aún más singulares que los de los libros; por ejemplo, "Udnie", "Edtaonisl", "L.H.O.O.O.".

Contraponiendo Tzara a Picabia, Jean Cocteau escribía que mientras el segundo quita sentido a aquello que lo tiene, el primero transmite sentido a lo que no lo posee. "El simple hecho —añadía— de que su mano dirija el azar hace que este azar sea el suyo. Tzara extrae de la nada una criatura a su imagen. Tzara sacude el sombrero y saca maravillas. Si otro le imita, solamente consigue tonterías. Poco nos importa el viejo texto donde Tzara recorta las palabras que su mano reorganiza. Un poeta debiera únicamente publicar su firma, cambiando el orden de las palabras, y rubricar debajo". En cuanto a Picabia: "No le gusta la pintura. Se limita sencillamente a abrir su reloj o contemplar su mecanismo. No miradle como pintor. Las sugerencias y los caprichos de su pensamiento se expresan por medio de otra lengua". Cuál fuera ésta es lo que nunca llegó a hacerse público. En cambio, de "la hija nacida sin madre", esto es, de la máquina, o más exactamente de los tornillos, bielas, poleas y engranajes, que componían sus dibujos mecánicos, alguna utilidad se ha derivado en ciertas construcciones mecánico-escultóricas, como los móviles motorizados de Nicolás Schoeffer y otros; entre ellos, Jean Tinguely y sus esculturas "metamecánicas".

EL PROCESO A BARRÈS

En el curso de 1921 las disconformidades sin objeto de los dadaístas comienzan a presentar ciertas finalidades concretas. A este nuevo sesgo corresponde el proceso a Maurice Barrès. ¿Por qué eligieron esta figura tan prestigiosa y seguida por los jóvenes hasta la guerra del 14? Les ofendía que aquel gran escritor —al que, en el fondo, Aragon y Breton seguían admirando como un maestro de estilo, portavoz en su juventud de las ideas de Stendhal y Nietzsche— les hubiera traicionado; les irritaba que el autor de *Un homme libre* y de *L'ennemi des lois* se hubiese convertido en un nacionalista predicador del belicismo. A título documental —como en otros casos— reconstruyamos los más pintorescos detalles (recogidos en un número de *Littérature,* bajo el título de "L'affaire Barrès") del proceso, 13 de mayo de 1921. Tuvo todo el aparato propio de un mecanismo judicial: "acta de acusación", "declaraciones de los testigos", etc., satisfaciendo así quizá la más íntima vocación de Breton, que ya asomaba sin represiones, su espíritu de implacable fiscal o fanático inquisidor. De hecho, con este acto Breton desplazaba a Tzara y a los demás, pasando a asumir las iniciativas del dadaísmo; se cambia así lo bufonesco en trágico (sin que el primer carácter desaparezca) y quedan abiertas las esclusas de lo que luego se llamaría "el terror en las letras"; a Drieu la Rochelle corresponde esta calificación —a él por lo menos le oí esta frase—, si bien años más tarde la utilizaría Jean Paulhan en sentido más amplio —aludiendo al miedo a usar de la retórica—, como segundo título del libro *Les fleurs de Tarbes.*

Por lo demás, Breton había ya preconizado la necesidad de "pasar a las vías de hecho", transformando Dadá en "una sociedad secreta con ramificaciones misteriosamente extendidas y encargada de hacer imposible la vida de ciertos personajes conocidos e importantes. De esta suerte se constituyeron en tribunal para juzgar a Maurice Barrès, "acusado de crimen contra la seguridad del espíritu". Se nombró un presidente, André Breton; dos asesores, Th. Fraenkel y P. Deval; un acusador público, Ribemont-Dessaignes; Aragon y Soupault, más "humanitarios", actuaron como abogados defensores de Barrès. Los restantes dadás y otros escritores desfilaron en calidad de testigos.

Doce espectadores formaron el jurado. Repartidos de este modo los papeles para la agresiva farsa, faltaba la presencia del mismo acusado, quien el mismo día abandonó París. Se le remplazó por un maniquí adecuadamente caracterizado y en consonancia con la indumentaria de los dadás: largas blusas blancas y birretes, encarnados para el tribunal y el acusador, negros para los defensores. Naturalmente, esta ceremonia —recuerda Ribemont-Dessaignes—, con su aparato judicial, su aire mixto de seriedad y de comedia satírica, atrajo mucho público juvenil y bullanguero y no menor indignación de otros sectores.

"Barrès se ha creado en estos tiempos una reputación de hombre de genio que le pone a cubierto de toda investigación profunda, de toda crítica y sanción. Su lucidez reposa sobre una confusión completa entre una especie de lirismo romántico y una claridad de espíritu que nunca ha poseído". Así comienza André Breton el acta de acusación contra Barrès, pieza modelo de crítica documental, llena de juicios sagaces y de condenaciones ineludibles. Lejos de ella las bufonerías peculiares de Dadá: la ordenación y el vocabulario de esta acusación son severamente judiciales: "Los libros de Barrès —agrega— son propiamente ilegibles: su frase sólo satisface el oído. Barrès ha usurpado, por tanto, un título de pensador". Y aludiendo a su famosa teoría del "culto del Yo" expuesta en su tríptico: *Sous l'oeil des barbares, Un hombre libre* y *Le jardin de Bérénice,* dirigida a adquirir "una regla de vida interior que supla los sistemas incapaces de crear en nosotros certidumbres", agrega Breton: "Hablar del Yo con mayúscula, y crearse un lenguaje abstracto que tiende sobre todo a lo pintoresco, es rehusar el explicarse categóricamente". Critica luego la rectificación de sus principios juveniles y la persistencia en continuar una obra de contradicciones, negando su condición presunta de hombre libre. Siguen después las declaraciones de los testigos, entre los cuales hay humorísticas arbitrariedades, mezcladas con serias impugnaciones de Romoff, Tzara, Ungaretti, Rigaut y Drieu la Rochelle. La nota más humorística o virulenta la dieron Benjamin Péret y Jacques Prévert. El primero apareció disfrazado con una máscara antigás y un uniforme de soldado alemán cubierto de lodo y sangre; dio ante el tribunal, el nombre de "soldado desconocido". Prévert prorrumpió en gritos absurdos tales como "Vivent la France et les pommes frites".

HACIA LA DISOLUCION

A despecho de la resonancia que el "proceso a Barrès" originó, el dadaísmo perdía fuerza y cohesión. Tzara y Picabia —sobre todo el segundo— se manifestaban rigurosamente enemigos de todo acto "serio" —aun bajo envolturas bufas. Frente al erostratismo de Picabia —páginas atrás mencionado—, los demás no se desanimaron. Dan comienzo a lo que llamaban "la acción secreta del dadaísmo". Y aquí sigo copiando otros párrafos del informe-memoranda, que en aquellas fechas me entregó Philippe Soupault: "Nosotros —me decía, refiriéndose a la etapa 1921-1922— seguimos nuestra campaña, basándonos en una filosofía que no es posible definir aún. Mientras que Hegel niega para afirmar, Dadá niega por negar, apoyándose solamente en el extraordinario deseo de destrucción que reposa en el fondo de todo hombre. Dadá quiso ampliar su dominio y, después de haber afrontado la literatura, dirigió sus miradas hacia la religión, la política y la filosofía. Era lógico que estos debates no fuesen tan públicos como los referentes al arte y la literatura; los dadás, por lo tanto, trabajaron silenciosamente y hasta decidieron inaugurar una acción secreta del dadaísmo. [Todo lo que sigue superfluo es agregar que debe tomarse "cum grano salis".] Comenzamos por querer imponer a todos los recuerdos de una ciudad la palabra DADA. Se alquilaron varios hombres para fijar sobre todos los muros, durante toda la noche, la palabra DADA. Durante más de dos meses todas las carteleras vieron florecer en la selva de los "affiches", esta misma palabra. Todos los diputados y senadores recibieron una carta particular a propósito del Movimiento Dadá. Todas las corporaciones fueron aludidas directamente por el dadaísmo. Esta acción secreta duró próximamente cinco meses, pero lentamente fue renaciendo el deseo de individualizarse. Los unos añoraban los artículos periodísticos y lamentaban el silencio hecho en torno a sus nombres. Así Breton y Aragon, poco satisfechos de esta acción secreta, se retiraron, pero no descubrieron sus verdaderas intenciones sino poco después —marzo de 1922— yendo a rencontrarse con el agente de publicidad que se llama Francis Picabia".

Pero dejando a un lado estos pleitos intestinos —comunes a toda agrupación literaria o política, que mostraban cómo la continuación del dadaísmo, en lo que tenía de grandiosa bufonada, se había hecho ya imposible—, reseñemos ahora un proyecto de signo muy opuesto, quizá por eso mismo frustrado.

EL FRUSTRADO CONGRESO DE PARIS

Me refiero al Congreso de París "para la determinación de direcciones y la defensa del espíritu moderno", que habría de celebrarse en marzo de 1922, por iniciativa de Breton. Le acompañaban figuras muy distintas a los dadás, interesados por construir, afirmar o al menos aclarar cuestiones del arte que se abría paso. Eran tres escritores, Jean Paulhan, entonces secretario de la *Nouvelle Revue Française,* Amédée Ozenfant, director de *L'Esprit Nouveau,* Roger Vitrac, director de *Aventure,* un músico, Georges Auric, y un pintor, Robert Delaunay. Se invitaba para concurrir "a todos los que intentan hoy día en el dominio del arte, de la ciencia o de la vida un esfuerzo nuevo y desinteresado". "Queremos ante todo —explicaban— oponer a cierta fórmula de devoción al pasado —ya que constantemente se habla de la necesidad de una pretendida *vuelta* (¿?) a la tradición— la expresión de una voluntad que nos lleva a obrar con el mínimo de referencias. Dicho de otro modo, a situarnos como punto de partida, fuera de lo conocido y lo esperado". Se hablaba luego de proceder "a la confrontación de los valores nuevos, con el fin de darnos cuenta de las fuerzas en presencia y precisar la naturaleza de sus resultados". Después de tan serios prolegómenos, el Congreso declaraba sus propósitos de no limitarse a la lectura de memorias y al desarrollo de debates académicos, llegando al planteamiento de cuestiones más vivas como éstas: "¿Ha existido siempre el espíritu llamado "moderno"?; ¿entre los objetos llamados "modernos", un sombrero de copa es más o menos "moderno" que una locomotora?" Por cierto, recuérdese, o sépase, que en las cubiertas de la segunda época de *Littérature* (1922) lucía un sombrero de copa dibujado por Man Ray, y que, por lo tanto, la pregunta ya estaba respondida aunque irrisoriamente —al modo de Dadá— por Breton. Con la misma intención, pero en una línea diferente, Cocteau, siempre queriendo estar de vuelta, había escrito a propósito del futurismo marinettiano: "¡Abajo la máquina! ¡Viva la rosa!". Bien mirado, a casi ninguno de los que firmaban la convocatoria del Congreso de París parece interesarles con seriedad, si juzgamos por sus antecedentes, el "espíritu moderno" como tal. Entre los escritores, Paulhan, al margen de extremos, se situaba más bien entre lo elusivo y lo irónico; Vitrac, luego comediógrafo, carecía entonces de personalidad y su revista, *Aventure,* entendía ésta como una fuga, a la manera de Rimbaud; de suerte que la única persona interesada por afirmar las aportaciones propias del tiempo era Ozenfant, según podía inferirse del carácter de su revista, ya que en las páginas de *L'Esprit Nouveau,* fundada con Le Corbusier en 1920, fue donde primero se llevó a cabo la exaltación y explicación sistemática del cubismo y de la arquitectura funcional.

SALDO EN BLANCO. ULTIMOS EPISODIOS

Con todo, es sensible que el único saldo, en la columna de haberes, que pudo haber dejado el dadaísmo, removiendo y aclarando conceptos tan discutidos en aquellos años y los siguientes, quedara frustrado. ¿A quién la culpa? Breton —en sus *Entretiens*— achaca a Tzara algunas maniobras de obstrucción; éste, a una extemporánea

Cabecera de carta con membrete de la revista "L'Esprit Nouveau"

49. Dibujo de Fernand Léger para la obra de Ivan Goll "La Chapliniade", en *Le Nouvel Orphée* (Dresde, 1920)

50. Otro dibujo de Léger para "La Chapliniade"

51. Los dadaístas en Weimar (1922): Lisitzky, Nelly Van Doesburg, Theo Van Doesburg; abajo: Hans Richter, Tristan Tzara y Hans Arp

52. Georg Grosz y John Heartfield sostienen un cartel con una frase de T: "El arte ha muerto. Nace el nuevo arte de la máquina"

53. La primera exposición Dadá en Berlín, 8 de junio de 1920

acusación "chauvinista" del primero. En cualquier caso, lo innegable es que el grupo dadá quedaba resquebrajado y que aquel episodio, junto con el escándalo dado por Eluard y Breton durante la representación, en el Teatro de los Campos Elíseos, de una farsa de Tzara, *Le coeur à gaz*, acabaron con el dadaísmo en cuanto grupo o movimiento. Pero se dirá: ¿acaso el cisma no habría dejado de acechar, desde el primer momento, a escritores tan temperamentalmente hetedoroxos? Era difícil que se mantuvieran mucho tiempo juntos quienes sólo se habían reunido para negar. De ahí que —con ayuda de las vanidades mutuas— el espíritu colectivo aflojase, tomando la delantera los ímpetus individuales y disociadores. Uno de los que más contribuyeron desde el principio a fomentar las divisiones fue un recién incorporado al grupo, Jacques Rigaut, que conoceremos más de cerca al historiar el superrealismo. "Rigaut —escribe Ribemont-Dessaignes—, espíritu particularmente disociador, se mostró *dadá* entre los *dadás*. Es decir, impulsó a la desmoralización, no fue extraño a la ruina de Dadá y, en suma, cumplió su papel a maravilla."

Otro episodio de la disolución fue el de "la carta anónima". Cierto día Tristan Tzara recibió una carta sobremanera injuriosa, sin firma, redactada en tal forma que era inevitable sospechar su autor en cualquiera de los dadaístas o en uno de sus enemigos inmediatos. Consecuencia de la dialéctica hegeliana-dadaísta fue llegar a pensar que tal carta había sido escrita por uno de los miembros de *Littérature*, bien fuera Breton, Aragon, Soupault o bien Fraenkel o Picabia o, en suma, el mismo Tristan Tzara, quien podía haberse enviado la carta a sí mismo, con el fin de introducir la sospecha en el seno de su propio grupo. Sin embargo, se convino en aceptar una hipótesis: hacer culpable a Pierre Reverdy. Una delegación dadaísta fue a visitarle, pero éste convenció a todos de su inocencia. Mas la cosa no paró ahí y siguieron otras cartas anónimas, dirigidas a los demás dadás, que se atribuyeron a Picabia. Así continuó la broma insultante hasta que el autor de tales misivas —todavía ignorado— se cansó y el juego cansó de interesar al propio desmoralizador.

Mayor trascendencia disolvente tuvo el episodio del camarero de Certa. Certa era un café del pasaje de la Opera —después demolido para la apertura del boulevard Haussmann—, situado en el centro de París; en tal lugar, por odio paralelo contra Montmartre y Montparnasse —los sitios habituales de los cafés artísticos— acostumbraban a reunirse diariamente los dadás. Sobre estos lugares ha dejado Aragon soberbias descripciones en las mejores páginas que haya escrito nunca, en la primera parte de *Le paysan de Paris*. Pues bien, aconteció que un día (seguimos la narración que hacen, coincidentes, Ribemont-Dessaignes y Josephson) un mozo del café dejó olvidado sobre el diván su billetero. Los dadaístas se apoderaron de él y sobrevino una gran discusión, planteándose cuestiones de este tenor: ¿debían quedarse con el dinero o debían devolverlo? Sus teorías de rebelión contra la moral común les aconsejaban guardárselo. Pero había que tener en cuenta que se trataba del jornal de un pobre mozo de café. ¿No era ello reprensible desde el punto de vista dadá? Caso muy distinto hubiera sido tratándose de una persona rica. Correspondía, pues, devolvérselo sin más. Ahora bien, al devolverlo ¿no daban pruebas de establecer diferencias, reprobando el robo en perjuicio de un pobre y dando muestras de ridículos sentimientos de piedad? ¿No era mucho más significativo y refinado el placer de despojar a un pobre que a un rico? Luego, guardarían el dinero. Pero ¿qué hacer de él? La discusión hízose aquí más viva. Hubo quien propuso hacer un número de revista. Otro prefería beberlo. Otro... Pero acabaron enojándose violentamente los unos contra los otros, sin llegar a ningún acuerdo. Lo único cierto es que Paul Eluard se hizo depositario del billetero, para resolver la cuestión. Pero, mediante manos anónimas, al día siguiente el dinero volvía al mozo del café. Eluard fue duramente acusado, cuando los demás se enteraron. En todo caso, la solución finalizaba una discusión estéril, revelando la imposibilidad en que se hallaba el dadaísmo de pasar a un "plano empírico".

PARA UN BALANCE FINAL

El paso que determinó el descrédito del dadaísmo fue el mismo que sincrónicamente, de modo paradójico, decidió el crédito intelectual de alguno de sus miembros. Aludo a su entrada en la "normalidad literaria" que tanto habían despreciado. Ya en 1920 la *Nouvelle Revue Française* había publicado un artículo de André Breton, titulado "Pour Dada" (luego en *Les pas perdus*), al que respondió Jacques Rivière, director entonces de aquella publicación, con otro muy significativamente titulado "Reconnaissance à Dada". Con ello daba un golpe muy duro a Dadá poniéndole al borde de la "consagración literaria" —según ha declarado años después Breton *(Entretiens)*. Philippe Soupault, por su parte, no había vacilado en colaborar con los "ortodoxos", participando en la dirección de la *Revue Européenne,* al lado de Valéry Larbaud y Edmond Jaloux; poco después comienza a escribir novelas. Otros se profesionalizan. En suma —escribe Ribemont-Dessaignes— Dadá se cogía los dedos en los engranajes de la literatura, como un verdadero movimiento literario. Tal es la marcha de toda construcción del espíritu, aunque parezca consagrada a destruir. No hay revolución que no acabe por coagularse en un orden nuevo."

Por su parte, Jacques Rivière, en el artículo mencionado, explicaba el dadaísmo como el último avatar en el proceso del subjetivismo. "Todas las escuelas modernas han sido heroínas y víctimas a la par del subjetivismo. Este ha llegado demasiado lejos y concluye en la reducción al absurdo del yo. En el siglo XIX es cuando el escritor comienza a perder sentido de la realidad." Y tras explicar los avatares de este proceso, concluía afirmando: "Es preciso que renunciemos al subjetivismo, a la efusión, a la creación pura, a la transfiguración del yo, a esta constante preterición del objeto que nos ha precipitado en el vacío. Será menester que el mundo ideal, que tiene por misión suscitar el artista, nazca solamente de su aplicación a producir lo real y que la mentira artística sólo sea engendrada por la pasión de la verdad."

Contrariamente, Breton, en su réplica, se oponía a que se asimilara

Dadá a un subjetivismo. "Ninguno de los que aceptan hoy esta etiqueta tiene el hermetismo como finalidad." "No hay nada incomprensible —dijo Lautréamont—. Me asocio a la opinión de Valéry: 'El espíritu humano me parece hecho de tal suerte que solamente puede ser incoherente para sí mismo'; y agrego que no puede ser incoherente para los demás." Pero, en definitiva, Breton, acudiendo a caminos laterales, estaba ya en 1920 muy lejos de defender el dadaísmo; encaraba otras metas: "Sabemos que más allá encontrará libre curso una fantasía personal incontenible que será más dadaísta que el movimiento actual." Y citaba en apoyo una frase procedente más bien del campo enemigo: "Dadá no subsistirá más que dejando de ser." Lo que por cierto coincidía de modo sorprendente con una declaración de Tzara: "Dadá es una cantidad inmensa de vida en transformación."

Y muchos años después, 1948, al hacer un recuento de lo que había significado Dadá, el mismo Tzara (*Le surréalisme et l'après guerre*) escribe: "La tabla rasa, de la cual hicimos el principio directivo de nuestra actividad, sólo tenía valor en la medida en que "otra cosa" debía sucederle." Esta "otra cosa" fue, para muchos, durante largos años, el superrealismo; para otros, derivó en la acomodación a un sistema políticosocial —el marxismo—, sistema donde siempre fue un cuerpo extraño. Pero no anticipemos.

Al disolverse el dadaísmo, unos se obstinaban en prolongar su malthusianismo o negación a engendrar —Tzara y Picabia particularmente—, mientras que alguno se prestaba a buscar un cauce distinto a sus exploraciones espirituales —Breton—; otros se disponían sencillamente a expresarse a sí mismos, sin ataduras de grupo —por ejemplo, Soupault—. Con todo, este último, recuerdo —según palabras transcritas en la primera edición de este libro— que me decía en París, en 1922: "Dadá no ha muerto por la sencilla razón de que no puede morir, o, si usted quiere, porque no ha existido nunca. Dadá no ha querido probar nada. Ha suscitado muchas cóleras y muchas risas, pero nadie ha podido definirlo. Dadá, en efecto, es solamente un estado de espíritu." Y en un pasaje de su primera novela, *Le bon apôtre* (1923), donde el mismo autor analiza novelescamente el problema de la formación de una personalidad en un joven sacudido por el viento de las contradicciones, escribe muy agudamente: "Dadá fue un espejo y por eso, sin duda, estábamos tan desesperadamente pegados a él." También Tristan Tzara sufría entonces la misma fascinación, pues —según palabras privadas del mismo, que recuerdo por haberlas transcrito también hace años— respondiendo a una objeción sobre el riesgo y la tentación de la nada, expresó: "La nada de Dadá tomará siempre cualquier forma, se aplicará a todo y se transformará siempre."

¿De veras? ¿Es ésta una simple ocurrencia jactanciosa o encierra bajo tal revestimiento la intuición de algo cierto, cumplido en los avatares sucesivos de la literatura y del arte contemporáneos? Reflexionemos un momento. ¡La nada! Dadá fue efectivamente el primer encuentro con la nada. Esa nada tan asombrosa para un francés y hasta para un centroeuropeo, pero tan habitual para un español, ya que se confunde con la abominación del mundo y la ambición de eternidad en los místicos (recuérdese además el nadismo unamuniano), y no digamos para un eslavo izado sobre su nihilismo. Esa nada que poco tenía de común con la *nada* de la vertiente existencialista, la *nada* de Heidegger, aunque quizá se anticipara a ella, pues en vez de negar la "omnitud del ente" descubría en la literatura su sombra negativa, el vacío de su irrealidad y despertaba de este modo en sus hacedores-destructores el sentido de un relativismo inexorable.

Más allá de la ironía, rebasando el escepticismo, quienes poco después hicieron una encuesta preguntando: "¿Por qué escribe usted?", entrevieron que no había nada real, nada cierto y positivo, excepto la propia nada. De aquel nadismo entronizado por Dadá deriva la crisis del concepto de literatura tan palpable en la segunda postguerra; crisis que puede sintetizarse como un replanteamiento de la razón de ser de la literatura; en último extremo como el afán de que la expresión literaria sea algo más que evasión o divertimiento, queriendo hallar en la misma un sentido y una trascendencia, sin convertirla por ello en sectarismo y propaganda.

Por lo demás, resulta curioso confrontar la interpretación del dadaísmo dada por Tzara a cuarenta años de distancia: es decir, los que median entre la fecha de su primer manifiesto y la recapitulación hecha en la conferencia mencionada de 1948. En el primer momento no sólo identificaba cartesianamente la duda con Dadá, sino que en uno de aquellos manifiestos se exhibía como lema esta frase de Descartes: "No quiero saber si hubo hombres antes de mí." Lo que, desde luego, suponía un afán, nada insólito por supuesto, común a todas las generaciones disconformes nacientes, de ver el mundo con ojos intactos, sacudiéndose las nociones heredadas. Pero ¿y la negación, el alzamiento contra la literatura, cómo se explica? Tal subversión atacaba ante todo a sus fundamentos, el lenguaje, por extensión a la lógica y de rechazo a la sociedad. Cierto tipo de sociedad —aclaremos—, que ellos entendían sobrepasada o esclavizadora, sin perjuicio de aceptar años después otra que aún no ha nacido, pero que en sus fragmentarios esbozos se revela mil veces más absolutista y destructora de la personalidad que la antigua. Es la contradicción en que incurrió más adelante Tzara tanto como los dadaístas, que pasados al superrealismo se agregaron después como furgón de cola —más exactamente que como "compañeros de viaje"— al tren comunista.

Mas cortemos aquí todo asomo de polémica, prefiriendo cotejar el balance de Tzara con el establecido años después por otros militantes del dadaísmo, tales Ribemont-Dessaignes y Georges Hugnet. El primero (*Déjà jadis!*) resumía: "Nacido el dadaísmo de un impulso hacia la liberación y la vida, consciente de la fuerza y de la debilidad del espíritu humano, comprendió que sólo le era posible trabajar en beneficio de su propia ruina. Tuvo conciencia de su propia quiebra y no se opuso. La quiebra era su destino. No por ello dejó de constituir una liberación —aunque fuera provisional— para algunos individuos. Tanto peor para aquéllos que volvieron a la servidumbre." En cuanto a Georges Hugnet (*L'aventure Dada*), éste hacía, en primer término, un balance apologético, donde incluía, junto a poetas como Eluard —que sólo dan su verdadera medida años después, cuando el superrealismo— las obras de pintores como Arp, Ernst, Man Ray, afirmando que "son poesía y que han revolucionado la pintura desde el doble punto de vista del espíritu y de la técnica". Sin embargo, un contrapunto de méritos y deméritos como el siguiente llega más al fondo de la cuestión: "Dadá había exaltado la ausencia de selección, la incoherencia. Había reivindicado la idiocia pura. Al exaltar la contradicción estaba obligado a ser el movimiento perpetuo. Llevaba en sí la salvación como la muerte." "Dadá ha revolucionado todo, permitiendo volver a partir en cualquier dirección. Abolió todo, pues la afirmación igualaba a la negación, siendo hegeliano casi sin saberlo. Ayudó a que se manifestaran fuerzas que desde el fin del siglo pasado buscaban apartarse del cauce tradicional de la expresión artística. ¿Qué queda de Dadá? Todo y nada, como lo que era, la aventura en pos de la necesidad implacable, la aventura sin igual."

Tales son las palabras, pero ¿y los hechos? Aun reconociendo lúcidamente, desde el primer momento, su efimereidad, Dadá, llegado el trance final, no lo encaró de frente, buscando más bien su prolongación por otras vías: en lo exterior, adquirió la piel del superrealismo; en lo íntimo, los dadaístas, que habían querido descargarse de la responsabilidad de llegar a la meta, traspasaban a otros el encargo. De ahí la frase de uno de ellos, Clément Pansaers: "Se continuará en la generación siguiente." Y estas palabras que asimismo extraigo del informe privado de Soupault: "La pregunta que nosotros hemos dejado sin respuesta la recogerán otros más jóvenes que vienen detrás. Entre tanto, tal interrogación quedará suspendida como una espada de Damocles sobre los años 1918-1922."

Más allá de sus bufonadas, sus audacias, sus heroísmos, sus puerilidades, sus contradicciones (luz y sombra crudas, sin claroscuro); por encima de su afán de absoluto, de sus negaciones y escarnios, Dadá bien pudiera representar sustancialmente un momento extremado de la oscilación entre dos polos del espíritu permanentes. Destrucción y construcción. Un orden cuya alteración de los factores no da el mismo producto. Y si falta alguno de ellos, el equilibrio de la continuidad —realización figurada del *perpetuum mobile* —se rompe. *

---

* Véase la bibliografía de ese capítulo al final del correspondiente al Superrealismo.

5

SUPERREALISMO

UN FIN Y UN RECOMIENZO

"El superrealismo [1] ha nacido de una costilla de Dadá" —escribe muy gráficamente Ribemont-Dessaignes *(Dejà jadis!)*. Y Tristan Tzara *(Le surréalisme et l'après-guerre)* [2] corrobora: "El superrealismo nació de las cenizas de Dadá." Por consiguiente, más que comenzar ahora un capítulo nuevo, será menester ultimar el precedente con algunos escolios. Importa, en una palabra, trazar el empalme entre dadaísmo y superrealismo a fin de alcanzar una perspectiva completa, desde su génesis, del movimiento bretoniano por antonomasia. Porque decir superrealismo, ayer y hoy, no equivale sustancialmente a otra cosa que a decir André Breton: ¡tan indisolubles e identificados se hallan durante los

[1] Hace años (en una página de mi libro *Guillaume Apollinaire. Su vida, su obra, las teorías del cubismo,* 1946) expliqué sintéticamente las razones que me movían a romancear así la voz francesa *surréalisme.* La casi unanimidad en contrario, la insistencia (por pereza o ignorancia; inicialmente por contagio de los medios pictóricos, nada particularmente sensibles a la pureza y propiedad lingüísticas, al genio idiomático propio de cada país, ya que los artistas se expresan, cada vez más, con un vocabulario internacional) en decir y escribir *surrealismo* no es razón valedera para hacerme cambiar. *Suprarrealismo* —según algunos escribieron hace años: así Fernando Vela en un lugar que debiera haber sentado jurisprudencia literaria como la *Revista de Occidente*— o *sobrerrealismo* habrían sido, alternando con *superrealismo,* las lecciones correctas. (*Suprarrealismo* figura en la décimoctava edición del Diccionario de la Academia Española). Un maestro de traductores —y no sólo en estas minucias—, Enrique Díez-Canedo, reprueba abiertamente *surrealismo* ("bastarda transcripción de un nombre, aceptada sin discernimiento") en su antología *La poesía francesa moderna. Desde el romanticismo al superrealismo* (1943). Jorge Luis Borges corrobora: "La forma *surrealismo* es absurda; tanto valdría decir *surnatural* por *sobrenatural, surhombre* por *superhombre, survivir* por *sobrevivir".* Está

últimos cuarenta años un concepto y un nombre, una escuela y una obra!

Ya en el capítulo anterior quedaron apuntadas algunas de las causas externas que determinaron el acabamiento del dadaísmo. Pero las más poderosas fueron de carácter íntimo. Y éstas podrían reducirse a una sola: cansancio. Cansancio de todo: de la burla y del nihilismo, de la fácil aceptación y del ruidoso rechazo público. Tal estado de ánimo se hacía más visible en las dos figuras que llevaban la batuta detrás y delante del telón de Dadá: Francis Picabia y André Breton. El primero por odio a cualquier empresa constructora, al simple afán de fijarse en un punto dado. Continuaba así Picabia, en otro plano, la doctrina de la "disponibilidad" de André Gide, escribiendo —según antes recordé—: "Hay que ser nómada; atravesar las ideas como se atraviesan los países o las ciudades." Por su parte, André Breton, espíritu fundamentalmente serio, que nunca se había sentido a gusto en el campo dadaísta, decía ya en un artículo de 1922, titulado "Après Dada" (y recogido en *Les pas perdus,* 1924): "No aspiro nunca a distraerme. La homologación de una serie de actos dadaístas muy fútiles, a mi parecer, corre el riesgo de comprometer una de las tentativas de liberación a que permanezco más adherido." De ahí que sugiera en él una crisis —de raíz probablemente

demostrado, pues, que los prefijos *super* y *sobre* son los únicos que corresponden en español a la forma en litigio. Tratando de explicarse el prevalecimiento de *surrealismo,* José María Valverde (en el capítulo correspondiente a *Movimientos espirituales,* tomo I del *Diccionario literario González Porto-Bompiani,* 1959) escribe que tal vez se deba a "un cruce de ideas con una posible forma *sub-realismo,* pues lo mismo valdría considerar la zona psíquica exteriorizada por este movimiento como algo que está "por debajo" o "por encima" de la zona de la psique donde se presenta la "realidad" que nos interesa con tal nombre". A mi vez yo alego —y concluyo— que tal confusión o ambigüedad no es posible cuando se examina de cerca el sentido —"creencia en una realidad superior..."— dado al término por Breton en su *Manifiesto* y en todos los demás escritos; ese "cruce de ideas" sólo puede producirse por un torpe desliz analógico con las voces "sub-consciencia" y "subconsciente", muy afines, por otra parte, a la raíz freudiana inspiradora del superrealismo, pero que no abarca su totalidad de intenciones.

[2] Como en otros capítulos me limito a indicar los títulos de obras citadas; en todos los casos las referencias completas se reservan para la bibliografía final.

personal, pero transmitida a otros—, un deseo vagamente rimbaudiano de abandonarse y de perderse. "Lâchez tout" titulaba otro artículo de las mismas fechas (también en *Les pas perdus*). "Dejad todo. Abandonad Dadá. Abandonad a vuestra mujer, a vuestra amante. Abandonad vuestras esperanzas y vuestros temores. Abandonad lo conocido por lo desconocido. Partid por los caminos." Existía además otra motivación personal: una absoluta incompatibilidad de temperamentos entre quien había sido verdadero promotor del dadaísmo, Tzara (pues ciertas alegaciones contrarias de Huelsenbeck, pretendiendo que le había robado el nombre, como si esto fuera todo, no prueban nada) y Breton. El primero encarnaba entonces una especie de acracia literaria detenida en su primera fase y un sentido virulento del humor. El segundo, más allá de su libertarismo, tendía a la disciplina; por encima de sus prédicas disociadoras aspiraba a organizar, pero de otro modo y reservándose las riendas.

DIFERENCIAS Y AFINIDADES CON DADA

Al margen de estas discrepancias personales, quedan todavía por apuntar las diferencias de concepto que habrían de separar categóricamente el superrealismo del dadaísmo. Si éste había significado exteriormente el sarcasmo burlón, y, en lo íntimo, la negación absoluta, la renuncia a crear (recuérdese que Breton escribió: "No concibo que un hombre deje huellas de su paso en la tierra"), aquél, aunque aparentemente siguiera mostrando el mismo menosprecio hacia la "literatura", se orientaba de modo positivo, aprestándose a denunciar un filón intacto por explotar: el de los sueños, y proponiendo una nueva técnica: la escritura automática.

Sin embargo ¿acaso surgía como algo original el superrealismo? Todo lo contrario, visto según entonces se nos apareció, en la perspectiva escalonada de los ismos. Recordábamos así que Tristan Tzara en su segundo manifiesto se había anticipado a defender la "espontaneidad dadaísta", agregando a seguido: "Yo he pensado siempre que la escritura carecía en el fondo de gobierno, aunque se tuviera como la ilusión de él, y aún más, he propuesto en 1918 la "espontaneidad dadaísta" que debe aplicarse a los actos de la vida." De ahí por qué "aquella fantasía personal irreprimible que sería más dadá que el movimiento actual", y que —según ya hemos recordado— pronosticaba Breton a modo de una derivación de las campañas de 1920, tardó en ser aceptada como una continuación, y mucho menos como una superación.

Además, exteriormente, ciertos rasgos persistían; por ejemplo, la protesta continua, el ademán insolente, si bien cambiando el objetivo. Antes era la broma intrascendente, la mofa cruel del público que "quería comprender" y sólo encontraba una risotada en réplica. Antes era, en último caso, el ataque literario, el enjuiciamiento de algún "consagrado" —recuérdese el proceso de Barrès—. Ahora, la risa jovial se trocaba en mueca severa y la protesta rebasaba el plano de lo literario, llegando al metafísico y alcanzando implicaciones políticas o sociales. Basta ir recorriendo la colección de la revista *La révolution surréaliste* (1924-1929) para advertirlo: un día es la glorificación de un anarquista; otro el estallido de la fobia anticlerical o antimilitarista; otro la adhesión a la revolución rusa, pero en la representación pura de un disidente, Trotsky. Si en cierto momento lanzan una hoja contra Claudel, no atacan tanto al literato como al embajador de Francia en China y a la colonización francesa.

Y en lo interno del grupo superrealista surgen análogas diferencias respecto a Dadá. Antes no había disciplina de grupo. Cada cual era libre de buscar sus afinidades. Ahora el hecho de que X publique en tal revista o elogie a tal autor se denuncia como un crimen y origina largas sesiones —con abogados y fiscales— que se toman taquigráficamente y se reproducen "in extenso" para escarmiento del culpable. (Así las actas de cierta sesión incluidas en el número especial sobre "el superrealismo en 1929" de la revista belga *Variétés*). La "libre espontaneidad dadaísta" desaparece. Se crea una atmósfera de "pureza" y de intransigencia. Entrar —o permanecer— en el movimiento viene a ser —*mutatis mutandis*— como profesar en una orden monástica o en el Partido que para sus adeptos no es menester precisar, pues su simple mayusculización excluye todos los demás... El superrealismo —a partir de cierta fecha— se transforma en un equipo regimentado, de código fijo y leyes inexorables. A su frente álzase la figura imperturbable del que fue llamado "gran inquisidor", "Papa negro" del superrealismo, André Breton —características que no por eso dejan de coexistir con la posesión de valores morales, amén de los literarios, que en su lugar quedarán destacados—, imponiendo normas, fulminando anatemas. Y así a lo largo de más de cuarenta años, desde 1924 —si bien la sacudida de la segunda guerra europea y el cambio de preferencias y orientaciones juveniles experimentadas después cierran casi su influjo en 1939.

De ahí que por momentos, y pese a la significación última, en tantos puntos admirable, del superrealismo, este "movimiento continuo" —único superviviente, al cabo, de todos los *ismos*—, con sus dogmas, sus ritos y concilios, sus escisiones y excomuniones, le hagan parecer un juego de colegiales excesivamente prolongado. O al menos suscite, aun en los más favorablemente prevenidos, un sentimiento ambiguo de atracción y rechazo, el mismo que por nuestra parte hubimos de experimentar en sus primeros quince años. Pero cortemos aquí cualquier conato personalista y adoptemos el tono perfectamente objetivo —alternando con algunos intermedios críticos— que reclama una exexposición histórica, limitada a las principales teorías y peripecias del superrealismo [3].

Con todo, me permitiré advertir que al igual que en el caso de otros ismos —sobre todo en el de aquellos que me fue dable vivir de cerca— mi propósito, aun manteniéndose en dicho plano histórico-expositivo, no deja de ser, en algunas partes, ambiciosamente original. Original en el más sencillo y directo sentido de la palabra; esto es, afán de presentar los hechos, doctrinas y figuras como originariamente fueron, no según las deformaciones que después les ha infligido tanta crítica tri-

[3] No necesita ser historia completa ya que ésta quedó hecha por Maurice Nadeau *(Histoire du surréalisme,* libro seguido luego de otro complementario. *Documents surréalistes);* añádanse los *Vingt ans de surréalisme, 1939-1959,* de Jean Louis Bedouin. Esto por lo que concierne a las obras estrictamente históricas; las de carácter crítico son innumerables y su registro se reserva para la bibliografía final.

vial, tanta calcomanía descolorida. Retrocediendo así a los orígenes, más aún a los preorígenes del superrealismo, indaguemos, reconstruyamos fielmente un pasado tan remoto como próximo en sus no extinguidas derivaciones. Y comencemos por algunas interrogantes.

PREORIGENES. LA DISPUTA DE UN NOMBRE

¿Cómo nació el superrealismo? ¿Cuál fue su primera faz? ¿Qué significaba aquel movimiento de exterior ambiguo, con un tinte mitad romántico —por sus apelaciones al sueño— y mitad paracientífico, dada su utilización de Freud, más cierto afán sistemático? Veamos ahora la etapa que va desde las últimas manifestaciones dadaístas (1922) hasta la publicación (octubre de 1924) del *Manifeste du surréalisme* de André Breton. En el intervalo *Littérature* no había cesado de publicarse; dejó de hacerlo en junio de 1924 para ser remplazada, en diciembre del mismo año, por *La révolution surréaliste*. Pero a medida que pasaban sus números, advertíase cierta desorientación o cambio de tono, con la desaparición de algunas firmas y la incorporación de otras nuevas. Sin embargo, ninguno de los primeros dadaístas, por ejemplo, Tzara, Soupault, Aragon, daba por desaparecido el movimiento. (Puedo aportar este testimonio personal. Cuando en agosto de 1924, veraneando en Guéthary, una playa francesa de los Bajos Pirineos franceses, encontré, en casa de Drieu la Rochelle, a Aragon, éste me anunció nuevas manifestaciones dadaístas para el otoño.) Pero Breton ya había resuelto cosa distinta y pocos meses después daba a luz sorpresivamente su primer *Manifiesto,* anticipándose así a otras declaraciones con el mismo nombre.

Porque el superrealismo estaba en el aire y generalmente se olvida hoy —no se registra en ninguna historia— que el mismo nombre fue recabado simultáneamente por tres grupos literarios. En aquella temporada 1923-1924 Ivan Goll (poeta alsaciano, bilingüe, procedente más bien del expresionismo germánico, inventor de un vago babelismo o zenitismo: *Zenit* se llamaba la publicación que con Ljubomir Micic publica en Zagreb, Yugoslavia) da a luz un número de una revista denominada

54. Portada de *Siete manifiestos Dadá* y retrato de Tristan Tzara por Francis Picabia. París, 1924

55. Carta de Tristan Tzara con membrete del Café Certa donde se reunían los dadaístas, 1922

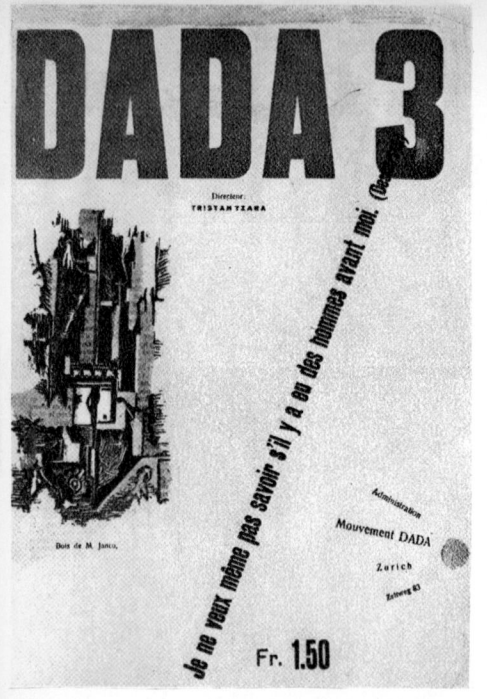

56. Cubierta de la revista "Dadá 3", Zürich, 1918

57. Cubierta de En avant Dada, de Huelsenbeck, Hannover,

58. André Breton lee, en un Festival Dadá, el *Manifiesto presbita*, de Francis Picabia

59. Programa de un Festival Dadá. 19

Surréalisme. Por su parte, Paul Dermée —que, según se recordará, había pertenecido al cubismo literario con Reverdy, en *Nord-Sud,* interviniendo luego activamente en las veladas dadaístas, que fundó, más tarde, con Ozenfant *L' Esprit Nouveau*— publica otra revista, *Le mouvement accéléré*. En ellas se mezclan las firmas de algunos primitivos dadás, como Picabia, Ribemont-Dessaignes y Céline Arnauld, con la de Pierre Albert-Birot. Pero las argumentaciones de unos y otros para recabar el rótulo poseían muy escasa fuerza. Ivan Goll se limitaba a señalar a Breton ciertos precedentes del superrealismo con el fin de rebajar sus pretensiones de monopolio. Mas, por su parte, Goll no pasaba de definir su superrealismo con términos muy vagos y genéricos —"transposición de la realidad a un plano artístico"—, alzándose contra la sumisión a Freud mostrada por el autor de *Les pas perdus* y acusándole de confundir el arte con la psiquiatría. Otra reclamación del mismo rótulo fue hecha por Pierre Morhange, junto con el grupo que redactaba la revista *Philosophies*. Si las dos primeras no merecieron ninguna réplica por parte del grupo de Breton, algo distinto sucedió con el último caso. Una "oficina de investigaciones superrealistas" que acababa de crearse y que, al solicitar aportaciones de desconocidos, venía a ser algo así como una central de los sueños perdidos, conminó amenazadoramente a Morhange: "Queda usted advertido, de una vez para siempre, que si se permite usar la palabra *surréalisme* espontáneamente y sin avisarnos, seremos más de quince en castigarle con crueldad." Fulminación apocalíptica a la que Morhange respondió con no menos solemne energía: "Venid y seréis acogidos por una defensa eficiente e implacable. Yo daría mi vida por mi honor y la daría en defensa de una coma. Mis amigos y yo —ya lo preveía— vamos a ser los últimos defensores de la libertad humana." Con este lenguaje amedrentador y estas maneras entre bufas y dramáticas dan comienzo las batallas del superrealismo; más exactamente, del movimiento bretoniano que pocos meses después vería el escenario despejado de enemigos o competidores. Por lo demás, la diferencia entre ellos y la aludida oficina de investigaciones superrealistas quedaba claramente definida en el siguiente aviso: "Que no se engañe nadie: nuestra acción reviste un carácter experimental y aventurado que no tiene nada de común con el de las vulgares especulaciones literarias y artísticas que otros han querido bautizar con el mismo nombre."

Este nombre nace de hecho con Apollinaire quien califica "drame surréaliste" su drama bufo *Les mamelles de Tirésias* (1917), cuya "tesis" más visible —todavía no se ha advertido— contradice los supuestos disolvente del superrealismo bretoniano, ya que escrito durante la guerra de 1914-1918 no es, en sustancia, sino un alegato en favor de la reproducción y responde a una preocupación de entonces: el descenso de la natalidad en Francia. Birot —director del teatrillo en que se representó— ha contado así el origen del calificativo: "En la primavera de 1917 preparábamos el programa de *Les mamelles de Tirésias*, bajo cuyo título se hallaba escrito simplemente: "drama". Yo propuse entonces a Apollinaire que añadiese algo. "En efecto —me dijo—, añadamos *supernaturaliste*; pero yo protesté contra esa adjetivación que no convenía por varias razones. Apollinaire, convencido en el acto, dijo: "Pongamos entonces *surréaliste*." La palabra conveniente estaba hallada." Las razones que le llevaron a desechar la voz *supernaturalisme* es que ya había sido empleada, con sentido distinto, por Baudelaire y por Nerval. Por su parte, Saint-Pol Roux, ya en nuestro siglo, había hablado de un "idéoréalisme". Breton reconoce estos antecedentes y advierte que, en homenaje a Apollinaire, Soupault —con quien escribió el primer ensayo del género, las prosas automáticas de *Les champs magnétiques*— y él adoptaron *surréalisme* para el nuevo modo de expresión.

EL PRIMER MANIFIESTO DE BRETON.
DEFINICIONES

Antirrealismo, antinaturalismo, negación y aun execración absoluta de lo real como materia y base del arte es lo que resalta, desde las primeras páginas en el primer *Manifiesto* de Breton. "Hay que hacer —exclama— el proceso de la actitud realista." Se rebela contra "el reinado de la lógica", contra "el racionalismo absoluto que sólo permite captar los hechos relacionados estrictamente con nuestra experiencia". Elogia "los descubrimientos de Freud, gracias a los cuales el explorador humano podrá ir más lejos en sus búsquedas, autorizado ya a no considerar únicamente las realidades sumarias". Y afirma categóricamente: "La imaginación está a punto de recobrar sus derechos." El camino para ello consistirá en no cerrar las vías de expresión a los sueños con el muro de la realidad. "Creo —aclara Breton— en la resolución futura de esos dos estados, en apariencia tan contradictorios, como son el sueño y la realidad; en una especie de realidad absoluta, de *superrealidad*, si así puede decirse." Pero no es una fusión, sino una supremacía completa del sueño lo que desea, según revela esta anécdota que cuenta de Saint-Pol Roux. Este poeta (a quien tributarían años después un homenaje que alcanzó caracteres borrascosos, murió víctima en 1940 de la invasión nazi) en el momento de acostarse solía dejar un cartel en la puerta de su habitación: "El poeta trabaja." En suma, Breton alaba sin medida "lo maravilloso, siempre maravilloso, sea cual fuere".

Mas ese maravilloso nada tiene de mítico, menos aún de moderno; se queda en los confines algo descoloridos de un romanticismo negro, tan avernal como convencional, propio de las novelas inglesas de terror muy 1820 como *El monje* de Lewis. Lo prueba el hecho —no subrayado por ningún comentarista— de ese castillo imaginario que Breton sueña habitado por sus amigos o afines de entonces. He aquí iniciales antinomias de un movimiento cual el superrealismo que en su primer aspecto se manifiesta como anacrónico: neorromántico, y por ello absolutamente inclinado al sentimiento, enemigo de la razón; rebelde, en rebelión contra el mundo exterior más que contra una sociedad determinada. Anacronismo, destiempo en que no se ha reparado: a distancia de años es difícil reconstruirlo, pero retrotrayéndolo a la década del 20 y al estado de espíritu entonces dominante resulta claramente visible. En efecto, era aquél un período de ardorosa, invencible modernidad. A él hubiera correspondido esta exhortación de Rimbaud (*Une saison en enfer*): "Il faut être absolument moderne". Fundado quizá sobre cierta base de ingenuidad, dominaba entonces una jubilosa vitalidad afirmativa, que en lo artístico se traducía mediante la incorporación de nuevos elementos, frescos estímulos temáticos. Contrariamente, ni la menor apariencia de modernidad en los motivos conductores que aportaba el superrealismo; antes bien, la negación y descrédito más absoluto de todos sus símbolos y "slogans": racionalismo, funcionalismo, maquinismo.

Mas —cortando estos primeros reparos— vengamos a la definición del superrealismo, muy reproducida, pero que no podemos dejar de incluir aquí, por André Breton:

"Automatismo psíquico, mediante el cual se pretende expresar, sea verbalmente, por escrito o de otra manera, el funcionamiento real del pensamiento. Dictado del pensamiento con ausencia de toda vigilancia ejercida por la razón, fuera de toda preocupación estética o moral."

Por cierto, esta última cláusula no tardó en ser felizmente contradicha, pues —anticipemos— lo que treinta, cuarenta años después emerge del superrealismo son ciertas actitudes éticas ante algunas crisis de conciencia (por ejemplo cuando se produjo la escisión de los afiliados al comunismo), junto con la talla moral imperturbablemente mantenida por Breton, siempre exento de concesiones y compromisos.

En cuanto a su definición filosófica, léase a continuación:

"El superrealismo reposa sobre la creencia en la realidad superior de ciertas formas de asociación desdeñadas hasta ahora, en la omnipotencia del sueño, en el juego desinteresado del pensamiento. Tiende a desacreditar definitivamente todos los demás mecanismos psíquicos, remplazándolos en la resolución de los principales problemas de la vida."

Finalmente, una relación de aquellos que habían "dado fe de superrealismo absoluto": Aragon, Baron, Boiffard, Breton, Carrive, Crevel, Delteil, Desnos, Eluard, Gérard, Limbour, Malkine, Morisse, Naville, Noll, Péret, Picon, Soupault, Vitrac. Seis años después, cuando Breton publica el segundo *Manifiesto* no le quedan más que tres nombres fieles: Aragon, Eluard y Péret, aunque otros nuevos se hayan incorporado. Mayor vigencia conserva cierta relación de precursores superrealistas. Encabezándola con "Dante y, en sus mejores días, Shakespeare"; seguía luego una larga lista: Swift, Sade, Chateaubriand, B. Constant, V. Hugo, Desbordes-Valmores, A. Bertrand, Rabbe, Poe, Baudelaire, Rimbaud, Mallarmé, Jarry, Nouveau, Fargue, Vaché, Reverdy, Saint-John Perse, Roussel.

Carácter definitorio asume también cierto párrafo —casi nunca recordado— de Louis Aragon, perteneciente no al manifiesto *Une vague de rêves,* sino a *Le paysan de Paris:*

> "Anuncio al mundo que acaba de nacer un vicio nuevo, un vértigo más, el superrealismo, hijo del frenesí y de la sombra. Entrad; aquí comenzaron los reinos de lo instantáneo. [...] El vicio llamado superrealismo es el empleo irregular y pasional del estupefaciente imagen, o más bien, de la provocación sin albedrío de la imagen por sí misma y por todo lo que aporta al dominio de la representación, ya que cualquier imagen, a cada embate, invita a revisar todo el universo. Destrucciones espléndidas: el principio de utilidad se hará extraño a todos los que practiquen este vicio superior."

En la práctica, tales teorías se traducen inicialmente mediante la "escritura automática" —a decir verdad, siempre un poco forzada desde el momento en que el autor adquiere inevitablemente conciencia de ella—. Pero esta conciencia del hecho de escribir "dejándose llevar", para lo cual se sitúan en un estado más cercano del sueño que de la vigilia, les permite dar rienda suelta a su fondo no consciente. Descubren —vienen a explicarnos— que el azar es el gran vehículo de lo maravilloso y que las imágenes insólitas brotan en aquel estado especial que precede a la llegada del sueño. Breton cuenta cómo un día, en tal momento, estaba rumiando una frase insistente, nítidamente articulada, que "golpeaba la ventana". Era algo así como "hay un hombre cortado en dos por la ventana", en lo que no podía haber equívoco, pues surgía acompañada por la débil representación visual de un hombre en marcha y seccionado en su mitad por una ventana perpendicular al eje de su cuerpo. Como quiera que en aquel tiempo vivía preocupado de Freud (pocos años antes, durante la guerra, en su condición de estudiante de medicina, Breton había hecho ensayos psicoanalíticos con algunos soldados afectados de traumas psíquicos) trató —dice— de obtener de sí mismo lo que se les pide a los enfermos: "un monólogo de elocución rapidísima, sin intervención de ningún juicio". En esta disposición de espíritu resolvió un buen día, con Philippe Soupault, pero cada uno por su cuenta, aplicarse "a emborronar papel con un plausible desprecio de lo que resultara literariamente". Y así nació un librito, *Les champs magnétiques*, en 1919. La receta que Breton da, no sin humor, para escribir de modo superrealista es la siguiente:

> "Haced que os traigan recado de escribir, después de haberos establecido en un lugar propicio a la concentración de espíritu. Haced abstracción de vuestro genio, de vuestros talentos y de los ajenos. Decíos que la literatura es uno de los más tristes caminos que llevan a todo. Escribid rápidamente, sin tema preconcebido, bastante de prisa para no olvidar y no sentir la tentación de releeros. La frase vendrá por sí sola, pues es verdad que, en cada segundo, hay una frase extraña a nuestro pensamiento consciente que sólo pide exteriorizarse."

PRIMERAS OBJECIONES.
SUPERREALISMO Y PSICOANALISIS

¿Qué tiene de nuevo el procedimiento así descrito? ¿Acaso el denostado "trance" de inspiración romántico no supone en el escritor sumergirse en una especie de nebulosa, en un estado a medias lúcido? La única diferencia es que con el superrealismo el escritor se abandona por entero a las fuerzas oscuras de lo inconsciente, hace por provocarlas; escarba en su interior, con el propósito de aflorar el oro y la escoria —con preferencia lo segundo—, hasta los últimos posos más turbios, que de otra forma no se atrevería a sacar a luz. Los superrrealistas traspasan a la literatura, convierten en sistema el método que Freud había descubierto desde comienzos de siglo, pero que sólo en la década del 20 logró plena expansión, para curar las neurosis mediante la confesión catártica. No con fines terapéuticos, sino con el de hallar un filón de poesía insólita, los superrealistas aplícanse durante algún tiempo a provocar "sueños despiertos" en algunos del mismo grupo, señaladamente Robert Desnos y René Crevel. Este es el período (1923-1925) que en la historia de los anales superrealistas se conoce como "época de los sueños", a la cual sucederá la "época razonante". Dados los riesgos que se cernían sobre estos experimentos y sus equívocas proximidades con el espiritismo, Breton hubo de suspenderlos, sin perjuicio de recaer años más tarde en otro foso semejante: el ocultismo.

Pero el riesgo máximo de confusiones viene de otro lugar. Si el psicoanálisis ha sido reconocido como un método para la interpretación de los sueños, ¿supone ello aceptar que tal procedimiento pueda homologarse con el de la creación artística o, más ambiciosamente todavía, constituir su más directo camino de acceso? Cierto es que el estado poético, la tan alabada por algunos como denostada por otros inspiración (así Paul Valéry, quien confesaba preferir cualquier producto ordinario consciente a la más leve centella de genialidad lograda en la inconsciencia), supone habitualmente cierto abandono de la lucidez. Mas ¿por qué aceptar que cualquier transporte o alienación haya de dar origen a una obra estéticamente valedera? ¿Por qué el sueño ha de ser la vía más segura de acceso a la creación literaria, aun reduciendo ésta a la poesía, y aún más, estrechándola al único ramo de la lírica, lo que ya es una merma muy sustancial de la pluralidad expresiva que ofrece el arte? Tal es el error en que se precipitan los superrealistas mediante la explotación unilateral del psicoanálisis y el empleo de la escritura automática. Cierto es que Breton y los suyos, curándose en salud, declararon desde el primer momento que la "calidad" no les interesaba al despreciar la literatura, inclusive la que no se califica —o descalifica, más bien— entre comillas. Pero el resultado pronto estuvo a la vista: no habían pasado muchos años cuando el mismo autor debió confesar que "la historia de la escritura automática sólo era una serie de fracasos e infortunios".

Más recientemente (en un artículo de 1953, "Del superrealismo y sus obras vivas", incluido en la última edición de los *Manifestes du surréalisme,* 1963), buscando una tangente, pero falseando algo los propósitos iniciales, escribe que mediante el fallido procedimiento intentaban "rencontrar el secreto del lenguaje". Se trataba —dice— de "sustraer el lenguaje al uso cada vez más estrictamente utilitario, único medio para emanciparlo y devolverle todo su poder". Empeño al que —no lo olvidemos— en los últimos lustros se aplicaron otros con más provecho que los superrealistas, desde Joyce y los corifeos del "lenguaje de la noche" hasta Henri Michaux y E. E. Cummings. Por cierto —anotemos al pasar—, las innovaciones verbales del superrealismo han sido nulas, y si hay un ejemplo de prosa académica —en el buen sentido de la palabra—, regida por la mesura y peraltada por cierto énfasis es la del propio autor de *Nadja*.

Los practicantes de esa escuela, deslumbrados ante los primeros fulgores freudianos, optaron por el camino más corto —una simple mimesis de la elocución catártica propia de los psicoanalizados—, estimando que tal procedimiento ofrecería interés por el hecho de transmitirlo al papel.

Antes de seguir aclararé: ninguna de estas objeciones implica negar que antes y después de Freud el sueño sea un fermento de la obra literaria, pero de ahí a considerarlo como método y valor único media una distancia insalvable. Ya los románticos alemanes —según ha documentado Albert Béguin (*L'âme romantique et le rêve*) otorgaron al sueño un valor poético capital. Novalis llega a sostener que la poesía es la única verdad y que se reconoce en su alejamiento de la realidad: "la poesía es lo real absoluto". Jean Paul, en tres tratados teóricos, desenvuelve las relaciones entre sueño y poesía; considera el sueño como una poesía involuntaria. Para Nerval el sueño es una segunda vida. Pero ¿acaso no parten de un espejismo? Roger Caillois (*L'incertitude qui vient des rêves*) quiere demostrar que, contra la opinión común, el sueño no es vago ni confuso; antes bien, duro y categórico. Opinión muy subjetiva que admite otras adversas; acierta más tal vez cuando, mediante ejemplos, niega todo valor premonitorio al sueño. Pero en este punto la experiencia personal es incanjeable, y cualquier sueño, por su esencial ambigüedad, admite contrarias interpretaciones: todas ellas son "dirigidas" al pretender descifrarlas.

Pero lo que importa, en el plano del arte, es medir y valorar la calidad puramente estética del producto que los sueños pueden engendrar. Reaccionando tempranamente contra la confusión ya apuntada (la abusiva ecuación: sueño igual a poesía, igual a obra de arte) es oportuno recordar que, ya en un artículo de 1936, Fernando Vela hacía estas puntualizaciones: "Si de acuerdo con los principios superrealistas dejamos que el inconsciente actúe de continuo, no sólo en determinados instantes, y transcribimos sin desfiguración sus impresiones, recogeremos una magnífica cosecha de imágenes insólitas y maravillas extraordinarias; la excepción se hará regla. Si los razonamientos tuviesen en arte igual efectividad que en la ciencia, es evidente que el literato suprarrealista, poseedor del magnífico secreto, gozaría de todas las ventajas prácticas de una patente. El *Manifeste du surréalisme* valdría como el prospecto de un abono o fertilizante espiritual y *Poisson soluble*, que le sigue, como la muestra de la rozagante mazorca cosechada." Pero en realidad —en la realidad de los resultados literarios— dista mucho de ser así. La teoría del superrealismo ha ido siempre mucho más lejos que el logro de los textos superrealistas propiamente dichos. Hay una prueba irrefutable: la primera edición del *Manifeste du surréalisme* en 1924 se completa con un texto más extenso: una serie de ejemplos de escritura automática bajo el título de *Poisson soluble*. Pues bien ¿cuántos han leído esas páginas? ¿Ha dado alguien su sincero parecer sobre esa especie de poemas en prosa, sin brillo ni relieve, con ligeras discordancias de sentido en la frase; en suma, una mezcla de reminiscencias románticas, deliquios sentimentales, sobre una trama voluntariamente inconexa, pero no lo suficiente para sorprender o interesar? Los aciertos de Breton en cuanto prosista hay que buscarlos años después, en sus libros seminovelescos, semibiográficos, confrontaciones de episodios soñados con otros vividos por el propio autor y que se llaman *Nadja*, *L'amour fou* y *Les vases communicants*.

HISTORIA Y ANECDOTA

Como en otros casos semejantes, el curso de la evolución del superrealismo puede seguirse mejor, con más proximidad que en los libros, en las revistas y manifiestos. *La révolution surréaliste* [4] —cuyas portadas, por lo general, le daban un aire de revista paracientífica— se presenta como órgano de la oficina de investigaciones superrealistas. En la cubierta del primer número resalta esta afirmación con grandes letras: "Hay que llegar a una nueva afirmación de los derechos del hombre" que, según se deduce de páginas posteriores y del manifiesto de Breton, son más bien los "derechos de la imaginación". En la parte central de la misma página aparece la fotografía de una anarquista, en aquellos años famosa, orlada por las cabezas de los superrelistas, más la de Freud. El artículo editorial está firmado por J. A. Boiffard, Paul Eluard y Roger Vitrac, y contiene frases como éstas: "Puesto que el proceso de la inteligencia ya está hecho y la inteligencia deja de ser tenida en cuenta, únicamente el sueño concede al hombre todos sus derechos a la libertad..."; "ya los autómatas se multiplican y sueñan; en los cafés piden rápidamente recado de escribir; las mesas de mármol son los grafismos de su expresión...". "La Revolución, la Revolución. El realismo es escamondar los árboles; el superrealismo es escamondar la vida." Muy aficionados a las consultas y cotejos —según había demostrado ya en *Littérature* al preguntar: "¿Por qué escribe usted?"—, inician varias encuestas. La primera delatando el relente, la atmósfera ancestral del romanticismo 1820, donde de modo subconsciente se mueven, a despecho de otros signos adversos, interroga: "¿Es una solución el

---

[4] Su número 1 apareció en diciembre de 1924; el 12 y último, en diciembre de 1929. Fue continuada, un año después, por *Le surréalisme au service de la Révolution,* cuyos seis números van de julio de 1930 a mayo de 1933. En cuanto a *Minotaure,* aun no siendo específicamente superrealista, está presidida por tal espíritu, sobre todo en la parte artística y gráfica; sus doce números se extienden desde junio de 1933 a octubre de 1938. Los números especiales de revistas, tanto como los libros teórico-críticos, se registran —según lo anunciado— en la bibliografía final.

suicidio?" En su lugar quedarán señalados los "ejemplos prácticos". Otras encuestas son: "Rebuscas sobre la sexualidad". "¿Qué clase de esperanzas pone usted en el amor?"; años más tarde, en *Minotaure* (1933): "¿Puede usted decirnos cuál ha sido el encuentro capital de su vida?" En cuanto a la literatura —¡perdón!— propiamente dicha que aportaron, en ese primer número mencionado, aparecen sueños de Chirico y Breton, "textos superrealistas" de Desnos, Péret, Malkine, Morisse, crónicas de Aragon, Soupault, Delteil, etc.; nombres que menciono solamente para dar noción de la diversidad de autores que pasaron en un momento dado por esa escuela.

No tarda mucho en producirse una rasgadura. Surge cuando uno de los que figuraban como directores de la revista, Pierre Naville, afirma, en el número 3, la imposibilidad de que se produzca una expresión plástica del automatismo del pensamiento; esto es, una pintura y una escultura superrealistas. Se equivocaba plenamente, pues en realidad la mejor cosecha que lleva recogida el superrealismo se da en el campo de la plástica, según detallaremos más adelante; baste sólo ahora mencionar, aparte los cuadros de Chirico, bastante anteriores en fecha, los verdaderamente extraños, turbadores, pegotes y montajes de Max Ernst; la incorporación de Dalí es posterior. Breton expulsa al disidente, asume la dirección de la revista y comienza a publicar las disquisiciones sobre *Le surréalisme et la peinture,* aparecidas poco más tarde en libro, 1928. No entraremos ahora en su análisis; retengamos únicamente esta frase: "La obra plástica, para responder a la necesidad de revisión absoluta de los valores reales en que hoy todos los espíritus concuerdan, se referirá a un *modelo puramente interior* o no existirá." Luego si quisiéramos resumir provisionalmente todos sus alegatos, veríamos que también en este punto tienden a desacreditar no ya sólo el mundo exterior, sino más ampliamente la representación artística de la realidad; a tal punto que el superrealismo bien pudiera haberse llamado más exacta y ampliamente antirrealismo.

Otra escisión de mayores alcances surge cuando quieren pasar al plano empírico su revolucionarismo ideal, a partir de un manifiesto de 1925 titulado "La revolución ante todo y siempre", que junto con sus dilatadas prolongaciones merecerá capítulo aparte. De hecho, por lo demás, las proclamas estrictamente literarias se enrarecen hasta casi desaparecer y todas tienden más bien hacia objetivos revolucionarios.

Una excepción es el manifiesto que una docena de superrealistas endereza contra André Breton, bajo el título de "Un cadavre"; el mismo rótulo que varios de los mismos habían utilizado seis años antes para despedir burlona e iracundamente a Anatole France. Pues bien, a raíz del *Second manifeste du surréalisme,* donde Breton atacaba implacablemente, acusándoles de "desviaciones" y concesiones, a varios de sus primeros camaradas como Soupault, Ribemont-Dessaignes, Desnos, Vitrac y el pintor Masson, entre otros, éstos replican en una hoja tan agresiva como ingeniosa y caricaturesca. Y sin embargo, el culto que poco antes habían rendido esos escritores o que le rindieron otros después, seducidos por cierta imantación espiritual, cierto aire superior que desprendía la figura de Breton, no puede olvidarse; ejemplos de tal influjo se encuentran en algunas páginas de los recuerdos de un testigo llegado de otro horizonte y por ello imparcial: Mathew Josephson. Las filípicas de Breton no se limitaban a los nombres citados, unidos a Artaud, Delteil, Gérard, Limbour; se extendían también a los antecesores: a Rimbaud —uno de los *totems* del superrealismo, junto con Lautréamont, Sade y pocos más—, reprochándole que "no haya hecho completamente imposibles ciertas interpretaciones deshonrosas de su pensamiento, género Claudel"; asimismo dirigía recriminaciones póstumas a Baudelaire y a Poe. Aparte estos "saldos de cuentas" actuales y retrospectivos, la única novedad que este segundo manifiesto introduce consiste en ciertas imprevistas alusiones a la alquimia, a la magia, a la astrología, justificadas en parte por el declarado amor de Breton a lo "maravilloso", pero que casan de forma demasiado incongruente con las citas respectivas de Marx, Engels, Feuerbach. ¡Extraño, imposible maridaje de la magia con el materialismo dialéctico!

Compensando las fugas se producen algunas incorporaciones importantes: tales las de Salvador Dalí y Luis Buñuel con sus filmes *Le chien andalou* y *L'âge d'or,* estrenados en París, en 1929 y 1931, respectivamente. Ambas películas están montadas sobre secuencias tan incongruentes como provocativas. Cristalizan en ellas la "belleza convulsiva" y la intención agresiva, postulados esenciales de las más genuinas invenciones superrealistas, y se combinan con el empleo de símbolos freudianos. Todas sus escenas e imágenes no tienden sustancialmente sino a inquietar, sacudir y aun irritar al espectador: así, en *El perro andaluz,* la navaja de afeitar que corta el ojo de una muchacha; la mano y la axila de otra mujer llena de hormigas; un asno muerto tendido sobre el teclado de un piano de cola; y en *La edad de oro* los esqueletos de obispos mitrados sobre las rocas de una playa... (Ahí se hallan los gérmenes —sadismo, violencia, crueldad— de los films más cabales que años después produciría Buñuel: *Los olvidados, Viridiana...*). *La edad de oro* alcanzó plenamente su ideal provocador. El cinematógrafo parisino donde se exhibía —Studio 28— sufrió un ataque a mano armada de los "camelots du roi", quienes arrojaron tinta sobre la pantalla y destruyeron el vestíbulo. El film fue luego prohibido por la policía. Entretanto Dalí aporta su método de "criticismo paranoico", expuesto en el libro *La femme visible,* que ilustra un retrato demoníaco de Gala. Al mismo tiempo, en pugna con el racionalismo y el funcionalismo de la arquitectura y la decoración contemporánea, Dalí inicia la ola de rehabilitación de un estilo cursi y abolido como el "art nouveau" —o más exactamente *Jugendstil,* dada su procedencia germánica— de fines del siglo XIX y comienzos del siglo actual. Surgen asimismo los objetos de funcionamiento simbólico, "basados —Dalí *dixit*— en los fantasmas y representaciones susceptibles de ser provocados por la realización de actos inconscientes". Por su parte, Breton y Eluard se aplican a escribir ensayos de simulación de los diversos estados de delirio propios de los locos, a modo de ejemplos quizá no tanto de pura poesía como de la imaginación sin trabas: de ahí el título *L'immaculée conception* (1930) que publican en colaboración. Aragon en *La peinture au défi* lanza un reto a la pintura con pinceles y exalta como medio supremo el "collage". Sus mejores ejemplos: los álbumes *La femme 100 têtes* y *Une semaine de bonté,* donde Max Ernst consigue los efectos más turbadores mediante la superposición sobre la misma lámina de recortes tomados de ilustraciones correspondientes a folletines antiguos y libros médicos, botánicos, etc. Se evidencia así cómo la incongruencia de las imágenes gráficas es mil veces superior a la realizada mediante palabras.

A principios de la década del 30 el superrealismo logra repercusión en otros países. Se constituyen grupos y se celebran exposiciones en Londres, Praga, Belgrado, Tokio, Copenhague... En España su único eco conjunto se da en Tenerife mediante la *Gaceta de Arte* que allí publica Eduardo Westerdhal; los reflejos hispanoamericanos —que más adelante apuntaremos— son más débiles y tardíos. Ya al final del período entre dos guerras, el superrealismo parece alcanzar su climax. Aludimos a una exposición internacional del grupo donde figuran representados catorce países. Es una muestra decisiva no sólo en cuanto revela la irradiación alcanzada, sino por el catálogo que le acompaña y que es uno de los más curiosos textos del movimiento: un *Dictionnaire abrégé du surréalisme;* finalmente por la fecha, 1938, epílogo de un precario mundo de paz, ya que la segunda guerra había de ser fatal para dicha escuela.

Ramón Gómez de la Serna, en un capítulo de sus *Ismos,* transcribió algunas de las definiciones que componen el citado *Diccionario abreviado del superrealismo.* Pero en rigor, pocas son las que dan en el blanco... de la aguda o de la perfecta incongruencia. Por ejemplo: "Arte. Concha blanca en una cubeta de agua". "Belleza. La belleza será convulsiva o nada. *A. Breton."* "Muleta. Soporte de madera que deriva de la filosofía cartesiana. Generalmente sirve de sostén a la ternura de las estructuras blandas. *S. Dalí".* "Cadáver exquisito. Juego de papel plegado que consiste en componer un dibujo, una frase por varias personas, sin que ninguna de ellas pueda tener en cuenta las colaboraciones precedentes. El ejemplo, hecho clásico, que ha dado su nombre al juego, es la primera frase obtenida mediante tal procedimiento: 'El cadáver —exquisito— beberá —un vino— nuevo'." "Erotismo. Ceremonia fastuosa en un subterráneo". "Hegel. Todavía hoy es menester interrogar a Hegel sobre lo bien o lo mal fundado de la estética superrealista". "Superrealismo. Mediante la aplicación de la sentencia hegeliana: 'Todo lo que es real es racional, y todo lo que es racional es real' puede esperarse que lo racional abrace en todos los puntos la marcha de lo real; y, efectivamente, la razón de hoy nada se propone tanto como la asimilación continua de lo irracional, asimilación mediante cuyo proceso lo racional está llamado a reorganizarse sin cesar, para reafirmarse y acrecerse. En este sentido debemos admitir que el superrealismo va acompañado necesariamente de un superracionalismo (la palabra pertenece a Gaston Bachelard) que le dobla y le mide. *A. Breton.*" "Razón. Nube comida por la luna". "Seno. El seno es el pecho elevado al estado de misterio, el pecho moralizado. *Novalis*".

SEGUNDO TIEMPO. DESDE 1940

Con la guerra de 1939 el superrealismo concluye en cuanto movimiento extremo, punta de lanza, sin ser remplazado por otro u otros, y esto merced a causas que en las conclusiones se apuntarán. En último caso lo menos que puede decirse es que el superrealismo cierra su ciclo influyente, su imperio sobre la generación más joven. Todas las manifestaciones que remprende a partir de 1946 cobran ya un aspecto algo desplazado, a contratiempo. Sin embargo, y en cuanto a las actividades externas, éstas no escasean. Lo evidencian los anales minuciosos que ha compuesto Jean Louis Bédouin en sus *Vingt ans de surréalisme* y que van desde 1939 a 1959. Claro que, en definitiva, esta crónica rigurosamente apologética —que no intercala, al menos como variante, la más pequeña reserva o discusión— es más bien la narración del quehacer literario y personal de Breton durante dicha veintena; con ello se viene a confirmar, hoy más que nunca, que el autor de *La clé des champs* y el superrealismo se hipostasian. Se nos cuentan así, por ejemplo, con todo detalle, las andanzas forzadas de André Breton. Su traslado a Nueva York (segunda aproximación a América; en 1937 había vivido unos meses en México); interviene allí en una revista, *View*, y contribuye a fundar otra más entregada a su estética, *VVV* —triple expansión de la *V* de la victoria. Publica en 1942 unos *Prolegómenos a un tercer manifiesto o no del superrealismo*. Repárese simplemente en este título dubitativo tan opuesto al tono categórico de las anteriores proclamas. Abomina allí de algunos antiguos colaboradores —Aragon, Dalí, calificando al segundo con este mote: "neofalangista-mesa de noche-Avida Dollars—" y reitera su oposición a todo conformismo, incluyendo el conformismo superrealista. "Cada artista debe recomenzar solo la persecución del vellocino de oro." De la misma fecha data también una conferencia ante los estudiantes franceses de la Universidad de Yale; como en 1924 afirma: "La simple palabra Libertad es todo lo que me exalta aún"; pronostica —sin que hasta ahora se haya confirmado—: "Si el superrealismo desapareciera, lo que le sucedería sería un movimiento más emancipador."

Resulta curioso que en estos años de vacío del superrealismo en Europa es cuando se produzcan sus primeras repercusiones en las dos Américas. Por lo que concierne a la hispánica hay que señalar —bien que publicada en inglés— la revista de México, *Dyn*, 1944, dirigida por Wolfgang Paalen y Edward Renouf; entre las firmas americanas, el poeta peruano César Moro y los artistas mexicanos M. Alvarez Bravo y Carlos Mérida. También en la misma fecha dan a luz publicaciones —*Boletín Surrealista, Leitmotiv*— algunos adherentes chilenos: Braulio Arenas, Jorge Cáceres, Enrique González Correa; en Perú, Westphalen, César Moro, etc. No cita Bédouin en sus reseñas la aportación quizá más valiosa, la de Octavio Paz, en México; tampoco algunas argentinas posteriores: las de Enrique Molina, Julio Llinás y Aldo Pellegrini, congregados momentáneamente en la revista *A partir de cero*. De mayor valor, con todo, son las sumas hechas a las artes visuales mediante pintores como el cubano Wilfredo Lamb y el chileno Matta Echaurri.

También de carácter plástico es el único hecho capital en los años subsiguientes a la guerra: aludo a una exposición en París que deja como testimonio un catálogo-libro titulado *Le surréalisme en 1947*. Desde el punto de vista espectacular, sin duda fue la muestra más llamativa. Citemos algunos párrafos de la descripción hecha por el mismo Breton: "Las salas reducidas a la única iluminación de un brasero (*sic*), aplastadas bajo una lámpara hecha con 1.200 sacos de carbón esparcidos...; en los cuatro rincones unas camas deshechas, de casa de citas; las placas indicadoras de las calles (Calle Débil, de todos los Diablos, de la Transfusión de Sangre)". Y al mismo título de curiosidad retrospectiva transcribamos ahora algunos párrafos de otra reseña más objetiva: "Veintiún peldaños de escalera permiten el acceso al piso; bajo cada uno, lomos de libros rojos que llevan los nombres de

la Sala Gaveau de París, 1920. Una :ena de la representación del sketch "Vous oublierez", original de André Breton (sentado) Philippe Soupault (de rodillas): a la izquierda, l Eluard y detrás del sillón Th. Fraenkel

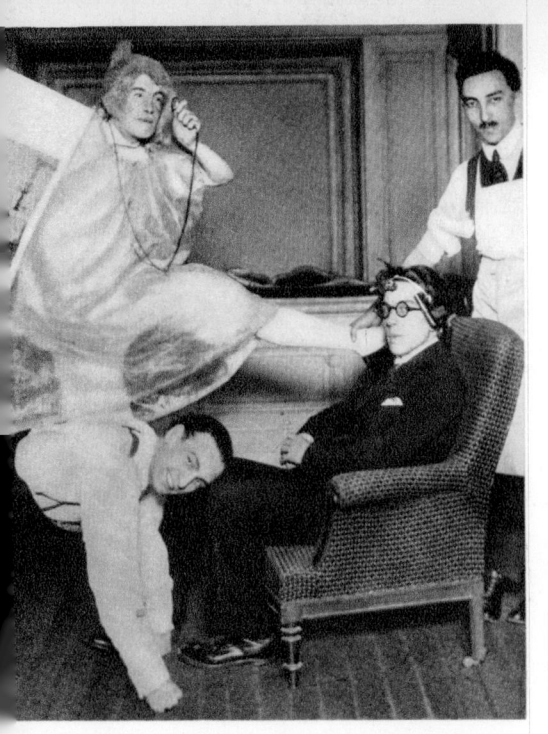

61. A la puerta de una exposición de Max Ernst en la Galería "Au Sans-Pareil", de París, 1920. De izquierda a derecha: B. Péret, Charchoune, Ph. Soupault (arriba), J. Rigaut (con la cabeza hacia abajo) y A. Breton

62. *Poema simultáneo*, por R. Huelsenbeck, M. Janco y Tr. Tzara

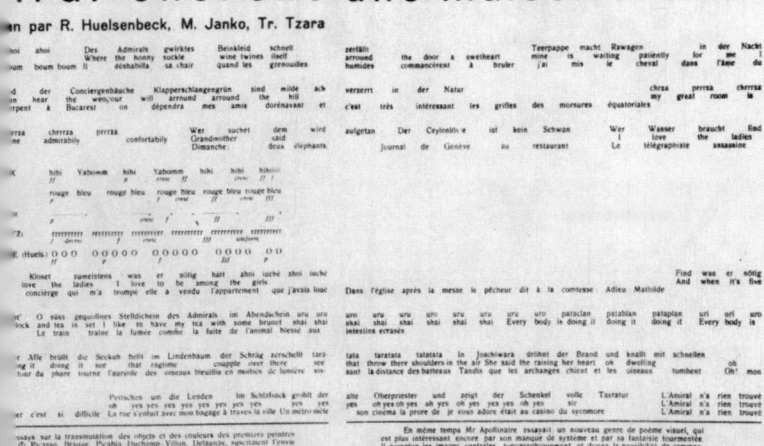

63. Portada de "Littérature", núm. 13, con 23 manifiestos del Movimiento Dadá. París, mayo de 1920

64. Cubierta de la revista "Merz", núm. 7, dirigida por Kurt Schwitters. Hannover, enero de 1924

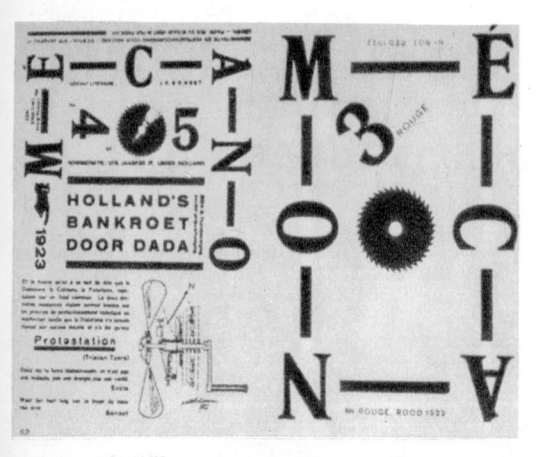

65. Cubierta de "Mecano", revista holandesa, dirigida por Theo Van Doesburg

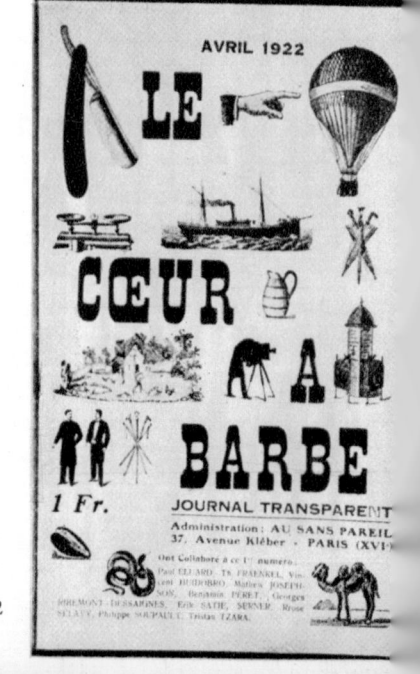

66. Cubierta de la revista "Le cœur à barbe", número único. París, abril de 1922

hombres y obras, justificativos de la fe superrealista: Maturin, Jean Jacques Rousseau, Baudelaire, Hölderlin, Eckhart, Kafka, el cartero Cheval, Apollinaire, Jarry, Forneret, Lautréamont, el Apocalipsis. Un faro giratorio arroja su luz hiriente sobre los muros, y suspendidos del techo se balancean en la corriente de aire tallos ligeros". Sigue luego "la sala de las supersticiones", otra del "gran laberinto mágico": "hilos de Ariadna, transparentes, se tienden en el techo del pasillo. Todo es azul, noche, secreto, rito propicio a la iniciación. En una atmósfera análoga a la de los acuarios y ciertos santuarios olvidados se abren en los márgenes alvéolos iluminados. Cada uno de ellos es un altar mágico, según el modelo de los dedicados a los cultos indios o vodús... He aquí la ardiente "Chevelure de Falmer", de Lautréamont, con sus crucifijos invertidos y sus cuatro vidrios; "La Dragone", de Jarry, donde, ante un catre de tijera, el rostro cortado de Jeanne Sabrenas —heroína del citado libro—, en la cumbre de un eje hecho de botellas, gira lentamente, movido a la vez por un pequeño motor y por ratones blancos encerrados en una jaula..." Y así seguían otros altares, alegorizando obras y mitos predilectos de los superrealistas, dando un carácter de gran barraca ferial a esta exposición, en la cual, sin embargo, los cuadros y esculturas de Max Ernst, Brauner, Calder, Giacometti, Lam, Miró, Picabia, Man Ray, Riopelle, Tanguy, etc., eran lo más importante o menos fungible.

Pero no se olvide que éstos son precisamente los años en que la pintura abstracta, nacida originariamente con el neoplasticismo holandés, ya unos años antes de la primera guerra, y luego sumergida extrañamente durante decenios, reaparece de forma tan imprevista como arrolladora. Lógico es que los cultivadores de la figuración, aun bajo sus formas más difícilmente recognoscibles, como los superrealistas, se sientan heridos y reaccionen polémicamente. A tal intención responde el artículo de Benjamin Péret, "La sopa deshidratada" en el *Almanach surréaliste du demi-siècle* (1950), uno de los más intencionados contra el abstractismo. Tras haber acumulado argumentos de peso, concluye: "Es imposible considerar el abstractismo como un arte, pues obra sobre un plano que no es el del arte al descartar toda intuición y toda imaginación. No puede en realidad existir ningún arte abstracto, ya que el arte tiende a figurar, bien el mundo interior del artista, bien el mundo exterior o bien la interdependencia de ambos."

Pero en lo que se refiere al valor de sorpresa que puede poseer este *Almanaque*, la decepción es irreprimible. Repeticiones, conversión en "poncifs" de temas, modos, "slogans" que en su día tuvieron frescor. Se diría que, al cumplirse el medio siglo, el ciclo superrealista ha quedado completo. Ello no impide que se sucedan los manifiestos, que aparezcan nuevos nombres —y como es de rigor que haya también frecuentes rompimientos—; que vean la luz algunas revistas siempre curiosas: *Bief, Bizarre, Néon, Medium, Surréalisme encore et toujours, Surréalisme quand même*. Unicos nombres que deban retenerse, tanto dentro del grupo como en las proximidades del superrealismo, han sido, en los últimos años, el del meteórico Malcolm de Chazal, el de Julien Gracq con sus novelas, el de George Schéhadé con alguna obra de teatro. Pero sobre todas la más fértil epigonía parcialmente superrealista —en lo que se refiere a espíritu burlón y subversivo—, en suma, su adaptación demótica, se marca en los poemas populares de Jacques Prévert.

"LA REVOLUCION ANTE TODO Y SIEMPRE"

Al margen o por encima de los rasgos y episodios reseñados, hay algunos otros que escapan al dominio puramente literario o artístico, pero que en rigor definen mejor la sustancia e intenciones últimas del superrealismo. Pudieran agruparse bajo un título semiclásico: Grandeza y servidumbre (o fracaso aún más exactamente) del revolucionarismo. Veámoslos de cerca.

"La revolución ante todo y siempre". Así se titula uno de los primeros manifiestos que publican los superrealistas en 1925. Allí se leen párrafos como los siguientes: "Ciertamente somos bárbaros puesto que determinada forma de civilización nos da náuseas". "La estereotipia de las artes y las mentiras de Europa han cumplido el ciclo del disgusto". "Llega la hora de que los mongoles ocupen nuestros puestos". No se olvide que éste era el período del deslumbramiento por el Oriente, de los alegatos de René Guénon y en que, a la zaga de Spengler, algunos creían a pie juntillas en la "decadencia de Occidente". En las mismas fechas, el grupo superrealista da una declaración más explícita y detallada que por su precisión conviene verter literalmente. He aquí los principales puntos: "1.º No tenemos nada que ver con la literatura. Pero si el caso llega somos muy capaces de servirnos de ella como todo el mundo. 2.º El superrealismo no es un nuevo o más fácil medio de expresión, ni siquiera una metafísica de la poesía. Es un medio de liberación total del espíritu y de todo lo que se le parece. 3.º Estamos completamente resueltos a hacer una revolución. 4.º Hemos unido el nombre de superrealistas al nombre de revolución únicamente para mostrar el carácter desinteresado, desprendido, y hasta completamente desesperado, de esta revolución. 5.º No pretendemos cambiar en nada los errores de los hombres, pero sí entendemos demostrarles la fragilidad de sus pensamientos y sobre qué cimientos movedizos, sobre qué cuevas han erigido sus temblonas casas [...] El superrealismo no es una forma poética. Es un grito del espíritu que vuelve hacia sí mismo y se encuentra muy resuelto a machacar desesperadamente sus trabas. Y si el caso llega con martillos materiales". (Por cierto, uno de estos martillos metafóricos hubo de convertirse en un martillo real: el que durante un cónclave se puso en manos de uno de los superrealistas a fin de que penetrase en la imprenta de la *Nouvelle Revue Française* y rompiera los moldes de un artículo que estaba compuesto y que entendían injurioso para sus ideales).

En cuanto al primer artículo: negación radical de la literatura, no la expresan directamente, pero los hechos posteriores demostraron que sólo entendían servirse de ella como de un instrumento de liberación psíquica, para llevar a cabo el más absoluto libertarismo, dando salida no sólo —en lenguaje freudiano— a los instintos reprimidos, sino a los deseos prohibidos. Y respecto al "disgusto del mundo" tan reiterado que manifiestan, su más clara expresión se vierte en cierta frase que Breton dejó deslizarse en su primer *Manifiesto,* a reserva de atenuarla, más que explicarla, años más tarde; es la siguiente: "El acto superrealista más sencillo consiste en salir a la calle, con un revólver en la mano, y, disparar al azar..." Su traslación novelesca, con ánimo

satírico, aparece en una novela corta de Sartre, "Eróstrato" de *El muro*.
 De modo menos sangriento y puramente programático, reflejos de tal estado de espíritu se encuentran en algunos de los manifiestos que entonces propalan. En uno de ellos solicitan la apertura de las prisiones y el licenciamiento de los ejércitos; hay otro dirigido a los directores de los manicomios ("los locos son las víctimas individuales por excelencia de la dictadura social"); también mensajes al Dalai-Lama, al Papa. En suma, domina en los superrealistas lo que ellos mismos reconocen como "cierto estado de furor". Imantados por Rimbaud, convencidos por su "horror de todos los oficios", negándose a profesionalizarse, repitiendo con su ídolo que "la mano en la pluma vale lo que la mano en el arado", proscriben el trabajo; algunos matrimonian con mujeres ricas; Breton, Aragon y Vitrac abandonan su carrera médica; otros, la Sorbonne; lanzan excomuniones contra aquellos que se aplican preferentemente a escribir novelas —Soupault, Ribemont-Dessaignes— o al teatro: Artaud, Vitrac; prodigan las amenazas, instauran una especie de terrorismo... La versión novelesca de aquella época y de tal estado de espíritu se encuentra en un relato de Ramón Gómez de la Serna ("El hijo surrealista", incluido en *Ismos*).
 Y en otra declaración posterior agregan: que si bien tienden a una "revolución espiritual", conciben ésta no en abstracto, sino de modo concreto. Ahora bien, no por eso encaran la acción política y social sobre sus semejantes; al contrario, desconfían de cualquier intento de tal naturaleza. Con todo —y como era fatal— van deslizándose gradualmente hacia el plano empírico. Y así en ciertos momentos dan de bruces con una revolución concreta —la comunista—, la que entonces —por no haberse solidificado, por ser aún más ilusión que dogma— podía atraer a las nuevas generaciones disconformes. De esta suerte, a partir de cierto momento, en las citas de Breton y los suyos, junto a los nombres rituales de Rimbaud y Lautréamont, comienzan a figurar otros menos previstos y, a primera vista (también en la última, pasados los años), inconciliables: los de Marx, Engels... Queriendo reducir antinomias Breton buscará una fórmula de integración: "Cambiar la vida", decía Rimbaud; "transformar el mundo —decía Marx—; para nosotros esos dos lemas sólo forman uno".

Sobre el papel la fusión es hacedera, pero en el terreno de los hechos engendra los más crueles y mayúsculos equívocos, origina disensiones inacabables entre los superrealistas, concluye en un grandioso fiasco. Como quiera que la historia de tales pleitos y malentendidos es muy larga y llena el mayor número de páginas en los anales del grupo surrealista, habremos de limitarnos a sintetizar los aspectos principales.

EMANCIPACION DEL ESPIRITU O LIBERACION SOCIAL DEL HOMBRE. INCOMPATIBILIDADES

En 1930 *La Révolution Surréaliste* es sucedida por *Le surréalisme au service de la Révolution*. En su cubierta las letras blancas, sobre un rectángulo de fondo verde, se tornan fosforescentes en la oscuridad. El cambio de título acentúa la intención sediciosa del movimiento, su ambición de saltar desde la teoría a la praxis. Que los superrealistas —ya quedó apuntado— experimentaron la "tentación comunista" en la década del 20 (así como la siguiente fue la era de las rectificaciones, desde André Gide a André Malraux, desde Ignazio Silone y Stephen Spender a Arthur Koestler y tantos otros) [5] nada tiene de extraordinario; el espejismo fue a la sazón bastante compartido por intelectuales de todo el mundo. Todavía permanecía deslumbrante el resplandor de octubre de 1917 (mejor dicho, había adquirido nuevo brillo con las amenazas del nazismo y el fascismo) y la revolución rusa no había mostrado aún su verdadero rostro totalitario e implacable, que iban a revelar los primeros "procesos de Moscú". En el campo de las artes, aunque ya asomara la dogmática del "realismo socialista", por un lado los escritores de otros países solían hacerse los distraídos, y por otro aún no había sonado allí la hora del conformismo reaccionario, disfrazado de lo opuesto.

Llevados por su primer impulso y obedeciendo a una evolución acelerada llegó un momento en que los superrealistas se plantearon

---

[5] Véanse detalles en la parte quinta de mi *Problemática de la literatura* (tercera edición, Buenos Aires, 1965).

esta cuestión : "¿Acaso la emancipación del espíritu no exige previamente la liberación social del hombre?" Advirtieron, según ha escrito años después André Breton (en sus *Entretiens* con André Parinaud) que "para ayudar a transformar el mundo" era menester comenzar por pensarlo diversamente, suscribiendo sin reservas la famosa "primacía de la materia sobre el espíritu", lo que para muchos de nosotros significaba apreciables sacrificios". Tantos —apostillaremos—, que nunca llegaron a aceptarlos plenamente; jamás pudieron resolver esta contradicción demasiado flagrante. ¿Cómo casar el más crudo materialismo dialéctico con la apelación al mundo de los sueños? ¿Acaso Freud y sus teorías no habían sido estigmatizados como idealistas por el marxismo? ¿No se daba preminencia a los engendros de los *rabcors* —o aficionados espontáneos— y se abominaba de todo alquitaramiento?

En un terreno concreto tratan de colaborar con el grupo literario del comunismo —la revista *Clarté,* dirigida entonces por Henri Barbusse—, buscando inútilmente puntos de afinidad. Proyectan una revista común —*La guerre civile*— que no pasó del título. Pero cuanto más se aproximan, o tratan de aproximarse, superrealistas y comunistas, con más hondura se acusan las diferencias. Mientras que los segundos exigen una sumisión absoluta a sus principios y métodos, los superrealistas niéganse a abandonar ninguno de los suyos. En una palabra, estos últimos rechazan plegar su arte a fines utilitarios, de propaganda. Aunque se declarasen opuestos a un orden social, a un estado de cosas que juzgaban "intolerable", tampoco creían, muy lúcidamente, que, una vez suprimido, encontraríanse en el mejor de los mundos. "En la medida —subraya Breton— en que el superrealismo no ha cesado nunca de invocar a Lautréamont y a Rimbaud, está claro que el verdadero objeto de su tormento es la *condición humana,* más allá de la *condición social* de los individuos."

En cierto momento parecieron dispuestos al sacrificio. Pero cuando después de sufrir muchas pruebas e interrogatorios, Breton fue destinado por los comunistas a trabajar, no en menesteres intelectuales, sino en una "célula" —o celda— del gas, comprendió que no había avenencia posible... Con razón, alguien procedente de las filas superrealistas, Pierre Navilla, en su librito *La révolution et les intellectuelles* (1926), había preguntado: "¿Qué pueden hacer los superrealistas?", y se respondía: "Nada", reduciendo el alcance de sus escándalos al plano moral, con la circunstancia de que aun en éste "la burguesía no los teme, los absorbe fácilmente". Naville, por su parte, sin los escrúpulos de Breton, había zanjado la cuestión, renunciando a toda independencia estética y pasándose con armas y bagajes al comunismo.

Que la conciliación buscada era imposible vino a corroborarlo algo después, en 1932, la separación de Aragon, quien junto con Breton y Eluard integraba una especie de triunvirato superrealista. En 1931 Aragon fue a Rusia, participando en un Congreso internacional de escritores revolucionarios. Convertido a tal credo, durante poco tiempo pudo seguir conviviendo con los superrealistas, pero llegó un momento en que debió elegir; es decir, aceptó plegarse enteramente a las consignas soviéticas, poniendo su literatura "al servicio" de las mismas. De esta forma, incurrió en la "excomunión" de Breton y los demás militantes de la escuela. Cierto episodio curioso, algo anterior, venía a poner un contrapunto chocante a esta decisión de Aragon —duramente censurada, no hay que agregarlo, por sus compañeros de la víspera—. Con motivo de un poema, "Front rouge", publicado entonces por Aragon, incipiente testimonio de su nuevo credo, fue inculpado de provocación al asesinato, incurriendo en el riesgo de una pena de cinco años de cárcel. Aragon y sus amigos protestaron "contra toda interpretación de un texto poético hecha con fines judiciales". Aunque esa protesta fue suscrita también por muchas firmas, ¿cómo no pensar que estaban más en lo cierto otros escritores, Romain Rolland y André Gide, en primer término, quienes interpretando una corriente de opinión muy extensa, censuraban a los superrealistas este escamoteo de responsabilidades...? "Asumir la plena responsabilidad de sus escritos —comenta Maurice Nadeau— supone, en efecto, para un revolucionario, la misma actitud moral que asumir la responsabilidad de sus actos". Pero ya los superrealistas —particularmente el mismo Aragon en su *Traité du style*— habían expresado que no se creían obligados a poner sus actos en relación con sus palabras, y que, en todo caso, éstas, situadas en un poema —y en cuanto éste es manifestación de lo inconsciente—, no comprometían a su autor. Ahora bien: la verdad es que *Front rouge,* por su rudimentarismo agresivo, no tenía nada de superrealista, sino de realista; incluso prefiguraba ya las maneras del realismo socialista...

Hubieron de pasar, no obstante, algunos años antes de que André Breton se resolviera a marcar claramente las incompatibilidades absolutas del superrealismo con el credo político donde en un momento dado había puesto su fe. Si me detengo en el análisis de esta fase es por entender que, más allá del caso particular, tales peripecias ilustran ejemplarmente la imposibilidad de armonizar cualquier actitud libre del espíritu con cualquier sistema político dogmático. Inútil reclamar —máxime en el caso del sistema elegido por Breton— que se diferenciaran el "problema del conocimiento" y el de la "acción política", pidiendo para cada uno métodos diversos. Sin descreer de la "necesidad revolucionaria", se negaba a abdicar de la "libertad artística", oponiéndose al arte que los teorizantes ortodoxos del comunismo propugnan como único, el "realismo socialista". "Somos muchos —escribía en *Position politique du surréalisme*— aún en el mundo los que pensamos que poner la poesía y el arte al servicio exclusivo de una idea, por ella misma, y por enfervorizadora que pueda ser, equivaldría a condenarlos en breve plazo a inmovilizarse; sería meterlos en una vía muerta." Aun sin nombrarlo, Breton oponíase así categóricamente a quien había sido uno de sus más próximos compañeros en la batalla superrealista, Aragon. Efectivamente, éste, por las mismas fechas, publicaba un librito —*Pour un réalisme socialiste*— en que predicaba el "retorno a la realidad", sin dejar de utilizar las mismas frases de Lautréamont, invocadas desde años antes por los superrealistas ("La poesía debe tener por fin la verdad práctica" y "La poesía debe ser hecha por todos, no por uno"); frases, por cierto, que probablemente resulta abusivo tomar al pie de la letra, ya que proceden de un texto póstumo —el prefacio a las *Poésies*—, cuya intención última nunca se ha esclarecido, pudiéndose sospechar sin irreverencia que no pasa de ser una humorada paródica, puesto que contradice abiertamente su otra obra unívoca, *Les Chants de Maldoror.*

Años más tarde (en "Limites non frontières du surréalisme"), Breton insistía categóricamente: "Negamos que el arte de una época pueda consistir en la pura y simple imitación de sus aspectos externos; reprobamos como errónea la concepción del "realismo socialista" que pretende imponer al artista, con exclusión de cualquier otra, la lucha emprendida por el proletariado para su liberación." A su juicio "la obra de arte no radica en expresar el "contenido manifiesto" de una época; lo que el superrealismo se propone es la expresión de su "contenido latente". Expresiones éstas, como hasta el más lego advertirá, de clarísima procedencia freudiana.

A defender y preservar la autonomía del arte, sin hacer dejación, por otro lado, de sus esperanzas revolucionarias, se encamina un manifiesto posterior e importante de Breton: el que redactó con León Trotsky y suscribió con Diego Rivera, en México (1938), titulado "Por un arte revolucionario independiente". Señalaré al pasar que los manifiestos del superrealismo, vistos en perspectiva histórica, no dejan de presentar algunas curiosas contradicciones. Así, mientras pocos años atrás reclamaban como salvadores a los bárbaros destructores de la civilización occidental, ahora comenzaban éste dando el alerta contra los "vándalos", destructores de la misma civilización. Pero es que la situación había cambiado, la guerra de 1940 estaba en la puerta, y ahora quienes merecían legítimamente —unánimemente— tal apelativo eran las fuerzas hitlerianas. Dejando de lado las acusaciones contenidas contra el otro totalitarismo —el stalinista— en que abundaba equitativamente dicho manifiesto, retengamos únicamente la divisa final: "Lo que nosotros queremos: la independencia del arte, por la revolución; la revolución, por la independencia del arte." Ecuación, como se advertirá, en que la sentenciosidad epigráfica no estaba al nivel de su posibilidad empírica. En otra oportunidad, movido por el mismo afán de síntesis, Breton hace suyas estas dos frases que había citado Romain Roland: una muy imprevista, de Lenin: "hay que soñar"; otra de Goethe: "hay que obrar". Y agrega: "El superrealismo apenas ha pretendido otra cosa que la resolución dialéctica de tal antagonismo." Añadiendo: "El poeta por venir superará la idea deprimente del divorcio irreparable entre la acción y el sueño..." Pero ninguna de las tentativas en que a lo largo de los años hubo de embarcarse llegó al puerto deseado. Breton, esencialmente escritor, antes que revolucionario, sostenedor de una posición artística muy coherente, nunca pudo aceptar en modo alguno lo que a él —lo mismo que a otros— se le pedía: que renegara de su arte, sometiéndolo a patrones que no le eran propios. Hubo de encontrarse, ineludiblemente, en presencia de un dilema: o bien renunciar a interpretar y traducir el mundo libremente, o bien renunciar a colaborar, en el plano de la acción práctica, a la transformación del mundo. ¿Y qué decir de su empeño en conciliar el superrealismo, en cuanto "método para la creación de un mito colectivo", con la política nada mítica, secamente pragmática, depreciadora de cualquier arte como tal? Víctor Crastre titula "La superación de las contradicciones" un capítulo del libro que le ha dedicado a Breton. Tal superación podrá ser cierta en el plano subjetivo, con referencia a su héroe, donde sitúa tales contradicciones —el del amor, a propósito de *Nadja* y de *Arcane 17,* dos libros seminovelescos de Breton—, pero en otro plano, el del ideal enfrentado con la acción, la discordia ha sido siempre insuperable.

ROMANTICISMO Y SUPERREALISMO

"¿Quién libertará nuestro espíritu de las pesadas cadenas de la lógica?" —había escrito André Gide en *Les nouvelles nourritures,* dentro de un fragmento aparecido como primicia precisamente en el primer número de *Littérature*—. Pues bien: esta apelación a las potencias oscuras del espíritu, este llamamiento a lo intuitivo puro, que en mayor o menor grado experimentaron todos los movimientos estéticos de vanguardia, por ningún otro fue sentido tan a fondo como por el superrealismo. Frente a un mundo cansado, sus militantes intentan restrenar el mundo. Pero el gesto que adoptan para despedir ruinas y saludar albas no es jubiloso, sino desesperado. Con razón, atendiendo a este y otros rasgos, el superrealismo ha sido señalado como un nuevo romanticismo. Desde el primer momento he destacado en las presentes páginas tal filiación. De abolengo romántico son, en gran parte

—según ya he apuntado— las preferencias y los motivos capitales de Breton. Románticas —por el espíritu, caigan o no dentro de esa demarcación cronológica— son casi todas las figuras que exaltan y magnifican como "precursoras", y cuya estela querrían continuar. Románticas son las preferencias antes señaladas; y romántica es, en suma, su visión del mundo cotidiano, declarado inhabitable. "¡Pero yo, que no soy de este mundo!" —había exclamado Musset en su *Confession d'un enfant du siècle*—. Y Rimbaud: "La verdadera vida está ausente". Lo que sigue, pues, no son sino ecos. "El superrealismo —registra uno de los críticos más plegados a los puntos de vista de la escuela, Michel Carrouges— nació de una inmensa desesperación ante el estado en que el hombre ha quedado reducido sobre la tierra, y de una esperanza sin límites en la metamorfosis humana." Es decir, el hombre privado de magia y de imprevisto, preso por tabúes morales y convenciones sociales, según ese autor, aunque su pensamiento no trasluzca la menor alusión a otras prisiones de barrotes más visibles, las que rivalizan en levantar de consuno técnicas y políticas, masificaciones y estatizaciones...

En el momento de transición desde el dadaísmo al superrealismo, Marcel Arland publicó en la *Nouvelle Revue Française* (1924) un ensayo que fue muy comentado (luego recogido en sus *Essais critiques*, 1932), bajo el título "Un nuevo mal del siglo". Pero este "nuevo mal" no era —según allí se decía— la "oscilación de las nuevas generaciones entre dos peligros: el orden y la anarquía"; era sustancialmente el viejo mal de un siglo antes, el romanticismo. Así lo hizo notar, en un artículo de réplica, Jacques Rivière, al mismo tiempo que para ahondar en la reviviscencia del fenómeno romántico, descubría otra crisis más profunda que la experimentada por la generación de 1820: la crisis del concepto de literatura. Por su parte, Albert Béguin, al comienzo de *L'âme romantique et le rêve*, advierte que este libro fue sugerido por la similitud de actitudes entre románticos y superrealistas, frente a lo racional, junto con sus apelaciones al sueño y la común tendencia a considerar el fenómeno poético como una revelación del subconsciente. Y, en efecto, los análisis que Béguin consagra, entre otros, a Hölderlin, Jean-Paul, Tieck, Von Arnin, Brentano y Novalis no dejan de confirmar parcialmente estas analogías. De modo particular sobresale esta declaración de Novalis: "Llegará un día en que el hombre velará y dormirá a la vez, soñar y, al mismo tiempo, no soñar; esta síntesis es la operación del genio; merced a ella el sueño y las otras actividades se refuerzan mutuamente." Compárese con estas palabras —ya citadas antes— de Breton en *Les vases communicants* (1932): "Creo en la resolución futura de esos dos estados, en apariencia contradictorios, como son el sueño y la realidad, en una especie de realidad absoluta, de superrealidad, si así puede decirse."

Pasando ahora de textos prestigiosos a documentos menudos, nada como un repaso a las páginas de *Minotaure* (el lujoso "magazine" que fue antes de la guerra de 1940 el último y más bello baluarte de los superrealistas) para ofrecernos ejemplos y comprobaciones del abolengo romántico, expresado ahora por vía de resurrecciones fantasmales. Por ejemplo, "Au paradis des fantômes" se titula un artículo de Benjamin Péret donde éste reunía una extraña colección de objetos automáticos. En otro, se presentaba el mundo misterioso, el "lado nocturno" de la naturaleza. Desfilaban allí los aspectos más impares de los reinos vegetal y animal: simbiosis de formas, mariposas convertidas en hojas, teorías de buhos y lechuzos. Subía del conjunto un relente enfermizo más que perturbador. Pero es que en su afán por revolver hasta el fondo del pozo, por despertar sombras y pavores, por naturalizar las alucinaciones, los superrealistas no vacilaban en resucitar el gusto romántico, aun en sus vertientes más risibles que estremecedoras: lo macabro, lo misterioso, lo espectral. Además, la actitud —que ya hemos señalado— radicalmente disconforme ante la sociedad, su anarquismo sentimental —aunque coloreado por el marxismo—, su iracundia, su violencia, inclusive su terrorismo, ¿no venían a ser síntomas parejos de los que presentaban en la misma decena del 30 hace un siglo, los primeros románticos alemanes y reflejamente los ingleses, franceses y españoles, desde Byron y Shelley hasta Musset y Espronceda...?

No importa que uno de los superrealistas, René Crevel *(Dalí ou l'antiobscurantisme,* 1931), negase tal ascendencia y parecido, escribiendo: "El superrealismo, dialéctico desde su primera fase, se opuso

siempre al romanticismo tontamente unilateral en su explotación literaria del género maldito, de las antítesis por bravata, en el vacío, puesto que al no tener tesis carece de la menor posibilidad de síntesis."
Tampoco importan las denegaciones de Paul Éluard que este poeta, cuando yo le planteé personalmente tal cuestión —durante unos días que pasamos juntos en 1936— me contestó por escrito con estas palabras que transcribo textualmente, en homenaje a su memoria y por tratarse de un texto inédito: "El superrealismo, a menos de considerar todo aquello que se dirige a lo más profundo del individuo como romántico, no es un nuevo romanticismo. Del siglo XIX sólo retiene la acción emprendida por ciertos poetas para extender la poesía hacia todas las manifestaciones de la vida verdadera. Y a estos poetas puede considerárselos como al margen del movimiento romántico propiamente dicho. El superrealismo no ha conservado nada de Hugo, por ejemplo. En cambio, está dominado por la violencia de Sade, de Rimbaud y de Lautréamont. Afirmando con este último que "la poesía debe ser hecha por todos y no por uno", la inteligencia poética ha llegado a ver en fin derruidas sus fronteras y restituida su unidad con el mundo."

Pero frente a las negaciones de que el superrealismo constituya un nuevo romanticismo, cabría replicar, ante todo, que (según expliqué en mi *Problemática de la literatura*) no hay un solo romanticismo sino dos: uno pastoral e inocente, otro avernal y maldito. Agréguese que el mismo hecho de que los superrealistas hayan elegido como uno de sus faros a Lautréamont confirma tal filiación. Pues el autor de los *Cantos de Maldoror* es sustancialmente, por lo mismo que tardío, un romántico inscrito en el segundo apartado, en cuya obra se dan las cualidades de violencia, agresividad, necrofilia y crueldad llevadas a sus últimos extremos, casi caricaturescos.

Naturalmente, dada esta visión del mundo, la ciudadela que deberá abatirse más urgentemente es la de la Razón. De ahí que lo racional sea para Breton y sus amigos la "bête noire" por excelencia, la cabeza de turco más vulnerable, y le hagan víctima de vituperios y sarcasmos sin medida. Sin innovar nada en este punto, pues como es sobradamente notorio la crisis de lo racional tiene ya una larga historia y no sólo en la literatura, sino, de modo particular, en la filosofía y en la física. De hecho, tal crisis es la historia del último siglo, suena ya a cosa gastada, está en vías de sobrepasarse, y más actual resultaría examinar las posibilidades de un "racionalismo abierto" que, corrigiendo las insuficiencias del racionalismo clásico, incorporarse nuevos fermentos. La razón transida de vida abre sus puertas. Pero éstas son perspectivas muy recientes. Cuando Breton construyó su cosmovisión, el universo sólo le parecía abordable por vías menos explotadas que las puramente racionales.

La primera de ellas era la explotación del mundo de lo inconsciente, no con fines científicos, sino poéticos, por medio de los sueños hipnóticos en alta voz y de la escritura automática. En términos generales estos métodos no venían a ser sino el equivalente literario del método psicoanalítico en la terapéutica mental. Obvio, por lo tanto, es volver a señalar cuán grande y poderosa ha sido la influencia de Freud en este aspecto del superrealismo. "No hay capítulo en la obra científica de Freud —escribió Fernando Vela, con motivo del homenaje tributado al sabio vienés en sus ochenta años— que no tenga su duplicación en el superrealimo: la represión de la sexualidad y su exteriorización, en forma disimulada o en forma sublimada, los sueños simbólicos, el flujo automático o incontenido de imágenes, los "complejos", el mismo proceso o tramitación de un psicoanálisis. No hay apenas más en los superrealistas, y todo ello está en Freud."

Puesto que el superrealismo no perseguía fines específicamente "literarios", ¿qué se proponía con el empleo sistemático de la escritura automática, es decir, con la transcripción directa de los sueños o de los estados de ánimo, hecha sin ninguna censura o represión y con absoluta indiferencia de la calidad o del resultado artístico? Se proponía resolver —según Breton— las antinomias que traban habitualmente el espíritu: "antinomia de la vigilia y el sueño, de la realidad y de la ensoñación, de la razón y la locura, de lo objetivo y lo subjetivo, de la percepción y la representación, del pasado y el futuro, del sentido colectivo y el amor, inclusive de la vida y la muerte". En suma, consideraba el automatismo "no sólo como un método de expresión en el plano literario y artístico, sino también como primera instancia encaminada a una revisión general de los métodos de conocimiento". Ambiciones, por cierto, nada modestas. Y, en definitiva, reducidas al punto esencial, a la expresión directa del subconsciente, no demasiado originales, puesto que su aplicación más viable, la técnica del "monólogo interior", había ya alcanzado pocos años antes su expresión definitiva con el último capítulo del *Ulyses* de James Joyce, sin contar otros precedentes notorios.

Referidas a la lírica, tales ambiciones muestran asimismo un remoto abolengo, puesto que vienen a ser la revalidación del "delirio", del "divino furor" de que habla ya Platón en *Fedro*, identificándoles con la creación poética. Ahora bien: la originalidad superrealista consiste en no estimar la poesía como un don privilegiado, sino como un "patrimonio común", captable por todos, siempre que se sientan inmersos en el fluido universal de lo poético. Quiere decirse que para ellos la idiosincrasia, tanto como la cultura literaria del sujeto, importa escasamente, puesto que éste sólo viene a ser un "medium", un transmisor, a poco que se sitúe en trance y se deje penetrar por las ondas del inconsciente. A ello se debe que gusten tanto de repetir la sentencia (el mismo Eluard nos la recordaba) de Lautréamont: "La poesía debe ser hecha por todos, no por uno". Esta "colectivización" del sentimiento poético indica naturalmente cuán poco les importa la llamada "calidad", la perfección de las obras así conseguidas. Pero la consecuencia, como no podía menos de esperarse, es que hubo un florecimiento de todo menos de obras maestras.

TECNICAS

No es, pues, nada extraño que el gran teórico del movimiento, en vísperas de la guerra (1937), al hacer un resumen de los puntos capitales que seguía sosteniendo el superrealismo, dejara de lado la escritura automática, mientras insistía en otras dos técnicas: el humor objetivo —otras veces llamado "humour" negro— y el azar objetivo. ¿Qué significa este último? Quien conozca la obra de Breton habrá advertido que la parte más personal de ella —sus seminovelas ya citadas— está basada en analogías, coincidencias, premoniciones. Breton narra distintos episodios de su propia vida en que los hechos son explicados, *a priori* o *a posteriori*, por los sueños, las analogías y los encuentros fortuitos. Por ejemplo, en "La nuit du tournesol", capítulo de *L'amour fou*, el autor encuentra a una mujer en circunstancias que no hacen sino repetir, verso por verso, un poema que años atrás había escrito y cuyo sentido entonces no comprendía. El mismo carácter sorprendentemente premonitorio tienen varios episodios de su encuentro con *Nadja*. Libros extraños y preciosos, libros bañados en una atmósfera ultrarreal e inmensamente turbadora por su proyección última y cuya belleza poética reside en su aura. Son el más claro ejemplo del "azar objetivo", que podría definirse como el "lugar geométrico" donde se producen esas coincidencias turbadoras, "el punto de reunión entre el curso aparentemente autónomo de nuestra vida espiritual y el curso aparentemente autónomo del mundo exterior". Mediante el empleo metódico del "azar objetivo" se tiende a elucidar las relaciones que existen entre la "necesidad natural" y la "necesidad humana", manifestando la invasión de "lo maravilloso" en la vida cotidiana. "Para los superrealistas —escribe Carrouges— el hombre marcha en pleno día entre un tejido de fuerzas ocultas; le bastaría discernir y captar éstas para avanzar, frente al mundo, en la dirección del punto supremo. Esas señales son los presagios visibles y comprobables de la nueva edad de oro, los pródromos activos de la gran reintegración cósmica, los barruntos y signos de la futura fusión del hombre con el universo para la conquista del punto supremo." Expresión esta última que subraya inequívocamente el sentido ocultista de tal fraseología, respondiendo al último avatar de Breton.

Respecto al "*humour* objetivo", anotemos ante todo que esta expresión, hecha suya por el surrealismo, procede inesperadamente de Hegel. Este, en una página de su *Estética*, señala que "la concentración del interés sobre la realidad objetiva y sobre su representación subjetiva conduce, según el principio romántico, a una penetración del alma en el objeto; y de otra parte, cuando el humor afecta al objeto y a la forma que le imprime el reflejo subjetivo, prodúcese entonces una suerte de humor objetivo". Sin condescender tampoco a mayores claridades, Breton lo define como "la síntesis de la imitación de

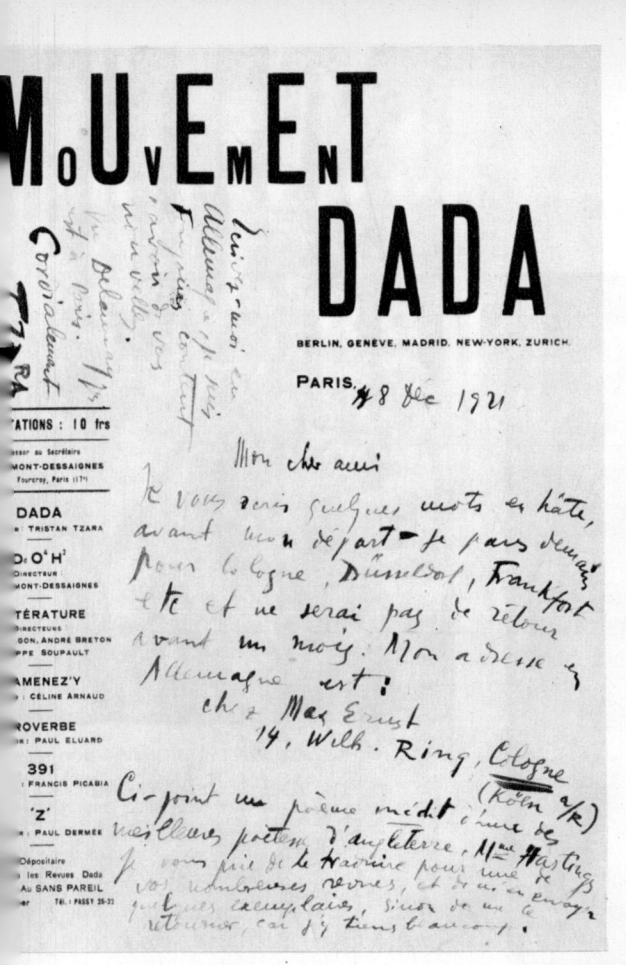

Carta (1921) de Tristan Tzara a Guillermo de Torre. Al margen izquierdo, lista de siete revistas Dadá

8. Página de publicidad de las publicaciones dadaístas, compuesta por Tristan Tzara. París, noviembre de 1920

69. Francis Picabia: *La noche española*, 1918

70. *Cabaret Voltaire*, óleo de Marcel Janco, 1917

71. *Rose Selavy* y *La Gioconda con bigote* por Marcel Duchamp, 1919

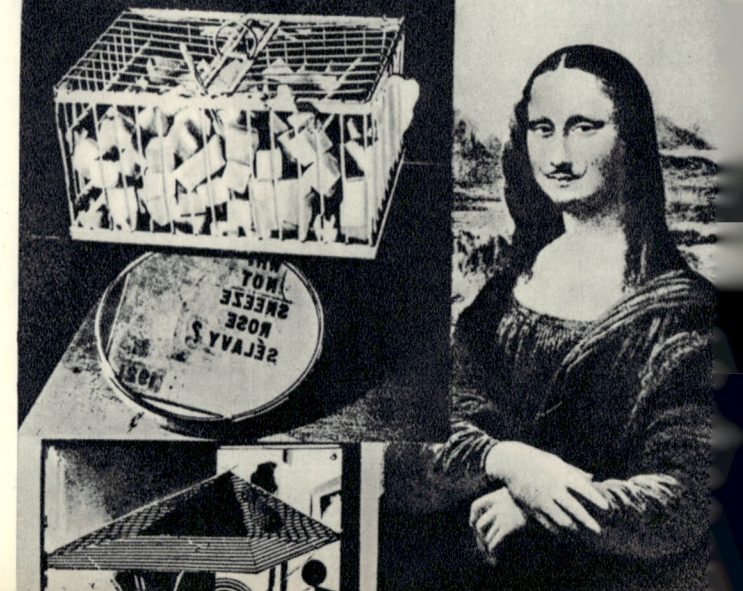

Eluard, Breton, Ernst, Dalí, Arp y otros
en la época de "La révolution surréaliste", 1930

73. Portada de *La conquista de lo irracional*, de Dalí, y final de una carta a Guillermo de Torre

74. Man Ray: Foto-dibujo de *André Breton*

75. Carta autógrafa de André Breton

Paris le 14 février 1936.

Mon cher Ami,

pardonnez-moi : j'ai beaucoup trop tardé à vous répo[ndre]
mais comme je savais Paul Éluard près de vous, je ne m'a[...]
pas outre mesure. Tout ce qu'il a pu vous dire est : que
tenant assez particulièrement à [...].
À bientôt, j'espère, de vos nouvelles. Croyez-moi
votre très amicalement dévo[ué]
André Breton

42 rue Fontaine Paris (IXe)

la naturaleza, en sus formas accidentales, por una parte, y del humor por otra"; y sostiene que el "humour", "en cuanto triunfo paradójico del principio del placer sobre las condiciones de la vida más desfavorables, está llamado a alcanzar un valor defensivo en la época sobrecargada de amenazas que vivimos". Como si dijéramos, es el desquite que el espíritu de capricho y subversión se toma frente a las formas estatuidas, tendiendo a quebrar rigideces y convenciones. Los "juegos superrealistas", como uno llamado "el cadáver exquisito" (frases de dos miembros incongruentes: la primera lógica, la segunda disparatada; dibujos hechos por varias personas, sin que cada una vea el trazo de la anterior, fiándose al azar más completo), son la expresión de tal estado de ánimo. Aunque encierran en su fondo una intención subvertidora del mundo real, y aunque los superrealistas vean en tales ejercicios del humor objetivo "la fuente negra de la poesía", lo cierto es que no pasan de ser caprichos joculares, juglarescos, divertimientos demasiado pueriles...

¿Adónde tienden, en última instancia, estos métodos o técnicas superrealistas? No a otra meta, sino a la mayor gloria y exaltación de ciertos principios más comunes: el deseo, el principio de placer, más allá del puro instinto biológico, como transvasación del yo y sublimación de la libertad; lo maravilloso, como afán de ruptura con el mundo cristalizado o puente de acceso a otro mundo no restringido por la prevista perspectiva tridimensional. Uno de los caminos para ingresar en sus dominios es el amor. Breton exalta el amor, el amor-pasión, con un fervor y reiteración que traen reminiscencias del "amor cortés" medieval, más exactamente del "amor-pasión" de los cátaros. En el arrebato pasional, en el enajenamiento erótico entiende hallar las claves de lo maravilloso, de la "belleza convulsiva". Y puesto que ha decretado la ruina de los métodos de conocimientos racionales, no tiene ningún reparo en aceptar las presuntas vías mágicas, intenta restaurar el esoterismo y se deja atrapar por los espejismos ocultistas. Invoca así la tradición hermética o iniciática, incorporando a ella las obras de Hugo y Nerval, Baudelaire y Rimbaud, Lautréamont y Jarry. Su apetito de unidad universal le lleva a buscar una fusión con las fuerzas invisibles. De este modo, Breton ha llegado a escribir que la idea del superrealismo tiende hacia "la recuperación total de nuestra fuerza psíquica, mediante el descenso vertiginoso en nuestro interior, la iluminación sistemática de los lugares ocultos y el oscurecimiento de los demás". Sin menospreciar los resultados puramente estéticos que tales *desiderata* pueden dar, ¿acaso semejantes llamamientos pasan de ser falaces invocaciones al "poder de las tinieblas", con más posibilidades de abrir la puerta al bazar de las supercherías que al mundo de las "iluminaciones"?

En relación con estos afanes mágicos de penetración en lo maravilloso y sobrenatural, puede situarse otro propósito superrealista: su idea de un mito nuevo o un "mito colectivo, propio de nuestra época, del mismo modo que, buena o malamente, el género *negro* debe ser considerado como patognómico de la gran conmoción social que se apoderó de Europa a fines del siglo XVIII". Como ya apunté, Breton encuentra el mayor encanto exaltante en las novelas de Hugh Walpole, de Ann Radcliffe, de Maturin, de Lewis, pobladas de castillos, espectros y subterráneos, aunque no pueda dejar de calificarlas como "literatura ultranovelesca, archisofisticada".

Ahora bien, en cuanto a ese presunto "mito nuevo", Breton se muestra incapaz no siquiera de bosquejarlo, sino de explicar qué sentido luminoso, qué perspectiva viable puede ofrecernos. Un gran especialista en estas cuestiones, Mircea Eliade, se hace cargo de cierta idea dominante, según la cual el malestar y las crisis de las sociedades modernas se explican justamente por la ausencia de un mito que les sea propio. Pero tras un minucioso examen de las probabilidades de resurrección que ofrece el mito colectivo, concluye desahuciándolo; reconoce que "ha sido rechazado, sea a las zonas oscuras de la psique, sea a las actividades secundarias o incluso irresponsables de la sociedad". Además, no podemos olvidar que los únicos mitos o pseudomitos colectivos aparecidos en los últimos años, al encarnar en monstruos politicosociales —el Estado-Leviatán, el hombre-masa, la fuerza como "ultima ratio"— sólo originaron fatalmente servidumbres y no liberaciones, fanatismos y no lucideces. Luego cualquier especulación en este sentido deberá ser acogida con desconfianza. Breton, empero, supone que existe una apetencia mítica, que el mito es una necesidad y que "impedirle toda salida es hacerle nocivo, llevándole a hacer irrupción en lo racional que desintegra (culto delirante del jefe, mesianismo de pacotilla, etc.)". Pero en tiempos multitudinarios, ésa y no otra es la única expresión posible —y temible— que tienen los mitos colectivos. Lo demás, suponer que, sin descartar radicalmente la norma racional, lo mítico puede abrirse paso en un universo poetizado y encarnar colectivamente en imágenes deseables, no pasa de ser una utopía candorosa.

DEL SANTORAL SUPERREALISTA.
IDOLOS Y ANTECESORES

Si Dadá negaba la historia y pretendía comenzar todo "ab ovo" (de ahí que, impresa con letras grandes, en la portada de una de sus revistas se leyera esta frase de Descartes: "No quiero saber si hubo hombres antes de mí"), el superrealismo, opuestamente, quiso desde el primer momento buscarse un linaje, no por singular o extravagante menos ilustre. Prodúcese entonces la siguiente paradoja: André Breton, ateo nato, por un lado arremete contra el menor asomo de lo sobrenatural religioso; por otro lado se abandona con facilidad a las mayores credulidades del ocultismo, intentando restaurar cierta tradición iniciática. Aún más: si el mismo escritor se encoleriza cuando un crítico, Claude Mauriac, quiere rebautizarle como "San Andrés Breton", atendiendo a ciertas tendencias "místicas" de su ser, no vacila en forjar, para su culto personal y el de sus adeptos, una suerte de "santoral superrealista". Llamo así al conjunto de figuras literarias —y extraliterarias— que el monitor de ese ismo ha erigido no solamente como antecesores inmediatos y mediatos, sino a la manera de modelos o arquetipos dignos de exaltación y seguimiento. Ya en su primer manifiesto de 1924 cuidaba Breton de establecer la relación de ascendientes que páginas atrás queda transcrita. Muy incompleta, puesto que faltan dos —Lautréamont, Sade— entre aquellos sobre los cuales cargaría después el acento.

No contentándose con esta isla propia, catecúmenos superrealistas quisieron hacerse todo un continente a su medida, y no ya limitado a ciertas épocas, sino extendido a toda la historia intelectual. Bajo los epígrafes "Leed" y "No leáis", en dos columnas paralelas, por ejemplo, figuraban, en la primera, Heráclito, Lulio, Flamel, Agrippa, Scève, Swift, Diderot y algunos otros enciclopedistas franceses, Lewis y diversos autores de novelas negras, Nerval, Feuerbach, Marx, Engels, Lautréamont, hasta terminar en los más próximos. La segunda, es decir, la columna de los rechazados, se abre con Platón, Virgilio y Santo Tomás de Aquino, se continúa con Rabelais, Ronsard, Montaigne y otros autores del siglo XVII, pasa por ciertos románticos, Hoffmann, Vigny, y termina con Gourmont, Bergson, Valéry, Benda, etc. ¿Será menester algún comentario a tan caprichosa bipartición? Sin contar la estrechez de perspectivas que, salvo pequeñas excepciones, y descontados algunos autores antiguos, se limita al área francesa. ¿Por qué —cabe preguntarse— se recomienda a Sade y a Laclos y se excluye a Casanova y a Restif de la Bretonne? ¿Por qué se descarta a Erasmo, a Quevedo, a Rabelais y se olvida en absoluto a Villon? ¿Por qué más adelante no se incluye a Shelley, a Novalis, a Leopardi, a Espronceda y tantos otros románticos dotados quizá de mayor "fuerza explosiva" que muchos de los preferidos? ¿Cómo es posible descartar a Bergson, pasar al lado de Proust sin verlo?

Y mayores objeciones ofrece aún en este sentido el "panorama del medio siglo", con que a modo de balance esquemático finaliza el *Almanach surréaliste du demi-siècle* (1950). Allí se recompone la historia de los últimos cincuenta años, dando caracteres de acontecimiento memorable a cualquier hecho que, en un sentido u otro, favorezca el sistema superrealista, y se ignoran otros más trascendentes. Un solo ejemplo: para tal Almanaque el único acontecimiento memorable de 1900 fue la publicación del *Ubu enchaîné* de Jarry; no lo son, aunque acontecieron en la misma fecha, la muerte de Nietzsche, la de Oscar Wilde, la fundación de los *Cahiers de la Quinzaine* por Péguy, etc. Por lo demás, el tipo de catálogo que compone Breton con las listas de preferidos y rechazados se amplía mediante su *Anthologie de l'humour noir*. Claro que este concepto del humor negro, por parte de Breton, es muy singular, muy limitadamente superrealista, al definirle con palabras ajenas como "una rebelión superior del espíritu". Pero lo chocante (hasta cierto punto, dado el modo centrípeto con que, salvo excepciones, proceden en este trance los escritores franceses, reduciendo cualquier mirada panorámica a los límites nacionales) en tal antología, más que las presencias —muy previstas, las habituales francesas, con pequeñas muestras de las literaturas alemana e inglesa— son las ausencias. Es lógica, por ejemplo, la inclusión de un Swift, de un Lewis Carroll, de un Quincey. Pero ¿cómo se concibe la exclusión de un Quevedo, que sin necesidad de ir más allá de un solo texto *(El mundo por de dentro)* supera en audacia imaginativa, en sátira avernal a cualquier otro? [6]

Tal restricción de la visual histórica respecto a los antecedentes del superrealismo ha llevado a algunos de sus epígonos, por ejemplo a Marcel Jean y Arpad Mezei a titular un libro *Génèse de la pensée moderne,* donde no aparece un solo pensador propiamente dicho y es estrictamente un desfile de los "raros" literarios idolizados por la escuela del superrealismo; en primer término Sade, Lautréamont, Rimbaud, Jarry. Adviértase que entre los inmediatos antecesores del simbolismo dejan fuera a Baudelaire y a Mallarmé, quizá por considerarles muy consabidos o utilizados por otros.

Algunos críticos, en su afán de buscar precedentes, van más atrás,

[6] Tan llamativas resultaron, por una vez al menos, las omisiones de autores españoles, en esta *Antología del humor negro,* que un crítico francés, Aimé Patri, en la revista *Paru,* París, se vio obligado a censurarlas, mencionando entre los ausentes a Cervantes, Valle-Inclán y Unamuno. El nombre del primero, aunque honroso siempre, resulta aquí más bien desplazado, ya que el humor de Cervantes nunca tiene colores sombríos, al contrario, risueños y placientes; el de Unamuno pudiera concretarse en una novela, *Amor y pedagogía;* y en cuanto al de Valle-Inclán, resulta el de más abundante representación no sólo con los *Esperpentos* sino con *El ruedo ibérico* y otros libros. Pero en la misma nómina tampoco sería posible olvidar páginas de humor negro de escritores de períodos algo anteriores; por ejemplo, Cadalso en sus *Noches lúgubres,* Larra en "El día de difuntos" y otros artículos satíricos, Espronceda en ciertos pasajes de *Diablo mundo,* sin contar algunas de sus poesías calificadas como apócrifas; finalmente, Ramón Gómez de la Serna, aunque sólo se mencionara de él un libro, *Los muertos, las muertas y otras fantasmagorías.*

estiran sus límites del superrealismo hasta el romanticismo, pero no en su zona maldita, que es donde se encuentra, sino en la más clara o asimilada. Así George Lemaître en *From Cubism to surrealism in French literature*, incluyendo a Rousseau; o bien Anna Balakian, en *Literary origins of surrealism, a new mysticism in French poetry*. El primero pretende trazar una línea de enlace con Rousseau, cuando en rigor los románticos franceses verdaderamente influyentes sobre el superrealismo son otros más escondidos, tales como Petrus Borel, Aloysius Bertrand, Philotée O'Neddy, Rabbe... Por cierto, Edmond Jaloux escribía que la obra maestra del romanticismo francés, que no escribió ninguno de los nombrados, le correspondió realizarla a Lautréamont cuarenta y cinco años después. En cuanto a Anna Balakian, si bien no carece de razón parcialmente al hablar de un nuevo misticismo, en rigor, al investir de tantos sentidos contradictorios este calificativo (misticismo materialista, misticismo ateísta, etc.) le torna abusivo e inoperante. Su error arranca de confundir "misticismo" con "magia" al modo superrrealista.

Veamos ahora aisladamente tres antecesores.

Lautréamont

La exaltación, descubrimiento o "revival" en que más insisten los superrealistas, es el de Lautréamont. Pero es incuestionable que no pueden atribuírselo con exclusividad. Recordemos que sus primeros descubridores y apologistas fueron Rémy de Gourmont, Léon Bloy; después Valéry Larbaud y Léon-Paul Fargue; en nuestro idioma la prioridad pertenece a Rubén Darío, en un capítulo de *Los Raros* (1905) ("un libro diabólico y extraño, burlón y aullante, cruel y penoso" —dice de *Les chants de Maldoror*—, así como la más completa investigación biográfica sobre la vida de Lautréamont se debe a sus compatriotas, los críticos uruguayos Gervasio y Alvaro Guillot Muñoz. Los datos precisos sobre Isidore Ducasse ("Conde de Lautréamont") y sobre su libro, descontadas las hipótesis o invenciones de Philippe Soupault y Ramón Gómez de la Serna, son tan parcos como extenso es el influjo y su posteridad crítica. Ducasse nació en Montevideo en 1846 [7], hijo de un canciller o simple empleado de la legación de Francia, se traslada a París en 1860; estudia en los liceos de Tarbes y Pau y a los diecinueve años llega a París para inscribirse en la Escuela Politécnica. Muere en 1870. Apenas queda ningún rastro claro de su paso por la vida. Publica en 1868 el primer canto de Maldoror, bajo el seudónimo de Conde de Lautréamont; la obra completa, es decir, los seis cantos, aparece en 1869. Dejaba, presumiblemente inédito, un tomo de *Poesías*; pero lo único que se conoce del mismo es un prólogo datado en 1870, que luego ha sido rebautizado bajo el título de *Prefacio a un libro futuro*.

¿Qué es lo que se alaba, superando todas las hipérboles imaginables, en Lautréamont? ¿Por qué se le ha querido elevar a antecesor máximo de algunas de las más audaces direcciones poéticas? Mas en rigor de verdad lo que correspondería preguntarse es esto: ¿se trata de un precursor o de un retrasado? Por lo pronto, digamos que es un "poeta maldito", quizá el único que hubiera merecido plenamente este calificativo en la galería que trazó Paul Verlaine, *Les poètes maudits*, donde, por cierto, no figura. La primera impresión que recibe el lector no prevenido al internarse en *Los cantos de Maldoror* es la de hallarse ante un romántico retrasado, que por ello mismo acentúa, desmesura los rasgos más exteriores y al mismo tiempo los más vulnerables en la escuela de la hipérbole. Lautréamont declara sus intenciones en los párrafos de una carta a su editor Lacroix: "He cantado el mal según lo hicieron Mickiewicz y Byron, Milton, Southey, Musset, Baudelaire, etc. Naturalmente, exageré un poco el diapasón a fin de hacer algo nuevo en el campo de esa literatura sublime que sólo canta la desesperación para oprimir al lector y para hacerle desear el bien como remedio." Retengamos entre las anteriores estas palabras: "J'ai un peu exagéré le diapason". El propósito queda claro: por una parte, exagerar hasta el límite máximo un modo romántico, el mal, inclusive la crueldad, el terror; por otro, mediante ese camino indi-

---

[7] La galantería de carácter profético que, al final del primer canto de Maldoror, tuvo con su tierra nativa desveló en ocasiones a algunos poetas uruguayos: "El final del siglo XIX verá su poeta; ha nacido en las costas americanas, en la desembocadura del Plata..."

recto, llevar al lector al polo opuesto, al deseo del bien; lo inmoral como camino hacia el moralismo. Nada como el ejemplo del estrago del vicio encamina las almas hacia las sendas de la virtud. La conclusión no es demasiado nueva precisamente, pero sí la única lógicamente deducible del *Prefacio a un libro futuro*.

Si se aceptara esta explicación, *Los cantos de Maldoror* quedarían anulados en cuanto libro maldito, permaneciendo únicamente al desnudo su abrumadora fraseología romántica. De ahí que, generalmente, los más se hayan negado a reconocer el carácter de rectificación que presenta ese prólogo. Y, sin embargo, tal escrito asume en todas sus líneas un carácter inequívoco de palinodia, demasiado insistente para no ser sincero. Ya en una carta a su banquero, que data de 1870, Lautréamont anticipa una rectificación: "Los gemidos poéticos no son más que sofismas odiosos. Cantar el aburrimiento, los dolores, las tristezas, las melancolías, la muerte, la sombra, etc., es obcecarse en no ver más que el pueril revés de las cosas. Lamartine, Hugo, Musset se han metamorfoseado voluntariamente en mujercillas. ¡Estas son las grandes cabezas reblandecidas de esta época, siempre gimoteando! He aquí por qué he cambiado radicalmente de método, dedicándome a pintar exclusivamente la esperanza, la felicidad, el deber." Y a la cabeza del *Prefacio a un libro futuro* escribe: "Remplazo la melancolía por el valor, la duda por la certidumbre, la desesperación por la esperanza, la maldad por el bien." Hay además cierto párrafo que los superrealistas se han cuidado siempre de no dejar en la sombra, pero que de hecho es la más categórica reprobación de lo onírico diurno: "No se sueña más que cuando se duerme."

El cambio de intenciones y de tono con respecto a *Maldoror* es demasiado absoluto para no resultar inquietante, desorientador. ¿Cuándo era sincero Lautréamont: en *Maldoror* o en el *Prefacio* o nunca? Acéptese la tremenda heterodoxia que para algunos ducassianos fanáticos —los hay— llevan dentro estos interrogantes. No cabe responder como Philippe Soupault y Jean Paulhan que el segundo texto, con relación al primero, es una contradicción y una prueba por el absurdo. Se alegará que Lautréamont no es sincero en la carta citada, tampoco en el *Prefacio*, y sí en los *Cantos*, y que su intención subyacente puede haber sido no asustar al banquero corresponsal que le pasaba las mensualidades de su padre, tratando de disociar el poeta del particular. Pero en tal caso, ¿por qué Lautréamont siguió insistiendo en los mismos conceptos a lo largo de otras cartas? "Sepa usted —escribe con fecha 21 de febrero de 1870— que he renegado de mi pasado, ya sólo canto a la esperanza; mas para llegar a esto, menester es ante todo atacar la duda del siglo (melancolías, tristezas, dolores, desesperaciones, gemidos lúgubres, maldades artificiales, orgullos pueriles, maldiciones grotescas, etc.). En una obra que entregaré a Lacroix, en los primeros días de marzo, tomo partido contra las más bellas poesías de Lamartine, de Víctor Hugo, de Alfred de Musset, de Byron y de Baudelaire, corrigiéndolas en el sentido de la esperanza e indico cómo hubieran debido ser." Y más adelante, quejándose de que la impresión de los *Cantos* le costó 1.200 francos y de que considera este dinero como tirado a la calle, agrega: "Esto me hizo abrir los ojos; me dije que puesto que la poesía de la duda (de los libros del día no quedarán 150 páginas) llega a tal punto de desesperación sombría y de maldad teórica, débese a que es radicalmente falsa..."

Y una sensación de falsedad, de hipérbole deliberada, de amaño retórico voluntario, es la que producen, desde sus primeras páginas a las últimas, los *Cantos*. Hagamos abstracción momentáneamente de su riqueza imaginativa, de su suntuosidad verbal, como en el famoso "Canto al mar" del capítulo IX. Ahí por cierto queda expreso el ideal estético —antes citado— de Lautréamont: "Bello como el hallazgo fortuito sobre una mesa de disección de una máquina de coser y de un paraguas", frase de donde nacen los cuadros más extraños de la pintura superrealista. Pero el elemento literario en *Maldoror* está tan recargado que llega a parecer grotesco. Su autor, se diría, no es dueño de sus visiones y parrafadas; se deja conducir por ellas. ¿Acaso le mueve el afán de asustar, de intimidar al lector, usando de procedimientos, y personajes, escenas y situaciones idénticos a los que llenan las novelas negras o góticas? Por ejemplo: la mejilla de un niño arrancada con una navaja de afeitar, un rostro sangrante hendido por un cortaplumas (imagen que —como ya anoté— en la década de 1930 adquiría corporización fotográfica en el film de Buñuel y de Dalí *El perro andaluz*).

En suma, trucos de barraca de feria que lo mismo pueden provocar espanto que risa.

¿Cómo puede mantenerse una fama tan prolongada sobre la base de una obra tan equívoca? Y es que en ciertos autores se lee no lo evidente, lo que está escrito, sino lo que quiere leerse —aún más allá de las posibles entrelíneas de intenciones latentes—, en virtud de un prejuicio favorable o adverso, merced al cual todo se distorsiona. Se pasan por alto las contradicciones que pululan en Lautréamont. Un escritor tiene derecho a rectificarse cuando muy juvenilmente se lanza a gestos extremos. Sin duda, pero si Lautréamont tenía veinte años cuando publicó los *Cantos* no era precisamente un viejo cuando dos años más tarde dio a luz el *Prefacio*. Se ha intentado explicar como humorismos algunas de sus contradicciones e incongruencias. Pero aun quienes están más dispuestos a aceptar tal supuesto (como L. P. Quint: *Le comte de Lautréamont et Dieu*) se ven obligados a reconocer: "ciertamente si no se cree ni en la locura ni en la hipocresía del autor, el "humour", incluso el "humour" más doloroso y sarcástico, no explica completamente frases de este género". Alude a ciertas frases de las cartas donde Lautréamont se burla de su obra y del lector, reconociendo sus excesos; así cuando escribe que el lector le dedicará un epitafio de esta suerte: "Hay que hacerle justicia (al poeta). Mucho me ha cretinizado." Pero mayores son aún las incongruencias y lugares comunes (para dejar de serlo tendrían al menos que volverse del revés), que asoman constantemente en el *Prefacio*. Se alzan con el aire de aforismos o máximas concluyentes: "Las obras maestras de la literatura francesa son los discursos de distribución de premios en los colegios y los discursos académicos." Y cierta serie de pensamientos célebres —más o menos recognoscibles—, pero aquí sí vueltos del revés: "Vosotros que entráis, dejad toda desesperanza." "Bondad, tu nombre es hombre." "No hay nada incomprensible." "La poesía debe tener por finalidad la verdad práctica." "El amor no se confunde con la poesía."

Vampirismo, satanismo, verba blasfematoria en dosis enormes abruman las páginas de los *Cantos*. Ya al comienzo del primero se habla de "los pantanos desolados de estas páginas sombrías y llenas de veneno", de las "emanaciones mórbidas de este libro". ¿Qué otra cosa revelan ésa y otras caracterizaciones semejantes, tanto como la presentación de *Maldoror* ("¡Yo empleo mi genio en describir las delicias de la crueldad!"), sino que los *Cantos* fueron concebidos como una obra premeditada, ejecutada en frío, producto de la lucidez y aun del cálculo; en suma, rigurosamente lo contrario de una obra inspirada, producto mediumnico o poco menos, según suelen presentárnosla los superrealistas? Pero la equivocidad de Lautréamont fue siempre demasiado visible. Le salvó de sucumbir en su tiempo precisamente el hecho de que los *Cantos* fueran entonces ignorados y de que cincuenta años después se beneficiaran de la plusvalía común a todo redescubrimiento.

Ya es sabido que la antítesis pertenece a la serie de artificios puramente románticos; ejemplo arquetípico, Víctor Hugo. Por eso el juego del halago y de la agresión al lector, alternados en estos *Cantos,* donde se mezclan lo terrorífico y lo inocente, es tan repetido. Pero ¿acaso Lautréamont no rebasa la medida de cierto equilibrado desequilibrio, dando origen a las mayores sospechas sobre su sinceridad o, más bien, su fondo libresco? Denunciando una de sus fuentes, el propio Lautréamont escribe: "¡Oh, noches de Young, cuánto sueño me habéis costado!" Rémy de Gourmont *(Le livre des masques)* fue el primero en advertir reflejos de Anne Radcliffe, de Maturin y de Byron. Herbert Read *(Le disque vert,* "Le cas Lautréamont", 1925) añade la confrontación con William Blake. Por su parte, en la misma revista, André Malraux señalaba el sadismo infantil, el baudelairismo barato de algunas escenas de *Maldoror.* Naturalmente, una obra tan desconcertante como la de Lautréamont en sus dos únicas expresiones, la maldita y superromántica de *Maldoror,* la enigmática del *Prefacio a un libro futuro,* ha reunido, junto a las apologías incondicionales, las reservas más fundadas. Entre las primeras, aislemos únicamente estas palabras de André Breton, *Anthologie de l'humour noir*: "Los *Cantos* son la expresión de una revelación total que parece exceder las posibilidades humanas... Mirada absolutamente virgen... Apocalipsis definitivo..." Y desde un punto de vista opuesto, estas otras palabras que firma Jean Hythier: "Una obra sin valor, pero que imita al genio." "Imposible tomar en serio la exhibición de un comisionista de lo fantástico. Sus esfuerzos más terroríficos provocan la risa." "Ducasse dejó escapar la ocasión de

escribir una sátira truculenta al romanticismo macabro y fantástico."
¿O cabe satisfacerse con la explicación que dio Léon Pierre Quint: "Lo importante para él es acentuar siempre la violencia"? Por su parte, Albert Camus *(L'homme révolté)* nos recuerda ciertas palabras que escribió Van Wyck Brooks en sus *Opinions of Oliver Allstone,* cuando afirmaba que Rimbaud era un poeta de adolescentes. Lo hace al escribir: "Se comprende con Lautréamont que la rebelión es adolescente." Camus ha acertado a herir a los superrealistas en el punto más vulnerable al titular el capítulo que le dedica: "Lautréamont y la trivialidad", lo que echa por el suelo el pedestal de la grandiosa solemnidad profética sobre el que alzan a Lautréamont. Para Camus "Lautréamont, saludado habitualmente como el cantor de la rebelión pura, anuncia al contrario el gusto de la servidumbre intelectual que se extiende en el mundo."

Rimbaud

¿Qué se exalta tan desmedidamente en Jean-Arthur Rimbaud? ¿Su breve, pero capital, obra literaria —realizada en el lapso de los dieciséis a los diecinueve años (1870-1873)— o bien su vida "antiliteraria", desgarrada y aventurera? ¿La pulpa o el hueso? ¿La cosecha de belleza o su reverso sarcástico? El caso es que indudablemente ha querido cargarse el acento sobre su negativa a continuar, sobre sus andanzas no precisamente heroicas —negrero, traficante de armas en Asia y Africa—, viendo tal renuncia como la más dramática sublimación de un espíritu ingénitamente rebelde. Pero al cabo de los años y de las montañas de apologías deformadoras, ya han comenzado a ponerse los puntos sobre las íes.

"Rimbaud —escribe Albert Camus, *L'homme révolté*— no ha sido el poeta de la rebelión más que en su obra. Su vida, lejos de legitimar el mito que ha suscitado, ilustra únicamente —basta para demostrarlo una lectura objetiva de las cartas que escribió desde el Harrar— una aceptación del peor nihilismo imaginable. Rimbaud fue deificado por renunciar a su propio genio, como si esta renuncia supusiera un valor sobrehumano; pero es el genio lo que supone una virtud, no su renuncia." Camus le reconoce como "el más grande poeta de su tiempo", pero se niega a verle como "el hombre-dios, el ejemplo activo, el monje de la poesía que han querido presentarnos". Y concluye afirmando que en modo alguno puede hacerse un hombre ejemplar del mercader de Harrar, en sus días africanos, de quien llevaba constantemente en el cinturón ocho kilos de oro.

Pero ha sido Etiemble quien en su monumental *Mythe de Rimbaud* ha contribuido más poderosamente a derribar el plinto de la estatua mítica —con riesgo de echar abajo también la obra—. Implacablemente se ha aplicado a desmitificar, no sólo a demitificar, la imagen de un Rimbaud sacado de quicio por la beatería del panlirismo sin medida, poniendo en ridículo el afán de considerar su obra como "la Biblia de los tiempos modernos"[8]. Del mismo modo Camus protesta contra la suposición de que "nada era posible después de la *Saison en enfer*". Lo que no sospechaban quienes tal cosa creían era que en los últimos años un estudioso a fondo de la cronología rimbaudiana —Bouillane de Lacoste— adujera datos casi suficientes para demostrar que las *Illuminations* eran un libro escrito posteriormente a la *Saison* —cuya edición Rimbaud decía haber destruido, sin que hiciera tal cosa—, con lo cual se resquebrajaría el mito de la "renuncia heroica" que consideraba el segundo libro como un grito de adiós. Ante tal sospecha, los superrealistas clamaron al cielo y Breton dedicó largas páginas a denunciar lo que calificó de *Flagrant délit,* título de una publicación especial sobre el tema. Dicho más exactamente, lo combatido en tales páginas fue una pintoresca superchería: la publicación de un apócrifo de Rimbaud, simulando haber hallado un manuscrito perdido del mismo, *La chasse spirituelle.*

¿De quién huye Rimbaud cuando, hastiado de Verlaine (las relaciones entre los dos constituyen un capítulo que, al margen de cualquier moralismo, es inevitable calificar de repugnante), de París, de Londres, de Bruselas, de su Charleville natal, se embarca hacia otros horizontes? Más que de nadie, Rimbaud huye de sí mismo en una

---

[8] V. mi capítulo "Rimbaud, mito y poesía" en *Las metamorfosis de Proteo* (Losada, Buenos Aires, 1956).

arquetípica crisis de adolescente radical, incurablemente díscolo. *Una temporada en el infierno* registra premonitoriamente, de modo autobiográfico, las etapas espirituales de este éxodo. Primero, su motivación: "Una noche senté a la Belleza en mis rodillas./Y la encontré amarga./Y la injurié." Luego, una perspectiva de sus avatares: "Mi jornada está cumplida; abandono Europa. El aire marino quemará mis pulmones; los climas perdidos me tostarán... Tendré oro; seré ocioso y brutal... ¡Salvado!" Pero no; fue acosado por los escombros de sus recuerdos, al regreso de Abisinia, con una pierna amputada, en un hospital de Marsella. "¡Qué vida! —había escrito en la *Saison*— La verdadera vida está ausente. No estamos en el mundo." ¿Acaso son frases así, junto a su presunta conversión postrera, las que indujeron a Claudel a calificar a Rimbaud como "un místico en estado salvaje"? De forma menos indubitable este supremo disgusto de todo, esta repulsa del mundo es lo que ha llevado a muchos poetas, particularmente superrealistas, ambiciosos de un más allá sin límites, a diputarle maestro y precursor, dedicándole una hornacina idólatra.

Y junto a las frases citadas, la famosa "Alquimia del verbo". "Me habituaba a la alucinación simple: veía claramente una mezquita en lugar de una fábrica...; calesas en los caminos del cielo; un salón en el fondo de un lago; los monstruos, los misterios." La consecuencia es lógica: "concluí por encontrar sagrado el desorden de mi espíritu". De ahí las alucinaciones —"llegué a ser una ópera sorprendente"— y los desdoblamientos —"en cada ser varias otras vidas me parecían obligadas"—. El paso a la "videncia" es rápido: "hay que ser vidente, hacerse vidente"; "el poeta se hace vidente mediante un largo, inmenso y razonado desarreglo de todos los sentidos". ¿Acaso frases como las transcritas no vienen a ser una suerte de repertorio abreviado, un índice de motivos, preferencias, inclusive "slogans" y "poncifs" de gran parte de la poesía en los últimos decenios? Pero aquel muchacho con las "suelas al viento", como le llamó Verlaine, aludiendo a su nomadismo, consiguió algo diametralmente opuesto a lo que buscaba: no el olvido y la execración de la nefanda "literatura", sino un impacto muy poderoso, al punto de dar origen a otra, a la que algunos llamarían "antiliteratura", queriendo implícitamente entender así una especie de "superliteratura", capaz de "escribir los silencios" y obtener el rasgamiento de todos los velos últimos, pues calculan haber dejado atrás el de Maya... Ahí, y en algunos poemas aislados de las *Illuminations*, más que en el color de las vocales o en las estrofas del "Barco ebrio", es donde ha de encontrarse el rostro del verdadero Rimbaud.

No hay, pues, por qué creer demasiado en las imágenes que sucesiva, inacabablemente nos fueron presentando críticos y escoliastas: ni el *Rimbaud voyant* de Roland de Renéville, ni el *Rimbaud le voyou* de Benjamin Fondane. Roland de Renéville ve en él el "Mesías de la nueva revelación", le encara como un poeta esotérico, una suerte de profeta ocultista: interpretación que se enlaza con la dada por los superrealistas. Fondane considera su obra como la expresión de una angustia a lo Kierkegaard, a lo Dostoievsky y afirma que *Una temporada en el infierno* pertenece al mismo linaje que la confesión de Stavrogin en *Los endemoniados*. Opuestamente, Jacques Rivière, siguiendo a Claudel, entendía las prosas y los poemas de Rimbaud como "una maravillosa introducción al cristianismo", mientras que, para Jean-Marie Carré, Rimbaud es, de forma más obvia, "amoral y ateo". Y no terminan aquí las contradicciones. En tanto que André Dhotel habla de "la obra lógica de Rimbaud", para Benjamin Fondane esta obra demuestra "la ausencia absoluta de todo sistema lógico". Por su parte Etiemble (en un primer libro que escribió sobre el mismo tema, en colaboración con Yassu Gauclère) se alza contra esas y otras interpretaciones y prefiere atenerse más estrictamente al sentido literario de los propios textos.

En cualquier caso hay un escrito capital del poeta aún no mencionado: es el que mayor impronta ha ejercido; se trata de una carta a su profesor del colegio de Charleville, conocida con el nombre de "Lettre du voyant". Viene a ser una suerte de improvisación profética sobre la evolución y el destino de la poesía; allí afirma su desdoblamiento ("Je est *un autre*" y expresa: "Je dis qu'il faut être *voyant,* se faire *voyant.*" Y la frase antes recordada: "El poeta se hace vidente por un largo, inmenso y razonado *desarreglo de todos los sentidos.* Todas las formas de amor, de sufrimiento, de locura; busca en él mismo, agota todos los venenos para guardar él sólo las quintaesencias. Inefable tortura donde necesita toda la fe, toda la fuerza sobrehumana, donde llega a ser, entre todos, el enfermo grave, el gran criminal, el gran maldito ¡y el supremo cuerdo! —¡pues alcanza a lo *desconocido!*—. Ya que ha cultivado su alma, siendo ya más rico que ningún otro. Llega a lo desconocido; ¡y cuando enloquecido acabe por perder la inteligencia de sus visiones, las habrá visto!" Y más adelante: "Luego el poeta es realmente un ladrón del fuego. Tiene a su cargo la humanidad y aun los animales; deberá hacer sentir, palpar, escuchar sus invocaciones. Si lo que trae de *allá lejos* tiene forma, conseguirá una forma; si es informe, quedará sin forma. Encontrar un idioma. Por lo demás, y puesto que toda palabra es idea, llegará el día de un lenguaje universal [...] El poeta definirá la cantidad de desconocido despertada en su tiempo, en el alma universal." Y finalmente: "La poesía no aconsonantará con la acción; irá delante."

Como quiera que algunas de estas frases, aun gravadas por una gratuidad profética demasiado estridente, han pasado a ser fáciles "slogans" programáticos entre los líricos de las últimas generaciones, ello viene a confirmar que entre chispazos luminosos y oscuridades irredimibles, más allá de candores y desmesuras, la obra de Rimbaud ha creado —según afirma Marcel Raymond, *De Baudelaire au surréalisme*— el "mito moderno de la poesía".

Sade

En el tríptico de ídolos o figuras endiosadas por los superrealistas, el marqués de Sade es el de incorporación más reciente, y quizá por ello aquel que se beneficia con los entusiasmos más rendidos. Cierto es que los superrealistas no acaparan tal culto; lo comparten con otros grupos o figuras sueltas de los últimos tiempos. Pero ¿qué es lo que se pondera o magnifica en Donatien-Alphonse-François, marqués de Sade (1740-1814)? Sucede, ante todo, que a su personalidad de escritor —muy secundaria en verdad, si sólo se atiende a los valores intrínsecamente literarios— se antepone la del libertino osado que se alza contra su mundo en torno y vuelve del revés las leyes de la moral usual. Pero ¿es acaso el precursor de una sociedad libre de coerciones —según algunos pretenden— o se trata, por el contrario, de un ser aferrado a

...périmental, poursuivra son développement naturel. Elle
s'attachera à tendre à la résolution dialectique des vieilles
antinomies : action et rêve, nécessité logique et nécessité
naturelle, objectivité et subjectivité, etc... Ce qu'il importe
de souligner est que nous nous proposons, dans la période
qui vient, de donner un tour beaucoup plus actif à
~~dégager~~ l'objectivation et à l'internatio-
nalisation des idées surréalistes. Notre activité ~~lentement~~ déve-
loppée ~~lentement~~ à Paris, Belgrade, Bruxelles, Copenhague, Stockholm, Zurich, Londres, New-York,
[...]na, constitue une garantie suffisante
[...] est devenu international
[...] de ce mot. ~~Je viens de~~
[...] Boxeur [...] une conférence sur
[...] surréalisme, j'ai

Oh ! Et le charme d'un poing énorme agité,
Ballon d'assaut,
Cœur bien placé,
(Le cœur bat à sa hauteur),
Sauteur
Et non de peur.

Paul Eluard

briques [...] [...]aux et
[...]éaniens) que no[...] pour
[...] caractère extra [...] ~~mais~~
[...]rationnel. À Londres, [...] Burlington
[...]lery, s'ouvrira une gra[...]tion de peinture ~~et~~, de sculpture et d'objets [...]éalistes qui
~~rendra~~ s'en ira, pour l'automne, à
New-York.
Le surréalisme n'est pas une école littéraire, mais
un état d'esprit, mais un moyen de connaissance. Il...

"...superrealismo no es una escuela
literaria, sino un estado de espíritu, un
medio de conocimiento..." se lee en las
últimas líneas de este manuscrito inédito
entregado por Paul Eluard a Guillermo de
Torre. En el centro, un poema del mismo

77. Paul Eluard

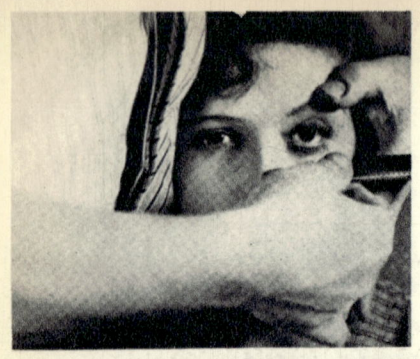

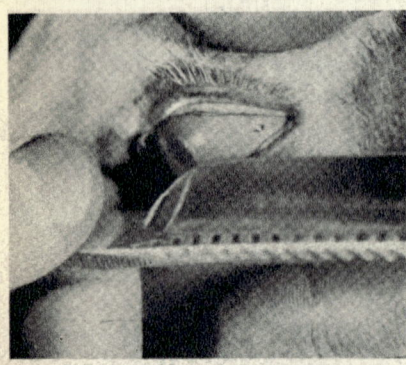

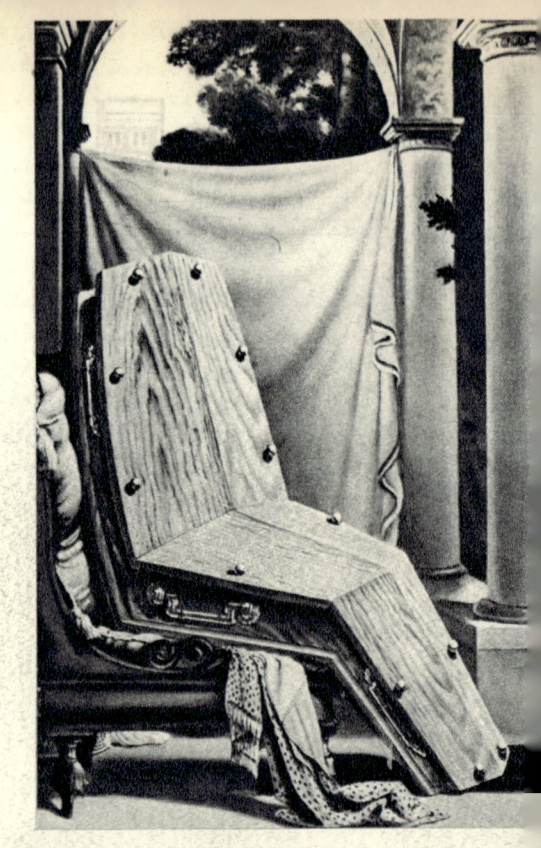

79. René Magritte: *Madame Ré[camier]*

78. Escenas del film *El perro andaluz*, de Buñuel y Dalí

80. René Magritte *El modelo ros[a]*

1. Chirico: *Estación Montparnasse*, 1914

82. Chirico: *Melancolía turinesa*, 1915

83. Salvador Dalí: *El hombre invisible*, 1930

84. Dalí: *La ciudad de los cajones,*

rancios privilegios, en forma de desafueros y violaciones? Esta es una de las primeras contradicciones de Sade, aquel aristócrata libertino, situado de hecho completamente al margen de las pugnas políticosociales, para quien no cambió nada antes ni después de la Revolución francesa, pues hubo de pasar en la cárcel las tres cuartas partes de su vida.

A primera vista, en el cuadro del siglo XVIII, iluminado y racionalista, el marqués de Sade, junto con Casanova, Choderlos de Laclos y Restif de la Bretonne, pero en contraste con Diderot y los enciclopedistas, cobra casi un aire de trasgo anacrónico, grotescamente extemporáneo. Sin embargo, no deja de representar el otro lado, podrido a fuerza de maduro en la exquisitez, de ese mismo siglo XVIII, donde todos los relajamientos —antes y después de 1789— llegaron al clímax. Es la época en que florece copiosamente la literatura del terror, lo mórbido y aun lo monstruoso.

Mario Praz ha señalado la filiación de las heroínas de Sade. Juliette y Justine derivan de la jovencita perseguida que aparece en la *Clarissa* de Richardson; más ampliamente, los folletines de Sade reflejan en forma exasperada la misma corriente que en Inglaterra produce la floración de las novelas negras o terroríficas: *Los misterios de Udolfo* de Ana Radcliffe, *El monje* de Lewis hasta —ya a la entrada del siglo XIX— *Frankenstein* de Mary Shelley y *Melmoth the Wanderer* de Maturin. De ahí deriva luego toda la larguísima serie del "roman-feuilleton". Sade marca así —dice el mismo Praz— una de las corrientes subterráneas de la literatura en el siglo XIX (Baudelaire, Huysmans, Swinburne, por un lado, Eugène Sue y Torcuato Tárrago, por otro...).

Sin duda hay en el autor de *Justine* algo más que un folletinista truculento y un autor licencioso; sin duda el epíteto de "libertino" (con que suele designársele en los libros, pero no en las historias literarias que habitualmente le ignoran) es tan insuficiente como ridículo el de "divino marqués"; desde luego es incuestionable que su doble condición de víctima y victimario (sádico a su favor, masoquista contra sí mismo) le presta una equívoca aureola; ¿pero significa eso que podamos tomar en serio a sus apologistas más incondicionales cuando nos le presentan como un "espíritu superior"? ¿Justifican sus audacias de pluma y de vida el hecho de que a partir de Apollinaire —principal promotor de la resurrección sadista— algunos quieran ver en Sade al "espíritu más libre que nunca ha existido"? "En todo caso, el cuerpo más confinado" —apostilla Jean Paulhan con su agudeza habitual, aludiendo a las doce cárceles y los treinta años que pasó encerrado. Apollinaire se aventuraba a vaticinar que este autor "condenado hasta comienzos de este siglo al *infierno* de las bibliotecas y que tampoco contó en el siglo XIX podría muy bien dominar el siglo XX." Pero ¿en qué sentido?

Descartando hipérboles —operación bastante difícil de practicar en casos como el de Sade—, el hecho es que la violencia, el desenfreno, sobre todo la crueldad que estallan en sus escritos, traspuestos del plano de los instintos eróticos al plano más general de la vida colectiva, muy bien pudiera tomarse como premonición de las brutalidades padecidas por nuestro tiempo: el de los bombardeos, de las cámaras letales y de los campos de concentración. Lo cual precisamente no es un título de gloria, a no ser que adoptemos la perspectiva de absoluta inversión de los valores peculiar del sadismo. En este sistema el mal es el bien y al revés; el vicio representa el elemento activo y positivo; la virtud, el negativo y pasivo. Pero ¿cabe acusar a Sade de cómplice con la barbarie totalitaria o es más bien un denunciante anticipado? Pierre Klosowski *(Sade, mon prochain)* le atribuye la función de "denunciar las fuerzas oscuras disfrazadas y transformarlas, por los mecanismos de defensa de la colectividad, en valores sociales". Otro crítico, Gilbert Lély, sostiene, no sin paradoja, que si "el hombre esclavo y torturador hubiera advertido las atroces posibilidades que contiene su naturaleza, y que Sade fue el primero en revelar, quizá el incalificable período de 1933 a 1945 no hubiera llegado a deshonrar para siempre el carácter de la raza humana". Y, sin embargo, Bertrand d'Astorg ha incluido a Sade en su *Introduction au monde de la terreur,* junto con Saint-Just y William Blake, entre otros.

Presentar al marqués de Sade como un monomaniaco sexual, incorporarlo a la galería del erotismo psicopatológico pudo bastar a quienes primero sintieron atraída su atención clínica por tan infrecuente personaje. Pero ¿abominar de él con arreglo a la óptica moral estatuida no significa dar la razón a quienes gustan del escándalo? Reconozcamos, pues, que resulta más original —lo que tampoco quiere decir compartible— la actitud de algunos de sus más extremados apologistas. Le ven como un revolucionario arquetípico, revolucionario en estado puro; como al "anunciador de los tiempos nuevos donde el hombre llegará a libertarse de todas las trabas impuestas por una tradición desvitalizada y por una sociedad corrompida". Así escribe Louis Parrot ("Approches de Sade"). Para Paul Eluard *(Donner à voir)* Sade quiso reintegrar al hombre civilizado la fuerza de sus instintos, quiso libertar la imaginación amorosa de sus propios objetos. Creyó que solamente de ahí nacería la verdadera igualdad. Por su parte, André Breton, como siempre, rebasando todas las metas *(Anthologie de l'humour noir)* escribe: "Psicológicamente puede considerarse a Sade como el más auténtico antecedente de la obra de Freud y de toda la psicología moderna; socialmente tiende nada menos que al establecimiento, diferido revolución tras revolución, de una verdadera ciencia de las costumbres." Con más exactitud Otto Flake señala en Sade un trastrocador de los valores, pero no a la manera superior de Nietzsche, sino más bien del nihilismo sin salida.

Cuanto más se acerca uno a la imagen de Sade más relieve cobran sus contradicciones. Fuera de los barrotes de la prisión su vida es orgía y depravación; dentro —con la pluma en la mano— su obra es la de un moralista, escribe Jean Paulhan; cierto que de un moralista "sui generis". Está implícito en los subtítulos de sus dos novelas más características: "las aflicciones de la virtud", "las prosperidades del vicio" *(La nouvelle Justine ou les malheurs de la vertu* y *Juliette ou les prospérités du vice,* 1791 y 1796). Si en las mencionadas novelas —nos dicen— Sade pinta los vicios más execrables, no lo hace para ponderarlos, sino antes lo contrario para volverlos odiosos. En lo cual, desde luego, no hace sino seguir los pasos de todos los moralistas inmorales que en el mundo fueron. El más inmediato, su coetáneo Choderlos de Laclos, haciendo función de moralista al pintar sin tapujos la perversión del alma y la depravación del corazón entre las gentes de sociedad. Una diferencia al pasar: si *Les liaisons dangereuses* perduran no es por la crudeza que alarmó hace dos siglos y que hoy nos parece innocua, sino por sus análisis psicológicos. De modo distinto, en los folletines de Sade el análisis es tosco y lo que domina es la truculencia.

¿Satanismo, demonismo, eudemonismo? Sadismo más propiamente. Recordemos su definición, la dada por el propio Sade al presentarse poseído por "la desgraciada aberración que nos hace encontrar placer en los males ajenos". Mas para el autor de *Juliette* el mal es el eje del universo. "Todo ha sido creado para el mal." "El mal es necesario para la organización viciosa de este triste universo." Y en *Justine* encontramos párrafos como estos que tanto pueden parecer de una involuntaria comicidad como un anticipo de las frías divagaciones de Quincey sobre el asesinato considerado como una de las Bellas Artes: "¿Quién duda que el asesinato sea una de las leyes más preciosas de la naturaleza? ¿Una vez que ésta ha creado, no es destruir su finalidad?" Y en cuanto a las "desgracias de la virtud": "La virtud sólo conduce a la inacción más estúpida y monótona; el vicio a todo lo más delicioso que el hombre puede esperar en la tierra." Y en *Les 120 journées de Sodome*: "Si el crimen carece de aquel género de delicadeza que se encuentra en la virtud ¿no tiene un carácter de grandeza y sublimidad que le sitúa siempre sobre las atracciones monótonas y afeminadas de la virtud?"

Diríamos que Sade lo único que logra no es una inversión de los valores, sino simplemente del sentido de las palabras. Y sin embargo, a despecho de lo fácilmente que pueden anularse sus intenciones ¡cuánto ha cundido la desnaturalización aneja a Sade y al sadismo! De esta puesta al revés de los puntos cardinales, en el horizonte del hombre, ha salido toda la interpretación dada a la vida y la obra de Jean Génet por Jean-Paul Sartre en *Saint-Génet, comédien et martyr*. Pero "¿debe quemarse a Sade?" —se pregunta Simone de Beauvior *(Privilèges);* de acuerdo con su "moral de la ambigüedad" se contesta que "Sade bebió hasta las heces el momento del egoísmo, de la injusticia, de la desgracia, reivindicando su verdad". Pero es Albert Camus *(L'homme révolté)* quien —como siempre— con superior penetración y una lucidez no turbada por vapores sectarios de ninguna clase, instalado en su noble mirador ético, ha acertado a desentrañar el nudo de las contradicciones acumuladas en el libertino dieciochesco. A su parecer el éxito actual de Sade yace en "su reivindicación de la libertad total y en la deshumanización operada en frío por la inteligencia"; agrega Camus que "con dos siglos de anticipación, en una escala reducida, Sade elogió las sociedades totalitarias en nombre de una libertad frenética que la rebelión no reclama en realidad".

Pero cortemos aquí este desfile de testimonios aun cuando diste de ser completo. Para serlo debiéramos agregar, ante todo, uno hispánico —del malogrado escritor colombiano Jorge Gaitán Durán *(Sade)*— y luego otros de Georges Bataille *(La littérature et le mal)*, más los científicos de Kraft-Ebbing, Dühren, Otto Flake... Lo que correspondería ahora sería medir con objetividad el valor literario de Sade. Pero del lobo un pelo. Y no creo que haya mayor error en considerar muy secundarios sus méritos en cuanto escritor. Posee más bien las virtudes negativas: el fárrago, la redundancia, una truculencia monótona. En todo caso donde incurre con más facilidad es en los dominios del "humor negro". Hay, inclusive, entre sus páginas, alguna fantasía escatológica que parece un cuadro superrealista: cierta escena donde se come carne humana sobre mesas vivas: las espaldas de mujeres desnudas. No son necesarias servilletas: los comensales se limpian los dedos en las cabelleras de las mujeres arrodilladas. La demasía de esta y otras ocurrencias similares lógicamente había de exaltar no solamente a los decadentistas fin de siglo XIX, sino a los superrealistas tres, cuatro décadas después.

Jarry

Con menor extensión, pero a fin de llenar las principales hornacinas del culto superrealista, parece ineludible abocetar la imagen de Alfred Jarry (1873-1907). Nombre que para los lectores de su lengua ha venido a ser sinónimo de *Ubu*, protagonista de la comedia bufa donde se condensa todo su humorismo. Humorismo de expresión muy rudimentaria, a fuerza de ser dislocado. Interesa más si se interpreta como una válvula de escape, al igual de todo humorismo satírico, como una merecida irreverencia contra las oquedades sonoras y los envaramientos solemnes que apesadumbran la existencia.

Literariamente Jarry lleva muy marcados ciertos rasgos del simbolismo, al borde de cuyos límites (1894) aparece. Amista con Rémy de Gourmont, con Alfred Vallette —director del *Mercure de France*—, con su mujer, Rachilde —que años más tarde dedicará a Jarry una biografía pintoresca— y con Apollinaire; también éste le dedicó una semblanza donde lo anecdótico excluye toda valoración crítica [9]. Se citan frases, rasgos, actitudes sueltas de Jarry: porque el personaje devora la obra. A tal punto el autor (o coautor, pues se ha discutido que Ubu le pertenezca con exclusividad) se había identificado con el personaje; sobre todo desde que el fantoche asomó al escenario por vez primera en 1896, en el Teatro de l'Oeuvre, París, bajo la dirección de Lugné-Poe.

Cierto espíritu lúdico, el gusto por las mixtificaciones, la bufonada ultrarreal singularizan a Jarry y ejercen su influencia en escritores tan diversos como Apollinaire, Max Jacob, Léon-Paul Fargue, Jean Cocteau, los superrealistas; sobre estos últimos de modo más acusado. Para Breton el humor de Jarry representa un desquite del principio del placer, propio del "super-ego", por encima del principio de realidad, propio del "yo"; ve en Ubu Rey "la encarnación magistral del "otro" nietzscheano-freudiano por el que se designa el conjunto de poderes desconocidos, inconscientes, rechazados, de los cuales el *yo* no es más que la encarnación permitida y completamente sometida a la prudencia".

Toda esta jerigonza para decirnos que Jarry "se suelta el pelo" y se ríe de lo divino y lo humano. Algunos apologistas extremos de *Ubu roi* —que no es el único de la serie, por cierto, pues en torno a ese personaje Jarry dio vueltas toda la vida y se continúa en *Ubu cocu, Ubu enchainé*— han llegado a sostener que ésta era la comedia que Shakespeare había soñado escribir. A juicio de quienes tal cosa afirman (por ejemplo, los turiferarios del superrealismo Marcel Jean y Arpad

---

[9] Aunque se alaben o asombren tan desmesuradamente, sus "salidas" o ingeniosidades parecen, en su mayor parte, muy fáciles, cuando no demasiado laboriosas, que viene a ser lo mismo. El médico del hospital donde Jarry —alcoholizado— pasaba sus últimos días le pregunta cuál es su último deseo. Jarry pide un mondadientes. La postrer confidencia de Ventura de la Vega en su lecho de muerte parece más jocosa: "Me molesta Dante".

Mezei), al dramaturgo inglés le faltó valor para componer una figura de esa talla y se quedó en Falstaff...

Mas lo importante sería saber si tal risa —no epigástrica, desde luego, algo más intencionada— tiene virtudes contagiosas o nos deja fríos. Que Jarry quería enfocar sobre bases algo más sólidas que las de un personaje salido de una broma de colegiales (la caricatura de un profesor: de ahí derivó el tipo, luego agrandado, del tío Ubu), su visión acremente humorística de la realidad se ve con más claridad en su otra obra famosa: un tratado de "patafísica" que lleva todo este título *Gestes et opinions du Docteur Faustroll, pataphysicien* (1911). Lo mejor es la definición: "La patafísica es la ciencia de las soluciones imaginarias." Lo demás —aunque se haya creado desde hace años en París un "Collège de Pataphysique", con su presidente, su estrado, sus sesiones, su correspondiente boletín— es también imaginario, pero muy degradado y artificioso. Por su crudeza de vocabulario y su desorbitación también verbal, más que imaginativa, Jarry se inscribe en el linaje que arranca de Rabelais y concluye —por ahora— en Ionesco.

EL SUPERREALISMO Y EL SUICIDIO

El capítulo donde se muestran las interferencias entre romanticismo y superrealismo no quedaría completo si no agregáramos otros de enunciado más sombrío, a modo de inevitable colofón dramático, sobre el superrealismo y el suicidio. El negativismo radical, la constante apelación a la revuelta, junto con la sumersión en lo negro, el chapoteo desnudo en las sombras oníricas, presagiaba cierto peligroso desliz hacia un pantano movedizo. El suicidio fue, desde el comienzo, una de las obsesiones más reiteradas de los superrealistas —nueva confirmación de su abolengo romántico—. Porque es bien sabido que el romanticismo deja un saldo de suicidas mayor que el de ninguna otra época; recuérdese simplemente los nombres de Larra, Quental, Hölderlin, Lenau; esto, sin contar la serie de muertes prematuras, de poetas desaparecidos antes de los treinta años, como Novalis, Shelley, Keats, Cabanyes; ni la de aquellos otros, también jóvenes, que perecieron en duelo, tales

Pusckin, Lermontov; abstracción hecha finalmente de los muertos por procuración al modo de Werther y su larguísima prole...

Ya en el segundo número de *La révolution surréaliste* (febrero de 1925) se planteó esta enquisa: "¿Es una solución el suicidio?" Pocos meses después, *Le disque vert,* de Bruselas, insistía con un interrogatorio idéntico. Aparentemente se trataba de un tema literario, pero el caso es que a su morbo contagioso no se cuidaba de poner siquiera —a modo de vacuna inmunizadora— un contrapunto humorístico. Un proverbio árabe dice que quien juega mucho al fantasma acaba por convertirse en él. Cuando se suicidó René Crevel en 1935, yo, sacudido por la muerte de este amigo, cargué la culpa —o gran parte de ella— a sus inductores más próximos, dando a los términos superrealismo y suicidio una estremecedora equivalencia. El caso de Crevel no era el primero ni sería sensiblemente el último. ¿Quiénes han sido los demás?

Jacques Vaché

En primer término —cronológicamente y por el alcance de su ejemplo moralmente amoral— está Jacques Vaché. Su lugar —en la presente historia— se situaría con más exactitud en la columna de ídolos antecesores que exalta el superrealismo. A primera vista, Jacques Vaché parece el humorista desesperado —una variante que aún no figura catalogada en ninguna historia del humor—. La intuyó Nietzsche al escribir: "El pensamiento del suicidio es un poderoso consuelo; ayuda a pasar más de una mala noche." Vaché —"canonizado" por Breton— es, según él nos lo ha pintado, un protodadaísta, el que mejor reflejó, anticipándolo, el estado de espíritu dadá. Dadaísmo, pues, *avant la lettre* y con la ventaja sobre los demás de no haber escrito nunca una sola línea para el público. Sin embargo, a ese desconocido, a ese personaje casi mítico atribuye Breton, que fue su amigo, la decisión de haberles lanzado, en el camino que emprendieron, a él y a los otros dos fundadores de *Littérature*: Aragon y Soupault, por los mismos años en que Tzara gritaba desde el *Cabaret Voltaire,* de Zurich, y Picabia imprimía en Nueva York su *291*.

Era en los años centrales de la guerra, en 1916. Breton, movilizado, estaba en Nantes, en un hospital de neurología, como estudiante de medicina, cuando encontró a un herido de guerra, con el que lió gran amistad: Jacques Vaché. Se trataba de un muchacho excéntrico que estallaba de continuo en salidas desconcertantes. Una vez dado de alta en el hospital, Vaché se contrató como descargador de carbón en los muelles del Loira. Pero llegada la noche, volvía a ser un joven elegante, de aire británico, recorriendo cines y dancings de la ciudad. El secreto de su espíritu residía en cierto sentido del humor llevado a sus últimas consecuencias. La sombra de Jarry, el autor de *Ubu-Roi,* planeaba sobre sus excentricidades. Pisoteaba y apostrofaba su capacidad literaria: "...y ¿para qué presumir, apuntar tan conscientemente al blanco y no dar en él?", escribía en una carta. Pero su escepticismo no se detenía en lo literario: llegaba al nihilismo filosófico, al pesimismo universal. De ahí al suicidio, como se sospechará, no había más que un paso. Pero esta dimisión voluntaria de la vida no podía bastar a Vaché. Caracteriza su suicidio la forma cruenta y humorística a la vez con que lo llevó a cabo: arrastrando a otros dos muchachos en su fuga. Absorbió él, e hizo absorber a sus camaradas, una dosis de opio muy superior a lo normal, engañándoles conscientemente, pues él, como opiómano, sabía perfectamente los límites en que debe quedarse quien usa de esa droga, en tanto que sus amigos era la primera vez que lo fumaban.

Mas ¿cuál es su obra? —interrogarán muchos, ya que el nombre de Vaché ha quedado circunscrito a los anales dadaístas y superrealistas. ¡Qué pregunta inocente! En puridad, tal obra no existe. El mito más sólido es el que no tiene pies. La producción de Jacques Vaché (murió en 1919, a los veintitrés años), en cuanto literato involuntario, se reduce a unas cuantas cartas dirigidas a André Breton, que éste reunió poco después bajo el título de *Lettres de guerre.* Mezcla de *humour* —o de *umour,* como él escribía— y de desdén hacia la vida y las letras: "La confesión desdeñosa" se titula precisamente el capítulo de *Les pas perdus* que Breton dedica al recuerdo y exaltación de su amigo. Juego consigo mismo y con los demás; un gusto especial por la mixtificación. He ahí lo que se desprende de las cartas de Vaché y del retrato moral trazado por su apologista. "¿Está usted seguro —escribía a Breton— de que Apollinaire vive todavía y de que Rimbaud haya existido? Por mi parte, yo no veo más que a Jarry; a pesar de todo, Ubu..." Y en otra ocasión, parafraseando las "evasiones" de Rimbaud, en *Une saison en enfer,* aventuró: "Yo seré también trapense o ladrón, o explorador, o cazador, o minero. Todo esto acabará con un incendio, se lo aseguro, o en un salón, con la riqueza adquirida." Pero acabó en un hotel de Nantes como cualquier otro buscador de "paraísos artificiales".

La mixtificación, la sorna implacable iban a ser los rasgos más acusados del dadaísmo. "El arte es una idiotez" había dejado escrito Vaché. Y en declaraciones de esta índole corrosiva vinieron a afilar los *dadás* las piquetas para sus derribos. Pero ante todo quedaba su ejemplo personal, ya que Vaché, habiéndose negado a escribir —a publicar, mejor dicho— proporcionaba un justificante máximo a la consigna esencial del movimiento: la antiliteratura, el antiarte. El problema de la realización literaria tuvo así que cuajar lógicamente en la famosa encuesta de *Littérature: ¿Pourquoi écrivez-vous?* (1920) y en las dubitaciones posteriores de Paul Valéry, cuando afirmaba que "las obras sólo son los residuos muertos de los actos vitales de un creador". El humor exasperado de Vaché encontró su único refugio posible en el suicidio. Ese acto es más explicativo y elocuente que todos los circunloquios en que se enredaba a lo largo de sus cartas esquizoides.

Jacques Rigaut

Otro Jacques —Rigaut— es el segundo suicida de la trágica dinastía superrealista. Sucedió diez años más tarde, en 1929. Jacques Rigaut, aunque "condescendió" un poco más con la literatura, fue también un frustrado. Personalmente no había traspuesto nunca las sombras borrosas del coro que acompañó siempre todos los espectáculos y paradas dadaístas. Su vida perezosa, a la sombra de protecciones o mecenazgos —viajaba de "polizón" amistoso, fue secretario de Jacques-Emile Blanche, se casó en Estados Unidos con una mujer rica—, no aporta ningún dato iluminador. Los rasgos más verosímiles de su inverosímil existencia, quedaron novelizados en una sabrosa novela corta de Drieu la Rochelle, *La valise vide.* Toda su existencia no fue, en rigor, sino la preparación para el suicidio. Había intentado matarse ya otras veces. A raíz de una de ellas escribió: "lo que importaba era que yo hubiese tomado la resolución de morir y no que muriese".

Hay un texto revelador de su obsesión (publicado en el número 17 de *Littérature*, diciembre de 1920) y un párrafo que comienza con esta afirmación unívoca: "El suicidio debe ser una vocación." Cuenta allí luego sus suicidios sucesivos: "La primera vez que me maté fue para fastidiar a mi amante..."; "la segunda vez fue por pereza..."; "la tercera vez, fallé la puntería". La cuarta, pues, debió ser la efectiva. Había, por lo demás, en Rigaut un fatalismo ancestral. "Acababa de revelársele —escribe Blanche— el misterioso suicidio de un abuelo cuando Rigaut creyó que un fatalismo hereditario pesaba sobre él..."

Como Vaché, también Rigaut jugaba al dandysmo. "Es notable —escribió un amigo del último, Victor Crastre— que desde Baudelaire, o más bien, desde Saint-Just, los mejores espíritus, los no conformistas, los más estrictos, hayan usado del dandysmo como de una máscara. Vaché y Rigaut desdeñaban pasar por escritores —y realmente no lo son, son tipos de *esprit*—; el dandysmo les proporcionaba una coartada. Una coartada es también un instrumento de provocación; el individuo vulgar detesta al dandy; le odia mortalmente por *no ser como todo el mundo*. El dandysmo, forma de subversión."

Por su parte, Drieu la Rochelle volvió a utilizar la figura extraña de Rigaut, tomándole nuevamente como protagonista de su novela *Le feu follet*. Le describe ahí como un hombre de acción fracasado, un aventurero sin aventuras. "El suicidio —moraliza en un pasaje— es el recurso de los hombres cuyo resorte ha sido aflojado por la oxidación cotidiana. Han nacido para la acción, pero retrasaron la acción. Acontece así que la acción se vuelve contra ellos. El suicidio es un acto, el acto de los que no pudieron cumplir otros." O fracasaron, al intentarlos, pudiéramos apostillar, recordando el caso del propio Drieu la Rochelle, quien temiendo las represalias, dada su actuación pronazista, se suicidó en 1945, a raíz de la liberación de París. Tal fue la explicación inmediata. Pero pronto surgieron otras más completas o verídicas recordando, en primer lugar, que ninguna convicción o desilusión de orden político podía ser determinante en quien como Drieu la Rochelle había pasado por numerosos cambios; después que en el autor de *Gilles* —por citar su última novela —prexistía cierta "vocación" suicida, con ejemplos literarios y "prácticos" de tentativas anteriores. Pero como quiera que este suicidio no tiene ninguna relación con el superrealismo, y al análisis de los que caen en este sector debemos limitarnos, pasemos ahora al caso de René Crevel.

René Crevel

También este escritor era un predestinado al suicidio. En la encuesta antes recordada, la única respuesta diáfana —diáfanamente cruel— es la suya. Casi todos sus colegas se evadían, por las tangentes retóricas, de la áspera interrogación formulada así: "Se vive, se muere. ¿Cuál es la participación de la voluntad en todo esto? Parece ser que uno se mata como en sueños. No es una cuestión moral la que planteamos: ¿Es una solución el suicidio?"

Abría la marcha en las respuestas la de Francis Jammes. El gran poeta barbado y pirenaico respondía con un treno católico: "la cuestión que plantean ustedes es propia de miserables, y si algún pobre muchacho se mata a causa de ella serán ustedes unos asesinos. ¡Condenados! Su único recurso, si les queda un poco de conciencia, es ir a arrojarse a los pies de un confesionario". Seguían otras muchas respuestas de muy diversos escritores, incluidos los propios superrealistas, pero todos ellos —como dijimos— soslayaban el punto crucial. Unicamente René Crevel respondió tajante desde las primeras líneas: "¿Una solución? Sí." Y agregaba: "El suicidio es un medio de selección. Se suicidan aquellos que no tienen la casi universal cobardía de luchar contra cierta sensación de alma tan intensa que hay que tomarla, hasta nueva orden, por una sensación de veracidad. Unicamente esta sensación permite aceptar la más verosímilmente justa y definitiva de las soluciones, el suicidio." Más adelante, envolviéndose en lianas de barroca desesperación: "La vida que acepto es el más terrible argumento contra mí mismo. La muerte, que varias veces me ha tentado, sobrepasaba en belleza ese miedo a morir, de esencia ergótica, y que también podría llamar tímida costumbre. He querido abrir la puerta y no me he atrevido. Me equivoqué, lo siento, y quiero sentirlo y creerlo, pues no encontrando solución en la vida, no obstante mi empeño en buscarla, ¿tendría la fuerza de intentar aún algunos ensayos, si no entreviese en el gesto último, definitivo, la solución?"

¿Cuál? ¿La supo acaso aquella especie de maniquí trágico (tan incomprensible para quienes, como yo, poco antes, habíamos conversado y discutido con él, admirando su voluntad afirmativa, cierto es que limitada al plano político, al pleito que en cuanto militante político le separaba de Breton y los demás superrealistas no stalinizados), más alucinante que los de su pintor preferido, Chirico, tumbado en el cuarto de baño, exánime, mientras silbaba la espita del gas, envuelto en un batón, y sobre su cuerpo, prendida con un alfiler, esta cartela: "René Crevel"?

René Crevel había nacido a las letras con una revista, *Aventure,* que fundó con Marcel Arland y otros, en el momento de las postrimerías *dadás,* uniéndose inmediatamente al equipo surrealista. Participó en las primeras experiencias hipnóticas de donde André Breton extrajo los mejores argumentos para su *Manifeste du surréalisme*. Dotado de un espíritu *aragonnais* (pero no aragonés), esto es, a lo Aragon (Louis) unía, como aquél, a la visión original, la valentía expresiva, el afán polémico, el ímpetu combativo. Bajo su aire blando, Crevel, pluma en mano, era violento, rigorista, desaforado. Esta proyección apasionada de su mente, mejor que en sus novelas primeras —*Détours, Mon corps et moi, Babylone, Etes-vous fous?*— se advierte en su libro de ensayos *Le clavecin de Diderot* y, especialmente, en su novela postrera, de título ya tan expresivo, *Les pieds dans le plat*. Salido de la burguesía, dirigía hacia ella sus más acres flechas. La burla satírica, el sarcasmo, unido a cierta torrencialidad verbal de efectos caricaturescos, era la nota dominante de sus últimos escritos. De ahí que, relegando al último plano todo propósito puramente artístico, encarase ahora la posibilidad de la novela panfleto, de un libro que titulaba *Le roman cassé*. Una "novela rota" —me explicaba—, no desarticulada voluntariamente, sino por la fatal entrada en la acción novelesca de la vida, de los elementos más directamente materiales que hacen irrupción en el clima novelesco. Recordando una frase de Tzara, antes citada, sobre los dos géneros supervivientes: la poesía y el panfleto, añadía Crevel: "Pues bien, yo creo, en efecto, que la novela de hoy debe ser la síntesis de ambas formas: poética y panfletaria."

La relación de suicidas superrealistas no termina con Crevel. Años después ponen fin a sus días otros, como Oscar Domínguez, Wolfgang Paalen y Pierre Duprey. No acertaba, pues, Juan Larrea *(Superrealismo entre viejo y nuevo mundo)* cuando entre la serie de objeciones —en su mayor parte muy fundadas— hechas al superrealismo, escribía que los integrantes de este clan se extravertían al modo de los actores que representan un drama para el público. Y agregaba: "No deja de ser gravemente sintomático el hecho de que constituyendo en teoría una brigada de desesperados que ha recogido sobre sí la herencia de los artistas malditos, no hayan enviado sus huestes al hospital, al manicomio o al cementerio." Claro es que Larrea olvidaba los casos de Vaché, Rigaut y Crevel, o bien no podía aducir el posterior de Antonin Artaud, muerto loco. Por lo demás, sus flechas iban dirigidas de modo preferente hacia Breton, censurándole que no hubiera seguido a *Nadja* —heroína real del libro de este título— en su demencia; esto es que "en vez de despertar en él el deseo de sumirse, para explorarlos a su propia costa, en los abismos de la locura aprovechando la ocasión única que la vida le deparaba, le indujo a desentenderse en cuanto pudo de tan comprometida situación. Y cuando Nadja fue a parar al manicomio, se contentó él con escribir un libro sobre el lance. Esto es, dejó la vida, lo personal y nervaliano por la literatura, reduciendo el campo de la poesía "a expensas de la vía pública" como los loqueros de Nerval".

ESCOLIOS

Añadamos ahora unos escolios. El primero consiste en advertir que el superrealismo no es una empresa de suicidios. Rebasaría los supuestos permitidos quien llegase a una conclusión tan simplista. *L'invitation au suicide,* título de un libro que me anunciaba Soupault, en 1923, no pasó de ser más que eso: un programa, que sólo los predestinados cumplirían. Lo que acontece es que el superrealismo planteó con una crudeza impar ciertos problemas del individuo frente al mundo y la sociedad. Al rebajar de jerarquía lo literario, el espacio real se confundió con el imaginario. La protesta, para exteriorizarse con la violencia brutal requerida, tuvo que transportarse al plano social, al comunismo. Pero, sin embargo, esta entrega a una causa común seguía dejando irresoluta la angustia individual. El suicidio, en este caso, no era ya —no lo será nunca— una "solución", pero sí el camino más corto —corto, no cobarde ni valeroso— para evitar la busca de otros.

Por lo demás, el suicidio literario ha existido siempre. No es una invención superrealista. El primer suicidio —de alcance metafísico— es el de Kirilov, el héroe de *Los endemoniados*, de Dostoievsky. Su más profunda causalidad arranca de cierta famosa conversación que mantiene Kirilov con Verjovenski. Es aquella donde el segundo, extrañándose de que "todos los hombres consientan en vivir" llega a esta audaz formulación: "Si Dios existe, todo depende de El y yo nada puedo contra su voluntad. Si no existe, todo depende de mí y puedo afirmar mi independencia." Y Kirilov, llevando la deducción a su punto más exasperadamente nihilista, concluye que la "manera más completa" de afirmar su independencia es saltarse los sesos. Junto a esta incredulidad radical, ante este alarde de irreligiosidad —encarnado en un héroe que contradice o pone a prueba la religiosidad fundamental de Dostoievsky— todas las causales del suicidio, particularmente las de sus víctimas superrealistas, parecen adjetivas.

Desde aquel amanecer griego en que la nave sagrada volvió a Delos y Sócrates se llevó a los labios la copa de cicuta; desde aquel otro día en que Séneca abrió sus venas —y no importa que ambos fueran condenados; sus muertes seguirán pareciéndonos siempre más voluntariosas que impuestas—, hasta aquel otro en que Otto Weininger se disparó un tiro, resumiendo así al absurdo el dilema que se había planteado —"o mi obra debe perecer o yo debo perecer"—, apenas ha habido época intelectual que no dejase caer sus suicidas. Y los ejemplos filosóficos citados vienen a probar que tal acto no lo acapara la literatura. Pero ¿acaso los superrealistas, completando así un cuartel de su heráldica sombría, no hubieran deseado que dos de sus más caros muertos, no fuesen también suicidas? Se dirá que lo fueron indirectos, ya que no directos. ¿A qué equivale sino a un suicidio la fuga de Rimbaud y su renuncia a lo literario, cuando contaba dieciocho años? En cuanto a Lautréamont: murió misteriosamente, pero desde el punto de mira superrealista ¿no era el presuicida cabal?

Hasta la literatura europea más adolescente —la soviética— tiene sus tempranos suicidas: Essenin, Maiakovsky. El poema —que ya he citado en el capítulo sobre el futurismo ruso— despedida y testamento, de este último, es un documento insuperable de humor lúgubre.

También otras literaturas jóvenes, las americanas —del norte y del sur— han visto caer sus frutos del árbol de Judas: un cuentista, Harry Crosby; un poeta —de alto valor, el autor de *El puente*—, Hart Crane, ambos en la década de 1930. Y en la literatura hispanoamericana, los casos no son raros, desde los días del modernismo —José Asunción Silva— hasta los más cercanos de Abraham Valdelomar, Horacio Quiroga, Leopoldo Lugones, Alfonsina Storni, E. Méndez Calzada; sin agregar en este caso —aunque haya otros nombres— ningún etcétera habitual, pues no es cosa de animar con ningún hueco a que lo llenen, por afán barato de notoriedad, los posibles seguidores.

FIGURAS Y OBRAS LITERARIAS

En este capítulo —como en los demás del presente libro— he dado preferencia a la exposición crítica de teorías y doctrinas, dejando en segundo plano el análisis de obras y personalidades. Sin embargo éstas, en el superrealismo, no faltan, si bien las homologa y hace poco diferenciables el hecho de que, en su mayor parte, hayan preferido el cauce de la poesía lírica a otros. Pero ya es sabido que la identificación de poesía y literatura, y aún más ambiciosamente, el intento de desplazar en absoluto a la segunda por la primera, ha despersonalizado a muchos, otorgando además una característica común a todos los movimientos de vanguardia surgidos en el período interbélico. De ataque ambiguo hecho desde el lado poético contra la literatura y originador de la crisis del concepto de lo literario, fue calificado por mí en un libro anterior

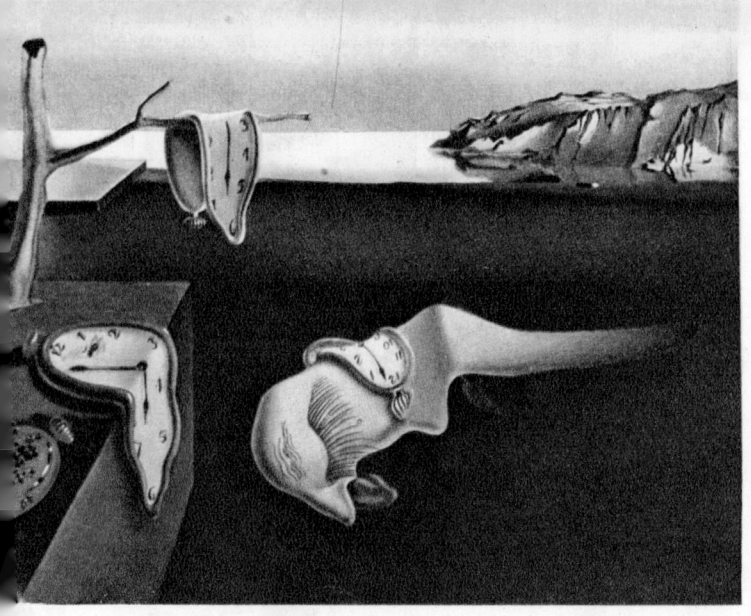

85. Dalí: *Persistencia de la memoria*, 1931

86. Giacometti: *Palacio a las 4 de la madrugada*, 1933

87. Marcel Duchamp: *La novia desnudada por sus mismos célibes*

88. Miró: *Soga y personajes*

89. Miró: *Retrato de bailarina*

90. Miró: *Esc*

(*Problemática de la literatura*); y aquí he de limitarme a esa mención, sin repetir argumentos ni ejemplos.

La consecuencia, por lo que concierne al superrealismo, es que cuando intentamos hacer un recuento de sus realizaciones, apenas encontramos otra cosa que poesía y teoría. Todos los demás géneros o cauces de expresión permanecieron casi intactos. Al poema y al libelo —ya lo hemos recordado— eran reducidos por algunos. "Inspiración y cólera." Es decir, el arrebato sublime y la protesta cósmica, no ya particularizada en algún sujeto. Todo lo demás, pura bagatela. "Llamamos poesía —apostillaba Georges Hugnet (*Petite anthologie poétique du surréalisme*)— a aquella fuerza que mediante la violencia, la intimidación, la revolución, el sueño, quiere *existir* fuera del poema." ¿Qué quiere decir esto? Lo aclara el hecho de que el mismo Tzara decretara imperativamente el cese de la poesía como "medio de expresión", dando validez únicamente a la poesía como "actividad del espíritu". Para que ésta fuera no ya posible, sino absoluta, el autor de *L'antitête*, más consecuente que otros, predicaba —y practicaba— que tal poesía debería desprenderse del lenguaje. Aunque su obra constituya un buen ejemplo de tal intento de disociación, lo menos que cabe preguntarse es si Tzara permanecía completamente fiel a tal supuesto, desde el momento en que con palabras y no con signos de otra naturaleza estaba obligado a manifestarse... Un crítico nada desafecto, sino todo lo contrario, a estos experimentos, Marcel Raymond, no podía menos de reprochar a los superrealistas la siguiente inconsecuencia: burlarse del arte sin atreverse a romper con él más que con palabras, sin llegar a librarse de sus recuerdos, de sus hábitos, de sus remordimientos de literatos. "Sus mismas imágenes —agregaba—, su voluntad de incoherencia, prueban cuán difícil les es rebasar el estadio preliminar de la negación, de la ruptura con lo sensible y lo racional. Hay como una desproporción fundamental, diríase que determinada por un destino irónico, entre sus ambiciones prometeicas y la decisión previa de *practicar la poesía* que durante mucho tiempo proclamaron Breton y sus amigos..."

Conforme sucedió en toda la poesía del período inmediatamente anterior al superrealismo, la imagen continúa siendo en el superrealismo la clave del arco. Prolongando a Pierre Reverdy (*Self-Defense,* 1919), quien había definido la imagen como "una creación pura del espíritu", escribía Breton: "Comparar dos objetos lo más alejados posible el uno del otro o, con otro método, confrontarlos de un modo brusco y sorprendente, es la obra más alta que la poesía pueda pretender." Y Paul Eluard parafraseaba: "El poeta, alucinado por excelencia, establecerá, a su capricho, parecidos entre los objetos más disímiles, sin que la sorpresa resultante permita inmediatamente otra cosa que la sobrepuja." La sorpresa, el valor de lo insólito, que Apollinaire consideraba ya como el resorte capital del arte nuevo, siguió siendo la consigna de los superrealistas. "La sorpresa debe ser buscada por ella misma, incondicionalmente", confirma Breton. Mas, de hecho, el verdadero punto de partida se encuentra en aquella famosa frase, tantas veces citada, de Lautréamont (que Rubén Darío, en *Los raros* —démosle esta prioridad justiciera—, fue el primero en señalar). Aún más: sin gran hipérbole diríamos que de ahí ha salido todo el superrealismo. Lo que siguió no fueron sino paráfrasis y variantes. Así, el pintor Max Ernst, al definir la estructura primordial de las imágenes superrealistas: "Acoplamiento de dos realidades en apariencia incasables sobre un plano que en apariencia no les conviene." Así, el teórico Michel Carrouges, cuando habla de la desintegración y de la reintegración mentales mediante la sorpresa y el descuartizamiento de la imagen.

André Breton, Aragon, Eluard

Sin ánimo de trazar una relación completa, vayan ahora algunos nombres y obras esenciales. En primer término, lógicamente, deberán ponerse las de André Breton. Ya he mencionado tres de las más características: *Nadja* (1928), *Les vases communicants* (1932) y *L'amour fou* (1937), a la que debe agregarse otra posterior: *Arcane 17* (1944). Libros singulares, verdaderamente *sui generis,* como antes también apunté, difícilmente clasificables, que, si no exactamente como novelas, podrían definirse como ficciones poemáticas y confidencias seminovelescas, pues lo autobiográfico y lo imaginario se mezclan en ellos muy atractivamente. Están escritos con un estilo pulido y refinado, ligeramente barroco, y un lenguaje de ascendencia preciosista. Pero sucede que, en fin de cuentas, este apasionado de la poesía es en la prosa donde da la más exacta medida de su personalidad. Ello no quiere decir que en sus diversos libros de poesía, desde *Clair de terre* (1923) hasta *Fata Morgana* (1940), reunidos luego bajo el título conjunto de *Poèmes,* no dejen de encontrarse algunas poesías valiosas, inclusive alguna pieza de antología. Así la titulada *L'union libre,* deslumbrante letanía de imágenes a la gloria de la mujer amada, de la amante arquetípica:

> "*Mi mujer con la cabellera de fuego de madera | mi mujer de talle de castor entre los dientes del tigre | mi mujer de boca de escarapela y de ramillete de estrellas de última magnitud | mi mujer de dedos de azahar y de as de corazón | de dedos de heno cortados | mi mujer de axilas de mármol y de bellotas | de Noche de San Juan*", etc.

De Louis Aragon, aunque desde 1934 se separa del superrealismo, iniciando una obra absolutamente opuesta, quedan inscritas, en la etapa que estudiamos, obras en prosa muy significativas. En primer término, *Le paysan de Paris* (1926), su libro mejor e insuperado, reinvención mítica de algunos lugares de esa ciudad, y donde logra introducir lo maravilloso en lo cotidiano; luego el acre, no sólo desenfadado, libelo *Traité du style* (1928); únanse libros de poesía, como *La grande gaieté* (1929) y *Persécuté persécuteur* (1930), dejando naturalmente fuera de cuenta las producciones de su etapa postsuperrealista, que no es de este sitio juzgar.

Pero el poeta, el poeta por excelencia en ese género y en ese grupo, es Paul Eluard (1895-1952). Aunque también en los últimos años rompió con el superrealismo, no por ello necesitó renegar de nada ni cambiar sustancialmente. Superrealista o comunista, Paul Eluard es siempre idéntico a sí mismo, manteniendo la misma pureza y lejanía, con sus delicados cantos amorosos, sus difíciles transparencias, su matizada encajería verbal. Poeta del amor, pero no epitalámico ni elegíaco, perito en los arrebatos lúcidos —si así puede decirse— y en las epigráficas sentencias del madrigal. *L'amour, la poésie* (1929) es no solamente el título de uno de sus libros más felices: revela también la homologación e identidad de sus dos pilares permanentes. *Facile* (1935) y *Les yeux fertiles* (1938) se titulan otros dos. Entre los muchos de su larga bibliografía agreguemos un libro de conjunto, *Chanson complète* (1939); también otro donde están recogidas sus reflexiones sobre la poesía, *Donner à voir* (1939) (y donde hay fórmulas paradójicas, pero que han hecho fortuna, como por ejemplo: "El poeta es el que inspira más que el que está inspirado"); y asimismo el muy curioso que escribió con André Breton: *L'immaculée conception* (1930), intento de reproducción de la escritura delirante de los alienados.

Tristan Tzara, Soupault, Artaud y otros

En cuanto a Tristan Tzara (1896-1964), ya antes quedó citado su nombre como fundador del movimiento Dadá. También este individualista frenético y disociador máximo, después de haber entrado en el superrealismo y salido de él varias veces, figuró, en definitiva, plegado a la ortodoxia comunista. Reconozcamos, sin embargo, objetivamente, que no por ello, y al igual que en el caso de Eluard, su poesía ha cambiado sustancialmente. Conserva siempre la misma "fuerza explosiva", y su lenguaje idéntica desorganización voluntaria, desde sus *Vingt-cinq poèmes* (1918) hasta *Grains et issues* (1935), sin olvidar su más ambiciosa construcción asistemática: *L'homme aproximatif* (1930).

De Philippe Soupault, otro de los fundadores y también de los primeros tránsfugas del superrealismo, pero no en busca de una disciplina más severa, sino de la libertad, deben recordarse —aparte *Les champs magnétiques* (1921), en colaboración con Breton— poemas tan alacres, a partir de *Aquarium* (1917), como *Westwego* (1922), reunidos luego con otros en *Poésies complètes* (1936). Tampoco deben omitirse algunas de las abundantes novelas que hace años escribió y que iluminan marginalmente el mismo estado de espíritu: *Le bon apôtre, En joue!*, etc.

Otro disidente: Antonin Artaud (1895-1948). En los primeros tiempos de *La révolution surréaliste* fue uno de aquellos en quienes mejor encarnó la insatisfacción radical, la apología del estado del trance, el lanzamiento a los abismos. Por el hecho de haber vivido a fondo esas situaciones, por las circunstancias de los últimos años —huésped de manicomios—, el autor de *L'ombilic des limbes* (1924) y de *Le pèse-nerfs* (1927), ha adquirido para muchos una importancia simbólica, un valor casi mítico. Otras figuras trágicamente desaparecidas entre los primeros militantes del superrealismo: René Crevel (1900-1935) y Robert Desnos. Del primero ya queda hecha una semblanza en el capítulo sobre el superrealismo y el suicidio. El segundo, muerto en un campo de concentración, deja varios libros de poemas como *La liberté ou l'amour* (1927), *Corps et biens* (1930).

René Char sólo en sus últimos años, y más allá de su consustancial hermetismo, ha adquirido muy singular prestigio; de su paso por el superrealismo quedan huellas en *Ralentir travaux* (1930), escrito en colaboración con Breton y Eluard, y en *Artine* (1930). En la primera época superrealista están inscritas cronológicamente algunas obras de Francis Picabia y Ribemont-Dessaignes, aunque de hecho los autores, por su actuación, pertenezcan estrictamente al dadaísmo. El único de los primeros tiempos que invariablemente se ha mantenido hasta su muerte (1959) superrealista, es Benjamin Péret; su humor sarcástico se expresa en diversos libros de poemas: *Le grand jeu* (1928), *Je ne mange pas de ce pain-là* (1936), etc.

Sucede, por cierto, al igual que en el caso de René Char, que las obras más significativas del superrealismo se hallan, tal vez, no entre los militantes ortodoxos, sino entre los disidentes o influidos; al menos, han sido las que por una suerte de catálisis asimilaron más duraderamente lo más asimilable de tal estilo. Aludimos, por ejemplo, a los poemas tan populares de Jacques Prévert, a las novelas de Raymond Queneau, inclusive a un tardío retoño puramente superrealista como Julien Gracq. Este último ha abordado géneros que los militantes de primera hora proscribían, como la novela —en *Au château d'Argol* y *Un beau ténébreux*—, y el teatro —en *Le roi pêcheur*—. Afines experimentos en este último dominio son los de Georges Schehadé, Samuel Beckett, Arthur Adamov, Eugène Ionesco, que no dejan de mostrar reflejos parciales del superrealismo. Lo mismo acontece en el divertimiento escénico de Picasso: *Le désir attrapé par la queue*. Y a propósito de obras literarias originales de pintores, no deberán olvidarse los libros poemáticos de Salvador Dalí: *La femme visible* (1930) y *L'Amour et la mémoire* (1931), como tampoco su argumento cinematográfico *Babaouo* (1932).

Y más que algunos autores últimos que elogia André Breton, pero de no muy visible personalidad, por apegada a la suya, importa mencionar los reflejos o reminiscencias superrealistas en André Pieyre de Mandriargues y Aimé Cesaire, entre otros.

SUPERREALISMO Y ARTES VISUALES

Ya en algún capítulo anterior, al reseñar los hechos y actitudes más salientes del superrealismo, advertí que tal vez las realizaciones mejor logradas de dicha estética, las que andando el tiempo logren mayor permanencia histórica, serán las que queden registradas visualmente, es decir, en las artes plásticas. Hágase una prueba inicial: dése a ver por primera vez a un lector no prevenido algún poema o trozo de literatura superrealista, y al mismo tiempo muéstresele ciertas reproducciones de Chirico o de Dalí o un "collage" de Max Ernst. En el extremo opuesto del conocimiento, excávese en el recuerdo de alguien familiarizado en otro tiempo con los libros y los cuadros de la mencionada tendencia, pero que más tarde los hubiera pasado a un rincón de su memoria, remplazándolos por otros. Pues bien, tanto en el primer caso como en el segundo la impresión más vívida que herirá por primera vez la sensibilidad del sujeto experimentado, o sobrenadará sobre otras varias, será de orden visual. En cualquier caso siempre predominará el recuerdo o la impresión nueva de las imágenes u objetos —inventados, soñados o asociados de un modo insólito—; en suma, la presencia de ese mundo extraño y turbador, hecho más penetrante mediante la imagen que con la palabra. Aún más: se diría que ciertas fórmulas de la escuela ("la belleza será convulsiva o no será nada"; "lo maravilloso es siempre bello"; "es superrealista una obra o un objeto siempre que hay conexión deliberada entre sus partes o miembros, produciéndose nuevas relaciones") sólo encuentran plena realización sobre la superficie de un cuadro. "Para mí —dice Breton— la más fuerte imagen superrealista es aquella que presenta un grado de arbitrariedad más elevado..." Se pensará inmediatamente, sea o no con ánimo polémico, en el arte de los locos. Pero viendo esta cuestión sólo de paso, y sin excluir las últimas similitudes que puedan existir entre el arte de los superrealistas y el arte de los esquizofrénicos, ello no implica la desvalorización del primero. En efecto, aunque ambos responden a parecido espíritu "liberador", sin vigilancia de lo consciente, en los superrealistas hay siempre una voluntad, cuando no de arte, sí de *selección,* que falta en los alienados. En el superrealismo plástico el artista no sólo dejará de referirse a un "modelo exterior" —escribía André Breton en *Le surréalisme et la peinture*—, sino que habrá fatalmente de referirse a un "modelo interior". A su parecer, después de Dadá, "el mundo exterior quedó de repente desierto, y el objeto exterior, acusado de descrédito, inane en su apariencia convencional".

Sin embargo, ¿cómo ocultar que, a primera vista, el superrealismo viene a ser por esencia la negación completa de lo plástico, pues significa la invasión de los elementos "anecdóticos", descartados desde el impresionismo? Muy significativamente, entre los artistas que Marcel Jean y Arpad Mezei agrupan (en su exhaustiva *Histoire de la peinture surréaliste*) como antecesores encontramos a Gustave Moreau, Odilon Redon, inclusive el cuadro "literario" por excelencia a fines de siglo: "La isla de los muertos", de Böcklin.

No sin razón, además, se ha dicho que es imposible pintar lo inconsciente. Y sin embargo, lo fantástico, y aun lo demoníaco, tienen una larga tradición en pintura. Pero sucede que, cumpliéndose una vez más la ley de las polaridades extremas, el superrealismo en la plástica, al aparecer inmediatamente después del cubismo, marcaba una reacción demasiado chocante. Surgía, tras la intelectualización del cubismo, como un retorno ofensivo de lo puramente instintivo, de lo imaginativo y lo poético. Del mismo modo que antes el cubismo había señalado una reacción severa contra las licencias del impresionismo y del fierismo, así ahora el superrealismo tomábase parejo desquite. Pero también es un hecho sabido, muy de antiguo, que el otro mundo inconquistado, el de los sueños y las visiones imprevistas, en una palabra, el universo fantástico, tiene un carácter esencialmente visual antes que verbal y que, por consiguiente, su traslado plástico será siempre más fácil y presentará más clara y a la vez más sorprendente legibilidad expresado con imágenes que mediante palabras. Por lo tanto, cuenta también con mayores precedentes, se apoya en una larga tradición.

El arte fantástico —por buscarle uno de sus orígenes— arranca de Arcimboldo, el pintor y decorador italiano del siglo XVI, con sus figuras y cabezas alegóricas, de doble imagen, hechas con frutas y hortalizas; asoma en Durero; llega a una de sus expresiones más extrañas e insuperadas en el Bosco ("La tentación de San Antonio", "El carro de heno"...); resurge en el siglo XVIII con algunos grabados de Hogarth, Larmesein y de Piranesi; da en el XIX las alegorías de William Blake, tiene reflejos en Ensor, Füsli, y culmina genialmente en los grabados y aguafuertes de Goya, sin contar la serie de sus "pinturas negras". Ya en este siglo reaparece en algunos cuadros del aduanero Rosseau —como "El sueño"—, se afirma en la época inicial de Marc Chagall, adquiere un inequívoco sesgo presuperrealista en el primer Chirico, y después en algunas composiciones de Paul Klee. Aunque ninguno de estos últimos hayan figurado "oficialmente" en el superrealismo, de hecho sus obras son más expresivas que las de un Marcel Duchamp o un Ives Tanguy. También Picasso, en ciertas fases, André Masson, Joan Miró en otras, Max Ernst —en sus *collages* y *frottages*, en sus alucinantes libros de láminas ya mencionados—, Arp, el escultor Giacometti, y Dalí, hasta cierta fecha, quedan inscritos en la órbita de lo fantástico superrealista.

Respecto a este último pintor, su aportación a tal género de arte, y prescindiendo de sus evoluciones ulteriores, quedará como una de las más considerables. "Método espontáneo de conocimiento irracional, basado en la asociación interpretativo-crítica de los fenómenos delirantes": así define él mismo (*La conquête de l'irrationnel,* 1935) la "actividad paranoico-crítica" que originó algunos de sus más extraños cuadros. Su propósito: "fijar las imágenes de la irracionalidad concreta". Su técnica: "pintar realísticamente —con medios de expresión próximos a los de la gran pintura realista, Velázquez y Vermeer de Delft— esas imágenes que no son explicables ni reducibles mediante la intuición lógica ni los mecanismos racionales". De ahí deriva esa mezcla de audacia imaginativa y de "pompierismo" técnico que siempre caracterizó su pintura, con predominio de lo segundo, y de otros elementos intrusos, a que luego ha llegado. Pero descartado todo propósito de analizar ahora su obra, ni la de ningún otro pintor aludido, señalemos, al pasar, cierta abundancia de figuras españolas e hispanoamericanas en el superrealismo: además de Dalí, Joan Miró —si bien el estilo de este pintor tiene autonomía, al margen de la escuela—, Oscar Domínguez, Esteban Francés...; una pintora mexicana, Frida Kahlo de Rivera; otra de origen argentino, Leonor Fini, y un cubano, Wilfredo Lam; un chileno, Matta Echaurren; un argentino, Batlle Planas, bien que este último nunca haya formado en ninguna "parada" del grupo, y sea quizá por tal motivo uno de los que mantienen más firmemente su personalidad.

En contraste con las restas o deserciones habidas en el campo literario, es curioso comprobar cómo opuestamente no han dejado de surgir, aquí y allá, nuevos pintores superrealistas en los últimos años: además de los últimamente mencionados, Víctor Brauner, Enrico Donati, Arshile Gorky. ¿Significa ello que el superrealismo en la plástica ofrece mayores perspectivas y está llamado a una supervivencia más próspera y fértil que en la literatura? En rigor, mas sin exponernos a ningún vaticinio, todo nos autoriza a creerlo así, no obstante la oposición implícita, o más bien la guerra abierta, que lleva contra el arte superrealista la otra tendencia más dominante en las últimas promociones: el arte abstracto, que más exacto fuera calificar para siempre de no figurativo, dejando a un lado la variante concreta. Recíprocamente, los superrealistas se niegan a considerarlo siquiera como arte. No obstante, sus historiadores Marcel Jean y Arpad Mezei, en un afán anexionista o imperialista, quieren ver en técnicas y maneras como las del manchismo, las del informalismo o el "arte otro", la "action painting", e incluso en el "dripping", reflejos del automatismo superrealista. Queriendo deslindar los términos, André Breton señala que el campo plástico del superrealismo está limitado a un extremo por el "realismo", y al otro por el "abstractismo". De modo que "no superrealista es toda obra vertida hacia el espectáculo cotidiano de los seres y de las cosas, es decir, participante en modo inmediato del mobiliario animal, vegetal y mineral que nos rodea, aun cuando éste se desfigure ópticamente mediante *la deformación*". Del mismo modo —agrega—, tampoco es superrealista "toda obra no figurativa o no representativa, reducida a ciertas necesidades de orden exclusivamente espacial o musical, aunque rompa tanto con la percepción física previa como con la representación mental previa, representaciones que, cargando el acento sobre la segunda, el superrealismo tiende precisamente a reconciliar".

Pero como, en definitiva, el criterio que preside la diferencia de lo que es o no es superrealista no tiene carácter estético —según dicen ellos mismos—, teóricamente esa demarcación se prestará siempre a equívocos, y es más aconsejable atenerse empíricamente a los hechos, a la contemplación de las obras respectivas, donde aun para ojos poco avezados la confusión es imposible. Por mi parte, siempre he mirado como la obra maestra del superrealismo en la pintura, o más exactamente como aquella más cabalmente significativa y *legible* por excelencia, cierto cuadro de un pintor belga, René Magritte. En el primer término, ante un horizonte de mar visto desde la costa, suspendidos en el aire, tres objetos: una silla de enea, un trombón y el busto femenino de una estatua mutilada. Todo ello pintado con realismo semifotográfico. Debajo, un título: "El tiempo amenazante". Nada más. Pero la sacudida, la extrañeza imaginativa, el aire de absoluta *extranjería* respecto a los objetos que ese cuadro suscita con tan simples elementos, por virtud de su mera relación imprevista, son quizá más intensas que las alcanzadas por los cuadros tan desbordantes de personajes y cargados de alegorías de un Jerónimo Bosco.

PRO Y CONTRA

Ya señalé antes que el superrealismo, en cuanto movimiento orgánico, comienza a desarticularse con la crisis intestina —de carácter político-social— que sufre en 1932; no obstante, alcanza su apoteosis espectacular en 1938, merced a la gran exposición internacional de esa fecha —donde participan artistas de catorce países; acto seguido, sufre un colapso con la guerra inmediata, del que difícilmente se repone. Las principales figuras que habían acompañado a Breton van separándose por unas u otras razones; aquellas que se le unen no parecen tener suficiente relieve. Y esto es grave para un movimiento en la plenitud del término que "ha fiado siempre más en la acción colectiva que en la acción individual". Así lo ha manifestado el mismo Breton en una de sus más recientes entrevistas (con Madeleine Chapsal, 1963); pues se trata de un *set* o *Bund,* atado por lazos más firmes que los de los tradicionales cenáculos literarios, según ya lo había señalado Jules Monnerot (*La poésie moderne et le sacré*).

Se dirá que el superrealismo en cuanto "estado de espíritu", por lo mismo que nunca fue moderno (recuérdese que, según expresé al comienzo, no presenta ninguno de los caracteres de modernidad comunes a los demás movimientos del 20), tampoco puede tornarse fácilmente anticuado y responde de modo sustancial a ciertas constantes de inquietud, del disconformismo humanos. Ahora bien, si el superrealismo ha perdido su poder de imantación, aquel movimiento "más emancipador" que —según dijimos también— veía André Breton como único capaz de remplazar al superrealismo no ha surgido. El conato del letrismo, acaudillado por Isou, carecía en absoluto de base, y de hecho no rebasaba los límites de Dadá. En cuanto al existencialismo: ante todo (lo veremos en el capítulo correspondiente) nunca se presentó como una escuela literaria (la fauna pintoresca de la postguerra que surgió a su vera tomó ese pretexto como pudo haber tomado cualquier otro); y además, a Sartre, más que prosélitos o afines, aquello con que le interesaría contar, dada su ambición de influir político-socialmente, serían las vastas audiencias conformistas y partidarias... Pero en cualquier caso el superrealismo no ha revivido ni puede fulgurar como antaño: la guerra, la ocupación, el hambre, el terror pusieron de relieve su gratuidad, tornaron risibles sus provocaciones, barrieron sus ilusorios fantasmas, remplazándolos con presencias más tangibles y pavorosas.

Otro fenómeno de apariencia contradictoria que debe señalarse es el siguiente: mientras, por un lado, el interés del superrealismo y de sus experimentos, tanto como el valor de sus adeptos decae, por otra parte crece el prestigio de André Breton. Lo demuestran los libros que después de la guerra le han consagrado Michel Carrouges, Claude Mauriac, Julien Gracq, Jean-Louis Bedouin, Víctor Crastre y sobre todo el volumen colectivo *Essais et témoignages*. Algunos, con todo, muy fundadamente, no han dejado de reprocharle su replegamiento en las regiones del esoterismo y el culto que tributa a ciertos curiosos personajes de la línea místico-ocultista, mezclándolos con algunos reformadores sociales y queriendo así conciliar las sombras de la Gnosis y las de la anarquía, la resurrección de la Cábala y el mesianismo social. Por un lado, las doctrinas esotéricas de Hermes o de Swedenborg, por otro lado las utopías sociales de Fabre d'Olivet, Charles Fourier —al que Breton ha dedicado una *Oda*—, de la peruana Flora Tristán o del "Père Enfantin"...; y aun de otro personaje más extraño al que llama Pasqually [10], maestro del "filósofo desconocido" Claude de Saint-Martin. Para reforzar sus "debilidades" en este punto, Breton ha querido —según anticipamos— demostrar la persistencia de una tradición ocultista en Hugo, Nerval, Baudelaire, Rimbaud y otros poetas.

En el sector opuesto, el de las objeciones, quien se anticipó a algunas de las que años más tarde formularían Etiemble, Camus y Sartre fue Juan Larrea *(Superrealismo entre viejo y nuevo mundo*, 1944*)*. Este señalaba implacablemente las contradicciones más estridentes de

---

[10] Se trata en realidad del español Martínez Pascual, autor de un *Tratado de reintegración de los seres*, personaje estrafalario de fines del siglo XVIII en el París de la revolución, que Menéndez Pelayo estudia —junto al abate Marchena en su *Historia de los heterodoxos españoles*.

la escuela. Reprochaba a Breton que tratara de elevar el brujo a la categoría de poeta. "Su refugio en el alma primitiva —agregaba— con sus tabús y hechicerías cavernosas, con sus operaciones mágicas, participa de aquella misma ingenuidad de Rousseau con su regreso a la inocencia del buen salvaje. De este modo el superrealismo no se reduce a conectarnos con el Romanticismo, sino que nos remonta a la época prerromántica... En vez de tomar el camino de la superación, el movimiento diferenciador emprende el del retorno... Comete así el superrealismo la infantilidad de oponer a las experiencias religiosas de Occidente y de Oriente ciertos pequeños juegos sin trascendencia ni significación, que en nada constituyen superación alguna, y que sólo encuentran cabida donde existen grandes secciones de ignorancia". Lo anterior lleva fecha de 1944. ¿Qué no podría agregarse veinte años después, cuando se produce una ofensiva del "retorno de los brujos" (traducción española de *Le matin des magiciens,* de Louis Pauwels y Jacques Bergier), cuando el primer autor del libro nombrado parece, a trechos, un discípulo de Breton que, buscando más amplias audiencias, no desdeña combinar magia y ciencia? Cierto es que muchos descubrimientos de los últimos años en el campo de la física, de la biología, las matemáticas parecen —pueden ser— mágicos, por su desafío a las leyes racionales o a los principios científicos antes admitidos...; ¿pero realmente implica todo ello una reanudación del esoterismo? Lo único cierto es que el ingenioso empresario de tan curiosas fantasmagorías ha declarado sus conexiones con el superrealismo y pretende a la vez crear una escuela: la del realismo fantástico. Pero no es el arduo del expresionismo alemán, sino el más fácil de las novelerías de la "science-fiction".

Los reparos formulados por Sartre, Camus y Etiemble nos ofrecen, desde el lado polémico, otras perspectivas. El primero de los nombrados, Jean Paul Sartre, en su ensayo *¿Qué es la literatura?,* ha vulnerado el talón de Aquiles del superrealismo al hacer resaltar su insuficiencia, afirmando que "en lugar de destruir para construir, construye para destruir". Reconoce que "el superrealismo es el único movimiento poético de la primera mitad del siglo XX, y que en cierto modo contribuye a la liberación del hombre, pero lo que liberta no es el deseo ni la totalidad humana, sino la imaginación pura. Mas la imaginación pura y la praxis son difícilmente compatibles". Sartre concluye negando al superrealismo toda eficacia revolucionaria. A lo cual Breton replicará, con no menos fundamento, que aun guardando vivo a toda costa el sentido de esa liberación, para alcanzarla no está dispuesto a entregarse, atado de pies y manos, a un "aparato" cuyos medios tortuosos y cuyo absoluto desdén de la persona humana le inspiran las mayores dudas...

Por su parte, también Albert Camus, en *El hombre rebelde,* reprocha al superrealismo su gratuidad revolucionaria, viéndolo como un nihilismo lleno de contradicciones. Ese movimiento —añade— "no busca realizar mediante la acción la sociedad feliz que debe coronar la historia. Una de las tesis fundamentales del superrealismo es que no hay salvación. La ventaja de la revolución no era dar a los hombres la felicidad, *abominable satisfacción terrestre*; al contrario, según Breton, debía purificar su trágica condición; debía ser puesta al servicio de la ascesis interior, mediante la cual todos los hombres puedan transfigurar lo real en maravilloso: desquite resplandeciente del hombre". No es, pues, extraña —sigue diciendo Camus— su ruptura con el marxismo, ya que mientras éste reclama la sumisión de lo irracional, los superrealistas se alzaron para defender lo irracional hasta la muerte. Luego, descartado todo influjo positivo, el superrealismo ha parado en "un misticismo sin Dios que apacigua e ilustra la sed de absoluto y de rebelión. Ni una política ni una religión: no es quizá otra cosa que una imposible beatitud."

Las objeciones de Etiemble arrancan de una raíz más honda, puesto que toman partido, abiertamente, contra el irracionalismo, según vemos en *Le mythe de Rimbaud.* "Aceptar la cordura y la razón le parece al superrealismo que es pisotear intolerablemente lo imaginario. ¡Como si el hombre completo no fuera a la vez razón e imaginación!" Argumentos, por cierto, que ya habían sido expresados en nuestra lengua por Ernesto Sábato (*Hombres y engranajes*): "No basta con reivindicar lo irracional... Es necesario comprender que el hombre no es sólo irracionalidad, sino también racionalidad, que no es sólo instinto, sino también espíritu. ¿O vamos a renunciar a los más grandes atributos de la pobre raza humana justamente en nombre de su regeneración?"

Al carácter romántico de este movimiento aludía Herbert Read en la introducción escrita para el simposio *Surrealism,* pero no con intención de menosprecio sino de elogio. Considerando que "el superrealismo en general es el principio romántico en el arte", oponía éste al principio clásico. Al simplificar quizá excesivamente los términos, veía en el clasicismo "las fuerzas de opresión", "el correlato de la tiranía política", mientras que contrariamente advertía en el romanticismo "un principio de vida, de creación, de liberación". Pero tales antítesis, si bien deslumbrantes a primera vista, resultan escasamente persuasivas a poco que se traspase su brillante envoltura.

¿CONCLUSIONES?

¿Hay una filosofía del superrealismo? Un especialista en tal disciplina ha escrito un libro bajo ese título (Ferdinand Alquié, *Philosophie du surréalisme*). Pero más que la organización de un sistema, viene a ser una glosa reflexiva de algunos temas y motivos de la escuela. La filosofía, en todo caso, se halla en la historia de los préstamos que Breton ha hecho a la dialéctica de Hegel. Pero si no una filosofía, más fácil sería hallar una ética. Una ética subversiva, desde luego, que remplaza los soportes habituales de la sociedad por otros de aspecto —para la mayoría— menos tranquilizador. ¿Hay una estética propiamente dicha, sin atenuaciones ni distingos, en el superrealismo? El lector que haya llegado hasta aquí de sobra sabe que, desde los primeros momentos, los superrealistas proclamaron su desinterés, si no su fobia, de la Belleza. Y con referencia a los propósitos posteriores de Breton, para éste —según ha escrito Carrouges— "lo que importa no es construir una obra de arte, sino proferir, como las Sibilas, un verbo profético".

¿Cómo concluir sobre el superrealismo? ¿Acaso cabe una "conclusión" con visos de definitiva sobre este tema? ¿No sería más conforme a su esencia dejar flotando en torno a él una bandada de interrogantes? Los juicios categóricos tienen sentido en el campo de la estricta valoración literaria, pero casan mal con un fenómeno como el superrealista, tan imbricado de otras intenciones, tan polifacético y contradictorio, no obstante su afán de unidad. La ambivalencia pudiera ser su signo distintivo. De ahí que, salvo las meras paráfrasis o apologías, todos los estudios que se le han dedicado hasta la fecha parezcan acogerse finalmente a un más y menos, a la suma y a la sustracción conjugadas, como si del choque dialéctico pudiera seguir la síntesis esclarecedora. La reducción de las antinomias a que aspira el superrealismo, entre sueño y realidad, entre pasado y futuro, entre subjetividad y objetividad, ha de reflejarse también en su valoración crítica, cuando no se quiere incurrir en dogmatismo o unilateralidad. Más y menos, pro y contra del superrealismo vienen a ser los capítulos críticos mencionados de varios ensayistas. Tal dualidad y ambigüedad se refleja inclusive en algunos títulos, dados simultáneamente o sin previo acuerdo: "Grandeza y trivialidad del superrealismo" —se titulan las páginas de Ernesto Sábato en *Hombres y engranajes*—; "Limitaciones y noblezas del superrealismo" se nombran las que yo, a mi vez, le dediqué en *Problemática de la literatura*.

Cuando se le contempla a distancia, objetivamente, queriendo abarcarlo en una perspectiva resumidora, para espumar sus esencias íntimas, resaltan más aún sus extremos antagónicos. ¿Cómo negar que existe cierta grandeza, o voluntad de grandeza, en su afán de absoluto, en sus peticiones radicales? Su ambición de libertar absoluta y parejamente el espíritu y el hombre, el sueño y la vida humana, aspirando a una libertad integral, merece reconocimiento, cuando no adhesión. Los días del hombre serán fatalmente precarios y monótonos, la repetición y las cadenas nos acechan insidiosamente a cada vuelta del camino, pero ¿acaso tal perspectiva no otorga mayor precio a cualquier tentativa prometeica, sea o no viable? Desde el punto de vista opuesto, leyendo las teorías y obras del superrealismo, contemplando su plástica, suele exclamarse (*da capo*): ¡cuánta puerilidad, cuánta ingenuidad, qué magra sustancia y cuán hiperbólica escenografía! ¿Acaso no parece todo ello más bien una farsa de estudiantes talludos, un gratuito alarde lúdico antes, que un salto moral del es-

92.
L Carrington: *Retrato de Max Ernst*, 1940

Max Ernst: *Au rendez-vous des amis*, 1922.
De izquierda a derecha, primera fila: Crevel, Ernst, Dostoiewski, Fraenkel, Paulhan, B. Péret, Baargeld, Desnos; segunda fila: Soupault, Arp, Morise, Raphael, Paul Eluard, Aragon, A. Breton, Chirico y Gala

Man Ray: *La hora del observatorio los amantes*, 1932-34

94-95. Dos grabados "collages" de Max Ernst en su libro *La mujer cien cabezas*

píritu? Su duplicidad de aspectos, su desconcertante ambivalencia, proviene precisamente de su ambición máxima, de que el superrealismo pretendió atar extremos irreductibles: quiso ser a la vez una *Weltanschauung* y una praxis, una concepción y un sistema de vida y de acción peculiares. Estuvo obseso por la fusión de los contrarios y el apetito de unidad. Cambiar la vida y transformar el mundo, al parecer son metas no conciliables. El reino de la necesidad y el de la libertad no convergen.

Ahora bien, lo asombroso no es su fracaso, sino el mero hecho del intento. Cuando se repasan los libros de Breton, las declaraciones, los manifiestos que el grupo prodigó durante varios años, asombra la credulidad con que creyeron posible armonizar poesía y "realpolitik", el marxismo y el mundo de los sueños... No les absuelve de tal ingenuidad el hecho de que posteriormente Breton achacase todas las culpas al stalinismo, a las rigideces de un sistema cerrado. Sin necesidad de aludir a los puntos de partida y de llegada de tal política, antípodas de los del superrealismo, refiriéndonos únicamente al orden de prelación de los factores en juego, éstos no pueden ser más distintos. "Creencia, comodidad, bienestar y literatura no tienen sentido más que si socialmente están destinados a ayudar al hombre a libertarse de las trabas materiales exteriores y *subsidiariamente* de las trabas morales interiores" —ha escrito Tristan Tzara (*Le surréalisme et l'après-guerre*), uno de los surrealistas pasados al comunismo—. Pues bien: Breton, Péret, los demás que quedaron del primitivo grupo y los últimos enrolados piensan radicalmente lo contrario: ese *subsidiariamente* —que hemos subrayado— toma para ellos la delantera: la liberación del hombre interior sigue siendo a sus ojos previa, capital, y sin ella las demás no tienen sentido.

¿Cómo no asentir a tal prioridad, desde el momento en que se acepten los valores del espíritu, en que se tienda a defender la dignidad de la persona? Una sociedad de masas podrá satisfacerse con la liberación de la necesidad —de hecho siempre muy medida y condicionada—. Una sociedad de personas considerará frustrada e incompleta tal liberación si no va acompañada por el goce de la libertad. Pues ésta —contra una afirmación de Hegel— es algo más que la conciencia de la necesidad. He aquí, por cierto, una cuestión crucial de nuestro tiempo, que sigue pendiente, más allá de todas las falsas e incompletas soluciones propuestas.

También distan mucho de ser satisfactorias las que en su plano específico Breton y el superrealismo encaran a última hora. Sin salir del mundo, pero desencantado de sus ilusiones, el autor de *Les pas perdus* se refugia en una especie de Trapa personal, echándose de bruces en el ocultismo, según hemos visto en un capítulo anterior. Por odio al racionalismo, por menosprecio del cristianismo, pretende remontar hasta la Gnosis. Quiere "libertarnos" de las creencias y nos propone los mitos y las supersticiones. Se mofa de toda religiosidad trascendental, pero cuando presenta "en un cuadro iniciático" la exposición superrealista de 1947, cuando propone una vuelta al ocultismo, ¿qué otra cosa hace, en definitiva, sino postular un sucedáneo religioso más convencional y vulnerable que ningún otro? Incurre no tanto en un misticismo no idealista —según escribe Crastre— como en un idealismo a la intemperie o con techo de cristal. Desilusionado de la acción política, de todos los credos imperantes, lo vemos así fijar su predilección en la pura utopía, intentando vitalizar un vago anarquismo, reivindicando a Fourier y su principio de la "armonía universal". Quiere combinar el anarquismo y la magia. ¡Nuevo empeño de atar contrarios!

He ahí una larga serie de contrastes. Pero aún no he mencionado el fundamental: y es el que deriva de las insalvables contradicciones temperamentales yacentes en Breton. Pues sucede que este enemigo personal —o poco menos— de la Razón, es de pies a cabeza, desde la primera a la última línea de sus escritos teóricos —que ocupan la mayor parte de su obra— un racionalista ciento por ciento, un logicista, y no sólo un lógico, un espíritu que jamás pierde la brújula en medio de sus meandros discursivos. Se da así el extraño espectáculo de que le veamos defender la utopía, lo maravilloso, lo incongruente, con los términos, la coherencia y la sintaxis más rigurosas —nunca ocultas bajo su envoltura poética—. Tal contraste, como expresión de un modo personal, es perfectamente legítimo y hasta puede resultar plausible, atrayente. Mas lo singular es que la fuerza de imantación existente en su espíritu haya sido tan poderosa como para dar aspecto de movimiento plural a un sistema de preferencias y rechazos singulares —personalísimos e intransferibles en último término—. Luego, hoy más que ayer, lo que importa y pervive en el superrealismo es sustancialmente la personalidad de André Breton.

Personalidad que en los últimos años, merced a sus actitudes y declaraciones, ha adquirido una dimensión moral ejemplar. En lo profesional, un solo ejemplo valdrá para ilustrarlo: en días de enconada disputa de honores y prebendas literarios, de maniobras y zalemas en torno a los premios, Breton, nada sobrado de fortuna, antes al contrario, es el único escritor francés (pues el caso de Julien Gracq, su discípulo, que rechazó el Premio Goncourt, tiene otros aspectos) que se ha dado el lujo de rechazar un premio literario: el que hace algunos años quiso concederle la Ville de París. En lo espiritual, su sostenida actitud de escritor insobornable, al negarse a todo pacto o concesión que disminuya sus fueros de artista libre, que suponga la más mínima reducción de sus convicciones. Jamás aceptaré el infame precepto —ha venido a decir— sostenedor de que "el fin justifica los medios", padrastro de las peores políticas. ¡Qué lejos queda aquella antigua cláusula de su primer manifiesto donde se eliminaba toda "preocupación moral"! Cabalmente lo que hoy hace crecer la figura de Breton es su actitud moral. Así se explica que mientras el superrealismo, en los últimos años, como escuela se torna borroso, la personalidad del fundador haya ganado en relieve y primacía, y su voz resuene con plena autoridad. Ello indica también que hay en Breton, superando ciertas fatales contradicciones, una línea espiritual coherente; hay el ejemplo de un hombre indomeñable, quien por encima de las borrascas ha logrado mantenerse indemne, altivo, "sin arriar el pabellón". Un hombre que ha vivido y ha sabido hacer entrañablemente suya esta divisa poemática juvenil, donde asigna a la libertad el mismo color del hombre: "liberté couleur d'homme". O más bien esta coronación del triple lema: "la poesía, el amor, la libertad".

BIBLIOGRAFIA

Emmanuel Aegerter: *Regards sur le surréalisme:* Palais, París, 1939.
Ferdinand Alquié: *Philosophie du Surréalisme.* Flammarion, París, 1956.
Almanach Surréaliste du Demi-Siècle. *La Nef,* núm. 63-64. París, marzo-abril de 1950.
Louis Aragon: *Une Vague de rêves,* en "Commerce", núm. 2. París, 1925.
— *Traité du Style.* Gallimard, París, 1928.
Marcel Arland: *Sur un Nouveau Mal du siècle,* en *Essais et Nouveaux Essais critiques.* Gallimard, París, 1952.
Bertrand d'Astorg: *Introduction au Monde de la terreur.* (Sobre Saint-Just, Blake y Sade.) Seuil, París, 1945.
Gaston Bachelard: *Lautréamont.* Corti, París, 1939.
Ricardo Baeza: "Dadá", en *Comprensión de Dostoievsky y otros ensayos.* Juventud, Barcelona, 1935.
Anna Balakian: *Literary originis of Surrealism. A new mysticism in French Poetry.* King's Crown Press, Nueva York, 1947. Trad. esp. Zig Zag, Chile, 1957.
Hugo Ball: *Die Flucht aus Zeit.* Duncker und Humboldt, Munich y Leipzig, 1927.
— *Fragments from a Dada "Diary",* en "Transition", núm. 25, Nueva York, 1936.
Corpus Barga: *La rebelión de un ángel (Rimbaud),* en "Revista de Occidente", núm. 8, Madrid, febrero de 1924.
Alfred H. Barr, editor: *Fantastic Art Dada Surrealism.* Museum of Modern Art. Nueva York, 1936.
Georges Bataille: *La Littérature et le Mal.* Gallimard, París, 1959. Trad. esp. Taurus, Madrid.
Germain Bazin: *Notice historique sur Dada et le Surréalisme,* en René Huyghe: *Histoire de l'Art contemporain.* Alcan, París, 1935.
J. L. Bédouin: *Anthologie de la Poésie surréaliste.* Seghers, París, 1950.
— *André Breton.* Seghers, París, 1950.
— *Vingt ans de Surréalisme (1939-1959).* Denoël, París, 1961.
Simone de Beauvoir: *Faut-il brûler Sade?,* en *Privilèges.* París, 1955.
Albert Béguin: *L'âme romantique et le Rêve.* Corti, París, 1939.
Yvon Belaval: *La Théorie surréaliste du langage,* en "Courrier du Centre International d'Études Poétiques", núm. 3, Bruselas, s. a.

BIBLIOGRAFÍA

Maurice Blanchot: "Lautréamont", en *La Part du feu*. Gallimard, París, 1949.
— "Réflexions sur le Surréalisme", en *La Part du feu*. Gallimard, París, 1949.
H. M. Block: *Surrealism and modern poetry. Outline of an approch*. "Journal of Aesthetics", 1959.
Carlo Bo: *Bilancio de surrealismo*. Padua, 1944.
— *Il surrealismo*. Turín, 1953.
Paul-Émile Bordue: "Refus libre", en *Regard du surréalisme actuel*. París, 1948.
Henry Bouillane de Lacoste: *Rimbaud et le problème des "Illuminations"*. Mercure de France, París, 1949.
André Breton: *Les Pas perdus*. N. R. F., París, 1924.
— *Manifeste du Surréalisme*. Kra, París, 1924.
— *Second Manifeste du Surréalisme*. Kra, París, 1930.
— *Point du Jour*. Gallimard, París, 1934.
— *Qu'est-ce que le Surréalisme?* Enríquez, Bruselas, 1934.
— *Position politique du Surréalisme*. Krâ, París, 1935.
— *Trajectoire du Rêve*. Documentos recopilados por G. L. M. París, 1938.
— *Anthologie de l'Humour noir*. Sagittaire, París, 1940.
— *Le Surréalisme et la Peinture*. Brentanos, Nueva York, 1945.
— *Situation du surréalisme entre les deux guerres*. Fontaine, París, 1945.
— *La Clé des champs*. Sagittaire, París, 1952.
André Breton y Gérard Legrand: *L'Art magique*. Club Français du Livre. París, 1956.
Gabrielle Buffet-Picabia: *Picabia, l'inventeur*, en "L'Œil", núm. 8, París, junio de 1956.
Cabaret Voltaire: Eine Sammlung Künstlerischer und Literarischer Beiträge. ed. por Hugo Ball. Zurich, 1916.
Claude Cahun: *Les Paris sont ouverts*. Corti, París, 1934.
Roger Caillois: *Proces intellectuel de l'Art*. Les Cahiers du Sud, Marsella, 1935.
Nicolas Calas: *Foyers d'Incendie*. Denoël, París, 1939.
— *The meaning of surrealism*, en "New Directions". Norfolk, Conn., 1940.
Roberto Calasso: *Th. W. Adorno, el surrealismo y el "mana"*, en "Sur", Buenos Aires, marzo-abril de 1962.
M. Carrouges: *André Breton et les Données fondamentales du Surréalisme*. Gallimard, París, 1950.
Jean Cassou: *Grandeur et Infamie de Tolstoï*. Grasset, París, 1932.
— *Pour la Poésie*. Corrêa, París, 1935.
Jean Cazaux: *Surréalisme et Psychologie. (Endophasie et écriture automatique.)* José Corti, París, 1938.
Juan Eduardo Cirlot: *Introducción al surrealismo*. Revista de Occidente, Madrid, 1953.
— *La pintura surrealista*. Seix Barral, Barcelona, 1955.
A. Cirici Pellicer: *Surrealismo*. Omega, Barcelona.

Marcel Coulon: *Au Coeur de Verlaine et de Rimbaud.* Le Livre, París, 1925.
— *La Vie de Rimbaud et son œuvre.* Mercure de France, París, 1929.
Malcolm Cowley: *The death of Dada,* en *Exile's Return. A literary Odyssey of the 1920's.* The Viking Press, Nueva York, 1951.
Victor Crastre: *André Breton.* Arcanes, París, 1952.
— *Le Drame du Surréalisme.* Temps, París, 1964.
René Crevel: *Après Dada,* en "Les Nouvelles Littéraires", París, 9 de febrero de 1924.
— *Voici... Tristan Tzara et ses souvenirs sur Dada,* en "Les Nouvelles Littéraires", París, 25 de octubre de 1924.
— *Salvador Dali ou l'anti-obscurantisme.* Editions Surréalistes, París, 1931.
Madeleine Chapsal: *Quinze Ecrivains. Entretiens.* Julliard, París, 1963.
Charles Chassé: *Sous Masque d'Alfred Jarry: les sources d'"Ubu roi".* Floury, 1921.
Paul Chauveau: *Alfred Jarry.* Mercure de France, París, 1933.
Dada. Monographie einer Bewegung, publicada por Willy Verkauf. Arthur Niggli, Teufer, 1957, y Düsseldorf Kunsthalle, 1958.
Dada. Eine Literarische Dokumentation. Rowohlt, Hamburgo, 1964.
Salvador Dalí: *La Conquête de l'Irrationnel.* Editions Surréalistes, París, 1936.
— *The secret life of Salvador Dali.* The Dial Press, Nueva York, 1942.
— *Hidden Faces* (1922). The Dial Press, Nueva York, 1944.
Robert Desnos: *Lautréamont,* en "Imán", núm. 1, París, 1931.
Paul Dermée: *Lautréamont,* en "L'Esprit Nouveau", núm. 20, París, 1922.
Dictionnaire abregé du Surréalisme. Galerie Beaux-Arts, París, 1938.
Enrique Díez-Canedo: *Llega el antepasado (La resurrección de Saint-Paul Roux),* en "Revista de Occidente", Madrid, junio de 1935.
— *La poesía francesa. Del romanticismo al superrrealismo.* Antología ordenada por... Losada, Buenos Aires, 1943.
Theo van Doesburg: *Wat is Dada?* De Stijl, La Haya, 1923.
Drieu la Rochelle: *La Véritable Erreur des Surréalistes,* con respuesta de Louis Aragon, en "Nouvelle Revue Française", París, agosto y septiembre de 1925.
Yves Duplessis: *Initiation au Surréalisme.* P. Ardent, París, 1945.
Ilia Ehrenbourg: *...Vus par un écrivain de l'URSS.* N. R. F., París, 1924.
Marc Eigeldinger y otros: *André Breton. Essais et Témoignages.* A la Baconnière, Neuchâtel, 1949.
Paul Éluard: *Donner à voir.* N. R. F., París, 1939.
Jean Epstein: *Rimbaud,* en "L'Esprit Nouveau", núm. 17, París.
Etiemble: *From Cubism to Surrealism in French Literature,* de Georges Lemaître, en "Lettres Françaises", núm. 5, julio de 1942.
— *Le Mythe de Rimbaud.* I: *Structure du Mythe.* II: *Génèse du Mythe (1869-1949).* III: *L'Année du Centenaire.* Gallimard, París, 1952, 1954, 1961.

Etiemble y Yassu Gauclère: *Rimbaud.* Gallimard, París, 1936.
Justino Fernández: *Dadá,* en *Prometeo. Ensayo sobre pintura contemporánea.* Porrúa, México, 1945.
Otto Flake: *El marqués de Sade.* Trad. esp. Ulises, Madrid, 1931.
Benjamin Fondane: *Rimbaud le voyou.* Denoël, París, 1933.
— *Faux Traité d'Esthétique. Essai sur la crise de réalité.* Denoël, París, 1938.
André Fontaine: *Le Génie de Rimbaud.* Delagrave, París, 1934.
Wallace Fowlie: *Age of Surrealism.* Dobson, Londres, 1953.
Jean Fréter: *L'Aliénation poétique, Rimbaud, Mallarmé, Proust.* J. B. Janin, París, 1946.
Jorge Gaitán Durán: *Sade. El libertino y la revolución. Textos escogidos.* Mito, Bogotá, 1960.
Angel Garma: *Ensayo de psicoanálisis de Rimbaud,* en *Sadismo y masoquismo en la conducta humana.* Nova, Buenos Aires, 1952.
David Gascoyne: *A Short Survey of Surrealism.* Cobden-Sanderson, Londres, 1935.
André Germain: *De Proust à Dada.* Kra, París, 1926.
Georges-Emmanuel Clancier: *Panorama critique de Rimbaud au Surréalisme.* Seghers, París, 1954.
André Gide: *Dada,* en "Nouvelle Revue Française", abril de 1920 (recogido en *Incidences).* N. R. F., París, 1924.
Enrique Gómez Correa: *Sociología de la locura.* Aire Libre, Santiago de Chile, 1942.
Ramón Gómez de la Serna: *Dadaísmo y Superrealismo,* en *Ismos.* Poseidón, Buenos Aires, 1943.
— *Diccionario abreviado del superrealismo,* en "Sur", núm. 55, Buenos Aires.
Julien Gracq: *André Breton.* Corti, París, 1948.
Gervasio y Alvaro Guillot Muñoz: *El conde de Lautréamont.* Montevideo, 1927.
Gervasio Guillot Muñoz: *Revisión y justiprecio del superrealismo,* en "Sur", número 10, Buenos Aires, julio de 1935.
Ricardo Gullón: *Balance del surrealismo.* La isla de los ratones, Santander, 1961.
Raoul Hausmann: *Courrier Dada.* Le Terrain vague, París, 1958.
H. A. Hatzfeld: *Superrealismo. Observaciones sobre pensamiento y lenguaje del superrealismo en Francia.* Trad. esp. Argos, Buenos Aires, 1951.
— *Trends and styles in twentieth Century French Literature.* The Catholic University of America Press, Washington, 1957.
Maurice Heine: *Le Marquis de Sade.* Gallimard, París, 1950.
Marie de la Hire: *Francis Picabia.* Powolotsky. París, 1921.
Histoire de l'Art contemporain. La Peinture, dirigida por René Huyghe. Capítulo XII: *La Nouvelle subjectivité.* Alcan, París, 1935.
Gustav René Hocke: *Die Welt als Labyrinth. I. Manier und Manie in der*

europäischen Kunst. Rowolth, Hamburgo, 1959. Trad. esp. *El mundo como laberinto. I. El manierismo en el arte.* Guadarrama, Madrid, 1961.

Armand Hoog: *The surrealist novel,* en "Yale French Studies", núm. 8, 1951.

Richard Huelsenbeck: *En avant Dada. Eine Geschichte des Dadaismus.* Paul Steegemann, Hannover-Leipzig, 1920.

— *Dada Almanach.* Erich Reiss, Berlín, 1920.

— *Dada siegt! Eine Bilanz des Dadaismus.* Berlín, 1920.

Georges Hugnet: *Petite Anthologie poétique du Surréalisme.* Bucher, París, 1934.

— *L'Aventure Dada.* Galerie de l'Institut, París, 1956.

Sidney Janis: *Abstract and surrealist art in America.* Reynal & Hithcock, Nueva York, 1944.

Benjamín Jarnés: *El texto desconocido,* en "Revista de Occidente", Madrid, marzo de 1930.

Marcel Jean y Arpad Mazel: *Maldoror.* Pavois, París, 1947.

— *Génèse de la Pensée moderne dans la littérature française.* Corrêa, París, 1950.

— *Histoire de la Peinture surréaliste.* Seuil, París, 1959.

Eugène Jolas: *Encuesta sobre el espíritu y el lenguaje de la noche,* en "Sur", núm. 51, Buenos Aires, diciembre de 1938.

Mathew Josephson: *Life among the surrealists.* Holt, Rinehart and Winston, Nueva York, 1962. Trad. esp. Joaquín Motiz, México, 1963.

Alain Jonffroy: *La Collection André Breton,* en "L'Œil", núm. 10, París, octubre de 1955.

Pierre Klosowski: *Sade, mon prochain.* Seuil, París, 1947.

Ado Kyrou: *Le Surréalisme au cinéma.* Arcanes, París, 1953.

— *Luis Buñel.* Cinéma d'aujourd'hui. *Seghers,* París, 1962.

R. Lacoste y G. Helder: *Tristan Tzara.* Seghers, París, 1952.

Juan Larrea: *Surrealismo entre viejo y nuevo mundo.* Cuadernos Americanos, México, 1944.

Gilbert Lély: *D. A. F. de Sade.* Seghers, París, 1948.

Georges Lemaître: *From Cubism to Surrealism in French Literature.* Harvard University Press. Cambridge, Mass., 1941.

Julien Lévy: *Surrealism.* The Black Sun Press, Nueva York, 1938.

André Lhote: *A propos du Surréalisme,* en "La Nouvelle Revue Française". París, septiembre de 1928.

— *Surréalisme,* en "La Nouvelle Revue Française", París, mayo de 1935.

— *La Peinture, le Coeur et l'Esprit.* Denoël, París, 1936.

Fernand Lot: *Alfred Jarry, son oeuvre.* Nouvelle Revue Critique, París, 1934.

Pierre Mabille: *Le Miroir du Merveilleux.* Krâ, París, 1940.

Guy Mangeot: *Histoire du Surréalisme.* Henríquez, Bruselas, 1934.

André Masson: *Un Entretien avec... Le Surréalisme et après,* en "L'Œil", número 5, París, 15 de mayo de 1955.

Pierre de Massot: *De Mallarmé à 391.* Au Bel Exemplaire, Saint-Raphaël, 1922.
J. D. Maublanc: *Surréalisme romantique.* La Pipe en écume. París, 1934.
Claude Mauriac: *André Breton.* Flore, París, 1949.
Walter Mehring: *Bulletin Dada.* Die Arche, Zurich, 1959.
Jules Monnerot: *La Poésie moderne et le Sacré.* Gallimard, París, 1945.
Robert Motherwell: *The Dada Painters and Poets. An Anthologie.* Witenborn. Schulz, Nueva York, 1953.
Maurice Nadeau: *Histoire du Surréalisme.* Seuil, París, 1945.
— *Où va le Surréalisme,* en "Revue Internationale", núm. 17. París, 1947.
— *Documents du Surréalisme.* Seuil, París, 1948.
Pierre Naville: *La Révolution et les Intellectuels.* N. R. F., París.
Peter Neagoe: *What is surrealism?* The New Review, París, 1932.
Louis Parrot: *Paul Éluard.* Seghers, París, 1948.
Jean Paulhan: *Les Fleurs de Tarbes ou la Terreur dans les lettres.* Gallimard, París.
— *Introducción a Sade,* en "Sur", núm. 162, Buenos Aires, 1946.
Aldo Pellegrini: *Nacimiento y evolución del movimiento surrealista,* en "Cursos y Conferencias", núms. 226-228, Buenos Aires, enero-marzo de 1951.
— *Antología de la poesía surrealista.* Fabril Editora, Buenos Aires, 1961.
Henri Peyre: *The signifiance of surrealism,* en "Yale French Studies", otoño-invierno de 1948.
Gaëtan Picon: *Le Mouvement surréaliste* (cap. "Littérature du XXe siècle"), en *Histoire des Littératures,* III. Encyclopédie de la Pléiade. N. R. F., París, 1958.
Pierre Picon: *La revolución superrealista,* en "Alfar", núm. 52, La Coruña.
— *Los dadaístas después de Dadá,* en "Los Lunes del Imparcial", Madrid, 14 de septiembre de 1924.
E. Pichon Rivière: *Vida e imagen de Lautréamont,* en "Ciclo", núm. 2, Buenos Aires, marzo-abril de 1949.
Samuel Putnam: *The European Caravan. An anthology of the new spirit in European Literature.* Brewer, Nueva York, 1931.
Léon Pierre Quint: *Le Comte de Lautréamont et Dieu.* Cahiers du Sud, Marsella, 1929.
Rachilde: *Alfred Jarry ou le surmâle des lettres.* Grasset, París, 1928.
Marcel Raymond: *De Baudelaire au Surréalisme.* Corrêa, París, 1933.
Herbert Read: *Surrealism and the romantic principle,* en *Surrealism.* Faber and Faber, Londres, 1936.
Rolland de Renéville: *Rimbaud le voyant.* Au Sans-Pareil, París, 1929.
— *Dernier Etat de la Poésie surréaliste,* en "La Nouvelle Revue Française" París, octubre de 1933.
— *Les Poètes et la Société,* en "Cahiers du Sud", Marsella, diciembre de 1935.
— *L'Expérience poétique.* N. R. F., París, 1938.

Revistas. Números especiales:
"Cahiers d'Art", núms. 5-6, 1935. Núms. 1-2, 1936. París.
"Cahiers du Sud". Marsella, diciembre de 1939.
"Le Disque Vert", *Les Rêves.* Bruselas, 1925.
"Documents 34". *Intervention surréaliste.* Bruselas, mayo de 1934.
"Gaceta de Arte". Santa Cruz de Tenerife, 1935.
"L'Amour de l'Art". París, marzo de 1934.
"Letras de México", núm. 27, mayo de 1938.
"Minotaure". París, 15 de junio de 1936.
"Sur", núm. 19. Buenos Aires, 1936.
"This Quarter". *Surrealist number.* París, septiembre de 1932.
"Variétés". *Le Surréalisme en 1929.* Bruselas, junio de 1929.
Georges Ribemont-Dessaignes: *Histoire de Dada,* en "La Nouvelle Revue Française", junio y julio de 1931.
— *Déjà jadis! ou Du Mouvement Dada à l'Epoque abstraite.* Julliard, París, 1958.
Jacques Rivière: *Reconnaissance à Dada,* en "La Nouvelle Revue Française", París, agosto de 1920.
Juan Roger: *El surrealismo francés.* Barcelona, 1957.
Denis de Rougemont: *Kierkegaard et Franz Kafka,* en *Les Personnes du drame,* Gallimard, París, 1949.
André Rousseaux: *Breton, Aragon y otros,* en *Littérature du XXe siècle,* III. Albin Michel, París, 1949.
— *Reverdy,* en *Littérature du XXe siècle,* IV. Albin Michel, París, 1952.
— *Eluard y Breton,* en *Littérature du XXe siècle,* V. Albin Michel, París, 1955.
— *Apollinaire y Cendrars,* en *Littérature du XXe siècle,* VI. Albin Michel, París, 1958.
Claude Roy: *Aragon.* Seghers, París, 1948.
Ernesto Sábato: *Trascendencia y trivialidad del surrealismo,* en *Hombres y engranajes.* Emecé, Buenos Aires, 1951.
André Salmón: *Alfred Jarry ou le Père Ubu en liberté.* Crès, París, 1924.
Rafael Santos Torroella: *Genio y figura del surrealismo. Anécdota y balance de una subversión.* Cobalto, Barcelona, 1948.
Albert Schinz: *Dadaïsme: Poignée de documents sur un mouvement d'égarement de l'esprit humain après la grande guerre.* Smith College Studies in Modern Languages, vol. 5, núm. 1. Northampton, Mass., 1923.
Emilio Servadio: *Due studi sul surrealismo.* Luce & Ombra, Roma, 1931.
M. Seuphor: *Dada,* en *L'art abstrait.* Maeght, París, 1949.
Philippe Soupault: *Lautréamont.* Cahiers Libres, París, 1927.
— *Profils perdus.* Mercure de France, París, 1963.
Enid Starkie: *Rimbaud en Abyssinie.* Payot, París, 1938.
Surrealism, editado por Herbert Read. Faber and Faber, Londres, 1936.

Jean Topass: *La Pensée en révolte. Essai sur le Surréalisme.* Henríquez, Bruselas 1935.
Guillermo de Torre: *El vórtice dadaísta,* en "Cosmópolis", núm. 27. Madrid, marzo de 1921.
— *Dadá al día,* en "Ultra", núm. 3. Madrid, 20 de febrero de 1921.
— *El movimiento Dadá,* en "Cosmópolis", núm. 25. Madrid, enero de 1921.
— *Torrente dadaísta* (sobre *L'antitête* de Tristan Tzara, en "Luz", Madrid, 13 de mayo de 1933.
— *El suicidio y el superrealismo,* en "Revista de Occidente", núm. 145, Madrid, julio de 1935.
— *Con Paul Éluard en Madrid,* en "El Sol". Madrid, 27 de enero de 1935.
— *Realismo y superrealismo* (sobre Solana y Dalí), en "El Sol", Madrid, 8 de marzo de 1936.
— *Guillaume Apollinaire. Su vida, su obra, las teorías del cubismo.* Poseidón, Buenos Aires, 1946.
— *Qué es el superrealismo.* Columba, Buenos Aires, 1955.
— *Rimbaud: mito y poesía,* en "Las metamorfosis de Proteo". Losada, Buenos Aires, 1956.
— *Limitaciones y noblezas del superrealismo,* en *Problemática de la literatura,* tercera edición. Losada, Buenos Aires, 1965.
— *Salvador Dalí en tres tiempos,* en *Minorías y masas en la cultura y el arte contemporáneos.* Edhasa, Barcelona, 1963.
Tristan Tzara: *Lettre ouverte à Jacques Rivière,* en "Littérature", núm. 10, París, enero de 1920.
— *Sept Manifestes Dada.* Budry, París, 1924.
— *Memoirs of dadaism,* artículo en "Vanity Fair", reproducido como apéndice en Edmund Wilson, *Axel's Castle.* Scribner, Nueva York, 1931.
— *Essai sur la Situation de la poésie,* en "Le surréalisme au service de la révolution", núm. 4, París, diciembre de 1931.
— *Le Surréalisme et l'Après-guerre.* Nagel, París, 1947.
César Vallejo, *Autopsia del superrealismo,* en "Nosotros", vol. LXVII, 1930.
Varios: *Vingt-trois Manifestes du Mouvement Dada,* en "Littérature", número 13, París, mayo de 1920.
— *Le Suicide,* en *Le Disque Vert,* núm. 2. París-Bruselas, 1925.
— *Le Surréalisme en 1947.* Exposition International du Surréalisme. Pierre à Feu.
— *Le Cas Lautréamont,* en "Le Disque vert". Bruselas, 1925.
— *Au Grand Jour.* Éditions Surréalistes. París, 1927.
— *Du Temps que les surréalistes avaient raison.* Éditions Surréalistes, París, 1935.
— *Lautréamont n'a pas cent ans,* en "Cahiers du Sud", núm. 275. Marsella, 1946.
— *Approches de Sade,* en "Cahiers du Sud", núm. 285, Marsella, 1947.

Varios: *Surréalism,* en "Yale French Review", núm. 31. Yale University Press, 1964.
Fernando Vela: *El suprarrealismo,* en "Revista de Occidente", núm. 18. Madrid, diciembre de 1924.
— *Freud y los superrealistas,* en "El Sol", Madrid, 31 de julio de 1935.
Patrick Waldberg: *Le Surréalisme.* Le Goût de notre temps. París, 1962.
Dieter Wyss: *Der Surrealismus. Eine Einführung und Deutung surrealisticher Literatur und Malerei.* Heidelberg, 1950.

6
IMAGINISMO

"POR QUE LOS INGLESES NO TIENEN GUSTO"

Una prueba concluyente de la vitalidad expansiva y de la fuerza contagiosa que alcanzó el espíritu de las vanguardias europeas es el brote imaginista inglés —y lateralmente el vorticismo— con ramificación norteamericana. ¿Por qué? Ya es sabido que las letras inglesas gozan —como todo lo demás en ese país— de características muy peculiares, poco porosas y nada homologables con las de otros. Acontece así el caso paradójico de que siendo Inglaterra un país de grandes escritores, siendo un país de lectores innumerables, quizá en grado superior a ningún otro, no sea, en rigor, un país "literario"; es decir, un país donde lo literario cobre socialmente un primer plano, se produzcan fácilmente los movimientos o escuelas y donde, en suma, la preocupación íntima por las letras se convierta en estímulo público y fermento renovador.

Algo muy semejante pasa en lo que concierne a las artes plásticas. A tal punto que un inglés disconforme —tipo excepcional en Inglaterra, más que cuando surge supera quizá en violencia al de otros países—, doblado de crítico agudo, Herbert Read *(Anarchism and Poetry)* ha podido formular una enérgica acusación contra los ingleses, reprochándoles carecer totalmente de gusto artístico, denunciando su inmensa indiferencia por las cuestiones de arte; en una palabra, "por qué los ingleses no tienen gusto", título del ensayo.

No basta para compensarlo el interés por la poesía. Quedan, cierto es, a su favor, el "common sense" y el "sense of humour". Pero "su sentido del humor —puntualiza Read— es el índice de cualquier desviación de lo normal". "El "gentleman" es la apoteosis de lo normal. Y el sentido común es el sentido normal —opiniones y convenciones aceptadas, costumbres correctas". Lo que no puede entenderse como un elogio, si a continuación leemos, por la pluma del mismo autor, que "la normalidad es en sí misma una neurosis, una evasión de la realidad de la vida".

Edmund Bergler, años después, desde el punto de vista psicoanalítico, ha escrito de modo coincidente que hasta el mismo afán de racionalización interna es una variante neurótica. Esto vendría a confirmar la no objetividad esencial del artista, del escritor, y cómo, en último extremo, los conceptos de "normalidad" y "arte" se excluyen, son valores rigurosamente hostiles. Para el inglés —escribe Read—, aun la risa es mental, determinada por la turbación de los sentidos reprimidos. La burla del *high-brow* (cejialto, intelectual) es el resorte humorístico del *Punch,* delicia hebdomadaria tradicional del estado llano (*low-brow*). Ahora bien, si se nos preguntara cómo se compagina tan plural estado de ánimo con la extravagancia inglesa —de la cual ha trazado Edith Satwell una curiosísima galería, en *The English Eccentrics*— responderíamos que ésta no es sino la otra cara de la misma medalla.

Por esas y otras causas semejantes, que fuera largo detallar, las letras inglesas, aun siendo tan ricas y valiosas desde otro punto de vista, han permanecido casi siempre al margen de los movimientos artísticos y literarios que aspiraron a una innovación radical. Y aún más, acontece que cuando alguna escuela extrema prende en Inglaterra, lo hace con dos lustros de retraso. Tal fue el caso del superrealismo (aunque en rigor nada más normal que este arte en el país de Blake y de Lewis Carroll) y el auge insospechado que allí alcanzó poco antes de la segunda guerra [1]. Todo, pues, parece oponerse a que en ese país

[1] Grupos eventuales que surgieron después de Auden, según Francis Scarfe (*Auden and after*), y en relación con Dylan Thomas, como el del Apocalipsis (derivado su título de un ensayo de D. H. Lawrence), de acuerdo con el manifiesto que publicaron en 1938 los poetas Henry Treece, G. S. Fraser y J. F. Hendry, no lograron alcanzar permanencia y difusión. A despecho de las apariencias, no es muy diferente sustancialmente la situación literaria norteamericana. Sus escritores participan en los movimientos de vanguardia —no los crean—. Claro testimonio lo ofrece el libro tan vivaz de Mathew Josephson (*My life with the surrealists*). Una de las pocas excepciones, más que la siempre citada "lost generation" (importante por sus autores, Hemingway, Scott Fitzgerald, Dos

96. Ezra Pound

97. Portada de "This Quarter"

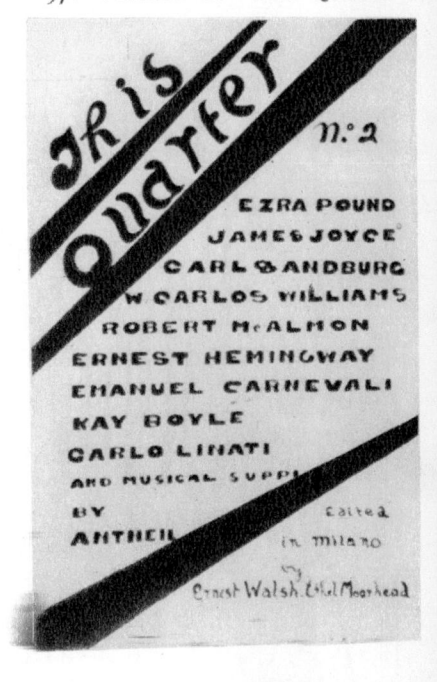

98. Hilda Doolittle

100. James Joyce

99. Primera página del manuscrito de *Ulises*, de Joy-

surjan o proliferen estéticas disidentes, con raíz individual, pero exteriorizadas colectivamente. Lo advertía asimismo —y conviene en este punto seguir ateniéndose a testimonios indígenas— el ya mencionado Herbert Read (*Cahiers d'Art,* 1-2, París, 1938). "Toda nuestra manera de vivir —y eso es lo que los extranjeros comprenden muy difícilmente— se opone a la formación de grupos coherentes de pintores, de poetas y de filósofos. Se opone a ello el simple hecho de que no tengamos vida de café. Las reuniones deben ser organizadas con cierto formulismo en las casas particulares. Vivimos dispersados en el vasto desierto caótico de Londres, que no tiene centro ni periferia. Consecuencia de ello es que la espontaneidad, tan necesaria a la vida de un movimiento, no puede existir nunca".

PRERRAFAELISMO

De ahí el carácter excepcional que asumen en las letras y artes inglesas dos movimientos, o más sencillamente agrupaciones, como el prerrafaelismo y el decadentismo o esteticismo. Al menos, como antecedentes del imaginismo, conviene trazar someramente los rasgos característicos de uno y otro. El prerrafaelismo se sitúa exactamente a mediados del siglo XIX; el esteticismo, en la década de 1890. Si este Passos, etc., pero existente como tal, orgánicamente, sólo en el papel), fue el grupo de la "revolución de la palabra", a partir de 1923, reunido en la revista *Transition,* que dirigía Eugen Jolas, y el manifiesto *Vertigral.* Sustancialmente es una derivación de Joyce.

He aquí, a título documental, el manifiesto del vertigralismo (1928), según lo transcribe Malcolm Cowley (*Exile's Return*): "1. La revolución en el idioma inglés es un hecho. 2. La imaginación, en su busca de un mundo fabuloso, es autónoma y no conoce límites. 3. La poesía pura es un absoluto lírico que busca una realidad apriorística dentro de nosotros solamente. 4. La narración no es una mera anécdota, sino la proyección de una metamorfosis de la realidad. 5. La expresión de estos conceptos sólo puede obtenerse mediante la rítmica "alucinación de las palabras". 6. El creador literario tiene derecho a desintegrar la materia prima de las palabras que le imponen los manuales y diccionarios. 7. Tiene derecho a usar palabras de su propia invención y a desechar las leyes gramaticales y sintácticas existentes. 8. La "letanía de palabras"

último, en rigor, no posee mayor originalidad ni propiamente autonomía inglesa —puesto que se reduce a una manifestación insular del decadentismo general europeo, del "fin de siècle"—, contrariamente el prerrafaelismo ofrece algunos rasgos sustantivos. La Hermandad Prerrafaelista (*Pre-Raphaelite Brotherhood*) se constituye en 1848 y subsiste hasta 1853, si bien se continúa espiritualmente hasta la muerte del fundador, D. G. Rossetti, en 1882. Comprendía escritores y pintores o ambas especies en un mismo individuo, como es el caso de su máximo impulsor: Dante Gabriel Rossetti (1828-1882). Le acompañan su hermana Christina Georgina Rossetti y su hermano Michael Rossetti, éste de menor talla. También participan, desde posiciones próximas, otros escritores, tales como William Morris, Charles Algernon Swinburne y Coventry Patmore. Además, los pintores Holman Hunt, Burne Jones, John Everett Millais y Ford Madox Brown, y el escultor Thomas Woolner. A cierta distancia, John Ruskin vino a ejercer papel más notorio de inductor y principal teórico. Puntos de confluencia fueron las revistas *The Germ,* que salió en 1850, y contó cuatro números, y *The Oxford and Cambridge Magazine.*

¿Cómo sintetizar las doctrinas del prerrafaelismo? En rigor se definen por el propio nombre: es un movimiento de retorno medieval más que primitivista; también más intuitivo que fundamentado [2]. Los prerrafaelistas se proponían, en pintura, continuar la línea de los antecesores de Rafael —y de ahí su nombre—, empalmando con Giotto y Simone Martini; en poesía, volver al "still nuovo"; en suma, al arte del Duecento y del Trecento. Para los miembros de la *P. R. B.*

es admitida como una unidad independiente. 9. No nos importa la propagación de ideas sociológicas, excepto para emancipar los elementos creativos de la ideología actual. 10. El tiempo es una tiranía que debe ser abolida. 11. El escritor expresa. No comunica. 12. Maldito sea el lector común." Aparecía firmado, entre otros, por Eugène Jolas, Hart Crane, Stuart Gilbert (crítico de Joyce), Eliot Paul, Harold J. Salemson, etc.

[2] R. H. Willenski (*The Modern Movement in Art*) señala que cuando Rossetti, Millais y Hunt fundaron, en el otoño de 1848, la Hermandad Prerrafaelista no habían visto nunca un solo cuadro de los primitivos italianos; solamente un libro de reproducciones con los frescos de Gozzoli en el Camposanto de Pisa.

Rafael marca ya un declive, puesto que se inclina a lo "teatral". Y sin embargo —acotemos— los prerrafaelistas, por su cuenta, no renuncian a la perspectiva ni sacrifican lo tridimensional como haría medio siglo después el cubismo. Para los prerrafaelistas la pintura viene a ser símbolo y alegoría. Buscan lo Bello ideal en una utópica —y ucrónica— pureza de perfección. Tales son los principios de Dante Gabriel Rossetti. El prerrafaelismo, en último término, pudiera caracterizarse como un movimiento de intención mística más que artística o literaria, puesto que exaltaba el fondo religioso del Medievo, propósito no particularmente nuevo, ya que este retorno fue quizá el más fuerte sello del romanticismo. En lo puramente plástico los frutos fueron los de un arte que muy poco tenía de plástico y se valorizaba por aquello que años después más cruelmente le descalificaría: su literaturismo. No es extraño que Rossetti exaltase a William Blake, mezcla singular de espíritu visionario y artista espurio. Pero aquel Rossetti descendiente de un emigrado italiano no dejaba de ser también muy inglés en su amor por cierto convencionalismo estético, trocando lo Bello absoluto en lo "bonito hogareño". Situado entre los últimos románticos y los georgianos, acusa en realidad más la primera influencia: así entierra los manuscritos de sus poemas con el cadáver de su mujer, Eleonor Siddall, modelo e inspiradora, en 1862, pero los exhuma poco después, en 1870. Tanto Rossetti como su hermana Georgina y los demás del grupo, marcan una primera reacción contra los gustos del tiempo victoriano. Empero, son innovadores, pero hacia atrás.

La protesta contra la época sólo habría de alcanzar mayor vigor e interés con John Ruskin y William Morris. El primero, con su "abaratamiento" de la Belleza, con esa serie de libros que van desde *Los pintores modernos* (1843-1860) hasta *La Biblia de Amiens* (1880), pasando por *Las siete lámparas de la arquitectura* (1849), que figuraron como un Baedecker inexcusable de las caravanas turísticas en Italia y que hoy parecen tan abstractos y descoloridos. El segundo, William Morris, con menos ínfulas esteticistas, pero más feliz influjo en la cotidianización del arte, ya que su acción abarca desde arquitectura y el amueblamiento de interiores a la tipografía; su radio se extiende temporalmente hasta la confluencia de los siglos XIX y XX con el "modern style". Además, abre el camino a la utopía novelesca huxleyana con sus *News of Nowhere (Noticias de ninguna parte,* 1891). Su más famoso libro poético *(Defense of Guennevere,* 1858) suscitó después un ensayo de Walter Pater sobre "Aesthetic Poetry" que puede valer también como una teoría general del esteticismo.

DECADENTISMO: FIN DE SIGLO

En cuanto al decadentismo inglés del último decenio del siglo XIX: si bien tiene —según anticipé— un carácter menos específico, no por ello deja de ofrecer algunos rasgos y personalidades singulares. En principio viene a ser la extensión británica de un "estado continental de espíritu", según le caracteriza quien ha hecho —junto con Holbrook Jackson *(The Eighteen Nineties)*— su historia más detallada y anecdótica: William Gaunt *(The Aesthetic Adventure).* Corresponde al amplio período que Max Nordau quiso estigmatizar bajo el apelativo de *Entartung,* en el libro de tal título *(Degeneración,* 1893), adaptado malamente al español por Pompeyo Gener *(Literaturas malsanas).* Mas sucede que este período fue de forma rigurosamente contraria una época de saludable renuevo. Sus primeros orígenes se sitúan casi medio siglo más atrás, en 1835, con *Mademoiselle de Maupin,* de Théophile Gautier. Caen dentro de la órbita abierta por las que llegaron a sus popularísimas —sobre todo convertidas en una ópera— *Scènes de la vie de Bohême,* de Henri Murguer, diez años después. Baudelaire, simbolismo, parnasianismo... Pero la historia del ciclo decadentista es francesa, y por ello sobradamente conocida, como todo lo de tal literatura, y no necesita mayores detalles. Se reduce sustancialmente a la doctrina de *l'art pour l'art,* o sea, *art for art's sake* del otro lado del Canal de la Mancha, teoría latente en el esteticismo de los prerrafaelistas.

Con todo, el nombre que mejor le cuadra, antes que el de período de *New Hedonism,* dado por Grant Allen, es el de *Beardsley period,* según Max Beerbohn. En efecto, los dibujos preciosistas de Beardsley en las revistas que ilustró, *The Yellow Book* (1894) y *The Savoy* (1896), dan la cifra plástica más reveladora de aquel momento. Un maestro, Walter Pater, un discípulo a la vez magistral, Oscar Wilde, resumen en lo literario inglés el mundo finisecular. El arquetipo humano que inaugura, el "homo aestheticus", alcanzaría fecunda vigencia literaria, a lo largo de personajes novelescos tan contagiosos como el Dorian Gray de Oscar Wilde, el Jean des Esseintes de Huysmans en *A rebours,* el Andrea Sperelli, de d'Annunzio en *Il Piacere,* el Jacinto de *A cidade e as serras,* de Eça de Queiroz, el Marqués de Bradomín de las *Sonatas* valleinclanescas, el Philippe de Barrès en *Le jardin de Bérénice;* da sus últimas reverberaciones en el Baron de Charlus de *Sodome et Gomorrhe,* de Proust. De suerte que teniendo en cuenta este carácter internacional del decadentismo europeo, las aportaciones puramente británicas no pasan de ser reflejos. Ello no impide que uno de los primeros y más felices libros sobre el simbolismo sea el de Arthur Symons —*The symbolist movement in literature,* 1899— y que las *Confesions of a Young Man* (1888), de Georges Moore, reconstruyan con fresca vivacidad el momento en que las letras inglesas rompen su insularismo y se hacen europeas.

GENESIS DEL IMAGINISMO

En tal clima brotó un día el imaginismo. Cierto que su impulso inicial y sus posibilidades de exteriorización los recibió de espíritus norteamericanos. Pero expongamos ordenadamente el proceso y las doctrinas de tal movimiento. No sin advertir antes que pese al poco espacio que se le consagra y al recuerdo casi siempre desdeñoso con que en la mayor parte de las historias literarias se le pretiere, y aunque luego T. S. Eliot, por una parte, y Ezra Pound, por otra, hayan venido a dominar líricamente esa época, el imaginismo marcó su huella. Lo reconocen inclusive espíritus tan poco "symphatetics" con este movimiento como Richard Lewisohn (*Expression in America*) al escribir que "al influjo imaginista se debe el hecho de que hoy haya más libertad y flexibilidad en la vida americana y una pequeña audiencia con la cual puede contar el artista creador serio". Grupos ocasionales como los "Otros", de Alfred Kreymborg, son resultantes del estímulo imaginista. Años después el imaginismo ha tenido la fortuna de encontrar un historiador puntual, un exegeta minucioso en Glenn Hughes (*Imagism and Imagists*).

"El imaginismo —comienza por sentar dicho crítico— puede caracterizarse como el mejor organizado y el más influyente movimiento en la poesía inglesa desde los prerrafaelistas." El recuerdo se imponía por lo mismo que es excepcional. Las figuras que auténticamente pueden señalarse —al menos en sus orígenes— como imaginistas son siete; tres ingleses: Richard Aldington, F. S. Flint, D. H. Lawrence, y cuatro norteamericanos: Amy Lowell, Ezra Pound, H. D. (o sea Hilda Doolittle) y John Gould Fletcher. Agreguemos otro inglés que asume principalía de instigador: T. S. Hulme, y marginalmente T. S. Eliot, americano, luego inglés. Quedan fuera de esta enumeración, efectuada con riguroso criterio historicista, esto es, limitada a los que en su día hicieron profesión de fe, algunas otras personalidades, quizá en espíritu, y por su obra posterior, más acabadamente imaginistas. Podrá argüirse en efecto —como señala Hughes— que Williams Carlos Williams es más imaginista que Lawrence; y que, sin duda, James Joyce y, en otro plano, Ford Madox Hueffer (luego Ford Madox Ford), por su obra el primero y por el hecho de haber colaborado el segundo en *Des Imagistes,* la inicial antología del grupo, resulten más representativos que algunos de los siete nombrados como fundadores.

Para filiar el imaginismo, Hughes hace remontar sus orígenes a numerosas fuentes antiguas: la literatura griega, latina, hebrea, las orientales —china, japonesa— y entre las modernas, la francesa, con el simbolismo. Pero sin perjuicio de reconocer influjos orientales en las poesías de algún imaginista, según veremos más adelante, el despliegue anterior parece más bien una ilusoria rebusca de blasones. Ahora bien, lo que en puridad no podía faltar al imaginismo es un precursor más mediato —como siempre acontece—, aunque inmaturo u oscurecido.

UN PRECURSOR: HULME

Tal papel lo desempeña aquí T. E. Hulme, filósofo estético, a quien llaman sin rodeos "el padre del imaginismo", y que —nacido en 1883— desapareció prematuramente, en septiembre de 1917, muerto en la guerra. Por cierto, Hulme era entusiasta de ella, hacía alardes de belicosidad; de suerte que más discreto es no pronosticar sobre las encrucijadas hacia donde le hubiera llevado una evolución congruente con tal sentido de las carnicerías... Hulme viaja por Francia y Alemania, estudia filosofía, sufre la influencia de Bergson —contra el que luego reacciona adversamente—, le traduce, así como también a Sorel, en sus *Réflexions sur la violence.* Hulme —nos cuentan— tenía las cualidades de un jefe: era vigoroso, agresivo y original. Corría 1908, cuando Hulme en el país y en la ciudad de los individualistas fundó, con F. S. Flint y algún otro poeta joven, una suerte de sociedad poética, *The Poet's Club,* cuyos miembros se reunían los viernes en un restaurante del Soho. Se proponían instaurar el verso libre y adoptar las "tankas" y los "hai-kais" japoneses. Pero el grupo hubo de disolverse pronto, no obstante la incorporación de Ezra Pound en 1909. Precisamente al final de uno de los primeros libros de Pound, *Ripostes* (1912) aparecieron las hasta entonces obras poéticas completas de Hulme: esto es, cinco poemas, treinta y tres líneas; con un prefacio en el cual asomaba por vez primera la palabra *Imagist.* Como podrá inferirse, aun sin grandes alardes de *humour,* Hulme fue un evangelista parco. Y aunque luego, tras la muerte de aquél, agregó Herbert Read nuevas páginas, incluyendo borradores póstumos, y reuniéndolos en 1924 bajo el título de *Speculations,* tal obra no acrece gran cosa la figura del precursor, ya que, como en casos similares, su acción parece haber sido ante todo verbal, y su ejemplo estimulante.

Hulme, en sus ensayos filosóficos, conjugaba por un lado las influencias de Nietzsche y de Sorel, es decir, cierto gusto por la violencia y la acción directa, complicadas por una afición a las teorías de Charles Maurras, sobre todo en el terreno literario, en la exaltación del clasicismo.

Cierto es que el clasicismo defendido por Hulme asumía caracteres muy singulares, pues sostenía que "el arma particular de este nuevo espíritu clásico será la fantasía". No es extraño, pues, que Herbert Read le haya clasificado luego más como poeta que como un pensador sistemático. Respecto a la poesía Hulme escribía: "Profetizo que llega un período de verso seco, recio, clásico." Pero al mismo tiempo exaltaba el valor de la imagen, el poder de la metáfora. "Sólo con metáforas nuevas, es decir, mediante la fantasía, es como puede hacerse preciso el lenguaje." Como se ve la paradoja jugaba su parte romántica —fantástica— en los postulados clásicos de Hulme, que en los Estados Unidos ejercieron influencia sobre el humanismo de Irving Babbit.

Hulme mismo condensó así su doctrina literaria: "La seca reciedumbre que se halla en los clásicos les resulta (a la mayoría de los lectores) absolutamente repugnante. La poesía que no es húmeda no es siquiera poesía. No pueden comprender que la descripción precisa es un objeto legítimo del poema. Para ellos, un poema siempre significa apelar a alguna de las emociones agrupadas en torno a la palabra infinito. La esencia de la poesía, para la mayoría de las personas, reside en que los conduzca a un más allá de alguna especie. El poema estrictamente limitado a lo terreno y lo definido (Keats tiene muchos así) puede parecerles excelente literatura, excelente artesanía, pero no poesía.. Tanto nos ha degradado el romanticismo, que sin alguna forma de vaguedad renegamos de lo más alto. En lo clásico siempre está la luz cotidiana, nunca la que jamás iluminó tierra o mar. Pero el resultado lamentable del romanticismo es que, al habituarse a esta luz extraña, ya no se puede vivir sin ella. Su efecto es el de una droga."

LOS PRIMEROS IMAGINISTAS

Más importante fue la acción de Ezra Pound, quien al punto de incorporarse al imaginismo asumió el papel de jefe. Pound, nacido en Norteamérica, había llegado a Europa en 1907, instalándose en Londres en 1909. Nos lo pintan como un hombre magnético, de roja barba y voz vibrante. Venía de América, por la vía de Italia, y, con su amor por Dante y la poesía trovadoresca, había contraído un italianismo al que sería fiel toda su vida, inclusive en sus menos recomendables expresiones políticas, según veremos más adelante.

En 1911 llegó también del otro lado del mar una joven poetisa yanqui, Hilda Doolittle, que firmaría siempre con las solas iniciales: H. D. Y, por las mismas fechas, tras dar la vuelta al mundo, y haber pasado por Londres y conocido a Pound, tornaba a su país y a su ciudad natal, Chicago, Harriet Monroe. Un año después, 1912, funda allí una revista: *Poetry. A Magazine of Verse.* La revista, tentativa excepcional en el tiempo, tuvo éxito. En sus páginas se revelaron Carl Sandburg, Vachel Lindsay e irrumpieron los imaginistas por medio de Pound, nombrado corresponsal en Londres. Este publica en *Poetry* (1913) los siguientes postulados: "Tratamiento directo del "objeto", sea subjetivo u objetivo. No usar siquiera una palabra que no contribuya a su presentación. Respecto al ritmo, componer de acuerdo con la frase musical, no con el metrónomo. Responder a la "doctrina de la imagen", que según dice el autor no ha sido definida para su publicación porque no concierne al público y provocaría inútiles discusiones." Tales declaraciones, empero, se completan con otras como las siguientes: "La imagen debe presentar un complejo intelectual y emocional en un instante del tiempo."

Papel similar tuvo después, con respecto a la generación siguiente *The Little Review,* dirigida por otra mujer, Margaret Anderson. En el capítulo de revistas de ese movimiento, mencionaremos, al pasar, otras también significativas: *The Egoist* (1914), subtitulada —no necesariamente— "revista individualista", que primero habíase llamado *The New Freewoman* (1913), como órgano de las sufragistas, y que queda en los anales de la época por haber acogido en sus páginas *A portrait of the artist,* de Joyce, y luego *Tarr,* de Wyndham Lewis. Asimismo se recuerda *The Chapbook* (1919), bajo la dirección de Harold Monro, y también *Poetry and Drama* (1914).

La doctrina, o el fenómeno imaginista, más exactamente, sólo cobra existencia en marzo de 1914, al aparecer, compilada por el mismo Pound, la primera antología del grupo *(Des Imagistes. An Anthology).*

VORTICISMO

Pero acontece que Pound, solicitado por otros vientos, pronto abandona esa escuela, y, en unión de Gaudier-Brzeska, escultor francés que vivía en Londres, y de Wyndham Lewis, pintor, novelista y crítico, proclama un nuevo *ismo*: el vorticismo. Su expresión fue un manifiesto, una hoja tamaño de sábana, *Blast* (1914), y la revista (1915) del mismo nombre, donde colaboraban, a más de los citados, Ford Madox Ford, Rebeca West y T. S. Eliot, entre otros. Bajo el título de *Blast*, y con una tipografía que recordaba la de los manifiestos futuristas, se leía: *Review of the Great Vortex*. Pero no pasó del primer número; el vorticismo fue, pues, uno de los más efímeros *ismos* que nunca hayan existido. Sin embargo, o por eso mismo, demos algunos detalles [3].

En rigor, parece haber significado una expresión puramente personal —sin trascendencias en otros— de Wyndham Lewis. ¡Curiosa, múltiple, pero ambigua personalidad! Pintor, escritor, propagandista, tan admirable en algunos aspectos como vituperable en otros, según sucede también en los casos de Hulme, Eliot y Pound, con los cuales se emparenta muy próximamente. Predica como ellos una suerte de

[3] He aquí el manifiesto del vorticismo publicado en la revista *Blast*, 20 de junio de 1914:
"Nuestro vórtice está alimentado por vuestros adelantos, hombres: pollos burgueses. Nuestro vórtice está orgulloso de sus superficies pulidas. Nuestro vórtice no escuchará otra cosa que su danza desastrosa y sin relieves. Nuestro vórtice desea el ritmo inmóvil de su rapidez. Nuestro vórtice se arroja como un perro rabioso contra vuestra batahola impresionista. Nuestro vórtice es blanco y abstraído de su cadente rapidez. El vorticista está en el punto máximo de energías cuando más inmóvil está. El vorticista no es esclavo de la conmoción, sino su amo. El vorticista no sorbe la leche de la vida. Deja que la vida conozca su lugar en un universo vorticista. No existe el presente: existen el pasado y el futuro, y existe el arte. Todo momento que no sea débilmente relajado y regresivo, o —por otra parte— optimistamente soñador, es arte. "La Vida de veras", o presunta "Realidad", es una cuarta cantidad, hecha del pasado, del futuro y del arte. Nuestro vórtice desprecia e "ignora este impuro presente. *Wyndham Lewis*."

clasicismo. Pero ¿cuál? Porque, de un lado, cuando Marinetti visita Londres en 1913 encuentra en Wyndham Lewis a uno de sus más convencidos adeptos. Mas, en contraste, los versos que entonces compone tenían como modelos, de una parte, ciertos epigramas clásicos, y, de otra, el preciosismo de Gautier.

Si hubo un vórtice, un torbellino, pues, fue de confusión y no de decantaciones. Wyndham Lewis hereda de Hulme —como éste, a su vez, de Julien Benda— la fobia contra el influjo del intuicionismo y publica una especie de manifiesto contra Bergson, *The art of being ruled* (1926). Opuesto a esa "reglamentación" tan laxa, busca otra más rigurosa en el tomismo. Descubre al modo maniqueo un personaje, un chivo emisario, en el que carga las culpas, y que da título a otra revista también efímera: *The Egoist* (1927), que después resucita en *The Enemy*. Otras fobias con las que se ensaña, en su libro *Time and Western Man* (1927), son Joyce por su "fluida relatividad", D. H. Lawrence por su primitivismo, los superrealistas por su adhesión al subconsciente. Autor de numerosos libros, su fuerza está en la sátira. En la más considerable, *The apes of God* (1932) ataca a los "bohemios" de Bloomsbury, en especial a los tres hermanos Sitwell. Lewis tuvo la "sagacidad" de considerar el fascismo como una consecuencia del "desorden romántico". Y más tarde quiso ver en Hitler a un "clásico"... En su autobiografía, *Blasting and Bombardiering* (1937), Wyndham Lewis se incluye en la generación de 1914, la de Joyce, Pound y Eliot. Durante la guerra del 40 se refugia en el Canadá y publica un libro de título justiciero: *Self Condemned* (1954) (*Autocondenado*). Con todo, un último grado de lucidez le salva de caer en las apologías sin nombre de Ezra Pound. En suma —confirmándose lo antes apuntado—: el reverso de la medalla inglesa, del conformismo, muestra a Wyndham Lewis (como asimismo a Roy Campbell —el autor de *Revolvering Rifle* (1939), poema a la mayor gloria de los "nacionalistas" españoles), con la cara de la extravagancia.

DESENVOLVIMIENTO IMAGINISTA

Volviendo, tras este paréntesis, al imaginismo, señalemos que éste no muere tras la deserción de Pound, hecha efectiva a raíz de publicarse la primera antología del grupo, *Des Imagistes* (1913). Antes al contrario, reencuentra una nueva fuerza propulsora en Amy Lowell. Esta poetisa norteamericana pasa por Londres en 1914. Bostoniana, miembro de la famosa familia de su apellido, desempeña en Londres, a la perfección, su papel de "americana", con el séquito de un automóvil, un *chauffeur*, una doncella y el suficiente número de dólares para dar un impulso impreso al imaginismo. Recoge cenizas dispersas y hace surgir un nuevo Fénix. Establece contacto con los primeros imaginistas y con otros nuevos. No obstante, poseída ya por el sentido de inestabilidad que habría de caracterizar asimismo a los posteriores movimientos, y señaladamente a *Dada*, estatuye que el grupo no deberá durar más de tres años, haciendo tres apariciones colectivas. Eligió como colaboradores a los seis poetas al comienzo citados —excluido ya voluntariamente Pound—. Con diplomacia ponderada quiso nivelar el porcentaje de nacionalidades, según señalé al principio. Y a poco aparece la segunda de las antologías con un título nada excluyente: *Some Imagist Poets* (1915). Amy Lowell poseía una naturaleza vigorosa que habría de tolerar difícilmente cualquier competidor en la jefatura que ambicionaba. Por ejemplo, la de Pound, quien, despechado, calificaba el naciente movimiento como "amygisme".

UN MANIFIESTO

El interés particular del citado volumen reside en el prefacio teórico, a cargo de Richard Aldington. Este logró condensar el nuevo arte poético del imaginismo en seis puntos. Nada excepcionales (pero sitúense en su momento), merecen, sin embargo, dada la rareza del documento, su traducción íntegra:

"1.º Usar el lenguaje de la conversación ordinaria, pero empleando siempre la palabra *exacta* —no la aproximada o decorativa.

2.º Crear nuevos ritmos como expresión de nuevos estados de ánimo —y no copiar viejos ritmos que sean ecos de los viejos modos. No insistimos en el verso libre como único método de la escritura poética. Luchamos por el verso libre como por un principio de libertad, pues estimamos que la individualidad del poeta puede ser expresada mejor en esa forma que con las formas convencionales. En poesía, una nueva cadencia significa una nueva idea.

3.º Conceder libertad absoluta en la elección del tema. No significa hacer buen arte escribir malamente en torno a aeroplanos y automóviles; no es necesariamente mal arte escribir bien sobre el pasado. Nosotros creemos con pasión en el valor de la vida moderna, pero necesitamos puntualizar que no hay nada tan inspirado, tan fuera de modo como un aeroplano del año 1911.

4.º Presentar una imagen —de aquí el nombre de imaginistas—. No somos una escuela de pintores, pero creemos que la poesía debe reflejar exactamente lo particular y no tratar de vagas generalidades, por muy magnificentes y sonoras que sean. Por esta razón nos oponemos al poeta cósmico, quien nos parece evadirse de las dificultades reales del arte.

5.º Hacer una poesía que sea precisa y clara, nunca borrosa o indefinida.

6.º Finalmente, la mayoría de nosotros creemos que la concentración es la verdadera esencia de la poesía."

DISCUSIONES

Analicemos ahora someramente el anterior manifiesto. A diferencia de casi todas las restantes proclamas literarias vanguardistas, que por regla general no se reducen a postular reformas puramente estéticas e inciden ambiciosamente en otras esferas, ésta limita estrictamente sus fines a lo poético. Y aun dentro de ello hace abstracción de cualquier posible principio doctrinal, limitándose a peticiones de orden técnico. Exento de ataques contra el pasado remoto o inmediato, el único rasgo de asomo polémico reside en su oposición a las teorías del futurismo —al señalar irónicamente cuán "old fashioned" resultaba ya en 1915 un avión de 1911—... que entonces estaba en su cenit.

Quizá su afirmación más saliente y, desde luego, más reiterada sea la de una poesía sintética, tan enemiga del énfasis como de la dispersión, en cuyas líneas escuetas resalte la imagen plástica. De ahí esta frase que con sesgo polémico lanzó después Ezra Pound: "Vale más conseguir sólo una imagen en toda la vida que producir una obra voluminosa." Su aspiración —ha recapitulado Edwin Muir *(The Present Age)*— fue simplificar el arte de la poesía, desdeñando reglas innecesarias y la masa plúmbea de asociaciones muertas. Pero los poetas, los mejores de ellos —dice Muir— que se aprestaron a "componer de acuerdo con la frase musical y no según el metrónomo", pronto comprobaron la verdad de la frase de Eliot cuando éste afirmaba que "no hay verso libre para el hombre que desea hacer obra válida". El manifiesto imaginista, pese a sus conclusiones, hoy nada extremas, y a su tono morigerado, hubo de provocar —si nos atenemos a un texto casi escolar, el de Manly Rickert— "una tremenda excitación, estimulando las más violentas críticas y discusiones estéticas".

Recayeron éstas, de modo particular, sobre el verso libre, tan insólito en la poesía inglesa como es sólito el verso blanco; por lo demás, los norteamericanos parecían haber olvidado el ejemplo tan próximo de Walt Whitman y los ingleses a sus vecinos, los simbolistas de Francia. Se resucitó la antigua controversia sobre las distinciones entre poesía y prosa. Hubo opositores tan vehementes al versolibrismo, como John Livingston Lowes *(Convention and Revolt in Poetry,* 1919). Este, para reforzar sus argumentos, llegó a poner en verso una prosa de Meredith, reduciendo contrariamente a prosa los poemas de Amy Lowell. En cuanto a Eliot, hostil en principio, dado su afán neoclasicista, a esa mínima subversión, negaba radicalmente el verso libre, afirmando como resumen desdeñoso: "La distinción entre verso y prosa es clara. La distinción entre poesía y prosa es muy confusa." Pero fue Herbert Read quien algunos años después —en su libro *English Prose Style*, 1928— allegó las conclusiones más netas y provechosas, que transcribimos por considerarlas siempre actuales, ya que rebasan el tema imaginista. "La poesía —precisaba— es expresión creadora. La prosa es expresión constructiva. Por creadora, yo entiendo original. En poesía las palabras nacen o renacen en el acto de pensarlas." Identifica luego la palabra con el pensamiento, afirmando que no hay separación, y continúa: "Lo constructivo implica materiales hechos: palabras fabricadas. Su función "creadora" está supeditada al plan y al trazado, requisitos que también se dan en la poesía. Pero en ésta son subsidiarios de la función creadora."

Tornando una vez más al imaginismo en cuanto movimiento. El plan de duración limitada, previsto por Amy Lowell, cumplióse en todas sus partes. Tras la primera antología de 1915, apareció otra en 1916 y una final en 1917. Y ahí concluyó el imaginismo como tal. La mayoría de sus miembros tomaron después rumbos diferentes. Aquella excusa que daba Amy Lowell *(Tendencies in Modern American Poetry)*, arguyendo que los tres volúmenes antológicos fueran solamente el germen, el núcleo de la escuela y que su amplificación se encuentra en las obras individuales, es muy relativamente valedera. Sólo bastantes años después, en 1930, y a título de memoranda o recapitulación, no con propósitos continuadores, apareció, compilada por Aldington, una nueva *Imagist Anthology*. Presta interés a este libro un prólogo de Ford Madox Ford, que viene a ser una certera y animada apología de los movimientos literarios militantes, en su condición de fermentos saludables y necesarios para la vitalidad de la cultura. Por lo demás, en sus páginas de selecciones poemáticas, el grupo primitivo de poetas presentaba algunos cambios, ya que sus colaboradores eran: R. Aldington, John Cournos, H. D., J. G. Fletcher, F. S. Flint, F. M. Ford, James Joyce, D. H. Lawrence y W. C. Williams.

No interesa ahora, a los fines de esta somera revisión del imaginismo, trazar un estudio crítico cabal de los poetas imaginistas, ni menos un examen circunstanciado de sus obras, ya que la personalidad de casi todos se afirmó luego en otros estilos, y ofreció, por consiguiente, muy distinta fisonomía. Sin embargo, a modo de complemento respecto a los anteriores datos conjuntos, vayan aquí unas breves caracterizaciones individuales.

EZRA POUND

En primer término, Ezra Pound (n. 1885), que fue, no obstante su rápido abandono del imaginismo —según señalé—, una de las figuras capitales de aquel movimiento, y que luego, a través de múltiples evoluciones en su larga producción, ha seguido conservando una actitud enhiesta de agitador y renovador. Renovación, por cierto, no siempre orientada hacia el futuro, sino ahincada en retrospecciones, en estilos pretéritos muy variados, donde fue a buscar nuevas normas. En efecto, sus poesías muestran reflejos y lecciones de épocas y maneras muy diversas. Desde los líricos chinos y japoneses, hasta Catulo y Propercio; desde los trovadores provenzales a Guido Cavalcanti, sin olvidar a Whitman, ni desdeñar sugestiones de su propia época. Tal es el itinerario que puede seguirse a lo largo de sus numerosos libros de versos.

En cuanto a su existencia viajera, muestra no menos variedad de horizontes, ya que Pound fue uno de los primeros norteamericanos de la generación disconforme, evadido de su país. Cuando llegó a Europa en 1908, después de graduarse de letras en la Universidad de Pennsylvania, fue a España en busca de elementos para una tesis sobre Lope de Vega, que nunca llegó a publicarse. Después, salvo algunas temporadas en Londres y en París, ha vivido la mayor parte del tiempo en Italia, primero en Venecia, luego en Rapallo, desde 1924. Italianismo de predilecciones, doblado de catolicismo religioso, al que nada habría que objetar si esta inclinación no hubiera pretendido extenderla al plano de lo político, manifestando lamentables desviaciones.

La obra en prosa de Pound es no menos abundante que la poética; comprende más de una quincena de títulos, alternando en ellos diversos temas: desde la escultura —monografía sobre Gaudier-Brzeska— hasta la música —estudio sobre un nuevo compositor norteamericano: *Antheil and the Treatise of Harmony*—, pasando por los temas literarios —*How to read or Why, Polite Essays, Pavanes and Divisions, Instigations*— y hasta abordando los políticos y económicos... Y ahí reside su talón de Aquiles, según veremos. Joyce, Eliot y W. Lewis son algunos de los autores modernos que comenta. También son numerosos sus volúmenes de traducciones.

A lume spento fue el primero de sus libros poéticos, publicado en Venecia, en 1908. Le siguen otras recolecciones, *Personae* y *Exultations*; al año siguiente, *Canzoni* y *Ripostes*, que vienen a ser una ambiciosa continuación de las formas provenzales; tal gusto retrospectivo se confirma mediante una traducción de las baladas y canciones de Guido Cavalcanti. Pero tanto estas versiones como las que algunos años después hizo de poetas latinos, Propercio, Catulo, del provenzal Bertrand de Born o bien de Villon, Leopardi, Heine, Du Bellay, etc., son más bien —advierte Hayden Carruth— recreaciones libres, por no decir "invenciones". Lo mismo sucede con las de poetas chinos y japoneses —en las cuales los peritos han notado abundantes errores—, reunidas en un libro, *Cathay,* 1915. He aquí una muestra de las más felices:

> "*Este barco es de madera de* shato *y sus bordas son de magnolia tallada.* / *Músicos con flautas enjoyadas y pífanos de oro* / *llenan en filas los lados, y nuestro vino* / *alcanza para mil copas.* / *Llevamos muchachas que cantan, que flotan sin rumbo como el agua sin rumbo,* / *pero Sennin necesita* / *una cigüeña amarilla por carguero y todos nuestros marinos* / *preferirían seguir a las gaviotas blancas o montar en ellas.* / *La canción en prosa de Kutsu* / *cuelga con el sol y la luna*[4]."

Pero donde se advierten las arbitrariedades y mezcolanzas de épocas, estilos, lenguas, es en sus obras "originales". Valga, como ejemplo, esta pequeña muestra de los *Cantos* —el tercero— de su obra

---

[4] Traducción —como las demás del presente capítulo, salvo advertencia en contrario— de Edgardo Cozarinsky.

de más empeño donde aparecen sin transición el Cid, Inés de Castro y Mantegna:

"*Mio Cid vino cabalgando a Burgos, / cuesta arriba hasta el portón, tachonado entre dos torres, / golpeó con la punta de su lanza y salió la niña, /* una niña de nueve años [5], */ vino hacia la galería, sobre el portón, entre las torres, / leyendo la sentencia* voce tinnula [6]: */ Que nadie hable, alimente o ayude a Ruy Díaz / so pena de arrancarle el corazón, clavarle en la punta de una pica, / sacarle los ojos y secuestrarle los bienes. / "Mio Cid, he aquí los sellos / el sello real y la escritura." / Y Mio Cid venía de Vivar, / en las perchas de Vivar ya no quedaban halcones, / ni hay ropones en las arcas, / y el Cid dejó su cofre a Raquel y a Vidas, / un gran arcón de arena a los usureros / a fin de pagar a su mesnada; / se abrió camino hasta Valencia. / Inés de Castro asesinada, y un muro / aquí caído, levantado allá. / Ruina, mera ruina el color se deslavaza sobre la piedra, / la cal se deslavaza / Mantegna pintó el muro, / andrajos de sedas, "Nec Spe nec Metu"* [7].

Difícil, si no imposible, sería apresar el sentido último de estos *Cantos*, obra en la que Pound ha puesto su mayor empeño y en la cual trabaja desde 1900. En 1925 publica la primera serie, *Borrador de 16 cantos*. Unos cuarenta años después, los últimos que rebasan el centenar, cambiando el primer nombre genérico por el de *Cantos pisanos*, y rotulando la postrer serie *Cantos Rockdrill*, bajo el epígrafe —en español— de *Cantares*. Por cierto, las alusiones a lugares y temas españoles son frecuentes en Pound, aunque ortografíe el idioma con la misma arbitrariedad que emplea en sus numerosas citas de otros. Así en el Canto 80 aparecen "Madri", las "meninas, colgando solas en un salón" y los "Borracchios" de Velázquez... [8]. Claro es que acto

[5] *Sic* en el original.
[6] Idem.
[7] Trad. de Jesús Pardo.
[8] Otras señales más serias de las preferencias españolas (que recoge Jesús Pardo en el prólogo a su traducción de los *Cantos pisanos*): Pound recomienda

seguido pasa a hablar, en una perfecta mezcla de disociaciones, sobre cosas muy desemejantes, y aparecen "Symons rememorando a Verlaine en el cabaret", con una cita en griego sobre Tiresias. De suerte que en éste y todos los demás *Cantos* predomina una técnica enumerativa, un desfile inacabable de lugares, personas, mezcladas con recuerdos y digresiones deliberadamente incoherentes. ¿No resulta por ello muy curioso que aun insistiendo tanto en el "métier", afanándose de poseer un oficio —"il miglior fabbro" le llamó Eliot, con frase de Dante, en una dedicatoria— que los demás de su tiempo ignoran, según Pound, todos los poemas suyos den una impresión tan descosida? Modernidad —desde luego, aunque no en el mejor sentido de la palabra— antes que ninguna sensación de orden o clasicismo, a despecho de los temas remotos.

Lo positivo y lo negativo se asocian en Pound con porciones muy difícilmente discernibles: curiosidad intelectual de ancho radio que le lleva a una especie de comparatismo, pero fuera del especialista, más bien propio de un autodidacto; afán pedagógico que sin proponer nociones claras se queda en propagandismo. Si por una parte remonta hasta lo anglosajón y compone una suerte de restauración, en el poema *The Wayfarer*, por otra quiere reflejar la situación del artista en el mundo moderno. Así en el que algunos —por ejemplo, Eliot— consideran su mejor poema: *Hugh Selwyn Mauberley*. Se ha querido ver aquí la imagen del propio Pound, del poeta —expresa Carruth— tal como aparece a los ojos del público, mitad profeta, mitad *clown*, personaje completamente menospreciado, que defiende los valores estéticos en una sociedad tecnificada. Donald Davis *(The Modern Age)* ha establecido las semejanzas y relaciones del mencionado poema de Pound con *The Waste Land* de Eliot.

Ahora bien, llevado por una avidez poco sólita en los líricos —que llamaríamos goetheana— de conocimientos plurales, Pound diose en cierto momento a los estudios de economía. Y resolvió echar la culpa la lectura de "un poco de Galdós", y en su libro de ensayos sobre las literaturas románicas, *The Spirit of Romance,* dedica capítulos al Poema del Cid, a Calderón y a Lope de Vega. Sobre el último, en otro libro —*Guide to Kulchur* (*sic*)— escribe: "Lope de Vega es a Shakespeare lo que Vivaldi a Mozart."

no sólo de la desigualdad y la injusticia, sino de todos los males humanos a la usura —de la que no sabemos si, empero su condición de pequeño rentista, habrá sido alguna vez víctima o victimario—. A tal punto llega su obsesión que —se ha dicho— el eje de los *Cantos* es la invectiva contra la usura. Pero ¿acaso este alegato alcanza vuelo artístico?

"Con usura nadie tiene casa de buena piedra, / cada canto bien cortado y bien medido / para que el dibujo pueda cubrir la superficie, / con usura / ningún hombre tiene un paraíso perdido / en la pared de su iglesia, / arpas y laúdes, / o donde la virgen recibió el mensaje / y la aureola surge de la inversión, / con usura / nadie ve a Gonzaga, sus herederos y sus concubinas, / ninguna pintura duradera, / sino que está hecha para venderla rápidamente, / con usura, pecado contra natura, / tu pan se amasa cada vez más con trapos sucios, / tu pan es correoso como el cartón, / sin trigo candeal, sin harina espesa, / con usura se borra la línea, / con usura no hay frontera / y nadie encuentra solar para su casa (...)" [9].

Fueron, en gran parte, estas singulares ideas económicas, la obsesión antiusuraria, junto con su "debilidad" por la fuerza, las causas que llevaron a Pound a admirar a Mussolini y hacer la apología del fascismo. Cuando estalló la guerra, Pound desarrolló por la radio italiana una campaña de ataques absurdos contra su país, contra Roosevelt e Inglaterra. Lógicamente, al penetrar las tropas libertadoras en Italia, Pound fue hecho prisionero e internado en un campo de concentración, cerca de Pisa. Después, llevado a su país, se le acusó de traición que se enmascaró de "estado paranoide", de suerte que se cambió la cárcel por un manicomio. Mas, en definitiva corrió una suerte radicalmente opuesta a la que hubiera tenido en manos de sus "amigos" de ayer; intervino la solidaridad de sus colegas literarios, quienes otorgaron el Premio Bollingen, en 1948, a sus *Cantos pisanos*: esto especialmente merced a la partici-

[9] Trad. de Jesús Pardo.

pación de Eliot, su amigo de los días juveniles. Pasados diez años, Pound recobró la libertad, volviendo a residir en Rapallo.

¿Qué concluir sobre su obra, sobre ese abigarrado mosaico o más vulgarmente cajón de sastre, en la cual hay mucho chirimbolo de arqueología, junto con un juvenil y persistente afán de asombro? Muchas de las mejores cualidades —observa Muir— de los primeros poemas de Pound son influencias: las antes mencionadas y otras de Browning, Swinburne y Yeats. Indudablemente le falta el arte —la ciencia— de condensar; y si Eliot —señala John Brown— en *Tierra baldía* acertó a componer una epopeya sintética que sugiriese el hundimiento del mundo moderno en un poema de unos cuatrocientos versos, Pound no ha logrado semejante reducción en la "summa" inacabable de sus *Cantos*. Acertó —según nos cuentan— a condensar lo esencial del extenso manuscrito que Eliot le había sometido del poema citado, pero no acertó con análoga operación para los propios.

Quizá el trozo que mejor le define sea su autoepitafio:

"*Durante tres años, desentonando con su época, / pugnó por resucitar el arte muerto / de la poesía / por mantener lo "sublime" / en el viejo sentido. Equivocado desde el principio; / pero no, sino más bien viendo que había nacido / en un país medio salvaje, fuera de fecha; / resueltamente decidido a arrancar lirios de las bellotas.*"

Ni la comparación que hizo Yeats de tal obra con una fuga de Bach ni la hipérbole de otros hablando de la *Ilíada* o de la *Divina Comedia* parecen muy ajustadas a la realidad. Pese a su cultura y a su variedad de experiencias no es poeta de gran imaginación. En su medio nativo y en su época inicial pareció insólito; en la confrontación con otras figuras europeas se relativiza; leído hoy ofrece en sus contornos confusos demasiados flancos débiles. Mas por encima de tantas debilidades y de la impresión más curiosa que convincente derivada del conjunto de su obra, Ezra Pound es —según concluye Muir— "en cierto sentido uno de los poetas más creadores de su tiempo; ha inventado nuevos modos poéticos y ha influido más poesía que otro alguno". No solamente sobre Eliot —que sabe ordenar el caos—, también sobre la generación de poetas que le sucedió, particularmente E. E. Cummings y sus fantasías sintácticas y tipográficas.

Desde el punto de vista contagioso, influyente —que tanto preocupaba a nuestro Juan Ramón Jiménez—, su único par en lengua inglesa sería Eliot. Pero la referencia al autor de *The Waste Land* ha de quedarse aquí forzosamente, ya que su participación en el imaginismo fue muy lateral y ocasional; lo corrobora el hecho de que no aparezca estudiado en el libro de Glenn Hughes, que es la historia más autorizada del imaginismo. Finalmente, para descargar mi conciencia por el presunto pecado de tal omisión, recordaré que en este libro los autores se hallan estudiados no aisladamente, sino en función del tema central: los movimientos de vanguardia. Echemos, pues, aunque asuman menor talla, un vistazo a los demás componentes del imaginismo.

AMY LOWELL

La importancia de Amy Lowell (1874-1925) estriba esencialmente, como ya insinué, en su papel de animadora teórica y propagandista. Reside en el hecho curioso —como hizo notar Waldo Frank en *Our America*— de que el primer verdadero "homme de lettres" de Estados Unidos haya sido una mujer. En efecto, Mis Lowell por su alcurnia intelectual —su abuelo fue el poeta James Russell Lowell, un hermano presidente de la Universidad de Harvard, y otro astrónomo famoso—, por su holgura económica, la posesión de una gran biblioteca y otras circunstancias favorables estaba, en cierto modo, predestinada para asumir dicho papel. A cargo de ella corrieron, como hemos dicho, las tres antologías imaginistas; ella propagó en su país la poesía francesa (*Six French Poets*, 1915), teorizó y luchó con lucidez y entusiasmo (*Tendencies in Modern Poetry*, 1917), cualidades que todos los críticos posteriores le han reconocido. Menos concordes se muestran al valorar su obra poética, aunque ha de alabarse su permanente rebusca de formas nuevas, bajo influencias orientales por un lado y por otro de Saint-Pol-Roux y Paul Fort, que cristalizaron en una suerte de "prosa polifónica".

Muestras de ello son, entre otros, sus libros *Sword Blades and Poppy Seed* (1914), *Men, Women and Ghosts* (1916). Del último proceden estos fragmentos, en el poema "Patterns", donde mezcla, en dosis desiguales, sentimentalismo e ironía:

> "*En verano y en invierno recorreré / de arriba a abajo / el diseño de senderos del jardín / en mi tieso vestido de brocado. / Las escilas y los narcisos / cederán su lugar a las rosas con sostén, a los ásteres y a la nieve. / Iré / de arriba a abajo / en mi vestido. / Suntuosamente adornada / emballenada y reforzada. / Y la suavidad de mi cuerpo estará protegida de todo abrazo / por cada botón, gancho y encaje. / Pues el hombre que debería desatarme ha muerto peleando con el Duque en Flandes, / en un diseño llamado guerra. / ¡Dios mío! ¡De qué sirven los diseños!*"

Pagando tributo al gusto por lo exótico oriental común a casi todos los imaginistas, Amy Lowell publica una colección de epigramas —*Pictures of the Floating World* (1919)— con la técnica de los hai-kais, que no pasan de ser verdaderamente "chinoiseries", juguetes:

> "A un marido. *Más brillante que las luciérnagas sobre el río Uji / son tus palabras en la oscuridad, amado. /*"
> "Ephemera. *Linternas color verde plateado meciéndose entre ramas ventosas: / Así piensa un anciano / en los amores de su juventud. /*"

Además de numerosos libros poéticos, Amy Lowell dio a luz una biografía monumental de John Keats. Se alaba, sobre todo —insistamos— su papel, siempre mantenido, de animadora intelectual. En este aspecto su figura se empareja con la de Harriet Monroe, fundadora y directora vitalicia, desde 1912, de *Poetry, a magazine of verse*.

H. D.

Otra mujer notable del mismo grupo es Hilda Doolittle (n. 1886), más conocida por las iniciales con que siempre ha firmado: H. D. Glenn Hughes la llama "la perfecta imaginista". También norteamericana, desarraigada en su juventud, fue a Londres, según dijimos, en los días aurorales del imaginismo, 1911, entrando en contacto con este grupo por medio de su compatriota Ezra Pound, y casando poco después con otro poeta —luego más famoso como novelista— de la misma escuela, Richard Aldington. Desde entonces, hasta poco antes de la última guerra, vivió siempre en Europa, a orillas del lago Léman. Su primer libro, *Sea Garden*, data de 1916. Hizo por aquellos años varias traducciones de poetas griegos y latinos. La predilección helénica se refleja en alguna de sus obras posteriores, mezclando figuras históricas y de leyenda: de ahí su curiosa tentativa de drama imaginista: *Hyppolitus Temporizes* (1927). En sus poemas sobresale —al margen del credo imaginista que profesaba— una delicadeza inconfundiblemente femenina. Así en "Leteo":

> *"Ni pieles ni vellones / te cubrirán; ninguna cortina carmesí ni delicado / dosel de cedro encima / tendrás; ni los abetos / sobre ti, ni los pinos. / Ni visión de aliagas, / ni de tejos del río, / ni fragancias floridas; y la queja / del pájaro que mora entre el arroz, ye nunca / habrá de despertarse; ni el pardillo / ni el tordo. / Ya ninguna palabra, ni caricia, ni rostro / de amante; un solo anhelo / sentirás en la noche larga, larga: / querrás la pleamar que, rodando, te cubra / sin pregunta / ni beso"* [10].

Abordó la prosa en dos novelas: *Palympsest* (1926) y *Heddylus* (1928), ambas muy poco conocidas, rigurosamente minoritarias, exclui-

---

[10] Trad de M. Manent.

das voluntariamente de la ancha repercusión que ya empezaban a lograr por los mismos años las de su marido, Richard Aldington.

Igualmente han quedado en la penumbra otros dos poetas del imaginismo: el norteamericano John Gould Fletcher y el inglés F. S. Flint.

FLETCHER. FLINT

Sin embargo, he aquí algunos datos. Fletcher (n. 1886) también cambió tempranamente el clima nativo americano por el europeo. En 1909 se instaló en Londres. Como otros de su edad, experimentó conjuntamente la influencia de Walt Whitman y la del postsimbolismo francés. A partir de 1913 publica varias colecciones poemáticas, iniciadas por *Fire and Wine*. Entra en relación con Pound y colabora en *New Freewoman*. Otro libro suyo, *Irradiations: Sand and Spray* (1915), recibe encomios de Miss Lowell quien le llama "maestro del verso libre". Como otros, sucumbe al japonismo en *Japanese Prints* (1918), incitando a que las formas de esta poesía sean seguidas por los poetas occidentales. Pero ello no le impide intentar después la poetización de temas americanos en *Breaker and Granite* (1921) y en *Parables* (1925). Se considera que su obra más lograda es *The Black Rock* (1928) con algunas notas nuevas de humildad y aun de misticismo. Así en este poema sobre Blake:

"*Blake vio | ángeles en una calle de Londres; | a Dios Padre en una colina, | a Cristo ante la puerta de una taberna. | Blake vio | todas estas formas, y más. | Blake supo | que otros hombres no veían como él; | e intentó dar su vista | al mundo, | ese mendigo. | "Estás loco" | fue todo lo que dijo el mundo ciego. | Blake murió | cantando cantos de alabanza a Dios. | "No son míos", le dijo a su mujer | "puedo alabarlos: no son míos". | Luego murió | y el mundo llamó a Blake divino.*"

En cuanto a F. J. Flint no necesitó cambiar de lugar, puesto que nació (1885) en Londres. Y en efecto, es un poeta arquetípico de la ciudad, un lírico intérprete de Londres, según se revela en *Cadences* (1915) y *Otherwold* (1920). Lo confirma en este poema, "Londres", que apareció originalmente en la antología *Des Imagistes*:

"Londres, belleza mía, / no es el crepúsculo / ni el cielo verde pálido / parpadeante a través de la cortina / del abedul plateado, / ni la quietud; / no es el revuelo / de los pájaros / sobre el césped, / ni la oscuridad / insinuándose sobre todas las cosas / lo que me conmueve. / Pero mientras la luna se desliza lentamente / sobre las copas de los árboles, / entre las estrellas, / pienso en ella / y en el resplandor que su paso / arroja sobre los hombres. / Londres, belleza mía, / treparé / por las ramas / de las copas de los árboles iluminados por la luna / para que mi sangre se refresque / con el viento."

RICHARD ALDINGTON

En cuanto a las dos restantes figuras, un momento incorporadas al mismo grupo, Richard Aldington y D. H. Lawrence, ambos, como es notorio, revelaron su más acusada personalidad, posteriormente, como creadores de mundos novelescos; por ello, el rápido análisis de su obra poética sólo pretende aquí agregar algunos perfiles a la visión conjunta de sus respectivas obras. Pero de todas suertes sépase que la obra lírica de Aldington, y particularmente la de Lawrence, no son desdeñables y aun brindan la clave inicial de sus respectivas obras novelescas.

Que Richard Aldington (n. 1892), por ejemplo, sea un poeta es algo que no puede sorprender a quienes hayan penetrado el sentido íntimo de su hermosa novela *All men are enemies* (1933). La profunda atracción que este libro ejerce es dual: por un lado, su valor como testimonio de las vicisitudes de una conciencia libre, que repugna toda sumisión, en la época subsiguiente a la primera guerra de este siglo; por otro lado, el hechizo poético de la mujer perdida y reencontrada, de los amantes separados (el tema novelesco clásico, que viene desde la novela bizantina), de la apasionada búsqueda que emprende el protagonista, Anthony Clarendon. Además, en punto a ingenio y a intención, esta densa y simultáneamente atractiva novela no desmerece junto a las mejores de Aldous Huxley, pese a la menor repercusión internacional que hayan logrado en general los libros de Aldington. Pero las mencionadas cualidades últimas sobresalen aún más visiblemente en otros libros suyos, tales como la deliciosa sátira de la vida provinciana inglesa, *The Colonel's Daughter,* o en la novela con ritmo de farsa, *Seven against Reeves.*

Aún quedan otras significativas novelas de Aldington por mencionar, mas ahora sólo nos interesa recordar sus orígenes poéticos. En este género, su primer libro titulóse significativamente *Images Old and News* (1915). En contacto con Pound pasó luego a dirigir la revista que éste había fundado, *The Egoist.* La guerra corta sus trabajos, sacude su espíritu y da una nueva dirección a su obra. De ahí su primera y acre novela: *Death of a Hero* (1919). Mas no por ello Aldington deja de agrupar otros libros de versos, entre ellos *War and love* (1919) y *Exile* (1923), recopilando luego el conjunto de su obra poética en *Collected Poems* (1928).

"La esencia del carácter, la clave de la poesía de Aldington —escribe Glenn Hughes— es la rebelión." Se expresa particularmente en los poemas que le sugirió la guerra. Como escribe Harold Monro (*Some contemporary Poets*) ningún poeta de la guerra, excepto Siegfried Sasoon, expresó los tormentos de la vida militar con semejante candor y tal ausencia de inflada retórica. Así en este "Soliloquio":

> "Estaba equivocado, muy equivocado; / los muertos no siempre son carroña. / Después de la avanzada, / mientras cruzábamos las trincheras deshechas / que el enemigo había abandonado, / hallamos, yaciendo sobre la alambrada, / a un soldado inglés muerto, / con la cabeza sangrientamente vendada / y la mano izquierda cerrada, tocando la tierra, / más hermosa de lo que puede decirse, / coloreada más sutilmente que un Goya perfecto, / y más austera, y hermosa en el reposo / de lo que la mano de Miguel Angel hubiera podido esculpir en piedra."

Más tarde compone un largo, fantasmagórico poema *A Fool in the Forest* (1925) (*Un bufón en la selva*), arlequinada autobiográfica, que algunos han llegado a comparar con *The Waste Land*, de Eliot. Ahí y en el titulado *A dream in the Luxembourg* (1930) da la nota más singular de su personalidad lírica. En *The religion of Beauty* (1950) Aldington compiló una muy curiosa antología de los esteticistas de fines del siglo XIX. Y su autobiografía *Life for life's sake* (1941) vale al mismo tiempo como memorias de una época.

D. H. LAWRENCE

También en David Herbert Lawrence (1885-1930), aunque en un plano más elevado, había un poeta, con la diferencia de que en éste el lírico se mantuvo siempre presente. De haberlo recordado así los lectores y críticos de sus novelas, hubiéranse evitado numerosos equívocos y falsas pistas —particularmente con motivo de su novela superficialmente más escandalosa e íntimamente más lírica, cual es *Lady Chatterley's Lover* (1928). Pues a diferencia de tantos otros, Lawrence no es el escritor que a modo de cuota inicial en las letras pague el tributo ritual de algunos versos; es el lírico temperamental que elige indistintamente una u otra forma de expresión, la lírica o la novelesca; y esto a lo largo de toda su vida. Exteriormente, por ejemplo, su primer conjunto de versos, *Love Poems and others* (1913) aparece después de haber dado ya a la estampa dos novelas, *The White Peacock* (1911) y *The Trespasser* (1912) y en el mismo año en que surge su primera gran novela, la densa autobiografía novelesca *Sons and Lovers* [11].

Dejando de lado en este lugar alusiones más precisas a su produc-

---

[11] Innecesario detenerse en ella, pues aparte el rico elemento autobiográfico contenido en todas las novelas de Lawrence, sobreabundan testimonios en una docena de libros, desde el de su mujer, Frieda (*Not I, but the wind,* 1935), y otras mujeres que le trataron de cerca, como Catherine Carswell (*The savage pilgrinage,* 1932), Mabel Dodge Luhan (*Lorenzo in Taos,* 1931) y Dorothy Brett (*Lawrence and Brett,* 1933), hasta los de sus compañeros Mid-

ción novelesca —pero sin olvidar que es la capital—, veamos su obra lírica, reunida en dos tomos, bajo el título de *Collected Poems*, 1929, en el ángulo de incidencia con el imaginismo. El primero de dichos volúmenes concluye con unos poemas de guerra, entre los cuales sobresale esta descripción de Londres durante un bombardeo de la primera guerra:

"*La ciudad se ha abierto al sol, / como un lirio plano con un millón de pétalos, / se despliega, se deshace, / Un cielo afilado roza / la miríada de chimeneas relucientes, / mientras ella exhala gravemente su aliento al sol. / Criaturas apresuradas corren / por el laberinto de la siniestra flor. / ¿De qué huyen? Un pájaro oscuro cae del sol. / Traza una curva veloz hacia el corazón de la vasta / flor: ha empezado el día.*"

Y ahora estos fragmentos del "Canto del hombre que se sabe amado":

"*Entre sus senos está mi casa, entre sus senos; / tres cuartos expuestos al espacio, al miedo, pero el cuarto / reposa cálidamente en esta fortaleza, entre los senos... / Ocupado todo el día, feliz con mi trabajo / no miro, por encima del hombro, los terrores que me asaltan. / Estoy fortificado, feliz en la tarea. / Cada día me basta volver a poner mi rostro entre sus senos, / y mi paz comprueba lo bueno que di al día...*"

Data de la época del casamiento de Lawrence con Frieda y está escrito en el lago de Garda, cuando terminaba la novela *Hijos y amantes* y escribía *Twilight in Italy* (*Crepúsculo en Italia*). Al margen de ese interés personal en relación con su vida se sitúa otra colección poemática, *Birds, Beasts and Flowers* (*Pájaros, animales y flores*) (1923),

dleton Murry (*Son of Woman* y *Reminiscences of D. H. Lawrence*, 1933), Richard Aldington (*D. H. L. An indiscretion*, 1930) y Aldous Huxley, este último a través del personaje Rampion en una novela tan leída como *Contrapunto*.

libro comenzado en Toscana en 1920, continuado en Sicilia, en el Tirol y completado en Nuevo México. Aquí retorna, en cierto modo, el imaginista, y aun encuentra una aplicación el pintor, al modo simbólico de Blake, que existía también en Lawrence. La línea, el color, el movimiento, le preocupan esencialmente. Prescinde ya de los cánones rituales y adopta el verso libre. Se figura éste "como una sucesión de movimientos en el espacio, mas que de pasos golpeando el suelo", y el poema "como un pájaro que se eleva o cae". He aquí cómo canta al durazno:

"*Rojo sangre, profundo; | quién sabe cómo llegó a ocurrir. | Alguien pagó su libra de carne. | Arrugado con secretos | y recio con la intención de guardarlos. | ¿Por qué, de la plateada flor de durazno, | de ese liso vaso de vino plateado sobre un tallo corto, | este glóbulo pesado, que cae y rueda? | Pienso, desde luego, en el durazno antes de haberlo comido. | ¿Por qué tan aterciopelado, por qué tan voluptuosamente pesado? | ¿Por qué cuelga con peso tan excesivo? | ¿Por qué tan dentado? | ¿Por qué el surco? | ¿Por qué la hermosa redondez bivalvular? | ¿Por qué la onda que desciende por la esfera? | ¿Por qué la sugerencia de incisión? | ¿Por qué no era mi durazno redondo y perfecto como una bola de billar? | Así habría sido de haberlo hecho el hombre. | Pero ahora lo he comido. | Pero no era redondo y perfecto como una bola de billar. | Y porque lo digo, os gustaría arrojarme algo. | Tened: aquí está mi carozo de durazno. |*"

Pájaros, animales y flores contiene algunas de las mejores poesías de Lawrence. Así ésta que ha pasado a varias antologías, "Gencianas de Baviera":

"*No todos pueden tener en su casa gencianas | en el suave septiembre, en el día de San Miguel, lento y triste. | Gencianas bávaras, grandes y oscuras. Sólo de sombras, | oscureciendo la luz del día como una antorcha, con el azul que envuelve a Plutón en su humeante tiniebla, | estriadas y como una antorcha, con su esplendor de oscuro azul derramado, / y más abajo aplastadas, formando puntos, reducidas al paso del blanco día (...) / Coged para mí una genciana, dadme una antorcha, / que pueda guiarme yo mismo con la antorcha doble y azul de estas flores, / bajando por la escalera cada vez más sombría, donde el azul sobre el azul se ensombrece. /* [12]

Dos libros más completan la producción poética de Lawrence: *Pansies* (*Pensamientos* o *Flores*) y *Nettles* (*Ortigas*), ambos de 1930. Por cierto, de modo incomprensible, a propósito del primero, inocente libro lírico, se repitió el escándalo de *El amante de Lady Chatterley*. Se detuvo el manuscrito en el correo y sólo se permitió la publicación de algunos trozos, al mismo tiempo que era cerrada por la policía una exposición en Londres de cuadros de Lawrence. Y sin embargo, ni en esos cuadros ni en los poemas hay la menor, la más remota sombra de obscenidad. Simplemente, en *Pansies* una abierta franqueza sentimental tocante al amor, pero no especialmente erótica.

En su ensayo *Pornography and obscenity* (1930) Lawrence debate con valentía el punto de vista de la libertad artística contra la moral convencional. Todo el formidable puritanismo inglés (europeo y americano, más extensamente) se había sentido herido. En vano Lawrence clamaba: "Aceptad el ser físico y sexual de vosotros mismos y de cualquier otra criatura. No os asustéis de las funciones físicas, no os asustéis de las palabras llamadas obscenas. Es vuestro miedo el que las vuelve malas..." Para Lawrence el mundo sufría de un exceso de conciencia. El hombre ha perdido su unidad al haberse producido una ruptura entre el alma y el cuerpo. De ahí su antiintelectualismo violento, aplicado especialmente al amor. La "simpatía de sangre" era para él más fuerte que cualquier afinidad mental. No es otra la tesis de sus *Women in Love* (*Mujeres enamoradas*), de su *Lady Chatterley*. "El verdadero conocimiento —dice un personaje de esta última novela, su obra máxima, junto con *The plumed serpent* (*La serpiente emplumada*)— procede de nuestro cuerpo tanto como de nuestro ce-

[12] Trad. M. Manent.

rebro. El espíritu sólo puede analizar y racionalizar." No es difícil señalar cierto enlace entre las apelaciones lawrencianas a lo más profundo del hombre y la corriente existencial. Tampoco advertir, apoyándose en la intención subyacente de otras novelas como *The Aaron's rod* (*La vara de Arón*) y *Kangaroo* (*Canguro*) y en algunos pasajes de su epistolario, que Lawrence quizá hubiese aprobado los estallidos de las fuerzas irracionales llegadas al cenit pocos años después de su muerte [13]. Pero mientras vivió se mantuvo en su papel de novelista y libertador de espíritus, anticipándose, por consiguiente, a desautorizar cualquier interpretación póstuma absusiva. "Como novelista —escribió— siento que lo que realmente me concierne es cambiar el individuo." ¿Cómo? Encontrando en su fin su principio: trasladando al espíritu el mito lírico, la palingenesia natural. De ahí que hubiera hecho del ave Fénix su emblema literario y su ex libris editorial, viendo en ella la justificación del olvido no como destrucción o abandono, sino como posibilidad de incesantes metamorfosis. *Pansies* se cierra así, con un epitafio: *Fénix*: "¿Consentís en ser borrados, abolidos, / aniquilados? / ¡Consentid en convertiros en nada, / en hundiros en el olvido! / Si no, nunca cambiaréis realmente."

---

[13] Véase sobre este punto y los aspectos de la personalidad novelesca de D. H. Lawrence mi prólogo a la traducción española de *La mujer que se fue a caballo* (Losada, Buenos Aires, 1939).

BIBLIOGRAFIA

Richard Aldington: *Literary Studies and Reviews*. Allen & Unwin, Londres 1924.
— *Life for life's Sake. A book of reminiscences*. Londres, 1941.
— *The Religion of the Beauty. Selections from the Aesthetes*. Heinemann, Londres, 1950.
Antologías
   Des Imagistes. Poetry Bookshop, Londres, 1914.
   Some Imagist Poets. 3 vols. Houghton Mifflin, Londres, 1915, 1916, y 1917.
   Special Imagist number of The Egoist. Londres, 1 de mayo de 1915.
   The New Poetry, publicada por Harriet Monroe y Alice Corbin Henderson. MacMillan, Nueva York, 1917.
   Imagist Anthology. Introducción por G. Hughes y F. M. Ford. Covici Friede, Nueva York, 1930.
   Imagist Anthology, por Richard Aldington. Chatto and Windus, Londres, 1930.
M. C. Bradbook: *T. S. Eliot*. The British Council, Londres, 1951.
John Brown: *Panorama de la Littérature contemporaine aux États-Unis*. Le Point, N. R. F., 1954. Trad. esp. en E. Guadarrama, 1956.
Michel Butor: *La Tentative poétique de Ezra Pound*, en *Répertoire*. Minuit, París, 1960. Trad. esp. *Sobre literatura*. Seix Barral, Barcelona, 1960.
Hayden Carruth: *La poésie d'Ezra Pound*, en "Profils", núm. 16. París, verano de 1956.
Stanley K. Coffman, jr.: *Imagism*. University of Oklahoma Press, 1951.
Malcolm Cowley: *Exile's Return. A literary saga of the 1920's*. Viking Press, Nueva York, 1934.
Marcus Cunliffe: *The literature of the United States*. Pelican Books, Londres, 1954.
David Daiches: *Poetry and the Modern world. A study of poetry in England between 1900-1933*. The University of Chicago Press, Chicago, 1940.
— *The Present Age, after 1920*. Londres, 1958.
Morton Dauwen Zabel: *Historia de la literatura norteamericana*. Losada, Buenos Aires, 1950.
C. Day Lewis y L. A. G. Strong: *A new Anthology of Modern Verse* (1920-1940). Methuen, Londres, 1943.

Elizabeth Drew: *Directions in Modern Poetry.* Norton, Nueva York, 1940.
Patrick O. Dudgeon: Apéndice a la *Historia de la literatura inglesa,* de George Saintsbury, tomo II. Losada, Buenos Aires, 1957.
John Gould Flechter: *Life is my song.* Farrar and Rinehart, Nueva York, 1938.
Boris Ford: *The Modern Age.* Pelican Book, 1961.
Waldo Frank: *Our America.* Boni and Liveright, Nueva York, 1919.
G. S. Fraser: *Ezra Pound.* Oliver and Todd, Londres, 1962.
William Gaunt: *The Aesthetic Adventure.* J. Cape, Londres, 1945.
Holbrook Jackson: *The Eighteen Nineties.* Pelican Books, 1939.
Sisley Huddleston: *Bohemian Literary and Social Life in Paris.* Harrap, Londres, 1928.
Glenn Hughes: *Imagist and the Imagist. A Study in Modern Poetry.* Stanford University Press, California, 1931.
T. E. Hulme: *Speculations.* Kegan Paul, Londres, 1924. Trad. esp. Argos, Buenos Aires, 1946.
Eugène Jolas: *Anthologie de la Nouvelle Poésie américaine.* Sagittaire, París, 1928.
René Lalou: *Panorama de la Littérature anglaise.* Krâ, París, 1927.
Ludwig Lewisohn: *The Story of American Literature.* The Modern Library, Nueva York, 1939.
— *Expression in America.* Trad. esp. Interamericana, Buenos Aires, 1945.
John Livingstone Lowes: *Convention and Revolt in Poetry.* Hougton Mifflin, Boston-Nueva York, 1931.
Amy Lowell: *Tendencies in modern American Poetry.* MacMillan, Nueva York, 1917.
— *Poetry and Poets.* Hougton Mifflin, Boston, 1930.
M. Manent: *La poesía inglesa. Los contemporáneos.* Selección y traducción. Janés, Barcelona, 1948.
John Matthews Manley y Edith Rickert: *Contemporary American Literature.* Harcourt, Brace, Nueva York, 1929.
— *Contemporary British Literature.* Harcourt, Brace, Nueva York, 1928.
Régis Michaud: *Panorama de la Littérature américaine.* Krâ, París, 1928.
Fred B. Millet: *Contemporary American Authors.* Harcourt, Brace, Nueva York, 1943.
Harold Monro: *Some Contemporary Poets.* Parsons, Londres, 1920.
Harriet Monroc: *Poets and their Arts.* Nueva York, 1926.
Edwin Muir: *The present age from 1914.* Vol. V de *Introductions to English Literature,* editado por Bonamy Dobrée. Cresset Press, Londres, 1939.
Peter Neagse: *Americans abroad.* Service Press, La Haya, 1932.
Poetas ingleses en la guerra de España, antología trad. por W. Shand y prólogo por G. de Torre. Buenos Aires, 1947.

Ezra Pound: *The Spirit of Romance.* Dent, Londres, 1910.
— *Instigations.* Boni and Liveright, Nueva York, 1910.
— *ABC of Reading.* Routledge, Londres, 1934.
— *Make it New.* Yale University Press, New Haven, 1935.
— *Los cantos pisanos.* Versión, prólogo y notas de Jesús Pardo. Adonais, Rialp, Madrid, 1960.
Herbert Read: *English Prose Style.* Faber, Londres, 1928.
— *Why the English have no taste,* en "Minotaure", núm. 7, París, 1935.
— *L'art contemporain en Angleterre,* en "Cahiers d'Art", núm. 12, París, 1938.
Paul de Reul: *L'œuvre de D.-H. Lawrence.* Vrin, París, 1937.
— *Poetry and Anarchism.* Faber, Londres, 1938.
E. L. Revol: *Aspectos de la obra de T. S. Eliot.* Assandri, Córdoba (Argentina), 1945.
George Saintsbury: *Historia de la literatura inglesa.* Trad. esp. Losada, Buenos Aires, 1957.
Francis Scarfe: *Auden and after. The liberation of Poetry.* Routledge, Londres, 1948.
William Shand y Alberto Girri: *Poesía norteamericana contemporánea.* Raigal, Buenos Aires, 1956.
Edith Sitwell: *The English Eccentrics.* Londres, 1933.
Robert E. Spiller: *Historia de la literatura norteamericana.* Trad. esp. La Reja, Buenos Aires, 1959.
Stephen Spender: *Poetry since 1939.* Longmans Green, Londres, 1946.
— *The destructive element. A Study of modern writes and beliefs.* Londres, 1955.
René Taupin: *L'Influence du Symbolisme français sur la poésie américaine de 1910 à 1920.* París, 1939.
Guillermo de Torre: *Gertrude Stein y su autobiografía,* en "Revista de Occidente", núm. 136, Madrid, 1934.
— *Escritores norteamericanos disconformes,* en "Luz". Madrid, 7 y 15 noviembre de 1934.
— Prólogo a *La mujer que se fue a caballo,* de D. H. Lawrence. La Pajarita de Papel. Losada, Buenos Aires, 1939.
— *El imaginismo anglo-norteamericano,* en "De mar a mar". Buenos Aires, 1945.
— Prólogo a *Poetas ingleses en la guerra de España.* Buenos Aires, 1947.
Louis Untermeyer: *The new Era in American Poetry.* Holt, Nueva York, 1919.
— *Modern American Poetry.* Harcourt, Brace, Nueva York, 1930.
— *Modern British Poetry.* Harcourt, Brace, Nueva York, 1950
Sherard Vines: *Movements in Modern English Poetry and Prose.* Milford, Londres, 1927.
A. C. Ward: *American Literature. 1880-1930.* Metuen, Londres, 1932.

Margaret Wilkinson: *New Voices. An introduction to contemporary poetry.* MacMillan, Nueva York, 1919.
R. H. Willenski: *The Modern Movement in Art.* Faber, Londres, 1928.
Edmond Wilson: *Gertrudis Stein,* en "Revista de Occidente", núm. 138, Madrid, diciembre de 1934.
William York Tindall: *Forces in Modern British Literature. 1885-1956.* Vintage Books, Nueva York, 1958.
Concha Zardoya: *Historia de la literatura norteamericana.* Labor, Barcelona, 1956.

7
ULTRAISMO

INTERROGANTES, PERPLEJIDADES

¿Qué es, qué ha sido el ultraísmo? ¿Qué representa en la literatura española de la década del 20 y aun en las sucesivas? ¿Por qué, no obstante la exigüidad de sus resultados, el nombre —hoy día casi la leyenda— del ultraísmo no ha prescrito y sigue suscitando curiosidades en todas las generaciones llegadas después? ¿Por qué...? Pero atajemos aquí esta cadena de interrogantes como preámbulo de lo que más bien debieran ser escolios o conclusiones. Sucede que la situación anímica del historiador —o cronista— al encararse con el ultraísmo es inversa de la experimentada por el lector, probablemente más curioso de hacer escalas anecdóticas en el camino que de llegar a la posada. Advertiré además que puesto a rescribir, a revivir, en cierto modo, este capítulo sobre el ultraísmo, en la *Historia de las literaturas de vanguardia*, mi actitud crítica es forzosamente ambigua, o, con más exactitud, se mueve entre polaridades cuyos últimos extremos debo rehuir. Cierto es que yo —personalizando— no tardé en escaparme de aquel reducto (carcelario, pese a sus aires libertarios, como todas las escuelas poéticas, aunque el ultraísmo no quisiera ser una de ellas), y sobre todo en abandonar su retórica (o más bien la mía de antaño), abandono al que me incitaron los imitadores, espejos caricaturescos. Pero, de todas formas, ¿acaso no es sobremanera difícil juzgar, simplemente presentar, cualquier proceso o momento histórico, aun visto a distancia, por parte de quien ha sido más que espectador, actor y juez a la par? Porque aquí ya no se trata simplemente de descartar, en todo lo posible, el tono polémico y aun resueltamente afirmativo que presentaba este capítulo en su primera aparición, sino de conciliar el criterio objetivo (teñido de simpatía agridulce, entreverado con el despego) y la justicia histórica. Con estas palabras quiero dar a entender dos cosas: que por simples razones de probidad no puedo pasar de largo, indiferente ante el ultraísmo, pero que tampoco, dejándome llevar de reminiscencias sentimentales, estoy dispuesto a sobrestimarlo y sólo aspiro a verlo en su justa y muy relativizada perspectiva.

VINDICACION. ESCAMOTEOS ANTOLOGICOS

Ahora bien, nada de lo dicho excluye cierto ánimo de vindicación o desagravio impersonal. Justifica esto último la conducta desdeñosa, cuando no la maniobra de ocultación taimada, que respecto a dicha tendencia han venido practicando impunemente algunos de los antólogos, comentaristas y hasta historiadores de los períodos sobrevenidos a continuación. Recuérdese, por ejemplo, lo sucedido con determinada colectánea donde, por vez primera, se dio coherencia y realce a los poetas de la generación postultraísta; propósito plausible si el unilateralismo de intenciones estéticas no se hubiera disimulado con el afán de otorgarle una rigurosa continuidad histórica; a tal fin se incluyó a los antecesores mediatos (Darío, Unamuno, J. R. Jiménez, los Machado), pero se excluyó cuidadosamente a los más próximos, es decir, a los ultraístas; y esto es lo que sucedió en *Poesía española. Contemporáneos* (primera edición de 1932, aunque la segunda tampoco modificara sustancialmente el panorama) de Gerardo Diego, ya que a esa antología me refiero. Algo diferente, pero parejo en sus últimas consecuencias, fue el caso de otra colección más leída o consultada, la *Antología de la poesía española e hispanoamericana,* que editó Federico de Onís en 1934. En cuanto superaba las limitaciones peculiares de toda antología de grupo y cumplía plenamente su finalidad histórica (hasta el punto de recoger muestras de las más diversas tendencias, y no por su estricta calidad estética, sino por su mera existencia: lo describible que no es siempre historiable, hubiera explicado después Américo Castro), dicha antología no podía dejar fuera al ultraísmo. Y, en efecto, allí estaba: pero estaba el nombre, no la cosa. Es decir, Federico de Onís, a despecho de su admirable, su excepcional objetivismo no había logrado superar quizá prevenciones ajenas, optando por una vía transaccional, pero errónea. De esta suerte, entre los numerosos apartados que utilizaba para agrupar las variopintas especies de su pajarera lírica (¡meter entre barrotes o celdillas a quienes, por lo general, cuanto más áfonos o invisibles, se creen habitantes únicos de un espacio sin límites, no es floja hazaña!), y dentro de la época que globalmente denominaba "ultramodernismo", situándola entre 1914 y 1932, aceptaba el término "ultraísmo", pero aplicándolo, sin demasiado rigor, a poetas españoles e hispanoamericanos muy diversos, cuando no absolutamente extraños u opuestos a aquel movimiento. ¿Sobre qué basaba tal desliz o impropiedad nominal? [1]. Entendiendo quizá un poco expeditivamente que lo único que ha quedado del ultraísmo es el nombre, resolvía: "por eso nos ha parecido bien rehabilitarlo para designar con él a los poetas de nuestra última sección, aunque la mayoría de ellos no formaron parte del grupo a que primeramente se aplicó". Contradicción demasiado hiriente para ser aceptada sin más. Excluía, pues, a los pocos poetas —Juan Larrea, Pedro Garfias, J. Rivas Panedas, algún otro...— que realmente podían haber representado al ultraísmo, pero incluía dentro de la misma sección a otros de valor en sí mismos, desde luego, pero que no habían mantenido ninguna relación directa con aquella tendencia. Debíase todo ello a que el antólogo olvidaba un simple dato: y es que el término de ultraístas, ni siquiera en un sentido muy lato, puede servir para designar indistintamente a todos los poetas españoles surgidos después de 1918. ¿Por qué? Porque ese rótulo sirvió para nombrar de modo unívoco a los cultivadores de una tendencia muy determinada. Olvidaba que la simple mención del ultraísmo va unida en la memoria de todos a un conjunto de poetas no, por discutibles, desdeñables para un historiador escrupuloso; corresponde, en suma, a una manera literaria peculiar, a una estética en relación muy directa con los demás ismos de la primera postguerra.

De la misma antihistórica exclusión se hizo cómplice otra antología. Aludo a una que, en cierto modo, quiso ser una réplica a la de Gerardo

---

[1] A partir de aquí extracto el comentario que publiqué en su día, bajo el título "Una gran antología poética", en la *Revista de Occidente,* año XII, número CXL, Madrid, febrero de 1935.

Diego, pero que en realidad sólo es una sucursal algo tardía, pues se repiten, con levísimas diferencias, los mismos nombres. Es la publicada en México, años después, por Juan J. Domenchina, *Antología de la poesía española contemporánea (1900-1936)* (1941, segunda edición, 1946), cuando la situación no sólo de la poesía, sino de la literatura española y del mundo en general había cambiado fundamentalmente y cuando los pleitos y querellas, promovidos en su día por la colectánea de Gerardo Diego —en su primera versión— ya no podían interesar a nadie... Si registro el hecho no es siquiera como curiosidad anecdótica, sino por escrúpulos de veracidad informativa; en último extremo, como una muestra de la arbitrariedad antihistórica, practicada impunemente por algunos, con apariencias de lo contrario, al romper la continuidad generacional y suprimir figuras y etapas intermedias o complementarias. La única diferencia notable a favor de la segunda fue incluir legítimamente los nombres de Pérez de Ayala y Díez-Canedo. Empero, ambas coincidían en anexionarse los nombres de Unamuno —grandioso, capital, pero esencialmente antimodernista y también muy a distancia de todo lo que vino después—, de Antonio Machado y J. R. Jiménez, con el propósito evidente de adquirir lustre y respaldo.

En este sentido, más valiosa y objetiva es otra antología similar sobre el mismo período, recopilada por José María Souvirón, *Antología de poetas españoles contemporáneos,* no en su primera edición (Santiago de Chile, 1933), pero sí en la segunda (1947), puesto que incluye muestras y noticias de algunos poetas ultraístas [2].

---

[2] Y para acabar este tema —y no volver nunca sobre el mismo— unas notas finales. ¡Delicada, espinosa cuestión, esta de las antologías poéticas, paradas de vanidades en unos casos, actos de "política literaria" en otros, catalogaciones inútiles en los menos, pero siempre semilleros de polémicas y discordias, cuyo pintoresquismo no amengua sus consecuencias, siempre lamentables! Ya otra vez he discurrido objetivamente sobre ellas (en un capítulo titulado "El pleito de las antologías", de mi libro *Tríptico del sacrificio,* 1948, pero inserto antes en un volumen conjunto, *La aventura y el orden,* 1943). José María Castellet me ha hecho luego el honor de confesar haberse inspirado en el criterio histórico-literario, que yo entonces proponía, para componer su antología

Mas dejemos menudencias y vejeces, y a fin de encarar con mayor perspectiva el ultraísmo, tomemos distancia retrocediendo hasta el período precedente, el del modernismo; pero no en sus orígenes o primeras fases, sino en sus últimas expresiones. Para la historia externa de aquéllos existen ya suficientes elementos [3]. si bien falta aún quizá una visión interna, más allá de todo subjetivismo o de afán engrandecedor y deformante.

Veinte años de poesía española, 1939-1959 (Seix-Barral, Barcelona, 1960). ¡Que las musas irascibles —o sus representantes en la tierra— nos sean benignas!
Pero lo que me interesa dejar registrado en esta nota es la mala fortuna antológica que, salvo muy contadas excepciones, ha tenido la poesía del modernismo e inmediatamente posterior. Empezó con la primera de todas, aquella *Corte de los poetas,* publicada por Emilio Carrere (Pueyo, Madrid, 1905), que pudo haber asumido un papel de valioso muestrario del tiempo si hubiera estado regida por un mínimo criterio selectivo. La marca fue superada luego por otras: así la de José Brisa, *Parnaso español contemporáneo* (Barcelona, 1914?), y la de R. Segura de la Garmilla (Madrid, 1922).
Desde luego, esos compendios merecen los calificativos de "pot-pourris", adefesios y otros semejantes, pero sucede que sólo en ellos es posible rencontrar nombres, larvas, primeros estados de figuras y tendencias que informativa, anecdótica y aun a veces históricamente pueden servir de jalones o puntos intermediarios. Es también el caso de compilaciones tan vastas y no enteramente desdeñables, siempre que sepan manejarse con prudencia, como la de Federico Carlos Sainz de Robles, *Historia y antología de la poesía castellana* (*del siglo XII al XX*) (Aguilar, Madrid, 1946) y la de César González-Ruano, *Antología de poetas españoles contemporáneos en lengua castellana* (Gili, Barcelona, 1946), curiosa además esta última por las semblanzas anecdóticas de algunos personajes raros, pintorescos, que saca del olvido. Más cernida y cabal —a pesar de otras limitaciones, puesto que abarca a los poetas del continente americano— es la titulada *Laurel* (México, 1941).
[3] Sobre todo en el lado hispanoamericano: Max Henríquez Ureña, *Breve historia del modernismo* (Fondo de Cultura Económica, México, 1954); Federico de Onís, *España en América* (Universidad de Puerto Rico, 1955).

¿FUE EL MODERNISMO UNA DESVIACION?

"El modernismo —literariamente maravilloso— que fue un error...", se ha escrito de modo provocativo, incitante [4]. Mas ¿es cierto que fuera un error el modernismo? Si no me equivoco en la sospecha, tal supuesto tiene su origen lejano en una apreciación juvenil de Ortega y su antecedente más próximo en Pedro Salinas. La primera se encuentra en tres artículos de Ortega [5], los que consagró a cierta antología, antes mencionada en una nota, que pudo ser y no fue la summa poética del modernismo en su momento decisivo. Ortega venía a reprochar a aquellos poetas su indiferencia al medio y a la circunstancia española, su narcisismo, "reimitar lo peor de la tramoya romántica", su decadentismo, atender únicamente a "la belleza sonora de las palabras". Actitud orteguiana en la que muy bien pudiera verse un anticipo de lo que años más tarde señalaría Salinas, diferenciando la literatura del 98, arte de "preocupados", y la del modernismo, arte exterior, de los sentidos. Además, el autor de *Literatura española siglo XX*, no tanto en sus escritos como en sus cursos y en sus conversaciones privadas, solía presentar el modernismo como una "desviación" exótica, como una ruptura de cierta línea ideal de tradición poética española. Ahora bien ¿acaso el propio Pedro Salinas no confesó públicamente la deuda por él contraída con el modernismo, al declarar que su forma estrófica habitual le había sido sugerida por la del *Canto a la Argentina*, de Rubén Darío? Y en un campo más general ¿dónde estaba, en quién se cifraba esa especie de línea tradicional que —en lo poético— el modernismo había venido a interrumpir? Porque sucede que esa "gran tradición poética española, viva, no académica, la de Garcilaso y Góngora, San Juan de la Cruz y Bécquer", que señalaba Salinas, no estaba *viva*, sino todo lo contrario: lo revela simplemente ese hiato de tres, cuatro siglos entre los tres primeros y el

---

[4] Dolores Franco, *España como preocupación. Antología* (Guadarrama, Madrid, 1959).
[5] *Obras completas,* I (Revista de Occidente, Madrid, 1946).

último de los poetas citados, aun dando por bueno que el autor de las *Rimas* empalme efectivamente con aquel linaje y no rompa más bien con el inmediatamente romántico, incorporando —con fortuna, desde luego— elementos foráneos, no tradicionales...

Ciertas preferencias muy personales —y algo arbitrarias, como todas las suyas, aunque siempre sugestivas— de Juan Ramón Jiménez, a propósito de Bécquer y de los poetas regionales del fin de siglo, afirmando que al volver a ellos, tras su primera estancia en el modernismo, volvió a su verdadero ser, parecerían confirmar aquella presunción sobre el papel "desviador" del modernismo. Pero en la realidad de los hechos sucede que Juan Ramón Jiménez, si bien borró el modernismo de su obra poética, nunca lo borró de su conciencia e historia literarias, de su perspectiva crítica. Al contrario, en los últimos años, tendió a hiperbolizarle, queriendo identificar el modernismo-simbolismo con toda la poesía del siglo XX [6]. Inclusive (ya lo he contado en otro lugar) llegó a exhortarme para que yo practicara semejante "política crítica", escribiendo un libro especial de intenciones "anexionistas" sobre el ultraísmo, visto como origen y clave de toda la poesía subsiguiente al modernismo.

Si Pedro Salinas creía que el modernismo había obrado como un "cuerpo extraño", Ricardo Gullón ve aquel movimiento como ambivalente, considerándole a la par como libertador y desviador. Aceptaríamos plenamente este segundo supuesto si se nos explicara de modo suficiente dónde estaba la línea histórica válida e inmediata que el modernismo vino a truncar. Pero de sobra es sabido que no fue así: en el penúltimo decenio del siglo XIX, poco antes de comenzar a ejercerse la influencia rubendariana (como un presunto —aunque "maravilloso error"), sólo existían los "recuelos" —dicho con jerga madrileña— o los ecos desvitalizados —si lo preferís con lenguaje culto— de un rezagado postromanticismo y de un academicismo exhausto. "El modernismo —ha escrito Max Aub— fue una evolución natural de la poesía española, y sin la presencia de Rubén Darío se hubiese efectuado

[6] Cf. mi ensayo "Cuatro etapas de Juan Ramón Jiménez", en *El fiel de la balanza* (Taurus, Madrid, 1961); Ricardo Gullón, *Conversaciones con J. R. J.* (Taurus, Madrid, 1956), y *Direcciones del modernismo* (Gredos, Madrid, 1963).

de manera parecida"[7]. Tal vez, pero sin llegar a aceptar esta hipótesis, lo incuestionable es que ninguno de los poetas entonces más leídos —Campoamor, Núñez de Arce— y de los "medio poetas" circulantes (poeta de 0,50 llamó *Clarín* a Manuel del Palacio) podrían asumir la condición de herederos legítimos ni modelos de nada[8].

Mas aunque hubiera sucedido lo contrario, ¿es que todas las renovaciones o innovaciones fértiles no suelen producirse, desde siempre, mediante desviaciones, retrocesos o avances, mediante aportaciones extrañas o injertos? De lo contrario, el romanticismo no hubiera tenido existencia en España, como tampoco el renacentismo de Garcilaso y la introducción del endecasílabo; aún permaneceríamos en Eugenio Gerardo Lobo, en Cristóbal de Castillejo, y así, retrocediendo, hasta los cultivadores del "mester de juglaría". *Mutatis mutandis*: sucede lo mismo que si se quisiera abominar del cubismo en la plástica de este siglo o considerarle como una "desviación" del impresionismo o a éste como una herejía del realismo o de la pintura de historia o de la romántica y así sucesivamente. Pero la realidad es que nadie que no haya pasado modernamente —al menos, hasta hace muy pocos años, antes del auge de la no figuración absoluta— por la estación del cubismo pudo llamarse pintor o escultor y encontrar su estilo y el del tiempo.

CUANDO ACABA EL MODERNISMO

"El rubenismo —*id est*, el modernismo— había ya dado todo su jugo en 1907", escribí yo, en 1925, en la primera edición de este libro. Quizá esa fecha fuera azarosa (al menos no recuerdo hoy las razones que me movieron a fijarla [9]), pero en cambio es comprobable

---

[7] *La poesía española contemporánea* (México, 1954).

[8] Tal es la impresión que cabe recoger del más completo censo poético de esas fechas: José María de Cossío, *Cincuenta años de poesía española* (Espasa-Calpe, Madrid, 1960).

[9] Sin embargo, Guillermo Díaz-Plaja *(Modernismo frente a noventa y ocho,* 1952) coincide en dar esa fecha —1907— como final del modernismo, aunque tampoco aporte pruebas. Donald F. Fogelquist *(Rubén Darío and Juan Ramón*

la de 1914, que yo apuntaba después, aludiendo a una promoción poética de aquel año, "formada —copio mis palabras de entonces— por una cohorte de poetas impersonales que agravaron la agonía del ciclo modernista, exprimiendo hasta el final sus ya flacas ubres y topificando hasta el hastío sus temas: reminiscencias desvaídas del simbolismo francés, delicuescente sentimentalismo lunar y exaltación monótona de los paisajes y los tipos castellanos —que habían exaltado los del 98 en su afán de hallar las raigambres iberas". ¿A quién aludía en tal parrafada?

Como quiera que la historia cabal de nuestra literatura moderna aún no está escrita, como nada se recoge y puntualiza objetiva, documentalmente, al día, como la desmemoria española general se combina con la incuria y con la falta de estudiosos e investigadores que recopilen o seleccionen en su momento los textos o documentos, como los glosadores siempre tardíos, o los críticos de vista corta, se apoyan en una muy pequeña suma de hechos y se limitan luego a copiarse sucesivamente, como no ha surgido nunca un Menéndez Pelayo moderno que lea los libros del siglo XIX y XX como él leyó los más pretéritos, como... En fin, por esta serie de razones alargables todavía en otras, no menos fundadas, sucede con el modernismo —y no digamos con lo que ha seguido— que párrafos como el antes transcrito resultan hoy poco comprensibles para los lectores últimos. En algunas de mis alusiones generales de entonces (y descuéntese de ellas la parte de hipérbole o injusticia que deben de contener, puesto que proceden de un momento, como cuadraba a mis años, más polémico que histórico) es fácil adivinar los nombres de poetas entonces todavía muy leídos, como Emilio Carrère y Francisco Villaespesa; pero en la indicación particularizada ("una cohorte de poetas impersonales" y lo que sigue) es más difícil encontrar una referencia directa a escritores como Juan José Llovet, Rafael Lasso de la Vega (antes de su paso al ultraísmo), Goy de Silva, Juan González Olmedilla, Gonzalo Morenas de Teja-

Jiménez. Their literary and personal relations, University of Miami Press, 1956) fija más exactamente, por lo que se refiere al modernismo en América, la iniciación con *Azul* (1888) de Rubén Darío, y su acabamiento con "La muerte del cisne" (1915) de Enrique González Martínez.

da, Miguel de Castro, que componían la ronda de un "Cancionero" insertado cotidianamente en un periódico de la noche, *Heraldo de Madrid*, en 1914, hasta el comienzo de la guerra europea [10].

Desde luego, en su mayoría, aquellos nombres están hoy perfectamente olvidados, pero aun siendo mínimo su valor, sucede que en los mismos termina virtual y efectivamente el modernismo. Con todo, su importancia muy secundaria no justifica el hecho de que ni en las antologías más copiosas —y las hay verdaderamente superpobladas— no aparezcan registrados todos esos nombres, al menos como simples referencias a un momento de transición. Tales ausencias determinan —insistiré— que no haya podido escribirse una historia completa, orgánica, hecha con una clara perspectiva histórica y jerarquizada de la poesía y, en general, de la literatura española durante la primera mitad del siglo XX [11].

Unicamente, en lo que se refiere particularmente a la poesía, la historia sólo hubiera podido llevarla a cabo —si su arrojo hubiera sido mayor y menor su dispersión de tareas— un Enrique Díez-Canedo.

---

[10] R. Cansinos-Asséns (*La nueva literatura. II. Las escuelas literarias, 1898-1916;* Madrid, 1917) agrega además los nombres de Luis Fernández Ardavín, F. Martínez Corbalán, Enrique Leguina, Alfredo Cabanillas. En ese capítulo titulado "La novísima literatura", Cansinos-Asséns apostillaba justamente: "con ninguna nota nueva, no oída antes, sorprenden nuestros oídos y nuestra alma estos jovencísimos cantores"; y a continuación iba señalando cómo en uno predominaba la influencia de Villaespesa, en otro la de Antonio Machado, en el de más allá la de Rubén Darío... Sólo en una órbita más amplia que la lírica advertía que "el anhelo de nuevos descubrimientos estéticos que animó a la pléyade de los argonautas..., el ansia de superación de aquellos primeros momentos de fervor [los modernistas]", sólo se manifestaba en "un raro escritor que es el único raro de este nuevo ciclo de genios vulgares...", "en Ramón Gómez de la Serna", con quien "vuelve a concederse una nueva antorcha de entusiasmo puro y a manifestarse una nueva voluntad de arte".

[11] Esto no significa menospreciar algunas obras de conjunto aplicadas específicamente a tal período, como la —casi ignorada— de Juan Chabás, *Literatura española contemporánea: 1898-1950*, y la —más difundida— de G. Torrente Ballester, *Panorama de la literatura española contemporánea* (Edic. Guadarrama, 1965). Ha de agregarse la segunda edición (1963) de la *Historia* de Angel del Río.

MAS ALLA DEL MODERNISMO.
LOS POETAS DE 1915 E INMEDIATOS

Coincidiendo con los estertores del modernismo, en cuanto estilo vigente y con fuerza imperante, marcando ya un comienzo de apertura hacia otros horizontes, sobrevienen luego, desde 1915-1917 en adelante, diversos poetas nada desdeñables; su único error —desde el punto de vista de la difusión e influencia que podían haber alcanzado— fue quizá lo que, en otro aspecto, les singulariza y da algún relieve: su individualismo: no acertar a formar un grupo o una técnica coherente. A la cabeza de ello en el orden cronológico, y hasta cierto punto en el cualitativo, pudiera situarse a José Moreno Villa (1887-1955). No olvidemos que, al prologar su segundo libro, *El pasajero,* Ortega y Gasset —en el ensayo de estética que figura a manera de prólogo— veía allí "el nacimiento de una nueva poesía". Pero en realidad no llegó a tanto: señalaba más bien el cierre o liquidación del almacén modernista. La misma significación le otorga Max Aub [12]. Empero, desde su inicial, temprano libro *Garba,* 1913 (recogido luego fragmentariamente en la antología que él mismo compuso, *La música que llevaba,* 1913-1947), disfrutó Moreno Villa de una consideración singular. Marcaba la transición hacia una poesía de tipo intelectualista, una poesía que apartándose hábilmente de los tópicos rubenianos (las princesas, los cisnes, el misterio, la noche y otros "leit-motiv" decadentistas ya transformados en lugares comunes), buscaba rutas más finas y menos palabreras. Continuando la línea de Unamuno y de An-

---

* Obra citada. De alcance más limitado, en el tiempo y en el espacio, e incursa en el tipo habitualmente apologético, es la de José Francisco Cirre, *Forma y espíritu de una lírica española (1920-1935)* (México, 1950). Mencionemos además otras dos obras, más tempranas, comprensivas de la misma época: José F. Montesinos, *Die moderne Spanishe Dichtung* (Berlín-Leipzig, 1927), y Angel Valbuena Prat, *La poesía española contemporánea* (Madrid, Ciap, 1930). No incluyo otros panoramas, libros críticos o antologías —bastante numerosos—, limitándome a aquellos que se relacionan o colindan con la época del ultraísmo.

tonio Machado (Eugenio d'Ors habló de "la guitarra metafísica"), su poesía asumía cierto tono intelectualista. Exento de todo prejuicio poético no vacilaba —como él mismo reconoció— en introducir vocablos y giros prosaicos. Tal cosa se nos antoja hoy de un valor muy relativo en cuanto a interés innovador. Pero en aquel momento esa pequeña reforma pareció importante y hasta se le quiso dar un alcance trascendental. Por otra parte, Moreno Villa desde sus comienzos fue algo más que un poeta; quiero decir —para que no se ofendan los panliristas— que su espíritu, abierto a muy diversas curiosidades, se proyectaba también sobre otros campos del arte, abarcando inclusive la teoría y el ejercicio de la pintura. De este modo experimentó diversas *Evoluciones* (1918) —título de otro libro suyo—, permeable a innovaciones y posibilidades, sin cerrar caminos, pero tendiendo *Puentes que no acaban* (1933). Esta movilidad le llevó a ciertos juegos y donaires —los que figuran en las dos series de sus *Carambas* (1931) y en *Jacinta la pelirroja* (1929). Quizá su poema más expresivo —con valor antológico— sea el titulado "¿Por qué no es el mundo mi patria?", que figura en *Salón sin muros* (1936). Inventivo, experimental, libre de toda atadura generacional concreta, hay en su obra colindancias con el ultraísmo y el superrealismo, en que todavía no se ha reparado, pero que más adelante habremos de señalar, cuando llegue la ocasión de mostrar analogías o confluencias con el primero de ellos, lo mismo que en el caso de otros poetas independientes [13].

Tal es, asimismo, el caso de Mauricio Bacarisse (1895-1931). Fisonomía propia y singular, presentó en el temprano momento de su primer libro (*El esfuerzo,* 1917), al reaccionar contra las blanduras y desleimientos todavía entonces dominantes e intentar algo así como una poesía voluntarista, energética, rica en metáforas nuevas, tomadas a la ciencia y a la filosofía. No creo hoy exactas las reminiscencias que entonces quisieron verse en él del uruguayo Julio Herrera y Reissig.

---

[13] Su autobiografía *Vida en claro* (Fondo de Cultura Económica, México, 1949) es uno de los mejores testimonios de la vida intelectual española desde la década del 20 hasta final de la segunda República. Y no se olviden tampoco los agudos libros sobre arte y motivos de México que Moreno Villa publicó en México durante su exilio.

El barroquismo que R. Cansinos-Asséns señalaba como un lazo afín, en el uruguayo es eminentemente formal, no rebasa lo expresivo, mientras que en Bacarisse radica en el pensamiento. *El esfuerzo* de Bacarisse (no en su conjunto misceláneo, pero sí en la parte puesta específicamente bajo tal título) es el libro poético más importante surgido en el lapso que va desde la disolución del modernismo hasta el Ultra.

Como muestra de una veta posiblemente fecunda de poesía (que el mismo autor no siguió, y no sólo por su corta vida, sino porque en los dos libros poéticos siguientes que dio a luz: *El paraíso desdeñado* (1917) y *Mitos* (1919) marca ya rumbos más usaderos, se inclina a una línea sentimental), en parte filosófica (con reminiscencias quizá de los presocráticos), en parte energética (afín a Whitman y Verhaeren); véase su "Canto apolíneo" en *El esfuerzo:*

> *Un día se hará mármol esta tenue / espuma de embriaguez y flor de música / y se hará bronce antiguo la cadencia / que rizaba mareas en las túnicas. / Un día se harán secos polinomios / el vino alegre y la sonrisa añeja / y se hará geometría descriptiva / el paso eterno de la danza ingenua. / Un día el jadear de los pancracios / aprisionará al tiempo con sus frisos; / la Vida estará libre de los Dioses / porque será como los Dioses mismos. / Entonces la blasfemia de los cuarzos / triunfará del Dolor y la Lascivia. / Ni a gálibos de liras ni a caderas / los firmes dedos propondrán caricias. / En la estatua tendrán su testamento / vidas ansiosas y enramadas trémulas; / será más digno el bloque de los úteros / donde se unen los núcleos de las células. / Yo quiero que mi espíritu termine / en un reposo mineral y antiguo; / en los pétreos y puros propíleos / mi miedo al Dios se quedará dormido.*

A una veta barroca de otra cantera pueden adscribirse los orígenes y la primera fase de otro poeta surgido también en el mismo año: Juan José Domenchina (1898-1960) con *Del poema eterno,* en 1917. Pero su empeño queda más explícito con otro libro posterior, de un título ya programático: *La corporeidad de lo abstracto* (1928). Dotar de cuerpo a las palabras, sensaciones y visiones abstractas era, en efecto, su propósito. Propósito original, sin duda, pero discutiblemente poético. A restarle esta cualidad contribuyó el léxico de Domenchina, justo y exacto etimológicamente, pero demasiado redicho, sin espontaneidad ni soltura, pedregoso [14].

Barroco también (¡para que luego se diga que este linaje de un estilo tan español se extinguió en las postrimerías del siglo XVIII!, ¡para que se acepten sin más las diatribas y burlas de Juan de Mairena contra el barroquismo!) fue Ramón de Basterra (1887-1928). Y no tanto en sus primeros libros —*Las ubres luminosas, La sencillez de los seres*, los únicos que se citan y extractan en las antologías— como en el último que publicó, poco antes de morir, *Virulo: Mediodía* (1927). Basterra combina una mixtura muy singular de lirismo y pensamiento; además, intenta poetizar el mundo mecánico —entonces todavía deslumbrante— con vagas reminiscencias del futurismo y más claras proximidades ultraístas. Los atisbos geniales de Basterra eran impresionantes. No en vano vivía a caballo entre esa cumbre y el pozo de la locura —y por aquí, lamentablemente, terminó despeñándose. La exaltación póstuma que tras la guerra española se ha hecho de Basterra —apoyándose en temas y preferencias de sus comienzos: el austracismo, la voluntad imperial, el concepto casi unamunesco de América vista como Sobrespaña— poco tiene que ver con lo esencial de su poesía, de lo que hubiera sido seguramente su poesía en el caso de vivir su autor más años [15].

[14] Resulta menos chocante en la prosa crítica que también cultivó ocasionalmente —*Crónicas de Gerardo Rivera*—; crónicas no sin interés, pero donde el capricho se disfraza de rigor. Para hacer aceptables sus juicios Domenchina hubiera necesitado, en primer término, unos puntos de vista originales —sin plegarse tanto a las fobias o prevenciones ajenas, las de Juan Ramón Jiménez, exagerándolas, como hizo también en un momento dado José Bergamín; después, mayor amplitud de horizontes intelectuales, sin olvidar algunas gotas de simpatía... El inhumanismo —que no es *deshumanización* todavía— de Domenchina cede luego en los libros que escribió en México —donde murió—, tales como *Exul umbra*, y cuyo acento nostálgico les incorpora a la poesía peregrina o del destierro.

[15] Páginas más adelante, puesto que corresponden a lo que pudiéramos llamar influjos o resonancias del ultraísmo, se encontrarán (como en el caso de Moreno Villa) muestras de su obra.

Entre aquellos libros de mi adolescencia que yo leía con un interés quizá no siempre justificado, que guardaba cuidadosamente —por ser los primeros recibidos directamente de la mano de amigos y compañeros algo mayores— recuerdo ahora los de Antonio Espina: *Umbrales* (1918), *Divagaciones, Desdén* (1920), donde se mezclaban verso y prosa, cierta modernidad imprecisable, un cierto gusto por lo funambulesco, más un desgarro y una ironía muy madrileños. Poco después esas notas cristalizan en *Signario* (1923), uno de los primeros tomitos publicados por la revista *Indice,* de Juan Ramón Jiménez; cuajan y terminan, pues de hecho toda la obra subsiguiente de Antonio Espina se desenvuelve en el cauce más amplio de la prosa; traslada a ella algunas de las cualidades —el desenfado, el humor, el rompimiento de estructuras formales— que ya había revelado en su primera fase lírica. Y del mismo modo que sus poesías no pasan de señalar un momento de duda y transición, así sucede con sus conatos novelescos (*Pájaro pinto, Luna de copas*). Se persigue en ellos el ideal que Ramón Gómez de la Serna —desde sus "Siete palabras"— había llamado "la posibilidad de deshacer", y concretamente, en la ficción, lo que nosotros llamaríamos hoy cierta "voluntad antinovelesca", preocupado como él y otros estaban a la sazón, por las dudas e interrogantes que sobre la narración Ortega y Gasset había introducido. De hecho, el rebelde romántico que Espina llevaba dentro se manifestó con mayor fortuna en las biografías noveladas de algunos personajes del pasado siglo, como el bandolero Luis Candelas y el actor Julián Romea [16].

En la transición del postmodernismo hacia las nuevas formas suele mencionarse a poetas como Tomás Morales (1885-1921) —último ejemplo de cierta grandilocuencia, con *Las rocas de Hércules* (1919)—; como "Alonso Quesada", seudónimo de Rafael Romero (1886-1925) —con *El lino de los sueños* (1915), que prologó Unamuno—; pero se omite a Luis G. Bilbao (c. 1880), de quien sólo se reencuentran muestras en la revista *España* (a partir de 1916) y que en rigor, por

---

[16] En *El alma Garibay* (1964) Espina ha recogido páginas sueltas de la época del ultraísmo. Deliberadamente dejo fuera —como en el caso de otros autores vivos— su obra de años posteriores, ya que mi propósito es limitarme a trazar rasgos y coordenadas de la época ultraísta y aledaños.

su forma concisa, su descripcionismo algo irónico, es quizá el más próximo al estilo que seguiría. Todo ello confirma que la línea por antonomasia rubendariana, cuyo final se inicia en la primera década, desaparece al llegar el momento en que el ultraísmo y el influjo de las vanguardias adelantan sus primeros pasos.

En estos años de cambio y de encrucijada, tan poco propicios para gustar de soliloquios e introspecciones, surge a la poesía quien habría de ser, andando los años, la personalidad más descollante, la única verdaderamente extraordinaria del período, con influjo que llega hasta el día. Me refiero a León Felipe (1884), cuyo primer libro, *Versos y oraciones del caminante,* se publica en 1920. Pero aun valorando debidamente el acento tan personal de aquella obra y de otras dos semejantes que le siguieron, debe reconocerse que, sólo a partir del gran trauma producido en León Felipe por la lucha del pueblo español, el poeta alcanza su plena voz, su máxima dimensión. Se manifiesta a partir de *La insignia* (1937) y continúa luego con otros libros del mismo tono sincero, amargo, profundamente patético, como *El payaso de las bofetadas y el pescador de caña* (1938), *El hacha* (1939), *Español del éxodo y del llanto* (1939), etc. Su franqueza, su pureza, el tamaño y la altura de tales alocuciones poemáticas residen en el hecho de que el poeta no se supedita a ninguna fórmula política o consigna partidista: quiere —y logra— encarnar un sentimiento unánime —por encima de banderías— de heroísmo y sacrificio.

"*Yo no soy más que una voz, | la tuya, la de todos, | la más genuina, | la general, | la más aborigen ahora, | la más antigua de esta tierra, | la voz de España que hoy se articula en mi garganta | como pudo articularse en otra cualquiera.*"

Pero no he de insistir ahora en los valores de esta poesía —que ya caractericé en otros lugares [17]— puesto que, manteniendo la línea cronológica y generacional seguida en este recuento, el lugar de León Felipe está después: en la poesía del destierro.

[17] V. mi epílogo a su *Antología rota* (Losada, Buenos Aires, 1947; segunda edición ampliada, 1957) y el prólogo a su *Obra completa* (Losada, Buenos Aires, 1963).

CUADRO DE ENLACES

Y en este desandar de los años, las obras y los días, llega ahora el momento de la aparición del ultraísmo: de lo que, a semejanza del Movimento Futurista y del Mouvement Dada, quisimos llamar —con solemnes mayúsculas— Movimiento Ultraísta, aunque su órbita y su alcance resultaran mucho más limitados, pero no por ello olvidables, según al comienzo expresé.

¿Qué pasaba en el mundo en los años 1918-1920? Por lo que concierne al panorama general, a los acontecimientos de orden políticosocial como derivación del cambio de espíritu producido por la primera guerra mundial, ya quedan apuntados algunos rasgos en los capítulos de este mismo libro consagrados a los movimientos donde más directamente se manifestó su impacto, como el futurismo, el dadaísmo y el expresionismo. En lo que atañe al plano literario español y en aquel sector, el poético, más sensible a tales cambios, en las páginas anteriores se ha intentado bosquejar un telón de fondo o cuadro de época. Corresponde ahora trazar otro más próximo: un cuadro de enlaces.

Sin embargo, como quiera que la filiación del ultraísmo puede establecerse más claramente viéndole, ante todo, con perspectiva internacional, conviene no perder de vista el cuadro de los ismos, de los movimientos europeos de vanguardia. A esta luz pudiera definirse en principio el ultraísmo como el nombre español de aquella general corriente innovadora.

La tendencia hasta entonces dominante —el rubendarismo—, ya estaba agotada, según se ha visto. Los ligeros barruntos de "algo distinto", representados por los poetas inmediatamente posteriores, no lograban cuajar en ninguna personalidad sobresaliente, ni menos aún adquirir carácter orgánico. Confusamente el ultraísmo intentó ser una ruptura y una inauguración a la par. Consiguió lo primero, pero ¿logró enteramente lo segundo? Aparte las incorporaciones extranjeras ¿se apoyaba en algo sólido propio, contaba, en una palabra, con antecedentes inmediatos válidos? ¿Acaso de existir plenamente, en aquel momento, no los hubiera rechazado?

En efecto, el ideal de toda generación amaneciente —sobre todo en un país adánico, según frase orteguiana, de recomenzadores *ab ovo* como España— sería revivir el Génesis, comenzar rigurosamente en sí misma y por sí misma. Pero si en lo biológico la autogeneración espontánea no existe, tampoco literariamente cabe alcanzar este desiderátum de lo absolutamente original. Puesto a enmarcar los orígenes del ultraísmo, y aunque esta corriente no tuviera antecesores inmediatos próximos, respondiendo más bien —según ya he dicho— a los vientos de transformación que entonces sacudían todos los cuadrantes, convendrá al menos trazar un somero cuadro de enlaces, en relación con los escritores de mayor edad y obra que entonces alcanzaban más verídico ascendiente sobre los jóvenes. Y éstos eran Ramón Gómez de la Serna, Juan Ramón Jiménez, Rafael Cansinos-Asséns, sin olvidar el magisterio, en un plano más general, ideológico, normativo antes que puramente literario, pero poderoso, de José Ortega y Gasset.

Todas las historias son propensas al amaño y particularmente la historia literaria. Si la escriben los contemporáneos correrá el riesgo de resultar contaminada con intereses personales; si está a cargo de los sucesores adolecerá probablemente de una perspectiva desenfocada. Lo ideal sería fundir contemporaneidad y equidistancia. Sin pretensiones de tanto, la *crónica ocular,* como aspira a ser este capítulo, puede servir de documento auténtico. Hago estas advertencias, presumiendo el desconcierto o la incredulidad que en algunos lectores pueda asomar al leer la anterior enumeración de enlaces ultraístas, pues la pseudohistoria ha venido falseando y amañando fechas, nombres e influencias, con escaso escrúpulo y menor verosimilitud. Pero en verdad no hubo más nombres que los cuatro antes citados; no hubo otros *faros* de la generación que rompió con el modernismo, la ultraísta, aunque luego la subsiguiente, beneficiándose, entre otras cosas, del cambio operado en la sensibilidad pública, ampliara o modificara más bien a su gusto dicho censo. No hubo otros *faros,* repito, y hablar como hoy se hace, con relación a aquel tránsito del magisterio ejercido por un Antonio Machado —profundo, de largo alcance después, pero entonces poco oído, recoleto en una provincia— de Unamuno —tronitonante siempre, pero con ecos de otra naturaleza—, del mismo Valle-Inclán —cuya exhibición urbana no guardaba ninguna relación con el alcance de su estética— son ganas de divagar entre ramajes [18]... No; todas estas últimas figuras nada positivo tuvieron que ver con la evolución de que hablo.

Cansinos-Asséns

Contrariamente, sintetizaré en pocas líneas, por espíritu de la más elemental justicia, el papel indudable desempeñado por Cansinos-Asséns [19], aunque luego un tupido silencio cayera sobre el autor de *El candelabro de los siete brazos* (1914). Pero en aquel entonces —parafraseando levemente la retórica que él usaba— su nombre era luminoso e impar en nuestro firmamento. Y lo curioso es que su influjo espiritual no radicaba propiamente en la obra, sino en su actitud como inductor de entusiasmos cerca de los más jóvenes. Oriundo de otra época (del modernismo, que él exaltó líricamente), Cansinos-Asséns advertía, sin embargo, con lucidez, que ésta había prescrito, y en vez de atizar carbones desvanecidos se esforzaba por encender luminarias nuevas. En cuanto a sus libros, todo lo que les sobraba de lirismo les faltaba de rigor. Su temática restringida, su estilo monocorde le hicieron caer en repeticiones y facilidades, sin alcanzar perfección. Pero

[18] Sin embargo, en el caso del autor de *La pipa de Kif* (1919) habría que hacer una salvedad, y precisamente con relación al libro nombrado, puesto que en su acrobatismo satírico hacía su aparición la estética del esperpento, base de sus mejores obras. Ahora bien, no es tanto quizá que Valle-Inclán influyera sobre el ultraísmo con aquella poesía burlesca, tan próxima en ciertos aspectos a dicha corriente, sino más bien quizá lo contrario. Confróntese a tal propósito cierta poesía, "Ojo de buey", enviada a *Grecia* y que inexplicablemente no aparece en la suma de sus libros de dicho género *(Claves líricas*, 1930), y también algunas acotaciones de *Luces de bohemia* (1924), tan próximas, por otra parte, a determinadas greguerías ramonianas.

[19] Reproduzco en esta parte, con pocas variantes, páginas insertas hace años en mi *Guillaume Apollinaire* (1946), pero que tienen aquí lugar más adecuado. Véase complementariamente el capítulo "Evocación de un olvidado: Cansinos-Asséns", *Las metamorfosis de Proteo* (1956).

había en él la veta de un estilista singular, que a no estar desprovisto de sentido autocrítico, le hubiera situado en un plano semejante al de un Gabriel Miró. Si el rigor le faltaba para sí mismo, más le escaseaba aún para los otros. De ahí la paradoja de su sistema crítico, hecho de exclamaciones y entusiasmos, más que de reflexiones. Entusiasmos con poco discernimiento, mal administrados y entretejidos maliciosamente con desdenes injustos, según advertirá al punto quien tenga ocasión de leer ahora sus tomos sobre *La nueva literatura*. De esta suerte, aparentando ser un espíritu suelto, libre de compromisos y políticas, en puridad Cansinos-Asséns pagó servidumbre a la politiquería literaria, al denostar taimadamente a los mejores, al exaltar sin escrúpulos a los peores, rodeándose de modo habitual con cierto gusto masoquista y autodestructor —no en vano había cantado *El divino fracaso*—, casi exclusivamente de mediocres y hampones. No se vea en esta ligera caracterización ninguna voluntad de menosprecio; al contrario, tamizado por un rescoldo de simpatía, el dolor de que un espíritu tan singularmente dotado, con tantas virtudes innatas, como Cansinos-Asséns viniera a terminar siendo inferior a sí mismo. Pero lo que representaba en aquellos años, puede deducirse del siguiente detalle. ¿Por qué este hombre no tiene la actitud y la preminencia de un André Gide? —recuerdo que me preguntaba cierto escritor americano, en 1918, que volvía de París, aludiendo al magisterio que virtualmente ejercía Cansinos-Asséns, desde los divanes del Café Colonial, influencia que no salía de allí, que no rebasaba aquel ambiente barato, pero que en justicia hubiera podido trascender a ámbitos más dignos— como el autor de *Les caves du Vatican* desde la redacción de la N. R. F. en París. El hecho es que Cansinos-Asséns se mostró en la tornavuelta literaria del ultraísmo más clarividente y generoso que otros de su edad; que sin poder invocar una concreta influencia literaria —ya que su obra venía de distintas fuentes y se ajustaba a otro estilo, con dejos de melopea talmúdica—, admitía y exaltaba intentos de innovación que otros estimaban desaforados o deleznables; que aún superándole en distintos aspectos, sus coetáneos, los que ejercían un papel análogo de críticos o mentores, no abundaban más que en reservas y cicaterías.

Respecto a su acción o participación directa en el ultraísmo, durante algún tiempo apareció bajo la figura de jefe o "inventor", teniendo en cuenta, ante todo, su edad y el ascendiente que sobre algunos ejerció. Pero en rigor la máxima significación que se le puede dar es la de un promotor teórico o inductor de entusiasmos, como antes escribí, sin verdadera participación personal. Lo demuestra el hecho de que ni su estilo ni sus temas variaron después del "pronunciamiento" ultraísta. De sus contribuciones teóricas más adelante habrá ocasión de ocuparse. Y en cuanto a su aportación poética, solamente bajo el seudónimo de "Juan Las", Cansinos-Asséns se aventuró pasajeramente a algunos experimentos. Estas precisiones no suponen disminuir su exuberante don lírico, la musicalidad de sus construcciones verbales, el encanto suasorio de su verbo, que tanto influyó en los concilios íntimos del ultraísmo, descritos bellamente por él en párrafos como los siguientes:

"El mármol que hasta entonces fue un ara se convirtió desde aquel instante en un laboratorio plutónico. Cada sábado, contradiciendo la paz de la noche, los poetas trabajaban con dinámico ardor: y nuestros ojos maravillados veían surgir, de nuevo entre sus manos, formas nuevas y sobre todo bellos regueros de chispas. Los aeroplanos volaban por entre las columnas, astros domesticados se sentaban junto a nosotros, los camareros al dar presión a los sifones salpicaban la luna. Vivíamos en un ambiente de taumaturgia que, antes de transformar las almas, transformaba las cosas. Asistíamos a la ruptura de los cordones umbilicales."

Insistiré, no obstante todas esas salvedades, que Cansinos-Asséns fue el primero que, en el momento de la definición ultraísta, se alzó indirectamente contra los valores de la generación —que poco antes había exaltado—, mostrando su senectud cumplida e incitando a los jóvenes a la busca de otros modelos, al hallazgo de sí mismos. Mas nada de ello obsta para que, en trance de hacer un balance definitivo y ecuánime de su actuación en el ultraísmo, reiteremos el reconocimiento de sus generosidades y perspicacias iniciales y cómo a su influencia se debió la transformación y cobro de carácter definitivo de las revistas *Grecia* y *Cervantes*.

Ramón

Menos esclarecimientos y matices requiere fijar la actitud de un innovador tan consecuente y unívoco como Ramón Gómez de la Serna en el plano de las nuevas direcciones estéticas —aunque sus relaciones con el ultraísmo sólo fueron tangenciales [20]. Porque el inventor de la greguería puede vindicar en todo momento, con más motivos que ningún otro de su edad, una indiscutible prioridad vanguardista. En rigor, Ramón fue siempre un hombre de vanguardia, anticipado a su época, disidente e impar, única figura de relieve singular y de aportaciones propias en lo que pudiéramos llamar promoción de 1908. Sin embargo, ha dicho Ramón: "Yo no tengo generación" y, en puridad, es cierto. En último extremo, no en vano se ha hablado (Melchor Fernández Almagro) de la "generación impersonal de Ramón Gómez de la Serna". Es lo que justifica sus actitudes tan disconformes y el carácter de sus obras primiciales, desde *Morbideces* (1908) hasta *El libro mudo* (1911) y *Tapices* (1913): selva híspida y enmarañada en la que no serían capaces de adentrarse sus actuales lectores. Libros los de aquella época, fornidos y densos, imperfectos, cierto es, mas interesantísimos, y a los que habrá que retrotraerse siempre que se trate de dibujar la curva de su fecunda evolución. Les recordamos no con ese objeto, sino más bien para apuntalar la visión avanzada de su personalidad primitiva que, empero algunos cambios, ha prevalecido siempre en él.

[20] Sólo a esta luz queda aquí encarado. Por ello, menos aún que en el caso de Cansinos-Asséns y de Juan Ramón Jiménez, deberán tomarse estas páginas como una apreciación suficiente de la figura y la obra ramonianas, tan desbordantes ambas y susceptibles de largos comentarios. Véanse mis estudios "Cincuenta años de literatura", prólogo a la *Antología* de tal título (1954), reproducido en *Las metamorfosis de Proteo* (1956) y el capítulo "Picasso y Ramón. Paralelismos y divergencias", en *Minorías y masas en la cultura y el arte contemporáneos* (1963).

De aquella época data su *Primera Proclama de Pombo* (1915), sonoro petardo subversivo, donde chisporrotean sus más acres invectivas contra el público y contra las jerarquías establecidas. Allí, en aquella proclama impresa en una hoja larga como una sábana, del mismo modo que las cuatro siguientes (recogidas en la edición original del primer tomo de Pombo, 1918), Ramón solitario, disconforme, remador contra corriente, exponía, propagaba su ideal del libro nuevo, distinto, escribiendo: "...el libro inclasificable, el libro violento, el libro ultravertebrado, el libro cambiante y explorador, el libro libre en que se libertase el libro del libro, en que las fórmulas desenlazadas al fin...". Y concluía este alegato: "Aquí no se ha pasado ningún límite".

Su gesto literario más simpático es, pues, el de un libertador, provisto en sus comienzos de cierta intención nietzscheana e, incluso, de pruritos trascendentes a lo social, que luego hubo de abandonar al lanzarse decididamente a la ribera del humorismo. Entonces permuta su máscara ceñuda (recuérdese el ex libris de Bertolozzi en las ediciones de la revista *Prometeo*) por una amplia sonrisa jovial, y su visión conturbada de la realidad por una perspectiva de funambulismo cósmico. La greguería ha sido, indudablemente, su hallazgo peculiar, su mascota, su brújula... Encontró en ella su modo de la disociación ideológica, del fragmentarismo sentimental, de la atomización visual. Merced a la greguería ha logrado su propósito explícito —que él mismo formuló, en un brindis pombiano— de "quitar empaque a las cosas, sembrar sonrisas, batir cataratas, desenlazar ideas, gestos, cosas, que estaban inmóviles, irresolutas, tiesas y amenazadoras como dragones y que había que desenlazar de cualquier modo". Con *Muestrario, El libro nuevo* y *Disparates* quedan plenamente realizados sus propósitos libertadores, humorísticos y poéticos.

Pues he ahí, en suma, la razón que nos incita a detenernos particularmente en la figura de RAMON: su matiz lírico. Este carácter justifica, por otra parte, la antinomia que pueda existir al tratar de relacionar a un escritor prosista, como es él, con una generación eminentemente lírica cual la ultraísta. Algún comentarista ha apuntado la vena lírica que por momentos fluye a lo largo de la obra ramoniana; mas esta vena lírica nunca es pura, queda siempre supeditada a la presencia de lo pintoresco —que es su deidad favorita— y a cierta intención juglarizante. Espigando detenidamente en sus libros —especialmente en *Greguerías*— podríamos encontrar algunas imágenes de fácil paralelismo con las forjadas por los más enfebrecidos imaginíferos del ultraísmo:

"El monóculo es la llave de las miradas."
"La luna es un banco de metáforas arruinado."
"La palmera ancla la tierra al cielo."
"El piano tiene esqueleto de pescado."
"El murciélago vuela con la capa puesta."
"El arco iris es la bufanda del cielo."
"En el fondo de los pozos suenan los discos de la luna."
"Nos muerde el ladrido de los perros."
"Se apagan las sonrisas como las luces."
"La golondrina parece una flecha mística."

y etcétera, pues dada la riqueza incalculable de la imaginación ramoniana cualquier intento selectivo resulta imposible. Pero entre las múltiples definiciones que él dio de su invención quizá la más certera fuera ésta, la más epigráfica: "Humorismo más metáfora, igual a greguería".

Por otra parte, su actitud ante la vida, su manera de reaccionar virgíneamente, con una sensibilidad nueva, ante los paisajes, las cosas y los hechos, su agudeza perceptiva, son rasgos y matices que señalan su tangencialidad con los jóvenes espíritus de vanguardia. Mas no obstante darse en el autor de *El Rastro* (1918), muy personalmente, estas características, no puede ejercer sobre ellas ningún monopolio. Pertenecen al común patrimonio estético moderno —según se advierte al confrontar a RAMON con las figuras más representativas del zodíaco de ismos europeos. Lejos y muy cerca de aquéllas se ha mantenido siempre. Fue el único, en España, que recogió los manifiestos futuristas de Marinetti, en su revista *Prometeo*, en 1910, añadiendo, por su parte, una "Proclama futurista a los españoles", donde resaltan exclamaciones acratolíricas como éstas: "¡Tala de cipreses! ¡Iconoclastia! ¡Pedrada en un ojo de la luna!" Ramón desde aquellos años, entre la primera y segunda década del siglo, supo mantenerse alerta, vio nacer el cubismo, organizó en Madrid la primera exposición de pintores de esa estética, bajo el nombre de "Los íntegros". Reflejo de esas curiosidades tempranas y experiencias fue su libro sobre los *Ismos* (1931; segunda edición ampliada, 1943), aunque en él se califica como tales, con personalísimo capricho, meras expresiones subjetivas, sin incurrir no obstante en la desnaturalización —con ribetes de solemnidad sistemática— a que llegaría más tarde J. E. Cirlot en su *Diccionario de los ismos* (1949). Sin embargo, su poderoso individualismo, tanto como su desconfianza de las agrupaciones, hizo que siempre se abstuviera de fundar cualquier nueva escuela o de militar en ella. Si Ramón participó en el ultraísmo fue de una forma igualmente marginal, mediante su "Ramonismo". Así se titulaba la sección de sus colaboraciones constantes en las revistas del grupo, habitualmente despojadas de firmas pertenecientes a otras generaciones, pero donde a la suya se guardaba lugar preferente.

Juan Ramón Jiménez

Respecto a Juan Ramón Jiménez, debe decirse ante todo que entre los líricos de su generación fue el único en darse cuenta de que ésta ya no existía, en advertir que los rezagos simbolistas convertidos en lugares comunes del modernismo carecían de fuerza operante. Por esto, abandonando la retórica aprendida en los libros simbolistas de cubierta amarilla, buscaba un estilo más sencillo y más sutil, al mismo tiempo "culto" y "espontáneo" como luego lo definiría, soltando el lastre de la anécdota, haciendo cada vez mayor abstracción del mundo externo, dispuesto a extraerlo todo de sí mismo. Ya había muestras logradas de tal espíritu en el *Diario de un poeta recién casado* (1916) y en la primera revisión de su obra juvenil, *Poesías escojidas* (Nueva York, 1917). Parejamente Juan Ramón Jiménez tendía a desprenderse de sus "compañeros de generación, secos, pesados, alicaídos", según los calificaba en una carta que me escribió al enviar su colaboración para el número primero —y único— de la revista *Reflector* (1920).

Afán de aproximarse a los recién llegados, de mantener siempre viva su primogenitura, que ya no habría de abandonarle el resto de su vida hasta el punto de convertirse en algo obsesionante.

Lo mismo acontece con su exaltación del modernismo, momento, fase, al cual él pretendía adjudicar un carácter histórico permanente, extendiendo sus límites y su significado, queriendo convertirlo poco menos que en cifra del siglo [21]. Inclusive (ya lo recordé antes y lo he contado en una página de *El fiel de la balanza*) llegó a exhortarme para que yo practicara semejante "política crítica", escribiendo un libro de las mismas intenciones "anexionistas" sobre el ultraísmo, visto como origen y clave de toda la poesía subsiguiente al modernismo.

Lo único que ahora me importa señalar es su relación e influjo (influir, marcar huellas de modo absoluto: he ahí otra obsesión muy juanramoniana) respecto al movimiento que es tema de este capítulo. Pero en rigor de verdad, así como en el caso de los poetas postultraístas su influjo aparece muy considerable, resulta invisible en los inmediatamente anteriores. Ante los ultraístas propiamente dichos su puro lirismo desasido, su acentuado tono melancólico, apenas había de encontrar ecos dado el empeño contrario que les dominaba: sobrepasar o al menos rehuir lo específicamente sentimental, alumbrar nuevos temas o motivos que expresaran cierto ímpetu vital y afirmativo; y en lo formal, abandono de los cauces predeterminados, con el deseo de buscar nuevas estructuras. De suerte que las conexiones de Juan Ramón Jiménez con la vanguardia están paradójicamente en su actitud aparte, en la disidencia con sus contemporáneos, su intransigencia con lo fácil o mimético: en la virtud de su ejemplo.

---

[21] Por lo demás es verdaderamente sensible, cruel, que el gran libro que Juan Ramón Jiménez soñaba escribir sobre el modernismo, y al cual dedicó tanta preocupación en los últimos años, permaneciera sin escribirse, quedara en mantillas, pues a eso equivalen los apuntes inconexos y las transcripciones de sus clases en la Universidad de Puerto Rico. Ello, no obstante la entusiasta buena voluntad y el fervor que han puesto sus compiladores y prologuistas para dar un mínimo de coherencia a ese ciempiés de libro —pues a él aludimos— titulado *El modernismo. Notas de un curso, 1953* (México-Madrid, 1962).

Vicente Huidobro

Un poeta chileno, Vicente Huidobro, que había residido en París desde 1916, durante los dos últimos años de la guerra europea, llegó a Madrid en el verano de 1918 como portador de nuevas, transmitiendo a un pequeño círculo de amigos —algunos de los cuales habrían de integrar el ultraísmo—, con simpatía contagiosa, teorías e innovaciones poéticas recién captadas, aunque algunas vinieran a consolidar sus primeras intuiciones. Hasta poco antes su obra personal se reducía a una media docena de libros, algunos de cuyos títulos (*Ecos del alma*, 1911; *Canciones en la noche*, 1913; *Las pagodas ocultas* (*Salmos, poemas en prosa, ensayos y parábolas*), 1914) delatan ya su carácter impersonal dentro de una línea rapsódica simbolista-modernista, muy en consonancia con la generación chilena en que su autor nace (la de Pedro Prado, Daniel de la Vega, Ernesto A. Guzmán y otros, que tuvo su expresión conjunta en la revista *Los Diez*, de Santiago de Chile) [22].

Sin embargo, Huidobro no se limita a ser un mero transmisor; entiende ser también un "creador" —palabra que comienza entonces a hacer estragos— de algo distinto. Como demostración, da a conocer un conjunto de poemas impreso en francés (*Horizon carré*, París, 1917) e imprime en Madrid cuatro breves y singulares libros poéticos (*Poemas árticos* (1917-1918), *Ecuatorial*), más dos cuadernos en francés, *Hallali* y *Tour Eiffel*; este último con la reproducción del cuadro de Delaunay. En estas obras sí, Huidobro marca ya una personalidad diferente y aun admirable, pero no única ni absolutamente original, sin

---

[22] Inclusive, en cuanto muchacho fácilmente influible y nada respetuoso de la propiedad ajena, hay en *La gruta del silencio* un calco sin disfraz de la conocidísima poesía de Rubén Darío "Era un aire suave...", que abre las *Prosas profanas*. Y en *Las pagodas ocultas* más de una reminiscencia de *El candelabro de los siete brazos*, de Cansinos-Asséns, que este último señaló en *Poetas y prosistas del novecientos*. Puede aceptarse, en último extremo, que se trate de coincidencias, ya que los dos libros mencionados aparecen en la misma fecha, 1914.

ninguna filiación ni parecido, como él en sus pujos de unicidad pretendía [23]. Sus conexiones y semejanzas con la entonces última poesía francesa eran muy visibles; bastaba, simplemente, advertir lo más exterior: la tipografía y la estructura formal de los libros mencionados. No en vano Huidobro había colaborado en *Nord-Sud* —en el curso de 1917—, una de las primeras revistas del cubismo, con *L'Elan* y *Sic*, junto con su director, Pierre Reverdy, entablando amistad con todo el grupo, inclusive con algunos artistas del mismo: el escultor Lipchitz, Picasso y Juan Gris; estos dos últimos dibujaron su retrato. Ahora bien, si en un primer momento Huidobro no recató tal parentesco literario, muy poco después revolvióse airadamente contra aquellos que así lo hicieron constar, sin ánimo de menoscabo, por un espíritu de equidad crítica, y no obstante la intención elogiosa que movía sus plumas, a lo largo de los primeros estudios que se le dedicaron en español: tales los de Cansinos-Asséns y los míos.

Mas Huidobro, con el fin de demostrar que no debía ni un adarme a ningún otro poeta del cubismo, ni de ninguna otra tendencia, que su poesía —inclusive en los aspectos formales, utilizados simultáneamente, a partir de Apollinaire, por Reverdy, Dermée... y una legión internacional— era única; queriendo, en suma, probar que el creacionismo prexistía en él con anterioridad a su llegada a París, publica en Madrid, 1918, un folleto titulado *El espejo de agua*. Incluía en él varias poesías breves, antes publicadas en francés, con la excepción del poema del título y otro nuevo, rotulado "Arte poética". Lo presentaba como una "segunda edición", aludiendo a una primera publicada en

---

[23] Que este afán de primacías prexistía en él, desde su adolescencia, lo demuestran las investigaciones hechas por David Bary ("Comienzos de una vocación poética"), quien rastrea diversos episodios y subraya ciertos párrafos del libro de crónicas *Pasando y pasando* (1914); allí Huidobro escribe con toda seriedad: "a los diez y siete años me dije: debo ser el primer poeta de América"; más tarde: "debo ser el primer poeta de mi lengua"; "a medida que corría el tiempo, mis ambiciones fueron subiendo y me dije: es preciso ser el primer poeta de mi siglo". Todo ello, como anota Bary, nacía de la idea emersoniana del poeta como héroe, que Huidobro extrema y complica con un panlirismo desmesurado, superior al de un Shelley, hasta el punto de trocarse él mismo en algo único, mítico e invulnerable.

Buenos Aires en 1916, pero que nadie ha visto. ¿Impostura, mixtificación? No es extraño que por tal la tuvieran varios. Pero dejemos este punto. Lo importante es que en dicho folleto se incluye la mencionada "Arte poética", posible germen de la modalidad luego bautizada por él de "creacionismo"; allí se encuentran los siguientes fragmentos:

"*Cuanto miren los ojos | creado sea | y el alma del oyente quede temblando. | Inventa nuevos mundos y cuida tu palabra... | Por qué cantáis la rosa ¡oh Poetas! | Hacedla florecer en el poema | Sólo para vosotros | viven las cosas bajo el sol | El poeta es un pequeño Dios.*"

Cierto escrito posterior del mismo Huidobro, "La création pure", algo abusivamente subtitulado "Essai d'esthétique" (inserto primero en *L'Esprit Nouveau,* 1921, y luego reproducido al frente del libro *Saisons choisis*), tiende a ser una explicación fundamentada de su ismo. Divide así la historia del arte en tres fases: "arte inferior al medio (reproductivo); arte en equilibrio con el medio (de adaptación); arte superior al medio (de creación)"; empero, no cuida de explicarnos a qué medio se refiere, si al biológico, al social o al del espíritu. Más claro es su peculiar empeño mítico cuando sostiene que "toda la Historia del Arte no es otra cosa que la historia de la evolución del Hombre-Espejo hacia el Hombre-Dios, y que al estudiar este tránsito se ve claramente la tendencia natural del arte a desprenderse cada vez más de la realidad prexistente, a fin de buscar su propia realidad". Siguen luego una suerte de consideraciones reductibles a aforismos que en esta forma dan mejor en el blanco; por ejemplo: "No se trata de imitar a la naturaleza, sino de hacer como ella, de no imitar sus exteriorizaciones, sino su poder exteriorizador." Ambición —comentaremos— ingenua y grandiosa a la par, ésta de la creación de orden casi divino o demiúrgico, dado el obsesionante propósito que mostraba el poeta por asumir las funciones de un semidiós o de una nueva Naturaleza, pero que únicamente en el espacio de lo programático, en los confines reducidos de una poesía, y por medio de las palabras, puede intentarse...

Con todo, aunque la meta resulte inasequible, su punto de partida es perfectamente legítimo, puesto que radica en el propósito antirrealista o desrealizador, común a toda la literatura de las vanguardias. Luego, ¿cómo aceptar el monopolio que pretendía ejercer Huidobro sobre tal punto de vista? Pululan las declaraciones teóricas en tal sentido, suscritas por numerosos contemporáneos. Recordemos algunas. Max Jacob, en el prefacio de *Le cornet à dés* (1917), había dejado escrito: "Una obra de arte vale por ella misma y no por las confrontaciones que puedan hacerse con la realidad." Y Reverdy (en su revista *Nord-Sud*, números 4-5, París, 1917), entre otras expresiones semejantes, añadía: "Puede esperarse un arte que no tenga la pretensión de imitar o de interpretar la vida." Y a propósito del afán que de ahí deriva, del ideal de creación, recordemos solamente uno de sus aforismos, en el librito *Self-Défense* (1919): "La creación es un movimiento del interior al exterior y no del exterior hacia la fachada", tan semejante al párrafo de Huidobro antes transcrito. Unase a ello el propósito —asimismo compartido por muchos— de suprimir en la poesía lo anecdótico —es decir, cualquier asomo de argumento coherente, de desarrollo temático— y lo descriptivo. De modo aún más acusado, intenciones idénticas se dan en las teorías del cubismo pictórico, a partir de Apollinaire, en Braque, en Gleizes y muchos otros [24].

---

[24] Se encontrarán expuestas con detalle en el capítulo "La polémica del creacionismo. Huidobro y Reverdy", de mi libro *Tres conceptos de la literatura hispanoamericana* (Losada, Buenos Aires, 1963); también en la versión francesa (*Courrier du Centre International d'Etudes Poétiques*, núm. 51, Bruselas, 1954). Por tal motivo considero innecesario reproducirlas aquí. Del mismo modo, dejo de lado la cuestión allí tratada "in extenso": la disputa entre los dos poetas mencionados, entablada por razones de prioridad sobre las mismas teorías —nada unipersonales, insisto, al contrario, muy pluralmente compartidas—. Igualmente excluyo cualquier réplica a la campaña adversa llevada contra estos puntos de vista por ciertos escoliastas tardíos y empecinados, no tanto apologistas de Huidobro como hostiles a todo y todos los demás; de manera particular apuntan, por elevación, contra otro poeta chileno, Pablo Neruda —tendiendo a dejarle en la sombra—, aunque, por cierto, este no se halle libre de parejos pujos ab-

De suerte que el obsesivo afán de creación estaba en la atmósfera, en el "aire del tiempo"; era poco menos que un lugar común en las tertulias y estudios frecuentados por poetas y pintores de aquellos años; como escribió entonces André Malraux, tales ideas "fueron expresadas *por vez primera,* después de Apollinaire y de Max Jacob, por quince o veinte personas". ¡Y aún se quedaba corto! Lo único que cabe registrar, en tal punto, a favor de Huidobro, es que convirtió en ismo tan múltiple idea, dándose ardidamente a la exaltación del creacionismo.

Ahora bien, ninguna de las anteriores objeciones impide dejar de reconocer la valía de su personalidad puramente literaria (más allá de la megalomanía que deformó, en vida, su persona) ni la importancia de algunos de sus libros memorables; quizá el que mejor le representa, y desde luego, el más ambicioso de intenciones, sea *Altazor,* poema de alcance cosmogónico, ya que tal héroe (alto azor) vierte sobre el universo una mirada global equivalente a la posesión —si no a la creación— y lleva al límite los alardes imaginistas y los juegos verbales. Cabría, pues, concluir —según ya hice otra vez—: sus teorías, disputables; su poesía lírica, admirable.

Dejando rigurosamente al margen —y para siempre— las cuestiones antes recordadas, aquello que ahora nos importaría es señalar hasta qué punto el creacionismo —empero los esfuerzos proselitistas de Huidobro

solutistas que aquejaban a Huidobro; de ahí que chocaran violentamente. Por lo demás —acotemos—, ninguna semejanza entre ambos, como tampoco en su irradiación sobre la poesía americana, aunque, de hecho, el espíritu innovador, peculiar de las vanguardias, más que en Neruda —o Vallejo—, radique en Huidobro. Volviendo a los sujetos aludidos líneas antes: parecen acaparar la especialidad de no enterarse, ya que intentan movilizar una añeja y superada cuestión de mis años juveniles: la disputa mantenida con el autor de *Horizon carré,* que tanto estrépito originó, según consta en *Literaturas europeas de vanguardia;* quieren así ignorar con una mala fe incomparable (o, mejor dicho, sólo equivalente entre ellos, pareja siamesa afectada por complementaria bizquedad: única forma como merecen ser nombrados, ya que no les daré el gusto de estampar sus nombres), las páginas muy explícitas de reconocimiento y reconciliación personal, insertas en un capítulo de mi libro sobre Apollinaire y las teorías del cubismo.

y el fanatismo extemporáneo de sus oficiosos y supuestos reivindicadores— puede considerarse exactamente como un movimiento literario cabalmente digno de este nombre; después, precisar en pocas líneas si la poesía de dicho autor ejerció o no una influencia determinante sobre el ultraísmo. El primer punto queda resuelto de modo negativo desde el momento en que, una vez pesados y medidos sus ecos o prolongaciones en la poesía que sobrevino después, éstos apenas aparecen claramente visibles y, por tanto, no hay razón alguna para consagrarle un capítulo aparte, al contrario de lo que sucedía en la primera versión del presente libro, si es que en aquel momento tal inclusión no estuvo dictada por el propósito de desfogar un espíritu polémico exagerado, pero entonces legítimo, como represalia al yoísmo sin límites del autor de *Saisons choisis* y, sobre todo, a los ataques que él me había dirigido [25]. En cuanto al segundo punto, la influencia del ismo huidobriano, cualquier observador objetivo del panorama literario en España hacia 1920 deberá reconocer que fue muy escasa, al contrario de lo que opinan sin fundamento, sin datos probatorios, quienes pretenden hacer derivar todo de ahí. En primer término, por el motivo poderoso de que los libros del poeta chileno, impresos en ediciones privadas, a cuenta del autor, circularon de modo limitadísimo, únicamente entre las personas a quienes él se los entregó. De suerte que un influjo más ancho sólo hubiera podido producirse por capilaridad, o bien —según de hecho sucedió— de modo lateral, indirecto, a través de transcripciones y conversaciones; en último extremo, la difusión debióse en buena parte al revuelo suscitado por la aludida polémica.

En cualquier caso, tanto el conocimiento como el influjo de Huidobro, quedaron diluidos, como uno más, entre otros que planeaban al comienzo del decenio de 1920. De hecho, solamente y en sus comienzos, se declararon deudores de la lección huidobriana dos poetas surgidos con el ultraísmo: Juan Larrea y Gerardo Diego, mas con la

[25] Ni uno ni otro, por supuesto, al cabo de algunos años, habíamos de estimar tal querella como otra cosa que divertimientos joculares de muchachos, según consta en las cartas que cambiamos hacia 1944. Vaya este detalle como un argumento más, enderezado a la trasnochada pareja de sus incondicionales, para evidenciar la superfluidad de sus escritos.

circunstancia de que el primero muy pronto derivó sus preferencias hacia el superrealismo —sobre el cual había de escribir uno de los análisis críticos más penetrantes—, y el segundo alternó en seguida dicho estilo con otros de carácter retrospectivo y tradicional.

GENESIS DEL ULTRAISMO

¿Fue el ultraísmo un movimiento predeterminado, orgánico, de intenciones unánimes y claramente definidas —en la medida en que puede serlo cualquier revuelta juvenil donde negar importa más que afirmar, deshacer más que construir—? ¿O fue, contrariamente, un producto azaroso que por la confusión de sus orígenes apenas llegó a adquirir vertebración y sentido? Sin duda, tales interrogantes promoverán alguna extrañeza; por lo pronto marcan una contradicción con el tono de seguridad absoluta, de resueltas afirmaciones que presentaba este capítulo en su primera edición. Pero no fue tanto ingenuidad juvenil lo que entonces me inclinó al empleo de aquel tono como precisamente al empeño de prestar coherencia a lo que no pasaba quizá de ser un haz disperso, una confluencia momentánea de voluntades dispares y valores muy desiguales. Utilizar hoy el mismo enfoque sería pueril, rigurosamente imposible, no sólo por el natural y profundo cambio de óptica, de estado de espíritu sobrevenido en quien escribe, sino por el hecho de que la relegación de ciertas figuras, el ocultamiento de determinadas actitudes o escritos —según hice antaño— resultaría hoy imposible tras la publicación de las páginas de documentos exhumadas en cierto libro; páginas que más allá de todos los pudores y rubores deben incorporarse al género de lo grotesco involuntario... [26] Sin embargo, precisamente tales debilidades y mediocridades, hasta cursilerías, en contraste con la expresión de teorías y ejemplos poéticos más viables, revelan a las claras la lucha de contradicciones, de elementos radicalmente dispares existentes en el seno

[26] Aludo, como comprenderá quien haya leído *El ultraísmo* (1963) de Gloria Videla, a ciertos artículos de la época sevillana, como los titulados "La epopeya del Ultra", "De la fiesta del Ultra" y otros similares.

del ultraísmo, antagonismos que por supuesto no son privativos de dicha tendencia, puesto que también se dieron en otras extranjeras del mismo carácter, pero que en la española desfiguraron su imagen. Ahora bien, dejando a un lado estas reflexiones "a posteriori", vengamos concretamente a la génesis de los hechos.

Empezando por la palabra. Ultraísmo. El vocablo calificador de una tendencia literaria no existía. No había por qué buscarlo en el Diccionario de la Academia [27]. Tampoco relacionarlo con el *plus ultra* de Carlos V y de las naves colombinas. Ultraísmo era sencillamente uno de los muchos neologismos que yo esparcía a voleo en mis escritos de adolescente. Cansinos-Asséns se fijó en él, acertó a aislarlo, a darle relieve. En torno al autor de *El pobre baby* (una de sus narraciones poemáticas más felices) se agrupaban entonces algunos de los escritores movidos por un afán mayor de novedad —no digo los mejores—. Su amable entusiasmo, su benevolencia con lo nuevo hacían afluir a su tertulia nocturna (alternando con la de Ramón Gómez de la Serna en Pombo), de la madrugada más bien, en un café céntrico de Madrid, entre hampones de la bohemia y galeotes del periodismo, a algunos poetas jóvenes. Quizá en aquellas reuniones —yo no era asiduo— comenzó a cundir la voz ultraísmo. El hecho es que Cansinos-Asséns se posesionó del término. Y "Ultra" tituló un breve manifiesto escrito por él, a cuyo pie un buen día del otoño de 1918 encontré con sorpresa mi firma —pues nada se me había anunciado o consultado—, junto con la de otros siete jóvenes, de tres de los cuales (Fernando Iglesias, Pedro Iglesias Caballero y J. de Aroca) nunca se tuvo ninguna noticia literaria, pues se limitaban a ser contertulios de las reuniones de Cansinos-Asséns. Otro, Xavier Bóveda, llevaba y siguió llevando distinto rumbo literario; solamente los tres restantes (César A. Comet, Pedro Garfias, J. Rivas Panedas) sí escribieron en las revistas ultraístas. Cansinos-Asséns, por su parte, se

---

[27] Hoy figura en las últimas ediciones y muy claramente definido: "Movimiento poético, promulgado en 1918, y que durante algunos años agrupó a los poetas españoles e hispanoamericanos que, manteniendo cada uno sus particulares ideales estéticos, coincidían en sentir la urgencia de una renovación radical del espíritu y la técnica".

inhibía como firmante, pero con el fin de destacar en primer plano su ambicionado papel de guía, nombrándose en el primer párrafo del documento, redactado con estilo de gacetilla anónima. Comenzaba así:

"Los que suscriben, jóvenes que comienzan a realizar su obra, y que, por eso, creen tener un valor pleno de afirmación, de acuerdo con la orientación señalada por Cansinos-Asséns en la interviú que, en diciembre último, celebró con él Xavier Bóveda en *El Parlamentario,* necesitan declarar su voluntad de un arte nuevo que supla la última evolución literaria: el novecentismo" [28].

No se había incluido tampoco la firma de algunos otros jóvenes como Mauricio Bacarisse y Alfredo de Villacián, quienes por la circunstancia de contarse entre los amigos madrileños de Vicente Huidobro (el cual pocos meses antes había pasado por Madrid, marcando la huella antes registrada), más próximos podían hallarse de la postulada renovación. ¿Qué hacer en este trance? Vagamente creo recordar mis perplejidades, confiadas a algún amigo de la misma edad como Eugenio Montes, casi nonato literariamente (¿pero no lo eran, no lo éramos también todos los demás?), con el cual tampoco se había contado. En cualquier

---

[28] Novecentismo. No modernismo —repárese—. Hubo en aquellos años cierta indecisión terminológica. Modernismo fue originariamente —en los finales del siglo XIX y después— el nombre que ha prevalecido, a pesar de que empezó a aplicarse con ánimo más bien burlón o satírico. Cansinos-Asséns utilizaba el rótulo de novecentistas para designar especialmente a los promotores, los surgidos alrededor de 1900. De ahí el título de un libro suyo: *Poetas y prosistas del novecientos* (1917). Sin embargo, lógicamente, el término secular resultará siempre equívoco, ya que novecentismo —como cuatrocentismo, quinientismo, etc.— abarca implícitamente toda una centuria. Eugenio d'Ors, por su parte, desde las primeras glosas de *Xenius* (1906), fue quien de forma más constante utilizó el término de novecentismo, con una intención constructiva, como opuesto a decadentismo, al disolvente espíritu "fin de siècle". El mismo término fue usado también por Massimo Bontempelli (primero en una revista de 1926, *900,* luego en un libro), con un sentido muy personal, para designar una especie de realismo mágico o mítico. Asimismo fue aplicado a varios pintores italianos postfuturistas: Sironi, Cassorati, etc.

caso, y pese a nuestra primera reacción, el "movimiento" estaba en marcha. Las discrepancias de procedimiento debían ceder ante la identidad inicial de propósitos. La adhesión de Cansinos-Asséns suponía contar con la revista sevillana *Grecia* y asimismo con *Cervantes,* que bajo la dirección del mismo escritor, entraba en una nueva época. En cuanto a adhesiones de otro tipo, tampoco dejaban de afluir, sobre todo aquellas que más pueden envanecer a quienes deseen atraer sobre ellos la atención: las contrarréplicas satíricas. Así, por ejemplo, la de un contra-manifiesto, impreso en una hoja azul, sin firma o, más exactamente, con los nombres caricaturizados de los que habían suscrito el manifiesto verdadero.

Pero soslayando estas nimiedades vengamos de una vez a puntos más concretos. Precisamente, la única parte concreta del manifiesto ultraísta decía así:

> "Respetando la obra realizada por las grandes figuras de este movimiento, proclamamos la necesidad de un ultraísmo [...] Nuestra literatura debe renovarse, debe lograr su *ultra,* como hoy pretende lograrlo nuestro pensamiento científico y político. Nuestro lema será *ultra,* y en nuestro credo cabrán todas las tendencias sin distinción. Más tarde estas tendencias lograrán su núcleo y su definición. Por el momento creemos suficiente lanzar este grito de renovación y anunciar la publicación de una revista que llevará este título: *Ultra,* y en la que sólo lo nuevo hallará acogida."

Como se advertirá, el llamado "manifiesto" no pasaba de ser una rudimentaria exposición de propósitos, hecha con una mesura y una cautela muy poco vanguardistas. Además, en los párrafos transcritos existía una patente contradicción, pues si, por una parte, se afirmaba que en ese "credo" cabrían "todas las tendencias sin distinción", por otra parte no se recataba que en la revista *Ultra* "sólo lo nuevo hallaría acogida". Así fue, acertadamente, pues de otra suerte, esa publicación y las similares que siguieron no habrían presentado la menor singularidad. Poca cosa habría sido el ultraísmo si inmediatamente después algunos no hubiéramos aportado a tan escasa doctrina algunos gramos de sustancia teórica. Por mi parte, queriendo tanto diferenciar el ultraísmo de las demás tendencias de vanguardia que entonces se extendían como buscar en él un punto de confluencia, yo lo describía a modo de un "vértice de fusión", ya que "uno de nuestros objetivos era sincronizar la literatura española con las demás europeas, corrigiendo así el retraso padecido desde años atrás". Y eso, al menos, se logró.

En lo referente a las teorías poéticas del ultraísmo —ya que en este género hubieron de condensarse sus propósitos renovadores—, sintéticamente pueden enunciarse así: reintegración lírica e introducción de una nueva temática. Para conseguir lo primero utilizó, sobrevaloró la imagen y la metáfora, suprimiendo la anécdota, lo narrativo, la efusión retórica. Para lo segundo se proscribió lo sentimental, sólo aceptado en su envés irónico, impura y deliberadamente mezclado al mundo moderno, visto éste nunca de un modo directo, sino en un cruce de sensaciones. Se rompía así con la continuidad del discurso lógico, dando relieve contrariamente a las percepciones fragmentarias, y entendiendo con ello mantener la pureza del flujo lírico. Un afán tan ingenuo como heroico nos dominaba. "La miel de la añoranza —escribía Jorge Luis Borges— no nos deleita y quisiéramos ver todas las cosas en una primicial floración".

TEORIAS

Era común entonces —en los primeros años del decenio 20— una tendencia general a rehabilitar la autonomía de las artes, volviendo cada una a su propia esencia. Es decir, se aspiraba a que la pintura y la escultura fuesen plástica pura (y no a otra cosa sustancialmente tendió el cubismo, marcando así su prioridad, pese a cambios estructurales, sobre otros estilos posteriores); a que la música fuese pura armonía sonora, exenta de cualquier intención simbólica o descriptiva; inclusive a que la arquitectura se tradujera en una estricta correlación de líneas y planos funcionales, eliminando todo lo ornamental. Pues bien, de modo paralelo, dejando a un lado cualquier propósito representativo

—en este caso, anecdótico, narrativo— pretendíase que la poesía se sostuviera únicamente en sus puros elementos líricos. Eliminados, pues, todos los demás soportes, quedaba en pie sola la imagen, pero no la imagen simple, directa o reproductiva, sino indirecta y transportada a otros planos. De ahí la captación de imágenes duples, triples y múltiples que como raras y excepcionales flores polipétalas abrían y desdoblaban en nuevas perspectivas la percepción original. La sinestesia, las permutas de sensaciones, reflejos, sugerencias adquirían un predominio absoluto. Sin entrar a fondo en las posibilidades del lenguaje poético que, en los años siguientes, otras tendencias explotarían en diversos sentidos, los ultraístas rebasaban, desde luego, los límites impresionistas, penetrando en los de un expresionismo informulado.

En forma más sintética, resumiendo estas y otras ambiciones, escribía yo entonces en una página de la primera edición del presente libro que dejo intacta:

"Si la poesía ha sido hasta hoy desarrollo, en adelante será síntesis. Fusión en uno de varios estados anímicos. Simultaneísmo. Velocidad imaginativa. La rima desaparece totalmente de la nueva lírica. Algunos poetas ultraístas, los mejores, utilizan el ritmo. Un ritmo unipersonal, vario, mudable, no sujeto a pauta. Acomodado a cada instante y a la estructura de cada poema. Igualmente, en muchas ocasiones, se suprimen las cadenas de enganches sintácticos y las fórmulas de equivalencia —"como", "parecido a", "semejante a"—. La imagen, por lo tanto, no es tal en puridad. El parecido es realidad. La imagen se identifica con el objeto, le anula, le hace suyo. Y nace la metáfora noviformal. En cuanto a los medios técnicos, a la grafía, el ultraísmo acepta la estructura común a otras escuelas: suprime la puntuación. Esta es inútil. Ata, mas no precisa. El sistema tipográfico de blancos y espacios, de alineaciones quebradas, le sustituye con ventaja. De este modo el poema prescinde de sus cualidades auditivas —sonoras, musicales, retóricas— y tiende a adquirir un valor visual, un relieve plástico, una arquitectura visible, que entre por los ojos."

En cuanto a los temas, la poesía ultraísta reaccionó intensamente contra la preferencia o el exclusivismo de los motivos subjetivistas, sentimentales y eróticos, esforzándose contrariamente —como antes anticipé— por dar categoría lírica a los temas derivados de la vida moderna, mas no para transcribirlos meramente —como hacía el futurismo—, sino buscando su connotación más aguda, desde un ángulo sorprendente. En suma, se aspiró a nuevas asociaciones y disociaciones mentales que tradujeran una visión intacta y amaneciente del mundo. Y aquí vino a radicar su empeño más difícil y menos realizado, a la par que su talón de Aquiles, el punto vulnerable en que se ensañaron más cruelmente los antagonistas —los "obtusos incomprensivos", según entonces era previsto que los calificásemos.

Para desviar el reproche de cualquier presunto monopolio en materia de definiciones, yo trascribía algunos puntos de vista de Jorge Luis Borges (el único que, en aquellas calendas, junto con Eugenio Montes y conmigo, había intentado dar un asidero teórico al ultraísmo). Aquél exponía así los propósitos ultraístas:

"1.º Reducción de la lírica a su elemento primordial: la metáfora. 2.º Tachadura de las frases medianera, los nexos y los adjetivos inútiles. 3.º Abolición de los trebejos ornamentales, el confesionalismo, la circunstanciación, las prédicas y la nebulosidad rebuscada. 4.º Síntesis de dos o más imágenes en una que ensanche de ese modo su facultad de sugerencia." Y añadía como ampliación: "Los poemas ultraicos constan, pues, de una serie de metáforas, cada una de las cuales tiene sugestividad propia y compendia una visión inédita de algún fragmento de la vida. La desemejanza raigal que media entre la poesía vigente y la nuestra es la que sigue: en la primera el hallazgo lírico se magnifica, se agiganta y se desarrolla; en la segunda se anota brevemente. ¡Y no creáis que tal procedimiento menoscaba la fuerza emocional! "Más obran quintas esencias que fárragos", dijo el autor de *El Criticón* en sentencia que sería inmejorable abreviatura de la estética ultraísta. La unidad del poema la da el tema común —intencional u objetivo— sobre el cual versan las imágenes definidas de sus aspectos parciales."

Este tema, apostillaba yo entonces, en la poesía pretendía evadirse tanto del estrecho recinto subjetivista, como de las lindes geográficas nacionales; aspiraba a una visión objetivada, a una dimensión general, por no decir universal. Pretendía, sin duda, herir las sensibilidades, pero en sus fibras menos explotadas, atacándolas por flancos imprevistos. Busca de lo insólito, mas no en un plano fantástico, sino real, yacente en los meandros de lo cotidiano. ¿Qué se consiguió, cuál fue el edificio levantado tras este hermoso andamiaje teórico?

REVISTAS

El ultraísmo fue más pródigo en "gestos y ademanes" que en obras, más rico en revistas de conjunto que en obras individuales. Historiar las primeras es tarea difícil, pero no superflua [29]. Mencionemos las iniciales, provistas de títulos rigurosamente conservadores, anacrónicos, que estaban en pugna descarada con las intenciones actualísimas,

---

[29] He aquí, por cierto, otra dificultad —la carencia de hemerotecas cabales— que hace casi imposible escribir una historia, o al menos la crónica puntual de la literatura española del siglo. Los gérmenes, los preorígenes del 98 y del modernismo constan no en libros, sino en publicaciones periódicas. Así lo demostré hace años en un estudio titulado "Los del 98 en las revistas del tiempo" (*Nosotros,* Buenos Aires, núm. 67, octubre de 1941), que sirvió como punto de partida para otro de Germán Bleiberg (*Arbor,* Madrid, diciembre de 1948), y asimismo para las reconstituciones llevadas a cabo por Guillermo Díaz-Plaja en su libro *Modernismo frente a noventa y ocho* (Madrid, 1951). Sería menester, quizá como trabajo universitario más que editorial, completar la tarea que inició la Biblioteca de *Revista de Occidente* con la revista homónima: publicar selecciones de las revistas literarias más representativas desde finales del siglo anterior y el actual.

La faena, por lo que concierne a las letras italianas, viene ahora realizándola el editor Einaudi, de Torino, aplicada a las revistas más representativas de los primeros años del Novecento: *Leonardo, Lacerba, La Voce,* etc.

Como un simple anticipo de este trabajo —que no debiera por supuesto limitarse exclusivamente a las revistas poéticas— recordemos el catálogo publi-

modernísimas de sus páginas: tales como *Grecia* y *Cervantes*. Pero hubo antes otra de mínima difusión —más pequeña aún que su formato de bolsillo— que pudiera calificarse de pre-ultraísta: *Los Quijotes*. Apareció de 1915 a 1918; apareció, es un modo de decir, pues de hecho apenas rebasaría probablemente las lindes del Pasaje del Comercio, entre la calle de la Montera y la Plaza del Carmen, en Madrid, donde se imprimía: una pequeña imprenta cuyo dueño y director, Emilio G. de Linera, vegetariano, anarquista, tenía algo de personaje barojiano. La singularidad de tal revista "incunable" —además de ser hoy inencontrable— radica en el hecho de que en sus cubiertas pueden verse los rostros juveniles de muchos de los bisoños escritores que más tarde se reencontrarían en las revistas "oficiales" del ultraísmo. En cuanto al contenido de aquellas paginitas, naturalmente, era muy dispar, y junto a poesías o prosas del presunto nuevo estilo surgían también escritos sobre las ventajas del esperanto, creo recordar, pues su director no podía privarse de ninguna inofensiva extravagancia. Además, reproducía trozos de los libros de "Silverio Lanza", salidos años atrás de la misma imprenta de *Los Quijotes*.

La historia, los cambios de *Grecia,* aunque también pintorescos, entran ya más canónicamente en los dominios de la literatura. El helenismo de su título era un producto de segunda mano —o de tercera—, puesto que procedía del helenismo galicano de Rubén Darío. Prueba de ello son los versos que ornaban su cabecera, bajo cuatro cariátides oferentes o doncellas con túnicas portando un ánfora sobre su hombro izquierdo; a uno y otro lado, dos arbustos y más abajo los capiteles de unas columnas jónicas. La estrofa rubendariana era ésta:

"*En la angustia de la ignorancia / de lo porvenir, saludemos / la barca llena de fragancia / que tiene de marfil los remos.*"

cado por Rafael Santos Torroella, *Medio siglo de publicaciones de poesía en España* (Segovia-Madrid, 1952). Enlazando con los últimos años de ese catálogo puede citarse el inventario de José Sánchez, "Revistas de poesía española", en *Revista Hispánica Moderna* (Nueva York, XXV, núm. 4, octubre de 1959), si bien este último resulta muy insuficiente por la incierta caracterización de las publicaciones.

Probablemente la elección de este emblema se debería al más rubeniano de toda la "pléyade" sevillana, Adriano del Valle. *Grecia* aparece en Sevilla el 12 de octubre de 1918; periodicidad primero quincenal y luego decenal; a partir de la primavera de 1919 comienza a incluir escritos ultraístas; sufre una pequeña interrupción, y en junio de 1920 reaparece en Madrid; termina en noviembre del mismo año con su número 50; meta, longevidad excepcional para una publicación de tal índole [30]. Su fundador fue Isaac del Vando-Villar; junto a él como redactores o colaboradores más asiduos aparecían, además del ya mencionado Adriano del Valle, otros de significación muy diversa; un erudito o al menos traductor de poetas griegos y latinos, Miguel Romero y Martínez; un cuentista de sesgo d'annunziano, si no decadentista, Claudio Mariani; otro semejante, Luis Mosquera; un poeta y médico de Huelva, Rogelio Buendía y Pedro Raida.

La evolución de *Grecia* hacia rumbos más modernos fue lenta. Está señalada, en un principio, por las traducciones de algunos poetas franceses e italianos (Apollinaire, Max Jacob, Reverdy, Tristan Tzara, Picabia, Marinetti, etc.) que allegábamos Cansinos-Asséns y yo; de otras alemanas proporcionadas por Jorge Luis Borges; por su parte Lasso de la Vega publicaba autotraducciones de un libro que daba como editado en francés, *Galérie des glaces,* pero que de hecho sólo había visto la luz en su imaginación. En un momento dado, *Grecia* (que indudablemente, aun manteniéndose como una revista puramente poética, con muy pocas colaboraciones narrativas o críticas, llegó a contar con cierto número de lectores fijos) cambia la doncella de su cubierta por un ánfora griega, y aunque todavía cualquier intención irónica de anti-arte estaba lejos, el azar, con una de sus jugarretas, hizo que junto a tal viñeta apareciese el anuncio de un bidón de aceite para automóviles. En contraste con esta modernidad involuntaria, o más bien de acuerdo con el producto anunciado, persistía la retórica oleaginosa del director de la revista y de los demás redactores sevillanos, su abuso de exclamaciones, sus imágenes trasnochadas, de vaga procedencia reli-

---

[30] Este número incluía como suplemento mi *Manifiesto ultraísta Vertical,* del cual no considero necesario dar ningún extracto —sería excesivo masoquismo—, puesto que aparece reproducido fotográficamente en el libro de Gloria Videla.

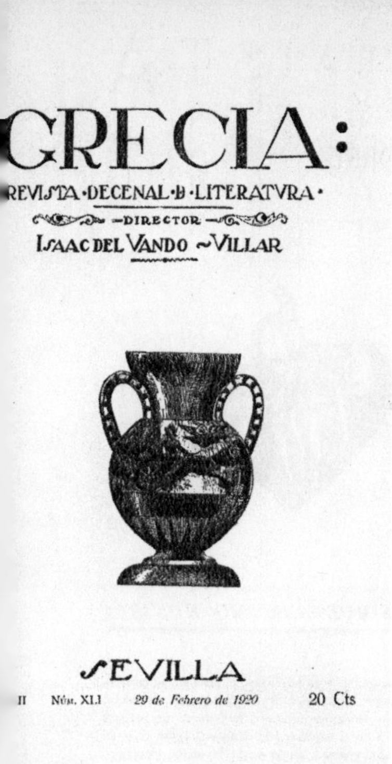

ortada de "Grecia", Sevilla, 1920

102. Portada de "Tableros", núm. 3. Madrid, 1922. Grabado de Barradas

103. Portada de "Ultra", n.º 1. Madrid, 1921. Grabado de Norah Borges

104. Portada de "Reflector", número único. Madrid, diciembre de 1920

MANIFIESTO ULTRAISTA

POR GUILLERMO DE TORRE

VERTICAL

PERSPECTIVA MERIDIANA

Un Sol tentacular irradia luminosos reóforos vibrátiles a través del multiedrismo cósmico.
Dardeantes rayos térmicos que rasgan el Orto Novidimensional Estético, vivifican las fibras sensoriales e intelectivas de los Lucíferos Ultraístas.
¡Y una polarización triunfal de impulsos dinámicos hipervitalistas, acelera la bélica de nuestras inquietudes pugnaces!

ÍNDICE DE SENSACIONES, VISIONES Y CEREBRACIONES

VERTICAL: De Cenit a Nadir: Un luminoso rayo perpendicular incide las novísimas regiones estéticas: Y la rosa polipétala, aflorada en la médula febril estremecido en un la apoteosis deslumbrante de un Caos ción. Han girado los conmutadores luminosos de literarios del anthropopíteco resurrecto—encarnado en cualquier poeta dadaísta—desvastan los recintos museales y truncan los iconos dóricos. Y una gavilla de relámpagos verbales ilumina las rutas exámidos, donde los púgiles poetas adámicos viven la vitalidad de cada instante cultivando la antifilosofía de sus acrobacias espontáneas.

SIMULTANEISMO NUNISTA

bico. Feminas cygneas, en la ribera nostálgica, punzan su endocárdio, ablucionándose en sangre sentimental. En el museo hay un cuadro anacrónico: campesinos de égloga exprimen la ubre de un sol que transmonta vesperal. Y en el estadio: adolescentes púgiles cultivan su musculatura mental al pasear a través de un laberinto ideológico y verbalizar abstractamente.
Los espectadores son arrollados por las calles que desfilan cinemáticas. Sinfonía motorística de las sirenas y klassons en las avenidas arteriales. Itinerario noviespacial del paisaje al volante de un 60 HP. Hay billetes de circunvalación lunaria, tarifa especial, para los poetas delicuescentes. Anuncio: «Se ofrece un gran stock de figuras orientalistas decorativas—Schahrazadas, Salomés, Judiths—como señoritas de compañía en los paseos lésbicos de morfinómanas irredimibles.»

...uctos ...es intelectuales avanzados... del meridiano estético
C venil en el océano ultraísta. ¿No percibís ya una metarrytmización lírica y cómo nuestro proyector irradia hasta la región hiL perespacial henchida de gases innovadores a una presión sideral?
VERTICAL: Actitud ultraísta: Antena polar: Poma astral: Y velivolantes, en torno a la abstracción perpendicular, una escuadrilla aviónica de espíritus porveniristas que exultan impávidos en su tangencialidad solar.

Madrid, noviembre, 1920.

GUILLERMO DE TORRE

Efigie del autor, por Barradas, y «bois» ornamentales de Norah Borges.

105. *Vertical.* Manifiesto ultraísta de Guillermo de Torre. Madrid, 1920

giosa (si no valleinclanesca): "oficiantes del ultra", "unción fervorosa", "encendidos hosannas lanzados a los coros de los filisteos..." Junto a ellas, incongruentemente, expresiones de clara filiación marinettiana. Ni siquiera el traslado de *Grecia* a Madrid —donde se publican siete números desde junio a octubre de 1920— logra corregir enteramente los vicios de nacimiento. Sin embargo, más allá de sus debilidades, por encima de su confusionismo, de sus incoherencias, *Grecia* refleja con bastante exactitud lo que fue el ultraísmo en sus orígenes y sus primeros pasos. Su huella, particularmente en Sevilla, fue reconocida seis años después —cuando ya los vientos se habían serenado, cuando la reacción natural se traducía en una consigna de "vuelta al orden"— por la revista *Mediodía*.

Si ya Grecia hubo de resultar un nombre incongruente con el voluntario desequilibrio antihelénico del ultraísmo, más contradictorio y *pompier* pareció el título de *Cervantes,* entendido este nombre según suele hacerse (si bien erróneamente, por pereza) como pabellón de academismos. Pero ello se explica aclarando la génesis de *Cervantes*. Fue fundada en enero de 1917, con intenciones o alcances de relación hispanoamericana, y editada por Yagües, dueño de la Editorial Mundo Latino. Uno de los más tenaces fundadores de revistas con tal carácter, Francisco Villaespesa, figuró al frente de tal empresa, junto con Joaquín Dicenta (hijo), acompañándoles, al menos nominalmente, varios escritores americanos: un colombiano, Vargas Vila; un argentino, José Ingenieros (pues así firmaba entonces) y un mexicano, Luis G. Urbina. Algo después asumió la dirección Andrés González-Blanco, sin que la revista cambiara fundamentalmente de carácter. Esto sólo se produjo al ponerse al frente Cansinos-Asséns, en enero de 1919 hasta fines de 1920. De hecho, aunque mezclase colaboraciones de distintas procedencias y calidades, *Cervantes* pasa entonces a ser el nuevo feudo de los ultraístas. Abundan también las traducciones, se insertan artículos de mayor extensión y densidad [31]. Por ello, esta revista logra alcanzar cierto nivel y coherencia.

[31] En un plano semejante, como revista dirigida a un público más general, no debería omitirse, como hasta ahora se ha hecho, *Cosmópolis*, revista dirigida por E. Gómez Carrillo, quien ambicionaba, un poco tardíamente, hacer de tal

Para encontrar, al menos cumplida enteramente, la segunda cualidad es menester llegar a *Ultra*. Aparece en enero de 1921; el último, el número 24, en febrero de 1922, *Ultra* (escrito V L T R A en las cabeceras, sin duda más por plasticismo que por arcaísmo) se singularizaba ante todo por sus cubiertas e intercalaciones en el texto (habitualmente grabados en madera originales de Norah Borges, Rafael Barradas y Wladyslaw Jahl) y las simples letras del título repartidas en la parte superior e inferior y por su formato de espejo de tres lunas, desplegable en seis páginas. Su originalidad visual, su belleza tipográfica destacaba en los quioscos y las librerías: de ahí una glosa publicada por un escritor sensible a lo plástico, Eugenio d'Ors, que tituló "Ultra tiene razón". Aunque se advirtiera en el primer número que la revista no tenía director y se regía por una junta anónima, en realidad estaba pilotada por Humberto Rivas, con antecedentes ignorados, pero venido seguramente al ultraísmo por su hermano J. Rivas Panedas.

Revista casi exclusivamente nutrida de colaboraciones poéticas, éstas eran "amenizadas" por "entrefilets" y finales de página polémicos y humorísticos [32]. Ya el sumario del número inicial contiene la ma-

publicación un *Mercure de France* español. Fundada en 1918, *Cosmópolis* era una copiosa publicación mensual de unas doscientas páginas cada número. Desde el primero insertó artículos críticos de Cansinos-Asséns; un año después, su director creó para mí una sección permanente, "Literaturas novísimas", donde fueron apareciendo algunos de los estudios que luego —revisados, ampliados— formarían mis *Literaturas europeas de vanguardia*. En enero de 1922 *Cosmópolis* cambio el formato y la dirección pasa a Alfonso Hernández-Catá.

[32] He aquí una muestra de los más curiosos, pertenecientes a varios autores, entre los cuales me reconozco; todos ellos publicados sin firma:
"Los ultraístas hemos descubierto la cuadratura del círculo."
"El ultraísmo es la rana que crió pelos."
"El ultraísmo consiste en volver el mundo del revés."
"El ultraísmo es el tren que pasa siempre. Hay que subir y bajar en marcha."
"Después del ultraísmo, el fin del mundo."
"*Ultra* puede aplicarse como un motor a todos los ismos rezagados."
"Ultraísmo: único oxígeno vital."
"Anuncio: gran stock primaveral de géneros ultraístas. Novedades sin competencia. Garantizamos la alta calidad de nuestros artículos."
Y, finalmente, este suelto en que puede verse hoy una anticipación de

yoría de los nombres que más habrían de repetirse en los siguientes. En la primera página, por ejemplo, se encuentran los de Cansinos-Asséns y Gómez de la Serna, no sólo a modo de homenajes, sino porque eran casi los únicos que "accedían" a expresarse en prosa, emergiendo de la inundación poética, junto con los extraños textos de Antonio M. Cubero (luego completamente desaparecido) y con otros de Jorge Luis Borges y míos preferentemente de carácter crítico. Después, poesías y poesías de J. Rivas Panedas, Gerardo Diego, José de Ciria y Escalante (el malogrado "Giocondo, amigo mío" del poema de García Lorca), César A. Comet. Pedro Garfias, Adriano del Valle, Rafael Lasso de la Vega, Humberto Rivas, "Luciano de San Saor" (Lucía Sánchez Saornil), Joaquín de la Escosura, Tomás Luque, Ernesto López Parra, Ernesto y Francisco Rello, etc., etc. No obstante esta identidad de colaboradores con *Grecia* —aun habiendo eliminado el provincialismo que fatalmente allí se advertía— *Ultra* ofrece, en conjunto, un aspecto más orgánico e indudablemente moderno [33].

Isaac del Vando-Villar, cuya firma había permanecido casi ausente de la revista última, no podía resignarse fácilmente a perder su condición de "abanderado", "sumo oficiante del Ultra" y títulos semejantes con los cuales se le condecoraba... Por eso, el 15 de noviembre de 1921 lanza *Tableros,* como "refundición de *Ultra*", subtitulada "Revista internacional de arte, literatura y crítica". Lo de "internacional" se expresaba no tanto en las contribuciones como en la abundantísima lista de escritores extranjeros que yo le había remitido y que insertaba en la segunda página de la portada, mezclando nombres de vanguardistas al por mayor. De hecho, en cuanto a los indígenas, se repetían los mismos autores de las publicaciones precedentes, con la incorpo-

ciertos "antis" últimos: "Defendemos una antiliteratura implacable que acabe con todos los tópicos. Ya hemos afirmado que "la literatura no existe: el ultraísmo la ha matado." De ahí el título de nuestra próxima encuesta, dirigida a los jóvenes y viejos profesionales: ¿Por qué escribe usted *aún?"*

[33] Hubo también otra revista del mismo título, *Ultra,* en Oviedo, muy poco visible y menos recordada, al igual que los nombres de su director y redactores: Augusto Guallart, Gonzalo de Alvar, Joaquín de la Escosura y Luis Zubillaga. Aparecieron solamente dos o tres números, entre fines de 1919 y comienzos de 1920.

ración de algunos "simpatizantes" como Manuel Abril, Adolfo Salazar, Juan Chabás. Por lo demás, y también como en las anteriores, yo llenaba buena parte de las páginas con artículos sobre actualidades de los "ismos" extranjeros (así en el número 1: "La ofensiva literaria: Cocteau y *Dadá* decapitan a Barrès", notas críticas sobre libros, "revista de revistas"). *Tableros* —cuyo secretario era Juan Gutiérrez Gili— no tuvo alientos (lectores, anunciantes) para sobrepasar el número 4, en febrero de 1922.

Tampoco se hizo vieja otra revista que, ésta sí, pretendía asumir un carácter más cernido o selecto. Me refiero al número único de *Reflector*, publicado en diciembre de 1920, también con el subtítulo de "Revista internacional de literatura y arte". El nombre de José de Ciria y Escalante figuraba como director y el mío como secretario. "¿Alcanzará su foco —se leía en el editorial de *Reflector*— a dar luz en las lejanías vírgenes? ¿Su intento de irradiar hacia el futuro las concepciones estéticas de nuestro tiempo, se verá cumplido? Hemos soñado tan intensa su potencia lumínica, tan prolongada su línea de acción, que en algunos momentos nos asalta la idea de que la realidad se imponga y contradiga nuestras más altas ilusiones." (La realidad, creo recordar, estuvo representada por los temerosos caudales del padre del jovencísimo director, quien se espantó presumiblemente ante la primera factura de la imprenta...) Aquello que diferenciaba a *Reflector* de las demás publicaciones ultraístas era el comienzo de una apertura hacia otras zonas, hacia los antecesores inmediatos que hasta entonces habíamos considerado como inconciliables. A esta actitud responde la inserción de tres poemas de Juan Ramón Jiménez, precedidos de una carta de adhesión. "Entre jóvenes [nos escribía] llenos de entusiasmo, como ustedes, por una dirección estética pura —sea ésta la que sea—, me encuentro mucho mejor que entre compañeros de generación, secos, pesados, turbios y alicaídos. ¡Calidad artística, gloria interior, fe en el presente y el futuro —las "dos únicas piernas de la aurora"!— Insertaba además unos "hai-kais" de Adolfo Salazar, variaciones del infaltable Ramón, grabados de los más fieles, Norah Borges y Barradas, poesías de Soupault y Eluard, un caligrama humorístico de Francisco Vighi, un artículo de Jorge Luis Borges sobre mi "Manifiesto Vertical"... Incluía asimismo cuatro páginas centrales con reproducciones de Picasso y Lipchitz y comentarios críticos míos. Mi incontinencia de entonces llegaba hasta la sección de las dos últimas páginas: "Libros escogidos". Eran éstos, por cierto (y los menciono para acabar de situar un momento de 1920) *Libro nuevo* —de Ramón Gómez de la Serna, *El plano oblicuo* —de Alfonso Reyes, *Du cubisme et du moyen de le comprendre* —de Albert Gleizes, *Arte astratta* —de J. Evola.

La misma voluntad de "integración" reaparece, se acentúa en otra revista del ultraísmo, *Horizonte,* algo tardía (sus cuatro números salieron entre noviembre de 1922 y finales de 1923), puesto que el grupo inicial había perdido coherencia. En cambio, Pedro Garfias y J. Rivas Panedas, que figuraban como directores, apelaron a colaboradores de otras generaciones, movidos quizá no tanto por el afán de ensanchar el círculo primitivo como de disolverlo en la promoción que se anunciaba con bases más sólidas. De esta suerte, junto a los nombres de Eugenio d'Ors, Juan Ramón Jiménez, Antonio Machado, José Moreno Villa, encontramos los de Federico García Lorca, Dámaso Alonso, José Bergamín, Rafael Alberti, Jorge Guillén. Detalle curioso: en la página final de *Horizonte* se anuncia una "Biblioteca de líricos modernos", con libros *(Cruces,* de J. Rivas Panedas: *Ritmos cóncavos,* de Pedro Garfias; *Bellezas cotidianas y grotescas,* de César A. Comet) que se quedaron en el limbo...

Todavía surgió una revista más del ultraísmo, cuando éste era ya —tempranamente— historia más que realidad: *Plural,* en enero de 1925, dirigida por César A. Comet, que solamente alcanzó dos números. Continuábamos figurando allí algunos de los "antiguos" ultraístas; en el contenido y la disposición tipográfica *Plural* no difería mucho de las anteriores; se singularizaba únicamente por el estreno en sus páginas de dos prosistas novelescos —Benjamín Jarnés y Valentín Andrés Alvarez—, inmediatamente después incorporados a la *Revista de Occidente;* la incorporación de Mauricio Bacarisse y de un crítico musical, César M. Arconada, pues como tal se estrenó con un libro *En torno a Debussy.*

La confluencia de casi todos los autores que he venido mencionando, la suma final de estas efímeras revistas vino a realizarse en otra de más larga vida, *Alfar,* también muy mezclada en su primera fase, cuando se titulaba *Revista de Casa América-Galicia,* puesto que como órgano de tal entidad apareció, desde 1921, en La Coruña. La mantenía quien ocupaba en tal ciudad las funciones de cónsul del Uruguay, el poeta Julio J. Casal. A partir de 1925 se titula *Alfar,* y allí apareció hasta ser trasplantada a Montevideo, en 1929; duró hasta la muerte de su director, 1954. Suman noventa y uno los números publicados de *Alfar* y treinta y dos sus años de existencia: cifras excepcionales para una revista sin otros apoyos que la voluntad, el entusiasmo de un poeta como Casal, quien había hecho de *Alfar* la razón última de su vida. Con algo de "magazine" literario, muy bellamente ilustrado, concediendo abundante espacio a las artes plásticas, en *Alfar* se reúnen los que llamaríamos "supervivientes" del primitivo ultraísmo con otros escritores muy diversos, lográndose siempre, no obstante, un estimable nivel.

Solamente para agotar la relación de tan curiosas reliquias de hemeroteca, será menester citar una revista no específicamente ultraísta, pero en la que algunos de tal grupo colaboramos (yo con mi primer artículo sobre pintura, dedicado a "El vibracionismo de Barradas") y que no por ser menos original que otras también se quedó en un número impar: *Perseo,* en enero de 1919, dirigida por Santiago Vera. Después, entre 1923 y 1924, dos revistas más de Madrid: *Vértices* y *Tobogán,* regidas por Manuel de la Peña y César González Ruano; una de Galicia, en Lugo, *Ronsel,* a cargo de E. Correa Calderón y Alvaro Cebreiro. Finalmente, *Parábola,* de Burgos, dirigida por Eduardo de Ontañón (1923, con una segunda época en 1927) y *Meseta,* de Valladolid [34].

Pero la revista capital de esas mismas fechas, por su amplitud de onda e interés de contenido, al rebasar el radio puramente poético,

---

[34] Pasados pocos años, nombres y huellas del ultraísmo se encuentran en varias revistas, las que suelen ser más conocidas o mencionadas, pero que por rebasar ya las fechas de aquel movimiento nos limitamos a nombrar, independientemente de sus valores. Así, por ejemplo, *Favorables. París. Poema* (1926), de Juan Larrea y César Vallejo, en París; *L'amic de les arts* (1926-1928), en Sitges, Cataluña; *Litoral* (1926), en Málaga, de Emilio Prados y Manuel Altolaguirre;

abarcando los más variados campos de la vida intelectual, no fue otra que *La Gaceta Literaria*; periódico quincenal de las letras, fundado por Ernesto Giménez Caballero y por mí (1927-1931), acogió y potenció todo el espíritu de modernidad germinado en los años inmediatamente anteriores. En el plano artístico, análoga misión cumplió *Gaceta de Arte* (1932-1936), de Tenerife, dirigida por Eduardo Westerdahl, si bien esta revista rebasa ya el límite que nos habíamos fijado [35].

Y no se estime abusiva o desproporcionada la anterior memoranda. Ya en otros lugares hube de explicar la importancia que cobran las revistas en los giros decisivos o períodos cambiantes de la literatura y cómo su verdadera, íntima historia sólo puede escriturarse cabalmente a la luz que vierten tales publicaciones por efímeras y minúsculas que sean o parezcan [36].

Mediodía (1926-1929), en Sevilla, con Eduardo Llosent y Marañón, R. Porlán y Merlo, Collantes de Terán y otros. Las dos últimas inician un ciclo distinto: la copiosa floración de pequeñas revistas, desde donde comienza a irradiar la generación de 1927: *Verso y prosa* (1927-1928), en Murcia, por Juan Guerrero y Jorge Guillén; *Papel de Aleluyas* (1927-1928), en Huelva, por Rogelio Buendía, Adriano del Valle y Fernando Villalón; *Carmen y Lola* (1928), en Santander, por Gerardo Diego; *Gallo* (1928), la revista de Federico García Lorca y sus amigos granadinos; *Taula* (1928), en Valencia; *Manantial* (1928), en Segovia; *La rosa de los vientos* (1927), en Santa Cruz de Tenerife, con Agustín Espinosa y otros; *Doooss* (1931), en Valladolid, por José María Luelm oy Francisco Pino; *Hélix* (1929), en Villafranca de Panadés, Cataluña. Este ciclo de revistas postultraístas termina con una cuyo título es ya suficientemente expresivo: *Extremo a que ha llegado la poesía* (1931), en Madrid.

[35] Por un escrúpulo informativo totalizador, aunque al margen del espíritu vanguardista, pero necesarias para historiar tal período, no deben dejar de mencionarse revistas tan importantes como *España* (1915-1924), fundada por Ortega y Gasset; otra fundación del mismo, *Revista de Occidente* (1923-1936) e *Índice* (1921-1922), de Juan Ramón Jiménez.

[36] La historia del simbolismo ha podido hacerse en gran parte merced a la bibliografía de Rémy de Gourmont, *Les petites revues* (1900), donde se catalogan no menos de ciento treinta, enre 1875 y final del siglo XIX. Asimismo, la visión de la literatura inglesa penúltima se aclara merced al librito *Little Reviews* (1914-1943), por Denys Val Baker.

VELADAS

Complemento del anterior capítulo deberían ser algunas líneas dedicadas a las veladas del ultraísmo. A semejanza de las dadás y las iniciadoras del futurismo, y en la dificultad de mostrarse por medio de obras individuales, los ultraístas se sintieron atraídos por la "acción directa", por la curiosidad temeraria de enfrentar personalmente la "bestia fiera" del público. Sin que entre ellos hubiera ninguno dotado de los puños combativos de un Marinetti o la impavidez de un Tristan Tzara, les seducía la intervención polémica y humorística. Ya antes, en 1919, se había celebrado una velada ultraísta, en el Ateneo de Sevilla, que no rebasó los caracteres de uno de tantos "recitales" poéticos. Los de Madrid aspiraban a algo diferente, menos protocolario, más sorprendente y combativo. ¿Se logró? En muy escasa medida. Para espectáculos vivos de tal clase era menester la colaboración de un público más alerta, a la par que menos prevenido; y sobre todo un eco ruidoso en la Prensa y no gacetillas simplemente burlonas. De ahí el poso decepcionante que —tanto por debilidad de quienes estábamos en el escenario como por cierta apatía de los espectadores— nos dejaron las veladas que se realizaron. La primera en un lugar nocturno de diversión, Parisiana, a comienzos de 1921; la segunda (primavera del mismo año), en otro menos frívolo, pero excesivamente saturado de "literatura": el Ateneo de Madrid. Se recitaron poesías, se leyeron proclamas más o menos escandalosas, hubo ligeros torneos de bromas e increpaciones entre los actores y el público; pero como de hecho nadie quería ser presidente (o todos nos creíamos tales, de acuerdo con una divisa dadaísta: "tout le monde est président") el resultado fue necesariamente incongruente. ¿En último extremo, tales veladas no significaban una contradicción con la parte "seria" del movimiento, con el afán de innovaciones estéticas que constituían la cara auténtica de nuestro programa? O visto desde ambos lados, todos —actores y auditores— éramos demasiado serios, sin que ciertas ocurrencias, ocasionales alardes humorísticos o agresivos lograran crear la atmósfera de simpatía, o mejor la animación polémica que hubiéramos deseado [37].

LIBROS, MUESTRAS

El lector vendrá deseando, desde hace páginas, pasar de las teorías a los ejemplos, de lo episódico a lo sustancial (o según la terminología d'orsiana, entonces circulante, de la anécdota a la categoría); en suma, conocer o recordar algunas muestras y direcciones de la poesía ultraísta. Pero si su antología no se hizo nunca cuando era sazón, menos interés tendría hoy intentarla. Adviértase que he dicho de la poesía y no de los poetas ultraístas, significando así que lo esencial reside en las muestras, fragmentarias o en la perspectiva de su conjunto, y no en el valor individual de cada poeta, muy relativo por cuanto ninguno de ellos llegó a alcanzar plena y definida expresión, al no perseverar —perfeccionándola— en la modalidad inicial, al trocar ésta por otras menos audaces, o, más expeditivamente, al renunciar del todo al género poético [38]. Otras fuentes más numerosas se encontrarán en las colecciones de las revistas ultraístas antes mencionadas, mejor que en libros sueltos de cada autor, muy escasos estos últimos.

Porque, en efecto, una de las características y limitaciones de esta escuela fue el hecho de manifestarse en las hojas sueltas, pronto olvi-

---

[37] Una reseña más completa, con transcripciones periodísticas, de esas veladas puede encontrarse ahora en el libro mencionado de Gloria Videla.

[38] Esquemas de esa posible antología —siempre curiosa como documento—, transcripciones de los primeros cultivadores ultraístas, hay en un ensayo de Cansinos-Asséns *(Cervantes,* junio y julio de 1918); en uno mío *(Cosmópolis,* Madrid, núm. 23, noviembre de 1920) y en otro de Borges *(Nosotros,* Buenos Aires, núm. 151, enero de 1921); también ahora en la obra varias veces citada de Gloria Videla, sin olvidar los trozos insertos en la primera edición del presente libro que sólo en éste parcialmente se reproducen.

dadas, de revistas rigurosamente minoritarias, sin alcanzar su granazón en libros, cuyas páginas también amarillecen, pero que, no obstante, perduran algo más en el recuerdo. Penuria del mundo editorial, indiferentismo de los autores: todo conspiró contra esa posible cosecha bibliográfica. Y aun ahora, a muchos años de distancia, apenas es posible reunir una docena de testimonios ultraístas en páginas encuadernadas. Cronológicamente mencionados se reducen a los siguientes: *Imagen* (1922), de Gerardo Diego; mis *Hélices* (1923); *La rueda de color* (1923), de Rogelio Buendía; los *Poemas póstumos* (1924), de José de Ciria y Escalante; *Manual de espumas* (1924), de Gerardo Diego; *La sombrilla japonesa* (1924), de Isaac del Vando-Villar; *Surco y estrella* (1925), de Juan Gutiérrez-Gili; *El ala del sur* (1926), de Pedro Garfias; *Sed y Urbe* (1928), de César M. Arconada. Añádanse otros libros que, si bien de aparición editorial algo más tardía, corresponden a las fechas centrales del ultraísmo, como los de Adriano del Valle, *Primavera portátil*, comprendiendo poemas de 1920-1923, publicado en 1934, y *Los gozos del río*, enclavado en las mismas fechas e impreso en 1940; *Talismán de distancias*, de César A. Comet, en 1934; también, en un sector afín, *Alalás y Estética da muñeira* (1923), de Eugenio Montes; *Metamorfosis* (1921), de Joaquín Edwards Bello; *Espejos* (1921), de Juan Chabás; *Naufragio en tres cuerdas de guitarra* (1930), de Rogelio Buendía; uno, *Galérie des glaces*, de Rafael Lasso de la Vega, muy anunciado, pero que —como antes recordé— solamente existió en la imaginación del autor. Y finalmente, de fecha aún más tardía, *Limbo* (1951), de Gerardo Diego, conteniendo composiciones de 1920-1921, y los *Versos viejos* (1960), aún más retrasados, de Francisco Vighi [39].

En dos puntos —recordaremos— hizo hincapié el ultraísmo: introducción de nuevos temas y utilización de un estilo metafórico. Daré, pues, ejemplos de ambos propósitos, bien sueltos o fundidos en un mismo poema. Los aspectos de la naturaleza aparecían metamorfoseados, trocando sus elementos y atribuciones, con el deseo de dar una visión fresca del mundo matinal. Así en estas líneas de Eugenio Montes:

---

[39] Se descartan aquí las obras de repercusión o colindancia ultraísta en Cataluña y en América, que serán mencionadas más adelante.

*El día redondo se esconde en mi bolsillo / Ningún arpista pulsa
la lluvia / Los recuerdos que caen de los árboles / y las horas
ahorcadas trémulas en el aire*

O en esta visión marina de Jorge Luis Borges:

> *He pulsado el violín de un horizonte*
> ... ...
>
> *El viento esculpe el oleaje*
> *la neblina sosiega los ponientes*
> *la noche rueda como un pájaro herido*
> *En mis manos*
>   *el mar*
>   *viene a apagarse*
> ... ...
>
> *La media luna se ha enroscado a un mástil* [40].

Aun en aquellos otros que se mantenían adictos al tono sentimental
—así José Rivas Panedas— la visión era pareja:

> *El paisaje   pálido de invierno*
> *con sus árboles amarillos como puestas*
> *velones que el otoño tiene luciendo*
> ... ...
>
> *Arboles sumisos   árboles ciegos*
> *dadme la mano   árboles de vago sexo*

Pero en general lo que prevalece es el tono lírico-humorístico: el mundo captado en sus esguinces burlones. Cualquier visión normal —por no decir solemne— es inmediatamente corregida por un toque de hu-

---

[40] Mantengo la tipografía original en los casos en que ésta presenta singularidad de blancos y espacios; en los demás, las transcripciones van seguidas, separando únicamente los versos mediante guiones oblicuos.

mor, fraguándose contrastes caricaturescos. Los versos primerizos de Gerardo Diego traducen muy bien dicha manera:

> *Sobre la muchedumbre*
> *las ventanas vuelan*
> *y la luna esta noche*
> *no reparte esquelas*
> *... ... ...*
>
> *Como si fuesen serpentinas*
> *voy desenrollando las callejas antiguas*
> *Un farol apostado*
> *me pedía limosna con la mano*
> *La cola de la taquilla es un tren detenido*
> *... ... ...*

Anotaciones incisivas a lo Jules Renard, greguerías a lo Ramón Gómez de la Serna, atisbos al modo de Max Jacob en *Le cornet à dés*, recuerdan versos como los anteriores, y asimismo esta visión de un domingo pueblerino por Pedro Garfias:

> *Los campanarios / con las alas abiertas / bajo el cielo combado / ... /Coplas anidadas en los árboles / Las veinticuatro horas cogidas de la mano / bailan en medio de la plaza.*

O en esta fresca y renovada alegoría primaveral, por el mismo autor, tan cerca de lo que serían luego —de lo que intentarían ser, en los mejores casos— los dibujos animados del cinematógrafo:

> *La primavera ha volcado sus cangilones / y han saltado las venas de los árboles / ... / Primavera / Las flores pulsan sus cuerdas*

Puesto que el propósito esencial era captar sensaciones discontinuas, resulta lógico que los más felices logros de este estilo fueran los más breves, los que pudiéramos llamar micropoemas. Así en este de José de Ciria y Escalante:

> *Las banderas rebeldes*
> *cruzan los horizontes*
> *Cristo*
> *sobre las aguas*
> *apacienta las olas*

O bien estas cápsulas de imágenes por Juan Gutiérrez-Gili:

> *Vagón: | Galería de panoramas | Acueducto: | Peine de sol | Oasis: | Las palmeras más altas son cohetes.*

Por vía lírica, a semejantes caprichos de humorismo se aplicaba Adriano del Valle:

> *Quién lo diría | Aquella estrella blanca no tiene ortografía | Al alba la bahía parecía | un do re mi fa sol que se extinguía.*

O Juan Larrea, fundiendo imágenes:

> *Un fotógrafo furtivo | en el morral bien plegados | se lleva los paisajes mal heridos*

Cierto es que en este camino, en el de la visión humorística desencabritada, nadie llegó tan lejos como Francisco Vighi, advirtiendo además que su *humour* no es fragmentario ni ocasional, sino completo, temperamental. Véase íntegro su poema *Por qué se aburre la luna*:

> *La luna menguante tiene | un buen doble-auricular, | antena en la Osa Mayor, | bobina y cursor en la | Vía Láctea. Sin embargo, | nunca ha podido captar| las ondas. El aparato | no tiene el cable que va | a tierra. La media luna | en su inútil escuchar | se duerme —orejas tapadas— | aburrida y celestial.*

Pero también hay casos en que esta visión jovial de la naturaleza se combina con ciertos toques sentimentales. Así en esta *Verbena* del malogrado José de Ciria y Escalante:

> *Las carreteras vírgenes*
> *cogidas de las manos*
> *ofrecen su vientre desnudo*
> *a los aeroplanos*
> *Con un beso sin alas*
> *me remonté a una estrella*
> *Aquella nube blanca*
> *que me enjugó las lágrimas*
> *hoy ha muerto de pena*

Y también otros donde sobre un bastidor de motivos tradicionales se imprimen hebras del mundo moderno. Por ejemplo, en *Mañana* de Jorge Luis Borges:

> *Las banderas cantan sus colores*
> *y el viento es una vara de bambú en las manos*
> *El mundo crece como un árbol claro*
> *Ebrio como una hélice*
> *el sol toca diana sobre las azoteas*
> *el sol con sus espuelas desgarra los espejos*

Prevalecía de modo unánime el utópico —o más bien ucrónico— afán de "recomenzar desde cero"; al haber roto las amarras con el pasado, o al menos fingiendo una total amnesia histórica, los ultraístas —escribí entonces— "aspiran a reinventar un orbe nuevo con cada poema", en suma "adoptan una actitud inaugural". E *Inauguración* se titula precisamente un poema mío que llevaba como emblema estas dos líneas de Paul Morand en sus *Feuilles de température*: "Prêtez votre concours à une œuvre de charité / Le monde est à recommencer".

> *El paisaje se descontorsiona*
> *en el desperezo matinal*

*Hay redobles de luz sobre el tambor
de los relojes proyectores
que aperciben las flechas del color
Desnuda
    sobre la giba azul de las colinas
la mañana limpia sus espejos
Los dedos de los árboles
rasgan los últimos velámenes nocturnos
    y el día pide vía libre*

Y esta suerte de manipulación familiar con los elementos del cosmos, llevaba a los poetas a combinarlos y trocarlos caprichosamente. Así Gerardo Diego en *Elemental*:

*Yo construyo mis saltos
        con los cuatro elementos
La Tierra
    El Agua
        El Aire
            El Fuego
Por la pantalla simultánea
a la luz de las trompetas
        pasan los días salvajes
        en un friso de onomatopeyas
... ...

Crear   Vivir   Volar
Las hojas nuevas rompen a cantar
En torno a mi cetro
    danzan los cuatro elementos,
... ...*

Caso singular el de este habilísimo literato, a despecho de sus desdenes (compartidos por otros y llevados al culmen, teóricamente, años después, por Juan Ramón Jiménez) hacia la literatura, pretendiendo divorciarla en absoluto de la poesía, pero que, en definitiva, revelaba una curiosa duplicidad. "Jardinero tenaz de la ironía, contradictor consciente de sí mismo, poeta maniqueo" le calificó entonces Eugenio Montes, por el hecho de practicar una suerte de ambidextrismo, alternando estilos, retóricas discrepantes. Así tras un *Romancero de la novia* (1920) de estrofas románticas, publicaba *Imagen* (1921); tras una "Galería de estampas y efusiones" titulada *Soria* (1923), recalaba al año siguiente en la modernidad de *Manual de espumas*, para retornar en seguida, después de esta "deshumanización", a unos *Versos humanos*... La diferencia con otros, menos volubles, o menos diestros, desde luego, en estas alternancias, residía en que Gerardo Diego no quebraba exteriormente con la estrofa tradicional y se beneficiaba al mantener cierta estructura rítmica. Así se advierte en cualquiera de las páginas de su *Manual de espumas* (o epítome de graciosas pompas de jabón, en traducción libre):

> *Danzar*
>   *Cautivos del bar*
> *La vida es una torre*
> *y el sol un palomar*
>   *Lancemos las camisas tendidas a volar*
> ... ...

O en este comienzo de *Primavera*:

> *Ayer*   *Mañana*
> *Los días niños cantan en mi ventana*
> *Las casas son todas de papel*
> *y van y vienen golondrinas*
> *doblando y desdoblando esquinas*
>
> *Violadores de rosas*
> *gozadores perpetuos del marfil de las cosas*
> *ya tenéis aquí el nido*
> *que en la más bella grúa se os ha construido*

La suma de todas estas variaciones sobre los mismos temas, que no hay menoscabo en llamar acrobacias fantasistas, fundiendo el fres-

106. Proclama de "Prisma", revista mural. Buenos Aires, 1922

PRISMA

Revista Mural

Dirección:
Viamonte 1367

PROCLAMA

Naipes i filosofía — Barajando un mazo de cartas se puede conseguir que vayan saliendo en un enfilamiento mas o menos simétrico. Claro que las combinaciones así hacederas son limitadas i de humilde interés. Pero si en vez de manipular naipes, se manipulan palabras, palabras imponentes i estupendas, palabras con entorchados i aureolas, entonces ya cambia diametralmente el asunto.

En su forma mas enrevesada i difícil, se intenta hasta explicar la vida mediante esos dibujos, i al barajador lo rotulamos filósofo. Para que merezca tal nombre, la tradición le fuerza a escamotear todas las facetas de la existencia menos una, sobre la cual asienta las demás, i a decir que lo único verdadero son los átomos o la energía o cualquier otra cosa...

¡Como si la realidad que nos estruja entrañalmente, hubiera menester muletas o explicaciones!

Sentimentalismo previsto — En su forma mas evidente i automática, el juego de entrelazar palabras campea en esa entablillada nadería que es la literatura actual. Los poetas solo se ocupan de cambiar de sitio los cachivaches ornamentales que los rubenianos heredaron de Góngora - las rosas, los cisnes, los faunos, los dioses griegos, los paisajes ecuánimes i enjardinados - i engarzar millonariamente los flojos adjetivos inefable, divino, azul, misterioso. ¡Cuánta socarronería i cuánta mentira en ese manosear de ineficaces i desdibujadas palabras, cuánto miedo altanero de adentrarse verdaderamente en las cosas, cuánta impotencia en esa vanagloria de símbolos ajenos! Mientras tanto los demas líricos, aquellos que no ostentan el tatuaje azul rubeniano, ejercen un anecdotismo gárrulo, i fomentan penas rimables que barnizadas de visualidades oportunas venderán despues con un gesto de amaestrada sencillez i de espontaneidad prevista.

Anquilosamiento de lo libre — Juncos i elros señoritos de la cultura latina, garlitos de su alma. Se pedestalizan sobre las marmóreas leyes estéticas para dignificar ejercicio tan lamentable. Todos quieren realizar obras apelmazadas i perennes. Todos viven en su autobiografía, todos creen en su personalidad, esa mescolanza de percepciones entreveradas de salpicaduras de citas, de admiraciones provocadas i puntiaguda lirastenia. Todos tienden a la enciclopedia, a los aniversarios i a los volúmenes lupidos.

El concepto histórico de la vida muerde sus horas. En vez de concederle a cada instante su carácter suficiente i total, los colocan en gerarquías prolijas. Escriben dramas i novelas abarrotadas de encrucijadas espirituales, de gestos culminantes i de apoteosis donde se remansa definitivamente el vivir. Han inventado ese andamiaje literario - la estética - según la cual hay que preparar las situaciones i empalmar las imágenes, i que convierte lo que debiera ser ágil i brincador en un esfuerzo indigno i trabajoso. Idiotez que les hace urdir un soneto para colocar una línea, i decir en doscientas páginas lo cabedero en dos renglones. (Desde ya puede asegurarse que la novela esa cosa maciza engendrada por la superstición del ye va a desaparecer, como ha sucedido con la epopeya i otras categorías dilatadas.)

ULTRA — Nosotros los ultraístas en esta época de mercachifles que exhiben corazones disecados i plasmen el rostro en carnavales de muecas-queremos desanquilosar el arte. Lícito i envidiable como cualquier otro placer es el que motivan las palabras eficazmente trabadas, mas hai que convenir en lo absurdo de honrar los que se venden, traficando con flacas ñoñerías i trampas antiquísimas. Nuestro arte quiere superar esas martingalas de siempre i descubrir facetas insospechadas al mundo. Hemos sintetizado la poesía en su elemento primordial: la metáfora, a la que concedemos una máxima independencia, mas allá de los jueguitos de aquellos que comparan entre sí cosas de forma semejante, equiparando un circo a la luna. Cada verso de nuestros poemas posee su vida individual i representa una visión inédita. El Ultraísmo propende así a la formación de una mitología emocional i variable. Sus versos que excluyen la palabrería i las victorias baratas conseguidas mediante el despilfarro de palabras exóticas, tienen la contextura decisiva de los marconigramas.

LATIGUILLO — Hemos lanzado PRISMA para democratizar esas normas. Hemos empapelado de poemas las calles, hemos iluminado con lámparas verbales vuestro camino, hemos ceñido vuestros muros con enredaderas de versos. Que ellos, izados como gritos, vivan la momentánea eternidad de todas las cosas, i sea comparable su belleza dadivosa i transitoria, a la de un jardín vislumbrando o la música desparramada por una abierta ventana y que colma todo el paisaje.

Guillermo de Torre   Eduardo Gonzalez Lanuza
Guillermo Juan   Jorge Luis Borges

107. "Horizonte". Madrid, 1922. Grabado de Norah Borges

108. Grupo de ultraístas durante una velada en el Ateneo de Madrid (192 De izquierda a derecha: Antonio M Cubero, César A. Comet, Pérez Don nech, E. Puche, Guillermo de Torre, Humberto Rivas, José de Ciria, Riv Panedas, Vázquez Díaz, Jaime Ibarr Rafael Barradas

109. Cubierta de "Proa", núm. 1. Buenos Aires, agosto 1922

cor ultraísta y las transmutaciones propias del creacionismo, culmina en los poemas de Juan Larrea. Por ejemplo, en éste, titulado *Cosmopolitano*:

Mil agostos te he visto frutecida
    Ciudad
        Ciudad de hojas caducas
            como mujer en rústica
y he cedido tu acera a la luna descalza
... ...

    Colegialas jóvenes
    en las plazas abiertas
    jugaban a las cuatro esquinas
    con las cuatro estaciones
... ...

    Mis versos ya plumados
    aprendieron a volar por los tejados
    y uno solo que fue más atrevido
    una tarde no volvió a su nido
... ...

Las estrellas no cantan porque están de muda
sobre el viento
    vilanos y plumas
Las casas quilla al sol
    a la deriva
... ...

    Los faroles se relevan de hora en hora
    Por el suelo dispersaban
        las aves y los charcos
            nuestras lágrimas
... ...

    En mi cuarto
    un buey embalsamado
    se espantaba las horas con el rabo

*La resaca nos bandea mejor que a un secafirmas
y la hoguera a cuyo albor cantamos
    perdió su benjamín entre los días.*

... ...

Cierto es que su punto de partida se halla (lo ha advertido ya Gloria Videla) en *Ecuatorial*, de Vicente Huidobro, donde se tiende a reflejar la sacudida de la primera guerra mundial, pero que, más allá de tal intención, se define como un poema ambicioso de amplitudes planetarias. Empieza así:

*En el tiempo en que se abrieron mis párpados sin alas
y empecé a cantar sobre las lejanías desatadas*

y contiene imágenes como las siguientes:

*y los affiches ahorcados
        pendían a lo largo de los muros*

... ...

*El viento mece los horizontes
    colgados de las jarcias y las velas
Sobre el arco iris un pájaro cantaba
    abridme la montaña*

... ...

*Bajo el boscaje afónico
pasan lentamente
        las ciudades cautivas
cosidas una a una por hilos telefónicos*

... ...

*La luna nueva
    con las jarcias rotas
ancló en Marsella esta mañana*

... ...

Y también, combinado con un ingenuo afán demiúrgico, el mismo tipo de imaginería se refleja en varios de mis poemas incluidos en *Hélices,* particularmente el titulado *Circuito,* donde una mezcla de Anteo, Icaro y Mercurio canta:

> *Soy el jinete de los meridianos*
> *y mi sed intersticial*
> *apura los continentes olvidados*
> > *Sobre mis hombros*
> > *saltan los puentes transatlánticos*
> *Entre mis piernas*
> *permutan su cauce los ríos*
> *Sobre el tapete de las ciudades*
> *manejo los edificios transeúntes.*
> *Y a la luz de los violines sidéreos*
> *recorto un puzzle de recuerdos.*
> *He ahí mi circuito*
> ... ...

Se dirá que este género de imaginería es muy fácil, susceptible de parar en clisé, según sucedió. Y de ahí el pronto abandono por sus mismos cultivadores. Sin duda. Pero ése ha sido siempre el riesgo de toda "manera" extremada, sistemática hasta el límite, que fue en un principio original y tuvo frescura al nacer. Por lo demás, no fueron tales debilidades las que merecieron en su día mayores rechazos —o burlas—, sino la pretensión de transponer poéticamente los elementos del mundo moderno, tentación a la que sucumbió inclusive algún poeta procedente del modernismo, quien acababa de pagar tributo a esa modadidad (*Rimas de silencio y soledad,* 1910; *El corazón iluminado,* 1919), como Lasso de la Vega:

> *La ciudad se fragmenta en múltiples colores*
> > *En olas de ruidos*
> > *ascienden los bulevares*
> > *En el horizonte las dos torres gemelas*
> > > *sostienen la tarde.*

Pero pocas veces la visión es tan directa. Con más frecuencia el espectáculo de la ciudad se fragmenta, se descontorsiona en el mismo autor:

> *El hortera paseando en bicicleta sortilegio | compromiso con mi criada desnuda en el patio | algarabía soleada de los bailables cartomancias | y las ventanas colgadas de los muros.*

De forma más acentuada esta óptica dadaísta se manifiesta en ciertas páginas de mis *Hélices*. Así en una titulada "1422-M":

> *La matrícula del automóvil rojo | red de miradas concéntricas |...|*
> *Ante los tranvías embarazados | los faroles saludan másculos | surgen maniquíes desnudos | las casas suben en los tranvías | las risas fluidifican el camino | todo llega centrípeto | los motores lamen mis manos.*

Y puesto que el libro mencionado no pretendía sustancialmente otra cosa que ser un muestrario de todos los estilos entonces posibles (imposibles, diríamos hoy, si a la vez en este hoy no se ensayaran otras posibilidades difíciles, con la circunstancia nueva de que ya no chocan o indignan) de poesía; como quiera que la pintura había adelantado el paso sobre la lírica y ejercía sobre nosotros su influjo, he aquí ahora un ejemplo de transposición de un cuadro cubista, que por tal motivo aparecía dedicado a Juan Gris. Se titula *Naturaleza extática*:

> *Un segmento de luna*
>   *sobre la bandeja*
> *El corazón en la granada*
>   *es un abanico del iris*
> *La guitarra la pipa y el periódico*
>   *disecados como loros*
> *A través de la ventana   bastidor del sol*
>   *el viento afina sus cordajes*
> *Desconsolada   una guitarra*
>   *con las clavijas sueltas*
>   *enmaraña su testa.*

Jean Cocteau, como siempre, sintiéndose de vuelta —lo recordé páginas más atrás— antes de haber llegado a la meta, había gritado: "Abajo la máquina. ¡Viva la rosa!" Pues bien, he aquí que pretendiendo casar uno y otro elemento Adriano del Valle componía entoces una graciosa *Fábula de la rosa y el velocípedo,* dejando fluir su escarolado, florido barroquismo andaluz en un jacarandoso romancillo, que por tener "asunto" no se puede fragmentar y del cual copiamos solamente las estrofas del comienzo y del final:

—Cuidado, Doña Perfecta, | —dijo la rosa al biciclo. | ¿Por qué me sales al paso? | Si no te apartas, te piso. |...| Se cuenta que se casaron, | que tuvieron muchos hijos... | Automóviles perfectos, | hidroplanos de aluminio | son los nietos de una rosa, | los nietos de un velocípedo.

Pero como no todo había de ser poesía juguetona, intrascendente, desprendida de las circunstancias político-sociales que en la década del 20 vivía el mundo, he aquí que esta nota fue también de modo excepcional tocada por alguien que muy pronto habría de cambiar radicalmente la dirección, orientándose hacia motivos más próximos, llanamente sentimentales, los de su *Fervor de Buenos Aires* (1923). Me refiero al nonato libro de Borges *Salmos rojos* (cuyo simple título ya sugiere una doble devoción, por un lado al salmista de *El candelabro de los siete brazos,* Cansinos-Asséns, por otro a la revolución rusa de 1917, que produjo un deslumbramiento muy compartido), del cual quedaron numerosos poemas en las revistas ultraístas; he aquí dos a título de ejemplos, fechados en 1920 y 1921:

Rusia

La trinchera avanzada es en la estepa un barco al abordaje con gallar-
mediodías estallan en los ojos   [detes de hurras.
Bajo estandartes de silencio pasan las muchedumbres
y el sol crucificado en los ponientes
se pluraliza en la vocinglería
                    de las torres del Kremlin

El mar vendrá nadando a esos ejércitos
que envolverán sus torsos
en todas las praderas del continente
En el cuerno salvaje de un arco iris
                              clamarán su gesta
bayonetas
que portan en la punta las mañanas.

Gesta maximalista

Desde los hombros curvos
   se arrojaron los rifles como viaductos.
Las barricadas que cicatrizan las plazas
   vibran nervios desnudos
El cielo se ha crinado de gritos y disparos.
Solsticios interiores han quemado los cráneos.
Uncida por el largo aterrizaje
la catedral avión de multitudes quiere romper la, amarras
y el ejército fresca arboladura
   de surtidores-bayonetas pasa
el candelabro de los mil y un falos
Pájaro rojo vuela un estandarte
   sobre la hirsuta muchedumbre extática.

CONTINUACIONES Y REFLEJOS

Ahora bien, sucede que la importancia del ultraísmo fue quizá mayor en sus continuadores indirectos que en sus iniciadores voluntarios. Para medir su extensión sería menester ahora recordar, poner de relieve algunos de sus reflejos en ciertos poetas tanto precedentes como posteriores, o simultáneos en otros casos. Los pertenecientes al primer grupo ya quedaron mencionados bajo un epígrafe anterior, pero es la ocasión de aportar algunos ejemplos que permitirán establecer confrontaciones. Por ejemplo, el que brinda Ramón de Basterra en su último libro *Virulo. Mediodía* (1928), donde a su barroquismo (o más bien rococó, ya que sus preferencias literarias se fijaban en el carlotercismo de la segunda mitad del siglo XVIII) se unen préstamos del común arsenal vanguardista, especialmente de la panoplia futurista, pero realizando una síntesis original. Así en este poema titulado *El cielo único,* donde hace hablar a su Vírulo:

> *Desde las ventanillas de los trenes | Pupitres de mi estudio | Volvió y volvió mi dedo | Páginas de horizontes | Rumié los pastos de papel de asfalto | Intimé con plurales hemisferios |...| Yo soy el bachiller en panoramas. | Soy el hijo del extremo cabo | Luminoso de Asia que es Europa | En el extremo tiempo | En que torna a sentirse el Occidente | Uno e indivisible. | Una hélice nos voltea en el pecho | El apetito de unidad en el cielo | Pide el mundo emergente un nuevo Miguel Angel | Que enarque el domo del mondonovismo.*

Y esta otra muestra de *Nuevo fabulario*:

> *En otro tiempo daban lección a los humanos | Los rudos animales de astucia y vida cauta | Salía la sapiencia a través de los picos, las bocas o las fauces. | Pero la época no fabuliza | A través de las fauces, las bocas y los picos, | Sino a través de escapes, vál-*

vulas y bocinas. / A fuerza de vivir juntos / entendemos a los motores /.../ Al palpar a las grúas / Yo me sentía Esopo ante otros animales.

Y puesto que la poesía de Basterra llevaba una carga de ideas, proyectándose hacia un futuro ecuménico, he aquí un concepto en el que vino a coincidir con otro gran vasco, con Unamuno —aunque éste lo aplicara solamente al idioma—, el de la Sobrespaña [41]:

Nuestro acorde español resbala / Por lo ecuménico de la Sobrespaña, / Afinadores de meridianos / La Sobrespaña es un gran neumático / Para que nuestra raza vuele sobre el mundo.

Si bien es cierto que Antonio Espina había comenzado a definir —como antes señalé— su manera poética en *Umbrales* y la de prosista irónico dos años después en *Divagaciones, Desdén*, manteniéndose en un plano no distante pero sí diferente del ultraísmo, resulta sin embargo claro que las libertades de dicha tendencia estimularon las suyas, orientadas preferentemente hacia lo burlesco y satírico. Tal en una serie de "Concéntricas" (aparecida en el númreo 1 de *Tableros*) que comienza así:

Toros

¡Toda la tarde es cartel!
¡Todo el sol es redondel!

Patriotismo

Pasa un regimiento   Pasa la bomba
              emoción
con banderas y música   de incendios
       ¿Dónde es el fuego?

[41] Cf. mis *Tres conceptos de la literatura hispanoamericana* (Losada, Buenos Aires, 1963).

También José Moreno Villa desenvuelve su obra poética en un terreno independiente. Pero dada su condición de espíritu sensible a los vientos de la época, acierta, ya en su madurez, a beneficiarse de las libertades de disociación mental promulgada años antes por el ultraísmo. Libros como *Jacinta la Pelirroja, Puentes que no acaban* y *Carambas* lo evidencian. Véanse algunas muestras de las últimas:

He descubierto en la simetría / la raíz de mucha iniquidad / Pero están sordos los serenos / y a las dos de la noche es honda la grieta del mundo. / ¿A quién acudir? / En este pueblo no hay murciélagos / ni bebedores de limonada / Por eso los palacios siguen incólumes / y en lo alto de la columna se abanica la desvergüenza /.../ La noche no viene jamás a las doce del día, / por consiguiente, deja volar tus palomas un rato más; / y si de las veredas color barquillo / y de los senderos color de rata / se desprenden alegorías y sentencias, / bebe tu vaso de luna y misterio / con la seguridad de los guardias.

Pero es en otro poeta, el mayor, o el de personalidad más acusada (junto con León Felipe) de las décadas 20 y 30, donde ciertos reflejos —no por lejanos menos susceptibles de rastrearse— de la época innovadora se hacen más fértiles y ofrecen una asimilación superiormente bella. Aludo, como se adivinará, a Federico García Lorca y a su utilización de la metáfora, que aparece ya en *Libro de poemas* (1921), continúa en las *Primeras canciones* (1922), las *Canciones* (1921-1924) y alcanza su culminación en el *Romancero gitano* (1924-1927). Como este punto ya ha sido expuesto por mí en varias ocasiones, basten aquí —exentas de comentario— unas leves muestras:

El jinete se acercaba / tocando el tambor del llano

(Romance de la luna, luna)

El toro de la reyerta / se sube por las paredes.

(Reyerta)

Por los ojos de las monjas / galopan dos caballistas

(La monja gitana)

... y un horizonte de perros / ladra muy lejos del río
... / Con el aire se batían / las espadas de los lirios.

(La casada infiel)

Las piquetas de los gallos / cavan buscando la aurora.

(Romance de la pena negra)

El mar baila por la playa / un poema de balcones. / Las orillas de la luna / pierden juncos, ganan voces.

(San Miguel)

Las aceitunas aguardan / la noche de Capricornio / y una corta brisa ecuestre / salta los montes de plomo.

(Prendimiento de Antoñito el Camborio)

Los densos bueyes del agua / embisten a los muchachos / que se bañan en las / lunas de sus cuernos ondulados.

(Romance del emplazado)

Y no se alegue que estos versos sueltos significan un descuartizamiento, una mutilación del sentido íntegro de cada romance. La prueba es que pocos lectores —es decir, muchísimos entre los innumerables que ha tenido y sigue teniendo el *Romancero* lorquiano— pueden contar aquello que paradójicamente más les retiene: su "argumento" cabal, su desarrollo temático. Esto evidencia que el encantamiento de tales poemas radica, por un lado, en su atmósfera de sueño inconexo, voluntaria, gloriosamente arbitrario; por otro, más sustancialmente, en su pura creación metafórica.

Si quisiéramos apurar hasta el límite los influjos ambientales o las infiltraciones capitales del estilo ultraísta, deberíamos llevar la investigación hasta algunos prosistas de la época inmediata subsiguiente, tales como Benjamín Jarnés y Ernesto Giménez Caballero. El primero señala la aportación de un género que aquella escuela no había llegado a abordar: el novelesco. De ahí que sus narraciones, a partir de *El profesor inútil* (1926) estuvieran tan próximas a lo poemático, más atentas a los primores y taraceas formales que a la construcción canónicamente novelesca. Jarnés se dejaba arrastrar por el viento de las imágenes ininterrumpidas y de las asociaciones caprichosas, al modo de un Giraudoux y un Pierre Girard. Clave, en cierto modo, de su estética inicial son unas palabras liminares de Edmond Teste —el "alter ego" metafísico o abstracto de Paul Valéry—, que Jarnés se complacía en citar a la entrada de su *Profesor inútil* y donde aquél afirmaba su desdén por las novelas y los dramas, sosteniendo que "éstos lejos de exaltarle le llegan sólo como míseros chispazos, como estados rudimentarios". Compartía así Jarnés un menosprecio muy peculiar del decenio 20 por las construcciones lineales, tanto como por la transcripción bruta del mundo exterior. De ahí su lirismo irónico, su antipatetismo —según puede comprobarse reabriendo cualquiera de sus libros, por ejemplo, *Salón de estío* (1929), si bien sus logros más altos surgen ya más tarde, en *San Alejo* (1935)—. Aplicaba toda su materia verbal al arte de superponer en el mismo plano visiones distintas y sensaciones dispersas "ligadas únicamente por la cinta aérea de la imagen" —según ya escribí entonces [42].

En cuanto a Giménez Caballero, su literatura de los mismos años (dejo a un lado por completo sus expresiones posteriores, a partir de 1932, fecha de su enrolamiento político) venía a ser una especie de extensión periodística, de manufactura en gran escala del inicial y minoritario espíritu vanguardista. Así lo muestran sus libros, en la época que va desde *Carteles* (1925) hasta *Trabalenguas sobre España* (1931). Se daba en ellos —escribí en su día [43]— una curiosa mixtura de cultura y de popularismo, de citas cultas y de expresiones desgarradas. Ello

---

[42] "Tres novelistas de la nueva generación española", en *Verbum,* año XX, Buenos Aires, 1928.
[43] "La trayectoria de Giménez Caballero", en *Síntesis,* núm. 20, Buenos Aires, 1930.

explicaba —escribió Ramón Gómez de la Serna [44]— aquel contraste suyo de "gitanería madrileña con el chispazo de Europa". Animador, inquietador, fecundo, junto a su tarea al frente del periódico de las letras *La Gaceta Literaria* (1927-1932), libros suyos como *Julepe de menta* (1928) y *Circuito imperial: 12302 Kms. de literatura* (1930), con sus aciertos y sus desvaríos, son buenos ejemplos de un tiempo de invención y subversión desatadas.

UN SUPERREALISMO CUESTIONABLE

No suele registrarse el ultraísmo al historiar la evolución de la poesía penúltima, pero contrariamente no deja de incluirse el superrealismo, cuya existencia en las letras españolas es más que dudosa. Por lo pronto, ninguno de los poetas que suelen citarse como influidos o seguidores del superrealismo tuvo contacto con los representantes iniciales de aquel movimiento: Breton, Aragon, Soupault, Tzara. Aun aseguraría más: ninguno de los sedicentes superrealistas de España —al contrario de algunos ultraístas— manifestó un conocimiento directo y suficiente de sus teorías, ni colaboró en sus revistas, ni hizo el menor acto público de adhesión o afinidad. Y no se olvide, por otra parte, que el superrealismo es una escuela cerrada, dogmática, con sus "estatutos" muy rígidamente articulados (lo revela la política de excomuniones que practicó el Papa Negro, André Breton), donde no era posible entrar a medias o de rondón. Cuando más, les llegarían reflejos —a través de comentarios y transcripciones hechas por otros, entre los cuales, y no es jactancia, pues no hay por qué, debo contarme yo en primer término—, sin considerar el eco escandaloso de las anécdotas pintorescas. Pero la mala costumbre —se ha visto en años más recientes con el caso de los existencialistas de Francia, y después con los iracundos británicos— de poner motes al buen tun-tun y hacer clasificaciones aproximativas está en el origen de tales excesos y falsedades [45].

[44] *Revista de Occidente*, núm. 52, Madrid.
[45] Lamento ir sucesivamente rectificando tantos pequeños errores de la historia literaria penúltima. Al advertir cuán fácilmente proliferan tales desaguisados —y no sólo terminológicos, sino de la más varia índole—, referidos a épocas re-

De hecho yo sólo recuerdo a un superrealista convicto —al menos durante sus primeros años literarios—. Me refiero al malogrado poeta malagueño José María Hinojosa (1904-1936), quien algo pudo captar directamente de aquella escuela, durante alguna estancia en París, hacia 1926, según muestran sus libros *Poesía de perfil* (1927) y *La flor de California* (1928). La influencia superrealista que habitualmente quiere advertirse en *Poeta en Nueva York*, de Federico García Lorca, a mi parecer no es de fondo y cercanía, sino atmosférica, intersticial. El superrealismo está en el aire durante aquellos años y Federico, gran intuitivo, captó —en buena parte, a través del pintor Salvador Dalí— lo esencial de algunas metamorfosis, de ciertas violentas disociaciones, proyectándolas sobre el fondo del espectáculo norteamericano que tan fuerte impacto había causado en su espíritu.

Pero ¿merecen —aun con la máxima elasticidad terminológica, incompatible, por cierto, con el superrealismo ortodoxo— tal calificativo otros libros, por lo demás muy valiosos, como *Sobre los ángeles* (1929), de Rafael Alberti, y *Espadas como labios* (1932), de Vicente Aleixandre? En el primero de ellos— salvo el punto de arranque temático—, dominan características no muy distintas a las que rigen y singularizan las demás poesías de Alberti: levedad, gracia expresiva, popularismo culto o estilizado. Aún más, una sección del mismo libro, la titulada "Huésped de las tinieblas", confiesa su clara ascendencia becqueriana, más acá de ciertas graciosas, iluminadoras, incongruencias líricas ("No habían cumplido años ni la rosa ni el arcángel. / Todo anterior al balido y al llanto. / Cuando la luz ignoraba todavía / si el mar era niño o niña.") De un espíritu jocular semejante participan los poemas titulados —con palabras de Calderón— *Yo era un tonto y lo que he visto*

cientes, de las cuales hemos sido actores o testigos de primer plano, no podemos menos de echarnos a temblar, calculando que lo mismo debió de suceder en días pretéritos. ¡Gran audacia, por lo tanto, lanzarse a comentar, a historiar figuras y hechos de otros siglos, si los datos en que debemos basarnos (sean de un tiempo próximo o remoto, del romanticismo o del Siglo de Oro, proceden de autores con rastros abundantes —un Lope de Vega— o relativamente exiguos —un Cervantes) llegaron probablemente a nosotros tan incompletos o alterados...!

me ha hecho dos tontos (1929), no precisamente superrealistas, sino sugeridos por los actores del cine cómico de aquellos años: Chaplin, Harold Lloyd, Buster Keaton. Finalmente, un crítico nada ignorante de los movimientos literarios europeos, C. M. Bowra —en el capítulo dedicado a *Sobre los ángeles* de su libro *Creative Experiment*— no escribe en ningún momento a propósito de Alberti la palabra superrealismo [46].

Tampoco hay huellas efectivas de superrealismo auténtico en el libro ya mencionado de Aleixandre que habitualmente se adscribe a tal tendencia, *Espadas como labios*. En cambio, sí pueden encontrarse algunos rasgos en el libro que le precedió —o que viene a ser una previa versión en prosa, según ha declarado el autor en la nota explicativa correspondiente de *Mis poemas mejores* (1956)—, es decir, en *Pasión de la tierra* (1924) [47]. Por su parte, Ricardo Gullón coincide en la misma opinión [48], al escribir que en *Pasión de la tierra* "encontramos al menos una de las condiciones de este tipo de creación: la inmersión en el mundo de lo irracional, sin antes proveerse de flotadores lógicos". Recuérdese que *Pasión de la tierra* fue escrita, según dice su autor, bajo la influencia de "un psicólogo de vasta repercusión literaria" al que no nombra, con innecesaria cautela, pero al que no es difícil poner un nombre muy preciso: Siegmund Freud. Asociaciones inconexas —o disociaciones preconcebidas— propias del sueño hay efectivamente en sus páginas. Pero aun siendo este un común denominador superrealista, no es el único requisito para tal poesía, pues aquí —y lo mismo sucede en el libro

---

[46] En una entrevista con Giménez Caballero *(La Gaceta Literaria,* núm. 49, Madrid, enero de 1929), Alberti advertía taxativamente a propósito de *Sobre los ángeles:* "No es un libro vanguardista." El influjo se manifiesta solamente en algunas actitudes; así, en el grito "¡Viva la estulticia!", con que cerraba el mismo poeta una conferencia dada en el Lyceum Club (titulada "Palomita y galápago: ¡no más artríticos!"), y que era un eco del "¡Viva la idiocia pura!" de Philippe Soupault en una de las veladas dadaístas, pocos años antes (cf. *La Gaceta Literaria,* núm. 71, Madrid, diciembre de 1929).
[47] Así lo ha advertido también Carlos Bousoño en el estudio dedicado a *La poesía de Vicente Aleixandre* (segunda edición, 1956).
[48] *Papeles de Son Armadans,* núms. 32-33, Madrid-Palma de Mallorca, noviembre-diciembre, 1958.

citado de Alberti— faltan otros elementos esenciales de la escuela: el espíritu de sorpresa, más aún de agresividad, y la "escritura automática", practicada de modo sistemático.

Advertiré ahora que las anteriores precisiones en nada califican ni descalifican a aquellos libros, como tampoco exaltan o rebajan el superrealismo; tienden únicamente a poner los puntos sobre las íes descuidadas, reaccionando contra la vaguedad terminológica y la pereza mimética de los glosadores. Aun discrepando de un espíritu tan fino y riguroso como Dámaso Alonso, no creo, como él escribe que "la palabra *superrealismo* convenga a muchas otras manifestaciones de la literatura española". Al contrario, aquellas voces que logran adquirir un significado preciso, peculiar, para designar tendencias específicas, inconfundibles, deben ser matenidas y respetadas, so riesgo de llegar a no significar nada. Que luego Dámaso Alonso hable de hiperrealismo, a propósito de esos primeros libros de Aleixandre, si no enteramente exacto, ya es menos discutible, puesto que con tal palabra puede designarse algo más general, no perteneciente a ninguna escuela o estilo determinado. De hipopsiquismo habló hace años Pérez de Ayala, como equivalente de poesía subconsciente, no regida por el intelecto, en contraste con el hiperpsiquismo consciente e intelectual. Y agotando estas minucias verbales recordaremos finalmente que Pedro Salinas [49], al afirmar categóricamente que "Aleixandre no es un poeta superrealista" e incluirle "dentro del círculo neorromántico" daba en el blanco, pues advertía los puntos de tangencia entre superrealismo y neorromanticismo, dado que (según hemos señalado) una y otra tendencia se identifican en la negación de lo racional y en la rebelión contra la sociedad.

El superrealismo auténtico, con un cabal conocimiento de lo que significa dicha escuela o más bien "estado de espíritu", según precisaba Paul Eluard y ampliaba André Breton, sólo se manifestó de modo cabal y continuado en los poemas tan nuevos de visión, concepción y estructura escritos durante aquellos años por Juan Larrea. Pero también a éste podría discutírsele el rigor de tal adscripción, pues públicamente se de-

---

[49] *Literatura española siglo XX,* 1941.

finía más bien —junto con Gerardo Diego— como creacionista al modo de Vicente Huidobro, y si colaboró en una efímera revista del poeta chileno —*Création*—, no figuró nunca, empero, su residencia en París, en las superrealistas, y en cambio fundó, con el peruano César Vallejo, otra de cuño personal —*Favorable. París. Poemas*—. Juan Larrea, desdeñoso en demasía, al parecer, de su primera fase literaria, no agrupó nunca en ningún libro tales poesías, aparecidas en las revistas *Grecia, Cervantes, Carmen*, y de las que hoy sólo es posible rencontrar muestras en la *Antología* de Gerardo Diego. Por lo demás, su personalidad más original, combinando lo lírico y lo reflexivo, lo racional y lo místico, lo discursivo con lo mágico y profético, sólo se revela plenamente a partir de la fundación de *Cuadernos Americanos* en México, la primera —en el orden cronológico y en calidad— de las revistas de la España exiliada; y se corrobora con la publicación de *Rendición de espíritu* (1943) y otros libros en prosa que siguieron, todos ellos sugeridores, incitantes en grado sumo. Finalmente, y ahora dentro del superrealismo ortodoxo, sería menester recordar a Salvador Dalí, no sólo en cuanto pintor, sino con referencia a algunos libros poéticos, aunque aparecieran en francés *(Babaouo, La femme visible,* etc.). Pero la única epigonía española verdadera del superrealismo es —insistiré— la que se manifestó en la revista *Gaceta de Arte* (1932-1936) de Canarias, dirigida por Eduardo Westerdhal.

EXTENSION DEL VANGUARDISMO

Cataluña

La extensión cobrada por el espíritu innovador de las vanguardias en muy diversas literaturas puede completarse echando una ojeada sobre las demás del área ibérica e hispanoamericana. Nos referimos al vanguardismo en general, prefiriendo en este caso tal denominación a la del ultraísmo específico.

Cataluña, siempre madrugadora en la linde ibérica, acertó a captar y adoptar pronto las nuevas corrientes del impresionismo pictórico. Se afirma [50] que así como la España de lengua castellana acoge el modernismo —simbolismo más propiamente en este caso— en el campo literario, Cataluña lo refleja, ante todo, en las artes plásticas, a fines del siglo XIX y comienzos del XX. De modo semejante, aunque no en escala tan amplia, Cataluña acierta a reflejar en su día algunas corrientes generales del vanguardismo. Recuérdese, por ejemplo, que en 1917, Francis Picabia inicia en Barcelona la publicación de *391*, primera revista dadaísta (después continuada en Nueva York y en París), con el patronazgo o compañía del marchante Dalmau. Guillermo Díaz-Plaja *(L'avantguardisme a Catalunya)*, bilingüista en sus primeros tiempos, señalaba, en 1932, esta situación atalayante de Cataluña, recordando que así como por tal frontera pirenaica penetró (merced a *El Europeo,* 1823, de Aribau y López Soler) el romanticismo en España, y después, entre 1880 y 1890, el naturalismo, por conducto de *L'Avenç,* así también las primeras traducciones catalanas de Apollinaire, Max Jacob, Reverdy, Folgore, etc. se habían publicado ya en 1919. Sin embargo, esta última afirmación requeriría una prueba más precisa, ya que todo lo más, con muy escasa diferencia de meses, es en ese año o el anterior cuando también comienzan a aparecer versiones castellanas en las revistas de ultraísmo.

La prioridad vanguardista de Cataluña —si tal cosa fuera importante— estaría dada en lo literario por los nombres y obras de algunos escritores como Joaquím Folguera, Joan Salvat-Papasseit y Josep María Junoy. No importa que en algunos casos se trate de rapsodias a modo de homenajes: así la "Oda a Guynemer" (1917) de Junoy, recogida luego en *Poèmes & Calligrammes* (1920), con una carta-prefacio de Apollinaire, naturalmente halagado, puesto que tanto la temática como la tipografía derivaban de él. Al pasar, señalemos que lo más curioso del libro mencionado de Junoy es cierto "Art poetica" que sólo contiene dos letras: Z en la parte superior de la página y A en la inferior, unida por una raya vertical de puntos. También Vicens Sole de Sojo y Sebastiá Sánchez-Juan *(Fluid,* 1924) practican la técnica combinada

---

[50] J. E. Rafols, *Modernismo y modernistas* (Destino, Barcelona, 1949).

del caligrama, combinada con el dinamismo futurista. Pero quizá ningún otro tan ardido defensor de la modernidad en Cataluña como Salvat- Papasseit. Desde 1917 ("III de l'era del crim" reza como subtítulo, aludiendo a la guerra europea) edita una "fulla de subversió espiritual", bajo el título ibseniano de *Un enemic del poble*. Casi simultánea es la revista *Trossos* que publica Joaquím Folguera. Otras fundaciones de Salvat-Papasseit llevan los nombres de *La Pluma d'Aristarc* y *Arc Voltaic*. Y sucesoras en la misma línea de avanzada son: *La Nova Revista* (1927) de Junoy, *L'amic de les arts* (1928) y *Helix* (1931); las dos últimas ven la luz en Sitges y Villafranca del Panadés, respectivamente. Cerrando esta memoranda de publicaciones es menester no olvidar otra, algo anterior, *L'Instant* (1918), "revue franco-catalane d'art et littérature", dirigida por J. Pérez Jorba, autor de *Sang en rovell d'ou* (1918), y otros poemas. Editada en París, *L'Instant* alternaba en sus páginas el catalán con el francés y es la que mejor acertaba a recoger las vibraciones del "instante".

Del mencionado grupo catalán Joaquím Folguera fue el más prontamente desaparecido (en 1919, antes de los treinta años). En sus poemas alterna un lirismo sentimental amargo con los juegos neotipográficos de procedencia apollinairiana. También Salvat-Papasseit murió prematuramente (1894-1924). Editó revistas —ya mencionadas—; publicó un "Primer manifesté catalá futurista" con el título de *Contra els poetes amb minúscula* (1920); desde las Galerías Dalmau defendió apasionadamente todas las manifestaciones del arte nuevo. Por lo que atañe a su propia obra poemática bastante cuantiosa (iniciada con *Poemes en ondes herzianes*, 1919 seguidos por *L'irradiador del port i les gavines*, 1921, *El poema de la rosa als llavis*, 1923, etc.) apenas logró sobrepasar la época experimental, sin alcanzar plenamente un punto de madurez o decantación. Contrariamente, J. M. Junoy, al avanzar en edad, fue más bien retrocediendo en espíritu, al menos en los puntos de vista teóricos. En cuanto a J. V. Foix, aparece también muy tempranamente, en el alba de las vanguardias, puesto que en 1917 comienza a publicar sus primeros poemas. Díaz-Plaja escribe que André Breton hubiera debido citar, entre los precedentes de su estética, *Gertrudis*, de J. V. Foix, como una muestra de superrealismo "avant la lettre". Por

su parte Luis Montayá le define como un "vanguardista romántico clasicizante".
El mismo Montanyá, junto con M. A. Cassanyes, Sebastiá Gasch, Sánchez-Juan, J. M. de Sucre, Gutiérrez Gili, Planas, Forment y Dalí, entre otros, formaron el grupo de la última oleada típicamente vanguardista en Cataluña, antes de 1930 (tope del período) con dos centros de irradiación: *El Ateneillo* de Hospitalet, tertulia acaudillada por el pintor Rafael Barradas, y la ya citada revista *L'amic de les arts* en Sitges; esta última acogió a García Lorca durante un exposición de sus dibujos coloreados en Barcelona y contribuyó a la incubación del *Manifest groc*, firmado por Salvador Dalí.

Modernismo en Brasil

Supuestos no muy distintos, en sus orígenes, a los del ultraísmo español y, más extensivamente, a los demás *ismos* europeos en la década del 20, señalan los del vanguardismo brasileño. Sin embargo, hay un equívoco terminológico con respecto a la literatura española; y es que tal movimiento de renovación brasileña recibe el nombre de modernismo, así como las épocas inmediatamente precedentes habían adoptado las denominaciones francesas de parnasianismo y simbolismo. Wilson Martins establece así los matices diferenciales: en el Brasil desígnase como modernismo el movimiento de renovación literaria que reacciona contra el sentimentalismo fin de siglo y contra el simbolismo y el parnasianismo, reinantes durante el período anterior a la Semana de Arte Moderno, celebrada en San Pablo, en 1922. En la literatura hispanoamericana —añade— el modernismo se refiere precisamente al parnasianismo y al simbolismo, tendencias contra las cuales el modernismo brasileño combatió; contrariamente, el modernismo hispanoamericano sólo comenzó a ser atacado por el movimiento ultraísta y por el superrealismo, que de esta suerte vienen a emparentarse con el modernismo del Brasil.
Por mi parte, puesto a filiar con mayor exactitud las raíces del último, entiendo que será menester relacionarlo con los orígenes de la renovación literaria portuguesa, más temprana que ninguna otra en el

ámbito ibérico. Sería necesario remontarse a revistas —ya en otro capítulo recordadas— como *A Águia* (1910) de Oporto, *Centauro* (1916) y sobre todo *Portugal Futurista* (1917), y *Orfeu* (1918), ciclo que culmina o concluye con *Contemporánea* (1922-1923) de Lisboa, destacando las figuras precursoras de Santa Rita y de Mario da Sâ Carneiro (suicidado en París, 1916), primer introductor de las vanguardias en Portugal, más allá del saudosismo representado por Antonio Nobre, Teixeira de Pascoaes y Alvaro de Campos, y los tres poetas "complementarios" en que el último se ramificó.

Fue Ronald de Carvalho quien transmitió al Brasil los gérmenes del espíritu innovador de Portugal, lanzando las primeras apelaciones a la libertad de expresión. Todo ello cristalizó en la Semana de Arte Moderno realizada en Saô Paulo del 13 al 17 de febrero de 1922, acontecimiento que es registrado hoy en los anales de esa literatura como algo casi mítico, legendario.

El pretexto o motivo inicial determinante fue una exposición de la pintora Anita Malfatti, influida por el expresionismo germánico (a la que había precedido, en 1913, otra del mismo carácter del grabador Lasar Segall), seguida por varios recitales, conciertos y conferencias que sacudieron y escandalizaron al público paulista. En lo escrito se manifiesta con revistas como *Papel y tinta, Klaxon* y *Revista de Antropofagia* en Saô Paulo, *Verde* en Minas Geraes, todas ellas de una gran semejanza con las demás publicaciones europeas de los mismos años. Mario de Andrade es el principal animador, acompañado por Ronald de Carvalho, Guilherme de Almeida, Menotti del Picchia, Ribeira Couto, Manoel Bandeira... No faltan los manifiestos; así el *Manifesto do Pau Brasil,* por Mario de Andrade, el *Manifesto Verde-Amaielo,* de Menotti del Picchia. Los títulos de uno y otro, particularmente el del segundo, alusivo a la bandera brasileña, dejan entrever ya el carácter de reivindicación nacionalista que —en contraste con el internacionalismo común a todas las vanguardias— asumió, en algunos casos, el modernismo brasileño. Es decir, por un lado —según escribe Antonio Soares Amora—, lo que se pretende, a partir de 1922, es "libertar la inspiración de toda atadura en el orden lingüístico, estético y moral; buscar formas expresivas realmente nuevas"; de otro, "nacionalizar a naçâo, abrasileirar o Brasil". Consigna esta última que habría de derivar o degenerar políticamente en el integralismo filofascista de Plinio Salgado y en el Estado Novo. Más inofensivamente tal actitud se expresa en el lema de la *Revista de Antropofagia* de Osvaldo de Andrade: "Tupi or nor tupi: that is the question" (Tupi, uno de los pueblos aborígenes brasileños). Adviértase la semejanza en este punto con el indigenismo retrospectivo de que hacen gala ciertos innovadores vanguardistas del Pacífico hispanoamericano —es decir, según ellos, de Indoamérica—. Inclusive en lo idiomático trataban entonces los modernistas brasileños de crear una "lengua brasileira, diferente do portugués", empeño que quedó limitado a la grafía y a la fonética, pero sin afectar apenas el vocabulario ni la sintaxis de la común lengua matriz.

Obras más expresivas del momento inicial del modernismo brasileño son: *Pauliceia Desvairada,* primer libro poético del movimiento, por Mario de Andrade (1893-1945), junto con su extraña novela *Macunaimá* —"el héroe sin ningún carácter", lo que recuerda o anticipa el "hombre sin cualidades" de Robert Musil, si bien el libro brasileño, difícilmente clasificable, no entra en la denominación genérica de novela— y los libros de poesía *Ha una gota de sangue en cada poema; A cinza das horas,* por Manuel Bandeira; *Moises Juca, mulato,* por Menotti del Picchia; *Nos,* por Guilherme de Almeida; *Carrilhoes,* de Murillo Araujo y otros de Sergio Milliet.

Estos poetas, "pioneers" del vanguardismo brasileño, marcan una clara impronta sobre los que sobrevienen después. Los más significativos son Carlos Drumond de Andrade, Jorge de Lima, Murilo Mendes, Augusto Federico Schmidt, Cecilia Meireles, Vinicius de Moraes, Casiano Ricardo, Raúl Bopp... El influjo del modernismo vivifica también las demás artes; en la pintura, con Brecheret, Portinari, Cavalcanti; en la música, con Villa-Lobos; en la arquitectura, con Niemeyer, el creador de Brasilia.

Un crítico de origen alemán y lengua portuguesa, Otto-María Carpeaux, ha sintetizado así lo que fue el modernismo brasileño: "rompió con la métrica tradicional y con la solemnidad académica, volviéndose hacia los aspectos trágicos y humorísticos de la vida cotidiana, hacia las realidades sociales y la geografía humana del Brasil, proclamando la libre expresión de los sentimientos del hombre brasileño frente a la naturaleza americana y las crisis del mundo americano".

No ya solamente en la generación del 45, sino en la más reciente se mantiene parejo espíritu innovador. Una prueba es que algunos poetas de la década del 60, los llamados "concretos", reconozcan su progenie modernista. Ahora bien, estos poetas "concretos" (los más señalados: Haroldo y Augusto de Campos, Decio Pignatari, Ronaldo Azevedo, Lino Grünewald; sus revistas: *Tendencias,* en Belo Horizonte, *Invençâo* y *Noigandres,* en Sâo Paulo) limitan sus aspiraciones al lenguaje: utilizan palabras desarticuladas, buscan efectos onomatopéyicos o visuales, sin llegar al caligrama; dan un relieve especial a los espacios blancos y las alineaciones irregulares. En suma —y salvo la imprevista atomización del lenguaje como mero episodio en la atomización del planeta—: un experimento, más curioso que fecundo, gemelo del que practicaron los efímeros "letristas" parisienses de la última postguerra (Isou y otros), aunque su parentesco más próximo sea el de los pintores geométricos de la abstracción, denominados concretos. De todos ellos se habla con más extensión en el capítulo *Letrismo y concretismo* de este libro.

ULTRAISMO EN AMERICA HISPANICA

Argentina

Más extensas y prolongadas que en los territorios geográficamente próximos son las repercusiones que alcanza el ultraísmo —es decir, el difuso espíritu de vanguardia que encarnaba —en otros lejanos, pero sin salir del propio dominio idiomático: en la América hipanohablante. De modo particular, en la Argentina. Tal principalía se explica fácilmente por la razón obvia de que fue un poeta argentino, Jorge Luis Borges, surgido en la *Grecia* hispalense, quien transportó personalmente a su tierra nativa los gérmenes del ultraísmo. Puesto que su aclimatación y consecuencia ha merecido ya varias reconstrucciones y análisis (de modo especial en años recientes, cuando estudiosos de las últimas generaciones vierten sus afanes investigadores hacia aquella época con la misma acuciosidad que podrían aplicar para exhumar reliquias medievales...; y he aquí, por cierto, un signo más de la mutación que el concepto del tiempo y de la perspectiva experimentan en América), bastará a nuestro propósito trazar una simple memoranda de fechas, autores, títulos de revistas y libros.

En diciembre de 1921 Jorge Luis Borges publica el primer número de la hoja (no tanto como revista, puesto que constaba de una sola páginas con tamaño de cartel) mural, *Prisma,* seguido por otro —el final— en marzo de 1922. Este se encabezaba con una "Proclama" cuyos párrafos esenciales estaban encaminados al desprestigio del "tatuaje azul rubeniano", de los "cachivaches ornamentales", del "anecdotismo gárrulo". En oposición, "nuestro arte —decían— quiere superar esas martingalas de siempre y descubrir facetas insospechadas al mundo". De ahí el propósito de "sintetizar la poesía en su elemento primordial: la metáfora. Cada verso de nuestros poemas posee su vida individual y representa una visión inédita". En resumen: "el ultraísmo propende a la formación de una mitología emocional y variable". La redacción del anterior texto pertenecía enteramente a Borges, si bien llevaba también las firmas de Eduardo González Lanuza, de Guillermo Juan (Borges) y la mía. La otra mitad del gran cartel se llenaba con poesías muy breves de varios de los ultraístas españoles. Pocos meses después aparece *Proa* (tres números espaciados entre agosto de 1922 y julio de 1923) con el formato tripartito de *Ultra* y la incorporación de muy contadas firmas argentinas, entre ellas, el extraño humorista Macedonio Fernández, erigido al nivel de precursor o maestro, Norah Lange, Francisco M. Piñero; además, algunos chilenos, otros mexicanos. Un año después (agosto de 1924) *Proa* inicia una segunda época (más prolongada e influyente, puesto que dura hasta 1925 y comprende catorce números), cambia de formato y se hace mensual. Se incorpora un antecesor inmediato de valor, Ricardo Güiraldes; y junto a su nombre y el de Borges, aparecen los de Pablo Rojas Paz y Brandán Caraffa. Sólo entonces, al desaparecer el primitivo espíritu ultraísta y transformarse en otro genéricamente modernizante, más general, es cuando el grupo y la revista alcanzan mayor expansión e influjo.

Complemento y sucesión a la par de *Proa* vino a ser por las mismas fechas otra revista, *Martín Fierro,* desde 1924, pero que solamente un año después adquiere fisonomía más artística y batalladora. Junto al nombre de su director, Evar Méndez, aparecen como editores, los de Oliverio Girondo, Alberto Prebisch, Eduardo Bullrich... Las afirmaciones de carácter literariamente más subversivo corren a cargo del primero de los citados en algunos de sus "Membretes"; es decir, son violentas en el tono, aunque de hecho no rebasan los límites comunes de cualquier arenga renovadora. Por ejemplo: "Frente a la ridícula necesidad de fundamentar nuestro nacionalismo, hinchando falsos valores que al primer pinchazo se desinflan [...] *Martín Fierro* proclama la necesidad de definirse y explorar esa *nueva sensibilidad* capaz de descubrir panoramas insospechados y nuevos medios y formas de expresión." Por cierto, la expresión subrayada —nueva sensibilidad— pertenece a Ortega y Gasset; fue tema o punto de partida de una de sus conferencias en Buenos Aires (1916) y sirvió luego para designar el nuevo estado de espíritu con más frecuencia que los apelativos vanguardismo o ultraísmo. Aunque el impulso inicial aportado por el último se extendiera a otras revistas de los años contiguos (*Inicial, Valoraciones, Sagitario,* con proyecciones más amplias que las puramente literarias); aunque tal ismo engendrara agrupaciones y guerrillas polémicas —así la mantenida por los innovadores literarios de *Florida* (barrio céntrico) contra los revolucionarios sociales de *Boedo* (barrio proletario)— el saldo de sus realizaciones positivas no es muy vasto.

Fue establecido casi al día por Néstor Ibarra, si bien de las clasificaciones específicas que establecía, apenas hoy podría extractarse una media docena de nombres y títulos. Aparte *Fervor de Buenos Aires,* de Jorge Luis Borges (libro que, por otra parte, ya responde a un concepto poético distinto del que había informado sus poemas en las revistas ultraístas españolas), ajustados verdaderamente a la estética que se predica, sólo podrían contarse *Prismas* (1923), de Eduardo González Lanuza, *Veinte poemas para ser leídos en el tranvía* (1922) y *Calcomanías* (1925), de Oliverio Girondo, *Bazar* (1922), *Kindergarten* (1924) y *Alcántara* (1925), de Francisco Luis Bernárdez, *La calle de la tarde,* de Norah Lange, sin olvidar la aportación inicial representada por Ricardo

110. *Hélices*, de Guillermo de Torre. Portada de Barradas, Madrid, 1923

111. D. Vázquez Díaz: Retrato de Guillermo de Torre en el libro *Hélices*, 1923

112. Portada de *Literaturas europeas de vanguardia*, por Guillermo de Torre. Madrid, 1925

Sombra

La sombra es un pedazo que se aleja
Camino de otras playas

En mi memoria un ruiseñor se queja
    Ruiseñor de las batallas
    Que canta sobre todas las balas

Hasta cuando sangrerán la vida

La misma luna herida
No tiene sino una ala
    El corazón hizo su nido
    En medio del vacío

Sin embargo
    Al borde del mundo florecen las encinas
Y LA PRIMAVERA VIENE SOBRE LAS GOLONDRINAS

        Vicente Huidobro

113. Poema autógrafo de Vicente Huidobro

114. Vicente Huidobro. Dibujo de Picasso, 1921

La Gaceta Literaria

ibérica : americana : internacional

LETRAS — ARTE — CIENCIA

Periódico quincenal (1 y 15 de cada mes)

30 CÉNTIMOS

---

un periódico de las letras

Escritores que llevan esta de la GACETA LITERARIA, no es indudable que es cosa la literatura establecida... *[texto ilegible por deterioro del original]*

...

JOSÉ ORTEGA Y GASSET

La Academia Española, también respetuosa.

...

PROTECCIÓN CULTURAL

...

ESTE NÚMERO HA SIDO VISADO POR LA CENSURA

SUMARIO

Pág. 1.—J. ORTEGA Y GASSET: Sobre un periódico de las letras.—E. GIMÉNEZ CABALLERO: Pío Baroja, ingeniero...
Pág. 2.—AMÉRICO CASTRO: Judíos.—J. DE SANGRÓNIZ.—E. GONZÁLEZ ROJO: Los nuevos poetas argentinos.—R. MARTÍNEZ SANTONJA.—EDWARDS BELLO.
El Paso del Pirineo.
Pág. 3.—A. H. SUBER: Subrrealismo o cubismo.—JULIO DE CASTRO: A cañonazos.
Pág. 4.—R. GÓMEZ DE LA SERNA: Casa sin ventanas.
E. LAFUENTE: Adrián en el trasiego.—GUILLERMO DE TORRE: de arte y poesía argentina.—LIBROS.
C. ESPINA: Exposiciones.
M. ARCONADA: Música.—OBSERVATORIO ESTUDIANTIL. ANUNCIOS.

SALUTACIÓN

Rompiendo la aurora del año se presenta a la vida LA GACETA LITERARIA. La cabeza, alta. Los ojos, serenos, limpios y decididos. El pliegue de su ropa, una curva de generosa musculatura.

LA GACETA LITERARIA se presenta a la vida dispuesta a tres afanes: uno, hacia el pasado. Otro, hacia el presente. Y otro hacia el porvenir.

...

COMITÉ REDACTOR DE LA GACETA LITERARIA

DIRECTOR: E. GIMÉNEZ CABALLERO
SECRETARIO: GUILLERMO DE TORRE

...

IDEOGRAFÍAS

a tinta china

Mis dibujos cantan la quiebra del corazón; el cuadro y la salación...

...

J. MORENO VILLA

Las manos en la literatura

Pío Baroja, ingeniero de sus novelas

Introducción a una psicología...

Entre los problemas literarios estaba...

...

Las manos de Pío Baroja.

¿Y las manos de Pío Baroja? Detengámonos en las manos de Pío Baroja. Las manos de Pío Baroja son algo tan desnudo y crudo, tan sin música de la vida—de la crispitadad alusiva de los bolsillos del pantalón—como definen a quienes el hambre y la curiosidad afilan a surgir por sus manos. Las manos de Pío Baroja son como un violoncello guardado en el estuche de su funda. Pero en el día del concierto echa a temblar sus cuerdas. Las manos de Pío Baroja duermen en los bolsillos. Pero tienen ya ese sabio independiente de la batuta: mejor dicho, dirigen una orquesta por sí solas. Ante el gran gentío que gustaba oírlas, yo he visto a Pío Baroja no tuviera manos.

...

115. "La Gaceta Literaria", núm. 1. Madrid, 1 de enero de 1927

116. *Tapices*, de Ramón Gómez de la Serna. Portada de Bartolozzi

117. *Retrato de Ramón*, por Rivera

Güiraldes con *El cencerro de cristal* (1915). No es menester en esta recapitulación sintética registrar otros nombres o títulos, significativos o valiosos en distintos aspectos, pues abundan las antologías y exposiciones (así las de Noé, Hidalgo, Tiempo-Vignale, etc.), hechas a muy poca distancia de aquel período. Unicamente, a modo de dato complementario, sería curioso recordar cierta rectificación de criterio estimativo, por parte de los vanguardistas, en lo referente a Leopoldo Lugones. Este asume entonces una jerarquía de maestro, o al menos de antecesor, ya que en la literatura argentina de comienzos del siglo encarnó la renovación del modernismo. Sin embargo, ante la que apuntaban los poetas de la década del 20, Lugones reaccionó con abierta y pública hostilidad. Su caballo de batalla consistía en esta dudosa proposición: "donde no hay verso no hay poesía". En contrarréplica, los "martinfierristas" no le escatimaron negaciones y burlas, sobre todo las últimas. Pero he aquí que a poco andar la actitud de los antagonistas lugonianos —representados por Borges— varió radicalmente, llegando a la hipérbole en el desagravio y sosteniendo que toda la imaginería ultraísta prexistió en el *Lunario sentimental* (1909).

Vindicación o más bien "descubrimiento" de otro carácter fue el de Macedonio Fernández, autor de libros tan singulares y literarios (por lo mismo que su autor se negaba a lo literario y rehuía todo lo afirmativo, complaciéndose en exhibir ausencias, escamoteando presencias) como *No todo es vigilia la de los ojos abiertos* y *Papeles de recienvenido*. Y en trance de evocar personalidades fuera de serie, ligada igualmente a la aventura del vanguardismo en la Argentina, debe recordarse también a Xul Solar, pintor, escritor ocasional, inventor de un neoidioma tan caprichoso como sistemático, pero más viable y simpático que otros intentos de mayores ínfulas, pues (al igual que el lenguaje de Belarmino, el héroe de Pérez de Ayala) no pretendía suplantar el hablar comunal y cotidiano, sino más bien introducir variantes en la literaria.

Uruguay

Complementariamente, no podrían dejar de anotarse algunos nombres, revistas y títulos concernientes al otro lado rioplatense, a la ribera oriental del Uruguay. Una de las primeras manifestaciones de la repercusión del espíritu vanguardista está representada allí por la revista *Los nuevos* (Ildefonso Pereda Valdés, Federico Morador). Mayor duración —e influencia— adquieren *La Cruz del Sur* y *Alfar,* esta última ya mencionada a propósito del ultraísmo español. *Teseo* y *Pegaso* son de ámbito más limitado. Durante el decenio del 20 los hermanos Alvaro y Gervasio Guillot Muñoz sobresalen como propagandistas o expositores de las nuevas tendencias. A ellos se debe un libro crítico importante sobre *Lautréamont y Laforgue.* La superabundancia del Parnaso uruguayo ha permitido antologías tan desbordantes como una de Julio J. Casal en 1920. Sin duda no faltan voces de calidad, aunque éstas —reconozcámoslo— no figuren en el marco específico de las tendencias que estos apuntes quieren registrar. Más bien, en todo caso —si esto no supusiera forzar los límites prefijados— habría que señalar la presencia e influjo permanentes de Julio Herrera y Reissig y Jules Supervielle, sin perjuicio de las huellas que también marcan ciertas figuras femeninas —con irradiación general americana— del pasado inmediato, empezando por Delmira Agustini y María Eugenia Vaz Ferreira y llegando a Juana de Ibarbourou, Sara de Ibáñez y Clara Silva.

En el Pacífico: Chile y Perú

De la vertiente atlántica a la del Pacífico. Si en la primera, las repercusiones del estado de espíritu vanguardista tuvieron prioridad cronológica, manteniéndose empero dentro de ciertos límites formales, fue en las literaturas del Pacífico donde alcanzaron mayor extremosidad. Al cabo, tal diferencia viene a ser una prueba más de la disparidad de temple anímico que caracteriza, en forma general, la poesía y las demás artes entre ambas costas. En la atlántica, por la razón de su mayor proximidad con las raíces europeas, se impone siempre cierto sentido de la medida; en la del Pacífico, más allá en el tiempo de las raíces hispanocolombinas, prevalecen las otras, las indígenas, mezcladas con las orográficas, transmitiendo a cuanto en ellas aflora o se trasplanta una suerte de temblor andino.

Tal aserción no es gratuita; ofrece numerosas demostraciones en el desarrollo de cualquier tendencia o teoría, a lo largo de toda la Cordillera de los Andes, desde el sur chileno hasta Panamá, pero podrá comprobarse una vez más al reseñar sumariamente los reflejos del vanguardismo poético. Tan varia y desmesurada —sin dejar de ser efímera, por supuesto— fue la floración de escuelas y pequeñas revistas en países como Chile y Perú, que alguien hubiera podido parodiar así ciertos versos famosos de Rubén Darío, correspondientes al poema *Salutación a Roosevelt*: "Las vanguardias ultraicas son múltiples y grandes: / cuando ellas aletean se estremecen los Andes."

Algunos de los escritores que primero reflejaron tal "estremecimiento" no dejaron mayor huella; así Yépez Alvear y Jacobo Nazaré con su revista *Vórtice* en Chile. Pero, en cualquier caso, inician una larga sucesión de pequeñas revistas, también chilenas, en los años 1920-1921: *Dionysos*, dirigida por Aliro Oyarzún, *Dinamo*, por Pablo de Rokha, *Andamios*, por Rubén Azocar, *Caballo de bastos*, por Pablo Neruda, *Panoramas*, por Rosamel del Valle, *Reflector*, por Arturo Troncoso. Añádanse aún: *Ariel, Rodó, Abanico* en Quillota, *Claridad*, dirigida por Alberto Rojas Giménez (el mismo de la bella poesía "in memoriam", "Viene volando" que le dedicó Neruda); éste publica un "Manifiesto Agú" de intenciones ya más políticas que literariamente revolucionarias, marcándose así la bifurcación que seguirían después casi todas las demás jóvenes generaciones chilenas. Entre los nombres antes mencionados figuran dos que habrán de adquirir mayor notoriedad: local, el de Pablo de Rokha (*Los gemidos*, 1922, *U*, 1925 se llaman sus primeros libros); americana y aun internacional, el de Pablo Neruda (quien surge por las mismas fechas: *Crepusculario*, 1923, *Veinte poemas de amor y una canción desesperada*, 1924). Otros autores y obras características de los mismos años, que en mayor o menor grado muestran asimilaciones temáticas o técnicas modernas son: Juan Marín, con

Looping, Salvador Reyes, con *Barco ebrio*, Humberto Díaz Casanueva, con *El aventurero de Saba*, Gerardo Seguel con *Dos campanarios a la orilla del cielo*, Rosamel del Valle, con *Mirador*, Rubén Azocar...

Las aguas se remansan durante algún tiempo hasta que la obra de Huidobro comienza a adquirir cierta influencia en su propio país: por vía más bien humorista se expresa en un *Manifiesto runrunista* que firman varios jóvenes, cuyos nombres no pasaron de ahí; combinada con la del superrealismo se hace visible mediante el grupo y la revista *Mandrágora* en 1938; Braulio Arena, Eduardo Anguita, Teófilo Cid, Enrique Gómez Correa, Jorge Cáceres... Un poco antes, Huidobro (quien como fundador de revistas sólo tenía el antecedente de un par de números de *Création* en el París de 1924) lanza dos o tres hojas efímeras: *Vital, Total*... Ya rebasado, con mucho, el primer y decisivo período de las innovaciones, Huidobro participa asiduamente en la revista *Multitud* (1939) de Pablo de Rokha.

En el Perú la efervescencia vanguardista cobra mayor extensión; allí se combinan curiosamente los atrevimientos de un "más allá" poético con las retrospecciones nostálgicas, las "vueltas atrás" de un indigenismo incaico. Hojear hoy aquellas minúsculas y numerosas revistas —de las que Estuardo Núñez y Luis Monguió, en sus respectivos libros históricos, dan cuenta— que yo he podido rencontrar, produce un singular efecto. En el espacio de tres años (1924-1927) se suceden ininterrumpidamente varias hojas que dan la impresión de ser una sola, con el simple cambio de títulos: *Flechas, Poliedro*, dirigida por Armando Bazán, *Hangar*, por Juan José Lora; *Rascacielos*, por Serafín del Mar; *Timonel*, por Magda Portal; *Guerrilla*, por Blanca Luz Brum; *Hurra*, por Carlos Oquendo; *Jarana*, por Adalberto Varallanos; *Abdario*... Y la lista no termina aquí, pues junto a esas publicaciones de Lima pululan también otras en las pequeñas ciudades de provincia: así *Hélice*, en Huancayo, por Julián Petrovick; *La aldea*, en Arequipa; hasta de las riberas de un lago andino llega otra, *Boletín Titicaca*, dirigida por Alejandro Peralta y Antero Peralta (Gamaniel Churata); *Kuntur*, de Sicuani; *Vanguardia* y *La Puna*, del Cuzco... Junto a los mencionados nombres, en todas ellas se repiten, con pocas variantes, las firmas de José M. Eguren, en calidad de inmediato antecesor, y después de Juan Carlos Mariátegui (quien a partir de 1926 crea su propia revista, *Amauta*, de mayor alcance y duración, combinando lo político-social con lo literario y artístico), Luis E. Valcárcel, Jorge Basadre, Xavier Abril. Un poco marginalmente, Alberto Hidalgo, desde Buenos Aires, incorpora su *simplismo* a la relación interminable de "ismos".

Ahora bien, no deja de ser sorprendente que la figura encargada de efectuar un "rappel à l'ordre", en medio de tanta audacia y dispersión, fuera aquella que precisamente ha venido a representar años más tarde la máxima subversión: César Vallejo. Lo recuerda Estuardo Núñez, interpretando ciertas palabras del poeta en 1936, donde anteponía a "la poesía nueva a base de metáforas", "la poesía nueva a base de sensibilidad nueva, simple y humana". Pero en definitiva, no está allí la diferencia que Vallejo señalaba, sino en su retorno a las formas regulares del verso —regularidad externa, puesto que en la sintaxis y la semántica de las palabras se mantiene irregular y aun deliberadamente arbitrario—. También otro poeta peruano de los mismos años, "Martín Adán", vuelve —según Estuardo Núñez— al "orden formal", por vía de los que llama "antisonetos", con estructura externa regular y contenido inconexo. Este ciclo propiamente innovador se cierra, en la poesía peruana, en 1929, mediante el paso a la etapa que el crítico mencionado llama —de modo muy aproximado— "purismo". Posteriores rebrotes del espíritu de la vanguardia son los que se manifiestan mediante la adaptación —algo tardía— del superrealismo, llevada a cabo por "César Moro", los libros y revistas de Xavier Abril, Emilio Adolfo von Wersphalen y otros; nos excusamos de precisarlos puesto que rebasan el período prefijado.

Antillas

Una momentánea escala en las Antillas. Mas sucede que puestos a anotar muy rápidamente huellas de las tendencias estudiadas, no es quizá —como suele creerse— en Cuba donde éstas cobran más visible expresión, sino en Puerto Rico. Con todo, en La Habana, a partir de 1927, se manifiestan las primeras expresiones del espíritu vanguardista.

Su órgano: el "Grupo minorista" (nombre que probablemente en la década del 60 habrá de sonar peligrosamente como heterodoxo a partir de las olas popularistas del castrismo, si no se aclara que en él se congregaron los opositores a la dictadura de Machado) y la *Revista de Avance* que destacaba en primer término su año de aparición: 1927 (alcanzó hasta 1930 inclusive). Sus principales animadores: Jorge Mañach, Félix Lizaso, Francisco Ichaso, José Z. Tallet y Juan Marinello, que el paso de los años dispersaría en muy distintas direcciones. Poetas de ese período son: Eugenio Florit, Ramón Guirao, Emilio Ballagas, Manuel Navarro Luna, quien es autor del libro —según Fernández Retamar— "más típicamente vanguardista de la poesía cubana: *Surco*, en 1928".

Aparte otros nombres y obras, dos hechos singularizan allí este momento literario. El primero es el florecimiento de la lírica negra o afro-cubana, extendida a las demás Antillas y aun a otros países de América; junto a algunos de los poetas ya mencionados cultivan asimismo dicha poesía en Cuba: Nicolás Guillén, Regino Pedroso, Alejo Carpentier... Y el segundo pudiera cifrarse tal vez en la aparición y cultivo de la jitanjáfora, bien que ésta apenas traspasara la esfera de su "descubridor": Mariano Brull (*Poemas en menguante*, 1928). Ahora bien, así como en la jitanjáfora —cristalización de la gratuidad poética, puro juglarismo fónico— puede verse uno de los ejemplos extremos del "purismo" vanguardista, contrariamente se ha considerado la poesía negra (antillana, según ha precisado Federico de Onís, más exactamente que afro-cubana) como el punto de partida de la poesía social, derivada "directamente del vanguardismo", al decir de Fernández Retamar, que inicia Regino Pedroso y continúa Nicolás Guillén. Antes de que con la revolución de 1960 llegara a su auge, se produce un reflorecimiento del espíritu innovador con las revistas *Verbum, Espuela de Plata, Nadie parecía* y *Orígenes*; a la cabeza, o en lugar preminente, de todas ellas surge el nombre de José Lezama Lima, acompañado por los que Cintio Vitier registró en su antología *Diez poetas cubanos* (1937-1947). Cierra tal período la revista *Ciclón* (1955-1958) de José Rodríguez Feo.

Pero es en otra isla próxima, Puerto Rico, donde tal florecimiento alcanza una inverosímil multiplicación. Desde luego, tales "ismos" puertorriqueños no pasan de conatos efímeros, expresiones individuales en muchos casos, pero su registro no por ello es menos curioso. Contra el modernismo se alza muy tempranamente (1913) Luis Lloréns Torres por medio de su *pancalismo* (todo es bello), sustentado por otra teoría formal, el *panedismo* (todo es verso), al decir del antólogo Hernández Aquino; "una especie de whitmanismo, con su democrático gesto versiculista y todo", escribe Cesáreo Rosa-Nieves. Pero el primer movimiento (aunque calificarle así resulta excesivo) es el *diepalismo* (1921), nombre con que José I. de Diego Padró y Luis Palés Matos, basándose en la onomatopeya y "remplazando lo lógico por lo fonético" se propusieron dar una impresión de la realidad objetiva, según la historiadora Josefina Rivera. El nombre de *diepalismo* —delatando así tanto el origen como el carácter estrictamente bipersonal de la tendencia— se debía sencillamente a la fusión de las primeras sílabas de los apellidos de sus fundadores. El único eco poético del diepalismo se encuentra pocos años más tarde en la poesía negra de Palés Matos, en *Tun-tun de pasa y grifería* que viene a ser la obra maestra de la poesía negra. En 1923 surge el euforismo (cuya etimología es clara: euforia) de Palés Matos y Tomás L. Batista. En su escaso saldo solamente se cuentan dos manifiestos y algunas poesías sueltas. En 1925: el grupo *No* (cuyo título también tiene la ventaja de no necesitar ninguna ardua exégesis-, vagamente reminiscente de algunas actitudes de Dadá y de otras ultraístas. Por excepción, el atalayismo, iniciado en 1928, parece haber tenido mayor fundamento y huella, dejando algunas obras poéticas de Graciany Miranda Archilla *(Responsos a mis poemas náufragos)*, Fernando González Alberty *(Grito)* y Luis Hernández Aquino *(Niebla lírica)*. En esta larga relación de ismos todavía los historiadores literarios de la isla agregan otros, aunque algunos como el girandulismo (debido a un libro, *Girándulas*, de Evaristo Ribera Chevremont) tengan un aire humorístico; otros, sin perder tampoco la anterior característica, no pasan de ser expresiones unipersonales; y uno más, no queriendo renunciar a nada, se titula integralismo; aquí también rencontramos el nombre de Hernández Aquino junto con el de Samuel Lugo. Para no privarse de nada los poetas puertorriqueños tienen en lo internacional también su superrealismo, y en lo autóctono su ensueñismo que aspira a cantar los temas nativos. En esta dirección autóctona y criollista sobresalen los nombres de Manrique Cabrera (*De mi tierra*) y Francisco Hernández Vargas *(La vereda);* asimismo Juan Antonio Corretjer. Superada ya la época propia de los ismos, sin embargo todavía en Puerto Rico hay rescoldos de movimientos poéticos: así el trascendentalismo (1948), de Franco Oppenheimer, autor de *El hombre y su angustia*. Seguramente todavía queda algún otro ismo fuera (en efecto, el cumarisotismo, palabra también compuesta por las sílabas iniciales de sus cuatro fundadores; el egoprinismo; el proletarismo, este último atribuido a Luis Muñoz Marín, poeta no desdeñable, después más notorio como gobernador de su isla)...; pero como muestra curiosa de una proliferación paradójica —habida cuenta de la dimensión geográfica de Puerto Rico, y sólo a tal título los registramos— basta y sobra con los mencionados.

Santo Domingo contó también con un ismo propio, quizá más ambicioso de perduración que otros —aunque al cabo fuese transitorio—, según lo evidencia ya su simple nombre: postumismo. Según su inventor, el poeta Domingo Moreno Jimenes, o más bien de acuerdo con la explicación que proporciona Max Henríquez Ureña, en el postumismo hay una "aspiración ulterior, es literatura de mañana o de pasado mañana". Su órgano de publicidad fue la revista *El día estético*. Varios folletos antológicos recogen muestras de tal género de poesía: *Del movimiento postumista* (1922), *Poemas* (1923) y *Pequeña antología postumista* (1924). Además del mencionado Moreno Jimenes —con muy abundante bibliografía, destaquemos únicamente los títulos más llamativos: *Del anodismo al postumismo* (1924), *Movimiento postumista interplanetario* (1924)—, participan en dicha escuela: Andrés Avelino, Tomás Hernández Franco, E. Pérez Alfonseca, Rafael A. Brenes y Julio Alberto Cuello y hasta una docena de nombres más, cuya mención sería inútil, dada su mínima difusión y la dificultad de encontrar textos.

México, Colombia, Ecuador

La poesía mexicana en el mapa de América y a diferencia de otras expresiones artísticas, particularmente la pintura, representa la mesura, la contención. De ahí que los brotes vanguardistas surgidos en la década que nos ocupa tuvieron un carácter de algo excepcional y aun contracorriente. Aludo al estridentismo de Manuel Maples Arce y a su manifiesto *Acual:* una gran hoja de prosa explosiva donde se mezclan alardes futuristas, manotazos de tipo dadaísta, propuesta —al modo ultraísta— de una síntesis de todos los movimientos de 1920. Las numerosas citas tomadas de los teóricos de dichas escuelas, tanto como un "Directorio de vanguardia" final, con una extensa relación de los nombres, comprueban el carácter rapsódico del estridentismo. Al nombre de Maples Arce, en la misma dirección, se unen entonces los de Germán List Arzubide, Salvador Gallardo, Kinta-Niya y Arqueles Vela. Sus posibles ecos quedaron sepultados por la generación de la revista *Contemporáneos* y los primeros libros de Jaime Torres Bodet, Xavier Villarrutia, Salvador Novo, Carlos Pellicer...

Hasta en una literatura que goza fama de ser la más tradicional y quieta, como la colombiana, no deja de advertirse algún eco vanguardista. Aludimos al grupo de *Los Nuevos* en 1920. Inspirador de él, en cierta medida, era un extraño poeta que en 1915 publicaba en Medellín la revista *Panida*: León de Greiff. Del mismo año data su primer libro, *Tergiversaciones,* cuyas epigrafías y los seudónimos "Leo Legris, Matías Aldecoa y Gaspar", previenen por su fácil extravagancia. Más allá de tales máscaras, hay en ese libro, como en otros varios que le siguieron, una extraordinaria riqueza verbal, una libre inventiva. *Los Nuevos* estaba dirigida por Alberto Lleras Camargo y Jorge Zalamea. Un poeta representativo de aquel momento es Luis Vidales con su libro *Suenan timbres*.

En el Ecuador, un reflejo directo del ultraísmo se manifiesta con Hugo Mayo y su revista *Motocicleta,* que se subtitulaba: "Indice de poesía vanguardista", y debajo: "aparece cada 360 horas". De parejo espíritu se beneficiarían más adelante poetas como Jorge Carrera Andrade y Gonzalo Escudero, si bien la personalidad más singular sea la de Alfredo Gangotena, no obstante ser quizá la menos conocida y la más inmune a influencias visibles. Por donde se evidencia que la menor irradiación de la obra, aún más, la no pertenencia a una estética determinada, no siempre guardan relación directa con la verdadera personalidad. Ese es el caso ya mencionado de León de Greiff, de Alfredo Gangotena y también del colombiano Porfirio Barba Jacob (más conocido por este seudónimo que por su verdadero nombre, Miguel Angel Ossorio, y por los otros heterónimos que también usó: Main Ximénez, Ricardo Arenales...)

BALANCE DEL ULTRAISMO

Si del romanticismo español (un estilo tan extendido y fértil en huellas, aunque cualitativamente apenas pueda parearse con los romanticismos germánico e inglés y aun con el de Francia) ha podido escribirse, aunque arbitrariamente (Allison Peers), que fue un fracaso, ¿qué no podrá decirse del ultraísmo, movimiento efímero por sí mismo, pero duradero en sus prolongaciones e influjos?

Su órbita temporal fue corta, voluntariamente por parte de sus promotores. El movimiento ultraísta —escribía yo al hacer un balance de sus realizaciones en la primera edición de este libro— como tal, como bloque destinado a ejercer una acción conjunta y a mantener un estado de espíritu innovador, pudo en realidad considerarse disuelto al dejar de publicarse *Ultra,* en la primavera de 1922. Parejamente a lo que sucedió en las mismas fechas con el *Mouvement Dada,* pronto se advirtió la imposibilidad de mantener una actitud espiritual coherente. En el caso de los dadaístas, porque la actitud negativa y burlona esgrimida frente al prójimo era fatal que de rechazo repercutiera sobre ellos mismos, disgregándoles. En el caso del ultraísmo, porque a la ausencia de un medio propicio, de un público que a la vez fuera irritable e incitante, se unía la fuerza paralizadora de los espíritus que llamaremos —con terminología de entonces— incurablemente nostálgicos, de aquellos que se sentían más atraídos por lo retrospectivo o tradicional que por el gusto de explorar.

El ultraísmo perduró, en cierto modo, evolucionando. Y no tanto en los que fueron sus promotores o primeros cultivadores, como en aquellos otros que experimentaron su contragolpe o su influjo indirecto. No del ultraísmo específicamente, pero sí del vanguardismo de los años 20 arrancan sustancialmente —no sólo en poesía, sino también en otros géneros y hasta en la plástica— casi todas las innovaciones válidas incorporadas durante el período interbélico europeo de 1918 a 1940. La aportación del ultraísmo fatalmente hubo de tener un radio más reducido, puesto que se concentró exclusivamente en la poesía, sin llegar a extenderse —según páginas atrás ya señalé— a la novela, al teatro (cierto es que entonces pesaba sobre tales géneros el ingenuo anatema de "impuros"), al modo como lo hicieron otros movimientos de vanguardia, señaladamente el expresionismo germánico; y aun dentro de la poesía, se mantuvo en el sector de la radicalidad más subjetiva, el lírico. Con todo, al cargar el acento en la imagen y en la metáfora, intentó purificar la poesía de toda ganga o excrecencia, con el afán —desmesurado, sin duda— de represtinizarla. Aunque distara mucho de lograrse tal objetivo, es indudable que la preminencia otorgada a aquellos elementos influyó visiblemente en buena parte de la poesía posterior, según ya quedó apuntado páginas atrás.

La causa última de su fracaso es la misma que torna imposible una revolución política pura; es decir, que únicamente prosperan aquellas donde la destrucción se empareja con la construcción; en suma, las subversiones que, sin degenerar en el compromiso innocuo, establecen cierto puente de continuidad entre el ayer y el hoy, afirmándose más en lo último, pues de otra suerte lo estático prevalecería sobre lo dinámico y no habría tal revolución o cambio. Con razón, con suma perspicacia, aludiendo al metaforismo a ultranza practicado —sin otros apoyos— por el ultraísmo, ha podido escribir Dámaso Alonso que la poesía sucesora "juntó a los más frenéticos anhelos de creación (sonda hacia el futuro), todas las conquistas formales de la poesía tradicional (ancla en el pasado). El fracaso del ultraísmo había consistido en no querer usar de estas adquisiciones, y al mismo tiempo en no haberlas sabido sustituir". Sin duda este desdén histórico, esta falta de sentido integrador (aunque, claro es, fuera insensato anticipar las fases de todo movimiento evolutivo y concebir, desde el primer día, una revolución temperada...) resultó una de las causas de la frustración ultraísta. Pero ello no impedía reconocer al mismo Dámaso Alonso (uno de los pocos, por no decir el único, que, guiado por su espíritu de equidad y su conciencia de historiador, ha sabido ver el fenómeno que estudiamos) el influjo ejercido por el ultraísmo. "Todos los poetas actuales —escribía en 1932—, en un artículo recogido más tarde en *Estudios y ensayos gongorinos,* aun los más alejados de esta tendencia, son deudores, en poco o en mucho, directa o indirectamente a *Ultra,* y de este movimiento hay que partir cuando se quiera hacer historia de la poesía actual". En el mismo sentido insiste años después *(Poetas españolas contemporáneos):* "No se le hace justicia a este movimiento. Apenas produjo nada durable. Pero sin él difícilmente se puede explicar la poesía posterior."

Hubo alguien que, por vía antológica, no supo o no quiso hacerlo así. Sin embargo, Gerardo Diego —que de él se trata—, pocos años antes (en una conferencia de 1929 sobre "La nueva poética española"), habíase visto obligado, aunque a regañadientes o más allá de reticencias (no obstante ser él uno de los implicados), a reconocer tal influjo. "...el valor poético de la obra ultraísta en conjunto —escribía— es escaso, pero su influencia en España y América parece indudable y aun podemos afirmar que no está cancelada. El ultraísmo espantó el miedo a la audacia, y si los poetas aparecidos luego han encontrado un ambiente propicio se debe en parte a la higiénica labor iconoclasta de los poetas de *Grecia*". Alguien más joven y algo distante, por lo tanto, de ese momento, Francisco Ayala, en una vista de conjunto de la entonces "joven literatura española", escribía en 1929: "El movimiento ultraísta que sirvió de base a una negación total del pasado, y de vehículo a alguna personalidad joven, se declaró liquidado hace algunos años. Su eficacia —de actitud y de dogma estético— fue considerable y dentro de nuestra historia literaria desempeña un papel destacado en la iniciación de una época. La situación que reflejaba, por lo que se refiere a España, *Literaturas europeas de vanguardia,* no persistió con los caracteres de un organismo en natural proceso de crecimiento. Sin embargo... los fuegos ultraístas se apagaban después de haber purificado el poema y la prosa."

A semejante tenor se ajustan casi todos los demás juicios de conjunto que se han ido vertiendo años después sobre el ultraísmo. Cuando proceden de quienes formaron en sus filas, los recuerdos o evocaciones —pues no pasan de tal significado— suelen teñirse de colores favorables. Así Pedro Garfias, en unas remembranzas de 1934: "Se pretende que el ultraísmo sea un episodio sin continuidad en nuestra vida literaria... y esto es falso e injusto. El ultraísmo fue una realidad positiva y eficaz... Abrió horizontes y creó rutas. Creó la revista total y puramente literaria... Puso España al día con las corrientes literarias de Europa... Las colecciones de las revistas del ultraísmo tendrán que consultarse más de una vez, forzosamente, por los historiadores de la literatura española contemporánea que quieran ser verídicos y justicieros..." De modo muy parecido, Eugenio Montes (respondiendo a una encuesta de la *Estafeta Literaria,* en 1944) y no obstante los avatares o cambios de rumbo experimentados por él, llevaba su nostalgia hasta lo apologético, adjudicándole aún vigencia y escribiendo: "Tuvo y tiene gran importancia, porque marcó una nueva orientación que pervive en la actualidad, no sólo en la poesía y en la novela, sino también en el ensayo, al que dio una holgura y una alegría que nunca tuvo". Y en este punto coinciden también otros, a despecho de fidelidades o de consecuencias en sus respectivas trayectorias literarias. Así Antonio Espina: "Aquello fue un ventilador. La atmósfera de la poesía estaba llena de tufo —lo retórico, lo narrativo, lo sentimental falso— y el ventilador lo disipó... El ultraísmo no parece ya más que un mote histórico; sin embargo, todavía surte efectos favorables." Así también en la misma encuesta, Gerardo Diego: "Tuvo una importancia específica: sirvió para purificar el ambiente literario y dar paso a todas las novedades vedadas entonces para España: el cubismo, el futurismo, el imaginismo y demás ismos..." Por su parte, el que he llamado páginas atrás, no obstante su propia obra marginal, "inductor de entusiasmos", Cansinos-Asséns, en una entrevista más cercana de los sucesos *(La Gaceta Literaria,* 15 junio 1929), declaraba: "Los postultraístas se beneficiaron del alboroto de sus antecesores y encuentran al público más preparado. Todo asombro es ya anacrónico. Por eso mismo se impone un mayor deber de originalidad y avance."

Sin embargo, el mismo escritor, no muchos años atrás, había compuesto una sátira novelesca del ultraísmo bajo el título de *El movimiento V. P.* Por sus páginas hacía desfilar una serie de personajes vagamente alegóricos al principio, después francamente caricaturescos. El más recognoscible (ya que mi contrafigura con el nombre, hoy envidiable, de "El Poeta más Joven", estaba tan surcada de rasgos excesivos que apenas nadie hubiera podido identificarme) venía a ser el propio autor bajo el seudónimo de "El Poeta de los Mil Años", especie de Jano con dos caras; una de ellas —la más veraz, desde luego— orientada hacia las melopeas del Talmud, la otra —postiza u ocasional— hacia los estridores del mundo maquinístico. Ahora bien, lo curioso es que la misma retórica que Cansinos-Asséns había ensayado poco antes para explicar teóricamente la nueva lírica, resurgía en *El movimiento V. P.,* con la ligera variante de un tono burlesco o unas imágenes grotescamente exageradas, puestas en boca de los muñecos de farsa más que personajes del libro, en cuya inspiración inicial era fácil adivinar la huella de *Le poète assassiné* de Apollinaire. Quizá el juicio definitivo, más serio, libre ya de toda deformación, pueda encontrarse en sus memorias, de las que ha adelantado algunos capítulos.

Ahora bien, lo menos que podrían esperar quienes participaron en la aventura del ultraísmo era llegar algún día a verlo convertido en tema de tesis universitaria. Aludo al meritorio libro de Gloria Videla, consagrado a *El ultraísmo,* en cuyas páginas se recoge tanto lo memorable como lo francamente olvidable del mismo. Sin embargo, empero su impresionante exhumación de documentos —agotando las pistas que yo había marcado en la primera edición del presente libro y alumbrando otras—, la autora se detiene en la puerta de lo que hubiera supuesto mayor novedad, escribiendo: "la búsqueda de las huellas ultraístas en la poesía de las generaciones posteriores sería motivo de un largo trabajo". Y en cuanto al juicio personal de conjunto, Gloria Videla coincide con varios de los pareceres antes expuestos. Así cuando escribe: "El paso de la poesía modernista a la de la generación de 1927 no se puede explicar totalmente sin reconocer esta etapa revolucionaria, que no sólo destruyó viejas fórmulas, sino que abrió también caminos para la renovación de la expresión poética." Y a continuación recuerda estas palabras de Dámaso Alonso sobre el ultraísmo: "...a través de muchos filtros, y aun a veces por capilaridad, materia de aquellos atrevimientos, que ya podemos llamar de antaño, ha pasado a la técnica de los más perfectos..." [51]

El juicio definitivo sobre el ultraísmo pudo haber sido dado por alguien próximo y distante a la vez, más que por la simple circunstancia de hallarse situado en otro mundo mental, regido por más severas disciplinas, reunía las condiciones de objetividad precisas; y no sobre la valía de las obras —ya que ponía éstas en segundo término—, sino sobre sus intenciones. Aludo a José Ortega y Gasset, quien no obstante dejó caer, al pasar, en *La deshumanización del arte,* a propósito de los sentimientos específicamente estéticos, provocados por los ultra-objetos, estas palabras que entonces tomamos como estímulo, ya que no como aprobación: "El ultraísmo es uno de los nombres más certeros que se han forjado para designar la nueva sensibilidad." Y en cuanto a su valor como grupo disconforme, a su alcance de acción polémica, recordaremos también palabras de Corpus Barga en 1935, al señalar que el ultraísmo fue el último movimiento "político" de la literatura antes de que comenzaran las desnaturalizaciones de la "literatura" política. En suma, el canto del cisne de la literatura desinteresada antes de que atronaran el aire los rugidos de la literatura tendenciosa. O sea, el mismo fenómeno que había advertido Albert Thibaudet en la literatura francesa, señalando, hacia 1935, la suplantación del concepto de revolución literaria por el de literatura revolucionaria.

---

[51] Testimonio de quien es por cierto el poeta de *Poemas puros. Poemillas de la ciudad* (1921), aun perteneciendo originariamente a la misma época, vivió a distancia y cerca simultáneamente del ultraísmo, desdoblando su actitud en admirativa e irónica a la par, según muestra cierto poema de aire tan paródico como de homenaje publicado bajo el seudónimo de "Angel Cándiz" en *Grecia.*

BIBLIOGRAFIA

Juan B. Aguilar: *Impresionismo, ultraísmo, martinferrismo,* en "Revista de Literatura Argentina e Iberoamericana". Mendoza, 1931.
Rafael Alberti: *La arboleda perdida.* Fabril Editora, Buenos Aires, 1959.
José Albi y Joan Fuster: *Antología del surrealismo español,* en "Verbo", Alicante, 1952.
Dámaso Alonso: *Góngora y la literatura contemporánea,* en *Estudios y temas gongorinos.* Gredos, Madrid, 1945.
Poetas españoles contemporáneos. Gredos, Madrid, 1958.
Antología de la poesía Madí. Prólogo de Gyula Kósice, Buenos Aires, 1955.
César E. Arroyo: *La nueva poesía: el creacionismo y el ultraísmo,* en "Revista de la Sociedad Jurídico-Literaria". XXVIII. Quito, 1923.
Max Aub: *La poesía española contemporánea.* México, 1954.
Francisco Ayala: *Apuntes para una visión de la joven literatura española,* en "Síntesis", núm. 13. Buenos Aires, julio de 1928.
Juan Jacobo Bajarlía: *El vanguardismo poético en América y España.* Perrot. Buenos Aires, 1958.
Emilio Ballagas: *Mapa de la poesía negra americana.* Pleamar, Buenos Aires, 1946.
José Antonio Barea: *Las modernas tendencias literarias de vanguardia,* en "Sustancia". Tucumán, núm. 6, marzo de 1941.
Corpus Barga: *Política y literatura,* en "Revista de Occidente", núms. 144, 145 y 146, Madrid, junio, julio y agosto de 1933.
David Bary: *Vicente Huidobro. Comienzos de una vocación poética,* en "Revista Iberoamericana", Iowa, núm. 45, enero-julio, 1958.
— *Perspectiva europea del creacionismo,* en "Revista Iberoamericana", Iowa, número 51, enero, junio de 1961.
— *Vicente Huidobro y la literatura social,* en "Cuadernos Americanos", número 5, México, 1962.
Nicolás Beauduin: *La nouvelle école ultraïste,* en "La Vie des Lettres". París, enero de 1921.
H. J. Becco y Osvaldo Svanascini: *Diez poetas jóvenes (de 1937 a 1947).* Prólogo de Guillermo de Torre. Buenos Aires, 1948.
— *Poesía argentina moderna.* Buenos Aires, 1953.
R. Blanco-Fombona: *Un libro español de crítica extranjera* (sobre *Literatu-*

ras españolas de vanguardia), en *Motivos y letras de España*. Renacimiento, Madrid, 1930.
Vittorio Bodini: *I poeti surrealisti spagnoli. Saggio introduttivo e antologia*. Einaudi, Turín, 1963.
Jorge Luis Borges: *Ultraísmo*, en "Nosotros", núm. 151, Buenos Aires, diciembre de 1921.
— *Respuesta a la encuesta de "Nosotros"*, en "Nosotros". Buenos Aires, mayo de 1923.
— *Página sobre la lírica de hoy*, en "Nosotros". Buenos Aires, agosto-septiembre de 1927.
— *Otra vez la metáfora*, en *El idioma de los argentinos*. Gleizer, Buenos Aires, 1928.
M. Brussot: *Was ist Ultraismus*, en "Literatur". Berlín, XXXIV, 1931-32.
Arturo Cambours Ocampo: *La novísima poesía argentina*. Buenos Aires, 1931.
Campos de Figueiredo: *A actual poesia portuguesa*, en *Primeras jornadas de lengua y literatura hispanoamericana*, I. Salamanca, 1956.
R. Cansinos-Asséns: *Los poetas del Ultra*, en "Cervantes", Madrid, junio de 1919.
— *Instrucciones para leer a los poetas ultraístas*, en "Grecia", núm. 41, Sevilla, 1920.
— *El movimiento V. P.* Mundo Latino, Madrid, 1921.
— *La nueva literatura*, III. *La evolución de la poesía (1917-1927)*. Páez, Madrid, 1927.
Arturo Capdevila: *Gay Saber*. Humanidades, La Plata, 1937.
Rodolfo Cardona: *Ramón. A Study of Ramón Gómez de la Serna and his Works*. Nueva York, 1957.
Emilio Carilla: *El vanguardismo en la Argentina*, en "Nordeste", núm. 1, Resistencia (Argentina), 1960.
Boyd G. Carter: *Las revistas literarias de Hispanoamérica*. México, 1959.
Julio J. Casal: *Exposición de la poesía uruguaya, desde sus orígenes hasta 1940*. Claridad, Montevideo, 1940.
Jean Cassou: *Panorama de la Littérature espagnole*. Krâ, París, 1929.
— *Les Littératures ibériques*, en "Encyclopédie Française", vol. XVII, París, 1935.
— *Contemporary Spanish Poetry*. Selections from ten poets, translated by Eleanor Turnbull, with Spanish Originals and Personal Reminiscences of the Poets by Pedro Salinas. John Hopkins University Press, Baltimore, 1945.
José Francisco Cirre: *La poesía de José Morena Villa*. Insula, Madrid, 1965.
Córdova Iturburu: *La revolución martinferrista*. Ediciones Culturales Argentinas, Buenos Aires, 1962.
Angel Cruchaga Santa María: *Los poetas de vanguardia de Chile*. Santiago de Chile, 1930.

Juan Chabás: *Literatura española contemporánea (1898-1950)*. Cultural, La Habana, 1952.
Max Daireaux: *Panorama de la Littérature hispano-américaine*. Krâ, París, 1930.
Guillermo Díaz-Plaja: *L'avantguardisme a Catalunya*. La Revista, Barcelona, 1932.
— *Poesía y pensamiento de Ramón de Basterra*. Juventud, Barcelona, 1941.
— *La poesía lírica española*. Labor, Barcelona, 1948.
E. Díez-Canedo: *La obra poética de Ramón de Basterra*, en "El Sol". Madrid, 28 de agosto de 1928.
— *La nueva poesía española*. El Nacional, México, 1942.
— *Letras de América*. Colegio de México, México, 1944.
Gerardo Diego: *Posibilidades creacionistas,* en "Cervantes", Madrid, octubre de 1919.
— *La nueva arte poética española,* en "Síntesis", VII, Buenos Aires, 1929 y en "Verbum", núm. 72, Buenos Aires, 1929.
— *Poesía española. Antología. Contemporáneos.* Signo, Madrid, 1932. (2.ª edición, 1934).
Juan José Domenchina: *Poetas españoles del 13 al 31,* en "El Sol", Madrid, 12 y 19 de marzo de 1933.
— *Antología de la poesía española contemporánea (1900-1936)*. Atlante, México, 1941.
C. Eguía Ruiz: *Del creacionismo y ultraísmo al vanguardismo en España,* en "Razón y Fe", Madrid, 1928.
Samuel Feijóo: *Azar de lecturas*. Universidad de Las Villas, Cuba, 1961.
César Fernández Moreno: *La poesía argentina de vanguardia,* en *Historia de la literatura argentina*, IV, dirigida por R. A. Arrieta. Peuser. Buenos Aires, 1959.
— *Introducción a la poesía*. Fondo de Cultura Económica. México, Buenos Aires, 1962.
Roberto Fernández Retamar: *La poesía contemporánea en Cuba. 1927-1953*. La Habana, 1954.
Dudley Fitts: *An Anthology of Contemporary Latin-American Poetry*. New Directions, Norfolk, Conn., 1943.
Joaquím Folguera: *Les noves valors de la poesie catalana*. La Revista, Barcelona, 1919.
M. Forcada Cabanellas: *De la vida literaria. Testimonios de una época*. Ruiz, Rosario, 1941.
Pedro Garfias: *El ultraísmo*. Siete artículos en "Heraldo de Madrid" a partir del 30 de marzo hasta el 18 de julio de 1934.
Hans Gebser y R. Hewin Winstone: *Neue Spanische Dichtung. Eine Anthologie von Gedichten*. Die Rabenpresse, 1936.

Juan Carlos Ghiano: *Poesía argentina del siglo XX.* Fondo de Cultura Económica. México-Buenos Aires, 1957.
E. Giménez-Caballero: *Circuito imperial.* "La Gaceta Literaria", 1926.
— *Carteles.* Calpe, Madrid, 1926.
— *Trabalenguas sobre España.* Ciap, Madrid, 1931.
— *1918—Spanish Literature—1930,* en *The European Caravan,* ed. por Samuel Putnam. Nueva York, 1931.
— *Fundación y destino de La Gaceta Literaria,* en "Estafeta Literaria", número 1. Madrid, 5 de febrero 1944.
— Oliverio Girondo, etc.: *El periódico Martín Fierro, 1924-1929.* Buenos Aires, 1949.
Ivan Goll: *Eine Moderne Europäische Literaturgeschichte,* en "Hamburger Anzeiger". Hamburgo, 20 de noviembre 1925.
E. Gómez de Baquero (Andrenio): *Pen Club. Los poetas.* Renacimiento, Madrid, 1929.
Ramón Gómez de la Serna: *La sagrada cripta de Pombo,* 2 vols. Madrid, 1918.
— *Automoribundia* (1888-1948). Sudamericana, Buenos Aires, 1948.
— *Cincuenta años de literatura.* Antología. Recopilación y prólogo de Guillermo de Torre. Sudamericana, Buenos Aires, 1955.
— *El ultraísmo y el creacionismo español,* en "Revista Nacional de Cultura", número 108. Caracas, enero-febrero de 1955. (En *Diccionario literario González Porto-Bompiani de las obras y los personajes.* Vol. I, Barcelona, 1959.)
Gaspar Gómez de la Serna: *Ramón. Obra y vida.* Taurus, Madrid, 1963.
Eduardo González Lanuza: *Los martinfierristas.* Ediciones Culturales Argentinas, Buenos Aires, 1962.
César González Rueno: *Antología de poetas españoles contemporáneos en lengua española.* Gili, Barcelona, 1946.
Luis S. Granjel: *Retrato de Ramón.* Ed. Guadarrama, Madrid, 1963.
Ramón Guirao: *Orbita de la poesía afrocubana, 1928-1937. Antología.* La Habana, 1938.
Ricardo Gullón: *Estudios sobre Juan Ramón Jiménez.* Losada, Buenos Aires, 1958.
— *Conversaciones con Juan Ramón Jiménez.* Taurus, Madrid, 1960.
— *Direcciones del modernismo.* Gredos, Madrid, 1963.
Max Henríquez Ureña: *Panorama literario de la literatura dominicana.* Río de Janeiro, 1925.
Pedro Henríquez Ureña: *Las corrientes literarias en la América Hispánica.* Fondo de Cultura Económica, México, 1949.
Julio Herrera y Reissig: Número de homenaje de *La Cruz del Sur.* Montevideo, 1930.

Henry Alfred Holmes: *Vicente Huidobro and creationism.* Columbia University Press, Nueva York, 1934.
Vicente Huidobro: *La Littérature de langue espagnole d'aujourd'hui,* en "L'Esprit Nouveau", núm. 1, París, 1921.
— *La Création pure,* en "L'Esprit Nouveau", núm. 7. París, 1922.
— *Manifestes.* Revue Mondiale, París, 1925.
— *Poesía y prosa. Antología.* Precedida de *Teoría del creacionismo,* por Antonio de Undurraga. Aguilar, Madrid, 1957.
Néstor Ibarra: *La nueva poesía argentina: 1921-1929.* Buenos Aires, 1930.
— *Indice de la nueva poesía americana.* Prólogos de Alberto Hidalgo, Vicente Huidobro y Jorge Luis Borges. El Inca, Buenos Aires, 1926.
Francisco Ichaso: *Góngora y la nueva poesía.* La Habana, 1927.
Benjamín Jarnés: *Antena y semáforo,* en "Alfar", núm. 54. La Coruña, noviembre de 1925.
— *Ejercicios.* Madrid, 1927.
— *Rúbricas.* Madrid, 1931.
— *Feria del libro.* Espasa-Calpe. Madrid, 1935.
Juan Ramón Jiménez: *Españoles de tres mundos.* Losada, Buenos Aires, 1942.
— *El modernismo.* "Revista de América", núm. 16. Bogotá, abril de 1946.
N. Jiménez: *Guillermo de Torre y la nueva poesía,* en "América", núm. 54-55, Quito, 1934.
F. M. Kercheville: *A Study of Tendencies in Modern and Contemporary Spanish Poetry from the Modernism to Present Time.* Albuquerque, Nuevo México, 1934.
Marie Laffranque: *Aux Sources de la Poésie espagnole contemporaine. La Querelle du Créationisme,* en "Mélanges offerts à Marcel Bataillon par les hispanisants français", Bordeaux, 1962.
Julio A. Leguizamón: *Historia de la literatura hispanoamericana.* Eds. Reunidas, Buenos Aires, 1945.
Germán Listz Arzubide: *El movimiento estridentista.* Jalapa, México, 1926.
Jacques Lothaire: *La Jeune Poésie espagnole.* En "Ça Ira", Amberes, mayo, de 1922.
Manuel Machado: *Intenciones: los jóvenes del Ultra.* En "El Liberal", Madrid, 30 de junio de 1919.
André Malraux: *Des Origines de la Poésie cubiste,* en "La Connaissance", París, diciembre de 1919.
Manuel Maples Arce: *Antología de la poesía mexicana moderna.* Roma, 1940.
José Antonio Maravall: *Para una historia de la moderna poesía: la reacción del ultraísmo,* en "El Sol". Madrid, 6 de marzo 1932.
Wilson Martins: *50 años de literatura brasileira,* en *Panorama das literaturas das Americas,* I. Nova Lisboa, Angola, 1958.

Evar Méndez: *Doce poetas nuevos*, en "Síntesis", Buenos Aires, vol. II, 1928.
— *La generación de poetas de Martín Fierro*, en "Contrapunto", núm. 5, Buenos Aires, agosto de 1945.
Zdislas Milner: *Góngora et Mallarmé*, en "L'Esprit Nouveau", núm. 3. París, 1920.
Luis Monguió: *La poesía postmodernista peruana*. University of California Press-Fondo de Cultura Económica. México, 1954.
José Ricardo Morales: *Poetas en el destierro*. La Cruz del Sur, Santiago de Chile, 1943.
Estuardo Núñez: *Panorama actual de la poesía peruana*. Antena, Lima, 1938.
Federico de Onís: *Antología de la poesía española e hispanoamericana (1882-1932)*. Centro de Estudios Históricos, Madrid, 1934.
Eugenio d'Ors: *Ultra tiene razón*, en *Nuevo Glosario. Poussin y El Greco*. Caro Raggio, Madrid, 1922.
José Ortega y Gasset: *Las dos grandes metáforas. El Espectador, IV*. "Revista de Occidente", Madrid, 1925.
— *Góngora, 1627-1927*, en *Espíritu de la letra*. "Revista de Occidente", Madrid, 1927.
André de la Perrine: *Littératures d'Avant-garde*, en "La Vie des Lettres", número XX. París, 1926.
Ulises Petit de Murat: *Ricardo Güiraldes y la revolución literaria de Martín Fierro*, en "Correo literario", Buenos Aires, 1 y 15 de enero, 1944.
Helmuth Petriconi: *Die Spanische Literatur der Gegenwart seit 1870*. Wiesbaden, 1926.
Yolando Pino Saavedra: *La poesía de Julio Herrera y Reissig: sus temas y su estilo*. Universidad de Chile, Santiago, 1932.
Poesía puertorriqueña. Selección y prólogo de Luis Hernández Aquino. Universidad de Puerto Rico, 1954.
Mathilde Pomès: *Poètes espagnols d'aujourd'hui*. Labor, Bruselas, 1934.
José Antonio Portuondo: *Bosquejo histórico de las letras cubanas*. La Habana, 1960.
Angel del Río: *Historia de la literatura española*, II, 2.ª ed., Holt, Nueva York, 1963.
Josefina Rivera de Alvarez: *Diccionario de literatura puertorriqueña*. La Torre, Puerto Rico, 1955.
Leopoldo Rodríguez Alcalde (selección y estudio de...): *José de Ciria y Escalante*. Santander, 1959.
Cesáreo Rosa Nieves: *La poesía en Puerto Rico*. Campos, Puerto Rico, 1958.
F. C. Sáinz de Robles: *Historia y antología de la poesía española. (Siglos XII al XX)*. Aguilar, Madrid, 1946.
José María Salaverría: *Breve historia de poeta. Ramón de Basterra*. En "La Nación", Buenos Aires, 5 de mayo, 1928.

Pedro Salinas: *Literatura española, siglo XX.* Séneca, México, 1941.
— *Ensayos de literatura hispánica.* (*Del Cantar de Mio Cid a García Lorca*). Aguilar, Madrid, 1958.
Nélida Salvador: *Revistas argentinas de vanguardia (1920-1930).* Universidad de Buenos Aires, 1962.
Luis Alberto Sánchez: *Indice de la poesía peruana contemporánea.* Ercilla, Chile, 1938.
Rafael Santos Torroella: *Medio siglo de publicaciones de poesía en España.* I Congreso de Poesía, Madrid, 1952.
José María Souvirón: *Antología de poetas españoles contemporáneos,* 2.ª edición. Nascimento, Santiago de Chile, 1947.
Guillermo de Torre: *El movimiento ultraísta español,* en "Cosmópolis", número 23. Madrid, noviembre de 1920.
— *La poesía creacionista y la pugna entre sus progenitores,* en "Cosmópolis", número 20, Madrid, agosto de 1920.
— *Interpretaciones críticas de la nueva estética,* en "Cosmópolis", núm. 21. Madrid, septiembre de 1920.
— *Teoremas críticos de la nueva estética,* en "Cosmópolis", núm. 22. Madrid, octubre de 1920.
— *Problemas teóricos y estética exprimental del nuevo lirismo,* en "Cosmópolis", núm. 32. Madrid, agosto de 1921.
— *Los espejos curvos de un humorista forzado* (sobre *El movimiento V. P.,* de Cansinos-Asséns), en "Cosmópolis". Madrid, agosto de 1922; en "Nosotros", núm. 161, Buenos Aires, octubre de 1922.
— *La Littérature espagnole en 1922,* en "Ecrits du Nord". Bruselas, diciembre de 1922.
— *La imagen y la metáfora en la novísima lírica,* en "Alfar", núm. 45. La Coruña, diciembre de 1924.
— *Literaturas europeas de vanguardia.* Caro Raggio, Madrid, 1925.
— *Góngora, creador del lenguaje poético,* en "La Gaceta Literaria", núm. 13, Madrid, 1.º de julio, 1927.
— *Veinte años de literatura española,* en "Nosotros", núms. 220 y 221. Buenos Aires, agosto-septiembre de 1927.
— *Ampliación de la literatura castellana,* en el vol. XI de la *Historia universal de la literatura* de S. Prampolini. Uteha, Buenos Aires, 1941.
— *Juan Ramón Jiménez y su estética,* en "Las metamorfosis de Proteo". Losada, Buenos Aires, 1956.
— *Las ideas estéticas de Ortega,* en "El fiel de la balanza". Taurus, Madrid, 1961.
— *Etapas de Juan Ramón Jiménez,* en *El fiel de la balanza.* Taurus, Madrid, 1961.

— *Contemporary Spanish Poetry,* en "Texas Quarterly", IV, núm. 1, Austin (Texas), Spring 1961.
— *Así que pasen veinte años. Presencia de Federico García Lorca,* en *El fiel de la balanza.* Taurus, Madrid, 1961.
— *Ortega. El ensayista literario,* en *La aventura estética de nuestra edad.* Seix Barral, Barcelona 1962.
— *La polémica del creacionismo:* Huidobro y Reverdy, en *Tres conceptos de la literatura hispanoamericana. Losada, Buenos Aires, 1963.
— *Para la prehistoria ultraísta de Borges,* en "Cuadernos Hispanoamericanos", número 169, Madrid, enero de 1964.
Jaime Torres Bodet: *Perspectiva de la literatura mexicana actual.* México, 1928.
J. B. Trend: *Lorca and the Spanish Poetic Tradition.* Oxford, 1956.
Angel Valbuena Prat: *La poesía española contemporánea.* Ciap, Madrid, 1930.
— *Historia de la literatura española.* Vol. II. Gili, Barcelona, 1937.
Varios: *¿Qué es la vanguardia?,* en "La Gaceta Literaria". Madrid, 1 y 15 de junio, 1 y 15 de julio, 1930.
— *El ultraísmo al cuarto de siglo. Concesiones y palinodias,* en "La Estafeta Literaria". Madrid, núm. 2, 1944.
— *20 años más o después o la segunda parte de los mosqueteros del ultraísmo,* en "La Estafeta Literaria", núm. 2, Madrid, 1944.
— *Revistas de vanguardia,* en "La Estafeta Literaria", núm. 4, Madrid, 1944.
— *Panorama das Literaturas das Americas.* 3 vols. Angola, 1958.
Fernando Vela: *La poesía pura,* en "Revista de Occidente", vol. XIV, Madrid, 1926.
Gloria Videla: *Presencia americana en el ultraísmo español,* en "Revista de Literatura Argentina e Iberoamericana", núm. 3, Universidad de Cuyo, Mendoza (Argentina), 1961.
— *El ultraísmo. Estudio sobre los movimientos poéticos de vanguardia en España.* Gredos, Madrid, 1963.
Pedro J. Vignale y César Tiempo: *Exposición de la actual poesía argentina (1922-1927).* Buenos Aires, 1927.
Cintio Vitier: *Diez poetas cubanos (1937-1947).* La Habana, 1948.
- *Cincuenta años de poesía cubana (1902-1952).* La Habana, 1952.
— *Lo cubano en la poesía.* Universidad Central de las Villas, Cuba, 1958.

8
PERSONALISMO

VIRAJES DEL TIEMPO

Que los tiempos cambiaron radicalmente, en orden al género de preocupaciones íntimas dominantes en los nuevos equipos intelectuales de Europa y América, desde los años posteriores a la primera trasguerra hasta 1936, es un hecho palmario, aun táctil, diríamos, más que evidente. Bastó hojear cualquier nueva revista, cualquier libro último, en cuyas páginas se registrase inequívocamente ese viraje cerrado. Bastó escuchar durante algunos minutos a cualquier representante genuino de las nuevas promociones que viviera sumergido en los afanes de su edad, que hubiese viajado algo a través de las ciudades y los libros, confrontándose con medios y espíritus afines, para advertir este salto en la rosa de los tiempos. Las cuestiones estéticas e intelectuales que imitaron a la promoción anterior fueron luego violentamente desplazadas por preocupaciones cuya razón última postulaba una total subversión del mundo. En suma, del cuadrante esteticista se saltó al cuadrante revolucionario. Quizá la señal más expresiva fuera el modo como se abrió paso en las conciencias la idea de revolución. Llegó a perderse el miedo a la palabra. Como escribía entonces un espíritu no particularmente subversivo —pues a todos llegó su influjo—, J. Middleton-Murry *(The Necessity of Communism,* 1932): "¡Ah, la palabra *revolución!* Perdería todos sus terrores si los hombres pudieran comprender que la revolución es inevitable. Pero eso querría decir que habían pasado por una revolución en sí mismos. Y ese es el punto crucial. Si los hombres no hacen una revolución en su interior, serán obligados por la fuerza a afrontar una revolución en el mundo externo. O lo uno o lo otro. Si los hombres no arrostran la revolución interior, la revolución exterior caerá sobre ellos como una catástrofe."

Para concretar aún más la mudanza, véase un ejemplo diáfano: hasta la fecha antes señalada, 1930, al abrir el primer número de una revista juvenil —barómetro inconfundible cuando es fiel a la presión de la época—, el lector avisado ya intuía lo que indefectiblemente había de salirle al paso: un manifiesto literario, una proclama estética o algo semejante, donde por lo común se afirmaban ciertos puntos de vista propios y donde parejamente —con unanimidad más o menos duradera—, se exponían motivos de disentimiento frente a los antecesores inmediatos. Ahora bien, por violenta que fuera —y hubo trances bélicos— esa pugna nunca rebasó el estricto campo de las apreciaciones estéticas y de los modos literarios. Y es que los escritores —en esos tiempos tan recientes, aunque debido a la diferencia del clima actual ya se nos antojen casi remotos— tendían naturalmente a mantenerse en su pura órbita literaria, sin acceder a planos más ambiciosos. Consideraban —por regla general— las ideas sociales y la política en su aspecto meramente especulativo; lo demás se les presentaba como territorio voluntariamente vedado. Vivía, por consiguiente, cada cual en lo suyo. Que el artista, el escritor, lo hicieran en función de su arte no podía ser más que natural. Lo asombroso —no obstante las razones profundas que determinaron el cambio— sobrevino poco después cuando esa dedicación empezó a ser motejada de egoísmo, indiferentismo, deserción, por no citar otros nombres más despectivos.

Una tesis fácil —naturalmente aceptada sin escrúpulo por las mentes perezosas— atribuye a ese apartamiento políticosocial el hecho de que en los años transcurridos desde el armisticio a la crisis brotase una tan abundante floración de estéticas, escuelas y movimientos innovadores. Pero tal deducción no es sino una nueva variante del error eterno de tomar el rábano por las hojas. Acontecía que la conciencia pública, aun hallándose muy embargada en aquellos años, todavía no había llegado a la saturación política. Quedaban en ellas ciertas zonas no afectadas, disponibles. La inquietud, el afán de cambiar la imagen del mundo podía seguir manifestándose por vía literaria. Europa iba a tardar más de tres lustros en sufrir las verdaderas consecuencias en sus últimos efectos —los más graves— de la conmoción raigal desencadenada el 14. Entre tanto, los recién llegados, antes que aprestarse a liquidar asuntos ajenos —como tales se estimaban los de sus antecesores— prefirieron entregarse al deporte festival y a los libres juegos del espíritu.

Todo lo anterior va dicho para los buscadores de motivaciones psicológicas y sociológicas. Por mi parte, prefiero una interpretación más rigurosa, más ceñida al fenómeno literario en sí, que tiene su clave en la teoría de las generaciones. Y creer que la pleamar de corrientes nuevas fue impulsada por la subida a la superficie de una nueva generación intelectual, con perfiles y dintornos netos de tal. Su aparición no tuvo nada de aleatorio. Respondía en un todo a los caracteres con que Ortega, Pinder y Petersen la han definido. No podía dejar de producirse, como ha acontecido siempre en cada vuelta decisiva de la historia, pues de las generaciones depende la fertilización del mañana. Así, aquel momento fue fecundo como pocos. A prueba: la cuantiosa granazón de "ismos" y escuelas innovadoras, de arduas y delicadas pesquisas temáticas y exploraciones formales, cuajadas en obras y personalidades cuya trascendencia aún no ha sabido medirse cabalmente en ningún país, pero que son honor de una época, según viene a demostrar el presente libro. Sí; no hay hipérbole interesada en esta cualificación. Quizá —podemos reconocerlo hoy objetivamente— haya habido algún exceso en la superfetación de "ismos" que inundó aquel período, hasta rozar lindes arbitrarios. Quizá la literatura —tanto como la plástica, después del cubismo— al adentrarse tan ahincadamente en sí misma, en sus técnicas e intimidades, haya podido apartarse en demasía de la vida. Tal vez haya cargado el acento con desmesura en el factor "pureza", que aplicado a la literatura y en su recto sentido —antes de ser deformada tendenciosamente tal virtud por quienes luego, con exceso parejo, iban a pretender supeditarlo todo a lo social— sólo equivale a autonomía y, por ende, a autenticidad, a calidad. Pero de todas suertes habrá de reconocerse que la reacción contraria hizo pagar ese supuesto pecado con creces. Pues la tendencia marxista o más bien marxistoide a considerar el arte como una simple superestructura de lo económico y lo social adquirió, por veces, una amplitud tan desproporcionada como excluyente.

DEL ESTETICISMO A LA REVOLUCION

Para corroborarlo —ahora también— nos basta asomarnos a las publicaciones literarias más típicas del decenio de 1930. Y no me refiero —conviene precisarlo— a aquellas hojas nuevas que se presentaban conservando la envoltura literaria ritual, pero que interiormente abdicaron de este espíritu y de sus prerrogativas —en cuanto éstas significan libertad y disconformidad genuina del intelectual—, lanzándose de cabeza por el terraplén de los partidismos bizcos. Aludo específicamente a algunas otras revistas, órganos de movimientos, que afirmaron desde su primera página la "supremacía de lo espiritual", que si propugnaron una revolución fue la del hombre en primer término —a fin de restablecer el valor de la "persona humana" tan maltratada por las civilizaciones maquinísticas y los Estados totalitarios—, y si se manifiestan disconformes con el orden establecido ha sido para reclamar un "orden nuevo".

Internándonos en las doctrinas de esas publicaciones —que luego enumeraré— pronto vemos cómo el subjetivismo desaforado, el posible esteticismo antes aludido —que podía achacarse parcialmente a la literatura nueva de los años penúltimos—, se trueca después en un objetivismo inmediato; la gratuidad más desdeñosa, en el revolucionarismo más ambicioso. Los "ismos" de antes, cuyo poder de captación no rebasaba ciertas minorías, se convierten en otros "ismos" de más general alcance, que seducen y encandilan a las mayorías, especialmente a los jóvenes, con una fuerza magnetizadora.

Diversos acontecimientos políticos, sociales y económicos experimentados en el mundo contribuyen a esta desnaturalización, a esta politización de lo literario. Se inician con la crisis económica —primero norteamericana, luego mundial— de 1929; culminan con el ataque del fascismo italiano a Etiopía y la guerra de España en 1936. Otras etapas son la agonía de la democracia alemana en 1932 y la instalación de Hitler al año siguiente; el asesinato de Dollfuss y el "Anschluss" en Austria; el fracaso de la Conferencia del Desarme; las huelgas francesas de 1934; el incendio del Reichstag y el acrecimiento del racismo y del antisemitismo nazis; la formación de los frentes populares, los procesos de Moscú y la liquidación de antiguos comunistas que luego novelaría Koestler en *Oscuridad a mediodía*... He aquí, en suma, algunas mallas de la larga cadena de hechos que sacudieron todas las conciencias y particularmente a los intelectuales, convirtiéndolos de testigos en actores, y suscitaron, en suma, una variación de sus tradicionales puntos de mira.

Se produjo, por lo tanto, algo más que un viraje en el objeto de las preocupaciones. Hubo toda una traslación de plano. Cierto que no se desposeyó al arte de su potencia transformadora, pero sí se le adjudicó otra meta. "Cambiar la vida" había propuesto Rimbaud, y ésta era la desiderata literaria. Pero la consigna más ambiciosa de Marx —"transformar el mundo"— aunque se interpretara a través de otros credos, fue luego la meta. Así vimos cómo en el mismo literato, en el mismo artista, la avidez de nuevas formas poéticas y plásticas se remplazó por una avidez dramática de nuevas fórmulas sociales. Ya no se quería cambiar de la noche a la mañana el perfil de la Belleza, sino la estructura económica y social del mundo. Los conceptos más frecuentemente barajados en los años precedentes —poesía pura, monólogo interior, arte deshumanizado...— fueron radicalmente suplantados por otros de sonoridad más áspera: dictadura del proletariado, Estado totalitario, conquista violenta del poder, todos ellos homologables, pese a sus intenciones opuestas. El nuevo dadaísmo se llamó maximalismo de izquierdas o de derechas. Y las "palabras en libertad" fueron remplazadas por una sola que condensaba todas las libertades supraverbales: la palabra Revolución. Esta es la que con una insistencia de *leitmotiv* obsesionante apareció repetida sin tregua tanto en los escritos de teóricos graves como de bisoños doctrinarios.

No es extraño que los orígenes de ese cambio tan profundo extiendan sus raíces cronológicamente sobre el mismo limo inestable que engendró la crisis económica de 1929. Al sobrevenir ésta pudo observarse cómo paulatinamente fue desapareciendo el espíritu de gratuidad estética, desplazado por el espíritu de transformación cósmica total. A la vuelta de pocos años más, los últimos rescoldos de la literatura pura —con lo cual ha de entenderse, en un momento de confusiones, que era nada más, pero nada menos, que literatura de calidad— habían de ser aventados implacablemente por el turbión de la literatura explosiva.

CRISIS DEL CONCEPTO DE LITERATURA

Con todo, el cambio se debe a otra crisis más específica. Que apenas haya sido advertida por unos pocos, no quiere decir que no exista. Todo lo contrario: los fenómenos, cuanto más localizados, suelen pasar más inadvertidos por los vagos observadores generales. Pero si contraemos la atención y la memoria advertiremos que el vasto fenómeno aludido hinca sus raíces en otro de dimensiones muy precisas: la crisis del concepto de literatura [1], que se hizo carne con la aparición de las escuelas vanguardistas, después de 1919. Aludo a la quiebra de una serie de dogmas sobre la inmutabilidad y el trascendentalismo —simultánea, pero adversamente— de la obra literaria. Al hacer tabla rasa de tales conceptos, al tirar por el suelo el ídolo de la Eternidad, al cargar el acento en la gratuidad del arte nuevo, al centrar éste en los elementos de agresividad y sorpresa, la escuela que mejor encarnó tales intenciones, el dadaísmo, había hecho quebrar plenamente el concepto tradicional de literatura. Ahora bien, aunque el grito más característico de ese "ismo" —predicador de la efimeridad con su propio ejemplo— fuese el de "¡antiliteratura!", lo cierto es que la crisis desencadenada por él seguía siendo una crisis literaria. Literaria en su esencia y en sus modos. Como sigue siendo religioso el apóstata que al renunciar de su credo lo hace con vocabulario y gestos no laicos. Con menos puntualizaciones lo observó así Albert Thibaudet (*Histoire de la littérature française, de 1789 à nos jours*) para escribir a continuación: "Hoy día ya no hay revolucionarios literarios; no hay más que literatos revolucionarios; unos, para quienes la revolución está

---

[1] Véase un examen completo de este tema en mi *Problemática de la literatura* (Losada, Buenos Aires, tercera edición, 1965).

a la derecha; otros, para quienes la revolución está a la izquierda."
Y agrega: "La entrada compacta del concepto de revolución material, política, social en la conciencia europea ha desclasificado como un lujo, en la república francesa de las letras, el concepto de revolución literaria. La crítica literaria pura carece, desde entonces, de materia actual, de grandes problemas y de grandes debates."

Agreguemos que, según dicho gran crítico, la crisis, considerada en su órbita puramente literaria, se descompone en estos tres jalones temporales, a partir de 1914: guerra y trasguerra, hasta 1923; inflación literaria, hasta 1930; deflación literaria, desde 1930. O sea, según sus propias palabras: defensa, expansión y crisis de la República de las Letras. No sólo por proceder de observador tan sagaz, sino por su vigencia, la visión de Thibaudet me parece más exacta que la anticipada, un poco apresuradamente, hace algunos años, por otros críticos. En los términos "Inquietud y Reconstrucción" quería uno de ellos, Benjamin Cremieux *(Inquiétude et réconstruction)*, condensar el tránsito de las evoluciones últimas, creyendo que el comienzo de la crisis general era sincrónico con la entrada en un período de estabilización literaria, de reconstrucción. Presumía que agotado el período efervescente de las vanguardias iba a sobrevenir otro de decantación, donde la calidad sustituyera a la sorpresa y el redescubrimiento de modelos clásicos a la invención aventurera. Sin que haya dejado de cumplirse en parte tal diagnóstico, más importante es el hecho no presagiado de que el cambio literario no fue de preferencias, sino de plano y aun de eje. Porque el eje, en la mayor parte de la literatura que siguió, hubo de situarse fuera de ella misma y fuera del individuo: está en los dominios de lo colectivo y lo social. El ejemplo más claro está en la serie de respuestas dadas a preguntas tales como "*¿Por qué escribe usted?* y "*¿Para quién escribe usted?*" formuladas en encuestas de 1919 y 1933 [2].

[2] V. obra citada.

APARICION DE LA ORTODOXIA

Otro síntoma del cambio es el siguiente. Si algunos años, los que comprenden la época de la inflación literaria, pueden ponerse bajo el común denominador de la heterodoxia, en su sentido más lato, el signo que mejor conviene a la década del 30 es el rigurosamente opuesto, el de la ortodoxia. Como "la edad de las ortodoxias" fue calificada certeramente por Jean Grenier en un libro *(Sur l'esprit d'orthodoxie, 1936)*. Grenier empezaba por confrontar esa época con la inmediata de trasguerra y advertía sus diferencias. Entonces los espíritus marchaban a la deriva —al revés de los negocios, que prosperaban—. Había una rebusca voluntaria del escándalo, del "bluff", una negación sistemática de la sociedad y de la vida, con su corolario de suicidios, etc. Al remitir tal crisis —tras pasar por varias fases—, desemboca en el afán de una fe. "La edad de las herejías ha pasado como había pasado la de las negaciones; ahora estamos en la edad de la ortodoxia". "En 1890 —agregaba— todos los intelectuales eran anarquistas y estaban prestos a lanzar bombas sobre cualquier cosa. Este año todos están encuadrados en partidos, sindicatos, etc., llevan camisas del mismo color, levantan el brazo o tienden el puño". Y al mismo tiempo fijaba los dos centros actuales de ortodoxia en el marxismo y el neotomismo.

Pero, a mi juicio, ese comentarista olvidaba señalar el factor que puede ser la mejor explicación del cambio: la ley de las alternancias. En virtud de esa ley de las alternancias y contrastes que, como el flujo de los mares, rige también el movimiento de las conciencias, los espíritus más sensibles sintieron la necesidad de plegarse a una fe, de obrar bajo los dictados de normas estrictas. De ahí que asistiéramos a una asombrosa multiplicación de sectas y capillas. De ahí que si antes cualquier aprendiz intelectual, a la busca de disidencias con su medio, no dejaba de repetirse complacido la consigna ibseniana: "el hombre más fuerte es el que está solo", después buscase, por el contrario, ávidamente unirse con otros, enrolarse, enregimentarse, marcar el paso. "Las consignas de orden sociales —corrobora otro testigo, Roger Sécrétain, *Destins du poète*— dominan en todas partes la magistratura espiritual. Al idealismo particular sucede una mística colectiva." Un filósofo, Emile Brehier, ya había señalado antes los mismos caracteres: "En su conjunto es una reacción. Conduce a muchos de nuestros contemporáneos a una filosofía apologética, en la cual una creencia en las realidades parece suficientemente justificada, desde el momento en que puede servir de substrato a la vida espiritual. Una especie de temor, viendo disolverse, diluirse, esta vida, si no tiene sustrato preciso y definido en que apoyarse, es el verdadero motivo de tales filosofías que buscan en la religión positiva y tradicional, en la razón, en la raza, una base a la vida espiritual; filosofía religiosa, nacionalismo, racismo de todo género, encuentran así un cuerpo a la vida espiritual."

Se comprende que muchos espíritus buscaran y aceptaran plegarse a la ortodoxia. Sobre todo —acéptese la ironía— cuando ésta les es impuesta sin opción, coactivamente, cuando llega a ser una *Gleichschaltung*, una especie de aplanadora, que no deja resquicio intacto para la libertad individual de pensamiento, según aconteció en Alemania. Pero no se comprende tan fácilmente que, sin estar obligados a esa sumisión, otros se anticiparan a imponerse el paso común por sí mismos y extremaran el rigor de su credo con furia de neófitos. Sin embargo, esto aconteció, y Grenier ha inscrito el caso con las siguientes palabras: "Un intelectual que antes se mostró diletante y no ha encarado en la vida más que su aspecto de juego y de sueño, desde el momento en que se convierte a la acción social se precipita hacia el concepto más rígido del arte popular: no quiere escribir una línea que no sirva a la sociedad; y, sobre todo, se adherirá sin ninguna dificultad al credo más categórico. A mayor número de libertades que se haya tomado antes consigo mismo, más severo deberá mostrarse ahora consigo mismo, y también con los demás. La psicología de San Agustín es la de todos los convertidos." Caso supremo, arquetípico, fue el de Aragon, en su paso desde el superrealismo al marxismo.

Podrá argüirse que el espíritu de facción —en otro sentido— existió siempre en todos los movimientos intelectuales, y hasta recordar que es la buena tradición literaria desde la Pléyade hasta el día. Pero si antes esos grupos valían esencialmente en función de los individuos integrantes, si antes los programas comunes y los puntos de enlace sólo poseían un valor subjetivo y por ello adjetivo, después no acontece lo mismo y es el grupo como tal quien asume la primacía. He ahí el rasgo más característico de las nuevas ortodoxias, manifestadas por sendas revistas coherentes. Veámoslas desde sus albores, desde que fue cambiando su perfil y la publicación puramente literaria fue deviniendo gradualmente órgano de intenciones más complejas. (Hagámoslo, aun a riesgo de incurrir en minucias; pero si la historia actual no es también, en buena parte, "petite histoire" ¿quién podrá más adelante recoger, espigar, esas briznas?)

CAMBIO DEL PERFIL DE LAS REVISTAS

Apelando, pues, al testimonio fidedigno por excelencia, el de las revistas jóvenes, podemos ir precisando cómo fueron creciendo los gérmenes de la mudanza. Recuérdense revistas como *Bifur*, *Documents* en París, *Variétés* en Bruselas, *Querschnitt* y *Omnibus* en Berlín (de 1927 a 1930), que aun siendo las últimas publicaciones esteticistas dejaban ya asomar en sus páginas intenciones de más alcance que el puramente literario. No eran, con todo, las primeras. Recordemos asimismo que, un poco antes, ya la balanza de algún movimiento extremo —el superrealismo— venía inclinándose más del lado social que del estético, engendrando en su seno, por añadidura, una serie de cismas interminables. El simple título de su última revista propia, *Le surréalisme au service de la révolution* (1930-1933), era ya bastante elocuente. El superrealismo como medio. El fin, la revolución. Pero el nuevo contenido insuflado a este último concepto no procedía de aquel sector, ya que el espíritu de subversión superrealista sólo iba a encontrar —¡y con cuantas desfiguraciones y sumisiones!— su expresión más simplista en el comunismo.

Mientras tanto otros espíritus, nacidos fuera del plano puramente artístico, sin resabios esteticistas, eran los llamados a encontrar las nuevas vías. La transición, pues, se abrió paso por otros caminos: por algunas publicaciones de orden espiritualista —Krisnamurthi y Gandhi han hecho tantos disconformes como Lenin—, tales como *Cahiers de l'Etoile* y *Grand Route*. Después, *Plans* tendía a desembrollar la encrucijada de tendencias, pues si por un lado parecía continuar *L'Esprit Nouveau*, por otro anticipaba ya muy de cerca *Esprit* y *L'Ordre Nouveau*. Hemos nombrado, al fin, las dos revistas capitales en que se centraliza con mayor plenitud y autenticidad el movimiento personalista. Mientras la segunda sólo tuvo una corta vida, expirando con la guerra, la primera perdura desde 1932. A lo largo de las páginas de una y otra fue elaborándose todo un cuerpo de doctrina orgánica, que luego pasaremos a exponer y parafrasear.

Mas antes, sin embargo, completando estas referencias documentales, y para facilitar el trabajo de quien desee investigar por cuenta propia, no olvidaremos la mención de algunas otras publicaciones que en terrenos fronteros realizaron un esfuerzo paralelo, emproado hacia metas análogas. Tales, por el orden de su aparición, entre las extinguidas: *Front Social*, órgano del grupo *La Troisième Force, Réaction, Latinité*. Y entre las posteriores: *Nouvel Age, Les Nouveaux Cahiers, J.E.U.N.E.S., Le Droit de Vivre*, etc. Diversas de orientación, inclinadas unas hacia la izquierda y otras a la derecha, todas ellas presentaron un núcleo de puntos comunes.

También en otros países surgieron publicaciones de orientación afín: *Gegner* en Alemania (antes de Hitler), *New Europe Group* y *New Weekly* en Inglaterra, *The Personnalist* (y el "Personnalist Group") en Estados Unidos, los *Cahiers Suisse-Esprit, Éveil* y *Présence* en Suiza. En lengua española, sólo *Cruz y Raya* de Madrid, *Sur* de Buenos Aires, *Luminar* de México y *Ensayos* de Montevideo pudieron incorporarse parcialmente a tal sector, al menos por el comentario que ocasionalmente encontró en sus páginas el personalismo. Respecto a los libros, aquellos más significativos quedan citados en las páginas que siguen; véase además la bibliografía que cierra este capítulo.

EL PERSONALISMO Y LA REVOLUCION ESPIRITUAL

¿Qué es —qué ha sido, sobre todo— el personalismo? ¿Mantiene después de la última guerra suficiente vigencia para considerarle como un movimiento vivo o deberemos incluirle aquí solamente a título histórico? La respuesta más exacta deberá darla cada lector después de conocer sus doctrinas. Cierto es que previamente se plantea otra cuestión superiormente relacionada con nuestro específico punto de vista. ¿Es legítimo, o más precisamente indispensable, incluir el personalismo en el friso de los movimientos literarios y estéticos? Pero ya he anticipado que se trata de algo distinto, de un movimiento de espíritus y un proyecto de reforma tanto individual como colectiva que rebasa voluntariamente el ámbito estético. Tampoco puede considerarse el personalismo como una estricta escuela filosófica, aunque sus colindancias con esta disciplina sean las más próximas. En rigor, su sentido claro aparece a una luz ética. Definir, pues, el personalismo como un movimiento, como una tendencia moral, quitando a esta palabra toda adherencia confesional, resultaría más atinado. Agréguesele un finalismo último politicosocial y su caracterización externa quedará hecha.

Con todo, sin perder de vista nuestro ángulo más propio, el literario, tal personalismo representa del modo más explícito aquel momento, antes señalado, en que hace crisis el concepto de literatura y ésta, ambicionando trascender sus límites, quiere ir hacia un más allá insuficientemente definido; pretende ser más que presencia, tornarse acto. *Pensar con las manos* (título de Denis de Rougemont, uno de los libros donde mejor se expone la doctrina personalista) quiere decir exactamente "pensar en actos". Es decir, el pensamiento abstracto, en el estado actual del mundo, ya no tiene sentido; sólo vale y está a la altura de las circunstancias, cuando es un pensamiento *comprometido. Engagement,* efectivamente, es uno de los términos que más insistentemente vino utilizando tanto Emmanuel Mounier como los demás personalistas, mucho antes que Sartre y los existencialistas. Este personalismo comprometido tiene sus raíces en Péguy, el poeta-pensador católico que tanta influencia continuó ejerciendo en buena parte de las nuevas generaciones francesas.

No importa que su trascendencia pública, comparada con la fabulosa y estruendosa irradiación de otras escuelas, haya sido relativamente escasa. Fatalmente debía haber sido así. El personalismo es una doctrina más especulativa que empírica, y aunque se halle orientada hacia las soluciones concretas, su intelectualismo fundamental, unido a una envoltura filosófica, limita sus posibilidades expansivas. Trátase de una doctrina en abierta pugna con los fáciles sentimientos mayoritarios de las soluciones unilaterales y simplistas. En suma, diríamos, una doctrina para gentes evolucionadas, antiextremistas, amigas de los matices y hostiles a las simplificaciones gruesas. Políticamente: ni marxista, ni, menos aún, fascista. Lo definiríamos como un "tercer frente" si este punto de equilibrio no hubiera sido tan avillanado, cabalmente por aquellos que más cargan la balanza del lado dictatorial. El personalismo ha reunido las cualidades más difíciles para prosperar en una sociedad de gentes fanatizadas que se obstinan en mirar el mundo con anteojeras. No pretende captar a nadie por las vías más vulnerables. Poseyendo un fondo religioso, afirma la más absoluta libertad confesional. En sus filas se mezclan gentes de distintas confesiones, católicos, protestantes, y aun agnósticos. Afirma, por encima de cualquier otro credo, la supremacía de la persona, simplemente, pues no hay otra, y decir "persona humana" es incurrir en pleonasmo.

Ahora bien, este personalismo, tan ahincadamente defendido por el grupo de las revistas *Esprit* —capitaneada por Emmanuel Mounier (1905-1950)— y *L'Ordre Nouveau*, que fundó otro escritor, también tempranamente desaparecido, Arnaud Dandieu, no deja de suscitar inevitablemente, sobre todo cuando lo pronunciamos en nuestro idioma, un equívoco conceptual. Es decir, cuando se identifica con aquella inclinación, tan inequívocamente hispánica, de contraponer las personas a las cosas, las ideas, de guiarnos no por la recta apreciación de estas últimas, sino por la valoración sentimental o afectiva de las primeras. Es memorable una disputa de los primeros años del siglo (1908), entre el Ortega mozo y el Unamuno maduro, precedida de unas escaramuzas similares del primero con Maeztu. Lo que Ortega reprochaba sustancialmente a Unamuno no era tanto su "energumenismo" como el dejarse vencer por reacciones tremendamente personales al valorizar lo propio e infravalorizar lo "europeo"; proponía así este "grito nuevo": "¡Salvémonos en las cosas!" Y sin embargo, en aquellos mismos años, Unamuno sostenía que el hombre hispánico tiene más individualidad que personalidad. Para Unamuno —según recordé en otra página— la primera señala "nuestros límites hacia fuera, presenta nuestra finitud", en tanto que la personalidad se refiere a "nuestros límites, hacia dentro, presenta nuestra infinitud". En cualquier caso, disociar rigurosamente ambos términos es tarea muy problemática. Más hacedero fuera marcar diferencias entre la persona y el personalismo, entendido este último de la manera más llana, sin ninguna implicación ética o filosófica. Porque toda desmesura de lo personal más bien se identifica con el individualismo y aun con el egotismo. Sin embargo, la supremacía hispánica de la "persona" —o más bien de lo "personal", ya que no de lo "personalista"— es incuestionable. "Es una persona" —solemos decir en nuestro lenguaje cotidiano como expresión admirativa o simplemente de reconocimiento humano, refiriéndonos a alguien que cuenta por sí mismo—. Contrariamente, las denominaciones "individuo", "sujeto" implican anonimismo, cuando no desestima. En último caso, la "persona" no se confunde con su plural "la gente", y el *yo* que avanza como una afirmación está en el polo opuesto de un concepto más moderno, también equívoco, como es "la masa". Valgan estas leves distinciones en el umbral del personalismo, dejando otros aspectos "intactos"; expresión orteguiana, empleada con ademán de homenaje a quien en *El hombre y la gente* ha explorado los últimos desdoblamientos de la persona en el *tú* y el *yo* y el *nosotros,* que asimismo demarcaron varios pensadores contemporáneos.

LINEAS DIRECTRICES DEL PERSONALISMO

Volviendo al personalismo que nos ocupa. Al penetrar en sus teorías, lo que primero se advierte es la impresionante identidad de aspiraciones a lo largo de una serie de grupos y escritores dispares. Todos ellos integran un movimiento de afirmación espiritualista, como base de cualquier revolución que clave sus intenciones en el fondo, en las raíces del hombre. Dan cuerpo a la idea reveladora de que ninguna revolución, en los términos obtusos en que se halla planteada, podría ser nunca una salida definitiva, una solución metamorfoseadora. "Comunismo industrialista, estadismo fascista o nacionalismo racista son principalmente la exasperación contemporánea de sistemas ya hace tiempo gastados y sobrepasados. Son la consecuencia de vicios de pensamiento o de acción que, desde el materialismo al nacionalismo, desde Bonaparte a Ford, envenenan la existencia mundial, llevándola de guerra en crisis y de crisis en guerra. En suma, señalan más bien el fin de un régimen que el advenimiento de un orden nuevo." Así escriben Arnaud Dandieu y Robert Aron en las primeras páginas de su *Révolution nécessaire*.

Podrá verse ya, por este simple párrafo, la disconformidad radical que mostraban estos jóvenes, y el grupo que representaron, con las fórmulas revolucionarias al uso, englobándolas a todas en un común menosprecio, desde el momento en que no satisfacían los deseos más profundos y veraces de algo genuinamente nuevo, de un orden nuevo. Pero ¿cómo entienden éste? Empiezan por situarse —según dije— lejos de los doctrinarismos excluyentes, a distancia de las consignas simplistas, entreviendo la posibilidad de una fórmula más humana y armónica. Condenan el materialismo que —según escriben— "sólo es un idealismo al revés, del mismo modo que el idealismo no pasa de ser un materialismo revertido". Y parejamente abominan de todo fascismo, aunque éste se disfrace de espiritualidad. ¿Acaso esa doble abominación no nos demuestra, en sí misma, que son sinceros? Pues la execración de la violencia, para ser válida, tiene que extenderse a ambos extremos. Cierto es que puede existir un materialismo teñido de espiritualidad y recíprocamente un espiritualismo tarado de materialidad. De lo primero hay ejemplo en no pocos puntos del credo marxista —en su ímpetu de generosidad y redención—, más allá de la lucha de clases. Y en cuanto a lo segundo, Thomas Mann denunció el falso idealismo de las consignas fascistas, poniendo al desnudo sus apelaciones hipócritas al heroísmo, a la vida como milicia, o bien a los factores del pueblo, de la tierra y de la sangre que constelan la mitología nazi.

Arnaud Dandieu también —ahora en colaboración con G. Chevalley y en un trozo del *Cahier de révendications* (19 2), donde se dio la primera confrontación de estas ideas— escribía: "El sueño fascista del Estado, la mística marxista de la masa constituyen los más grandes engaños de nuestra época." ¿Por qué? Porque ambos falsos mitos apuntan al mismo vértice final: a la anulación del individuo en su esencialidad, al aplastamiento de la persona humana, de los valores espirituales que debemos salvaguardar en primer término. "La revolución, para serlo, tendrá que ser moral", escribía Charles Péguy, maestro e inspirador lejano de toda esta generación, a modo de una frase clave. Y como un eco, otro guía más próximo de la misma juventud, Jacques Maritain, ha escrito: "Una revolución que no cambie el corazón no hace sino volver del revés sepulcros blanqueados." Así, pues, la consigna primera, el grito singularizador del nuevo movimiento se comprende que sea éste: "Spirituel d'abord!" Y Daniel-Rops marca esta gradación de términos: "Lo espiritual ante todo, lo político después y lo económico a su servicio." Había sido alterado el orden natural y existía un desorden en la gradación de esos factores que urge jerarquizar nuevamente. Hay que ir a lo esencial —repiten en todos los tonos—. Antes que nada hay que hacer la revolución en el hombre, la revolución del hombre. Cualquier otra ruta es falsa.

"La única revolución que nos importa —confirmaba Denis de Rougemont— concierne al hombre; es una proyección del conflicto de la persona. Los marxistas nos acusan de mezclar las nociones "morales" —¡así designan la noción de la persona!— con las fuerzas políticas e históricas. Pero esto es una mitomanía. La persona, y no otra cosa, es el factor decisivo del proceso revolucionario." Así, pues, Rougemont concluye que "el materialismo es el opio de la revolución" y que "la concepción personalista es la única capaz de edificar un nuevo mundo cultural, económico y social".

OBJECIONES Y CONTRARREPLICAS

Se comprende que dada la tensión dramática de términos excluyentes, "tertium non datur" en que la humanidad sigue viviendo, ese propósito de hallar salida por un tercer frente promoviera recelos y objeciones de toda índole. La más considerable fue la acusación de reaccionarismo encubierto que no dejó de enrostrarse a los teorizantes del personalismo. Pero frente a ella todos han acertado a sincerarse de la forma más noble y terminante.

Uno de los más fuertes empeños de Emmanuel Mounier, desde las primeras páginas de su *Révolution personnaliste et communautaire*, consiste en disociar los términos de espiritual y reaccionario que mentes opacas, cuando no malignas, tienden a confundir. Y lo logra plenamente, al margen de argumentaciones, con dar simplemente la vuelta a una famosa frase de Goethe y escribir: "El desorden nos choca menos que la injusticia." Y en otro lugar del mismo libro explana aquello que los teorizantes de *Esprit* entienden por primacía de lo espiritual: "Cuando nosotros decimos: primacía de lo espiritual no queremos dar a entender primacía del pensamiento burgués, cosa que execramos. No somos una última defensa, una más sutil envoltura del pensamiento burgués. Negamos todo parentesco con las faltas del mundo moderno, cualquier ventaja que pudiera nacer de una complicidad entre nuestro ardor y sus malicias." Y agrega, aventando otra objeción: "Cuando decimos: primacía de lo espiritual no entendemos con ello una clericatura de los intelectuales."

Defendiéndose del mismo reproche Daniel-Rops *(Éléments de notre destin)* escribe: "Se equivocan los marxistas cuando suponen que esa expresión de revolución debe ser un medio más sutil de escapar a las responsabilidades materiales. Decir: "primero lo espiritual" no es afirmar el abandono del aspecto material; pero es afirmar que de nada sirve hacer una sedicente revolución para acabar por imponer a la persona humana la ley inhumana de la degradación." Quizá, insinúa el mismo autor, la culpa de este equívoco se halle en el rebajamiento que el espíritu ha sufrido. "Se ha confundido el orden que supone la justicia, con la inmovilidad que nueve veces entre diez la niega." Y contra esa confusión debemos alzarnos. "Hacer de aquello que en el hombre aspira con más fuerza y constancia a lo nuevo un medio para mantener el mundo en una estabilidad moral, es una gran traición."

Con todo, los reproches de bizantinismo, de soslayar las cuestiones y de inocuidad pragmática que han merecido estas teorías, no pueden ser levantados tan fácilmente. Al final veremos más de cerca tales objeciones. Queden ahora apuntadas simplemente esas reservas para explicarnos la posible dosis de razón que podía asistir a un escritor comunista, Paul Nizan, cuando ya en el "Cahier de révendications" escribía: "Esos revolucionarios del espíritu, fieles a una revolución desconocida, son inofensivos para las fuerzas que simulan querer destruir." No —podemos replicar—; los objetivos de esa revolución, aun siendo más distantes, pueden tener consecuencias más profundas que los implicados en una estrecha y sectaria lucha de clases. Cabe concebir la revolución como algo más que un traspaso de poderes a la masa o, por el contrario, su entrega a la dictadura unipersonal. Cabe concebirla como una reasunción general y una liberación efectiva del hombre. Algo de eso expresaba Robert Aron cuando escribía que el propósito de ellos era "hacer de una revolución, nacida en un desorden material, una manifestación humana total, donde el orden material habría de completarse con una nueva ilustración de los valores de la personalidad. Es decir, hacer una civilización. Porque la revolución es un humanismo".

Coincidente Denis de Rougemont precisaba: "No tenemos que luchar ya por ningún ideal, sino porque los hombres vivan y sigan siendo hombres." "La revolución es una necesidad; no somos burgueses resentidos o proletarios ávidos de las riquezas ajenas, sino hombres amenazados que se encaran con la amenaza y contraatacan." Y concluía con esta fórmula feliz: "Lo que debemos salvaguardar no es una clase social, sino el hombre amenazado en su integridad."

QUE ES LA PERSONA

A lo largo de esta paráfrasis expositiva, hecha con técnica de montaje, y cambiando sin cesar la dirección del objetivo, se habrá visto cómo reaparecían en primer plano ciertas consignas o conceptos claves del nuevo movimiento, tales como "persona" y "personalismo". Son términos en los cuales coinciden todos los teorizantes del personalismo, aunque no coincida siempre el sentido con que los emplean. ¿Por qué? ¿A quién nos atendremos entonces para exponer la definición más exacta? ¿De quién arrancan, en definitiva, dichos conceptos-claves? No es fácil saberlo, porque a diferencia de los conceptos literarios y artísticos, casi siempre procedentes de una personalidad "faro", aquellos otros son más bien de elaboración plural, según hemos de ir comprobando en este caso.

Comencemos, no obstante, por examinar la acepción común de la voz "persona" y de su antónima-sinónima "individuo". Si el Diccionario de la Academia define ya, de forma inevitablemente equívoca, la "persona" como "individuo de la especie humana", nos da de "personalismo" una acepción también fatalmente hispánica: "sátira, agravio a una persona". Y, por el contrario, define el "individuo": "Cada ser organizado, sea animal o vegetal, respecto a la serie a que pertenece." En cuanto al "individualismo", la primera acepción lo da como "aislamiento y egoísmo", en tanto que la segunda, más próxima al concepto moderno de "persona humana", le define como "fundamento y fin de todas las leyes y relaciones morales y políticas". Sin perjuicio de glosar más adelante las lecciones de los diccionarios filosóficos más usuales, el de Lalande y el de Ferrater Mora, exploremos ahora sus raíces etimológicas.

La "persona" es la máscara que cubre el rostro de un actor al desempeñar un papel, así como "persona" es el personaje representado y también la función que desempeña en la vida. Ludwig Klages primero, luego Francisco Romero y Ferrater Mora señalan que esa voz latina, "persona", deriva de "personare" y equivale a sonar a través de algo;

en efecto, el actor dramático hacía resonar su voz a través de una máscara. Parecería, pues, que la voz tuvo un significado distinto a la connotación que hoy insertamos en ella; fue una suerte de máscara, de artificio que modernamente se entiende como lo contrario: el verdadero rostro del ser. El hecho es que —según advierte Ferrater Mora— si la concepción tradicional de la persona se basaba fundamentalmente en conceptos metafísicos, en las versiones modernas se unen conceptos psicológicos y éticos. Lalande, por su parte, señala la "curiosa permutación" de sentido (entre los del *Ordre Nouveau* y *Esprit*) efectuada entre individuo y persona. El individuo es para ellos un ente de razón, una abstracción. En cambio, la persona es una realidad concreta, carnal y espiritual, miembro de todos orgánicos: familia, corporación, etc. Por su parte, Mounier, en una nota a Lalande, escribe: "El personalismo se distingue rigurosamente del individualismo y subraya la intención colectiva y cósmica de la persona." Y en otro lugar *(Révolution personnaliste et communautaire)* advierte que la "persona no es el individuo, ni la conciencia que de él se tiene"; llega a afirmar: "es el volumen total del hombre. Es un equilibrio en longitud, ancho y profundidad, una tensión, en cada hombre, entre sus tres dimensiones espirituales: vocación, encarnación y comunión".

En cuanto a los puntos de arranque inmediatos del personalismo se hallan en Berdiaef y Maritain, sin olvidar los que también pueden encontrarse en Max Scheler, Martin Buber, Karl Jaspers y Gabriel Marcel, entre otros. Yendo algo más atrás, Mounier reconoce que el personalismo dista de ser un concepto nuevo; señala una serie casi infinita de antecesores, arrancando de Leibniz, Kant y Pascal, que vienen a ser casi los mismos que advierte en el existencialismo *(Introduction aux existentialismes)* según veremos en el capítulo correspondiente. Ahora bien, el punto de partida más concreto, sin duda, se halla en Charles Renouvier, autor de un libro titulado precisamente *Le personnalisme*, que data de 1903. Renouvier hace de la personalidad la categoría humana suprema y el centro de su concepción del mundo. Su *personalisme* es, de modo sustancial —explica J. Ferrater Mora— el resultado de la lucha contra el infinitismo, el determinismo y especialmente el impersonalismo abstracto de anteriores filosofías. Implica la libertad y la individualidad, tiende a que la moral se convierta en un orden humano. Mounier, además del aporte significado por los trabajos de P. L. Landsberg, señala una tangente existencialista del personalismo (donde aparecen Berdiaef y Landsberg), una tangente marxista y una tangente más clásica o puramente francesa (la de Le Senne y Lacroix, entre otros). Mas olvida señalar —al contrario de lo que hace, con mucho énfasis, Ch. Baudouin— otro antecedente: el de W. Stern, cuyo libro *Person und Seele* data de 1924; bajo el nombre de "personalismo crítico" introduce una teoría que se opone doblemente al mecanismo de los empiristas y al finalismo exterior de los racionalistas. Para él la persona se define mediante la autotelia, es decir, la finalidad orgánica e interna.

Entre todos esos puntos de vista sobre el concepto de persona, merecen especial señalamiento los que se encuentran en Berdiaef. Para éste *(Cinco meditaciones sobre la existencia)* el problema de la persona es el problema fundamental de la filosofía. Berdiaef tiende, ante todo, a diferenciar el *yo* —primario e indiferenciado— de la persona que no puede identificarse con el individuo; éste es una categoría de orden natural, biológico. No solamente —ejemplifica— el animal y la planta son individuos; también la piedra, el vidrio, el lápiz. "La persona, por el contrario, es una categoría espiritual, no natural; es obra del espíritu, enseñoreándose de la naturaleza." Y agrega —recordándonos en esto una anterior delimitación de Unamuno, casi con sus mismas palabras— que "un hombre provisto de una brillante individualidad puede estar, en cambio, despojado de personalidad." "Hombres llenos de talento y de originalidad pueden ser al mismo tiempo impersonales, incapaces de la resistencia, del esfuerzo que exige la realización de la personalidad." Frente a la noción más común de que la persona es espíritu y unidad, Berdiaef sostiene que "la persona puede ser definida como la unidad en la diversidad, como una unidad compleja que abarca el espíritu, el alma y el cuerpo". En relación con las teorías antipersonalistas de la sociedad, que reducen la persona a no ser más que la función de un organismo, la persona es integral: "No puede ser parte de ningún todo, sea éste cósmico o social; está dotada de un valor humano y no tolera ser convertida en medio." En suma, se afirma como resueltamente opuesta al impersonalismo que caracteriza la doctrina hegeliana del Estado y sus consecuencias totalitarias en la rama marxista.

Precisamente, la clarificación y deslinde de términos a que dicho ensayista llega se debe probablemente al hecho de considerar el personalismo en función polémica, en su oposición al marxismo. De ahí que adscriba respectivamente a cada uno de aquéllos los valores opuestos de persona e individuo. Para Berdiaef el último es "una categoría naturalista, biológica y sociológica; pertenece al mundo natural; es un ser enteramente genérico y social, un elemento, una parte, determinada por su relación con el todo". Contrariamente, "la persona representa algo completamente distinto: es una categoría espiritual y religiosa; nos prueba que el hombre no pertenece sólo al orden natural y social, sino también a la otra dimensión del ser, al mundo espiritual." Por consiguiente, deduce que la persona es la imagen de un ser superior a todo lo que es natural y social. Ahora bien, si desde el punto de vista sociológico la persona es parte de la sociedad, desde el punto de vista de la filosofía existencial la sociedad es contrariamente una parte ínfima de la persona. Y el centro existencial "no es la sociedad ni la naturaleza, sino la persona".

El adversativo es el mejor medio de definir y aprehender lo que sea la persona. Son antipersonalistas todos aquellos sistemas y teorías que consideran el ser en función de lo social. En primer término, el marxismo. Al sostener éste que el hombre es un ser social y genérico, al considerarle como una mera emanación de la sociedad, se anticipa ya —viene a decir Berdiaef— el totalitarismo de la sociedad comunista. Como asimismo —agregaríamos nosotros— el totalitarismo de los estados fascistas. Y aun quizá en mayor grado, con más oprobiosa intensidad, el de estos últimos, ya que el primer artículo de su credo decía con perentoriedad asfixiante: "El Estado es la verdadera realidad del individuo; todo está en el Estado y nada existe ni tiene valor fuera del Estado." Que el personalismo —por boca de Mounier en este caso— se manifieste con toda vehemencia frente al fascismo no es, por consiguiente, más que una reacción vital defensiva.

Ahora bien, lo que debe oponérsele es el totalitarismo en el hombre —según explica en *Problèmes du communisme,* en *Personne hu-*

maine et marxisme y otros libros similares—. "Solamente la persona humana puede reflejar en sí el ser integral y universal, en tanto que la sociedad y el Estado continúan siendo siempre algo parcial, incapaces de contener lo universal." Cierto es, reconoce Berdiaef, que los orígenes de la crítica marxista respecto al capitalismo son personalistas y humanitarios. Si Marx se alzó, ante todo, contra el régimen capitalista fue porque éste aplastaba la persona humana, convirtiéndola en una cosa; en suma, era víctima de la alienación, palabra hoy caballo de batalla de los marxistas aficionados. Ahora bien, si el comunismo quiere dar al hombre los útiles de producción que le fueron alienados, no aspira en modo alguno a devolverle el elemento espiritual de la naturaleza humana que igualmente se le arrebató. De suerte que el antipersonalismo comunista se enlaza no con su sistema económico, sino con su ideología, con su negación del espíritu; en suma, con el primado de la materia. Y para Berdiaef el personalismo exige precisamente la socialización de la economía, pero rechaza la socialización de la vida espiritual, su alienación respecto al hombre, es decir, la aniquilación del espíritu. En el conflicto que opone el hombre a la sociedad, la primacía debe volver al primero. Si el marxismo afirma lo contrario es porque "Marx, sociólogo notable, no fue antropólogo y su doctrina del hombre resulta extremadamente simple y vetusta, enlazando con el materialismo racionalista y el evolucionismo naturalista". Concluye que "en un período de lucha social aguda como la que actualmente vivimos, el sistema que mejor corresponde al personalismo cristiano es el socialismo personalista". ¿Es éste viable? Por lo menos enlaza con una fórmula ya clásica del mismo credo, pero siempre más teórica que empírica: el socialismo humanista. Tesis, por lo demás, muy próxima a la de Mounier, según veremos.

Pero antes señalemos los puntos de vista sobre el personalismo de un existencialismo cristiano. Para Gabriel Marcel *(Du réfus à l'invocation)* la persona no puede arrancar de la oposición al individuo; tampoco de su antagonismo con la cosa, sino de su posición al *on* (el *Das Mann* de Heidegger), al uno, al cualquiera. El *uno* no es rigurosamente definible; es anónimo, diríamos, y no tiene rostro. "En realidad, es un pensamiento frustrado, un no pensamiento, una sombra de pensamiento." Por consiguiente, el *uno* es impensable, en tanto que la persona es rigurosamente responsable y su cualidad más propia es la de *afrontar*. El valor, por tanto, resulta la virtud capital de la persona, mientras que el *uno* se caracteriza por la fuga, la evasión, el no tomar partido y refugiarse en lo ajeno.

Pero las diferencias no terminan aquí, pues mientras el individuo está solo, la persona es interdependiente y la relación entre las personas nunca es objetiva sino subjetiva, según aclara Jean Wahl *(The Philosopher's Way)*. Se traduce en términos como *yo* y *tú*, no en relaciones objetivas como las de *él* y *ello*. Martin Buber *(Ich und du)* ha desmenuzado con sutileza literaria (aún más, con fantasía casi poética) los enlaces y diferencias entre uno y otro término. El hombre se torna un *yo* a través del *tú*; cuando el *tú* se convierte en objeto entonces surge el *ello*. "El hombre no puede vivir sin el *ello*. Pero quien sólo vive con el *ello* no es un hombre." Lo que llama Wahl "comercio entre distintos *yos* dentro del mismo *yo*" y que nosotros llamaríamos más sencillamente desdoblamiento de la personalidad, ha alcanzado no sólo en la filosofía, también en la literatura contemporánea, muy ricas aplicaciones. Sólo en lengua española habrán de recordarse las de Unamuno, Machado, Ortega, Laín Entralgo...

De modo contrario, la problemática de Heidegger, empero su radical subjetivismo, parece ignorar la persona. Unicamente (en el capítulo LV, primera sección, de *El ser y el tiempo*) encontramos muy veladas consideraciones sobre "el ser en el mundo", donde se identifica al "ser ahí" con el "ser con"; pero ni la persona ni el "nosotros", apenas se adivinan entre la calígine heideggeriana. En su *Dasein* (confirma, pues, Regis Jolivet) lo que se echa de menos es la persona: "El *on*, el *uno*, es lo más opuesto que puede haber a la personalidad: el *yo* se disuelve en el anonimato colectivo." El *se* es una suerte de neutro impersonal. La individualidad —para Heidegger— es el privilegio de la vida auténtica, centrada sobre la muerte y sobre la vanidad y la nada de la acción. El discurso es una de las estructuras del *Dasein,* pero no es diálogo ni comunicación. Se define más por la historicidad que por la individualidad. En suma, ignora las relaciones interpersonales. Con todo, por lo que concierne a un concepto heideggeriano, el de "culpa", si la existencia se siente culpable en el fondo de su ser es —observa Buber *(¿Qué es el hombre?)*— porque no cumple consigo misma, permanece estancada en lo "general humano" y no trae a primer plano al *yo* genuino, al "uno mismo" del hombre, pasando así de la "inautenticidad" a la "autenticidad" de la existencia.

De modo reflejo —apunta Jolivet— la idea de la persona en Sartre (no obstante el reconocimiento que tributó a Mounier, a raíz de su temprana muerte y su débito respecto a la idea del compromiso) es especialmente pobre. En su libro capital todo parece reducirse a la ipseidad. Sartre (capítulo I, 2.ª parte de *L'être et le néant*) distingue el "ser con" del "nosotros", pero no de su relación con el "tú" y el "vosotros", aunque señale que el "ser para el otro" precede y funda el "ser con el otro". Según Wahl el existencialismo subraya la importancia del ser aislado, no en relación con los otros, como el personalismo. Los numerosos personajes —insiste Jolivet— de las novelas de Sartre son lo menos *personas* posible. Su autor sólo concibe las relaciones con los otros bajo forma de conflicto. No hay realmente en su sistema ningún contacto posible entre las personas. "Se huyen y se excluyen mutuamente con una fatalidad que es su misma definición." Juicio muy expeditivo que no anula, por cierto, la posibilidad de otros más circunstanciados sobre el valor novelesco de tales personajes, según quedará hecho al tratar del existencialismo.

En un plano estrictamente filosófico es Martin Buber —dotado excepcionalmente, entre los filósofos, de una virtud que llamaríamos orteguiana, la claridad— quien mejor despliega las perspectivas posibles de la persona; cifra su realización en la comunicación, sitúa su lugar definitivo en lo que llama "la esfera del *entre*": "Más allá de lo subjetivo, más allá de lo objetivo, en el "filo agudo" donde el *yo* y el *tú* se encuentran se halla el ámbito del *entre*". Para el autor de *¿Qué es el hombre?* la respuesta a esta cuestión, la esencia del hombre, sólo puede darse en plano distinto al del individualismo y al del colectivismo, ya que ninguna de esas dos concepciones ven al hombre como un todo. "El individualismo no ve al hombre más que en relación consigo mismo, pero el colectivismo no ve al *hombre,* ve sólo la sociedad. En un caso el rostro humano se halla desfigurado; en el otro, oculto."

Si en el individualismo, el hombre, para salvarse de la desesperación que le amenaza en esta soledad, busca la salida de glorificarla, tampoco en el colectivismo se libra a la persona de su aislamiento, unciéndola a otras vidas; el *todo* que reclama la totalidad de cada uno, tritura toda faceta sensible del ser personal, imprimiéndole el contacto con los otros. "No se supera el aislamiento de los hombres; lo único que se hace es sofocarlo." Por consiguiente, "el encuentro del hombre consigo mismo, sólo posible y, al mismo tiempo, inevitable, una vez acabado el reinado de la imaginación y de la ilusión, no podrá verificarse sino como encuentro del individuo con sus compañeros y tendrá que realizarse así." Buber especifica que "un acontecimiento semejante no puede producirse más que como un sacudimiento de la persona en cuanto persona". En el individualismo, la persona está montada sobre una ficción; en el colectivismo, al renunciar a la decisión y resolución personal directa, renuncia a sí misma. En ambos casos es incapaz de irrumpir en el otro; "sólo entre personas auténticas se da una relación auténtica". Luego el hecho fundamental de la existencia humana no es el individuo en cuanto tal, ni la colectividad en cuanto tal. Es la relación dialógica del hombre con el hombre. Es la comunicación entre "personas".

Por su parte, Max Scheler *(El formalismo en la ética y la ética de los valores)* define la persona como "la unidad concreta de todos los actos, aun de los solamente posibles". Y, anticipándose a un "leitmotiv" de Denis de Rougemont, afirma que "la persona existe únicamente por la realización de sus actos". Aunque Gurvitch escriba que tal concepto difiere de la "conciencia intencional" de Husserl, el caso es que Scheler concibe la persona como unida a la conciencia más íntima de la intencionalidad. Para él la persona es la forma necesaria del ser del espíritu, y la esencia de la personalidad es espiritual. Punto de vista que retoma Francisco Romero *(Filosofía de la persona)* en una de las contadas aportaciones en español (junto con las de C. Vaz Ferreira y J. A. Maravall) a estas cuestiones, si bien no haga ninguna referencia al movimiento personalista. Para Romero "la sustancia no es un ente del que los actos sean la manifestación o la consecuencia; es actividad, actualidad pura". La persona, viene a decirnos luego, es el conjunto de los actos espirituales en cada sujeto. Está inclusive "sobre el individuo psíquico como una instancia superior y heterogénea". Ese conflicto entre vida y espíritu es parejo a la contraposición entre ambos. Nietzsche, y luego Klages, han afirmado la supremacía de la vida. Ahora bien "el espíritu surge en el campo de la psique, como la psique arraiga en el terreno de la vida".

No solamente en los citados, también en varios filósofos germánicos de diversas tendencias, como W. Stern y Müller-Freinfels, aparece el personalismo; asimismo entre los italianos, M. F. Sciacca y C. Ottaviano, hay reflejos del personalismo. Pero sobre todo, donde alcanzó extensión ha sido entre los pensadores norteamericanos, desde comienzos de siglo; la revista *The Personnalist* comienza en la década del 20; sus principales nombres: M. Whiton Calkus, A. C. Knudson, E. C. Brightman; en Inglaterra, J. B. Coates.

LAS TESIS DE MOUNIER

Viniendo ahora a las tesis de Emmanuel Mounier, esparcidas primeramente en *Esprit* y luego en diversos libros *(Manifeste au service du personnalisme, Qu'est ce-que le personnalisme, Le personnalisme)*. Bajo tal concepto une "aspiraciones convergentes que buscan hoy su camino más allá del fascismo, del comunismo y del mundo burgués decadente". "Personalismo —aclara— sólo es para nosotros una consigna significativa, una cómoda designación colectiva para doctrinas diversas, pero que dada la situación histórica en que estamos situados pueden ponerse de acuerdo sobre las condiciones elementales, físicas y metafísicas, de una nueva civilización. El personalismo no anuncia, por consiguiente, la constitución de una escuela, la apertura de una capilla, la invención de un sistema cerrado." Sin embargo, adentrándose en sus tesis, se ve con cuanto rigor han trabajado, tanto Mounier como sus colaboradores de *Esprit,* la articulación del personalismo, hasta el punto de que apenas dejan cuestión por abordar, desde lo político y lo social a lo literario y lo artístico. No será, pues, cerrado, pero de sistema tiene todas las trazas e incluso puede parecer una cabal "Weltanschauung".

"Una civilización personalista —escribe el mismo autor— es una civilización cuyas estructuras y cuyo espíritu están orientadas a la realización como personas de cada uno de los individuos que la componen." Y, a su vez, "vivir como persona" es "la facultad de acceder al máximum de iniciativa, de responsabilidad, de vida espiritual". Esta definición por vía indirecta vale más que la presunta definición directa que, acto seguido, y en letra bastardilla para mayor resalte, él mismo nos proporciona. Sería inútil que tradujésemos con fidelidad sus ocho líneas. Salvo la primera parte donde se lee que "una persona es un ser espiritual construido como tal por una especie de subsistencia y de independencia en su ser", el resto es más bien una logomaquia...

En cuanto a la persona, Mounier comienza por encararla mediante su diferenciación con el individuo. Atribuye al segundo la dispersión, la avaricia y al primero las virtudes de dominio, selección y generosidad. Y luego da esta fórmula: "la individualidad es dispersión, la persona es integración". Personalismo es, pues, no una reunión de individuos, sino una comunión de personas. De ahí que Mounier insista en apellidar a su movimiento: personalismo comunitario. Tal personalismo será, por consiguiente, no esa mezcolanza informe de anónimos que son las sociedades modernas, no una suma abstracta y jurídica de individuos-unidades, sino un organismo de personas. Las verdaderas comunidades serán, pues, realmente no sumas de individuos, sino personas colectivas, personas de personas. En una palabra, lo contrario de las sociedades de masas. "Nuestra fórmula es: dictadura material y, controlada en la medida necesaria, libertad espiritual íntegra."

Coincide así Mounier, en cierto modo, con la definición dada por Aron (*Dictature de la liberté*) para quien la persona corresponde al hombre total y complejo, en tanto que el individuo no representa más que un solo aspecto aislado del hombre, ya sea el "homo politicus" o el "homo economicus". Para Daniel-Rops, "la persona no tiene nada de común con el ser esquemático, movido por pasiones elementales y sórdidas que es el individuo. Al individualismo, de que se ha embriagado el siglo XIX, se opone un personalismo consciente. La persona es el ser completo, en cuerpo y alma, responsable solidariamente y actuando en perfecta comunión".

Llegaremos quizá a asir una noción más precisa de dicho concepto remontándonos a su fuente, a otros autores de donde manan originariamente tales teorías y, en primer término, a Jacques Maritain. Señalemos que éste, sugiriendo indirectamente tanto la elasticidad como la imprecisión del sistema, ha propuesto para designarlo no sólo el nombre de personalismo sino también el de comunalista y los de pluralismo y humanismo integral. Precisamente en el libro de este último título (*Humanisme intégral*) Maritain recuerda que "para el pensamiento medieval el hombre era también una persona; y debe observarse que esta noción de persona es una noción, si puede decirse, de índice cristiano que se ha desprendido y precisado gracias a la teología". Y agrega: "Una persona es un universo de naturaleza espiritual, dotado de la libertad de elegir; y al formar, por consiguiente, un todo independiente frente al mundo, ni la naturaleza ni el Estado puede mellar este universo." En diversos otros lugares de sus escritos, y particularmente en la conferencia titulada "Persona e individuo" (del conjunto *Para una filosofía de la persona humana*), ha ampliado Maritain estas definiciones. "La individualidad y la personalidad son dos líneas metafísicas que se cruzan en la unidad de cada hombre. Parte una de los confines del no ser y sube del átomo a la planta, al animal, al hombre, y más arriba aún, al Angel; la otra arranca del super-ser y baja de Dios al Angel y al hombre." Sin embargo, para Maritain, ambos no son términos separados ni inconciliables: "En realidad, lo que más importa en el progreso material y espiritual del ser humano, tanto como su crecimiento orgánico, es el *principio interior,* es decir, la naturaleza y la gracia. Nuestros medios son meros auxiliares, nuestro arte es un arte cooperador y servidor de ese principio interior. Y todo el arte consiste en cercenar y podar de tal modo que en la intimidad del ser el peso de la individualidad disminuya y el de la personalidad aumente."

Karl Jaspers, anticipándose a otros (puesto que su *Ambiente espi-*

ritual de nuestro tiempo data de 1931) habla ya, más o menos directamente, de un "humanismo personalista", ya que el hombre auténtico no debe dejarse tratar como un objeto y debe asumir su libertad, su existencia. La salvación está en el ser "sí mismo", en la afirmación de la persona. La vida es tensión perpetua entre condiciones y libertad. Rechazando la soledad y la rebelión, la persona debe aceptar su inserción en el mundo. La distancia respecto al mundo otorga a la persona su libertad; la inserción en el mundo, su ser. Dejamos aquí de lado su teoría sobre la "situación-límite" tan desarrollada luego por la filosofía y, sobre todo, por la literatura de los existencialistas, donde se inscribe el hombre torturado y acosado de la trasguerra.

DEFINICION DEL COMPROMISO

Sin salir del estricto campo especulativo, el personalismo ha puesto en circulación ciertas ideas que hoy gozan de indudable relieve. Una de ellas es —como antes advertí— la del *engagement,* lanzada por vez primera, modernamente, por los personalistas, aunque la mayoría, poco al tanto de estas filiaciones, al escuchar hablar de *compromiso* asocie tal concepto al existencialismo y a Sartre. Cómo fueron llevados los personalistas a este plano del compromiso, Mounier lo explica así: "desde el día en que rehusamos la comodidad de las actitudes siderales, desde el momento en que hicimos pie sobre las situaciones y los problemas de nuestro tiempo, los despeñaderos de la época iban a arrastrarnos hacia encrucijadas no elegidas por nosotros y, una vez allí, obligarnos a opciones incompatibles con la soledad de las posiciones puras. En cada caso, pues, tomamos partido, en vez de inhibirnos". Y cita los ejemplos de situaciones como el 6 de febrero en Francia, la guerra de España, el frente popular, Munich, Vichy, en las cuales *Esprit* tomó resueltamente el partido de la no claudicación, es decir el partido de la dignidad y la justicia.

Veamos qué entiende ahora Mounier por "compromiso espiritual". Este es, nos dice, "no un desarrollo histórico fácil de una situación imaginariamente preconcebida, sino la confrontación imprevisible y brutal con situaciones de hecho de las cuales no aportamos los datos y cuyo desenvolvimiento nos escapa en gran parte". "Estamos embarcados en un cuerpo, en una familia, en un medio, en una época que no hemos escogido. Por qué estoy aquí más bien que allí, ahora y no entonces: un misterioso designio lo decidió anteriormente a toda vocación de mi parte." "Sin embargo —agrega— este compromiso es una servidumbre, pero no una maldición. Contribuye a nuestro equilibrio. Neutraliza el egocentrismo que de otra suerte nos distraería sin cesar hacia la muerte de Narciso. El materialismo y el colectivismo son modos brutales de recordarnos que somos hombres entre las cosas y hombres entre los demás hombres." Pero no obstante este llamamiento a la realidad que constantemente el doctrinario del personalismo se hace a sí mismo; pese a su idea reiterada de que no hay acción pura, de que todas las situaciones son impuras, mezcladas, ambiguas, el hecho es que su proclividad a la abstracción le impide hacer pie casi siempre en lo concreto. Ahí está, por una parte, a nuestro parecer, la debilidad del personalismo, y por otro lado su fuerza en cuanto fermento teórico, en cuanto contrapeso a las sequedades de la acción. Y más valioso que nada es su fe en el hombre, su hostilidad a toda regimentación gregaria y despersonalizadora. "En el corazón de esta crisis —escribe Mounier— debemos contribuir simultáneamente a la permanencia del hombre y a su mutación. Entre el furor nihilista, la voluntad revolucionaria y el sentido de las tradiciones vivas corren comunicaciones secretas: las mismas que les oponen conjuntamente al espíritu del conservadurismo. La revolución del siglo xx debe dar al hombre contemporáneo un instrumento técnico racional y una organización social justa. Pero tiene también por misión devolverle una razón de vivir y de morir, y, antes que nada, una consistencia."

Como repetiría luego Sartre —siguiendo a Pascal—: estamos embarcados. Se habla —precisa Mounier— de "comprometerse" como si esto dependiera de nosotros, pero estamos comprometidos, embarcados, preocupados. Por ello la abstención es ilusoria. El escepticismo es también una filosofía. La no-intervención entre 1936 y 1939 —durante la guerra de España—, engendró la guerra de Hitler, y quien "no hace política" hace pasivamente la política del poder establecido. Sin embargo, Mounier establece el sutil, el honroso distingo a que pocos llegan entre compromiso y "embrigadamiento" o regimentación. O sea, añadiríamos, entre fidelidad a la conciencia, impuesta desde dentro, y sectarismo o dirigismo, impuesto desde fuera.

ANTES DEL APOCALIPSIS

Es incuestionable que si el punto de afinidad del personalismo se halla en el existencialismo —el cristiano, el de Jaspers y Marcel—, el punto polar de oposición se encuentra en el materialismo histórico. En relación con éste, el personalismo, sin haber hallado un desdoblamiento pragmático, sólo equivale a idealismo. De ahí que arrastre todas sus taras. Estas —alejamiento de la acción concreta, escapes hacia lo ilusorio— no pueden ser fácilmente disimulables. Por ello uno de los más sagaces teorizantes del personalismo, Denis de Rougemont, evidenciando ese riesgo hizo de tal cuestión el centro de sus alegatos. Y al gritar: "hay que pensar con las manos" viene a decir: hay que borrar las fronteras entre la idea y la acción. "El espíritu sólo es verdadero cuando manifiesta su presencia. El espíritu sólo es verdadero en su acto, que nuestros "clercs" califican de rebajamiento." Y más adelante: "La tarea de la revolución espiritual debe de ser ésta: frente a la medida antigua, que se sobrevive como tiranía estéril e idólatra, afirmar una medida nueva, una medida que conduzca, tanto la Iglesia, la política como la cultura, a la fuente común de toda legitimidad, que es el conocimiento existencial de los fines últimos."

Quienes fijaron esta meta empírica a la concepción personalista aspiraban netamente a librarla del reproche de gratuidad, de esterilidad, con con que suele fácilmente motejársela. Aspiraban a que Alejandría y Bizancio no sean los únicos terrenos donde pueda fructificar el personalismo. Ahora bien, acto seguido cabe preguntarse si al pasar al acto esa doctrina no hubiera sufrido una sensible desnaturalización. Pues en sus raíces, esencialmente, el personalismo fue planteado como un movimiento intelectual, de órbita especulativa, con meros alcances sobre la conciencia. No importa que una rama del personalismo —la de

Ordre Nouveau— llegase a encarar más cercanamente el paso a la acción, y junto a su programa ideal articulase otro de reformas concretas. Así la defensa de la idea federalista frente a la estadista, la aplicación social de la "función dicotómica" y el establecimiento de un curioso Servicio Civil de Trabajo (especie de servicio obligatorio) que aboliría súbitamente el proletariado, haciendo realizar a todos por turno los trabajos subalternos de la sociedad. Tales medidas, aun teniendo una proyección muy concreta, conservan el aire inaplicable de expedientes intelectuales. Por otra parte, tanto los miembros del *Ordre Nouveau* como los de *Esprit* aseguraron repetidamente que no eran un partido, que no aspiran a reclutar una clientela electoral con fines de participación política inmediata. Se redujo, pues, por sí mismo, a un movimiento destinado, en caso máximo, a influir intelectualmente sobre una minoría directriz, antes que a guiar mayorías.

¿Es esto bastante? ¿Puede satisfacerse tal limitación? Hablar hoy —como hicieron los personalistas— de "reconstrucción sin revolución" ¿no será permanecer en las nubes utópicas, mientras la humanidad espera consignas más expeditivas, mientras aquí abajo las dos bestias —Reacción y Revolución, sin adjetivos, a secas— siguen apuntando a descornarse, dejando hecho trizas el mundo? Hubo un tiempo en que cabía esperar el salvamento por la revolución espiritual, pero con igual sinceridad ¿no deberemos reconocer hoy que sus doctrinas, merced a su misma inteligencia y sutileza, carecen del carácter simplista y expeditivo que han de tener fatalmente las medidas transformadoras para ser aceptadas por las masas? ¿Nos negaremos a la evidencia —por dolorosa que ésta sea— de que aquéllas sólo conciben ya la Revolución con mayúscula y sin matices, plenaria y apocalíptica? Hasta antes de las últimas guerras podíamos esperar y creer lo contrario, ¿pero hoy? No es que abandonemos nuestra creencia en la supremacía de las fuerzas espirituales, en su triunfo a la larga; pero, frente al alud de la barbarie desencadenada por los países dictatoriales, ¿no hubimos de aceptar que a la fuerza sólo puede oponerse la fuerza? Puesto que el mundo hubo de entrar en esta fase de la violencia ¿no es más lógico y humano y salvador creer que sólo mediante la violencia razonada —si es posible tal juntura— habrá ya medio de imponer la paz? Pues no la persona, con todas sus preminencias morales y espirituales, sino el individuo indiferenciado, el ser genérico siguen viéndose amenazados inexorablemente, ayer por los cañones, hoy por la bomba atómica. Y no sólo por restricciones a su ser espiritual, por disminuciones morales, sino por el aniquilamiento total de su ser físico. Con la circunstancia agravante del cinismo. ¿O es que cupo todavía hablar en serio de la "civilización occidental amenazada" cuando ésta había dejado de existir (pereció el mismo instante, antes de Hiroshima, en que el mundo se cruzó de brazos ante el bombardeo aéreo de ciudades abiertas), cuando sus presuntos tutores, uniendo el escarnio a la agresión, hablaban de defenderla en tanto que le asestaban puñalada tras puñalada?

Todas estas objeciones no han de impedirnos reconocer la beneficiosa influencia, que, dentro de su órbita, ha venido ejerciendo —difusa más que directamente— la idea personalista. Ha penetrado incluso en aquellos aparentemente más refractarios a la defensa del espíritu. En 1932, cuando se lanzó el término —en el mencionado *Cahier de révendications*—, los comunistas afirmaron que los problemas del hombre y del espíritu no volverían a plantearse durante medio siglo por lo menos. Pero cuatro años más tarde, uno de los portaestandartes intelectuales del comunismo francés, Vaillant-Couturier, publicó una especie de programa, *Au service de l'Esprit*. Afirmaba allí, por un lado, que "los fascistas son los peores enemigos de la persona humana, esa gran fuerza espiritual"; y luego que "por encima de todo los comunistas colocan al hombre"; y, en fin, que "el partido comunista francés pone su esperanza en el espíritu para ayudar a resolver los problemas de la paz, de la libertad y del pan de los hombres". ¿Acaso ello significaba que el materialismo marxista retornaba a sus más puras fuentes hegelianas, esto es, se hacía idealista? No estará de más traer aquí una confirmación novelesca. Malraux pone en boca de un personaje real de *L'Espoir* la siguiente confesión: "...Nada de historias. Los partidos están hechos para los hombres, no los hombres para los partidos. Nosotros no queremos hacer un Estado, ni una Iglesia, ni un ejército. Queremos hacer hombres."

PUNTUALIZACION FINAL

Si pretendiéramos hacer un balance actual del personalismo, lo primero que deberíamos reconocerle es su carácter representativo. Nació, en efecto, como una defensa de la persona durante los días en que más se acentuaban las ofensivas contra ella. Fue uno de los pocos claros de luz en las sombras de la crisis. Buscó soluciones distintas entre las unilaterales que entonces pretendían imponerse. A partir de la década del 30 los marxistas decían (según la recapitulación que hizo Mounier en 1946): se trata de una crisis económica; lo que importa es transformar la economía. Los moralistas argüían: se trata de una crisis del hombre, de las costumbres, de los valores. Si cambiamos al hombre, las sociedades se curarán. "Pero los personalistas —escribe Mounier— no estábamos conformes con unos ni con otros." "Espiritualistas y materialistas nos parecían participar del mismo error moderno, el cual, a la zaga de un cartesianismo dudoso, separa arbitrariamente el "cuerpo" y el "alma", el pensamiento y la acción, el "homo faber" y el "homo sapiens". Nosotros afirmábamos: la crisis es a la vez una crisis económica y una crisis espiritual, una crisis de las estructuras y una crisis del hombre. No solamente hacíamos nuestra la frase de Péguy: "la revolución será moral o no será nada"; precisábamos: la revolución económica será moral o no será tal revolución".

Véase, pues, cómo los personalistas no sólo se negaban —según ya expresamos— a cualquier solución simplista, mas que sin descartar ninguno de los dos términos del problema, pretendían resolverlos conjuntamente. Por ello, encarándose con los marxistas, les decían que por sutil que fuera su materialismo, seguía siendo materialismo, desde el momento en que mutilaba al hombre y comprometía la revolución. "Designamos como materialista una filosofía que al insistir justamente en un humanismo del trabajo y de la función fabricadora, considera como ilusorias otras funciones no menos esenciales del hombre, particularmente la interioridad y la trascendencia." Encarándose al mismo tiempo con los espiritualistas tradicionales, les interpelaban: "Habéis dejado confundir el destino del hombre con las charlatanerías sobre el espíritu, y las fuerzas revolucionarias se han vuelto, a través de *vuestro* "espíritu", contra los valores del espíritu. Por nuestra parte, entendemos que sólo podremos recomendar las vías del espíritu cuando todos tengan condiciones de existencia, de ocio y de disponibilidad interior para comprometerse en ellas. De ahí nuestra convicción: el primer paso de la revolución espiritual es la revolución económica y política."

Sin embargo, en cuanto intelectuales, aún más, en cuanto teóricos sutiles, preocupados a la postre más por los medios que por los fines, a estos revolucionarios personalistas les interesaban esencialmente los medios de la revolución, la purificación de la revolución propiamente dicha. Buscaban una "técnica de los medios espirituales", convencidos, según sus palabras de que "más vale no hacer la revolución que hacerla con ciertos medios". El error, a su juicio, estribaba en no pensar nunca lo relativo sobre un fondo absoluto, es decir, en supeditar la contingencia a lo permanente. Entre la "mística" y la "política", según la famosa bipartición de Péguy, los no personalistas se quedaron con la última.

Sin duda, este afán de pureza, este minucioso detenerse en los prolegómenos, este sopesamiento cauteloso de los medios ha sido otra de las causas de que el personalismo, en sus implicaciones políticas concretas, no llegara a alcanzar el lugar y la influencia debidas. Aunque Mounier reaccionara contra la utopía, mucho de utópico había en sus consideraciones; aunque se propusiera constantemente abrazar lo concreto y afirmase que el pensamiento se manifiesta en actos, cierta indeclinable propensión teórica abstracta, cierta pudorosa delicadeza en las resoluciones, fueron valladares para que el personalismo entrase en el campo de la acción positiva El mismo Mounier, lúcidamente, advirtió claramente el riesgo, al escribir *(Révolution personnaliste et communautaire)*, con palabras que subrayamos: "¿*Acaso toda acción no está condenada a ser ineficaz en la medida en que sea pura, e impura en la medida en que sea eficaz?*" Nada más certero. Sin embargo, reconozcamos que el personalismo habrá sido la última tentativa intelectual de salvación. ¿Será quizá, también, la reserva para reconstruir lo que quede en el mañana postcatastrófico? Por el momento —superando todas las objeciones— su descalificación de los extremos, su antifanatismo, su afirmación del Espíritu frente a las fuerzas destructivas, sigue resonando como una última apelación, no ya a la cordura, sino a lo que está por encima de todo: la dignidad inalienable de la persona, la libertad irrenunciable del hombre.

BIBLIOGRAFIA

Georges Bernanos, *La France contre les robots*. Laffont, París, 1937.
— *La Liberté, pour quoi faire?* Gallimard, París, 1953.
Charles Baudouin, *Découverte de la Personne. Esquise d'un Personnalisme analytique*. Alcan, París, 1948.
Nicolas Berdiaeff: *Personne humaine et Marxisme*, en *Le Communisme et les Chrétiens*. Plon, París, 1937.
— *Cinco meditaciones sobre la existencia*. La Aurora, Buenos Aires, 1948.
— *Libertad y esclavitud del hombre*. Emecé, Buenos Aires, 1955.
Pierre de Boisdeffre: *Emmanuel Mounier ou le Personnalisme*, en *Une Histoire vivante de la Littérature d'aujourd'hui*. Le Livre Contemporain, París, 1958.
Martin Buber: *Das Problem des Menschen*, 1948. Trad. esp.: *¿Qué es el hombre?* Fondo de Cultura Económica, México, 1949.
— *Ich und Du*, 1922. Trad. esp. *Yo y tú*. Galatea-Nueva Visión, Buenos Aires, 1956.
J. B. Coates, *The Crisis of Human Person*. Londres, 1947.
Daniel-Rops: *Le Monde sans âme*. Plon, París, 1932.
— *Les années tournantes*. Siècle, París, 1932.
— *Eléments de notre destin*. Spes, París, 1933. Trad. esp.: Razón y Fe, Madrid, 1935.
— *Ce qui meurt et ce qui naît*. Plon, París, 1937.
— *Tournant de la France*. Spes, París, 1938.
René Dupuis, Alex Marc: *Jeune Europe*. Plon, París, 1933.
Jean Grenier: *Essai sur l'Esprit d'orthodoxie*. Gallimard, París, 1938.
Emile Gouiran: *Personne et liberté*, en "La Revue Argentine", núms. 31-32, París, abril-agosto, 1939.
Régis Jolivet: *Las doctrinas existencialistas desde Kierkegaard a Sartre*. Gredos, Madrid, 1950.
Paul-Louis Landsberg: *Réflexions sur l'Engagement personnel*, en "Esprit", París, noviembre 1937.
— *Problèmes du Personnalisme*. París, 1952.
Philippe Lamour, Joe Bousquet, Carlo Suarès: *Voie libre*. Au Sans-Pareil, París, 1930.
Jacques Maritain: *Problemas espirituales y temporales de una nueva cristiandad*. Universidad Internacional de Santander, 1934.

Jacques Maritain: *De l'Ordre temporel.* Desclée de Brouwer, París, 1934.
— *Carta sobre la independencia.* Sur, Buenos Aires, 1937.
— *Para una filosofía de la persona humana.* Cursos de Cultura Católica, Buenos Aires, 1937.
— *Humanisme intégral.* Montaigne, París, 1947.
Gabriel Marcel: *L'Homme contre lui-même.* París, 1938.
— *Du Refus à l'Invocation.* Gallimard, París, 1940.
Emmanuel Mounier: *Révolution personnaliste et communitaire.* Montaigne, París, 1934.
— *Manifeste au service du personnalisme.* Montaigne, París, 1936.
— *Mounier et sa géneration.* Número de homenaje de "Esprit", núm. 12, París, diciembre 1950.
— *Qu'est-ce que le Personnalisme?* Seuil, París, 1947. Trad. esp.: Eudeba, Buenos Aires, 1964.
— *La tradición del personalismo francés,* en "Sur", núm. 57, Buenos Aires.
— *Inteligencia y personalismo,* en "Sur", núm. 46, Buenos Aires.
M. Nédoncelle: *La Personne humaine et la Nature.* P. U. F., París, 1947.
Louis Ollivier: *Principios del orden nuevo,* en "Sur", núm. 17, Buenos Aires.
— Debate sobre *Misión o demisión del hombre,* en "Sur", núm. 20, Buenos Aires.
Charles Renouvier: *Le Personnalisme.* París, 1903.
Francisco Romero: *Filosofía de la persona.* Losada, Buenos Aires, 1944.
Denis de Rougemont: *Politique de la Personne. Problèmes, doctrines et tactiques de la révolution personnaliste.* Je sers, París, 1934 y 1946.
— *Penser avec les mains.* Albin Michel, París, 1936.
— *Journal d'un Intellectuel en chômage.* Albin Michel, París, 1937.
José María de Semprún Gurrea: *Gente y personas,* en *Crítica viva,* Madrid, 1934.
Pierre-Henri Simon: *Destins de la Personne humaine.* Bloud et Gay, París.
W. Stern: *Person und Sache. System des kritischen Personalismus.* 1924.
Albert Thibaudet: *Histoire de la Littérature française, de 1784 à nos jours.* Stock, París, 1934. Trad. esp.: Losada, Buenos Aires, 1939.
Guillermo de Torre: *La revolución espiritual,* en "Diario de Madrid", 23 marzo 1934.
— *La revolución espiritual y el movimiento personalista,* en "Sur", núm. 44. Buenos Aires, mayo de 1938.
Varios: *Cahier de Revendications,* en la "Nouvelle Revue Française". París, diciembre de 1932.
— *Luminar,* núm. 2, IV, México, 1940.
Jean Wahl: *The Philosopher's Way.* Oxford University Press, Nueva York, 1948. Trad. esp.: *Introducción a la filosofía.* Fondo de Cultura Económica, México, 1950.

9
EXISTENCIALISMO

EL EXISTENCIALISMO COMO LITERATURA

Al igual que en el caso del personalismo, una cuestión previa se nos impone abordar en el presente capítulo. ¿Por qué incluir el existencialismo? ¿Acaso se trata de un movimiento literario? No; corresponde contestar categóricamente: ni sus orígenes ni sus propósitos últimos encajan en el plano literario. Ahora bien, restaría por examinar la estación intermedia: sus medios. Y en este punto aparecen muy visibles sus conexiones con lo literario, con aquella literatura que se pretende aparentemente bordear o rebajar, pero en la cual, de hecho, el existencialismo se inserta y halla su más sonoro portavoz, cuando no frecuentemente su expresión más lograda. ¿Por qué? Porque la interacción entre pensamiento y vida, así como también las interferencias entre filosofía, o al menos determinada concepción del mundo, y literatura, se han hecho durante los años últimos más acusadas que nunca.

Diversos testimonios teóricos —aparte los empíricos— formulados por Simone de Beauvoir, por Sartre, inclusive por una figura algo lateral al existencialismo, como Albert Camus, lo demuestran. "El pensamiento abstracto —escribía el último de los nombrados *(Le mythe de Sisyphe,* 1946) rencuentra al fin su soporte carnal. Así también los juegos novelescos del cuerpo y de las pasiones se ordenan según las exigencias de una visión del mundo. Ya no se cuentan "historias"; se crea un universo. Los grandes novelistas son novelistas filósofos, es decir, lo contrario de escritores de tesis. Así Balzac, Sade, Melville, Stendhal, Dostoievsky, Proust, Malraux, Kafka... La elección que hacen, al escribir con imágenes, más que con razonamientos, revela cierto pensamiento que les es común, persuadidos como están de la inutilidad de todo principio de explicación y convencidos del mensaje enseñante que posee la apariencia sensible. Consideran la obra de arte a la vez como un fin y como un comienzo. Es la consecuencia de una filosofía inexpresada, su ilustración y su culmen."

Por su parte, Simone de Beauvoir (en el ensayo "Littérature et métaphysique" de *Pour une morale de l'ambiguïté*), tras afirmar la relación entre novela y metafísica, defiende que el pensamiento existencial se exprese tanto por ficciones como por medio de tratados teóricos. "Es un esfuerzo por conciliar lo objetivo con lo subjetivo, lo abstracto con lo relativo, lo temporal con lo histórico; pretende captar el sentido en el corazón de la existencia; y si la descripción de la esencia corresponde a la filosofía propiamente dicha, sólo la novela permitirá reconstruir en su verdad completa, singular y temporal el flujo original de la existencia." "No se trata —añade— de que el escritor explote, en un plano literario, verdades previamente establecidas en el plano filosófico, sino de manifestar un aspecto de la experiencia metafísica que no puede expresarse de otro modo: su carácter subjetivo, singular, dramático, y también su ambigüedad; como quiera que la realidad no es aprehensible por la sola inteligencia, ninguna descripción intelectual podría darle expresión adecuada." De esta suerte —apostillaríamos—, la meta propuesta por cada una de las obras literarias adscritas genéricamente al existencialismo, cada una de sus novelas y dramas, viene a ser la proyección de un estado de conciencia, de un problema filosófico o moral.

El alcance logrado por tales obras demuestra, en primer término, no exactamente el triunfo o la oportunidad de la literatura comprometida (en su sentido más estricto —adelantemos—: responsable), pero sí la superfluidad, cuando no el acabamiento, de la literatura que algunos han llamado "envilecida", y que menos ofensivamente tacharíamos de "gratuita" puesto que frecuentemente ni siquiera alcanza la categoría de "entretenida". Por modo adverso, la literatura filosófica, no animada por el soplo artístico, aquella —según escribía Julien Benda— que no posee capacidad para encarnar las ideas o los conceptos en seres vivos, en situaciones trascendentes, es improbable que pueda llegar muy lejos. Luego queda evidenciado que al considerar como eje lo artístico —en cuantas obras buscan la comunicabilidad— el arte no está divorciado de nada, ni es incompatible con ninguna técnica o teoría; al contrario, resulta su complemento, su inexcusable soporte.

Desde luego, el existencialismo es fundamentalmente una doctrina filosófica. Sin embargo, ¿cabe acaso considerarle asimismo, dados sus medios expresivos y sus repercusiones más notorias, como una escuela, como un movimiento literario? Durante algún tiempo, al promediar la década del 40, pudo parecer así, pero no tardó en demostrarse la inanidad de tal supuesto. Como quiera que —diríamos, sin gran hipérbole— Francia no puede vivir sin escuelas literarias, en el vacío que siguió a la guerra quiso llenarse el hueco dejado por el superrealismo con los primeros actos y ademanes del existencialismo sartreano. Pero se confundió la cáscara con la almendra. Se tomó cierta aureola pintoresca, la pululación anecdótica y la fauna más o menos amoral que poblaba entonces los cafés y las "caves" de Saint-Germain-des-Prés y aledaños, por la representación viva de un "modo" literario. Los flecos de tal ornamento cubrieron durante algún tiempo el verdadero rostro del existencialismo. El absurdo, la nada, el pesimismo, la ruptura total de convenciones no fueron tanto expresiones "literarias" como epifenómenos de una época de guerra, terror y demoliciones físicas, a la par que morales. Con todo, resultó curioso observar cómo una doctrina, "la menos escandalosa, la más austera, destinada estrictamente a técnicos y filósofos" (según palabras del propio Sartre), suscitara tales revuelos y equívocos. Cierto, en última instancia, que una cosa es la doctrina, a cuya entraña no es tan hacedero llegar, y otra cosa la representación que todos alcanzan de un mundo sacudido, de unos personajes turbios como los que viven en las ficciones existencialistas.

Pero sucede que, en este aspecto, semejantes caracteres literarios no señalan ninguna novedad absoluta, ni siquiera una sorpresa. L. F. Céline, pocos años antes, Henry Miller después, Lawrence en la década del 30, Zola a comienzos de siglo, son algunos precedentes que no pueden olvidarse. Por lo demás, desde hace años veníase hablando de una corriente "miserabilista" —el apelativo corresponde a Jean Schlumberger— en la literatura francesa, introducida quizá por el *Voyage au bout de la nuit* del primero de los antes citados. Actitud plural, desde luego, muy compartida, pero que no podía erigirse al nivel de una concepción del mundo, o asumir proyecciones filosóficas, ni menos aún cristalizar en una escuela literaria. De ahí la falta de epigonías sartreanas. El propio autor de *La nausée*, cuando quiso enrostrárscle la fecundación de ciertos discípulos fáciles, hubo de reaccionar así: "¿Discípulos míos? ¡Qué disparate! ¡Serán todo lo más juerguistas, bailarines!" Los cambios y evoluciones de personas en su revista *Les Temps Modernes* confirman su desinterés —más que imposibilidad— de originar nada semejante a una escuela[1]. En el primer número (octubre de 1945) y algunos siguientes, junto al nombre de Sartre, aparecen los de Raymond Aron, Simone de Beauvoir, Michel Leiris, Maurice Merleau-Ponty, Albert Olivier y Jean Paulhan. Pocos meses después desaparecen todos del encabezamiento. De hecho, como colaboradores asiduos, junto a los nuevamente llegados, sólo quedaron los de Sartre, Simone de Beauvoir y Merleau-Ponty; a partir de cierto momento el del último desaparece —inclusive se convierte en hostil, según muestra el capítulo "Sartre et l'ultra-bolchevisme" de su libro *Les aventures de la dialectique* (1956)—; también se distancia Robert Aron, como evidencian los artículos de su libro *Polémiques* (1955); de suerte que junto a Sartre la única figura que continúa vigente (no diremos absolutamente *fiel* para no anticipar las confidencias del tercer tomo de sus memorias) en la tendencia existencialista, es la de Simone de Beauvoir.

Tendencia: he allí la palabra que mejor conviene acaso a tal corriente —antes que la de escuela, inexistente como tal, según acabamos de comprobar—; tendencia más literaria, al cabo, que filosófica, ya que ni Sartre ni Simone de Beauvoir han incurrido nunca en el fácil desliz de abominar de las letras ni tampoco —pese a su creciente "politización"— de su condición de literatos. En este punto, y en contraste con otras mutaciones, la continuidad de Sartre es incuestionable. Pese a varias mutaciones, siguen siendo válidas las palabras con que cierra su presentación de *Les Temps Modernes* (1945) (ahora en

---

[1] Apuntemos asimismo que lejos de pretender revelar nuevas direcciones literarias, *Les Temps Modernes* ha tendido sustancialmente a exponer existencias airadas o escabrosas: así ya en los primeros números aparecen la "Vida de un ladrón" (por Jean Génet), la de una prostituta, la de un homosexual...

Situations, I): "En la literatura *comprometida* el *compromiso* no debe hacer olvidar en ningún caso que nuestra preocupación debe ser la de servir a la literatura, infundiéndole sangre nueva", si bien luego añade: "tanto como la de servir a la colectividad, dándole la literatura que le conviene".

MOMENTO DE POSTGUERRA. VUELTA A LA LIBERTAD

"No brotan las ideas de los puños" —escribía Antonio Machado a raíz de la primera guerra mundial—. Nada más exacto. Pudimos comprobarlo nuevamente al terminar la segunda y advertir cómo en el plano literario e ideológico seguían prevaleciendo conceptos, escuelas y tendencias que ya existían, o al menos estaban en germen, antes de 1939. Así acontece con el asendereado existencialismo. Lo evidenciaremos documentalmente en seguida, pero antes importa aprovechar el trance para reafirmar una vez más que las guerras —y sus matrices modernas, las dictaduras— no engendran cosa que valga; antes al contrario, destruyen, arrasan o, cuando menos, retardan y confunden todo. Suponer algo distinto es pactar con las argumentaciones especiosas, es hacerse cómplice de un peligroso lugar común. En primer término, sin necesidad de remontarnos a ejemplares históricos, sin hacer un fácil alarde de excursionismo en el pasado, limitándonos a los hechos que conocemos no de oídas o por lecturas, sino por haberlos vivido, es obvio que ninguno de los ismos que nos imantaron hace algunos lustros —los mismos que quedan analizados en capítulos anteriores— fue hijo o consecuencia directa de ninguna de las dos guerras del medio siglo. Recuérdese. El expresionismo, el futurismo, el cubismo tienen orígenes anteriores. El dadaísmo nace precisamente como una reacción burlona y nihilista contra el clima depresivo de la guerra de 1914. El superrealismo había logrado no ya solamente prefiguración sino hasta el nombre, con Apollinaire, antes de 1918 y de que Breton lanzase su primer manifiesto en 1924. El ultraísmo español y aun hispanoamericano, aunque amaneciera en 1919 ¿acaso no estaba ya implícito desde que en la primera década se evidenció el agotamien-

42

to de la fórmula modernista? Pero no he de repetir datos que quedan expuestos y detallados en otras páginas de este libro. Agregaré únicamente, pasando al terreno pictórico, que inclusive una tendencia cual el abstractismo, tomado por algunos ligeramente como engendro de la última guerra, existía ya latente desde los neoplasticistas holandeses y *Die Stijl,* en 1917.

No se trata de negar por modo absoluto la conexión entre los acontecimientos históricos —de cuyas repercusiones nadie se evade— y los fenómenos literarios y artísticos; simplemente, de atajar los equívocos de un fácil determinismo, más aún de escapar a los excesos del condicionamiento social y, sobre todo, a los grilletes de una falaz "superestructura" materialista. Si nos atuviéramos a la estricta equivalencia entre las lonjas recortadas por la historia política, y las fases de la historia intelectual se falsearían nuestras perspectivas. Así lo advierte Henri Peyre *(Les générations littéraires)* al reaccionar contra las clasificaciones literarias moldeadas por los períodos políticosociales, aduciendo luego una serie de pruebas. Por ejemplo —dice, y en otro capítulo lo hemos recordado— el año 1789 es de hecho una fecha sin ninguna importancia en la historia de las grandes obras literarias; ya hacía tiempo que se habían extinguido Voltaire, Rousseau, d'Alembert, Diderot... Waterloo no la tuvo tampoco para Byron, Schelley, Scott, Jane Austen, Hazlitt o Landor en la Inglaterra que había estremecido la pesadilla napoleónica. En fin, la guerra que estalló en 1914 no abrió en modo alguno una era nueva en la literatura de Alemania, Inglaterra o Francia; todo había comenzado tres o cuatro años antes. "Aquello que la guerra de 1939 —sacudiendo más violentamente a Francia que jamás ninguna guerra lo había hecho antes— dio a luz, si puede decirse así, en el fulgor de la clandestinidad, era ya visible, para las miradas clarividentes, desde 1932 (Éluard, Aragon, Malraux; los mismos Sartre y Camus desde 1938.") Lo que, en último caso, las guerras o las grandes convulsiones suscitan o aumentan, tiene efectos tardíos; el asincronismo es una ley histórica sólo alterada en los años más recientes, mediante la aceleración del tiempo artístico, según he explicado en otro lugar (*Minorías y masas en la literatura y el arte contemporáneos*).

Lo que sí hubo, lo que acarreó o devolvió 1945 a las letras fue la libertad, o más bien las libertades, la expresión sin trabas de lo antes reprimido. Y, junto a aquellas, la reaparición de esa suerte de Atlántidas sumergidas que fueron las literaturas de los países maniatados, particularmente la italiana y la alemana. Todo ello indica ciertamente un retorno, más que un comienzo, pero un retorno a la invención y a la libertad. De esta suerte lo que se produjo fue una reanudación más que una creación. Las épocas radicalmente inaugurales en la historia del espíritu apenas fueron aún halladas. Mejor dicho, cuando se las examina de cerca adviértense los trazos más o menos marcados de sus ineludibles filiaciones y entronques, ya sean éstos próximos o pretéritos. Pero reconocerlo así, particularmente con referencia al existencialismo, no supone menoscabo ni desdén. Significa sólo pulcramente un afán de justicia genealógica, un propósito de captar la corriente en el hontanar, a fin de obtener su más clara perspectiva.

Indirectamente la exhibición de precedencias esbozadas en las tendencias de vanguardia supone además otro reconocimiento: afirmar la primacía y la continuidad de las escuelas o movimientos literarios y artísticos, respecto a su trascendencia pública, sobre las manifestaciones individuales. En efecto, si el existencialismo —en general, el de Heidegger, Jaspers, Marcel, etc.— en cuanto cosmovisión filosófica, y a pesar de contar ya con cierta historia, no había rebasado el ámbito de lo profesional o profesoral, bastó que con la aparición de Sartre fuese exhibido sobre la plataforma espectacular propia de las doctrinas literarias para captar las atenciones más distantes, transformándose de la noche a la mañana en un suceso periodístico, en un tema del día, suscitador de mil comentarios ininterrumpidos, sobre el que cada cual hubiera considerado deshonroso dejar de pronunciarse. Reprueben otros, si gustan, este montaje escénico, este apoderamiento multitudinario. Por mi parte, valorizando debidamente la moda, como un signo ineludible adscrito a ciertas expresiones típicas de una época, mas sin confundir la esencia con el accidente, prefiero buscar otra interpretación. Prefiero considerar tan clamorosa resonancia como un nuevo testimonio afirmativo de la valía y la perennidad de las escuelas literarias en cuanto son órganos de generaciones diferenciadas.

Porque si la segunda parte, el concepto de generación es reciente como método histórico, la primera, la agrupación de individuos mediante afinidades mutuas —desdobladas parejamente en discrepancias— es muy antigua e ilustre en precedentes. Recuérdese sencillamente que en la literatura de tradición más unida, menos sujeta a discontinuidades y desniveles en la literatura francesa, los espíritus y las tendencias capitales siempre se manifestaron así, agrupados en escuelas y movimientos. Desde los días de la Pléyade con Malherbe, desde las pugnas entre preciosos y burlescos, hasta los nuestros. Desde los románticos a los simbolistas en el siglo pasado. Se diría que frente al irreductible individualismo de las literaturas hispánicas, productores y consumidores de las letras galas sólo sostienen y aceptan lo nuevo cuando surge en formación de parada, bajo una bandera espectacular.

ALTERNANCIA DE LOS GENEROS. AUGE NOVELESCO

Pero la novedad o, más exactamente, la legitimidad de buscar otros contenidos y distintas fórmulas de expresión, ya no es punto de litigio ni se presta al menor comentario polémico en abstracto, aunque la literatura existencialista particularmente no deje de suscitarlos. Dicha tendencia aportó en primer término otro cambio no bastante señalado, mas que por tratarse de algo genérico merece anteponerse a cualquier consideración específica. Es cabalmente la muda de género dominante que lleva anejo: el salto de la poesía a la novela, de la efusión subjetiva al reflejo plural del mundo. Como he escrito en otras ocasiones, la alternancia y sucesión de los géneros es una ley literaria y artística permanente. Recuérdese someramente: hubo un momento musical a fines del siglo XIX; otro, a comienzos del actual, en que la pintura adelantó el paso sobre las demás artes y logró influjo en las letras. Le tocó luego la vez a la poesía; bajo el signo de la lírica, con infiltraciones de este género, incluso en lo más lejano a su esencia, ha vivido gran parte de la literatura europea de los pasados años hasta la guerra de 1939.

Pues bien, la rosa de los vientos giró y nos encontramos con que la novela cobra primacía y dominio. La novela o, si se prefiere, lo novelesco en un sentido muy amplio, ya que a sus límites violados se incorporan otros elementos muy dúctiles, de líneas estiradas ahora más que nunca: ensayismo, filosofismo. "La delantera tomada —escribe Camus en *Le mythe de Sisyphe*— por la novela sobre la poesía y el ensayo representa una mayor intelectualización del arte." Lo filosófico, por lo demás, deja de ser coto cerrado, se vitaliza; lo problemático del pensamiento entra a raudales en nuestras vidas complejas; al centrar en la primera persona del singular las cuestiones vitales, humanas, permanentes, éstas se colorean de un patetismo metafísico. Se ha remplazado, por ejemplo, el problema de "la muerte" por el de "yo muero" —según frase de Bernard Groethuysen, con reminiscencia unamunesca— y, por consiguiente, ya no admite la escapatoria de lo impersonal e intemporal. Parejamente, en la ciencia, el "principio de incertidumbre" de Heisenberg parece ser la única realidad a tono con la atmósfera convulsionada. Y cualquier libro que no refleje este contrapunto, la interacción de vida e intelectualismo, corre el riesgo de dejarnos fríos. De ahí, por ejemplo, que las novelas de André Malraux hayan marcado tan honda impronta en las últimas generaciones; de ahí la resonancia múltiple suscitada en los años penúltimos por libros como los de Arthur Koestler y las polémicas en torno a *Darkness at Noon*, donde se afrontan y ventilan problemas de conciencia sobre un tema tan contradictorio como los procesos soviéticos. No es, pues, nada extraño que en la literatura de las últimas décadas lo novelesco problemático haya sido ineluctablemente el género donde vinieran a manifestarse las obras más representativas.

La novela y también el teatro, ya que este arte pareció recobrar su categoría de tal y tornó a ser algo más que un aburrido pasatiempo de la masa aburguesada y de la aristocracia emplebeyecida. Tendió a recobrar su jerarquía estética, empezando por rehabilitar la tragedia y por infundir a la dramática el pulso de la conciencia viva. Este fenómeno de alza teatral, ya esbozado antes de la guerra, se manifestó después con mayor empuje. Debióse lógicamente a los literatos, quienes desalojando a los presuntos "profesionales" del teatro, a los fabricantes de fórmulas amaneradas, acercaron a la escena temas y preocupaciones de nivel muy superior. Cierto es que, en último término, el factor determinante de su imperio escénico ha sido —como debe ser— puramente teatral; fue la perfección técnica el valor artístico autónomo de las obras donde aquellas teorías o preocupaciones vinieron a plasmarse. Consiguieron así estos nuevos autores dar su máxima expansión a una literatura de ideas, lo que no quiere decir una literatura de tesis.

Sin querer probar explícitamente nada, sin dejarse gravar por su contenido latente, cada uno de esos dramas y novelas (por ejemplo, *La nausée, L'étranger, Huis-clos, Les mains sales*...) es la proyección de un estado de conciencia, de un problema filosófico o moral. El alcance logrado por tales obras demuestra que las ideas no dañan a la literatura cuando se hallan vertidas literariamente. Ahora bien, aquel módico equilibrio —antes existente— de fuerzas conjugadas, de vida e intelectualismo, se ha roto, y cierto alud irracionalista parece querer arrasarlo todo. No es extraño, por lo tanto, que en tales condiciones se pretendiera erigir "un honor metafísico en sostener la absurdidad del mundo", según escribe Albert Camus.

¡Cuán diferente —se advertirá al punto— esta afirmación, y lo que tras ella se encierra, de la literatura que imperó en la otra postguerra! ¡Cuánta diferencia entre aquel tono jovial, afirmativo, superoptimista, cuando no burlón y risueñamente escarnecedor de todas las solemnidades, y el posterior: un tono preocupado, torvo, sombrío, por no decir cínico y desolado, en muchos casos! Entonces, cierto ímpetu energético ponía en primer plano el "sentido deportivo y festival de la vida"; hasta las mismas negaciones estaban saturadas de humor, como en la tromba dadaísta. Después, el humor, si existe, es "humour" negro, y el complejo espectáculo de la vida nos fue presentado solamente en sus facetas más torvas y angustiosas. Ello indica, sin duda, un estrechamiento, un parcial unilateralismo de visión, pero ¿acaso fue posible otra cosa ante el espectáculo de un mundo hecho trizas, donde el individuo vive atomizado y no acierta a descartar de su memoria horrores y crueldades, bajo la amenaza de que vuelvan a reproducirse, convirtiéndose en algo cotidiano e inexorable?

A cambio de algunas posibles pérdidas, hubo una ganancia evidente: el imperio de la sinceridad sin veladuras, la total abolición de tabúes; en suma —como señalaba Marill-Albérès (*La révolte des écrivains d'aujourd'hui*), "la voluntad de evitar todo ilusionismo, cualquier fariseísmo". Al punto de que cualquier osadía, la más descarada crudeza ha llegado a ser menos hiriente que cualquier veladura hipócrita.

BREVE GENEALOGIA Y ALGUNOS PERFILES DEL EXISTENCIALISMO

Cuando apareció *L'étranger* de Albert Camus, en 1942, más que encontrar en su héroe, Meursault, un personaje nuevo, de rasgos absolutamente insólitos, lo que pudimos advertir, tanto en él como en la tenue trama novelesca del libro, fueron reminiscencias, condensaciones de héroes semejantes. Por un lado, reflejos de Lafcadio, el personaje de Gide en *Les caves du Vatican*, su "disponibilidad" y un nuevo ejemplo del "acto gratuito"; por otro, el impacto de la novela norteamericana, la "extranjería" de lo oscuramente instintivo ante el mundo irracional. Más allá, en un último plano, reminiscencias del universo sin leyes donde deambulan las criaturas de Kafka. Todo ello, por supuesto, sin desvalorizar la sobriedad del lenguaje, el "clasicismo" y la economía del estilo que resplandecen en Camus. Cuando a lo largo de 1937 y 1938 fuimos leyendo en *La Nouvelle Revue Française* los relatos primigenios de Jean-Paul Sartre *Le mur* e *Intimité* (recopilados con otros, bajo el título del primero, en 1939), pareja sensación de algo "dejà vu, dejà connu" nos invadió. Particularmente —lo recordé páginas atrás—, un cuento, "Eróstrato", nos traía inconfundibles relentes del superrealismo; su personaje parecía la encarnación novelesca de cierto grito de André Breton al proclamar que lo más sensato era salir con un revólver a la calle y disparar mientras se pudiese... Esta aproximada filiación tampoco tiende a disminuir la crudeza abrupta, la impresionante negrura del universo filosófico-novelesco que entonces despuntaba en Sartre.

Pues bien, comprobaciones semejantes han podido hacer los expertos al encararse con las primeras obras francesas del existencialismo filosófico. Descontemos la animadversión instintiva que —salvo mínimas excepciones— tal corriente ha suscitado, desde la publicación de *L'être et le néant,* en 1943; buena parte de tales alegatos tendía a probar que tal corriente no es una creación de última hora ni marca una novedad radical —supuesto que esto fuera posible en un sistema filosófico; pues desde los presocráticos ¿existirá todavía alguna interpretación del mundo que no se haya dado?—. Al contrario —aparte el precedente inmediato de Heidegger—, se estableció una larga familia de antepasados. Luego si el existencialismo hubo de suscitar tan plurales curiosidades y tan enconadas polémicas, a otros motivos se debe, mas no ciertamente al de su novedad o sorpresa.

La comprobación más gráfica hubo de proporcionarla el árbol genealógico trazado por Emmanuel Mounier (*Introduction aux existentialismes,* 1947). Véase: sus raíces, de izquierda a derecha, se llaman: Sócrates, los estoicos, San Agustín, San Bernardo; su base está formada por Pascal y, un poco más arriba, por Maine de Biran; el tronco lo ocupa todo Kierkegaard; en el arranque de su copa se extiende la fenomenología; y en el despliegue o follaje se alargan numerosas ramas que van, empezando por el lado derecho, desde Jaspers, el personalismo y Gabriel Marcel, hasta los rusos Soloviev, Chestov y Berdiaef, la rama judía de Buber y la protestante de Karl Barth; luego, en el centro, Scheler, Landsberg, Péguy, Bergson, Blondel y La Berthonière, para terminar, a la izquierda, con un brazo aparte que arranca de Nietzsche, llena el mayor espacio con Heidegger y remata en un gajo con Sartre. Y aún quedan otros nombres fuera, como los de Jean Wahl y Louis Lavelle. Por su parte, Julien Benda (*Tradition de l'existentialisme*) fija las raíces de esta "filosofía de la vida" (o "rebelión de la vida contra la idea") en los sofistas, cínicos y magáricos. Y Vicente Fatone (*El existencialismo y la libertad creadora,* 1948) exhibe otro precedente menos previsto, el de Max Stirner, recordando las palabras con que abre y cierra *El único y su propiedad*: "He depositado mi causa en la nada".

Se advertirá que el trazado de tan robusto árbol dibujado por Mounier fue hecho desde París, por un escritor francés, y de acuerdo con las miras tan poco internacionalistas de casi todos los de su lengua, quienes a lo más cuentan con aquellos autores ya conocidos y digeridos en aquélla. De otra forma, si el genealogista hubiera sido un crítico de otro país, no habría omitido dos ramas capitales en su progenie: las de Unamuno y Ortega. Pero más adelante señalaremos las clarísimas premoniciones o analogías existencialistas que en la obra de éstos pueden espigarse. Por ahora continuemos esta exploración de los orígenes.

Hecha "grosso modo" —según lo ha practicado con fines divulgadores Paul Foulquié (*L'existentialisme*, 1946)— la historia de la filosofía pudiera sintetizarse en dos direcciones cardinales, esencialismo y existencialismo, inscribiendo en la primera, como hito originario, el nombre de Platón y como término el de Husserl y los fenomenólogos. Pero acontece que ya en este esencialismo fenomenológico yacen y se imbrican ciertos elementos de la segunda dirección, pues, en definitiva, las esencias de Husserl no existen en sí, de modo separado, como tipos ideales de cosas posibles. Por lo demás, ¿no es muy expresivo que Sartre, aun partiendo en guerra contra aquellos conceptos, subtitule su libro fundamental "Ensayo de ontología fenomenológica"?

Ahora bien, quien abre la primera brecha no es otro que Sören Kierkegaard, el cual precisamente como hombre de pasión y no de sistema, se negaba a ser el filósofo de una doctrina determinada. Mas aquello que, a despecho suyo, le identifica con la nueva corriente es su radical subjetivismo, la idea de que la verdad está en lo subjetivo y de que sólo por la identidad de su sentimiento el hombre adquirirá una existencia verdadera. Pero esta subjetividad sólo existe cuando hay relación con un objeto, y no hay existencia más que cuando se produce cierta relación con un ser. ¿Rehabilitación de lo concreto, abandono de las abstracciones sutilizadas de un Hegel? Desde luego, pero las intenciones de los existencialistas se nos aparecen más claras cuando sus autores nos dicen que su propósito es reproducir fielmente el flujo y el reflujo de la vida interior (mas ¿acaso Dostoievsky, acaso Joyce, acaso Kafka se habían propuesto otra cosa sin tanta parada teórica?), antes de que el espíritu intervenga para introducir una lógica que no existía. O bien afirman que este pensamiento es como una reacción de la filosofía del hombre contra los excesos de la filosofía de las ideas y la filosofía de las cosas. Además, "mientras el pensamiento abstracto —escribía Kierkegaard (*Post-scriptum*)— se propone comprender abstractamente lo concreto, el pensador subjetivo [leamos hoy existencial] tiende, por el contrario, a comprender concretamente lo abstracto". "El pensamiento abstracto desvía su mirada del hombre concreto en beneficio del hombre en sí; el pensador subjetivo comprende lo abstracto: ser un hombre en lo concreto: ser tal hombre particular existente."

Cierto es que este subjetivismo de Kierkegaard "se acostaba más a la poesía que a la ciencia" según escribiría Unamuno de su propio concepto de la filosofía. "El pensador subjetivo (escribía el primero en su libro más expresivo, *Post-scriptum final y no científico a las Migajas filosóficas*, que bajo el pseudónimo de Johannes Cimacus vio la luz en Copenhague, en 1846), no es un hombre de ciencia, sino un artista. Existir es un arte. El pensador subjetivo es bastante estético para que su vida pueda tener un contenido estético, bastante ético para regularla, bastante dialéctico para dominarla mediante el pensamiento". De los tres "estadios" que el pensamiento de Kierkegaard señala —el estético, el ético, el religioso—, de hecho enlaza sustancialmente con el primero y el último. En la misma ética queda suspendido y surge todo lo que parece anonadar al hombre: la crueldad, el absurdo y la propia nada se hace patente.

Según el autor de *Temor y temblor* no hay verdad para el hombre más que en la subjetividad; o sea, que lejos de diluir el *yo* en lo intemporal del pensamiento objetivo y abstracto, la filosofía —resume Régis Jolivet (*Introduction à Kierkegaard,* 1946)— debe aportarle una verdad con la cual su ser individual pueda comunicar. "El ser de la verdad —dice expresamente Kierkegaard en *La escuela del cristianismo*— tiene su desdoblamiento en mí, en él; de suerte que tu vida, la mía, la suya, es el ser de la verdad, del mismo modo que la verdad fue en el Cristo una *vida,* pues El fue la verdad. Dicho de otra forma, yo no conozco la verdad más que cuando se hace viva en mí."

¿Acaso este pensamiento —su último fondo religioso—, y otros semejantes que abundan en las obras del pensador danés, no nos traen muy vivas resonancias de otros decires —y sentires—: los de Unamuno?

EXISTENCIALISMO Y NAZISMO

Haciendo aquí un paréntesis, merecerían un capítulo especial (tal como el que figuraba en mi pequeño libro *Valoración literaria del existencialismo*) las conexiones sobremanera equívocas que pueden descubrirse entre dicha filosofía y el nazismo. Sin embargo, lejos ya del justificado ánimo polémico que nos impulsaba a varios, hace años, para poner crudamente al desnudo tales implicaciones, me limitaré ahora a comprimir en unas líneas, objetivamente, algunos datos esenciales. Ha habido autores como Rohan D. O. Butler (*Las raíces ideológicas del nacionalsocialismo*, 1943) y Alfred Stern, entre otros, que vieron el existencialismo como una consecuencia última del irracionalismo, identificándole con una destrucción total de los valores espirituales, desideratum del nazismo. Pero, dejando a un lado generalidades, apuntemos rasgos más concretos que si no pueden sobrevalorizarse tampoco deben ocultarse. Fue precisamente en la propia revista de Sartre, *Les Temps Modernes*, donde aparecieron a lo largo de 1946 y 1947, diversos artículos (señaladamente los de Karl Loewith, Alphonse de Waehlens, Eric Weill, M. de Gandillac, A. de Towarnicki...) señalando concretamente las interferencias de Heidegger con la política dominante en su país.

De tal masa de documentos surge el hecho de que el autor de *El ser y el tiempo* figuró inscrito en el partido nacionalsocialista; le nombraron rector de la Universidad de Friburgo en 1933; en el discurso inaugural de sus funciones insertó un llamamiento de fidelidad al Führer, además de cumplir otros actos de acatamiento o servilismo; dimitió al año siguiente y continuó explicando sus cursos que no eran bien vistos por los miembros del partido nazi, pero tampoco de un carácter tan "opositor" como para que dejara de ofrecérsele el rectorado de la Universidad de Berlín; fue obligado a interrumpir sus cursos en 1937-38, pero pudo reanudarlos en plena guerra, ya que en ningún momento sus disentimientos con el nazismo —si es que los hubo— rebasaron el límite de lo personal, mas sin entrar en lo ideológico. Queda claro, por consiguiente —escribe Eric Weill—, que Heidegger aprobó la incautación del poder por Hitler, no se sintió particularmente molesto durante el primer año del "Reich milenario", celebró públicamente la ruptura de su país con la Sociedad de las Naciones, influyó con todo el peso de su prestigio sobre sus alumnos, y sobre la opinión pública de su país, a fin de que Hitler fuera visto como "el porvenir de Alemania", y sufrió una decepción al advertir que ese régimen podía prescindir de sus servicios, puesto que en definitiva no necesitaba de ningún filósofo. "De todo lo que puede quejarse es de que el nazismo haya sido ingrato hacia él".

Al margen de tales recriminaciones, lo que a nosotros debe importarnos únicamente es averiguar hasta qué punto su filosofía, su sistema existencial, presenta concomitancias con el sistema de quienes hicieron morir en los campos de concentración a colegas suyos, a filósofos eminentes como un Huizinga y un Landsberg e inventaron las cámaras de gases letales.

UN ADELANTADO: BENJAMIN FONDANE

Un acto de justicia es recordar aquí —por lo mismo que habitualmente se le olvida— no a un antecesor, pero sí a uno de los adelantados del existencialismo, situado en aquel vértice donde se encuentran filosofía y poesía. Me refiero al escritor rumano de expresión francesa Benjamin Fondane, muerto como resistente en un campo de concentración nazi. Por algo se le llamó "découvreur avant la lettre de l'existentialisme" —en Francia, se entiende—, y testimonio último de su consagración a estos temas es el ensayo póstumo, tan penetrante y original, sobre "El lunes existencial y el domingo de la historia" incluido en el volumen colectivo *L'existence* (1945) que asimismo recoge los textos de Albert Camus, Jean Grenier, Etienne Gilson, etc. La actitud mental de Fondane pudiera señalar, a mi ver, tanto un punto de confluencia como de bifurcación entre ciertas corrientes que habían dado ya lo mejor de su zumo hacia 1930 —el superrealismo, en primer término—, y aquellas otras que tímidamente trataban de abrirse paso en la sombra, con el existencialismo, a raíz de las primeras traducciones de Kierkegaard. Del primer movimiento,

Fondane retenía ciertas aportaciones capitales, la disconformidad contra el mundo racional, la apelación al subconsciente; del segundo, adelantaba ciertas confusas nociones, como la desconfianza en el idealismo, la tendencia a cargar el acento en lo pasional y subterráneo del espíritu. Pero todo ello visto a través de su maestro Léon Chestov, de la lucha emprendida por este filósofo (su libro capital en este sentido: *La philosophie de la trágedie. Dostoievsky et Nietzsche*, 1926) contra las evidencias que la necesidad nos coacciona a aceptar, y de su esfuerzo por perforar, según sus palabras, "la segunda dimensión del pensamiento", cuya inmediata perspectiva son las "revelaciones de la muerte". Por lo demás el prexistencialismo de Fondane, no menos que en Chestov y en Kierkegaard, se apoyaba en Dostoievsky, el de las *Memorias del subsuelo*. Y su desazón, al buscar un modo de conocimiento más flexible que el metro rígido de la razón, lindaba, a la vez, supiéralo o no, con el desasosiego de nuestro Unamuno.

RESPONSABILIDADES

Volviendo a la actitud de Heidegger. Desde un ángulo nada hostil, A. de Waehlens señalaba "la enorme potencia de destrucción disimulada que constituye, sin duda, el fondo propio del pensamineto de Heidegger, al mismo tiempo que su trágica grandeza". Y recordaba cierta frase de Fritz Kaufman sobre el autor de *Ser y tiempo:* "una naturaleza demoníaca". Que este sentimiento es, por lo demás, bastante unánime lo comprueba, entre otros testimonios, el de Bertrand d'Astorg en su *Introduction au monde de la terreur* (1945), cuando después de haber estudiado las premoniciones de ese mundo en las obras de Saint-Just, Sade, Nietzsche y Jünger, y tras enumerar los métodos aniquiladores del nazismo, escribe: "¿Acaso la civilización occidental no ha perdido definitivamente la partida por haber alimentado en su seno las ideas y los hombres que hicieron posible en el siglo XX tal abominación, de la que todos, aun siendo inocentes, resultan cómplices? ¿Y acaso un segundo nihilismo amenazador, bajo las especies de filosofías de la nada y del absurdo, no es la forma de una desesperación justificada?"

Y aquí empiezan las discrepancias. Mientras A. de Waehlens tiende más bien a disociar responsabilidades, K. Loewith sostiene que la política y la filosofía de Heidegger son inseparables, que su nihilismo debía conducirle al nazismo y que cualquier filosofía como la que él representa, toda filosofía sin eternidad, lleva hacia esa meta destructiva. "Sea que Heidegger se acomodara —escribe más concretamente Loewith— a la dominación de Hitler o que lamentara esa adaptación como un error, el hecho es que la misma posibilidad de tomar postura por la "revolución del nihilismo" debe ser explicada desde la raíz de su principio filosófico. Este principio, la reducción de la existencia a sí misma, que sólo reposa en sí misma, frente a la nada, no es una invención gratuita. Corresponde, por el contrario, al estado radical de la situación histórica y efectiva con la cual se ha identificado en términos explícitos la filosofía heideggeriana de la existencia, comprendida en el tiempo y en la historia".

PRECEDENTES ESPAÑOLES

Según antes se dijo, las precedencias múltiples del existencialismo, a lo largo de la historia del pensamiento, ya fueron recordadas muchas veces; las deudas notorias de Sartre hacia Kierkegaard, y particularmente con Heidegger, quedaron establecidas sin reservas principalmente por Alphonse de Waehlens. Muy lejos de mi propósito está ahondar en tal cuestión, así como también trazar nada parecido —en estos apuntes que llevan otra meta— a una historia ni siquiera un esquema, de la filosofía existencial; las hay, desde hace años, para todos los gustos... Más oportuno y hacedero estimo volver la mirada hacia algunos posibles antecedentes españoles, señaladamente los que, sin ningún esfuerzo, puede advertir quien haya frecuentado las obras de Unamuno y de Ortega y Gasset. Antecedentes que muy propios críticos o comentaristas se cuidaron de señalar (según hemos visto, Unamuno no aparece inscrito en el "árbol" de Mounier [2]).

[2] Una de las pocas excepciones es la de M. F. Sciacca (*La filosofía oggi*) y otra la de Gérard Délédalle (*L'existentiel*), pero resulta soberanamente extraño que Camus (*Le mythe de Sisyphe,* 1942) cite reiteradamente a Chestov y omita

a) *Unamuno y Kierkegaard*

La precedencia de Unamuno, en el aspecto que nos ocupa, aparece irrefragable, concluyente. Cierto es que el autor de *Mi religión y otros ensayos* era, como nadie ignora, radicalmente asistemático, enemigo de someter a ningún molde conceptual riguroso su concepción del mundo. Pero cabalmente, ¿acaso por este temple de su espíritu levantisco no resulta ya existencialista en lo profundo? ¿Acaso Kierkegaard no era fundamentalmente también un hombre de pasión, asistemático y al reaccionar contra Hegel se negaba a todo objetivismo metódico? (¿Por qué, si no, ha podido resumir Ferrater Mora (*Diccionario de Filosofía*) de modo tan unamuniano el pensamiento de Kierkegaard: "contra el sistema, la distinción, la separación, el abismo; contra la tranquilidad, la desazón, la angustia; contra la filosofía especulativa la filosofía existencial"). Aquel Kierkegaard, cuyo nombre resonó en España antes que en ningún otro país de la Europa meridional, merced precisamente a don Miguel, quien llevado por Brandes, aprendió expresamente el danés para leerle en su original, lo mismo que a Ibsen? [3]

a Unamuno, cuando por una parte éste se hallaba traducido desde mucho antes al francés (*Du sentiment tragique de la vie* apareció en 1913) y, por otra parte, pudiera haberlo leído directamente, a poco esfuerzo que hubiese hecho, dada su materna ascendencia española.

[3] "Alma congojosa" comienza llamándole, en un artículo fechado en Salamanca, marzo de 1907 (recogido luego en *Mi religión y otros ensayos*, 1910), añadiendo: "Si empecé a leer el danés, traduciendo antes que otra cosa el *Brand* ibseniano, han sido las obras de Kierkegaard las que sobre todo me han hecho felicitarme de haberlo aprendido". Y en otro párrafo transcribe esta frase de Kierkegaard que condensa la misma razón del diario batallar unamuniano en España: "Quéjense otros de que los tiempos son malos: yo me quejo de que son mezquinos por faltarles pasión". Lástima que acuciado por tantos otros temas, Unamuno no volviera más detenidamente al de Kierkegaard. Recordemos asimismo que la primera traducción española, si bien muy caprichosa, de este autor, se debe a quien había romanceado, con la misma libertad, a Walt Whitman, al poeta uruguayo Alvaro Armando Vasseur (*Prosas* de Sören Kierkegaard, Editorial América, Madrid, s. a.).

"La razón es enemiga de la vida"; "la razón construye sobre irracionalidades"; "el hombre es un fin, no un medio"; "el verdadero humanismo no es el de las cosas del hombre, sino el del hombre"; "hay que pensar con todo el cuerpo y toda el alma, con la sangre, con el tuétano de los huesos, con el corazón, con los pulmones, con el vientre, con la vida"; "la filosofía, como la poesía, es obra de integración, de concinación, o no es sino filosofería, erudición pseudofilosófica". Bastaría esta media docena de afirmaciones sueltas, aun desarticuladas de su contexto y extraídas del primer capítulo de un solo libro de Unamuno —*Del sentimiento trágico de la vida*— para demostrar los trazos que lo emparentan con Kierkegaard. Aún más, puede subrayarse la cualidad de adelantado impar que asume en la breve tradición existencial; sus pasos, en la búsqueda o recuperación del hombre interior, a fin de hacer aflorar a la superficie el "hombre subterráneo" que estaba sepultado por tantas losas o tantas páginas de teorías abstractas, desquitándose así del "hombre aparente" erigido en máscara o pantalla. De ahí que Unamuno clamara tan estentóreamente su "hambre de inmortalidad", sacando a luz con impudicia sus dudas, sin recatar angustias; de ahí su empeño en creer, sin adormecerse con beleños, sosteniendo "una fe a base de incertidumbre" (como la de su *San Manuel Bueno, mártir*); su lucha quijotesca con la nada...

Del mismo modo que Kierkegaard, Unamuno siente desconfianza ante el pensamiento abstracto: aquel —según el primero— que "hace abstracción de lo concreto, de lo temporal, del hacerse de la existencia, de la miseria del hombre..." "Pensar la existencia abstractamente y *sub specie aeterni* (añade en *Post-scriptum*) significa suprimirla esencialmente. La existencia no puede pensarse sin movimiento y el movimiento no puede pensarse *sub specie aeterni*" (¿No hay aquí, por lo demás, una prefiguración bergsoniana y orteguiana?). Kierkegaard afirma que el "pensador subjetivo" "no es un hombre de ciencia sino un artista"; subraya que "su tarea consiste en *comprenderse él mismo en la existencia*", cuidándose muy poco de las contradicciones ante las cuales se escandaliza el pensamiento abstracto. Pues "el pensador subjetivo —precisa— es un hombre existente y empero un pensador; no hace abstracción de la existencia y de la contradicción, porque piensa dentro de ella". ¿No suena todo esto a Unamuno puro, ya que éste, aunque el arte no le interesara como meta, se creía, ante todo, un poeta, un sentidor; no se arredraba de las contradicciones; se ponía a sí mismo en primer término...? Con todo, Julián Marías (*Miguel de Unamuno*) primero, y luego François Meyer (*L'ontologie de Miguel de Unamuno*) han advertido que si bien el clima espiritual de Unamuno es el del existencialismo "no conviene proyectar retrospectivamente sobre su pensamiento los análisis de los existencialistas recientes, como Heidegger o Sartre, quienes no solamente no ejercieron ninguna influencia sobre él, sino que enlazan con una problemática muy diferente"; en suma, mientras Meyer minimiza esta relación, otros, como Pierre Mesnard y R. Ricard insisten en la ejercida por Kierkegaard; por su parte, A. Sánchez Barbudo sostiene su absoluta independencia.

Al margen de otras diferencias (ante todo, las del medio y la distancia temporal que les separa: Kierkegaard muere en 1855), aquello que les aproxima estrechamente es su radical subjetivismo. Kierkegaard arranca de la idea de que la verdad está en lo subjetivo y de que solamente por la identidad de su sentimiento el hombre adquiere una existencia verdadera. El autor del *Tratado de la desesperación* identificaba de modo absoluto la verdad con la vida: "no se trata de saber en qué consiste la verdad, sino de ser la verdad". Y en una página de su *Diario*, remacha: "lo que importa es encontrar una verdad que sea *verdad para mí*; encontrar una idea por la cual yo pueda vivir o morir". Recuérdese el comienzo de la declaración de fe —de incertidumbre— que hace Unamuno en *Mi religión...*: "Mi religión es buscar la verdad en la vida y la vida en la verdad, aun a sabiendas de que no he de encontrarla mientras viva..." El subjetivismo por nadie fue alzado con tan vehemente pasión a la categoría de móvil vital, no sólo filosófico, como por Unamuno. Recuérdese el grito de Michelet, que hizo suyo: "¡Mi yo, que me arrebatan mi yo!" Y la afirmación mayúscula de la personalidad: "¿Y quién eres tú? Para el universo, nada; para mí, todo". También: "Cada hombre vale más que la humanidad entera", y tantas otras frases similares que no es menester transcribir pues viven en la memoria de todos sus lectores. Condensándolas ¿acaso "el hombre de carne y hueso, el que nace y sufre y muere", que yergue con ademán grandioso desde la primera página de su *Sentimiento trágico de la vida,* no es muy semejante al "pensador subjetivo" del danés y anticipa la preminencia del existir sobre el ser, puesta después en candelero por Sartre y sus contemporáneos? Kierkegaard afirmaba: "La verdad radica en la subjetividad, en la existencia del hombre, en la de este o aquel hombre particulares, sin que quepa la huida hacia la abstracción de lo humano." Y Unamuno: "ni lo humano, ni la humanidad, ni el adjetivo simple, ni el adjetivo sustantivado, sino el sustantivo concreto: el hombre". Pero si el filósofo de Copenhague anteponía la fe a la razón, expresando que el que afirma objetivamente a Dios no cree, y que precisamente en lo "absurdo" se expresa la pasión de la fe, el peripatético salmantino subrayaba aún con mayor vehemencia (en *La agonía del cristianismo*): "Vivir en la lucha, de la fe, es dudar; una fe que no duda es una fe muerta. Lucho, agonizo como hombre, mirando hacia lo irrealizable, hacia la eternidad."

Se ha querido definir la filosofía existencial —vista en Kierkegaard— como la lucha de la fe contra la razón, "la lucha insensata —apostilla Sciacca— por lo posible, o mejor, por lo imposible". Por consiguiente, cuando Unamuno se opone a Hegel escribiendo que "lo realmente real es irracional, que la razón construye sobre irracionalidades", cuando se rebela contra la razón, la insulta y pisotea, no queriendo someterse a ella, su lenguaje es el de la pasión, no el de la razón; y abre así de par en par las compuertas a la riada del invasor irracionalismo en que hoy nos debatimos.

b) *Ortega, Kierkegaard, Heidegger y Sartre*

El caso de Ortega y Gasset, en punto a precedencias, semejanza o relaciones con ciertos aspectos del existencialismo, es distinto. En primer término, porque estos posibles enlaces sólo pueden buscarse parcialmente con Heidegger y Sartre, no con Kierkegaard; después, por la hostilidad latente que Ortega mantenía con esta última figura —reflejamente, a despecho de un número mayor de motivos admirativos, con Unamuno— y que sólo en uno de sus libros póstumos (*La idea de principio en Leibniz,* 1958) se hizo pública. Aludo a dos de los capítulos finales: "El lado dramático de la filosofía" y "El lado jovial de la filosofía". Naturalmente, ni tal bipartición, ni la preferencia que marca Ortega hacia el último pudo sorprender —aunque sí revelar algunas intimidades intelectuales, los motivos últimos de ciertas "simpatías y diferencias"— a sus lectores de siempre. El lado orteguiano es el "jovial", que más lógico, en último caso, hubiera sido, para evitar equívocos, apellidar "vital"; el otro, el "dramático", lo siente como hostil o distante. Precisamente el vitalismo —más propiamente raciovitalismo— de Ortega es lo que le lleva, en primer término, a contradecir a Heidegger, cuando éste pretende que "la filosofía es hacer patente que la Vida es Nada, no advirtiendo que al hacer esto está ya demostrando que no es verdad lo que dice". Para Ortega, aun el hecho de que se filosofe con pesimismo "revela que en la raíz de la vida... hay, junto a la nada y la "angustia", una infinita alegría deportiva que lleva, entre otras cosas, al gran juego que es la teoría y especialmente su superlativo, la filosofía". Nos recuerda, además, que desde sus primeros escritos, opuso "a la exclusividad de un "sentido trágico de la vida", que Unamuno propalaba, un "sentido deportivo y festival" de la existencia". Esta actitud de Ortega, tanto como reconoce la analogía con el vitalismo de Dilthey, marca distancias frente al existencialismo de Heidegger; éste le parece un "enorme retroceso", ya que, en relación con el avance fenomenológico de "ver las cosas como propiamente son", nos vuelve a los "patetismos", las "gesticulaciones", las "palabras de espanto". Todo ello le recuerda —anecdótica pero vividamente— cierta popularizada poesía de Espronceda, donde se habla de cementerios y "muerte en derredor". En suma, Ortega, fiel a su idiosincrasia, a sus preferencias de siempre, no cree en el "sentimiento romántico de la vida", carga su culpa —procediendo también de acuerdo con su ingénito temperamento clásico— al romanticismo y personaliza la responsabilidad en un hombre "histrión de raíz que había en Copenhague: Kierkegaard"; de él "pasó la cantilena a Unamuno primero y luego a Heidegger.". "Marioneta de Hegel, que quiso representar el anti-Hegel" le llama, entre otras cosas, aparte de ridiculizar su "provincialismo", del mismo modo que lanza una flecha de soslayo, inmisericorde, contra Unamuno ("Yo he conocido otro hombre sumamente parejo a Kierkegaard y por eso conozco a éste muy bien") [4].

Pero no nos perdamos —extraviando nuestra meta— en esta polémica, por muy "sabrosa" y reveladora de intimidades intelectuales que sea; más nos importaría, en todo caso —siempre marginalmente— exponer, antes que los rechazos, las simpatías de Ortega, su rendida inclinación al "lado jovial de la filosofía". De acuerdo con sus puntos de vista permanentes sostiene que "el tono adecuado al filosofar no es la abrumadora seriedad de la vida, sino la alciónica jovialidad del deporte, del juego", haciendo a este propósito una excursión por las orillas del juego y el mito, de la religión y de la filosofía, sin dejar de insistir en su animadversión frente a todo dramatismo y cualquier compromiso. Además, no deja de anotar otro motivo mayor de disidencia —larvada, visceral, más que explícita—, pareja a la que experimentaba Menéndez Pelayo como determinante último de su fobia contra los krausistas; en suma, una razón estética: su lenguaje imposible y su estilo enrevesado. Algo insinúa Ortega entre líneas, sin perjuicio de que en uno de sus últimos artículos ("En torno al coloquio de Darmstadt", 1951) tienda a explicar, ya que no a defender, el estilo heideggeriano; si por un lado reconoce que los "pensadores alemanes siempre han pro-

---

[4] Otras intimidades semejantes trasparecen también póstumamente en lo que viene a ser una sumaria autobiografía de su formación intelectual: el *Prólogo para alemanes* (dado a luz en 1958). En el punto que ahora tratamos, y respecto a sus años en Alemania, escribe sin remilgos: "En cuanto a Kierkegaard, ni entonces ni después he podido leerle (...) Su estilo me pone enfermo a la quinta página (...) Es posible que haya en él ideas admirables, pero sus gesticulaciones literarias me han impedido llegar hasta ellas (...) Lo que él llama "pensar existencial", nacido de la desesperación del pensar, tiene todas las probabilidades de no ser, en absoluto, pensar, sino una resolución arbitraria y exagerada, también "acción directa". Por eso dudo mucho que pueda una filosofía llamarse adecuadamente "filosofía de la existencia". "La playa donde mi barca arribó no era ese equívoco "pensar existencial", sino lo que muy pronto iba yo mismo a llamar "filosofía de la razón vital", la cual razón es sustantiva y radicalmente *vital*, pero no menos razón".

pendido a ser difíciles" y que muchos del mismo país "consideran a Heidegger como un pésimo escritor que atormenta a la lengua alemana", por otro afirma que si "no es un escritor en el sentido predominante de esta palabra, tiene, en cambio, un admirable estilo filosófico". Pero a reserva de no satisfacernos con tal ambigüedad, lo innegable es que nadie dejará de lamentar (especialmente quienes "vivieron" tal estilo de cerca y de modo muy particular José Gaos al traducir *Sein und Zeit*) la imperdonable descortesía de los existencialistas con el lector, ya que —recordémoslo una vez más— "la claridad es la cortesía del filósofo".

Más allá de estos rechazos y discrepancias, conceptuales y formales, con el existencialismo, hay un hecho evidente. El lector español, a poco familiarizado que se hallase con la obra de Ortega, cuando, según fueron apareciendo, penetró en los libros de Sartre y sus afines, no hubo menester de una especial sutileza para reconocer en ellos los rostros parecidos de ciertas ideas y encontrar perfiles reminiscentes. Sin propósito de hacer un cotejo a fondo, con una rápida mirada, ateniéndonos a lo más visible: compárese no más la fisonomía del "hombre que sin ningún apoyo y sin ningún socorro está condenado a inventar el hombre", el concepto del hombre como "porvenir", como "proyecto", como aquello que "él mismo se hace", libre de "elegir", pero preso en una "situación" determinada; compárense, digo, estos conceptos de Jean Paul Sartre, sintetizados en *L'existentialisme est un humanisme* (1946), con los de Ortega y Gasset (en el prólogo a *Obras*, 1932) sosteniendo que "el hombre es libre, quiera o no, ya que, quiera o no, está forzado en cada instante a decidir lo que va a ser", confirmando que "hay que hacer nuestro quehacer", que "el perfil de éste surge al enfrentar la vocación de cada cual con la circunstancia", y recordando, como ya había escrito en su obra primigenia —*Meditaciones del Quijote*, 1914—: "yo soy yo y mi circunstancia", y quedará uno asombrado por tales similitudes y paralelismos.

Aún hay más. "El hombre —escribe Sartre, para aclarar su postulado de que la existencia precede a la esencia— empieza por existir, surge en el mundo y después se define." "Sólo será después y como se haya hecho. El hombre no es otra cosa que lo que él se hace. Este es el primer principio del existencialismo." Tal lo que dice Sartre en una conferencia de 1946. Y nueve años antes, Ortega y Gasset (*Historia como sistema*, 1935), pero donde se reiteran y amplían ideas expuestas muy anteriormente expresa: "El hombre es el ente que se hace a sí mismo, un ente que la ontología tradicional sólo topaba precisamente cuando concluía y que renunciaba a entender: la *causa sui*. Con la diferencia de que la *causa sui* sólo tenía que "esforzarse" en ser la *causa* de sí mismo, pero no en determinar qué *sí mismo* iba a causar." Tenía, desde luego, un *sí mismo* previamente fijado e invariable. "Pero el hombre —agrega— no sólo tiene que hacerse a sí mismo, sino que lo más grave que tiene que hacer es determinar *lo que* va a ser. Es *causa sui* en segunda potencia (...). Este programa vital es el *yo* de cada hombre, el cual ha elegido entre diversas posibilidades de ser que en cada instante se abren ante él."

Que el hombre es libre, que el determinismo es una ficción, que el hombre es rigurosamente lo que él se hace y, por consiguiente, la vida se puede definir como un proyecto: he ahí una idea que, con muy escasas variantes, Ortega y Sartre afirman y desenvuelven en términos fragmentariamente parejos, mas con idéntica persuasión. "Soy —escribe el primero— *por fuerza libre*, lo soy quiera o no." (Y subraya expresivamente esas tres palabras: *por fuerza libre*.) "El hombre —escribe el segundo con cierto dramatismo metafórico— está condenado a ser libre." ¿Condenado —se preguntará— por qué? Porque "una vez arrojado al mundo es responsable de todo lo que hace." Porque dada la raíz atea del existencialismo sartreano, el hombre está desamparado, no tiene ningún asidero ultramundano, ninguna excusa, y su único punto de amarre es precisamente su libertad. Ya que, en suma, para Sartre el concepto de libertad (según lo explica inacabablemente en la parte "Tener, hacer y ser" de *El ser y la nada*) se cifra únicamente en la libertad de elección. El "ser de lejanías", la "angustia", el "cuidado", el "ser para la muerte" de Heidegger, al pasar a Sartre se convierten en el "hombre, pasión inútil". La fatalidad se torna libertad, pero condicionada, esto es, "en situación". Para Ortega la libertad no es quizá tan absoluta, se halla condicionada por la *circunstancia,* ese sector que forma la otra mitad de nuestra persona y sin la cual no podemos integrarnos ni ser nosotros mismos. Para Sartre la "situación" (o condicionamiento) es "la contingencia de la libertad", suerte de "escapatoria que tiene el ser para esquivarle". Definición insuficiente —aunque en él aparezca más complicada—, pero en cualquier caso menos indigerible que los malabarismos conceptuales del "en sí" y el "para sí", donde (por razones estéticas...) no tenemos por qué internarnos.

Muchas otras analogías (y aparte no menores disparidades) pudiéramos señalar entre ambos pensadores, y ya François Cascales *(L'humanisme d'Ortega y Gasset,* 1957) ha desenvuelto varios, particularmente en el capítulo "L'homme est liberté". Pero el autor de *Historia como sistema* cuida de no sacrificar a ninguna Diosa de la necesidad, al contrario del pragmatismo historicista-marxista en que ha venido a parar el autor de la *Dialectique de la raison matérialiste.* Para Ortega, ejemplarmente, "la libertad es la capacidad de no aceptar una necesidad".

Sus precedencias pudieran estirarse aún más al recordar cómo, en 1922, alzándose contra el racionalismo —"bête noire" de los hoy existencialistas—, pero sin dejar caer exclusivamente el otro platillo de la balanza, el vitalismo, Ortega había llegado —en *El tema de nuestro tiempo*— a elaborar una síntesis y superación de entrambos, el raciovitalismo, postulando el imperio de una razón vital. ¿Acaso, en último término, la identificación pretendida por Sartre, queriendo homologar —a decir verdad, en forma poco convincente— existencialismo y humanismo avista otro puerto? Frente a estas semejanzas, y si atendiéramos únicamente a las fechas, podríamos concluir que el pensamiento de Ortega, conocido o no directamente por Sartre, ha ejercido sobre este último una influencia evidente. Pero —alguien menos cándido, cierto espíritu maligno— podrá soplarnos al oído: ¿no será que ambos, el autor de *El tema de nuestro tiempo* y el de *L'être et le néant*— arrancan de un tronco común: Heidegger? Mas la verdad cronológica en este caso también favorece a Ortega por cuanto sus textos son anteriores a 1927, fecha en que aparece la primera parte —única hasta ahora— de *Sein und Zeit* del profesor friburgués; y ya el primero había cuidado de aclararlo en el ensayo sobre Dilthey, con razones legítimas, pero tal vez con demasía de énfasis. "Apenas hay uno o dos conceptos importantes de Heidegger —escribe Ortega— que no prexistan a veces con anterioridad de trece años en mis libros. Por ejemplo: la idea de la vida como inquietud, preocupación e inseguridad... se halla literalmente en mi primera obra, *Meditaciones del Quijote*, publicada en ¡1914!" Sin descartar estas prioridades, prefiero atribuir la coincidencia a ese elemento que, para explicar análogas ósmosis y exósmosis en lo literario, he llamado varias veces "el aire del tiempo"; la influencia de cierta atmósfera que a todos los espíritus inmersos en ella alcanza.

En último caso, lo que sí queda claro e incontrovertible es que Ortega fue uno de los primeros en alzarse contra las limitaciones o desnaturalizaciones del idealismo, contra el racionalismo unilateral, contra la filosofía como mera ciencia del conocimiento, postulando contrariamente una filosofía donde lo vital cargara el acento. Sólo en este sentido y en sus reflejos sobre la creación literaria, puede importarnos el pleito, la averiguación de prioridades. Reflejamente también ha de importarnos en su aproximación a lo humano, a los problemas propios del ser humano. Porque la verdad es que la filosofía al uso parecía haber llegado a morderse la cola, a no salir de sí misma; parecía haberse convertido en una estéril filosofía de la filosofía. Después de Kant —como el mismo Ortega escribió— semejaba volverse de espaldas al universo y le importaba más el método de conocimiento del mundo que el mundo mismo. En este sentido la derivación que implica la nueva escuela —nueva solamente en cuanto a expansión y renombre— hacia el existir, hacia la realidad, dando primacía a los problemas metafísicos del hombre concreto, nos parece admirable. No así el antirracionalismo de Sartre, ni su ateísmo desolador, que puede contrabalancearse, en una síntesis futura, con las vistas cristianas de Karl Jaspers y Gabriel Marcel.

c) *Antonio Machado y Heidegger*

Finalmente, por lo que afecta, ahora no tanto a *precedencias* como a relaciones del existencialismo, algunos quisieron señalar (yo mismo en *Valoración literaria del existencialismo,* primera versión o bosquejo del presente capítulo) algunas colindancias en Antonio Machado; particularmente en los soliloquios de su "alter ego", Juan de Mairena.

Pero vistas más de cerca la verdad es que no puede hablarse exactamente de nada semejante a precedencias; y en este sentido Julián Marías —*Ensayos de convivencia*— ha puesto los puntos sobre las íes, evidenciando que el conocimiento de Heidegger y del existencialismo fue sólo indirecto y parcial en Machado (a través del resumen fragmentario dado en un libro de Gurvitch); todo se reduce sustancialmente a un cotejo de intuiciones poéticas. Así Machado se limitaba a un solo aspecto heideggeriano, el de la "angustia", recordando cómo en ciertos versos suyos de 1907 —aquellos que empiezan: "En una tarde cenicienta y mustia..."— la angustia aparecía como un hecho psíquico de raíz, pero que no se quiere ni se puede definir, mas sí afirmar como una nota humana, persistente, como inquietud existencial (*Sorge*) antes que verdadera angustia (*Angst*) heideggeriana, pero que va a transformarse en ella. Conexiones más evidentes podrían descubrirse entre el existencialismo y cierta veta profunda y general del espíritu español: la que Antonio Machado ponía de relieve al aislar otro aspecto de Heidegger, afirmando que su filosofía se dirige al hombre, "al hombre cotidiano, antes que al estudiante de filosofía". "El que no habla a un hombre —expresaba certeramente por boca de Juan de Mairena— no habla al hombre; el que no habla al hombre no habla a nadie." Porque, en suma, este acento humanista radical en lo particular ¿no es acaso la nota dominante a lo largo de toda la infusa y no escrita filosofía española desde Séneca?

APARICION DE SARTRE

Si la filosofía que comentamos ya estaba prefigurada desde hace un siglo —en el año de mayor auge del existencialismo, 1955, se cumplió el centenario de la muerte de Sören Kierkegaard—, tampoco Sartre (según hubimos de recordar) fue una revelación de la postguerra. Estaba ya revelado, más lentamente, desde algunos años antes. Cuando en el curso del dramático 1937 aparecieron en *La Nouvelle Revue Française* las primeras novelas cortas de Jean-Paul Sartre, fuimos ya algunos —según antes dije— quienes sentimos, al leerlas, cierto choque singular, la presencia incuestionable de algo cínico, turbador, poderoso. Ciertamente no era su nota dominante, una crudeza tenática sin restricciones, ni su atmósfera amoral, aquello que podía asombrarnos. No era tampoco su expresión impúdica, sin veladuras, lo que resultaba nuevo. Precedentes múltiples en ambas direcciones había ya depositado en nuestras riberas la resaca de la anterior trasguerra. En páginas anteriores señalé algunos nombres en Francia y en los Estados Unidos, a los que cabría agregar los de Erick Kaetsner *(Fabien)* en Alemania, y Alberto Moravia *(Gli indiferenti)* en Italia, sin agotar la relación, por supuesto, y únicamente como prueba de que nuestro paladar estaba ya habituado a "delicadezas" semejantes. Y en punto a violencia de situaciones, a amoralidad de atmósfera y "directismo" expresivo, la extensión todavía más vasta y el influjo creciente logrado por el ímpetu de algunos norteamericanos penúltimos —a partir de Hemingway, Dos Pasos, Faulkner, Steinbeck, Caldwell...— es suficiente ejemplo. Luego la sacudida del cinismo tenía ya un epicentro lejano, y esa ola turbia, emproada a mostrar la vida como "sound and fury", como un cuento absurdo contado por un niño idiota —parafraseando unas palabras de Macbeth— se había extendido sin trabas a la novelística de otros países. La guerra, en vez de anular con su violencia real tal corriente, al superarla con los hechos, no hizo sino reforzar paradójicamente sus batientes, inclusive en la antes innocua literatura inglesa, según muestra la difusión alcanzada allí, durante los años de la *Blitzkrieg,* por las imaginaciones a lo Kafka de Rex Warner en *The aerodrome,* y particularmente por *No orchids for Miss Blandish,* de Hadley Chase y la corriente de novelería sádico-erótica que originó.

Hasta en España, entonces aislada, las dos únicas novelas que por los mismos años alcanzaron lectores y renombre —*Nada,* de Carmen Laforet, y *La familia de Pascual Duarte,* de Camilo José Cela— traducen semejante visión cínica e implacable de la realidad. Unanse a ellas otras dos, originales, de novelistas españoles en el exilio: Max Aub, en México, con su serie de los *Campos,* y Arturo Barea, cuya trilogía biográfico-novelesca, *La forja de un rebelde,* conquistó en su edición inglesa, y antes de aparecer en español, el espaldarazo de varias traducciones. Luego la guerra y la trasguerra podrán, pues —insisto—, haber exacerbado esa tendencia cínica, tremenda, malhablada, pero queda evidenciado que no sólo en potencia, sino en actos y obras múltiples, prexistía ya.

Ahora bien, en el caso de Sartre la crudeza que mostraban aquellos relatos iniciales era de carácter diverso: más sutil y especiosa, como respondiendo a un preconcepto intelectual, como ejemplos de una cosmovisión peculiar muy elaborada y meditada. Sin ser meramente externa, puesto que iba unida al fondo, aquella crudeza tampoco podía considerarse esencial: era una resultante, mas no un fin. La pareja enclaustrada de "La cámara", el personaje entre grandioso, cómico y salaz, ávido de asombrar al mundo, de "Eróstrato", el proceso de corrupción de una falsa personalidad que describe "La infancia de un jefe" —entre otras novelas cortas de *El muro*— impresionan e interesan por su intención subyacente antes que por su descarada salacidad. Y eso es lo que sitúa a tal literatura en un plano muy distinto al de la obscenidad donde quisieron colocarla puritanos y conformistas.

Si fuéramos a fijarnos únicamente en este aspecto del existencialismo —el más sensacionalista y adjetivo—, en el de su escatología, y aun en el de su coprología, y como a todo hay quien gane, resultaría que la marca sartriana fue superada poco después al conocerse en francés —pues en los Estados Unidos había sido prohibida la circulación de las ediciones originales— a Henry Miller y sus novelas *Tropic of Cancer* y *Tropic of Capricorn*. Lo coprológico, no sólo lo irracional y lo visceral —sustituyendo a la mente y a los sentidos como instrumentos para captar el mundo— alcanzan aquí sus límites más desaforados. Con la diferencia de que en Miller quizá no haya sino una obsesión libidinosa y una confusión deliberada, mientras que en Sartre hay un concepto peculiar del mundo y un arte muy refinado, aun cuando en ciertos casos intente disfrazarse de balbuceo o tosquedad, al modo del que practican algunos novelistas norteamericanos.

INFLUENCIAS NORTEAMERICANAS

En este punto resultaría inexcusable aludir, aunque sea levemente, a la novelística norteamericana, aun sin detenerse a precisar la huella marcada sobre la manera sartriana, si bien en la misma Francia existía, entre otros, el precedente —ya aludido— de los libros rudos y malhablados de Céline. Pero ni por su contenido, ni apenas por su técnica, el *Voyage au bout de la nuit* marca otra cosa que una reanudación del realismo naturalista, llevado a su dislocación caricaturesca y en sus aspectos más sombríos.

Con la aparición de las novelas sartrianas las cosas toman un nuevo sesgo: la técnica cambia, y la intención también. El incriminado "miserabilismo" de antes no está ahora tanto en el tema o en los detalles episódicos, como en el meollo de sus personajes y en la atmósfera que los baña. De otra parte, el procedimiento zolesco, las construcciones macizas son sustituidas por el fragmentarismo y las visiones superpuestas, cuyo ejemplo más expresivo puede encontrarse en la composición de *Le sursis*.

Fue curioso, por lo demás, lo sucedido con la boga e influencia alcanzados por los novelistas norteamericanos, practicantes del método "conductista", en Francia, como asimismo en Italia. En su país originario aquéllos se valoran de modo muy diferente y sólo de manera ocasional lograban interesar a los más jóvenes. Estos volvían su admiración hacia novelistas de corte europeo, como Henry James, cuya técnica estimaban más fructuosamente aleccionadora que la de un Faulkner. En las novelas del autor de *The sacred fount*, en su arte agudamente analítico, tan gustosamente moroso, veían una reacción contra la tosquedad avasalladora y el agolpamiento informe de los cuadros sintéticos trazados por los últimos narradores de los Estados Unidos. El objetivismo, el impersonalismo, los reflejos de cierta técnica del montaje cinematográfico, la preminencia del diálogo descriptivo sobre el explicativo, del hecho en bruto y el método "behaviorista" sobre el tradicionalmente psicológico, venían a cobrar, opuestamente, todo su imperio sobre los novelistas europeos, originándose así "la edad de la novela americana" —según estudió Claude-Edmond Magny en un libro de tal título: *L'âge du roman américain,* 1948—. Es, además, muy significativo que los primeros artículos de Sartre en *La Nouvelle Revue Française* (1938), recogidos luego en *Situations, I,* fueran dos encendidos elogios aplicados a novelas de Faulkner y Dos Passos. Sartre concluía otorgando al autor de *1919* este calificativo: "el mayor escritor de nuestro tiempo".

No hubo, pues, ocultación de su genealogía; no pudo haber luego descubrimiento. Sartre se adelantó a reconocer su linaje, sobre todo en cuanto a técnica. Pero fue después, a raíz de un viaje a los Estados Unidos, en 1946, al escribir (en *The Atlantic Monthly,* agosto de 1946), un artículo sobre "los novelistas norteamericanos vistos con ojos franceses", cuando proclamó sin rebozos la cuantía de su deuda. "Para los escritores de mi generación —dice—, la publicación de novelas como *Paralelo 42, Luz en agosto* y *Adiós a las armas,* evoca la revolución similar acaecida quince años antes en Europa por el *Ulyses* de Joyce". Señala luego cómo la novela francesa que causó mayor entusiasmo entre 1940 y 1945, *L'étranger,* de Camus, se ajusta a la técnica de *The sun also rises,* de Hemingway —parentesco más bien colateral que directo, a mi juicio, ya que el rasgo distintivo de la primera es la sobriedad, mientras que en la segunda prevalecen la dispersión y la locuacidad—; cómo la manera de Simone de Beauvoir está inspirada por Faulkner, y cómo, por su parte, el ejemplo de Dos Passos le impulsó a usar la técnica simultaneísta. Respondiendo luego a quienes le reprochaban acoger tales influencias a él, escritor de un país con una tradición literaria mil veces más rica, venía a explicarlo como una reacción contra las novelas de análisis psicológico que desbordan en Francia, desde Benjamin Constant a Marcel Proust. "Lo que provoca nuestro entusiasmo —agrega, no sin cierta ingenuidad— por aquellos novelistas norteamericanos es que revolucionan verdaderamente el arte de contar una historia. Preferimos al analítico el método sintético, capaz de reflejar el clima de estos últimos años. El segundo pinta una atmósfera y describe sobriamente los actos en función de ella, sin necesidad de más explicaciones. Rompe el orden lógico a favor del natural o instintivo."

Pero, además, hay otras diferencias que Sartre omite. Este irracionalismo, este ilogicismo en los personajes de Faulkner, Steinbeck, Caldwell, etc., es algo que procede de un fondo de animalidad o mudez. La absurdidad de los personajes que nos presentan Sartre, Simone de Beauvoir y Camus, aunque hunda sus fibras últimas en lo irracional, transparenta siempre cierto intelectualismo. Lennie, el protagonista de *Of mice and men*, el imbécil que acaricia ratones y comete un asesinato, sin explicación alguna, en un pajar, es verdaderamente "un hombre con cabeza de ratón", es el producto neto de un medio de primitivismo y desolación moral. Obra, por consiguiente —sospecharíamos—, movido por una fuerza elemental, ajena a él, aunque se mezcle con la corriente de su sangre, que le viene de fuera y que es incapaz mentalmente de gobernar. Meursault, el asesino de *L'étranger*, la novela de Camus, pese a su parentesco aparente, es rigurosamente de otra familia. Su absurdidad le viene de dentro y se origina en su incomunicación espiritual con el mundo. Su crimen es gratuito también, descarga porque sí su revólver contra un árabe, sin provocación por parte de éste, pero ya el aura que le rodea, el sol argelino, enloquecedor, sobre su cabeza, forma una atmósfera criminal. Desde luego la fatalidad que gravita sobre uno y otro es pareja, es elemental, no está predeterminada, como en los personajes de Zola, por el medio o por la herencia, pero su semejanza no va más allá. Detrás —y antes— de Lennie está el vacío, no la negación de la conciencia, sino su inexistencia. En torno a Mersault, contrariamente, como en torno al Raskólnikov dostoievskiano —salvando todas las distancias—, hay un espacio compacto, hay un muro infranqueable. Su gesto, en último extremo, puede interpretarse como una protesta pura, sin fisonomía causal, como una manifestación más de esa angustia, de ese vacío metafísico que, en su desamparo existencial, pero usando al mismo tiempo de su libertad de elección, el personaje es incapaz de llenar.

ANTICIPACIONES SOBRE LA NAUSEA,
EL TEDIO Y EL ABSURDO

Volviendo ahora a las novelas de Sartre, en primer término a *La náusea*, su existencialismo puede traducirse en el comportamiento del héroe, Antoine Roquentin; queda corporizado en la angustia, sinónimo en la ocurrencia de náusea, de insensibilización ante el mundo, experimentado como un vacío y una desolación. Correlativamente puede significarse en el tedio. Súbitamente los objetos familiares pierden consistencia y su identidad; las palabras no ocultan ya las cosas que —escribe Jolivet— "liberadas de sus nombres se nos presentan testarudas, gigantes en su materialidad cualquiera y absurda". Advertimos que, en el fondo, en la existencia, nada hay estable, sino lo que nosotros hemos moldeado en ella. "Y a causa de este deslizamiento —o vértigo— caemos perpendicularmente en la náusea". Por lo demás, agregar que Roquentin, el protagonista, y casi el único personaje de esta novela tan despoblada y fantasmal, tan deliberadamente escasa de peripecias externas como rica en alusiones insignificantes, es una suerte de esquizofrénico, no explica gran cosa. La náusea que experimenta ante el mundo mediocre que le rodea no es física, sino metafísica. Es el sentimiento —insistiremos— de la existencia como un vacío donde lo vital se aniquila y donde, contrariamente, las formas inorgánicas de la materia asumen, al ser contempladas con frialdad y desprendimiento, una presencia fascinante. Cuando el protagonista de dicha novela contempla la raíz de un castaño, en un jardín público, y tiene la iluminación de lo que quiere significar "existir", su soliloquio desemboca naturalmente en lo absurdo. "La palabra absurdo —escribe después, recapacitando— nace ahora de mi pluma; hace un rato, en el jardín, no la encontré, pero tampoco la buscaba, no tenía necesidad de ella; pensaba sin palabras, *en* las cosas, *con* las cosas. El absurdo no era una idea en mi cabeza, ni un hálito de voz, sino aquella serpiente o garra de raíz o garfios de buitre, poco importa. Y sin formular nada claramente, comprendía que había encontrado la clave de mi existencia, la clave de mis náuseas, la clave de mi propia vida. En realidad, todo lo que pude comprender después se reduce a este absurdo fundamental." Y a continuación hace una serie de digresiones sobre lo absurdo, considerándolo como algo relativo en el mundo de los hombres, a pesar de lo cual él había tenido, al contemplar hipnotizado aquella raíz nudosa, la esperanza de lo absoluto, sinónimo de absurdo.

El mismo personaje, en otro momento de sus soliloquios explica que lo esencial —paradójicamente— es la contingencia; por definición la existencia no es la necesidad; existir es estar ahí simplemente; los existentes aparecen, se dejan encontrar, pero nunca puede uno deducirlos. Y añade este portavoz novelesco de Sartre que ningún ser necesario puede explicar la existencia: la contingencia no es una apariencia que pueda disiparse; es lo absoluto. Y, por consiguiente, la gratuidad perfecta. Gratuidad que equivale a absurdidad. "Yo comprendía que había encontrado la clave de la existencia, la clave de mis náuseas, de mi propia vida. De hecho todo lo que pude captar después se concentra en esta absurdidad fundamental."

Hacia la apología sistemática de lo absurdo, hecha no con ánimo paradójico, sino con meditado rigor, se encamina paralelamente *Le mythe de Sisyphe,* de Albert Camus, sobre lo cual tendremos ocasión de volver. ¿Y acaso Heidegger, al centrar en la nada el tema de sus reflexiones ("¿por qué el ente y no la nada?") y pretender que en ella se hace patente la angustia, no había anticipado ya desde 1931 —en su discurso ¿*Qué es la Metafísica?*— los elementos esenciales de esta conclusión inquietadora?

Ahora bien, la importancia del existencialismo, desde nuestro punto de vista, no radica tanto en su filosofía como en la incorporación, por vez primera, de ciertos conceptos filosóficos a la novela y al teatro. Veamos algunas muestras de este último género.

EL TEATRO DE SARTRE

El asunto de *Las moscas,* drama en tres actos, estrenado en 1943, fue a buscarlo Sartre —siguiendo en esto, dentro del teatro francés, a Giraudoux, a Cocteau, y precediendo a Anouilh— en los orígenes de la tragedia griega, concretamente en la *Orestiada,* de Esquilo. Pero Sartre prescinde de Agamenón y refunde a su modo, muy personal sin duda, las *Céforas* y las *Euménides.* Euménides que, por cierto, se quedan en Erinias, en su primitivo papel de diosas del remordimiento, puesto que no se aplacan, persiguen a Orestes hasta el fin, y aparecen en el nuevo drama simbolizadas por las Moscas. *Les mouches* trasciende no solamente existencialismo, sino ciertas alusiones algo sibilinas a la actualidad de la fecha de su estreno. Así, cuando condenando los crímenes de Egisto, Júpiter replica: "No todos los crímenes me disgustan igual. Egisto, estamos entre reyes y te hablaré con franqueza: el primer crimen fui yo quien lo cometí creando a los hombres mortales. Después de esto, ¿qué podíais hacer vosotros, los asesinos? ¿Dar muerte a vuestras víctimas? ¡Bah! Ya la llevaban ellos en sí mismos; todo lo más que has hecho es adelantarla un poco..." Cobran relieve las alusiones a la libertad: "El secreto doloroso —habla Júpiter— de los dioses y de los reyes es que son libres." Y más adelante: "Una vez que la libertad ha estallado en un alma nada pueden los dioses contra ese hombre."

Le sigue al año siguiente, en 1944, otro drama, éste en un acto: *Huis clos. A puerta cerrada* es, a mi ver, por su sintetismo, quizá la realización escénica de Sartre más lograda. El infierno que nos pinta —una simple habitación de hotel, donde están condenados a vivir toda la eternidad los tres únicos personajes— es más empavorecedor que pudieron serlo en la Edad Media las alegorías llameantes. El infierno real es el de la eternidad, sin puertas, el de la incomunicación absoluta que padecen esos tres seres —tres escorias humanas: una mujer lesbiana, otra infanticida, un pacifista acusado de desertor— destinados "per in aeternum" a vomitarse sus recuerdos. No tienen salida: ni puertas, ni espejos. No hay verdugo, no hay Pedro Botero; pero "el verdugo —dice Inés— es cada uno de nosotros para los otros dos". En la escena final, Garcin exclama: "¿Luego esto es el infierno? Nunca lo hubiera creído. ¿Se acuerdan ustedes? El azufre, la hoguera, las parrillas. ¡Ah, qué broma! No hay necesidad de parrilla. El infierno son los otros." Espanto de la eternidad, sin salida extraterrenal, que refleja también, aunque de un modo muy distinto, Simone de Beauvoir en su novela *Tous les hommes sont mortels*.

Esta preocupación por la vida del trasmundo —pero vista fríamente, cual un mero problema filosófico, en relación con la causalidad y el destino, desprovista de misterio religioso tanto como de superstición— aparece también en el argumento cinematográfico de Sartre, *Les jeux sont faits* (1947). Los muertos siguen viviendo, alternando con los vivos, pero sin ser advertido por éstos. Continúan el curso de su vida, como si nada hubiera ocurrido. Pero "les jeux sont faits", la suerte está echada; no pueden volverse atrás, ni modificar el curso de sus existencias predeterminadas, inaugurando otras. El conspirador que muere traicionado, la mujer envenenada por su marido, son incapaces de recomenzar sus vidas; son prisioneros de sus destinos anteriores. ¿Contradicción con el libre arbitrismo que desprende la filosofía sartriana?

Otras dos obras dramáticas: *Morts sans sepulture* y *La putain respectueuse* —quizá su única pieza moral, pese al título descarado— renuevan idénticas marejadas con parecida innocuidad, puesto que se trata de creaciones cuya intención y cuyos valores pertenecen a un plano más alto. Hubo quienes consideraron *Muertos sin sepultura* —al estrenarse— como la obra maestra de Sartre en la escena. Sin duda por su carácter de "drama de la resistencia", por el modo con que exhibe crudamente el estado anímico de sus personajes y las torturas morales y físicas de que son víctimas, se explica que haya promovido las más vivas reacciones de toda índole. No es un drama del heroísmo, no es un drama del sacrificio, es un drama del orgullo. Sus personajes —hacinados en un desván, en expectativa de la tortura o de la muerte— no se plantean problemas de conciencia política o patriótica, no sacan a la superficie sus convicciones o sus odios de partidarios; están dominados por un sentimiento físico, material, que llena todo el primer plano y apenas deja resquicios para otros fulgores. Sienten, rezuman orgullo y desprecio simultáneamente, con una intensidad delirante. ¿Neonaturalismo? Predominio de la materia sobre cualquier otro elemento, desde luego.

En cuanto a *La putain respectueuse,* empero al título desorientador, es quizá su única pieza moral, como antes dije, ya que envuelve una sátira moralizante del prejuicio norteamericano contra el negro. Pero aunque el negro no sea quien ha dado muerte a su compañero, aunque la prostituta parezca en un principio dispuesta a restablecer la verdad, al cabo acabará por rendirse a las "patrióticas" convenciones y dejará que el hombre de color sea víctima de la "ley de Lynch".

"LAS MANOS SUCIAS" Y SU REVERSO

Acotemos ahora otro drama de Sartre, *Les mains sales* (1948), sin duda el más discutido de los suyos, merced a la última intención ideológica que trasunta... y a las posteriores rectificaciones del autor. Aquélla se expresa mediante una crítica satírica de los procedimientos jesuítico-marxistas que anteponen el fin a todo lo demás y no reparan en la "suciedad" de los medios con tal de alcanzar su objetivo. Recuérdese sintéticamente su intriga. Hugo, militante comunista de buena fe, llegado al partido puramente por un afán de justicia —ya que no pertenece originariamente al proletariado—, mata a un jefe, Hoederer, cumpliendo un encargo de los suyos. Importaba "suprimirle", puesto que al buscar la colaboración con los partidos adversos iniciaba una "línea" política reprobada por sus compañeros. Pero dos años después, al salir de la cárcel, Hugo se entera de que su crimen ha sido un error. El "colaboracionismo" que Hoederer proponía y que le valió la condena de los suyos era solamente prematuro; poco después, las mismas autoridades soviéticas impondrían a su partido en Iliria (bajo este nombre se disfraza cualquier país fronterizo, o después "satélite", de la URSS) aquella política antes recriminada. Pero Hugo es un militante de buena fe (recordémoslo: "Entré en el partido comunista —dice en cierto momento— porque su causa es *justa,* y saldré de él cuando deje de serlo") y se niega a la farsa de los fines acomodaticios, a que su asesinato sea presentado como un crimen pasional. Morirá, pues, "liquidado" por los suyos, después de negarse a traicionar su conciencia; resultará, en la jerga de su partido, un "no recuperable", pero no cometerá ninguna traición a sus ideales, aceptando "consignas" oportunistas y maquiavélicas que cambian; en suma, preferirá morir antes que vivir con "las manos sucias".

Tal el sentido inequívoco de este magnífico drama, muy diestramente desenvuelto, que suena a verídico en todas sus escenas y donde un conflicto político-ideológico, al vitalizarse, se hace más apasionante que cualquier otro amoroso o psicológico. Ahora bien, la univocidad de tal sentido no pretendió tanto como ser negada posteriormente por su autor, pero sí falseada por alguno de sus apologistas. Así Francis Jeanson, cuando quiere hacer estribar el conflicto que opone a Hugo contra los comunistas en su origen burgués, incapacitándole para comprender y aceptar las tornavueltas de un partido, nada inverosímiles, puesto que abundan ejemplos en la historia de los últimos años. Por su parte, el propio autor no ha llegado, es cierto —empero las constantes atracciones y rechazos del mismo partido—, tanto como a repudiar *Las manos sucias*, aunque sí se cuidó de prohibir su representación en Viena durante un "Congreso de la Paz". Más sutilmente lo desmintió por vía indirecta al volverlo del revés, escribiendo su caricatura: *Navokov*. Cierto es que ahora se trata de una farsa sin mayores pretensiones, una suerte de bufonada sainetesca que tiende a ridiculizar la obsesión anticomunista de ciertos medios; tema, al cabo, tan legítimo y verídico como el precedente, que no hemos de menospreciar por sí mismo, sino por la burda realización escénica que le da Sartre.

A este propósito, en lo que se refiere a la permanente tensión entre existencialismo y marxismo, o más exactamente, a la actitud mutable, influida por sucesivos acontecimientos, de algunos existencialistas respecto al marxismo, y aunque no pretendamos abordar de frente su largo historial, resulta inexcusable mencionar una obra tan significativa como *Humanisme et terreur*, subtitulada *Essai sur le problème communiste* (1947), de Maurice Merleau-Ponty. Sustancialmente, es una réplica a la novela de Arthur Koestler, *Darkness at noon*, cuyo verdadero sentido queda sin duda mejor expresado con el título de su versión francesa, *Le zéro et l'infini*. Como se recordará, centra su acción novelesca en torno a un hecho muy dramático y controvertido, de gran repercusión en la conciencia mundial, los procesos contra los dirigentes soviéticos, donde fueron "liquidados", como "contrarrevolucionarios", los primeros compañeros de Lenin. El protagonista N. S. Rubachov, viene a sintetizar las figuras de las principales víctimas, desde Kirov hasta Radek, sacrificados por Stalin. Su disidencia con "el número 1" es presentada como un crimen político, como un delito contra "el Partido". Más allá de este caso personal, lo que importa y tiende a subrayar Koetsler es la lucha del hombre, reducido a "cero", de la conciencia individual contra el "infinito", representado por el sistema [5]. Por su parte, Merleau-Ponty tendía poco menos que a descargar de culpa al último, con el conocido reproche de "más eres tú", aplicado al liberalismo [6].

Volviendo al teatro de Sartre, mencionemos finalmente sus dos restantes obras de este género: *Le Diable et le Bon Dieu* y *Les séquestrés d'Altona*. Según ha expresado su autor, la idea del primer drama le fue sugerida por el comediante Jean-Louis Barrault al contarle el argumento de *El rufio* (sic) *dichoso*, de Cervantes. No es que dicho actor ignore, con la misma profundidad que otros de su lengua, la literatura clásica española (nunca olvidaremos que en el París de 1937, muy significativamente, representó una adaptación de la *Numancia* de Cervantes), pero, sin duda, más que *El rufián dichoso* cervantino, las campanas que oyó lejanamente Sartre fueron las de *El condenado por desconfiado*, de Tirso de Molina, ya que no las muy parecidas de *El esclavo del demonio*, de Mira de Amescua. Pero el

[5] Véase más detalladamente sobre estos puntos mi *Problemática de la literatura*.

[6] Sin embargo, no muchos años después, el mismo autor volvía por sus fueros intelectuales en un ensayo de título ya suficientemente expresivo ("Sartre et l'ultrabolchevisme", reunido, con otros similares, en *Les aventures de la dialectique* (1955); a él replicó no el aludido, sino su "adlátere" defensivo, Simone de Beauvoir, en el capítulo "Merleau-Ponty et le seudo-sartrisme" de *Privilèges* (1955). Sobre el mismo caso véase también un capítulo de Sartre en *Situations*, V.

guerrero Goetz, héroe de *El diablo y Dios,* apenas si tiene un remoto parecido con Fray Cristóbal de Lugo, ni con Enrico, el bandido, ni con Gil, el canónigo de Coimbra. Goetz encarna el mal, el mal absoluto, lleva sus tropas deliberadamente a la muerte y descarga su responsabilidad en Dios. Cuando aparentemente cambia, por una apuesta, pretendiendo hacer el bien, gana por medio de trampas. De hecho, Goetz no cree en Dios ni en el diablo; quiere lo absoluto, quiere ser uno u otro por ambición o afán de asombrar, pero sin que entre en juego ninguna creencia. Por consiguiente, ni siquiera se plantea el conflicto entre la predestinación y la gracia, clave del drama de Tirso. Goetz es siempre un bandolero, sin ninguno de los matices diferenciales que hay entre Paulo y Enrico, entre las dos fases de uno y otro.

En cuanto a *Los secuestrados de Altona* (1939), su acción ya no se basa en tiempos remotos, ni tampoco en posibles concomitancias clásicas; al contrario, se sitúa en días rigurosamente actuales, en la Alemania postnazi. Franz, uno de los que colaboraron con ese régimen, se niega a reconocer la derrota y vive enclaustrado, ajeno al tiempo transcurrido. "Pretendí que me encerraba —dice en el último acto— para no asistir a la agonía de Alemania, pero eso es falso. Yo deseé la muerte de mi país y me secuestré para no ser testigo de la resurrección." Sin embargo, aunque despierte de esta alucinación y el padre le abra los ojos ante el "milagro" de la recuperación alemana, uno y otro resuelven condenarse a morir. Sartre rencuentra en este drama el acento vigoroso de *Las manos sucias.*

SIGUE SARTRE: SU MUNDO NOVELESCO

Ante todo, el interés, el valor de las novelas de Sartre radica —ya lo advertimos— en expresar de un modo más vívido y pentrante que mediante abstracciones el sentir de una filosofía con apariencia abstrusa, pero que en rigor cabe sintetizar con cierta diafanidad. Por ejemplo, la famosa expresión: "La existencia precede y crea perpetuamente la esencia", significa que el hombre existe ante todo, y al escogerse, se crea; obrando se hace. De ahí que el hombre sea la suma de sus actos y la resultante de su elección. Por ello, afírmase, es libre. Pero ¿hasta dónde? En la medida que esos actos y la elección se inscriban en el cuadro de su temperamento y, sobre todo, de su condición. He ahí lo que Sartre llama —con más novedad de término que otra cosa— su "situación". Como condicionado por ella, a la vez es responsable. Responsable y fluctuante, agregaríamos: sujeto a los vaivenes de tal acondicionamiento. Por ello, en rigor, los personajes de Sartre no tienen carácter; al menos, distan de ser "caracteres" definidos.

Cierto es que Sartre no pretende componer novelas psicológicas; ambiciona crear novelas metafísicas. Simone de Beauvoir afirma que el hombre no se explica sólo mediante su comportamiento, sino mediante sus relaciones con el ser y con el mundo —objetivo común a tantas otras obras—. Pero lo que ellos ambicionan es hacer explícita la dimensión que la metafísica introduce en la creación novelesca. Recordemos, en este punto, la novela pura que Paul Valéry pretendió hacer en *Monsieur Teste*. Gaëtan Picon *(Panorama de la nouvelle littérature française)*, por su parte, ha señalado que "esta nueva novela metafísica aparece como una variante de la novela pura". Sartre no intenta demostrar una experiencia intelectual, sino expresar una experiencia vivida. No prueba; muestra. Fenomenología, pues; no existencialismo, a la postre. La obra capital de Sartre en el género novelesco, al menos superiormente ambiciosa de intenciones, es *Los caminos de la libertad,* cuyos tres tomos publicados se denominan, respectivamente, *La edad de la razón, El aplazamiento* y *La muerte en el alma.*

Difícil, arriesgado sería pretender definir su sentido último, ya que permanece inacabada. Asimismo, dada la magnitud de *Los caminos de la libertad,* junto con su multiplicidad de acciones y personajes, no es posible intentar nada parecido a una síntesis descriptiva. Exteriormente viene a ser una crónica novelesca contemporánea: comienza cuando la guerra de España, en julio de 1936. En el primer tomo, la presunta libertad que pretenden corporizar sus personajes se queda en flojedad de carácter y turbiedad moral. Basta recordar que el eje de la acción es un aborto —por lo demás, frustrado, con lo que, en último extremo, y aparentemente, se "salvan las formas"—; que Mathieu, el protagonista, es un caso de disolución del carácter; que otro personaje, Daniel, es un pederasta; que hay un robo, un aparente asesinato... Poca cosa, se dirá tal vez; como que la crudeza no está en los hechos mismos, sino en la manera como son presentados, en el temple de los seres y en la atmósfera opaca donde respiran, reaccionando de un modo visceral, más que mecánico, ante los acontecimientos. Aunque los personajes hablen frecuentemente de su libertad, en rigor ésta parece más bien una sombra encadenada. Desde luego, el lector advertirá que son seres libres, en el sentido de que se definen por sus actos —siendo la gratuidad eje de los mismos—, pero que, al cabo, no hacen gran cosa con su libertad y semejan muñecos de trapo o paquetes de instintos antes que seres humanos [7]. Mathieu podrá encarnar la "disponibilidad total" —según quiere su autor—, pero no logra anular el recuerdo de otro disponible menos repelente —y con menos ínfulas filosóficas—: el Lafcadio de André Gide, en *Les caves du Vatican.*

El segundo tomo, *El aplazamiento,* tiene como fondo los días de Munich, la breve tregua, antes de la guerra de 1940. La crónica de las jornadas políticas cobra un primer plano de interés, un sentido unanimista, acentuándose el conflicto entre la "situación" y la "libertad", y mostrando —glosa Marill-Alberes— que "el individuo, por libre que sea en sí mismo, está condicionado por lo que sucede en el

---

[7] Sartre reprochaba hace años a Mauriac ("M. François Mauriac et la liberté", en *N. R. F.,* París, febrero de 1939, y ahora en *Situations,* I, 1947) que sus personajes no fueran libres, que el novelista decretara de antemano cómo habían de ser. Y escribía textualmente: "¿Queréis que vuestros personajes vivan? Haced que sean libres". Nada más exacto. Únicamente habría que entenderse previamente sobre ese concepto de la libertad. Y la discusión comenzaría sobre el acento fatalista con que Sartre escribe que el hombre está "condenado" a ser libre. ("Je suis condamné à exister pour toujours par délà mon essence, par délà les mobiles et les motifs de mon acte: je suis condemné a être libre" —dice textualmente un pasaje de su libro capital, *L'être et le néant).* Mejor dicho, habría que comenzar sobre el concepto de ese mismo hombre, que, desde luego, a estas alturas de la civilización —a estos descensos de la incivilización, más exactamente— no cabe endiosar, pero tampoco "cosificar" despectivamente al modo sartreano.

mundo y depende de los acontecimientos que en el mundo ocurren". Luego —consecuencia de un determinismo tan previsto como ineludible— siempre podemos hacer lo que queremos, pero no de manera absoluta; "sólo en relación con un problema que no podemos eludir". Desde el punto de vista de la técnica novelesca, *El aplazamiento* es el libro más atrayente, ya que no propiamente innovador. Traduce de forma inequívoca el impacto —antes detallado— que en la manera de Sartre ha marcado la novelística norteamericana. Aspira a rebasar la técnica multiplanista de John Dos Passos en *Paralelo 42,* parte de la trilogía *U. S. A.* El contrapunto o la alternancia de acciones y personajes alejados en el tiempo o en el espacio —que había popularizado Aldous Huxley en *Point counter Point*— se produce aquí dentro de los mismos párrafos. La simultaneidad se manifiesta mediante superposiciones alternadas. Se diría que el ojo estrábico de Sartre viene a ser aquel ojo pineal de Polifemo que engloba en un mismo plano todas las divergencias, si no la simultaneidad espacio-temporal del cosmos, captándolas en su hervor de fermentación originario. Pero todo ello —revelando la maestría de Sartre, en contraste con algunos experimentos frustrados de la novela que se apellida "nueva"— transcrito de modo coherente, claramente lógico, más allá del exterior ilogismo. En tal forma, que de esta monstruosa confusión aparente surge un sentido acorde y unificador.

El tomo siguiente, *La muerte en el alma,* es la crónica de la derrota y la huida. Las peripecias se multiplican más que en ningún otro, pero sólo alcanzan relieve y cierta grandeza en un capítulo final, cuando el protagonista, subido en un campanario, dispara con su fusil contra los cañones y los tanques del ejército invasor, lleno de saña, queriendo vengar con cada disparo un fracaso de su vida. *Los caminos de la libertad* debían acabar con un tomo último titulado *la dernière chance,* pero solamente aparecieron fragmentos (en *Les Temps Modernes,* números 49 y 50 de 1949, bajo el título de "Drôle d'amitié"), mas nunca la obra completa. ¿A qué se debe este desistimiento en un escritor tan voluntarioso como Sartre, máxime cuando la obra se hallaba probablemente acabada? Las razones que da Simone de Beauvoir (en una página de *La force des choses*) no parecen muy convincentes. Leyendo los trozos publicados, más lógico y nada tendencioso es achacar objetivamente el inacabamiento al sesgo, a la evolución ideológica que toman sus personajes —contradiciendo la del autor—, en una serie de diálogos y discusiones, donde uno de ellos, Brunet, el portavoz comunista, lleva las de perder...

EL ENSAYISTA

Nada hemos dicho de la visión oblicua del mundo que practica Sartre, más perceptible que en sus ficciones en algunas de sus biografías ensayísticas. Así las que ha consagrado a Baudelaire y a un escritor "maldito", Jean Génet, bajo el título de *Saint-Génet, comédien et martyr*. En la primera, Sartre pretende imponernos un autor de *Les fleurs du mal* "existencializado". Frente a la imagen romántica de un Baudelaire víctima del Destino, aplastado por un "fatum" inexorable, Sartre entiende que este poeta mereció su vida; es decir, hizo la "escogitación" original de sí mismo, con ese "compromiso" absoluto, mediante el cual "todos nosotros decidimos en una situación particular lo que será". "Experimentó —añade— que era otro por el brusco desvelamiento de su experiencia individual, pero al mismo tiempo, afirmó y cargó a su cuenta esa *alteridad,* en la humillación, el rencor y el orgullo." Le llama, en suma, su propio verdugo: el *heautentimorumenos*. Con todo, la poesía de Baudelaire, aunque se resienta de cierta minimización, no por ello deja de mantenerse ilesa; y, en definitiva, todo el libro tiene el aire de una demostración de ciertos puntos de vista que lo mismo pudieran haberse fijado en Baudelaire que en otro autor. Aunque el libro irritara, más que a los bodelerianos, a los creyentes en la intangibilidad del poeta, las reacciones que promovió no pueden compararse con las suscitadas por *Saint-Génet*. Ante todo, por su título. ¿Burla, paradoja, provocación? ¿Cómo atribuir —más allá del juego de palabras— ningún grado de "santidad" a quien precisamente practica la "maldad" sistemática? Pero no caigamos en el cepo, empero la desconfianza que anticipan las comillas. Ningún asombro, pues, una vez advertido que *Saint-Génet* (ni "comediante" ni "mártir") viene a ser la apología de una total inversión de valores —muy distinta, por cierto, de la "transmutación de valores" que Nietzsche postuló—, donde el Mal se convierte en Bien y lo hórrido en normal.

Mas esta apología de Sartre, aplicada a un sujeto que rebasa lo patológico de Sade y el decadentismo de Des Esseintes, no logra anular la literatura de Jean Génet, particularmente algunas de sus comedias como *Las criadas* y *Severa vigilancia*. Del *Journal du voleur*, autobiográfico, como de *Notre Dame des Fleurs* y otras obras similares, sería difícil disociar el juicio moral respecto a la fauna inequívocamente patológica —por calificarla sólo clínicamente— que Génet describe, de cualquier juicio estético; mejor dicho, este último carecería de sentido suficiente.

SIMONE DE BEAUVOIR

Puesto que hemos aludido varias veces a Simone de Beauvoir, parece inexcusable completar las referencias a su obra, mas sin la pretensión de examinar ésta por entero. De otra parte, cualquier dato ajeno parece superfluo, ya que la misma autora los ha prodigado sin tasa, por cuenta propia, tanto al narrar con toda minucia su vida privada como al explicar el sentido de sus escritos, en los tres tomos de la autobiografía, titulados *Mémoires d'une jeune fille rangée, La force de l'âge* y *La force des choses* (traducidos, respectivamente, con los títulos de *Memorias de una joven formal, La plenitud de la vida* y *La fuerza de las cosas*). Pero en rigor, y en cuanto mujer (que ha proyectado luces nuevas y audaces sobre la condición femenina en los dos densos volúmenes de *Le deuxième sexe*), pese a su empeño de objetividad, nunca ha dejado de traducir subjetivamente sus vivencias, en varias obras novelescas.

Señaladamente, en la más lograda o de mayor interés, puesto que bajo la envoltura de una ficción es sustancialmente una crónica, una memoria de las vicisitudes de conciencia experimentadas por ella misma y sus amigos en los años inmediatamente posteriores a la guerra. Aumenta lógicamente el poder atractivo de *Les mandarins* —pues a este libro nos referimos— la circunstancia de que sin pretender ser tanto —o tan poco— como una novela de clave, sus protagonistas ostentan incuestionables parecidos con seres de la vida real. Así, al menos fragmentariamente, en Henri Perron hay una transposición de Albert Camus, en Dubreilh otra de Sartre, y en Anne se vierte la propia autora. Con todo, es recomendable cotejar estas equivalencias con las que Simone de Beauvoir accede a reconocer en el tercer tomo de sus *Memorias*. Pero, en cualquier caso —según ya expresé en otro lugar [8]—, sucede con *Los mandarines* lo mismo que en las novelas de hechos históricos entreveradas con la ficción: esta última parte suele interesarnos menos que lo acontecido realmente. Revive en sus personajes y escenas el viejo problema de la lucha dramática entablada entre la literatura y la acción; se corporiza en carne novelesca la pugnaz cuestión planteada en nuestro tiempo, más que nunca, bajo las amenazas intimidantes de esclavitud o destrucción. De este modo viene a preguntarse: ¿Deberemos seguir escribiendo todavía? ¿Qué sentido tiene la literatura frente a un mundo tan escindido y precario? ¿Acaso no es más lógico entregarse plenamente a la brega, y desde un punto de vista disconforme, revolucionario, como es el suyo, "intentar una concentración independiente de los comunistas, sin riesgo de servir a las derechas"?

Precisamente, éste es el mismo empeño que movió a Sartre a pretender, en cierto momento, la formación de un partido o "rassemblement" (el R. D. R.), muy pronto fracasado. Testimonio de ello son los *Entretiens sur la politique* (1949) que publicó con la colaboración de David Rousset y Gérard Rosenthal. Al llegar a este punto, en *La fuerza de las cosas*, Simone de Beauvoir se extiende en largas digresiones, no menos fastidiosas e inútiles que las consagradas a puntualizar microscópicamente las variantes de las relaciones de Sartre con los comunistas. El lector imparcial que se acerque a tan poco firmes o limpias amistades-enemistades no deja de experimentar cierto asombro y malestar. Porque, en suma, tan difíciles relaciones entre un es-

---

[8] V. el capítulo "El drama intelectual de los mandarines" en *Las metamorfosis de Proteo*, Losada, Buenos Aires, 1956.

critor que, aun habiendo llegado a las máximas "concesiones" (no por amor al proletariado, más bien por fetichismo obrerista y, sobre todo, por odio a la burguesía, de donde procede y con la cual tampoco se resuelve a romper en su vida cotidiana), niégase a la aceptación pasiva, reservándose la facultad de manifestar sus "peros"; tan agitadas relaciones, insisto, a la luz de las confidencias de Simone de Beauvoir, se revelan imposibles, cuando no absurdas. Se diría que son un "tira y afloja" sin fin, una alternancia de concesiones y objeciones, una sucesión de "sí, pero no", entreverada con otra de "no, pero sí"... En suma, el lector imagina a Sartre (dada su creciente politización: "la política —escribe Simone de Beauvoir— le parecía más esencial que la literatura, y si no se adhería al P. C. era sólo por razones "subjetivas") como el paciente de una interminable sesión de masoquismo, ya que, cuanto más redobla sus intentos de aproximación, mayores son los latigazos que recibe. En cierto momento llegó a escribir —¿aberración, ingenuidad?— que "los intereses del espíritu se confunden con los del proletariado". Tan incongruente —tan antiespiritual, a la postre— como escribir que se confunden con los de la burguesía o los de la plutocracia... Más vale, pues, dejar a un lado los diversos y consecutivos ensayos de Sartre, tanto "Materialismo y revolución" como el que pocos años después le contradice: "Los comunistas y la paz", y, en último extremo, atenerse al más objetivo, al libro *Critique de la raison dialectique*; aquí trata de fundir existencialismo y marxismo y pretende rehacer el último dialécticamente, "existencializarlo", apelando para ello tanto a la sociología como al psicoanálisis. Pero, en definitiva, su actitud y la de otros congéneres es un tejido vivo de contradicciones que implican constantes desgarramientos y oposiciones. Estas últimas son fatalmente irresolubles, pues en tanto que "intelectuales" —dado que no pueden renunciar a esta condición, ya que entonces perderían toda importancia para la Deidad mítica, a cuyos favores aspiran—, y por muchas concesiones que hagan a la "necesidad" política, comprenden que hay en ellos un último fondo insobornable, un amor a la verdad, una vocación de "libertad", de las cuales nunca podrán abdicar. De suerte que aun deseando el triunfo de un sistema político que hace tabla rasa de tales "prejuicios", arriban fatalmente a una conclusión paralizadora. Contribuye a arrinconarles en tal callejón sin salida su concepto marxista del "final de la Historia", entendiendo que "se halla escrito" de modo ineluctable, y aceptando así como inalterables ciertos postulados o profetismos fatalistas de aire anacrónico, que tan mal casan con la asendereada libertad existencial.

Con todo, será menester que las memorias de Sartre lleguen —en un plazo difícil de prever, pues el primer tomo publicado, *Les mots,* sólo alcanza hasta sus diez años— a la actual época para tener todos los elementos de juicio y opinar en consecuencia. Por el momento, lo que resalta en el primer tomo es que las palabras son la clave de su vida, puesto que —según dice— nació entre libros y entre ellos espera morir. "Leer" se titula la primera parte de su autobiografía. "Escribir" la segunda. ¿Cómo se rotularán las que describan su madurez? ¿"Obrar" o más bien "Influir", dada la pasión propagandística o afán de convencer, apelando a todas las artes de la dialéctica, que le posee? Pocas biografías —más allá de su sinceridad y el valor de su estilo— tan amañadas, tan premeditadas como la de Sartre. ¿Por qué? Porque cuenta su infancia no desde ese estadio, sino desde el de la madurez: se ve a sí mismo, desde los primeros años, como espécimen anticipado de lo que sería su filosofía. Fiel a los hechos, no es que novelice su infancia, pero sí la recompone como si fuera la de un personaje de sus ficciones.

TRAGEDIAS DE LA INFINITUD

A. de Wachlens termina así su libro sobre la filosofía de Heidegger: "...la contingencia es lo que jamás, a ningún precio, podrá ser aceptado por el hombre. La finitud es insoportable. Debe ser, de un modo o de otro, superada". Nada definiría mejor el sentido último de la más ambiciosa novela de Simone de Beauvoir (superior, al menos en intenciones, a sus otras dos, *La invitada* y *La sangre de los demás*), titulada *Todos los hombres son mortales,* que esa frase. Con una variante: volviendo del revés la voz "finitud", expresando aquella imposibilidad al modo de Pascal, y afirmando que lo insoportable es "le silence éternel" de la infinitud.

La novelista nos presenta el caso de un hombre que no muere, un hombre que surca indemne los siglos y asiste con gesto naturalmente fatigado a grandes acontecimientos históricos, desde el siglo xii al actual, tomándose algunos reposos, en forma de sueños, durante lustros. ¿Cuento filosófico? Sí, pero no al modo de los de Voltaire, irónico, desenfadado, sino transido de desesperación y desolación. Fosca, el protagonista de esta cabalgata novelesca, tan ambiciosa como pueril, tan rigurosamente lógica como arbitrariamente histórica (por ejemplo, en sus retrospecciones, América no "existe" hasta Jacques Cartier...), encarna la angustia de la infinitud. "Todos los hombres son mortales" —más allá del silogismo clásico—, y por ello se interesan apasionadamente en la vida: sus límites hacen que ésta tenga mayor precio. Por el contrario, el hombre sin fin se siente un monstruo entre los mortales y, a la larga, es incapaz de interesarse por nada. "La inmortalidad es una maldición", concluye. Y una vida incesante le permite advertir que la humanidad no tiene arreglo. Repite sus errores o inventa otros nuevos, sin curarse de experiencias pretéritas. No obstante, el hombre nuevo, el hombre desmemoriado recomienza siempre.

Es, en definitiva, la misma conclusión a que, sin necesidad de ningún trujamán novelesco, llega tras su nombre Simone de Beauvoir, en el ensayo *Pyrrhus et Cinéas*. La autora resume así la anécdota de Plutarco, punto de origen y del título: "¿Para qué partir, si después de dar vueltas por el mundo habremos de volver a nuestra casa? Luego por más que haga uno no puede salir de sí mismo." "A la luz de la reflexión todo proyecto humano parece absurdo, pues no existe más que asignándole límites, y éstos pueden siempre franquearse, preguntándose uno entonces, con desencanto: ¿Por qué hasta allí y por qué no más lejos? ¿Para qué?" Como se advertirá, no hay nada de insólito en estas conclusiones. Simone de Beauvoir, embebida de Sartre y de Heidegger en su fraseología, acusa sobre todo la proximidad de Camus, pero usa de distingos delicados y se guarda de sistematizar el absurdo.

APORTACIONES DE ALBERT CAMUS

Indudablemente, Albert Camus no fue existencialista. Lo declaró de modo muy explícito, reiteradamente, en 1945, poco después de publicar *Le mythe de Sisyphe,* a despecho de las fáciles conexiones que entonces se le atribuyeron. Su ruptura posterior con Sartre y con el grupo de *Les Temps Modernes,* tras la publicación de *L'homme révolté,* confirma tal independencia. Sin embargo, como quiera que ciertos de los temas manejados por Camus, o más bien su manera de encararlos, no dejan de mostrar semejanzas con otros de los existencialistas (recordemos, además, que contribuyó al primer volumen colectivo, *L'existence,* publicado en Francia), tampoco supone violentar la verdad histórica incluirlo en esta galería. Pero aún hay más. En cierta época, la inicial de Camus, su pensamiento presenta varias identidades con el de Sartre, al punto de que no es difícil encontrar párrafos que se corresponden entre *El mito de Sísifo* del primero y *La náusea* del segundo. Verdad es que en cuanto a valores literarios —sin olvidar su actitud moral—, Camus, más dotado, tiene un sentido artístico que falta a su coetáneo. Lo probó ya inicialmente al crear un personaje, Calígula, cuya grandiosidad absurda no tiene par en el teatro sartriano.

Calígula es el ejemplo más conseguido de lo que pudiéramos llamar rectamente teatro intelectual, mas no por falta de vibración humana, sino por la manera como la experiencia anímica y vital conjuntamente se traducen en fórmulas mentales. Temáticamente, Camus no ha inventado nada. Las brutalidades, horrores y extravagancias de Cayo Calígula están escritas, desde hace veinte siglos, en *Los doce Césares,* de Suetonio. Y aun allí se nos ofrecen con mayor abundancia y crudeza, puesto que Camus sólo escoge unos cuantos rasgos del emperador romano y desdeña otras locuras no menos inverosímiles. Ahora bien, aquello que en Suetonio es apuntación escueta, en Camus adquiere un relieve único y un dramatismo obsesionante. "Hasta aquí he hablado de un príncipe; ahora hablaré de un monstruo", nos dice Suetonio al llegar a cierta altura de su relato. Pues bien, en ese momento comienza el drama de *Calígula,* del cual fuera inútil aislar unos cuantos fragmen-

Jean-Paul Sartre y Simone de Beauvoir. París, 1965

119. En el estudio de Picasso, después de la representación de su obra *El deseo atrapado por la cola*. Picasso (entre Valentine Hugo y Simone de Beauvoir); sentado, a la izquierda, Jean-Paul Sartre; Albert Camus, en el centro

tos y que debe leerse en su integridad. Calígula, a mi ver, antes que otra cosa, antes que el disgusto ante los hombres y el mundo ("este mundo —dice el protagonista— es insoportable tal como está hecho; necesito la luna, o la felicidad, o la inmortalidad, o algo que sea demente quizá, pero que no sea de este mundo") personifica cierta angustia metafísica, el afán de absoluto, entendido como libertad suprema. Crueldad, cobardía y valor se enfrentan en su alma turbia y osada, desesperadamente, con un estremecimiento que nos trae ciertos ecos superrealistas. Por ello escribe muy certeramente R. Marill-Alberes ("Albert Camus y la rebelión de Prometeo", en *Sur,* n.° 142, 1946): "Lo que intentaban los superrealistas en el orden del conocimiento, Calígula quiere realizarlo en el orden de la ética. Lejos de aceptar la condición de esclavo, consustancial al hombre, y de derivar de la misma su bien, quiere transformarla. Pero fracasa, y los hombres que desean vivir con sus ilusiones terminan por matarle, no sólo porque Calígula los hacía morir, sino porque ponía de relieve, con excesiva violencia, ese absurdo de la condición humana que los hombres quieren olvidar."

Quizá como expresión directa del absurdo, no obstante su inferior importancia literaria, vaya más lejos *Le malentendu,* del mismo autor. Su asunto es atroz y vulgar, tiene tanto de granguiñol como de cablegrama sensacionalista. Es, en suma, una variante brutal de la parábola del hijo pródigo. Es el caso de la madre y la hermana, patronas de un albergue, que no reconocen a su hijo y hermano, respectivamente, cuando torna de incógnito, tras veinte años de ausencia, y que dándole el mismo trato que a otros viajeros, le asesinan para robarle. Anécdota "literaria", no observada, construida mentalmente en todas sus piezas, de la cual otro escritor no obsesionado como Camus por la idea del absurdo y la confusión del mundo, hubiera extraído escaso provecho. Pero el autor de *Le malentendu* acierta a fuerza de sobriedad y desnudez. Nos da así la ilustración más acabada de ese universo descentrado donde la "equivocación" es la regla, donde "nadie es reconocido".

A su vez estos dos dramas, tanto como la novela *L'étranger,* ilustran vívidamente teorías muy pocos años antes anticipadas por el mismo autor en su libro de ensayos *El mito de Sísifo.* Todas sus páginas forman una explanación del absurdo, de la sensibilidad absurda "que se encuentra dispersa en el siglo". "Este malestar —aclara— ante la inhumanidad del hombre, esta incalculable caída del propio hombre ante la imagen de lo que somos, esta "náusea", es el absurdo. Del mismo modo, el extranjero que en ciertos momentos viene a nuestro encuentro en un espejo, el hermano familiar y, sin embargo, inquietante, que rencontramos en nuestras propias fotografías, es también el absurdo." Algo de eso había anticipado Unamuno en *El otro*. No importa que Camus, muy lúcidamente, llame "suicidio filosófico" a la actitud existencial. Él también está quemado por su lava. La única diferencia es que pretende zafarse, reaccionar contra su fuerza arrolladora, tornando en reciedumbre la flaqueza. "Se trataba antes —dice al finalizar sus digresiones— de saber si la vida debía tener un sentido para ser vivida. Aquí aparece, al contrario, que será tanto mejor vivida mientras no tenga sentido." "Vivir —agrega— es hacer vivir el absurdo." ¿Solución paradójica, pirueta literaria, evasión por la tangente? No; puesto que realmente no teme el abismo, pero tiene conciencia de él y eso le permite mantener su lucidez en vigilia, ya que si el absurdo aniquila sus "posibilidades de libertad eterna" le devuelve y exalta, al contrario, su "libertad de acción".

A semejanza de Sartre en *La náusea*, Camus especula también con los sentimientos del vacío, lo inhumano, el absurdo. En una página de *El mito de Sísifo* escribe: "Los hombres también segregan lo inhumano en ciertas horas de lucidez. El aspecto mecánico de sus gestos, su pantomima privada de sentido torna estúpido todo lo que les rodea. Un hombre habla por teléfono detrás de una puerta de cristales; no se le oye; pero viendo su mímica sin alcance uno se pregunta por qué vive."

Pero es en las novelas de Franz Kafka —como se sospechará y según luego detallaremos— donde la filosofía del absurdo adquiere su más perfecta y obsesionante corporización. De hecho, ninguna de las creaciones existencialistas supera el horror viscoso de *La metamorfosis*, la angustia suspensa de *El proceso,* ni el sentimiento de la infinitud inasible que desprende *El castillo*. No es extraño, pues, que las obras del genial precursor checo alcancen cada vez mayores influjos y promuevan exégesis inacabables.

ESTETICA Y FILOSOFIA DEL ABSURDO

Mas al llegar a este punto, antes que hablar de Kafka fuera menester remontarse a las fuentes, es decir, efectuar una breve exploración a través de Dostoievsky, aunque sin perderse en los meandros, limitándola únicamente a una de sus obras capitales.

"La razón, caballeros —escribe el protagonista de las *Memorias desde el subterráneo*—, es una buena cosa, eso es indiscutible; pero la razón no es más que la razón y sólo satisface a la capacidad humana de raciocinar, en tanto que el deseo es la manifestación de la vida toda, es decir, de toda la vida humana, incluso la razón y todas las comezones posibles." Por eso, aclara más adelante el mismo personaje, al seguir "desrazonando" luminosamente, junto al espíritu constructor coexiste en el hombre el destructor. "Que el hombre propende a edificar y trazar caminos es indiscutible. Pero ¿por qué se perece también hasta la locura por la destrucción y el caos?... ¿No será quizá porque siente un terror instintivo a llegar al término de la obra sin rematar el edificio?" Y puesto a negar las evidencias, a volver el mundo al revés (la filosofía es el "mundo al revés", como diría Hegel y recuerda Heidegger en la primera página de *¿Qué es metafísica?*), formula Dostoievsky aquella famosa herejía matemática: "Reconozco que dos y dos son cuatro es una cosa excelente, pero de eso a ponerlo por las nubes..., ¿cuánto mejor no es esto otro de dos y dos son cinco?" Viene a condensar así esa tremenda, patética inclinación del hombre a no curarse solamente del bienestar, a enamorarse del sufrimiento, a dejarse asaltar por el capricho, a escuchar profundas e irracionales sinrazones. "¿Por qué —agregaba— estáis tan persuadidos, con tanto aplomo y solemnidad, de que el hombre sólo necesita lo normal y positivo, de que sólo la prosperidad es provechosa al hombre?"

El "hambre de inmortalidad" —es menester recordarlo una vez más— que poseía a Unamuno ¿acaso no traduce, en términos religiosos y metafísicos, esa desazón del personaje dostoievskiano? Ese Unamuno, protagonista en carne viva de su propia novela metafísica, más apasionante que los personajes ficticios de sus novelas, que insultaba a la razón (esa "cochina razón", dijo alguna vez; "no me someto a la razón y me rebelo contra ella" —escribió literalmente en *Del sentimiento trágico de la vida*—) y sentía la nada como algo más aterrador que el infierno. Ese Unamuno que, a no ser esencialmente asistemático, hubiera hecho un sistema de la irracionalidad —o superracionalidad— quijotesca, prefigura ya en gran parte cierta estética y filosofía del absurdo ahora en candelero, según quedó mostrado, con más detalle, páginas atrás.

DOSTOIEVSKY Y EL HOMBRE DEL SUBTERRANEO

En cierto modo, no parece exagerado afirmar que la clave genética de la actitud existencial está en Dostoievsky; Leon Chestov le llama el doble de Kierkegaard. Y se manifiesta más que en las reflexiones aisladas de otros libros, en el personaje sin nombre —¿deliberadamente, para hacerlo así más simbólico?— de las citadas *Memorias desde el subterráneo*. Un subterráneo que, a la vez, hemos de considerar más simbólico que real, aunque dicho personaje viva realmente en un sotabanco. Trátase, como él mismo reconoce, de un enfermo, pero no tanto fisiológico como moral. La raíz de su mal está en la conciencia. "Juro, señores —dice—, que ser demasiado consciente es una enfermedad en toda regla." De ahí su acedía, su indecisión. Se mofa de aquellos que van derechos a su objetivo, "como un toro que embiste bajando los cuernos y nada les detiene más que la pared"[9]; ante ellos "los hombres prácticos y de acción no saben qué hacer". En último extremo, "la gente se resigna inmediatamente ante lo imposible" que tal pared representa. ¿Y no es ésta, la pared del héroe dostoievskiano, la misma ante la cual dio Dostoievsky sus testarazos, y luego se obstinaron Unamuno y Chestov? Ninguno de ellos se sintió vencido

---

[9] No deja de ser impresionante que en una de las primeras páginas de sus *Diarios* —fechada en 1910— Kafka, aludiendo a la inestabilidad de su espíritu, en relación con la oposición del mundo exterior, hable también de una "pared" enigmática donde se apoya la escalera que hace pie en un suelo impreciso.

frente a lo imposible, representado por "las leyes de la naturaleza, las conclusiones en las ciencias naturales, las matemáticas". Quieren refutar lo irrefutable. Y esto es lo que lleva a Dostoievsky a lanzar su grito más expresivo, antes recordado, la herejía matemática del "dos y dos no son cuatro". Porque hay ciertas cosas que escapan a toda medida y gobierno, a cualquier intento de racionalización y cuadriculación.

Ahora bien, Dostoievsky no intenta —muy lógicamente, aunque con la apariencia de lo arbitrario— fundamentar este ilogicismo. Su única razón —la de su héroe subterráneo, más exactamente— es la sinrazón, el capricho, el amor al absurdo. Pero no el absurdo por el absurdo, sino en cuanto éste es la única medida que puede concentrar las desmesuras de la conciencia y las inquietudes porque sí del espíritu. Al cabo, desde su punto de vista tales son las únicas razones que pueden conseguir librarnos del tedio. Pues "ya sabéis —aclara— que el fruto directo y legítimo de la conciencia es el tedio, es decir, la conciencia que permanece con los brazos cruzados". Como quiera que el héroe de Dostoievsky descree de la razón, de la lógica, llega a burlarse del "Palacio de cristal". Designa así, simbólicamente, aquel lugar que llegarán a edificar quienes no creen en fantasmas interiores y tienen una respuesta formulada para cada cosa. Pero cuando tal "Palacio de cristal" se construya —agrega con ironía feroz—, cuando todo sea "extraordinariamente racional", ¿quién nos garantiza que no sobrevendrá "una espantosa estupidez"? ¿Qué harán los hombres cuando todo lo tengan "calculado y distribuido en cuadros" y domine el aburrimiento? Ante semejante perspectiva, la única escapatoria es el absurdo, el capricho, el "desrazonamiento", como decía Chestov (en literatura el "dérèglement des sens" que pedía Rimbaud en *Une saison en enfer*). Hay que mandar al diablo al racionalismo —viene a decirnos—, porque el hombre es incurable y "en todo tiempo, dondequiera que se halle y sea quien sea, siempre ha preferido obrar a su arbitrio y no como le aconsejan su razón y su conveniencia".

Arbitrarismo —apuntemos al pasar— que diputaríamos, más allá de su bella y estricta proyección literaria, como absolutamente reprobable si más adelante no advirtiéramos que Dostoievsky lo identifica con una suerte de voluntarismo superior. Pues, en definitiva, lo que se postula es la razón profunda de la conciencia, las pascalianas razones del corazón que la razón no conoce, una última aspiración del hombre en cuanto "animal de la Creación predestinado a salirse por la tangente".

Verdad es que el hombre, ciertos hombres, los del linaje dostoievskiano, gustan más del camino que de la posada. En cuanto "ser frívolo y tornadizo, el hombre, como un ajedrecista, ama el desarrollo de una partida, pero no su terminación". "Quién sabe si el único objeto por que lucha la humanidad consiste en este constante proceso de aspiración, dicho de otro modo, en la vida misma, y no en la cosa a que se aspira (que siempre ha de expresarse como una fórmula, tan cierta como dos y dos son cuatro); y esta certeza, señores, no es vida, es principio de muerte."

En el "Palacio de cristal" no tienen cabida el sufrimiento, como tampoco la duda ni la negación. "No creo —añade Dostoievsky— que el hombre renuncie nunca al verdadero sufrimiento, es decir, a la destrucción, al caos." Porque, a su parecer, en el sufrimiento está el único origen de la conciencia. Y si la conciencia "es la mayor desgracia del hombre", no renunciará a ella por ninguna satisfacción. De donde pudiéramos inferir, pese al tono nada metódico, ya que no, en último extremo, irónico, empleado por el hombre del subterráneo, que si la filosofía del absurdo lleva a un callejón de aporías, su estética ofrece fértiles perspectivas.

KAFKA Y EL ABSURDO VEROSÍMIL

...O Kafka y la lógica imposible. He ahí dos enunciados permutables, ambivalentes. Ambos hacen diana en el blanco difícilmente asible de la obra kafkiana. Lo verosímil habita en el corazón del absurdo y la lógica se mantiene en vilo sobre el vacío de lo improbable. En efecto, la primera comprobación que hacemos al internarnos en el universo de Kafka es ésta: mientras elaboradas fantasmagorías no dejan huella duradera, la aparente segregación onírica de sus invenciones se mantiene en la vigilia, inmune al deshilachamiento inmediato que sufren los sueños. Sus ficciones no son productos nocturnos; justamente comienzan cuando acaba la noche. Gregorio Samsa —en *La metamorfosis*—, al despertar un día, se palpa como si fuera víctima de una pesadilla, pero el escarabajo en que aparece convertido es perfectamente real. Joseph K., también al levantarse, una mañana, es detenido; se le somete a un *Proceso* cuya motivación ignora, es enjuiciado por un tribunal cuyas acusaciones nunca llegan a concretarse y cuya jurisdicción tampoco nadie conoce exactamente, pero que destrozan su vida. K., el protagonista de *El castillo,* a quien se ha solicitado como agrimensor, no logra nunca acceder a su destino, queda varado en una aldea, sometido a esperas, caprichos y vicisitudes de misteriosas jerarquías que le sobrepasan. Luego lo increíble sucede y el absurdo es cotidiano. Mas no se hable de sueños: su repertorio auténtico es tan limitado como descosido. Tampoco de los cambios fantásticos de personalidad. Algunas excepciones memorables, ejemplos de la presencia de lo maravilloso en lo cotidiano, pudieran ser: *The wonderful visit,* de H. G. Wells; *Woman into Fox,* de David Garnett, y *Le jeune homme du dimanche,* de Jules Supervielle. En última instancia, podríamos aceptar que las construcciones kafkeanas fueran sueños, pero de la vigilia, "sueños despiertos", con un sentido más amplio que el de Freud. Porque el poder de la imaginación lúcida es el más poderoso; es el único capaz de crear arquitecturas sólidas, ficciones que, pasado el primer momento de sorpresa, se tengan en pie.

El universo absurdo que Kafka erigió, por lo mismo que no aspira a convertirse presuntuosamente en sistema, traduce con claridad el desconcierto del hombre existencial librado únicamente a sí mismo, más que ninguna abstracción. Max Brod lo anticipó, Jean Wahl lo ha comprobado. Ya es sabido que Kafka leyó a Kierkegaard (hacia 1910, cuando después de más de medio siglo de penumbra comenzaba a revelarse en Centroeuropa). Max Brod señala que si no puede interpretarse a Kafka en el sentido de Heidegger, "en el sentido de la muerte, de la soledad y de la desesperación", sí puede afirmarse su afinidad con Kierkegaard, puesto que uno y otro "nacen de la misma raíz del infinito". En un pasaje de sus *Diarios,* 1913, llega a afirmar: "Según presentía, su caso es, no obstante diferencias esenciales, muy semejante al mío.

Por lo menos, se sitúa en el mismo lado del mundo." "Me confirma en mi existencia como un amigo." Sin duda, tal semejanza, puramente externa, se limitaba a la misma vacilación que Kierkegaard y Kafka experimentaron ante el matrimonio; al trauma psíquico que en uno y otro dejaron la ruptura de sus compromisos matrimoniales. "He tomado sobre mí lo negativo de mi época... Soy un fin o un comienzo", escribía Kierkegaard en sus *Diarios*. Fin y comienzo, no como alternativa, sino de modo copulativo, se manifiesta asimismo en Kafka. No "Enten-Elter" (o lo uno o lo otro), sino lo uno y lo otro.

Ahora bien, el absurdo sólo no basta ni otorga perennidad a una obra de arte. Tampoco los productos de la "science fiction", como los de la "literatura fantástica" suelen rebasar la escala de lo gratuito, del "divertimiento" sin trascendencia. Lo singular en Kafka —según observó Camus— es la colindancia, más bien fusión, de dos universos: el de la vida cotidiana y el de la inquietud sobrenatural. En el autor de *La colonia penitenciaria* el absurdo fundamental de la existencia cobra una implacable grandeza. "Kafka —subraya Camus— expresa la tragedia mediante lo cotidiano y lo absurdo por la lógica."

Junto a esta transposición de insospechables equivalencias, las novelas y los cuentos del autor de *La condena* asumen también otro carácter no menos singular e impresionante: su valor de premoniciones. Anticipan el horror del universo de pesadilla en que poco después de la muerte de su autor —1924— nuestro contorno vital habría de transformarse. Constituyen el más trágico presagio no sólo de los horrores engendrados por la guerra total; son la prefiguración del hombre acosado, preso en una maquinaria invencible de prohibiciones, persecuciones, barreras burocráticas. Kafka intuyó con lucidez escalofriante los extremos a que quedaría reducida la condición humana, en una sociedad sacudida por una mezcla de crueldad, violencia y alienación inhumanas. André Malraux, antes de acabar la última guerra, comprobó, sin jactancia, que el mundo había llegado a parecerse extrañamente a sus novelas. Con mucha mayor razón, Kafka —en el supuesto de haber sobrevivido a las matanzas multitudinarias sufridas por su raza— pudiera haber comprobado, también sin envanecimiento, que el mundo real, a partir del año 1936, en las décadas del 40 y siguientes, se aplicaba a copiar, con demasiada fidelidad —merced a los bombardeos, los campos de concentración y las cámaras de gas— las pesadillas de los "sueños despiertos" que él imaginó. Ante la precedente corroboración ceden todas las demás interpretaciones. Son extraordinariamente numerosas [10]. En su mayor parte fueron recogidas por Angel Flores en dos simposios: *The Kafka problem* (1946) y *Franz Kafka today* (1958). Las más notorias van desde la teológica o persecución de la Gracia Divina —dada por Max Brod— a la psicoanalítica y la existencial; únanse la obsesión del infinito inalcanzable, el sentido de la culpa, la tragedia de la fe, la "culpabilidad negativa", la soledad irremisible, la abominación y sátira de todo sistema: he ahí, entre otras similares algunas vislumbres posibles, pero no claves definitivas, del universo kafkeano. En último caso, atajando el delirio hermenéutico a que se ha llegado, más valdría repetir humildemente la frase de Albert Einstein dicha a Thomas Mann: "No puedo leerle... La mente humana es demasiado complicada."

Hay, finalmente, otra evidencia que, por mucho que se sutilicen los análisis, nunca conviene perder de vista: la obra de Kafka es esencialmente literaria; Kafka era radicalmente un literato. Vaya esto dicho para quienes, imaginando allendidades imposibles, deslumbrados por un hipotético más allá supraliterario, pretenden —incongruentemente—, de un lado, buscar la "cuarta dimensión" de las obras que rebasan las medidas comunes, de otro lado, rebajar la expresión escrita, imaginando sucedáneos inexistentes. Las pruebas del literaturismo fun-

---

[10] Así como Don Quijote ha originado, indistintamente, tanto las más originales como las más descabelladas teorías, del mismo modo que Cervantes suscitó —en particular a fines del siglo pasado— muy chocantes desdoblamientos, haciéndole ducho hasta en los menesteres más improbables (Cervantes marino, hacendista, teólogo...), así ahora Kafka corre el riesgo de engendrar pintorescas hipótesis y audaces paralelismos. Tal el que Marthe Robert pretende establecer entre "el viejo y el mozo" (*L'ancien et le nouveau. De Don Quichotte et Franz Kafka*, 1963); concretamente, entre *Don Quijote* y *El castillo*. A la vuelta de tan sutiles como especiosas digresiones, lo que viene a afirmar es algo obvio: que una y otra obra realizan la verosimilitud de lo inverosímil. Pero menos creíble es que uno y otro autor "hablen la misma lengua" ni cosa parecida...

damental de Kafka pululan en sus *Diarios*. "No soy más que literatura —escribe el 21 de agosto de 1913— y no puedo ni quiero ser otra cosa." "Odio todo lo que no se relacione con la literatura." "Todo lo que no es literatura me aburre y me inspira odio." Y en otra ocasión escribe que únicamente un gran trabajo literario sería para él "una divina disolución y un real *acceso* a la vida".

Si Kafka, antes de morir, pide a su amigo Max Brod que destruya todos sus originales —consejo que felizmente desatendió—, tal resolución no debe atribuirse a ningún motivo hermético; se trata simplemente de un escrúpulo literario; no los consideraba bastante perfectos literariamente, medidos con la escala de su ideal. Podrá pensarse, ahora con más fundamento, que el motivo de ese deseo de desaparición debíase a su inacabamiento, a que tales manuscritos, en buena parte, estaban incompletos. Ciertamente, salvo *La metamorfosis* y algunos cuentos breves, las novelas mayores de Kafka —*El proceso* y, sobre todo, *El castillo* y *América*— quedaron inacabadas. Pero aunque la vida del autor se hubiera prolongado, ¿no sería éste el destino de tales obras: quedar inconclusas? Basta el ejemplo de *El castillo*: aun habiéndose agregado a la segunda edición alemana unas cincuenta páginas que no aparecieron en la primera, el enigma sigue sin aclararse; surge algún nuevo desdoblamiento de las peripecias que llenan las páginas anteriores, pero continúa sin columbrarse un desenlace definitivo o terminal. Lo inconcluso —no deliberada, pero sí fatalmente— es el signo ineluctable de lo no mensurable, de la no finitud kafkeana.

DEL NIHILISMO A LA ESPERANZA.
TRAYECTORIA DE CAMUS

Detengámonos ahora en Camus, ya que una obra tan considerable como la suya no puede despacharse con referencias fragmentarias. Por otra parte, aun no debiendo considerarse inscrita en la corriente existencial, presenta con ella numerosos puntos comunes, tales como el nihilismo, el absurdo, la rebelión ante el mundo dado. Importa, pues, verla con más detalle, a fin de captar exactamente el proceso ideológico de su autor (1913-1960). El punto crucial está representado, en primer término, por la revelación del nihilismo y la superación del absurdo; después, por la exaltación de la rebeldía tanto como por la denuncia o análisis implacable de la revolución. Quedan separados así, en la medida de lo posible, los dos tiempos de un parejo estado de espíritu y la distancia que media entre la rebeldía pura y la impura revolución.

El mito de Sísifo es un punto de partida y, al mismo tiempo, una prefiguración de metas. Camus hace la disección de la "experiencia absurda" que luego ejemplifica novelescamente *El extranjero*. Su héroe experimenta una alienación absoluta frente al mundo. Su sentimiento del absurdo nace del desnivel entre lo subjetivo y lo objetivo. Traduce —explica el propio Camus— "el divorcio entre el impulso del hombre hacia lo eterno y el carácter finito de la existencia". Por lo demás, en cuanto personaje filosófico-novelesco, *El extranjero* no aporta ningún rasgo radicalmente nuevo —según ya antes apuntamos—. Sin remontarse muy atrás, ni subrayar su indudable linaje dostoievskiano, Meursault viene a encarnar novelescamente la exclamación lírica de Rimbaud: "*Je est un autre*", y su crimen sin sentido traspone a otro clima más patético el acto gratuito del Raskólnikov de Dostoievsky y del Lafcadio de André Gide. Pero, en cambio, llega muy a su hora —1942, cuando Europa arde, cuando la ola del existencialismo inicia sus primeras y más altas crestas—, fundiendo así un estado de espíritu peculiar, espumando "la sensibilidad absurda que se halla dispersa en el siglo" [11].

Pero Camus traspasa muy pronto "los muros absurdos" donde choca su personaje y busca un camino de luz, imaginando "un Sísifo feliz",

---

[11] En su primer libro, *The outsider* (que más exacto hubiera sido traducir *El desplazado* y no *El disconforme,* como se ha hecho), Colin Wilson ha establecido la genealogía de tal personaje novelesco, buscando analogías con el Roquentin de Sartre y el Meursault de Camus. Colin Wilson arranca imprevistamente del héroe de una novela casi olvidada, pero no desdeñable (*L'enfer,* de Henri Barbusse), y continúa luego con otro de Hemingway y el *Demian* de Hermann Hesse, sin perjuicio de incluir asimismo autores, no ya personajes, como T. E. Lawrence, Van Gogh, Nijinsky, Nietzsche, Dostoievsky, Kierke-

sin salir del horizonte humano, fatalmente irreducible a la razón. De ahí que ya en las primeras páginas de dicho libro rechace el suicidio —"el único problema filosófico verdaderamente serio, puesto que juzgar si la vida vale o no la pena de ser vivida es responder a la pregunta capital de la filosofía"— como una escapatoria. Le importa más mantener la conciencia en vigilia, la tensión de la rebeldía "que replantear el sentido del mundo a cada instante". En suma, al situarse "más allá del nihilismo", da paso a la esperanza, avista los dominios de la lucidez para desembocar, finalmente, en el último capítulo de *El hombre rebelde,* donde su espíritu mediterráneo, clásico, afirma el sentido de la medida y creación, frente al de desmesura y destrucción. Hay, con todo, en esta evolución victoriosa, un momento cumbre, aquel en que se pregunta: "¿Podremos salir del nihilismo?" "No saldremos de él —contesta— aparentando ignorar el mal de la época o resolviendo negarlo. La única esperanza es, por el contrario, nombrarlo y hacer su inventario para encontrar la curación al cabo de la enfermedad."

He ahí, pues, el caso de un hombre que, consciente del desorden de los seres y de la confusión del mundo, aspira a vencer el absurdo que éste emana a raudales, pero sin hipnotizarse con espejismos falaces, sin abdicar un punto de su lucidez espiritual. Privado de todo sentimiento ultraterreno, extrae fuerzas de su propia flaqueza o incredulidad con tal vigor que, en uno de los personajes, Tarrou, de su novela *La peste,* se ha podido ver el tránsito del indiferentismo moral, encarnado por Meursault, el "extranjero" al mundo, hasta la "santidad sin Dios", alcanzada mediante la solidaridad con el sufrimiento.

Pero mejor aún que en sus novelas o ensayos, las vicisitudes del itinerario de Camus pueden seguirse a lo largo de sus dramas. A los rasgos que antes anticipé únanse ahora los siguientes. "Estamos en un mundo donde nadie es reconocido, donde el equívoco es lo normal", dice la hija de *El malentendido,* dando al crimen por error y codicia que ella y su madre han cometido un alcance casi cómico. Calígula, como

gaard... Relación, como se advertirá, tan dilatada como incompleta, a la postre, ya que semejante tipo humano o novelesco no empieza ayer, aunque el tiempo presente renueve su perfil: su sentido, o más bien su sinsentido, de la realidad.

justificación última de su crueldad razonante, afirma la necesidad de lo imposible. "El mundo —exclama en un diálogo con Helicón— no es soportable. Por eso necesito la luna o la dicha, o la inmortalidad, algo descabellado quizá, pero que no sea de este mundo." Mas ya en *El estado de sitio* —variación sobre el tema de *La peste,* pero provista de mayor relieve dramático—, cuando cesa en la multitud la opresión del miedo y llega "la hora del orgullo", vencido "el invierno de la cólera", Diego, el personaje que nunca ha sucumbido ni pactado, exclama, alentando al coro: "¿Quién habla de desesperar? La desesperación es una mordaza. Y el trueno de la esperanza, la fulguración de la felicidad desgarran el silencio de esta ciudad sitiada. ¡De pie, os digo! ¡Si queréis conservar el pan y la esperanza, destruid los certificados, romped los vidrios de las oficinas, abandonad las filas del miedo, gritad la libertad a los cuatro confines del cielo."

Ahora bien, cualquier afán de justicia o revolución que traiciona a la conciencia, que no se somete a la ética, debe ser puesto en entredicho. De ahí, en *Los justos,* el choque dialéctico entre los terroristas Stepan y Kaliayev, cuando este último hace indivisible la libertad del honor, replicando a su antagonista: "Acepté matar para abatir el despotismo. Pero detrás de lo que dices veo surgir un nuevo despotismo que, si alguna vez se afianza, hará de mí un asesino cuando trate de ser justiciero." Luego si combate, lo hace por la vida, no por la muerte; por la liberación de los esclavos, no por la injusticia inhumana; por el presente, no por un porvenir utópico; por sus hermanos carnales, no por una sociedad invisible... En suma, se niega a "aumentar la injusticia viviente con una justicia muerta". Kaliayev, como Camus, es un ideólogo, pero, ante todo, un hombre que se niega a sacrificarse a las ideologías abstractas; un hombre que ha elegido, pero no un sectario.

La trayectoria de una obra tan breve, pero extremadamente condensada y sustancial como la de Camus, no está exenta, empero, de vaivenes y dubitaciones. ¿Cómo interpretar, si no, el sentido último de los dos libros que acertó a publicar (*La caída,* 1956, y *El exilio y el reino,* 1957) antes de que su obra quedara truncada por una muerte prematura? Particularmente *La caída* sugiere mucho más de lo que dice y deja abierta la puerta a plurales interpretaciones. Ante todo, no es posible esquivar la tentación más natural, aunque sea también la más delicada, y ver este relato, este soliloquio —mantenido en una difícil tensión, a base de menudas peripecias— como una alegoría autobiográfica, como la expresión de una crisis personal que púdicamente se proyecta mediante una transposición de planos y escenarios. ¿Trátase, pues, en esta "caída", más bien de una "recaída" en el nihilismo, en la desesperanza de un universo absurdo, pero ahora no ya cercado por grandes angustias comunes, sino por episodios de minúscula órbita individual? En todo caso, *La caída,* mediante la seminovelización de un personaje que, partiendo de una "vocación de cimas", desciende hasta los suburbios morales, no viene a ser sino una nueva ilustración del caso ya presentado en *El mito de Sísifo.* Desde el momento —se dice allí— en que se rompe el mecanismo de la vida habitual y el hombre adquiere conciencia de su absurdidad, de su ausencia de conexión profunda con el mundo, todo se viene abajo: "los decorados se hunden". Jean-Baptiste Clemence, el abogado famoso, el hombre ejemplar, solidario del prójimo, después de ciertos pequeños episodios deprimentes, oye un día, al cruzar un puente de París, el ruido de un cuerpo que cae al agua, pero sigue su marcha. El "juez penitente", el hombre virtuoso, termina como un harapo, ebrio entre las nieblas de un bar de Amsterdam.

También habría que buscar implicaciones no explícitas, alusiones más o menos simbólicas, a los seis relatos que componen *El exilio y el reino,* todos ellos densos de sentido e impecables de forma, pero entre los cuales el primero, titulado "La mujer adúltera", es el más bello, y el último, "La piedra que crece", aquel de intención más unívoca. En cierto modo, la historia del ingeniero francés que llega a un poblado brasileño, asiste a una ceremonia negra y, finalizando el cumplimiento de una promesa dada por otro, carga sobre su cabeza la piedra ritual, sintiendo así renacer, por transferencia, un sentimiento de solidaridad perdida, llega a ser, en sus últimas proyecciones, la réplica afirmativa de *La caída;* significa otro recomenzar de la vida, un nuevo canto de esperanza. Tales idas y vueltas de una conciencia desvelada, tales fluctuaciones de la luz a la sombra y viceversa, podrán, a primera vista, carecer de congruencia, pero revelan la sinceridad de un espíritu que no se avino fácilmente a dormirse en fórmulas apaciguadoras de una sola faz.

En este sentido quizá su texto más expresivo sea un ensayo titulado "El testigo de la libertad", completado por la conferencia que sobre "El artista y su tiempo" dio en Upsala, en diciembre de 1957, a raíz de recibir el Premio Nobel. Ya en el primero, Camus se alzaba contra la tendencia a convertir al escritor en un mero servidor de las ideologías en pugna. Inclusive llegaba a afirmar que "frente a la sociedad política contemporánea, la única actitud coherente del artista es el rechazo sin concesiones". ¿Desencanto? Sí, pero no gratuito o infundamentado, puesto que proviene de un hombre que se ha chamuscado con el fuego de primera línea, mas a quien, simultáneamente, su experiencia y su lucidez le llevan a concluir fatalmente: "Si el hombre que espera algo de la condición humana es un loco, el que desespera de los acontecimientos es un cobarde." Más allá de toda perplejidad, Camus se pronuncia por la creación libre, no se hace reo del odio por el arte a que otros sucumben, ni acepta supeditarlo a fines extraños. Se libra del remordimiento en que algunos se hunden de forma masoquista, según le sucede al mismo Sartre.

UN MORALISTA

Y he aquí la raíz de la profunda, la radical diferencia que separó a uno y otro y constituye la base de la resonante polémica que hubo de enfrentarles y que comentaremos más adelante. Sartre es un ideólogo lúcido, pero presto a caer en la ofuscación cuando tropieza con antagonistas; en último extremo, víctima de su arte dialéctica cuando los hechos no se acomodan al cuadriculado en que pretende apresarlos. Camus era sustancialmente un espíritu ardoroso, capaz, empero, de no dejarse oscurecer por las abstracciones inhumanas, y de afirmar siempre la primacía de la persona, del unamuniano "hombre de carne y hueso". En el autor de *Situations* parece dominar, en muchos momentos —por encima de cualquier otro de sus valores—, el propagandista de un credo que, por otra parte, no llega a sentir como propio. En el autor de *El hombre rebelde* emerge siempre, junto al artista —por encima del novelador, más allá del dramaturgo—, un espíritu irreductible de moralista. Especie rara, por cierto —como apenas es necesario señalar—, en la literatura contemporánea y que hace irremplazable la pérdida de Camus.

Pero tampoco desesperemos. ¿A qué otra cosa sino al mensaje moral que, más o menos explícito, llevan encapsulados muchos de sus libros, puede atribuirse el ascendiente que alcanzó sobre las nuevas generaciones, las vastas audiencias que ha conquistado y, finalmente, la coronación internacional de la Academia sueca? Si atendiéramos a sus intrínsecos valores estéticos, aun siendo éstos considerables, tal preminencia no se explicaría de modo suficiente. En cuanto escritor de imaginación, ésta no se le muestra pródiga. Casi todas sus ficciones son relatos o cuentos largos, sin alcanzar la categoría de novelas. *La peste*, su obra más ambiciosa, tampoco llega a serlo y se queda en una "crónica", según reconoce el propio autor, quien ejemplarmente no oculta sus limitaciones. Aún más —por desconfianza hasta cierto innato don lírico de tipo reflexivo—, sucede que las páginas de su libro más famoso son mates, descoloridas. El reproche de abstracción que se hace a sus personajes es menos atendible, puesto que las ideas o conceptos que personifican interesan e importan más que cualquier transcripción de opacos modelos reales. Contrariamente, las calidades formales más acendradas resplandecen en sus restantes libros, particularmente en los últimos, *La caída* y *El exilio y el reino*. Al menos, asombran hoy como algo insólito cuando el estilo flojo y la composición desvaída cunden contagiosamente. Y es que la vuelta al realismo supondrá, ante todo, un desquite contra las sofisticaciones desvitalizadas, y en segundo término, posibles nuevas adquisiciones, pero mientras no se acierte a encontrar un punto de integración y equilibrio, deja un saldo inmediato: la relajación del estilo.

Porque de hecho, como escribía Camus (*Actuelles*), no hay un arte realista. Hasta la fotografía no es realista: escoge. De ahí el contrasentido del llamado realismo socialista. "A partir del momento en que el escritor sometido a tal dogma redacte cosa distinta que un folleto de propaganda, un escritor comunista es un artista y, por consiguiente, le

120. Página de Ronaldo de Azevedo

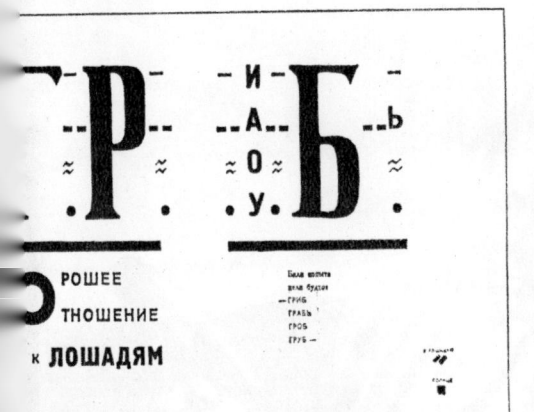

Azevedo

= torpor

= labor

Página de Vladimir Maiakovski

122. Poema de José Lino Grünewald

BAILES
BANQUETES
BACANAIS
a pátria lamenta o risco mortal

DÉBITOS
DISCURSOS
DIVIDENDOS
a pele do infante bravo

GOLPES
GORJETAS
GOZAÇÕES
párias lamentam o riso imoral

LUCROS
LAZERES
LIBAÇÕES
a pele arfante do braço

NYLONS
NOITADAS
NEGOCIATAS
pares parlamentam imunidades

QUEBRAS
QUERELAS
QUIPROQUÓS
o elefante belo lambe pétalas

SUCOS
SALADAS
SALGADINHOS
parlamentarismo caboclo

VERBAS
VIAGENS
VIRAÇÕES

CRÉDITOS
CAIXINHAS
CADILAQUES
calada na bôca do lobo

FARRAS
FAVORES
FILIPETAS
encobre nosso escudo de rosas

JÓIAS
JANTARES
JOGATINAS
calcado em bôcas lôbregas

MISSES
MAMATAS
MARIPOSAS
arranca escamas no muro do ar

PRAIAS
PILEQUES
PALHAÇADAS
caindo no abismo louco

RENDAS
RISOTAS
REBOLADOS
coadas em puro leite

TÍTULOS
TACADAS
TUBARÕES
elefante branco no escuro

123. Dos portadas de "900", la revista de Massimo Bontempelli

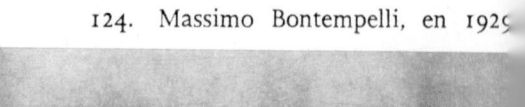

124. Massimo Bontempelli, en 1929

resulta imposible coincidir en absoluto con una teoría o una propaganda. Esa es la razón por la cual no se puede dirigir la literatura, todo lo más se la suprime." Todas las líneas de Camus tienen un sonido noble; están exentas de las resonancias especiosas en que tantas otras sobreabundan actualmente. Por ello se niega a aceptar el principio: "el fin justifica los medios", según sucede en las ideologías que califica de "nihilistas" (aquellas que sostienen: todo está permitido, lo que importa es triunfar), como así también se opone a la filosofía que hacen de la Historia un absoluto (Hegel y luego Marx: puesto que el fin es una sociedad sin clases, todo lo que conduce a ella está bien...).

EL HOMBRE REBELDE.
POLEMICA CAMUS-SARTRE

He ahí, en definitiva, uno de los ejes centrales sobre los que se articula *El hombre rebelde*. En las páginas de este libro muéstrase, en toda su crudeza, las dos fases consecutivas de la rebelión [12], tanto de la rebelión política como de la metafísica; es decir, la del hombre que se alza no frente a las leyes o los déspotas, sino contra la condición a que se le somete en cuanto ser humano. Al final de su recorrido histórico, Camus señala cómo hemos llegado al momento en que la "revuelta alcanza su contradicción más extrema, y está amenazada o bien de perecer con el mundo que ha suscitado, o bien de rencontrar una fidelidad y un nuevo impulso". Y subraya: "La revolución, para ser creadora, no puede prescindir de una regla, moral o metafísica, que equilibre el delirio histórico." De lo contrario, será puro nihilismo o degenerará irremisiblemente en un apetito de dominación, en la más tremenda voluntad de poderío.

¿Significa esto negarse a la Historia, a las luchas de la sociedad, es decir, rechazar el finalismo histórico ineluctable, el profetismo tan anacrónico de los deterministas, creyentes en lo más increíble, de los agnós-

---

[12] V. un análisis más extenso en el capítulo "Rebelión y comunión", de mi libro *Las metamorfosis de Proteo*.

ticos que aceptan como un artículo de fe el fatalismo materialista, sin perjuicio de entender que —en el supuesto de cumplirse— ellos solos podrían canalizarlo? En la interpretación de este punto radica sustancialmente el nudo de la violenta polémica que situó en posiciones diametralmente opuestas (después de haber compartido otras durante algunos años) a Camus y a Sartre. Como quiera que la versión que de tal polémica nos da, años después, Simone de Beauvoir en *La fuerza de las cosas*, resulta parcial, es aconsejable que el lector rehaga la cuestión sobre textos más seguros. Sartre, adherido a la "Historia" (entendida ésta no como "hazaña de la libertad", según frase de Croce, sino como aceptación fatalista de la "necesidad", y en último extremo, como justificación de lo más discutible, el marxismo "in extremis", la "dictadura del proletariado"), no tiene empacho en aceptar hasta lo más turbio, sin que le detenga ninguna preocupación ética. Por ejemplo: para Camus, la existencia de los campos de concentración soviéticos —hacia 1950—, con sus veinte millones de presidiarios, era algo que condenaba inexorablemente a un régimen. Para Sartre no pasó de ser algo desagradable, pero que en nada le perturbaba para seguir mirando con ojos amistosos o esperanzados el mismo régimen. Camus, avistando, aun desde su incredulidad, ciertos valores de eternidad, partidario, en suma, de la no violencia ("la opción —escribe textualmente— queda abierta entre la gracia y la historia, entre Dios y la espada"), antepone a todo lo moral; es decir, no vacila en mostrarse como una conciencia pura, como un moralista. Ninguna posibilidad de avenencia hubo, pues, entre las dos actitudes que encarnaban: la moral y la pragmática.

Son dos posiciones legítimas —podrá pensarse, en última instancia— que responden a dos tipos de temperamentos diametralmente opuestos, a dos cosmovisiones antagónicas. Sí, pero al cabo, la única actitud rigurosamente intelectual —puesto que marca una distancia frente a los hechos, no se deja arrollar por ellos—, y no sólo humana (en cuanto implica una cabal dignidad del espíritu), es la primera, la camusiana. La otra se califica como sumisamente política, víctima de la contingencia, demasiado presa en la situación, por execrable que ésta pueda ser; y, a despecho de parecer realista, desemboca en las más frías y crueles abstracciones. Se sintetiza la diferencia mediante la inequívoca conclusión que da Camus a su *Hombre rebelde,* cuando escribe que "la revolución sin honor, la revolución del cálculo que prefiere un hombre abstracto a un hombre de carne, niega el ser y pone precisamente el resentimiento en lugar del amor [...] ya no es rebelión ni revolución, sino rencor y tiranía. Entonces, cuando la revolución, en nombre del poder y de la historia, llega a ser una mecánica asesina y desmesurada, una nueva rebelión se hace sagrada, en nombre de la mesura y de la vida". Ponga el lector el ejemplo de cualquier continente o país, el que le afecte más de cerca, donde la balanza se mueva desniveladamente entre sacudidas de reacción y revolución, y la sentencia resaltará con toda su fuerza probatoria.

LITERATURA COMPROMETIDA

Sin duda la única aportación válida —en relación con nuestros puntos de mira— hecha por el existencialismo es el concepto del "engagement" en las letras, o sea, el de la literatura comprometida, que, en definitiva, según veremos, más exacto sería denominar literatura responsable. Ahora bien, si la idea del existencialismo filosófico como tal ofrece —se recordará— múltiples antecedentes, tampoco la noción del compromiso pertenece originariamente a Sartre, según queda expuesto en el capítulo sobre personalismo. Pero, en cualquier caso, ha sido el autor de *¿Qué es la literatura?* quien ha llevado esta idea a su más atractiva expresión, proporcionándole un vuelo, una resonancia antes no encontrada.

No he de volver, con el debido espacio, sobre esta cuestión, ya que hace años hube de dedicarle largas páginas en otro libro (*Problemática de la literatura*). Pero, con todo, aclararé una vez más, que sólo por aproximación hubimos de traducir *littérature engagée* por "literatura comprometida", si no empeñada, ya que ese término —"enganche", "hipoteca", "dejar en prenda"— quizá posea más sustancia en el original francés que en la versión literal. En castellano la expresión más propia —me sugirió Américo Castro— sería la de "literatura arriesgada", y nuestros clásicos del siglo XVII hubieran hablado de una literatura "puesta al tablero", expresión que aparece ya en *La Celestina* y rutila en las *Coplas* supremas de Jorge Manrique. Compromiso es un término cuya riqueza de sinónimos y aplicaciones le hace multívoco; de ahí que requiera en cada caso una definición unilateral. Así evitaremos que, aplicado a una libre expresión del espíritu, la literatura, sea mal entendido, viéndolo como algo que coacciona su libertad o que determina sus pasos. Asimismo debe rehuirse su peor y más equívoca seudonimia: entender ligeramente "literatura comprometida" como "literatura dirigida" o "sectaria", riesgo sobre el que luego volveremos.

En rigor, el término que debiera haber cundido no es el de literatura comprometida, sino el de literatura responsable. Porque, en definitiva, la literatura comprometida no supone sustancialmente otra cosa que la afirmación taxativa de la responsabilidad insoslayable del escritor. En tal sentido acertaba plenamente Sartre (en su "Presentación de *Les Temps Modernes*") al oponer las nociones de gratuidad o desinterés a la de responsabilidad. "Todo escrito posee un sentido, aun si éste se halla muy lejos de aquel que el autor había soñado darle." "Para nosotros —agrega— el escritor no es Vestal ni Ariel; corre un riesgo, haga lo que haga; está marcado, comprometido hasta en su más lejano retiro." Reviviscencia del "estamos embarcados" pascaliano. Frente a las nociones de un absoluto sin fechas, de ese vago, ingenuo "eternismo" que hace desleídas —intemporales y aun inespaciales— tantas obras ambiciosas de permanencia, Sartre sitúa al escritor en su tiempo, grandioso o mezquino, pero que no puede rehuir. El escritor no tiene ningún medio de evadirse; debe abrazar su época. Aunque se aleje de ella, "consagrándose a escribir novelas sobre los hititas", su abstención supone una toma de actitud. "El escritor está *en situación* dentro de su época; cada una de sus palabras tiene resonancias." "La gloria póstuma se funda en un malentendido y la inmortalidad es una terrible coartada."

En definitiva, Sartre instaura una suerte de relativismo literario que prende sus raíces en la época, ya que cada una descubre "un aspecto de la condición humana, el hombre se escoge frente al otro, frente al amor, la muerte, el mundo". Este es su camino para llegar a lo eterno, ya que "los valores de eternidad están entrañados en los debates sociales o políticos". Al margen de esta implicación, tales puntos de vista sartianos, lejos de irritarme o, al menos, asombrarme, como a tantos otros contemporáneos, sólo vinieron a confirmar ciertas intuiciones muy semejantes (anticipadas bastantes años atrás en el prólogo a la primera edición de *Literaturas europeas de vanguardia* (1925), que puede leerse también a la cabeza de este libro) y luego minuciosamente confrontadas en *Problemática de la literatura,* junto con las ideas de temporalidad, circunstancia, historicidad y otras.

El primer deber de todo creador —afirmaba yo cuando muchacho— es ser fiel a la época y su más grave deserción tratar de soslayarla con artilugios y escapismos. Resulta vituperable —añadía años después— el caso de aquellos que en su empeño de acicalar bellezas para la "eternidad" privan a la obra de toda palpitación viva y cortan cualquier engarce con su tiempo, pretendiendo situarse en un "no man's land" ahistórico. Ejecutan una técnica artificial semejante a la del disecador de aves, quien si elabora un producto de vitrina es a cambio de haberle arrancado previamente las entrañas. Técnica también muy parecida a la practicada por los ejecutores de neoclasicismos. Más inteligente es partir de cierto relativismo y, aceptando la fatalidad temporal, inseparable de toda obra viva, tratar de superarla por otros medios. La fidelidad a la época, tener en cuenta el "Zeitgeist", no implica necesariamente aceptación; puede traducirse también en discusión, pero partiendo de su presencia, de su reconocimiento. "No nos haremos eternos —escribía, por su parte, Sartre— corriendo en pos de la inmortalidad; no seremos absolutos por haber reflejado en nuestras obras algunos principios desencarnados, bastante vacíos y nulos para pasar de un siglo a otro, sino por el hecho de haber combatido apasionadamente en nuestra época, por haberla querido apasionadamente, aceptando morir con ella." La grandeza, el desprendimiento, que no vacilaría en llamar heroico, de una declaración tan explícita, fue escasamente comprendida. ¿Por qué? Porque deshace de un manotazo los sofismas grandilocuentes, las especiosidades engañosas, los sueños de intemporalidad y eternidad con que casi todos rumian sus vagos ensueños, su yoísmo descentrado, su falso afán de absoluto. Se asestan entre ellos enormes lugares comunes con la pesadumbre de mazazos: "No hay tendencias, hay personalidades", "lo que ha sido bueno ayer, lo será siempre"; verdades con doble filo, puesto que, en muchos casos, dejan al desnudo la "impersonalidad" y la falta de "calidad" de quien las emite. Más sensato es llegar a la verdad de un relativismo superior, tan lúcido como antimítico. Tal es el caso de Jean-Paul Sartre cuando afirma, muy congruentemente con su sistema de ideas, su propósito de escribir para sus contemporáneos, de no mirar el mundo con ojos futuros, sino con sus ojos de carne, con sus ojos perecederos. "De esta suerte —añade—, al tomar partido por la singularidad de nuestra época, enlazamos finalmente con lo eterno, y nuestra tarea de escritores consiste en hacer entrever los valores de eternidad que se hallan implicados en los debates del tiempo. Pero no nos cuidemos de ir a buscarlos en un cielo inteligible; sólo tienen interés bajo su envoltura actual. Lejos de ser relativistas, afirmamos solemnemente que el hombre es un absoluto. Pero lo es a su hora, en su medio y en la tierra."

La mejor definición de la literatura comprometida, en suma, a mi parecer, estaría dada por aquellas obras donde el escritor es fiel a su época —sometiéndola a un proceso crítico— y donde tiende asimismo a traducir su afán de absoluto, sin engañar su lucidez relativista. Lo demás, aquello que suele adscribirse, erróneamente como fundamental, a la literatura comprometida, la intención moral o política, inclusive cierto espíritu de comunión humanista, es ya secundario. Puede existir como resultado, en la meta, pero sin gravar su punto de partida; y en muchos casos es perjudicial, pues acontece que intentando dar un sentido influyente a esa literatura, suele cargarse el acento sobre lo último, con olvido imperdonable de lo previo y esencial: la literatura propiamente dicha, su calidad auténtica. Vaya esto también para quienes "toman el rábano por las hojas" y con una teleología cínica, menospreciando el arte como fin, lo reducen a medio ancilar y tratan de convertirlo en propaganda. No advierten que el arte empieza no sólo allí donde acaba la propaganda, sino más exactamente en aquel punto donde ésta desaparece o se transfigura, elevándose a un plano de invisibilidad estética. La literatura más "comprometida" será así aquella que menos se preocupe de parecerlo, pero que sepa responder más profundamente a las exigencias conjuntas del espíritu sin fechas y de la época datada.

RESPONSABILIDAD, NO DIRIGISMO

Quedan ya suficientemente definidas las características de lo que debe entenderse por literatura comprometida. Importa ahora únicamente apuntalar algunos deslindes de su área específica, a fin de evitar hasta el más pequeño riesgo de confusión con la literatura dirigida. El dirigismo aparece cuando se intenta infundir una intención sectaria, un ánimo probatorio a la obra, haciéndola no dueña de sus movimientos, sino poniéndola al servicio de intenciones ajenas a su ser. En suma, esta literatura da la sensación de ser dirigida no por el escritor, sino por poderes o intereses que se le sobreponen, aunque en el mejor de los casos parezca aceptarlos conscientemente. La literatura comprometida —tal como yo la encaro— puede servir a una idea, mas por propia iniciativa de su autor, esto es, espontáneamente; la literatura dirigida se pone de modo incondicional al servicio de una causa, mas no por libérrima decisión de su autor, sino respondiendo a normas o direcciones que le son impuestas desde fuera, coactivamente. La diferencia entre una y otra dirección podría sintetizarse diciendo que la literatura comprometida atiende a mantener o exaltar ciertos principios, que a la vez son fines —los que van de la comunicabilidad a la trascendencia—, mientras que la literatura dirigida invierte el orden de los factores, y adulterando taimadamente los principios se cuida sólo de los fines, llegando inclusive a supeditar todo a estos últimos.

Así, pues, la única literatura comprometida, válida y trascendente habrá de ser aquella que, rehuyendo todo riesgo y equívoco de dirigismo, comprometa, antes que otra cosa, la conciencia de su creador con el mundo. En tal forma que, aun aplicándose el escritor a la defensa o exaltación de una ideología, lo haga desinteresada y libremente, exento de coacciones, pronto a todos los desdoblamientos dialécticos, resuelto a no escamotear el reverso de ningún problema, y, en último término, a encontrar en la contradicción la última medida de la verdad. Si bien Sartre, en *¿Qué es la literatura?*, no dejó de apuntar algunas intenciones similares, lamentablemente, al pasar de los años, ha ido incurriendo en debilidades que, empero su propósito revolucionario, pueden calificarse de conformistas, desde el momento en que se atienen a motivos políticos inmediatos, a contingencias y no a esencias. Pero las imposiciones recibidas desde fuera, los acatamientos —o contagios— de normas, dogmas o consignas, aunque se revistan de ropajes filosóficos, sólo tienen un nombre nefando: dirigismo. Y su vértice fatal, su consecuencia ineludible no puede ser otra que la muerte de la literatura, del arte como tales, asesinados por las mismas manos de aquellos poderes a los que ayudó a triunfar.

¿Literatura comprometida? —resumiríamos preguntándonos. Sí, *ma non tropo*; sí, pero hasta cierto punto, manteniendo muy clara la distinción de su contenido, sus procedimientos y sus límites. Comprometida, pero no sectaria ni menos aún —aberración última— propagandística. Comprometida, pero desinteresada en último término. Lo que no quiere decir gratuita. Pues ésta equivale a una insalvable superficialidad. Mientras el desinterés alude a su necesidad pura: razón refleja —y no adversa— de su libertad, de su autonomía estética.

BIBLIOGRAFIA

Nicola Albagnano: *Introduzione all'existenzialismo.* Milán, 1942.
— *Esistenzialismo positivo.* Taylor, Turín, 1944.
Theodor W. Adorno: *Apuntes sobre Kafka,* en *Prismas. La crítica de la cultura y la sociedad.* Ariel, Barcelona, 1962.
José Luis L. Aranguren: *La ética social de Sartre,* en *Etica y política.* Guadarrama, Madrid, 1963.
Raymond Aron: *J.-P. Sartre, le Prolétariat et les Communistes,* en *Polémiques.* Gallimard, París, 1955.
Tristan d'Athayde: *El existencialismo, filosofía de nuestro tiempo.* Emecé, Buenos Aires, 1949.
Bertrand d'Astorg: *Introduction au Monde de la terreur.* Seuil, París, 1945.
Carlos Astrada: *Idealismo fenomenológico y metafísica existencial.* Facultad de Filosofía y Letras, Buenos Aires, 1936.
— *Ser, humanismo, existencialismo.* Buenos Aires, 1949.
Simone de Beauvoir: *Pyrrhus et Cinéas.* Gallimard, París, 1944.
— *Pour une morale de l'ambigüité.* Gallimard, París, 1947.
— *Le Deuxième Sexe.* Gallimard, París, 1949.
— *Les Mandarins.* Gallimard, París, 1954.
— *Merleau-Ponty et le Pseudo-sartrisme,* en *Privilèges.* Gallimard, París, 1955.
— *Memorias de una muchacha formal. La plenitud de la vida. La fuerza de las cosas.* Trad esp.: Sudamericana, Buenos Aires, 1960, 1962, 1964.
Marc Beigbeder: *L'Homme Sartre.* Bordas, París, 1947.
Julien Benda: *Tradition de l'Existentialisme ou les Philosophies de la vie.* Grasset, París, 1947.
— *La Crise du Rationalisme.* Club Maintenant, París, 1949.
Rachel Bespaloff: *Les Carrefours de Camus. Le Monde du condamné à mort,* en "Esprit", núm. 163. París, enero de 1950.
Maurice Blanchot: *Les Romans de Sartre,* en *La Part du feu.* Gallimard, París, 1949.
Norberto Bobbio: *La filosofía del decadentismo.* Turín, 1944.
— *El existencialismo.* Trad. esp. Fondo de Cultura Económica, México, 1949.
I. M. Bochenski: *Europäische Philosophie der Gegenwart.* Francke, Viena, 1947. Trad. esp. *La filosofía actual.* Fondo de Cultura Económica, México, 1949.
O. F. Bollnow: *Existenzphilosophie,* 1942. Trad. esp. Revista de Occidente, Madrid, 1956.

Pierre de Boisdeffre: *Métamorphoses de la Littérature.* Alsatia, París, 1951.
— *Une Histoire vivante de la Littérature d'aujourd'hui. 1938-1958.* Le Livre Contemporain, París, 1958.
J. Bouissonouse: *Trois allemands contre l'Allemagne,* en "Les Temps Modernes", núm. 4, París, 1946. En el mismo número: M. de Gandillac: *Entretien avec M. Heidegger;* A. de Towarnicki: *Visite à M. Heidegger.*
Emile Bréhier: *Les Thèmes actuels de la Philosophie.* Presses Universitaires, París, 1951. Trad. esp. Taurus, Madrid.
Jean-Claude Brisville: *Albert Camus.* Gallimard, París, 1959.
Max Brod: *Kierkegaard, Heidegger et Kafka,* en "L'Arche", núm. 21, París, 1946.
— *Franz Kafka, eine Biographie.* Heinrich, Praga, 1951. Trad. esp. Emecé, Buenos Aires, 1955.
Robert Campbell: *Jean-Paul Sartre ou une Littérature philosophique.* Pierre Ardent, París, 1945. Trad. esp. Argos, Buenos Aires, 1949.
— *L'Existentialisme.* Foucher, París, s. a.
Albert Camus: *Le Mythe de Sysiphe.* Gallimard, París, 1942. Trad. esp. Losada, Buenos Aires, 1953.
— *L'Homme révolté.* Gallimard, París, 1951. Trad. esp. Losada, Buenos Aires, 1953.
— *Actuelles,* I y II. Gallimard, París, 1950 y 1953. Trad. esp. Losada, Buenos Aires, 1960.
Michel Carrouges: *Kafka contre Kafka.* Plon, París, 1962.
Charles Cascales: *L'Humanisme d'Ortega y Gasset.* Presses Universitaires, París, 1957.
Armand Cuvillier: *Les Courants irrationalistes dans la Philosophie contemporaine.* París, 1948. Trad. esp. Montevideo, 1949.
Fernando Chaves: *Oscuridad y extrañeza. A propósito de Franz Kafka.* Casa de la Cultura Ecuatoriana, Quito, 1956.
Leon Chestov: *La philosophie de la Tragédie, Dostoievsky et Nietzsche.* Au Sans-Pareil, París, 1926.
— *Kierkegaard y la filosofía existencial.* Trad. esp. Sudamericana, Buenos Aires, 1947.
Gérard Délédalle: *L'Existentiel. Philosophies et Littératures de l'existence.* Lacoste, París, 1949.
Serge Dubrovsky: *Le Mythe de la Raison dialectique,* en "Nouvelle Revue Française", núms. 105 y 106, septiembre y octubre de 1961.
Mikel Dufrenne y Paul Ricoeur: *Karl Jaspers et la Philosophie de l'existence.* Seuil, París, 1945.
Carlos Alberto Erro: *Diálogo existencial.* Sur, Buenos Aires, 1937.
Vicente Fatone: *El existencialismo y la libertad creadora. Una crítica al existencialismo de J.-P. Sartre.* Argos, Buenos Aires, 1948.

Vicente Fatone: *Introducción al existencialismo.* Columba, Buenos Aires, 1953.
José Ferrater Mora: *Sobre la noción de existencia,* en "Sur", núms. 174 y y 175, Buenos Aires, abril y mayo de 1949.
Angel Flores, recopilación de...: *The Kafka Problem.* New Directions, Nueva York, 1946.
— y Homer Swander, recopilación de ...: *Franz Kafka Today.* University of Wisconsin Press, Madison, 1958.
Benjamin Fondane: *Martin Heidegger. Sur la route de Dostoievsky.* Cahiers du Sud, Marsella, 1932.
— *La Conscience malheureuse.* Denoel et Steele, París, 1936.
Paul Foulquié: *L'Existentialisme.* Presses Universitaires, París, 1946.
Carmen R. L. de Gándara: *Kafka o el pájaro y la jaula.* El Ateneo, Buenos Aires, 1944.
José Gaos: *Introducción a "El ser y el tiempo", de Martín Heidegger.* Fondo de Cultura Económica, México, 1951.
Juan David García Bacca: *Nueve grandes filósofos contemporáneos y sus temas.* Ministerio de Educación Nacional de Venezuela, Caracas, 1949.
— *El hombre en el existencialismo francés,* en *Antropología filosófica contemporánea.* Universidad de Venezuela, Caracas, 1949.
— *Existencialismo alemán y existencialismo francés,* en "Cuadernos Americanos", núm. 4, México, 1947.
Geneviève Gennari: *Simone de Beauvoir.* Editions Universitaires, París, 1959.
Etienne Gilson y otros: *Existentialisme chrétien: Gabriel Marcel.* Plon. París, 1947.
Marjorie Greene: *Dreadful Freedom. A critique of existentialism.* Chicago Press, 1948. Trad. esp. *El sentimiento trágico de la existencia.* Aguilar, Madrid, 1950.
Jean Grenier, Albert Camus, Benjamin Fondane y otros: *L'existence.* Gallimard.
Georges Gurtwich: *Les Tendances actuelles de la Philosophie allemande.* París, 1933. Trad. esp. Losada, Buenos Aires, 1939.
Theodor Haecker: *La joroba de Kierkegaard.* Trad. esp. Rialp, Madrid, 1948.
Ralph Harper: *Existentialism: a theory of man.* Harvard University Press, 1949.
Martin Heidegger: *Was ist Metaphysik?* Cohen, Bonn, 1930. Trad. esp. "Cruz y Raya", Madrid, 1933; trad. franc. Gallimard, París, 1938.
— *Hölderlin y la esencia de la poesía.* Trad. esp. Séneca, México, 1946.
— *Sein und Zeit.* Niemeyer, Halle, 1927. Trad. esp. de José Gaos, México, 1951.
— *Holzwege,* 1949. Trad. esp. *Sendas perdidas,* Losada, Buenos Aires, 1960.
H. Heinemann: *Existentialism and the modern predicament.* Adam y C. Blanck, Londres, 1953. Trad. esp. *¿Está viva o muerta la filosofía existencial?* Revista de Occidente, Madrid, 1956.

Francis Jeanson: *Albert Camus ou l'Ame révolté*, en "Le Temps Moderns", número 79, París, mayo de 1952; seguido de: Albert Camus: *Lettre au Directeur des Temps Modernes;* J.-P. Sartre: *Reponse à A. C.; F.* Jeanson: *Pour tout vous dire*, en "Les Temps Modernes", núm. 82, París, agosto de 1952.
— *Le Problème moral et la Pensée de J.-P. Sartre.* Myrte, París, 1947.
— *Sartre par lui-même.* Seuil, París, 1955.
Régis Jolivet: *Introduction à Kierkegaard.* Abadie S. Wandville, 1946.
— *Les Doctrines existentialistes. De Kierkegaard à J.-P. Sartre.* Fontenelle, París, 1948. Trad. esp. Gredos, Madrid, 1950.
Eugene F. Kaelin: *An existentialist aesthetic. The theories of Sartre and Merleau-Ponty.* University of Wisconsin Press, 1962.
Franz Kafka: *Tagebücher.* Fischer, Berlín, 1951. Trad. esp. *Diarios.* Emecé, Buenos Aires, 1953.
— *Briefe an Milena.* Fischer, Berlín, 1952. Trad. esp. Emecé, Buenos Aires, 1955.
Jean Kanapa: *L'Existentialisme n'est pas un humanisme.* Editions Sociales, París, 1947.
Helmuth Kuhn: *An essay on existentialism.* Regnery, Hondsale, Illinois, 1949.
— *Encounter with nothingness.* Nueva York, 1951. Trad. esp. *Encuentro con la nada.* Sudamericana, Buenos Aires, 1953.
Mario A. Lancelotti: *El universo de Kafka.* Argos, Buenos Aires, 1950.
Manuel Lamana: *Literatura de postguerra.* Nova, Buenos Aires, 1961.
Luc. J. Lefèvre: *L'Existentialiste est-il un philosophe?* Alsatia, París, 1946.
Robert de Lupé: *Albert Camus.* Temps Présent, París, 1951. Trad. esp. La Mandrágora, Buenos Aires, 1953.
Karl Löwith: *Les Implications politiques de la Philosophie de l'Existence chez Heidegger,* en "Les Temps Modernes", núm. 14, París, noviembre de 1946.
Jean Lacroix: *Marxisme, Existentialisme, Personnalisme.* Presses Universitaires, París, 1950.
E. Levinas: *En découvrant l'éxistence avec Husserl et Heidegger.* Vrin, París, 1948.
— *De l'Existence à l'Existant.* Fontaine, París, 1948.
Georges Lukacs: *Existentialisme ou Marxisme?* Nagel, París, 1948.
Julián Marías: *Filosofía actual y existencialismo en España,* en *La escuela de Madrid.* "Revista de Occidente", Madrid, 1954.
— *Machado y Heidegger,* en *Ensayos de convivencia.* Sudamericana Buenos Aires, 1955.
— *Ortega. Circunstancia y vocación.* Revista de Occidente, Madrid, 1960.
Claude-Edmonde Magny: *Sartre ou la Duplicité de l'être: ascèse ou mythomanie,* en *Les sandales d'Empédocle.* La Baconnière, Neuchâtel, 1945.
René Marill-Albérès: *Albert Camus et le Mythe de Prométhée y Sartre ou*

les Embarras de la liberté, en *La Révolte des Ecrivains d'aujourd'hui.* Corrêa, París, 1949.
— *Jean-Paul Sartre.* Editions Universitaires, París, 1953. Trad. esp. La Mandrágora, Buenos Aires, 1953.
— *Albert Camus ou la Nostalgie de l'Eden,* en *Les Hommes traqués.* La Nouvelle Edition, París, 1953.
Jacques Maritain: *Court Traité de l'Existence et de l'Existant.* Hartmann, París, 1947.
Thierry Maulnier: *J.-P. Sartre et le Suicide de la littérature,* en "La Table Ronde", núm. 2, París, 1948.
Maurice Merleau-Ponty: *La Querelle de l'Existentialisme,* en "Les Temps Modernes", núm. 2. París, noviembre de 1945.
— *Humanisme et Terreur. Essais sur le problème communiste.* Gallimard, París, 1947.
— *Sartre et l'Ultra-bolchevisme,* en Las Aventures de la Dialectique. Gallimard, París, 1956.
François Meyer: *L'Onthologie de Miguel de Unamuno.* Presses Universitaires, París, 1955.
Emmanuel Mounier: *Introduction aux Existentialismes.* Denoël, París, 1947. Trad. esp. Revista de Occidente, Madrid.
— *Albert Camus ou l'Appel des humiliés,* en *L'Espoir des Désespérés.* Seuil, París, 1953.
Roger Munier: *Visite à Heidegger,* en "Les Cahiers du Sud", núm. 312, Marsella, 1952.
Iris Murdoch: *Sartre, romantic rationalist.* Londres, 1953. Trad esp. Sur, Buenos Aires, 1956.
Eduardo Nicol: *Historicismo y existencialismo.* El Colegio de México, 1950.
André Nicolas: *Une Philosophie de l'Existence: Albert Camus.* P. U. F. París, 1964.
José Ortega y Gasset: *Historia como sistema.* Obras completas, VI, Revista de Occidente, Madrid, 1947.
— *La idea de principio en Leibniz y la evolución de la teoría deductiva.* Revista de Occidente, Madrid, 1958.
— *Prólogo para alemanes.* Taurus, Madrid, 1958.
Enzo Paci: *L'esistenzialismo.* Etichette del nostro tempo. Radio Italiana, Turín, 1953.
— *Esistenzialismo e storicismo.* Mondadori, Milán, 1960.
Luigi Pareyson: *Studi sull'esistenzialismo.* Florencia, 1943.
— *El existencialismo, reflejo de la conciencia contemporánea.* Universidad de Buenos Aires, 1949.
Jean Paulhan: *J.-P. Sartre n'est pas en bons termes avec les mots,* en "La Table Ronde", núm. 35. París, 1950.

Henri Peyre, Herbert Dickman y otros: *Existentialism,* en "Yale French Review", núm. 1. New Haven, primavera de 1948.
Gaëtan Picon: *Panorama de la Nouvelle Littérature française.* Gallimard, París, 1949.
—dirigido por...: *Panorama des Idées contemporaines.* Gallimard, París, 1957. Trad. esp. Ed. Guadarrama, Madrid, 1964.
J. B. Pontalis, Julien Benda, Emmanuel Mounier y otros: *Pour et contre l'Existentialisme.* Atlas, París, 1948.
Ismael Quiles: *Heidegger, el existencialismo de la angustia.* Buenos Aires, 1949.
J.-P. Sartre: *Sartre, El existencialismo del absurdo.* Buenos Aires, 1949.
Roger Quillot: *La Mer et les Prisons. Essai sur Albert Camus.* Gallimard, París, 1956.
Rabi: *Les Thèmes majeurs dans le théâtre de Sartre,* en "Esprit", núm. 172. París, octubre de 1950.
Herbert Read: *Existentialism, marxism and anarchism.* Freedon Press, Londres, 1950.
Agustín Rivero Artengo: *Sören Kierkegaard.* Emecé, Buenos Aires, 1949.
Marthe Robert: *Introduction à la Lecture de Kafka.* Sagittaire, París, 1946.
— *Kafka.* Gallimard, París, 1960.
— *L'Ancien et le Nouveau. De Don Quichote à Kafka.* Grasset, París, 1963.
Denis de Rougemont: *Kierkegaard et Hamlet,* en "Preuves", núm. 24. París, febrero de 1953.
— *Les Personnes du Drame.* Gallimard, París, 1947.
Guido de Ruggero: *L'esistenzialismo.* Laterza, Bari, 1946.
Jean-Paul Sartre: *L'Etre et le Néant.* Gallimard, París, 1943.
— *American novelists in french eyes,* en "The Atlantic Monthly", agosto de 1946.
— *L'Existentialisme est un Humanisme.* Nagel, París. Trad. esp. Sur, Buenos Aires, 1947.
— *Situations,* 5 vols. Gallimard, París, 1947-1964. Trad. esp. Losada, Buenos Aires.
J.-P. Sartre y R. Garaudy: *Marxisme et Existentialisme.* Plon, París, 1962.
Alberto Scarpelli: *Esistenzialismo e marxismo.* Taylor, Turín, 1950.
Juan R. Sepich: *La filosofía de "Ser y tiempo", de M. Heidegger.* Nuestro Tiempo, Buenos Aires, 1954.
Michele Federico Sciacca: *La filosofia oggi.* Mondadori, Milán, 1945. Traducción esp. Miracle, Barcelona, 1947.
Pierre-Henri Simon: *L'Homme en procès.* Seuil, París, 1950.
— *Présence de Camus.* Nizet, París, 1961.
Alfred Stern: *La filosofía del III Reich, instrumento de cultura,* en "Cuadernos Americanos", núm. 5. México, 1945.

Guillermo de Torre: *Cuadro de las corrientes literarias dominantes,* en "Revista Nacional de Cultura", núm. 62. Caracas, 1947.
— *Estética y filosofía del absurdo,* en "Realidad", núm. 9. Buenos Aires, mayo-junio de 1948.
— *El existencialismo y la literatura comprometida,* en "Verbum", núm. 90. Buenos Aires, 1948.
— *Jean-Paul Sartre y el existencialismo en la literatura.* Prólogo a *El muro,* de J.-P. Sartre. Losada, Buenos Aires, 1948.
— *El existencialismo en la literatura,* en "Cuadernos Americanos", México, 1948.
— *Valoración literaria del existencialismo.* Ollantay, Buenos Aires, 1948.
— *¿Es el existencialismo un problema de nuestro tiempo?,* en "Reseña", número 2. Buenos Aires, julio de 1949.
— *De Unamuno a Sartre,* en "El Nacional". Caracas, 4 de marzo de 1951.
— *Albert Camus, moralista,* en "El Nacional". Caracas, 26 de agosto de 1951.
— *El ciclo novelesco de Sartre,* en "Saber Vivir", núm. 95. Buenos Aires, marzo-abril de 1951.
— *Rebelión y comunión* y *El drama intelectual de los mandarines,* en *Las metamorfosis de Proteo.* Losada, Buenos Aires, 1956.
— *Itinerarios de Albert Camus,* en "La Nación". Buenos Aires, 8 de diciembre de 1957 y "El Nacional", Caracas, 4 de febrero de 1958.
R. Troisfontaines: *Le Choix de J.-P. Sartre.* Aubier, París, 1945.
A. de Waehlens: *La Philosophie de Martin Heidegger.* Lovaina, 1942. Traducción esp. C. S. I. C. Madrid, 1945.
— *Heidegger et Sartre,* en "Decaulion", núm. 1. París, 1946.
— *La Philosophie de Heidegger et le Nazisme,* en "Les Temps Modernes", número 22. París, julio de 1947. En el mismo número: Eric Weill, *Le Cas Heidegger.*
Alberto Wagner de Reyna: *La ontología fundamental de Heidegger.* Losada, Buenos Aires, 1939.
Jean Wahl: *Existence humaine et Transcendance.* La Baconnière, Neuchâtel, 1945.
— *Esquisse pour une histoire de l'existentialisme.* L'Arche, París, 1945.
— *Petite Histoire de l'Existentialisme.* Club Maintenant, París, 1947.
— *Etudes kierkegaardiennes.* Aubier, París, 1948.
J. Wahl, A. de Waehlens y otros: *Le Choix, le Monde, l'Existence.* Cahiers du Collège Philosophique. Arthaud, París, 1948.
Varios: *Connaissance de J.-P.Sartre.* Cahiers de la Compagnie Barrault-Renaud, núm. 13. París, 1955.
Fernando Vela: *Ortega y los existencialismos.* Revista de Occidente, Madrid.
Francisco Vives Estévez: *Introducción al existencialismo.* Pacífico, Santiago de Chile, 1948.
Colin Wilson: *El disconforme.* Trad. esp. Emecé, Buenos Aires, 1957.

10
LETRISMO Y CONCRETISMO

I

CAUTELOSO PREÁMBULO

Durante los mismos años en que alcanza mayor auge y extensión el existencialismo —los subsiguientes a la guerra mundial número 2: de 1945 a 1948— surge una escuela tan corta de radio como ambiciosa de intenciones, puesto que se inscribe en lo que llamamos panlirismo; una escuela que no osaremos calificar enteramente como literaria, ya que de la literatura sólo presenta ciertas maneras espectaculares, pero no el contenido, más bien aliterario, pero no aún radicalmente antiliterario... ¿Matices demasiado sutiles, montaña en exceso eminente relacionada con el ratón que dio a luz? Sin duda, pero la hipérbole, emparejada con la ironía, parece el mejor procedimiento para sintetizar la historia de algo tan difícilmente asible y tan fácilmente prescindible como es el letrismo. ¿Y porqué —podrá objetársenos— no seguir el último y expeditivo criterio? Américo Castro *(Dos ensayos,* 1956) estableció una diferencia entre lo describible, lo narrable y lo historiable respecto a la captación e interpretación de los hechos que forman la "morada vital" de un pueblo. Pero en otro plano, en el de los fenómenos literarios que dan fisonomía a una época, no es valedera ninguna exclusión de lo significativo, cualquiera que sea su valor y por mínima que resulte su órbita de influjo. Sobre todo, cuando la historia literaria de lo vivo y en marcha ha de tener forzosamente, dada la cercanía de los hechos, una gran porción de crónica y registro. No pretenderá, pues, en tales casos, empinarse a una valoración definitiva; la medida quedará solamente anticipada merced al enfoque relativista que se les aplique. De ahí que sean igualmente recusables las dos actitudes que indistintamente suelen adoptarse ante ciertos fenómenos extremos de maneras desaforadas y valor dudoso: por una parte, simular ignorarlos o zafarse de su urgencia, viéndolos como materia fugaz y perecedera, "verduras de las eras" (válganos el recuerdo de Jorge Manrique para congraciarnos con quienes practican tan simplista sistema); por otra, la opuesta, su aceptación porque sí, sobre todo cuando este conformismo se halla más o menos subconscientemente determinado por el miedo a la discrepancia, antaño impuesta por las mayorías conservadoras, hoy por las minorías revolucionarias. Decir "no" o decir "sí", categórica e individualmente, es hazaña, por lo visto, reservada a muy pocos.

EPÍLOGO, NO COMIENZOS

Nunca estas medidas precautorias habrán sido tan aconsejables como al verter una privada crítica de conjunto sobre la nueva y aniquiladora escuela letrista. Precisemos los calificativos: "nueva", relativizando al máximo el término, ya que sus raíces inmediatas sobresalen demasiado visibles, y su valor de sorpresa resulta casi anulado después del dadaísmo; de este movimiento, el letrismo viene a ser, en última instancia, un apéndice algo tardío. "Aniquiladora", al menos en la intención, porque destruye la esencia y el punto de partida inexcusable en toda expresión literaria: el verbo, la palabra. Como cualquier "escuela" que se jacte de serlo, desde el momento en que se vale del manifiesto, el letrismo promulga normas, estatuye prohibiciones y, en suma, hace hincapié en lo programático antes que en la obra propiamente dicha. De tal suerte que el letrismo, sin llegar a ser tanto como un movimiento, pues le falta potencia irradiante, fuerza contagiosa, aparece como la "reductio ad absurdum" de todos los movimientos literarios, su epílogo nihilista. Más allá, en la misma dirección, una vez destruida la palabra, sólo se avista la tierra rasa del signo, el ruido o el gesto como únicos medios de comunicación...

No es nada extraño, sino demasiado previsible, que las iniciales manifestaciones del letrismo, desarrolladas durante los años 1946-1948, antes suscitaran mofas a granel que respeto o positivo interés. El único reconocimiento que podía tributársele era considerarle como un remplazante del superrealismo, o más bien, un intento de llenar el vacío de escuelas literarias advertido en el París de dichos años, colmando así el hueco que no quiso —empero apariencias externas y una fácil proliferación anecdótica— colmar el existencialismo. Con todo, algún otro reconocimiento obtuvo también en sus orígenes el letrismo; por ejemplo, el hecho de que una revista considerable, *Fontaine* —sucedáneo pasajero, con *L'Arche,* de la *Nouvelle Revue Française*—, le dedicara amplia atención, presentando sus teorías y "realizaciones"; también, que una editorial famosa —Gallimard— publicara un libro doctrinal sobre la misma escuela, *Introduction à une nouvelle poésie et à une nouvelle musique,* y una novela, *L'agrégation d'un nom et d'un Messie,* originales de Isidore Isou. Ambas contribuciones pueden ser muy relativizadas, pues el eco logrado por el letrismo apenas rebasó un par de barrios parisienses. Pero en contraste con tan mínima resonancia y la obligada ausencia de obras personales que alcanzaran mayor impacto, hay un hecho favorable. Es la sincronización, en el tiempo, del letrismo, mediante el surgimiento de intentos semejantes practicados con las palabras, con su valor fónico o plástico, desprendidas casi del sentido, con las letras sueltas, en último extremo, disociadas de toda "esclavitud", de cualquier propósito "referencial", según ellos dicen. Tal el caso de la poesía concreta o concretista —y luego neoconcretista— cultivada por varios grupos europeos y uno iberoamericano, el brasileño.

PARENTESIS SOBRE LO CENTRIPETO
Y LO CENTRIFUGO DE PARIS

Pero veamos, ante todo, el letrismo en su casa matriz y en sus promotores. Ya he nombrado al más notorio e insistente: Isidore Isou (su verdadero apellido, Goldstein). Nacido en Rumania, adopta el francés como idioma literario, a semejanza de una Hélène Vacaresco, un Tristan Tzara, ayer; hoy de E. M. Cioran y Mircea Eliade. Linda con la veintena cuando lanza su ismo. Publica una revista, titulada con ingrata reminiscencia, *La Dictature Lettriste,* cuyo primer número —y único, según muy tradicionalmente era previsible— aparece en 1946; después, otras hojas sueltas, destinadas a venderse en las terrazas de los cafés de Saint-Germain-des-Près, más que a engrosar las hemerotecas, y cuyos títulos exactos sería difícil recordar. Sarane Alexandrian, otra figura principal del letrismo, anda por los veinte años, también en 1946, y ha nacido en Bagdad. Del mismo modo, junto a algunos nombres franceses (Jerôme Arbaud, François Dufrène; posteriormente se añaden Maurice Lemaître, Robert Altman y otros), abundan en el clan letrista los apellidos con otras grafías.

Detengámonos un momento en tan expresivo fenómeno. ¿Qué significa esto? No otra cosa sino que los impulsos renovadores más subversivos en el arte y la literatura de Francia continúan llegando casi siempre desde fuera de sus fronteras. Al cabo, el espíritu francés (expuse tal singularidad al estudiar largamente, en un libro aparte, la figura de Apollinaire) es por esencia respetuoso de normas y formas heredadas, y las rupturas violentas acostumbran a suscitarse por mentes de otra oriundez. La demostración de tal aserto se da particularmente en la poesía, como género más abierto, menos riguroso que ningún otro, ayer y hoy: desde el parnasianismo con el cubano José María de Heredia, y el simbolismo con el peruano Roca de Vergalo (pues no hay que olvidar, más de lo que está, a este precursor del "verso libre"), hasta el cubismo con Apollinaire y el dadaísmo con Tristan, pasando por la edad dorada del mencionado simbolismo: Lautréamont, Laforgue, Moréas, Stuart Merrill, Viélé-Griffin, y aun después los independientes, como Supervielle y Milosz. Esto sin olvidar la corroboración complementaria en el terreno de las artes plásticas, ya que buen número de pintores en la llamada "école de Paris" no son franceses (Picasso, Gris, Chagall, Klee, Ernst, Chirico, Dalí, Miró y muchos otros). Por consiguiente, la grandeza de Francia en este punto se basa no tanto en una aportación propia como en su admirable capacidad de acogimiento, en su permeabilidad asimiladora... y en su gran arte espectacular del "montaje escénico" para imantar la atención universal. Universalidad —atajemos el equívoco— de las repercusiones, del aparato amplificador, no del espíritu francés en sí mismo. Pues desmintiendo todas las apariencias (culpables o víctimas de creerlas realidades fueron las generaciones españolas e hispanoamericanas del siglo XIX y comienzos del XX, y sin menoscabo de otras virtudes), París, visto de cerca su funcionamiento intelectual, es centrípeto y ombliguista, provincial antes que internacional; en último extremo, sólo practica el centrifuguismo con aquellos productos que haya traducido o asimilado previamente, hasta el punto de poder darlos como propios.

EL LIRISMO, PUNTA EXTREMA

Ahora bien, dejando aparte esta cuestión de las levaduras extranjeras, no secundaria, sino muy esclarecedora —cuanto insuficientemente estudiada— y clave de otras contiguas, corresponde ya afrontar esta interrogación: ¿qué es, esencialmente, el letrismo? En términos generales, no viene a ser otra cosa que la punta extrema del panlirismo. Y por éste entendemos el afán no ya de supervalorizar un género (propósito de los poetas al cabo disculpable, ya que entienden compensar así la reducida expansión de sus obras en el espacio, salvo excepciones, con su estiramiento valorativo), sino de reducir todos los géneros a poesía, concretamente el lírico, pues se declararon fenecidas las demás vertientes, de la épica a la dramática..., puede ser visto también como el último coletazo de la poesía en cuanto género rector; es decir, la desesperada —no por última, mas por imposible ya de ser superada intencionalmente— manifestación del liderazgo que lo lírico había asumido, como punta de lanza, durante los años últimos; sería el canto de cisne en la noche de su voz dominadora, cuando en la rotación o alternancia de los géneros, la novela —impura como ella sola, mezclada con muy diversos elementos, mas poderosamente vital— recobra su antigua primacía, según ya expusimos en otro capítulo.

Por lo demás, el poetismo unilateral de los letristas —ya que sus presuntas prolongaciones en otras esferas, como la musical y la escénica, no pasan de tentativas— contribuye a acentuar un dramático choque de intenciones. Mientras, por un lado, se intensifican los "mass-media", merced particularmente al cinematógrafo, la radio y la televisión, y por lo tanto el allanamiento, la clarificación y hasta el avulgaramiento de cualquier producto mental, por otro lado la literatura, aquella que de modo voluntario quiere ser rigurosamente distinta, se enrarece hasta el límite; particularmente, cierta especie de poesía y cierto tipo de arte visual que aspiran a sustantividad por sí mismos, al margen de todo propósito representativo.

Un nuevo desdoblamiento del problema podría articularse así: está bien que la poesía vuelva a quererse puramente experimental, aspire a ser cabeza de puente, lanzada a la exploración de una posible —todavía— *terra incognita*; es legítimo que por ello el poeta ambicione sentirse un "pioneer". Y desde la ribera opuesta: es inútil, cuando no superfluo, que se insista en laborar una tierra harto esquilmada, que debiera dejarse en barbecho durante unas cuantas generaciones, preparándola así para cosechas menos entecas; aún más, resulta aureolada por una conmovedora gratuidad la obstinación de algunos en cultivar un género que apenas reclama lectores, cuyo lenguaje se acepta únicamente por su valor elusivo, indirecto, cuando el otro, el directo, el alusivo, no es tolerado en ciertos momentos de la vida de los pueblos.

EXTREMOS A QUE HA LLEGADO LA POESIA

"Extremos a que ha llegado la poesía". Tal era el título —más feliz que todo su contenido— de cierta fatalmente efímera y minúscula revista, ya recordada en otro capítulo, que algunos jóvenes publicaron, al comenzar la década del 30, en una vieja ciudad castellana, inconmovible, por lo demás, a tales sacudimientos. ¿Podría imaginarse otro membrete más expresivo y certero? Pero no sospechaban aquellos jóvenes —como tampoco lo sospecharon después los letristas— que esos extremos eran provisionales y extensibles. Su error era considerarlos ya como confines últimos, sin advertir que los viajes de circunnavegación, por lo mismo que cada nueva generación está obligada a remprenderlos, apenas reservan ya sorpresas y llega una época en que los momentos de partida y los de llegada se confunden con aire vengativo.

Cronológicamente, el letrismo llega cuando ya no quedaba nada por hacer... o por deshacer, dirán otros. Llega después de las palabras en libertad del futurismo, tras la escritura automática y las transcripciones oníricas, tras la sublimación de lo irracional y el flujo caótico y turbador del inconsciente. Llega cuando en el lenguaje se habían osado las mayores desintegraciones, y del período coherente sólo restaban algunos miembros dispersos; cuando las tentativas de Joyce y de aquellos epígonos suyos que se congregaron en *Transition* habían ya descubierto la estructura "vertigral" y practicado el "lenguaje de la noche", abandonando toda sombra de logicismo racional. Pero aún en *Finnegans Wake* el verbo subsistía; aún más, se agrandaba, mediante una ininterrumpida invención de palabras que no constan en el diccionario de ninguna lengua; si las resultantes aparecían a primera vista (a veces hasta en segunda y última) ininteligibles, debíase a su elasticidad semántica, a su multiplicidad de significados. Los "siete tipos de ambigüedad", fijados por William Empson, se multiplican indefinidamente en la obra última de Joyce, puesto que no son productos de la disociación de las frases, sino de la distorsión, ruptura o ensamblaje imprevisto de las palabras. He ahí la diferencia de lo sucedido después con la tentativa letrista; descartada la palabra se pasaba a la letra; suprimido el sentido se pasa al sonido; en suma, de los morfemas se da un salto en el vacío hasta los fonemas.

QUE ES Y QUE PRETENDE SER EL LETRISMO

Si la sintaxis había caído hecha astillas, el párrafo desarticulado irrecognosciblemente y la palabra triturada, ¿qué otra cosa quedaba por revolucionar sino la materia prima, las mismas letras? Pues bien, eso será la revolución del letrismo: la reducción de la poesía a simples sartas alfabéticas. No ya la poesía de la ausencia, ambicionada por un Mallarmé en su afán heroico de absoluto, y simbolizado en aquel "aboli bibelot d'inanité sonore", sino el propio vacío; otra especie de "nada" lírica, pareja de la "nada" metafísica, punto de arranque de Heidegger.

Con otras palabras, los mismos letristas lo declaraban así en el primer número de su revista: "Después de la destrucción de la palabra sólo nos queda como material poético la letra". Y agregaban: "No se trata de destruir las palabras para crear otras palabras, sino de concretar el silencio, de escribir la nada". Esta aniquilación de la materia verbal y, por supuesto, de cualquier contenido comunicable, no deja de asemejarse a las últimas derivaciones ofrecidas por la pintura abstracta, no figurativa o antinaturalista. Así, recordamos particularmente una fase de la tendencia *madi*; estos pintores no atacaban ya el contenido pictórico, el tema, sino el cuadro como tal cuadro, rompiendo su forma octogonal, reduciéndolo a formas sueltas, irregulares y monocromas en el espacio. De modo similar los letristas cifran su desiderátum en la desintegración de las palabras, agrupándolas sueltas en el espacio. El resultado de estos últimos experimentos, claro es, no podrá pasar, en el mejor de los casos, de algunas onomatopeyas, o bien de recordarnos los logros más felices de las "jitanjáforas", teorizadas por Alfonso Reyes, o bien ciertas puras sonoridades verbales de la poesía negroamericana.

"El letrismo —dejemos ahora definirlo, si bien con escasa precisión, a su teorizante máximo, Isidore Isou— es el arte que acepta la materia de las letras reducidas —y transformadas— simplemente a sí mismas —agregando o remplazando totalmente los elementos poéticos y musicales—, y que las sobrepasa para moldear en su bloque obras coherentes". El aserto final parecerá al lector de comprobación muy problemática cuando llegue la hora de presentarle algún ejemplo. Pero sigamos escuchando a Isou: "La idea central del nombre (el letrismo) es que no existe nada en el Espíritu que no sea o que no pueda llegar a ser Letra". Lo inverso justamente siempre nos habría parecido más exacto, pero sin detenernos en réplicas minuciosas transcribamos nuevamente: "Nosotros hemos abierto el alfabeto, encogido desde hace siglos en sus veinticuatro letras (se refiere, claro es, al alfabeto francés) arteriosclosadas y le hemos hundido en el vientre diecinueve letras nuevas".

¿Consecuencias, ventajas posibles que implica esa adjunción quirúrgica? Según los letristas, ante todo, "una complejidad de enriquecimiento cuantitativo", y luego, "una complejidad de profundización cualitativa". Demostración, según Isou, de lo primero, sería el empleo de "letras nuevas, signos, voces, gamas, leyes críticas desconocidas"; de lo segundo, "un avance en la excavación y ordenación de las letras:

una nueva distribución del alfabeto, teniendo en cuenta las diecinueve letras descubiertas, a fin de que su conexión resulte perceptible; un aspecto nuevo, ya que en él varias letras yuxtapuestas, contrapuntísticas, o una letra única, podría ser la notación de varias. Esto significa una percepción aguda de los matices en las acumulaciones verticales". Y como resumen de tan heroicos o ingenuos propósitos, nuestro innovador finaliza la primera parte de su manifiesto, según cuadra a un poseído, con este alarde dogmático: "El porvenir del arte sólo podrá ser superletrista y no infraletrista. No se podrá destruir el letrismo más que asimilándolo, perfeccionándolo y agotándolo mediante la superación".

Pero ¿quién osará tal cosa? ¿Quién se atreverá a actuar de Anticristo después de este Mesías? Imposible. Escuchemos sus propias palabras: "Toda la poesía, desde Baudelaire, ha tendido a la creación de Isou. Ningún poeta tuvo el valor de realizar prácticamente lo que él había esperado teóricamente. A partir de Baudelaire todos los poetas no fueron más que etapas hasta Isou".

Isou *dixit*. Pero he aquí ahora los ejemplos prometidos, empezando por las cuatro estrofas, llenas de sonoridad operística más que jitanjafórica, firmadas por François Dufrene y que se titulan, esto en idioma normal, "Danza de los trasgos":

I

Dolce; dolce,
Yaase folce,
Dolce; dolce,
Yoli, deline.

II

Yulce, yulce,
Youdouli dulce,
Yulce, yulce,
Kzill odaline.

III

Jalce, jalce,
Yahanti galce
Jalce, jalce,
Bluze psiline.

IV

Djilce, djile,
Hando bokjile,
Djilce, djile,
Yli zlideline.

¿Para qué transcribir más? Por escasa imaginación que tenga el lector podrá figurarse sin gran esfuerzo el desenlace. He aquí ahora el comienzo de otro poema con mayor resonancia clásica, mejor dicho, preclásica, remotamente primitiva, puesto que sus sonoridades evocan el canto guerrero de algún clan centroafricano. Se titula, pues, muy congruentemente, "Ritual suntuoso para la salvación de los espacios", y es su autor Jerôme Arbaud:

Guisnne! liquidanne liquidanne barre...
liquidinne liquidinne binne...
Bis *guyngosson guyarre*
guyngossonguynne
guyngossonguynne

Hai! bidjy-bidjy bai! bidjy-bidjy bai! Hai!

Hakonjarrll! barrll! garrll!
Hakonjarrll! barrll! garrll!
Bis *Hakonjarrll! barrll! garrll!*
Dylanne!

Hai! bidjy-bidjy bai! bidjy-bidjy bai! Hai!

*Gdysch! gdsych! gdalambaia!...
Guisnne, Odinne,
Gallimbadaldaia, Gallimbadaldaia,*
Bis *bondeboco! bondeboco'n bal!
vondevoco! vondevoco'n val!*

RESTAS Y SUMAS

Déjense a un lado los pequeñísimos reparos que este nuevo arte pueda suscitar y hágasele, en cambio, una justicia: reconocer su clarísima accesibilidad en todos los idiomas. Y en esto no hay ironía. Puesto que la poesía es intraducible por esencia y ambiciona, no obstante, ser el arte más universal, he aquí logrado su ideal: los poemas letristas (o "apoemas", como otro de la misma escuela, Henri Pichette [1], los califica) no necesitan ya ser traducidos para entenderse —o no entenderse—; o bien, si se prefiere, parecen ya traducidos desde el momento de nacer en su "idioma original". De esta suerte, si semejante literatura llegara a imponerse, sería la única verdadera literatura internacional, aquella "Weltliteratur" soñada por Goethe, con posibilidad de ser captada simultáneamente por los lectores de los más diversos países; a condición, cierto es, de que dichos lectores hayan sido adiestrados des-

[1] Sólo momentáneamente apareció Henri Pichette agrupado al letrismo. Después, aunque por el título de un libro suyo —*Épiphanies*— pudo creérsele incorporado al epifanismo (levísimo conato, muerto al nacer de Henri Perruehot, quien publica en 1949 una *Introduction à l'épiphanisme*, increíblemente inexpresiva, simple y desgarrado ataque contra el existencialismo), Henri Pichette se erige más bien en enemigo de los letristas, si es que no son éstos quienes le declaran la guerra; y a este propósito recuerdo los prospectos agresivos que arrojaron en la sala del Teatro Chaillot, durante el estreno, en 1952, de *Nucléa*. Naturalmente, Henri Pichette resulta casi un conservador frente a los aniquiladores ortodoxos del letrismo. Si innova —¿o restaura?— es en la tipografía de su poema dramático *Les épiphanies*, pero en la técnica de *Nucléa* no vacila en utilizar los alejandrinos de corte raciniano; cierto es que llenando este molde con tiradas maravillosamente incongruentes. Despliega una suntuosa retórica con el fin de alegorizar algo así como el totalitarismo bélico, el grito del hombre-robot entre el avasallamiento de las masificaciones.

de su infancia en el paladeo de tan sublimes armonías fonéticas. Triunfarían así, con leve retraso, ciertas escuelas —el zenitismo del alsaciano Iván Goll y de Ljubomir Micic, nacido en Yugoslavia, el babelismo que Emile Malespine defendía en su revista *Manomètre* desde Lyon, el neofuturismo de un poeta ruso, Iyia Zdanévich, a quien escuchamos hace años en París— surgidas en la otra postguerra, pero que, al parecer, aun aquella época tan permeable no estaba todavía en condiciones de asimilar. Y quienes muchas veces nos hemos alzado contra las limitaciones localistas y los topes fronterizos del idioma propio, tendríamos a nuestra merced otro de área ilimitada. No es menguado beneficio.

ENLACES, MAS QUE RUPTURAS

Mas quienes estiman muy complicadamente utópicas —o muy claramente disparatadas— tales perspectivas, seguramente encontrarán mayor solaz en la parte polémica que, tras la parte doctrinal, contiene el manifiesto de Isou. Hacia aquella van también nuestras preferencias. Ante todo, por el ánimo alegre, el ímpetu agresivo, el ardimiento juvenil, en suma, con que está escrito. Señala así, en cierta manera, la vuelta del modo jovial, la bienhumorada alacridad que prevaleció en los manifiestos de las escuelas de vanguardia antecesoras, el optimismo inaugural de las hojas futuristas, la ancha carcajada de las irreverencias dadás. ¿Y cómo no dar la bienvenida a esta oleada de humor excepcional, cuando estábamos literalmente anegados por la pleamar oscura que forman las corrientes combinadas de la literatura comprometida y del existencialismo, sobre todo cuando las torvas honduras del "Dasein" y del "Mitsein" tanto nos angustiaron y entenebrecieron el ánimo en aquellos años?

Por lo demás, cierta ley se cumplía una vez más y, como en el caso del futurismo, lo mejor del letrismo son sus manifiestos. El del nuevo cabecilla ostenta las mejores características del género: osadía, agresividad, autorreclamismo, malicia dialéctica, fórmulas felices. Es, en suma, la obra de un literato. De ahí que precisamente —cumpliéndose asimismo otra ley, y tendiendo a despistarnos— Isou aparente re-

niegue de lo literario y repita este "slogan" último tan inconsistente:
"La poesía no tiene nada que ver con la literatura". Y, más adelante,
afirme con no menor seriedad que "la poesía letrista es la única, la
verdadera expresión de esta guerra", no vacilando en hacer suya la
frase lanzada por un contradictor: "La poesía letrista es la poesía atómica de nuestro siglo". A lo cual no hay inconveniente en asentir,
ya que otro poeta de muy superior nivel, René Char, procedente del
superrealismo, canta los elogios de *El poema pulverizado* en un libro
con tal título.

Con la intemperancia que es de rigor en los recién llegados Monsieur Isou y sus adláteres, para intentar afirmarse a sí mismos, comienzan por minar los cimientos de sus predecesores, particularmente de los
más próximos. Y éstos, como se intuirá, no son otros que los superrealistas, personificados en su líder vitalicio, André Breton. La más amable calificación que le tributan es la de "cadáver", usando cierto instinto de "boomerangs", ya que, según se recordará, Breton arrojó este
ladrillo funeral contra Anatole France, y pocos años más tarde recibió
algunos cascotes del mismo sobre su cabeza en la hoja "Un cadáver",
que le asestaron algunos de sus ex commilitones a lo largo de una de
las muchas escisiones del grupo.

Isou, por su parte, resuelve expeditivamente que el superrealismo
está "superado", que el advenimiento de "la Léttrie" torna caduca
aquella estética y que "un nuevo movimiento emancipador" ha nacido
junto con las diecinueve letras nuevas del alfabeto; por supuesto, son meramente sonidos. Ahora bien, al mismo tiempo que rompe amarras con
el superrealismo, Isou tiende un puente de enlace hacia el movimiento
afín y parcialmente antecesor: el dadaísmo. "Unicamente —escribe—
el letrismo ha sido consecuente con las intenciones de Dadá. Por ello
el nuevo avance rebasa las fortificaciones envejecidas del superrealismo,
disipa aún aquellas más lejanas y presuntuosas de Dadá y eleva sus
tiendas sobre el terreno del Diablo, que parecía el propio vacío". En
resumen, cuando quieren descubrir quiénes son los más próximos a
ellos, los letristas se encuentran "no con el superrealismo, sino con
Dadá, y como símbolo Tristan Tzara, y no André Breton". Queda

así explicado por qué, al menos en su aspecto externo, en sus gesticulaciones ante el público, el letrismo nos pareció venir a continuar alegremente la empresa de demolición y de saneamiento por el humor con que escandalizó Dadá en la década de 1920.

EL TIRO Y EL RETROCESO

¿Qué pasará con el letrismo? —nos preguntábamos en 1948, a raíz de sus primeras publicaciones—. ¿Su meta última caerá en el mismo punto de su partida o más atrás? Al margen de horóscopos y calendarios, de fáciles indignaciones y de apologías igualmente cándidas, sólo importa —ahora seriamente— apuntar un reproche profundo. Agotada, al parecer, y más o menos momentáneamente, la savia auténtica del espíritu realmente innovador, ¿acaso lo que el letrismo nos propone no semeja más bien su reverso caricaturesco? ¿No correrán sus "fugas de vocales" el riesgo de convertirse en armas ofrecidas a los recalcitrantes misoneístas, comprometiendo así las conquistas verdaderas del espíritu radicalmente innovador? En suma, queriendo rebasar todos los límites previsibles, ¿no terminará el letrismo amenazando de descrédito a todo lo nuevo? Porque el retroceso de la culata suele ser, a veces, aunque parezca extraño, más violento, de onda más larga, que el tiro. Algo semejante dijo Juan de Mairena, con su grave sorna andaluza, aplicado al fenómeno político. Pero muy bien pudiéramos extenderlo al fenómeno literario.

RAMIFICACIONES

¿Qué ha pasado con el letrismo? —podemos no sólo volver a preguntar, sino responder, quince años después—. Porque, si bien en pequeña escala y sin que haya logrado nunca ser tomado completamente en serio (lo que en modo alguno deberá entenderse como "oficializado", simplemente "incorporado" a aquellas expresiones con las cuales "se cuenta", empero las muchas discrepancias que sigan levantando, y aun precisamente por eso...), la "realidad" es que esta semiescuela, opuesta más que ninguna otra a todo "realismo", al menos a tender un puente de acceso a la comprensión normal, no ha dejado de mantenerse en la brecha, encontrando alguna aceptación inesperada y, sobre todo, ciertas ramificaciones indirectas que confirman, no menos imprevistamente, la legitimidad parcial de sus burlas.

La primera afirmación se comprueba mediante el hecho de que los compiladores de un número especial del *Times Literary Supplement* (3 de septiembre de 1964), consagrado a los movimientos últimos de vanguardia, no hayan desdeñado incluir el letrismo, junto con otras tendencias homólogas que asimismo especulan con las palabras y los signos; tales, por ejemplo, el concretismo brasileño, las "letras como pintura y lenguaje" de Franz Moon en Alemania, otra escuela letrista semejante, la de Diter Rot, y el grupo *Nul*, ambos en Holanda [2]... Pero la contribución teórica de Isidore Isou no aporta ninguna novedad sustancial, tras su manifiesto de *Fontaine* y el libro *Introduction à une nouvelle poésie*, diecisiete años antes. Por ello los calificativos que el mismo *Times* le aplica al reseñar sus tentativas teatrales, *Oeuvres de spectacle*, hablando de su "agresiva megalomanía", y considerando que su movimiento es una "caricatura de la vanguardia", no pueden tomarse como expresión de un conservadurismo intransigente. Claro es que el vituperio transcrito casa perfectamente con las modestas líneas que finalizan el artículo de Isou: "Los letristas, a través de sus perpetuas creaciones, son siempre la vanguardia de la vanguardia." ¡Qué débiles, en todo caso, tales ínfulas comparadas con los desplantes de los manifiestos marinettianos!

Mayor interés ofrece un poema de un miembro de la misma escuela letrista, Maurice Lemaître, pieza que se exime de todo comentario y rechaza el menor conato de explicación o traducción, dada la transparencia de su lenguaje y la perfección clásica de sus rimas en los cuartetos y tercetos. Sin más preámbulos, helo aquí:

[2] Sobre estos autores y sus teorías se encontrarán más detalles en el epílogo del presente libro.

Sonnet à Néhama d'Israël

Lakhziv alagachèr néhama néhama
Chévachôlèim slikhèkolam tarékô
Sdamsfod noHamé nôHâmé dadurikô
Tadô tadô kan kanatadô démona

Kbotz, arapolim polima machôvama
Chlam olèkh, tirfa chdad, sgèv yémin arokô
An dvèr karètzin kharitzon haHomékô
Havar havara Hahéèvara sama

Gèmil khoritzon tédépola polémim
NaHamèma smakh sémèkhama ogamim
Gof! gmèdrèv gmodérev nayabèt anaHam

Orzin arzonilim apornizoôlod
Zamakh balosmichaim koroma èrdod
Ogalina oôHam oôHamaHa.

Y a modo de colofón agreguemos que Maurice Lemaître dirige una revista titulada *Ur,* la cual no aspira a ser órgano de la civilización extinguida de tal nombre, sino deleite de los "happy few" rigurosamente contados, puesto que limita su tirada a cien ejemplares.

II

CONCRETISMO

En cuanto a las prolongaciones indirectas del letrismo, antes aludidas, se manifiestan dentro de un país extraeuropeo que, en contraste con su extensión territorial, apenas estaba poblado en lo literario, dada su juventud, por especies disonantes; nos referimos al Brasil y a la poesía concretista de los últimos años. Ahora bien, es curioso que los críticos y practicantes del concretismo nunca recuerden el antecedente inmediato del letrismo y, en cambio, se extiendan largamente sobre sus propios preorígenes. La raíz de los concretistas o su puente de enlace más visible se halla indudablemente en la Semana de Arte Moderno de San Pablo, celebrada en 1922, coetánea de las primeras vanguardias europeas, y ya mencionada en el capítulo sobre el ultraísmo. El punto de arranque propio está en el grupo y la revista *Noigandres* (palabra provenzal, tomada de Arnaut Daniel, pero no directamente, sino a través de uno de los *Cantos* de Ezra Pound), fundada en 1952 por Decio Pignatari, Augusto y Haroldo de Campos y Ronaldo Azevedo. Los números de *Noigandres* se escalonan con largos intervalos, tropicales siestas. El que lleva el número 2 aparece en 1955 e incluye *Poetamenos,* serie de poemas espaciales, en color, de Augusto de Campos. Con otro número posterior, en 1958, pasan a los poemas-carteles y lanzan un "Plan piloto de la poesía concreta". Nuevos nombres que van incorporándose: José Lino Grünewald, Pedro Xisto, Ferreira Gullar, Edgar Braga. Otra revista posterior del mismo grupo es *Invençao,* en 1962, sin contar las publicaciones en suplementos de diarios como *Correo Paulistano* y *O Estado de Sao Paulo.* En cuanto a las precedencias extranjeras, los concretistas, si bien ignoran las del letrismo, no dejan de invocar otras más notorias, que van desde el Mallarmé de *Un coup de dés* —por su sentido del "espacialismo" y la distribución tipográfica— hasta los movimientos futurista y dadaísta, llegando inclusive a mencionar los ideogramas chinos, los criptogramas griegos, el método de composición musical de Webern y la plástica de Max Bill.

Pero cortando tan larga genealogía, suprimible en una escuela que, en rigor, más bien debiera jactarse de arrancar del cero, vengamos a una síntesis de sus teorías, según las han expuesto, por un lado, Decio Pignatari, y por otro, dos críticos españoles, Angel Crespo y Pilar Gómez Bedate. Los poetas concretos —dicen los últimos— "consideran cerrado el ciclo histórico del verso como unidad rítmico-formal y adoptan el espacio gráfico como elemento estructural". Lo que quiere decir que sobre un espacio en blanco disponen otro pequeño espacio sobre el cual agrupan algunas líneas o simplemente palabras sueltas, atentos quizá más a dibujar que a expresar, buscando una sensación óptica; tal agrupación —o dispersión—, en el mejor de los casos, recuerda demasiado los caligramas de Apollinaire y algunas tipografías poemáticas de Maiakovsky, pero no los superan. Sus mejores efectos los alcanzan mediante onomatopeyas; en otros casos, pretenden introducir "un efecto sinestésico, conmover de un solo golpe todos los sentidos del lector".

En definitiva —por seguir citando a los mencionados críticos— "los concretistas sienten la necesidad de prescindir por completo de la estructura sintáctico-discursiva del verso; consideran que ha llegado a caminos sin salida con el hermetismo y la poesía pura, y tratan de crear un nuevo medio de expresión poética, prescindiendo de la frase, utilizando palabras desarticuladas, los nexos entre las cuales deberán ser hallados por el lector..." Mas ¿no será pedirle demasiado al lector predominante en la década del 60, que ha perdido la paciencia, cuando todo se lo dan digerido por medio de la imagen gráfica y del cartel sintético? Algo muy distinto sucedía probablemente con el lector habitual de 1910 y 1920, quien se asomaba, con una curiosidad no estragada, a las páginas tipográficas de Marinetti, a las composiciones de los "paroliberi" futuristas, a los caligramas cubistas. En esa línea, más tradicional —modernamente tradicional— pueden situarse los lirogramas de poetas anteriores al concretismo, pero incorporados posteriormente al mismo, como Carlos Drumond de Andrade, Casiano Ricardo, Edgar Braga y Manuel Bandeira. He aquí unas muestras de los dos últimos, elegidas por su sencillez, porque no requieren el clisé fotográfico.

<pre>
        sombra   pomba   pousa
                    pomba
                    pomba
                    pomba
        calma   ramo   pousa
        (rosa)   pomar   (pomba)
                    poema
                    rosalgar
                    —x—
</pre>

alarido *ferro*
alvorada *serro*
pleito
flauta
nesperas *noite*
anemona *noivado*

Y, finalmente, otra de Pedro Xisto, autor de un libro titulado *Hai-Kais & Concretos*:

```
        es    pa    ço
   es    pa    ço    es
        pa    ço    es
   pa    ço    es    pa
        ço    es    pa
   ço    es    pa    ço
        es    pa    ço
```

UN LENGUAJE INTRANSFERIBLE

Pero ¿sucederá igual con otros experimentos del mismo Pedro Xisto, de Luiz Angelo Pinto y Decio Pignatari? Afirman éstos que "un lenguaje vale por lo que tiene de intraducible, de no intercambiable, de irreducible a otros lenguajes". De tal suerte van más allá de cualquier solipsismo que pueda imaginarse y hacen una invitación a que cada humano invente su jerga personal e intransferible. ¿Babelismo? La expresión se queda corta; unigrafismo sería tal vez más adecuada. En efecto, si los concretistas habían comenzado intrincándose por un camino muy semejante al de los letristas, trabajando con los elementos fónicos del lenguaje, aisladamente considerados, después cortan amarras y se valen casi únicamente de signos gráficos. Imposible sería aducir ejemplos sin el auxilio del grabado. No ya concretismo, sino neoconcretismo o "poesía-praxis", como ellos la denominan. Escribe textualmente uno de sus teóricos, Mario Chamie: "Sustituye al objeto, que era el poema concreto, por un no-objeto que debía ser el poema.

El no-objeto conseguiría que las palabras puestas en la página en blanco, según una relación analógico-visual, ocupasen su *lugar* en un espacio que podría ser el de la página en blanco." Como se advertirá, este desencadenamiento de perplejidades y negaciones, esta apología del vacío conduce, por el camino más corto, hacia los territorios colmados del no ser, se pierde en el caos originario y enlaza a la vez con el apocalipsis terminal... Pero al margen de facecias y paradojas —aunque no sea fácil renunciar a ellas ante semejante alud de incitantes incongruencias—: si tanto el letrismo como el concretismo y sus variantes internacionales resultan impracticables, débese a que eligen como medio expresivo una materia cambiante mas no destructible: la palabra, el lenguaje.

LA PALABRA VISUALIZADA

Pero ello no anula su interés, su posible porvenir. Porque fuera de tal dominio, el verdadero campo de acción de la palabra visualizada o sonorizada no es el de la escritura, es el de la imagen directa o simbólica. Por algo, aunque sin profundizar mucho en el asunto, apelando a intuiciones más que a conocimientos precisos —ya que ello supondría pilares científicos—, los concretistas sacan a relucir la semántica, la semiótica y la teoría de la información. Gillo Dorfles *(Simbolo comunicazione consumo)* ha estudiado la importancia de la última, en relación con los nuevos canales de comunicación creados en un mundo cada vez más interdependiente.

Se entiende mejor la antedicha relación cuando se observa el avance actual de los signos gráficos como otro lenguaje de comunicación, cuando sobre las teorías de letristas y concretistas se vierte el proyector de los focos publicitarios, de los carteles. "Poemas-carteles", efectivamente, se titulaban los expuestos en la Semana Nacional de Poesía de Vanguardia, celebrada en Sao Paulo en 1963, que quiso equipararse en importancia con la que siempre recuerdan los brasileños, la de Arte Moderno de 1922. Junto a algunos de los nombres ya antes citados, figuraban José Lino Grünewald, José Paulo Paes, Félix de Athayde y

Waldemar Dias Pino, más representantes de los nuevos grupos *Tendência, Veredas* y *Ptyx*.

Decio Pignatari cuenta la influencia que tuvo para él su encuentro con Eugen Gomringer, artista de la "Hochschule für Gestaltung", en Ulm, empeñado en buscas similares, en el orden formal, a las que siguen los concretistas. La escultura cinética de Tinguely y Schoeffer, la música que se llamó primero concreta y que hoy se conoce más bien como electrónica, pueden figurar también entre las artes afines al concretismo [3].

Aunque los concretistas hagan también referencias a las modernas señalizaciones del tránsito, al lenguaje de los computadores electrónicos, al matemático, al de la lógica simbólica, a los métodos audiovisuales, yo entiendo, sin descartar enteramente tales influjos o conexiones, que las mayores son de orden plástico; se sitúan en el plano de los experimentos pictóricos y escultóricos de donde arranca el arte abstracto. Abstracto que —si nos atenemos a uno de sus inventores, Piet Mondrian— vale tanto como concreto; "hasta es más concreto —aseguraba— que el arte naturalista". Al romper con las formas dadas, los plásticos concretos hacían hincapié únicamente en el espacio, tratado en función geométrica. No el informalismo, ni el manchismo, y menos la "action painting" o el "pop", variante de lo bruto o directo o instintivo, sino más bien lo que, sin demasiada propiedad, se ha llamado "pintura del signo y del gesto", son los protoartes o superartes —tanto vale, dada la caprichosidad terminológica imperante en tal terreno— que cabe relacionar con las palabras y las letras aisladas en cuanto presuntas formas de nueva poesía.

En los cuadros del citado Mondrian, tanto como en los de Malévich

---

[3] No es extraño que en el caso de los letristas, algunos de sus miembros, por ejemplo, Spacagna y el mismo Isou, parezcan expresarse —menos discutiblemente— sobre el lienzo que en la página. Hemos podido advertirlo al contemplar algunos cuadros de los dos últimos nombrados en una exposición organizada por Michel Tapié, bajo el título de "Intuiciones y realizaciones formales" (Instituto Di Tella, Buenos Aires, 1964); tales cuadros están compuestos exclusivamente no sobre la base de líneas, formas o colores, sino de letras, incluyendo varios alfabetos existentes y otros inexistentes o inventados.

y posteriores, la superficie vacía del lienzo vale tanto como la llena. Con cierta intención —mal intencionadamente— algunos agregarán que en los poemas letristas y concretistas lo más admirable es lo no escrito. Pero descartemos —venciendo tentaciones malignas— conclusión tan simplista. Porque ni el letrismo ni el concretismo concluyen; apenas empiezan. Su porvenir —no diremos exactamente literario, pero sí visual— está ligado muy directamente con la evolución de la plástica, del diseño industrial, de la publicidad, del cinematógrafo, de todas aquellas formas ya inventadas o por inventar en que la imagen y el signo se adelantan sobre la palabra.

En el principio fue el verbo; en el principio fue la acción —decíase antes, con la Biblia o con Fausto—. Quizá se escriba en el futuro: en el principio fue la imagen. El Eidos devora al Logos.

BIBLIOGRAFIA

Sarane Alexandrian, Isidore Isou y André Lambaire: *Instances de la Poésie en 1947,* en "Fontaine", núm. 62. París, octubre 1947.
Mario de Andrade: *O movimento modernista.* Río de Janeiro, 1942.
Walmir Ayala: *La nueva poesía brasileña,* en "Revista de Cultura Brasileña", núm. 3, Madrid, diciembre 1962.
Manuel Bandeira, *Apresentaçao da Moderna Poesia Brasileira seguida de una pequena antologia.* C. E. B., Río de Janeiro, 1946. Trad. esp.: Fondo de Cultura Económica, México-Buenos Aires, 1946.
João Cabral de Melo Neto, *A funçao moderna da poesia,* São Paulo, 1954.
Adolfo Casais Monteiro: *La Génération d'Orpheu.* Fernando Pessoa, Mario de Sã Carneiro, Almada Negreiros y Jorge de Sena: *La Poésie de Presença,* en "Courrier du Centre International d'Etudes Poétiques", núms. 35-36. Bruselas, s. a.
Mario Chamie, *Poema-praxis, un acontecimiento revolucionario,* en "Revista de Cultura Brasileña", núm. 9, Madrid, junio de 1964.
Afranio Coutinho, *A literatura no Brasil.* Sud America, Río de Janeiro, 1962.
Angel Crespo y Pilar Gómez Bedate, *Situación de la poesía concreta,* en "Revista de Cultura Brasileña", núm. 5. Madrid, junio 1963.
Gillo Dorfles, *Simbolo, comunicazione, consumo.* Einaudi, Turín, 1962.
Fidelino de Figueiredo: *Depois de Eça de Queiroz...* São Paulo, 1943.
Antonio Houais: *Seis poetas e um problema.* Río de Janeiro, 1960.
Isidore Isou: *Introduction à une nouvelle poétique et à une nouvelle musique.* Gallimard, París, 1947.
— *Précisions sur ma poésie.* Aux escaliers de Lausanne, París, s. a.
— *Oeuvres de Spectacle.* Gallimard, París, 1964.
— *The creations of lettrism,* en "The Times Literary Supplement". Londres, 3 de septiembre 1964.
Maurice Lemaître: *Bilan lettriste.* Richard Masse, París, 1951.
— *Qu'est-ce que le Lettrisme?* Fischbacher, París, 1953.
Wilson Martins: *50 años de literatura brasileira,* en *Panoramas das literaturas das Americas,* I. Nova Lisboa, Angola, 1958.
Eduardo Mattos Portella: *Algunos aspectos de la poesía brasileña contemporánea,* en *Jornadas de lengua y literatura hispanoamericana,* I. Salamanca, 1956.
Sergio Milliet: *Panorama da moderna poesia brasileña,* Río de Janeiro, 1952.

Vinicius de Moraes: *La moderna poesía brasileña,* en "Sur". Buenos Aires, septiembre 1942.

John Nist: *El modernismo brasileño,* en "Revista de Cultura Brasileña", número 6. Madrid, septiembre de 1963.

— *Brazilian concretism,* en "Hispania", vol. XLVII, núm. 4, diciembre 1964.

Luis Angelo Pinto y Decio Pignatari: *Nuevo lenguaje, nueva poesía,* en "Revista de Cultura Brasileña", núm. 10. Madrid, octubre 1964.

Henri Perruchot: *Introduction à l'Epiphanisme.* Le Sillage, París, 1949.

Poesía concreta. Embajada del Brasil, Lisboa, 1962.

Decio Pignatari: *The concret Poets of Brazil,* en "The Times Literary Supplement". Londres, 3 de septiembre 1964.

Mario da Silva Brito: *A revolucão modernista,* en *A literatura no Brasil,* volumen III, dirigida por Afranio Coutinho. Río de Janeiro, 1959.

Antonio Soares Amora: *Historia da literatura brasileira.* Saraiva, São Paulo, 1958.

Guillermo de Torre: *Una nueva escuela literaria. El letrismo,* en "La Nación". Buenos Aires, marzo 1948.

Nelson Wernech Sodré, *Historia da literatura brasileira.* José Olimpio, Río de Janeiro, 1960.

11
NEORREALISMO

PRINCIPIO Y FIN DE LA NOVELA

Si la novela nace con la captación artística del mundo de la realidad, quizá no suene muy aventurado predecir que terminará con la saturación del realismo. Ahora bien, augurar la muerte de un género literario es todavía más azaroso que fijar con rigor su nacimiento. Además, los géneros literarios no mueren; se metamorfosean. Si la novela fue considerada por los preceptistas, todavía en el pasado siglo, como una degeneración de la epopeya, ¿por qué algún género, aún hoy sin nombre, no podrá ser visto mañana como una superación (el orgullo contemporáneo nunca permitiría escribir "degeneración") de la novela? Sabemos indudablemente que la cuna de lo novelesco, la protonovela, se halla en la fábula y el mito. No ignoramos que, contradiciendo esta inicial trayectoria, la novela sólo se encuentra a sí misma, alcanza su plenitud cuando abandona lo fabuloso y se acerca a lo inmediato cotidiano; más exactamente: cuando ambos orbes colindan. La aparición del *Quijote* señala este momento crucial. Traza un mojón divisorio entre dos territorios fronterizos y rivales: el mundo de lo inverosímil y el de la verosimilitud. Dos siglos y medio después, el último remplaza radicalmente al primero. Oriana se hunde en una lejanía invisible y Emma Bovary —o cualquier personaje semejante de las novelas ya declaradamente naturalistas— se alza a primer plano. Los niveles de la realidad se trastruecan o confunden. El antihéroe, que nace con la novela picaresca, invade todos los planos y expulsa violentamente a los héroes nobles. La ejemplaridad de otros tiempos ha de deducirse cambiando los valores, con una óptica instaurada por el romanticismo. En este sentido, la visión novelesca de su contrafigura, el naturalismo, es implacable. Ninguna otra escuela tuvo acaso la misma ambición de absoluto. "La Republique sera naturaliste ou ne sera pas" —escribía jactanciosamente Emile Zola en *Le roman expérimentel*. Pero sucede que en los mismos años finiseculares la multitud de corrientes que entonces se abren paso, bien pueden ponerse ya bajo un signo rigurosamente adverso: esteticismo. No asombre esta polaridad: es una expresión natural de la eterna ley de acciones y reacciones. Y si el naturalismo —mote ocasional— o realismo —designación más permanente y tradicional, tanto en España como en otras literaturas— fue acción impulsora y definitiva a fines del siglo XIX, ¿no significará hoy reacción o recaída en lo desvitalizado, empero su constante llamada a lo palpitante e ineludible? Por tanto, tratando de situarnos al margen de "simpatías y diferencias", ¿cómo encarar actualmente el neorrealismo, visto de modo particular en una literatura, la italiana, donde se manifiesta de modo más compacto ya que no orgánico?

PARADOJA: REALISMO Y FALSEDAD

Antes de responder directamente, permítasenos una síntesis crítica sobre el valor de la realidad y su reflejo en la novela realista, vista de modo general, y más particularmente en el neorrealismo de mediados del siglo XX. Apenas abrimos alguna de esas novelas, sea cual sea su autor, experimentamos idéntica sensación: una densa y asfixiante vaharada de realidad nos invade. Poco importa el idioma de origen del libro: esa impresión de avasallador realismo es siempre pareja. Si prescindiéramos de gustos y estéticas personales, en cuanto lectores comunes, tal impresión no sería recusable. Suele decirse que la lectura es una evasión, que se lee para escapar del medio habitual. Sin embargo, ¿por qué el lector de novelas gusta, en principio, de rencontrarse en el libro con lugares, personajes y pequeñas cuestiones parejas a las que ha dejado antes de abrir el libro? Ya Aristóteles escribía que el placer de "reconocer" es uno de los más fáciles placeres espirituales. De ahí deriva, por ejemplo, la resistencia que siempre promoverá la abstracción, la no figuración, en las artes visuales, presentando ante el espectador imágenes en las que éste no puede reconocerse. Contrariamente, la facilidad brindada para una inmediata identificación es el máximo cebo de cualquier realismo o neorrealismo.

Pero un paso más y el engaño salta a la vista. La acumulación seminovelesca de rasgos y detalles verídicos, la insistencia fotográfica y fonográfica suele pasarse de la raya y engendra un efecto diametralmente opuesto al buscado. De tal suerte, la saturación del realismo llega a desfigurar la realidad, haciéndola irreconocible. Ahí radica la paradoja de tal empeño. ¿Se ha observado debidamente esta contradicción? ¿Cómo se llega a tal incongruencia? Diríase que las cosas y los seres del mundo inmediato en derredor fueron vistas por el autor con pupila mecánica; más exactamente, con lente de aumento, con esa cercanía milimétrica del objetivo al modelo y esa ausencia de retoques y veladuras peculiares de cierta moderna técnica fotográfica. De suerte que, revistas después por el lector con pupila humana, llegan a hacérsele irreconocibles y aun monstruosas. Luego la ambicionada verdad absoluta, meta última de todo realismo, se frustra, tornándose en falsedad. Ya Stevenson habló de "la espectral irrealidad de los libros realistas". Y a propósito de la novela picaresca española, Karl Vossler señaló cómo la mayor parte de sus autores perdían la naturalidad poética al proponerse escribir "realistamente", es decir, no contar nada inverosímil.

SELECCION, NO ACUMULACION

Objetividad ha sido la primera consigna de todo realismo. Pero el narrador realista —en los casos extremados o bastardos que denuncio— sucumbe con más frecuencia que triunfa en tal afán. Frente al imponente caos de los hechos reales —máxime cuando tales novelas quieren ser también crónica y documento— el novelista no acierta a distinguir y seleccionar; suele trascribirlos en su totalidad áspera, crudos, sin elaborar, sin gradaciones, creyendo todo digno de interés y, en definitiva, privando a todo de interés. Recuérdese el inventario monótono en que degenera una de las primeras obras del nuevo realismo norteamericano: *An American Tragedy*, de Theodore Dreiser. La Naturaleza —como escribía Delacroix, refiriéndose a la pintura, pero con alcance extensivo a la novela— no es más que un Diccionario; al artista incumbe lo demás. Aislar sectores, profundizar momentos, situaciones y psicologías, trabajar en profundidad, no en extensión, con técnica selectiva, no acumulativa, es obviamente la función del novelista.

Analizando la evolución de los niveles de realidad, desde Homero hasta Virginia Woolf, Erich Auerbach ha revelado en *Mimesis* una de las conquistas máximas del escritor contemporáneo. Por un lado supone el "final de la regla clásica de diferenciación estética de los niveles"; es decir, muestra cómo lo cotidiano puede encontrar su marco en géneros de alcurnia estilística, más allá del costumbrismo y la bufonada. Por otro lado, significa un cambio del centro de gravedad novelesco, obligando a situar el foco de interés no en el reflejo de la realidad como tal, sino en la presentación exhaustiva de los episodios más triviales e indiferenciados. En conclusión: el novelista cabalmente digno de este nombre deberá gobernar la materia y no ser gobernado por ella, según sucede en buen número de novelas realistas o neorrealistas.

EL REALISMO EN PERSPECTIVA

¿Neorrealismo? Ya ha surgido nuevamente el nombre que más bien quisiéramos evitar, puesto que en estas apuntaciones las referencias concretas y los ejemplos vivos resultarían azarosos. Pero en cualquier caso, y por una vez, el nombre importa poco. No es la anteposición de un prefijo lo que ha servido para galvanizar la vieja tendencia, sino la oportunidad de una coyuntura histórica y moral. Tampoco son sus excesos o errores los que pueden restarle justificación. Si hay alguna tendencia literaria que en la hora actual no necesite defensa es la misma que tampoco puede recabar originalidad: es el realismo, viejo como el mundo. En rigor, no es una innovación; es una "constante" que fluye, desaparece y reaparece a lo largo de las más diversas épocas y países. Rastrear precedentes sería perderse en largas enumeraciones, desde *La Celestina,* desde Boccaccio, desde Rabelais...

Por lo que concierne a las letras de nuestro idioma, el realismo es un extremo permanente del movimiento pendular, cuyo otro extremo está en la identidad utópica y cuyo punto sincrético se sitúa en el *Quijote*. La mística y la picaresca son los dos límites polares del espíritu español. Pero el realismo clásico nunca fue unilateral y se extendió a todos los dominios de la realidad, con gradación de niveles. "No consiste —ha escrito Menéndez Pidal— en ninguna preocupación de verismo inerte, sino en concebir la idealidad poética muy cerca de la realidad, muy sobriamente." Por tanto, no se confunda en modo alguno este realismo de alcurnia con un realismo adventicio como fue el naturalismo de hace aproximadamente un siglo. Realismo es el género permanente; naturalismo, una especie precaria.

La llamada "novela experimental" se presentaba —según Zola— "como una consecuencia de la evolución científica del siglo, remplazando el estudio del hombre abstracto, del hombre metafísico, por el estudio del hombre natural". Si, aun antes de cumplirse enteramente su ciclo el naturalismo desapareció, fue precisamente por la debilidad que vino a mostrar aquello que parecía su fuerza; por su negativa a aceptar todo lo que rebasara un rígido determinismo. Y, sin embargo, el naturalismo, con todas sus limitaciones, fue irremplazable en su día; fue la única literatura que correspondía a aquella coyuntura histórica de Francia, a raíz de Sedán y la Comuna, como expresión de un estado de espíritu en derrota y convulsión.

¿No son acaso razones últimas muy semejantes las que se han dado en estos penúltimos años para explicar el auge del neorrealismo, y no sólo en Italia, sino también en otras literaturas europeas, utilícese o no tal rótulo? Pero en lo concerniente a precursores o inspiradores indirectos, hay una seria diferencia. Si un hombre de ciencia, Claude Bernard, interpretado por Zola, fue el inspirador o promotor de la visión naturalista, ahora el impulso neorrealista procede de un De Sica, un Rossellini, de su ejemplo cinematográfico. Así lo veremos páginas más adelante. Como factor lateral está el influjo de regreso, el rebote de la novela norteamericana. Como causa última más general y poderosa, la densa, empapadora, deprimente realidad del mundo en torno, que no permite subterfugios ni evasiones. ¿Cómo hacer —y menos aceptar— una novela que no cargue el acento en la verdad, que no presente al desnudo hechos y espíritus, que no elimine radicalmente falsedades, supercherías y fariseísmos? Cualquier clase de convencionalismo —lo escribí antes— es ya más hiriente que todas las osadías. Pero nada de ello quiere decir que la única forma posible de novela auténtica sea aquella que apela a la técnica neorrealista. Guárdense de las desmesuras teóricas del "maestro de Medan" los restauradores contemporáneos de ciertos procedimientos semizolescos. Otro clima intelectual, el hecho de no formar un núcleo orgánico, la falta de teorías precisas —pues hasta ahora no se ha dado ninguna definición explícita de la nueva tendencia— pueden salvar al neorrealismo de hipérboles y caricaturas propias.

ADQUISICIONES Y MENGUAS

Porque el neorrealismo es sustancialmente un movimiento de regreso. Como tal tiene ya muy distintas características y se prevale de experiencias y adquisiciones que el primitivo naturalismo decimonónico ignoró. No en vano la técnica novelesca ha llegado a depurarse en tantos aspectos y particularmente en la aprehensión del tiempo. Frente a la visión llanamente cronológica del acontecer regido por las leyes de continuidad, nos presenta ahora un universo discontinuo, donde los rasgos de la conciencia se manifiestan por iluminaciones esenciales y no por razonamientos lógicos. Hay, además, el plano múltiple, la realidad psicológica no manifestada analíticamente, sino reducida al reflejo de los comportamientos, de suerte que los sentimientos de los personajes quedan expresados mediante la descripción objetiva de sus actos —técnica, por ejemplo, de un Hemingway, de un Faulkner—; y tantos otros modos semejantes que Claude-Edmonde Magny ha estudiado en la novela norteamericana y que rencontramos en un Vittorini.

Pero frente a estas adquisiciones surgen las menguas, no siempre evitadas. Con más frecuencia que necesidad, los restauradores del realismo parecen olvidar la norma de impersonalidad que caracterizó —al menos teóricamente— a sus antecesores e incurren en la deformación tendenciosa. Es decir, sus intenciones devienen sectarias, edi-

ficantes y aun propagandistas, como en las caricaturas del realismo
socialista. Su gran ambición —definida por un crítico marxista, Gergy Lukacs [1]— podrá ser pintar el "hombre total", pero de hecho sólo
consigue darnos un hombre mutilado, parcial. Al mirarlo únicamente
inscrito en un conjunto social le despersonalizan, le quitan toda intimidad y singularidad, convirtiéndolo en un "robot" o en una pieza de
recambio. No se cumple la fórmula dada por Lukacs, cuando sostiene
que "la categoría central, el criterio básico de la concepción literaria
realista" no se funda en un principio abstracto ni en un principio individual, sino en el *tipo* que une lo genérico y lo individual.

Otro riesgo, no esquivado ni siquiera por aquellos que no practican tales deformaciones, es la fascinación del "lenguaje hablado". Cierto es que el idioma novelesco tiene una sintaxis peculiar muy distinta
a la del "lenguaje escrito" y que la transmisión de vivencias concretas
ha de hacerse con signos coloquiales más que con ilaciones discursivas,
a fin de traducir espontáneamente el turbio flujo anímico. Pero ¿cómo
traducir a la vez esa "lengua hablada" natural en un estilo, cómo extraer sus posibilidades estéticas? El problema no puede resolverse echando por la pendiente de un perezoso atajo y limitándose, según hacen
muchos, a la simple transcripción fonográfica de diálogos mostrencos
y frases hechas. Aquí, en este punto precisamente, quizá más que en
ningún otro, es donde ha de mostrarse la capacidad estética del novelista, la insoslayable voluntad de estilo que ha de regir sus pasos, so
riesgo de caer en los más vulgares despeñaderos.

Goethe escribió que la obra de arte debe ser verdadera, pero con
una belleza y un alcance superiores a la realidad. Y la tacha máxima
del neorrealismo, en sus más frecuentes versiones espurias, allí donde
el lastre impide el vuelo, es quedarse en los límites de un infrarrealismo.

---

[1] *Essays über den Realismus,* 1948.

ALTERNANCIAS Y CONTRASTES

A diferencia de lo que sucede en las letras españolas, el realismo en Italia no llega a ser una constante —ni menos una fatalidad insoslayable—. Volviendo la mirada hacia los tiempos penúltimos, nos encontramos más bien con un entrecruzamiento de direcciones opuestas. En 1925 lanza Massino Bontempelli un conato de lo que no llegó a ser un movimiento: el realismo mágico. ¿Qué entendía con esta difícil asunción de términos? Lo más explícito, en algunos enunciados del semimanifiesto que insertó en el primer número de *900*, era su aversión al "realismo zolesco y postzolesco" y la reivindicación de los derechos de la fantasía. Añadía: "Reconstrucción del tiempo y del espacio"; "El hombre debe crear nuevos mitos." Los ejemplos de tal "realismo mágico" —coetáneo, pero independiente, del que con el mismo título surgió en la Alemania postexpresionista— fueron, entre otros, dos originales novelas de Bontempelli: *Vita e morte d'Adria, Il figlio de due madri* y la comedia *Nostra Dea*.

Pero eran los años del fascismo, cuando precisamente una corriente nada "mágica", sino muy a ras de tierra, escandalizaba el mundillo literario con turbias imprecaciones políticas. Me refiero a la campaña de los "strapaesse" contra los "stracittà" —páginas atrás ya mencionada. ¿Qué predicaban los primeros, so capa de aldeanismo, de casticismo? Un nacionalismo belicoso y un regionalismo alicorto; en suma, un popularismo barato que casaba perfectamente con la mascarada de los "fasci" en política. Un futurista renegado, profesionalmente ambidextro, puesto que alternaba la pluma y el pincel, Ardengo Soffici, y un aventurero de ingenio, Curzio Suckert (así se firmaba inicialmente Malaparte), encabezaban a los "strapaessani". Pero no dejaba de darse cierta ambigüedad —muy propia de tiempos confusos y miedosos— en los novelistas del lado opuesto, Massimo Bontempelli y sus escasos seguidores: Corrado Alvaro, Orio Vergani, Achille Campanile. Por no avenirse a escribir en jerga vulgar o apelando a resortes de un fácil nacionalismo, como los que se titulaban a sí mismos "contenidistas", eran tachados de "formalistas". Cabalmente eran los mismos años en que esta última designación comenzaba a alcanzar ya en la literatura soviética una peligrosa —para sus cultivadores— resonancia política, presagio de castigos o de palinodias.

Por lo demás, las dos tendencias que entonces se enfrentaban en la literatura italiana moderna no habían dejado nunca de manifestarse. El tironeo hacia abajo —más que hacia adentro— de lo regional contra el ímpetu hacia arriba de lo totalmente italiano —más que universal—. La segunda corriente nunca llegó a imponerse con plenitud. Consecuencia de la unidad tardía, de la variedad dialectal, de la falta de un centro literario o de capitalidad literaria única —lo que en otro sentido no dejó de ser un beneficio—. Hubo así, sucesivamente, una alternancia de corrientes. Los grupos de *La Voce* y *Lacerba* (Papini, Prezzolini) inicialmente contra los futuristas; "rondistas", "crepusculares", "fragmentistas" y "herméticos" intercambiaban posiciones. Primero fue contra Manzoni, Carducci; contra Carducci, Verga; contra Verga, D'Annunzio.

Y contra el esteticismo de este último, primero los futuristas, después los del "900", finalmente, el voluntario plebeyismo de los neorealistas. Si el regionalismo —como muchos creen— es el gran mal de las letras italianas, el d'annunzianismo sólo llegó a ser un antídoto pasajero. Ya hacia 1920 se inicia una reacción de lo opaco contra los deslumbrantes fulgores irradiados por el autor de los *Laudi*. Se le pone enfrente a Giovani Verga. Sus adictos (la historia de siempre) pretenden que, junto a las audiencias populares conseguidas por *Los Malavoglie*, se le sumen también los lectores más cernidos de D'Annunzio. Un epígono de Verga, novelista de segundo plano, pero a quien debemos gratitud en cuanto hispanista, Mario Puccini, publica un folleto —*Perché siamo antidannunziani*— que es más bien abusivo, pues expresa una antipatía muy singular y temperamental, que luego razona largamente en una serie de artículos sólo recopilados en español: *De D'Annunzio a Pirandello*. Puccini, llevado de una fobia sin piedad, sostenía que el éxito de D'Annunzio había oscurecido durante largos años a figuras como Verga, Pirandello y Panzini. Tal presunción respecto a los dos últimos es muy discutible. En cuanto al autor de *Il maestro Don Gesualdo* (1888), Verga, lógico es que, en el cruce de dos siglos, su naturalismo elemental quedara sepultado bajo el complicado esteticismo de D'Annunzio. Fue menester que a la vez, pasados los años, llegara el momento de la saturación de lo bello artificial, que tocara fondo al decadentismo, para que algunos advirtieran las virtudes sin brillo de lo natural y presuntamente espontáneo, de lo que en Italia se llamó "scuola del vero". Al rutilante lirismo sensual de D'Annunzio se oponía polémicamente el verismo, la llaneza rústica de Verga. Pugna que no hubiera pasado de marcar una de tantas alternancias en la evolución literaria itálica en el caso de no haber logrado, después de la guerra, resucitar y cuajar por medio de obras significativas y representantes cuantiosos: el neorrealismo.

NEORREALISMO, IGUAL A ANTID'ANNUNZIANISMO

Pero ¿puede saberse qué es sustancialmente una manera, un estilo que nunca se presentó como escuela, que carece de líderes visibles, que no ha publicado ningún manifiesto ni hizo una declaración colectiva de principios? Si bien es fácil encontrar numerosas declaraciones individuales, no anticipemos ninguna de ellas. Limitémonos a reiterar la clave más fácil de acceso al neorrealismo: es, esencialmente, antid'annunzianismo. Sin necesidad de entrar en los detalles formales de estilo —tan conocidos— que caracterizan a D'Annunzio, recuérdese simplemente quiénes son los personajes que pueblan algunas de sus más famosas novelas; elijamos concretamente una cuyo simple título ya es muy expresivo: *Il piacere,* publicada en 1889. Es la primera de las tres "novelas de la rosa" y ésta alude al "placer", tema común y explícito del tríptico. Su protagonista: un aristócrata, el conde Andrea Sperelli, arquetipo de refinamiento, sensualidad, amoralismo; en suma, todas las "virtudes" achacables a un héroe fin de siglo; tan extremadas que por momentos, vistas desde hoy, la historia se invierte y parecerían casi extraídas de la visión caricaturesca y patológica dada de semejante espécimen humano por Max Nordau en su incalificable *Degeneración*. La atmósfera de Andrea Sperelli es el lujo. Su única ocupación: el amor, los amores. Ya en la primera página de la novela surge una evocación de las vírgenes de Sandro Botticelli, y en las demás pululan las referencias a cuadros y motivos artísticos. La intriga propiamente dicha importa en segunda potencia. Lo capital es la atmósfera, los estados de ánimo de los personajes, la autoidolatría de Sperelli, cierta difusa y "amarga voluptuosidad".

Saltemos ahora casi medio siglo, pasemos de la opulenta Roma finisecular, pintada por D'Annunzio, a la miserable Lucania del decenio de 1930, descrita por Carlo Levi; vengamos a uno de los primeros y mejores ejemplos de narración neorrealista: *Cristo si è fermato a Eboli* (1945). Cristo no llegó a tan abandonado y remoto lugar, "un mundo acorralado por el dolor y las costumbres, al margen de la Historia y del Estado". "No somos cristianos —dicen sus habitantes—; Cristo se detuvo en Eboli." "Cristiano —agrega Levi— quiere decir hombre en su lenguaje; y esta frase, que les he oído repetir tantas veces, quizá no sea en sus bocas más que la desolada impresión de un complejo de inferioridad." Carlo Levi no llega a componer una novela; al narrar escuetamente lo que vio en Lucania —durante sus dos años de confinamiento como antifascista— se queda voluntariamente en el documento traspasado de intención social [2]. Cierto es que los "caffoni" o campesinos pobres del Sur habían alcanzado ya, algunos años antes, transposición literaria, merced a *Fontamara*, de Ignazio Silone; otro antecedente de la manera neorrealista que, si en sus primeros pasos presenta un carácter documental, después de la guerra cobra más explícitamente un sentido político, claramente teñido de marxismo.

---

[2] A propósitos no muy desemejantes obedecen algunos libros de andanzas que aparecen en la literatura española. Dejando aparte los antecedentes de Camilo José Cela —a partir del *Viaje a la Alcarria*—, limitado a la pura fruición de ver y contar, o, al menos, sin ninguna otra intención explícita, pueden mencionarse con opuestos fines: *Campos de Níjar* y *La Chanca*, por Juan Goytisolo; *Caminando por las Hurdes*, por Armando López Salinas y Antonio Ferres; *Tierra de olivos*, del segundo y *Donde las Hurdes se llaman Cabrera*, por Ramón Carnicer.

POPULISMO

Hay un rasgo común que unifica todas las novelas siguientes, tanto las de Elio Vittorini como las de Vasco Prattolini, e inclusive, parcialmente, las de Alberto Moravia y Cesare Pavese. Sus personajes rurales son con preferencia campesinos pobres; los urbanos, obreros siempre. ¿Por qué este exclusivismo? Los neorrealistas entienden que de tal suerte reflejan el "hombre", lo "humano", sin más apelativos y en toda su multidiversa extensión. "Sólo en los obreros —escribe Dominique Fernández, *Le roman italien et la crise de la conscience moderne*— puede aflorar, al menos mientras la cultura burguesa siga siendo la dominante, aquella cualidad pura y desnuda del ser humano que es objeto de la nueva cultura." Pero aquí, como simple réplica, bastaría recordar cierta frase de Albert Camus (quien conoció el proletariado muy de cerca por haberse criado en tal medio) cuando afirmaba que el verdadero objeto de esa "nueva cultura", en una palabra, del realismo socialista, "es lo que aún no tiene realidad". De suerte, agregaríamos, que especular sobre una posible cultura nonata es tan artificial como tratar de situarse retrospectivamente en el mundo de los hititas.

Esta especie de fetichismo populista, si exteriormente parece un rasgo más de la reacción antid'annunziana, en lo íntimo presupone una concepción del mundo sentido como una ofensa. La "ofensa del mundo" (escribe el ya citado Dominique Fernández) es el sentimiento dominante en la Italia consciente e inteligente; algo así como "angustia" y "rebelión" han sido los sentimientos dominantes en la Francia de los mismos años". Los apologistas no tanto del neorrealismo en cuanto literatura, sino por su latente intención social-revolucionaria, entienden que merced a este populismo los personajes burgueses "dotados de un rico espesor interno", son remplazados por los personajes obreros "a quienes distingue únicamente la variedad de sus medios de existencia". ¿Ofendidos del mundo? Pero en Dostoievsky —a quien, por cierto, los neorrealistas citan menos que a Gramsci...—, el de los seres "humillados y ofendidos", esta condición no se adscribía a una sola clase social; el príncipe Muiskin es un humillado de igual escala que el estudiante Raskólnikov o la cortesana Sonia. ¿No hay, pues, mucho de simplismo mental y otro tanto de sectarismo sin disfraz en el afán de superiorizar "a fortiori" una clase social sobre otras? Como lo habría —apenas es menester agregarlo— en el afán de supervalorizar una literatura aristocraticista en cuanto al medio y los personajes, por este simple hecho; literatura esta última más absurda o irreal que nunca, sobre todo en una época de masas... Al cabo, la única nivelación por abajo —si es tal cosa lo que se pretende para una sociedad futura— sería "il proletariato dei geniale" que pedía utópicamente F. T. Marinetti en su *Democrazia futurista* (1919). ¡Qué lejos, en todo caso, nos sitúan los populistas italianos de uno de los más perdurables héroes de la novelística francesa anterior a la segunda guerra: del millonario *A. O. Barnabooth,* en el bello libro epónimo de Valéry Larbaud! Recordemos, además, que la primera sistematización del populismo fue hecha por la efímera escuela francesa de tal nombre, cuyos débiles fundamentos teóricos establecieron André Thérive y Claude Lemonnier y cuya única novela memorable es *L'hôtel du Nord,* de Eugène Dabit (1929).

Hay una novela entre la abundante producción de Prattolini, *Metello* (1955), que señala todavía con más fuerza que otras obras suyas *(El barrio, Crónica familiar, Crónica de los pobres amantes,* todas ellas localizadas en barrios de Florencia) esta dirección populista en cuanto a la temática y el espíritu. *Metello* es la historia de un obrero común, combinada con la historia del proletariado italiano durante un largo lapso: aproximadamente desde 1875 a 1945. Detalla sus luchas, sus huelgas, sus congresos, la conquista de la primera ley de salarios. Pero todo ello no pasa de formar un telón de fondo, así como el propio Metello es un personaje más en esta novela que aspira a ser coral, multitudinaria. Se salva de confundirse con una árida crónica social, o degenerar en propaganda clasista, merced a su humanidad, a la simpatía que Prattolini infunde espontáneamente a los personajes de sus ficciones. En cuanto a la técnica, ninguna novedad sobresaliente que permita identificar sólo por el estilo a un novelista del neorrealismo.

INFLUJOS NORTEAMERICANOS Y CINEMATOGRAFICOS

Si queremos hallar algo distinto a lo tradicional en punto al modo de contar o describir, ¿deberemos quizá acercarnos a los libros de Vittorini? Aparentemente, en el caso de que viéramos, en forma aislada, la literatura italiana, así sucedería; pero contemplada con cierta óptica comparativa, apenas encontraríamos en la composición de *¿Hombres o no?*, de *El Simplón guiña el ojo al Frejus*, de *Conversación en Sicilia*, otra cosa que una transposición formal de la novelística norteamericana. Tan poderosa y visible influencia tiene como origen personal la circunstancia de que Vittorini —del mismo modo que Pavese—, durante la época de su formación, se aplicara a traducir diversos libros de Hemingway, Faulkner y otros de la misma línea. Toma de tales autores la forma presentativa, hecha sustancialmente a base de diálogos y repeticiones constantes, junto a la elipse y la supresión de transiciones. Se dirá que, en rigor, la influencia, no menos notoria por más difusa, predominante sobre Vittorini y casi todos los demás neorrealistas, es la del cinematógrafo. Pero analizar detalladamente tal relación requeriría un largo espacio.

Limitémonos a recordar aquí un hecho por cuya anotación debiéramos haber empezado: este asendereado neorrealismo comienza en el cine; el mismo apelativo surge y se aplica de modo más corriente y exacto a los filmes de Vittorio de Sica, Rosellini, Visconti y otros; películas como *La tierra tiembla, Sciusciá, Paisá, Roma, ciudad abierta, Cuatro pasos en las nubes,* sin llegar a inaugurar tanto como un nuevo lenguaje cinematográfico, abren ventanales sobre aspectos de la realidad antes no tan explícitamente reflejados. De esta suerte, se señala como la principal característica de tal estilo —que en rigor sólo abarca los años 1945-1952— la sinceridad, lo directo y espontáneo; después, la tendencia a expresar cuadros del vivir humildes y aun populares.

Esto último, con un exclusivismo semejante al que hemos señalado en las novelas, haciendo aún más tangible no ya lo densamente vulgar y cotidiano, sino inclusive lo miserable y aun lo sórdido de ciertas vidas y lugares. El miserabilismo —señalado antes, a propósito del existencialismo—, en puridad, es aquí, en el cine neorrealista italiano (el que se considera estrictamente como tal, pues el de Fellini —*La dolce vita*— y el de Antonioni —*Las amigas*— ofrece ya otros matices), donde cobra su máximo vigor. *Milagro en Milán* y *Umberto D* permanecen como casos singulares en los cuales tal miserabilismo se ennoblece merced a la intrusión de un elemento superreal, poético, en el primero, que equivale a la estilización de lo densamente real y cotidiano en el segundo. Todos habrán reparado en el hecho de que aun desarrollándose la mayor parte de estos filmes en ciudades cargadas de historia y de belleza arquitectónicas, los cinematografistas rehúyen escrupulosamente aquello que suponga un arte dado, y enfocan la cámara hacia los barrios nuevos sin carácter hecho, o bien hacia las demoliciones, los arrabales, los solares vacíos y la humanidad irregular que tales lugares segregan. La ambición de los autores, si nos atenemos a uno de sus cronistas —Giulio Cesare Castello—, es "reflejar el rostro auténtico de un país, de un pueblo, y recoger el más sincero y antirretórico examen de conciencia". Pero en cuanto al primer propósito, recuérdese que esos filmes neorrealistas, donde hallaron su público admirativo no fue en Italia, sino en otros países europeos. Y respecto al segundo, ¿no hay en tal presunto "examen de conciencia" una intención literaria que contradice el "antirretoricismo" de los medios? Pero en cualquier caso, el neorrealismo lleva paradójicamente al cine italiano hacia un punto diametralmente opuesto de aquel que había sido su origen, el que se llamó "cine de arte"; y la artificiosidad de las primeras traslaciones directas del teatro, como la languidez de una Francesca Bertini, encuentra su réplica, inclusive su venganza, en la naturalidad absoluta de los escenarios y en el directismo interpretativo de una Anna Magnani, cuando no en el de actores espontáneos, según sucedió en *Paisá*.

GUIONES Y NOVELAS

¿Qué aportan los literatos a este tipo de cinematografía? En cuanto guionistas, como en el caso de Cesare Zavattini y Vittorio de Sica, por citar sólo los más notables, mucho; a tal punto que para un novelista, Pavese, son los dos más grandes narradores italianos de 1950; en cuanto autores de novelas neorrealistas vertidas al lenguaje fílmico, su contribución resulta siempre muy disminuida. Por ejemplo, *La campesina,* de Moravia —acaso su mejor novela—, convertida en filme, pierde todo su espesor psicológico; la película recoge la peripecia, la salacidad erótica, pero deja fuera lo esencial, la avaricia de los campesinos en las aldeas sitiadas por la guerra.

Pero ¿no ha sucedido siempre así? *El muelle de las brumas,* una novela descolorida de Mac Orlan, se convirtió hace años en una película memorable, y algo muy parecido ha sucedido con el famoso *Hiroshima* de Marguerite Duras, mejor dicho, del film de Resnais, pues éste sólo importa. Y, por citar un ejemplo neorrealista, *Ladrones de bicicletas,* novela sentimentaloide, se transmuta en una gran película merced al arte de De Sica. Inútil insistir sobre este permanente, invencible desnivel de calidades y de lenguaje: cualquier versión del *Quijote* apenas rebasará un esquematismo caricaturesco; cualquier novela de Dostoievsky (y, sin embargo, cierta primera versión de *Crimen y castigo,* otra más moderna de *Los hermanos Karamazov* no salieron del todo malparadas) trocará en secas líneas sus claroscuros y profundidades.

APUNTE SOBRE MORAVIA

Se considera habitualmente que el neorrealismo italiano, tanto en el terreno cinematográfico como en el novelesco, es un producto de postguerra. Mas sucede que la primera novela de Moravia, *Gli indifferenti,* aparece algunos años antes, en 1929. Sin embargo, *Los indiferentes* anticipan, en cierto modo, más que el neorrealismo, algunas características estimadas como peculiares de la novela existencialista. Para el protagonista de dicha novela, lanzado a la deriva, abúlico antes que amoral, la vida es un absurdo; las palabras que más se repiten a lo largo del libro son "disgusto", "náusea". ¿Presartrismo? En la versión italiana: antifascismo. En efecto, eran los años en que aquella política pretendía —a semejanza de otras dictatoriales— imponer una literatura falsamente optimista, forjando a toda costa "héroes positivos". De ahí, en principio, y como reacción, el éxito, la resonancia que dentro y fuera de Italia alcanzó esta primera novela de Moravia, escrita cuando su autor frisaba en la veintena. Los personajes, pertenecientes a la burguesía alta (aún no se había producido el salto de ambiente hacia el obrerismo), evolucionan en un medio donde quiebran los valores tradicionales. Los jóvenes Carla y Michele encarnan el indiferentismo de la generación de entreguerras; la misma que en la novela francesa de tal período da origen a los "fuegos fatuos", las "maletas vacías" (Drieu La Rochelle), los "diablos en el cuerpo" (Radiguet), los "viajeros perseguidos" (Montherlant)... Personajes muy semejantes son los que pueblan la novela siguiente, *Gli ambizioni sbagliata*; su dominio del oficio sólo se acusa más tarde con novelas cortas, como *Agostino* y *La desobediencia*. No tiene nada de extraño; el verdadero dominio de Moravia está en la "nouvelle", en las narraciones cortas. Moravia es fundamentalmente un narrador más que un novelista; los libros suyos que rebasan aquellos límites (inclusive *La romana*, *El conformista*, *El aburrimiento* y otros similares que jalonan su vasta producción) dan la impresión de relatos estirados algo artificialmente. Moravia cuenta en pretérito, de acuerdo con la fórmula tradicional de la narración. Se atiene a una técnica lineal, inscrita en un tiempo dado, y apenas alcanza pleno desarrollo de la otra duración, la espacial. Su "tempo" es lento, si bien, contrariamente, esta morosidad acaso sea el factor determinante de cierto espesor psicológico. Para quienes aceptan la primacía de unos géneros de ficción sobre otros, sin duda no será un demérito reconocer que tal vez la obra maestra de Moravia no se halle en ninguna novela larga, sino en los sintéticos *Cuentos romanos*. Junto con la influencia de un marxismo difuso sobre los demás noveladores neorrealistas, en Moravia se han señalado resonancias freudianas, al punto de afirmar que éste "convierte la realidad sexual en el único móvil de la acción". Pero en sus novelas apenas aparece ningún "complejo"; tampoco la supuesta problemática de quienes calcan patrones de casos psicoanalíticos; de suerte que tal influjo reflejado en los personajes moravianos se reduce sencillamente a la satisfacción del deseo, libres como están de cualquier atadura moral o religiosa, abiertos a todas las solicitaciones. El posible cinismo no llega a ser tal, puesto que la naturalidad instintiva predomina sobre cualquier refinamiento o sofisticación.

CESARE PAVESE

Suprimiendo matices, es el mismo caso de las *Mujeres solas* (en la serie *La bella estate*) y otros personajes similares que pueblan las colinas turinesas en las novelas y relatos de Cesare Pavese, quien tal vez encontrase un *Mestiere de vivere*, título de su mejor libro ensayístico, pero no una "razón de vivir", ya que se suicidó en 1950. En sus novelas corre latente un tipo de preocupaciones que rebasan "la monotonía de contar" y se extienden más libremente en *Oficio de vivir*, en *Feria d'agosto*, en las diversas prosas que forman el libro póstumo *La letteratura americana e altri saggi*. Porque Pavese, antes que un novelista plenamente merecedor de este nombre, y no obstante la presunta objetividad achacable a cualquier género de realismo, era un espíritu esencialmente subjetivista en busca de una comunicación anímica que no lograba establecer. "Escribir una novela —dice a este propósito Dominique Fernandez— supone tener confianza en la vida y aceptar que nos lleve adonde su desarrollo natural la envíe; tener necesidad de salvación supone que no se acepte la vida en su totalidad; necesitar lo absoluto significa que es imposible vivir en el tiempo empírico." Y Pavese estaba angustiado por una soledad humana y metafísica; de ahí que escapara con más facilidad por la tangente del lirismo, tanto en sus poesías propiamente dichas —las de *Lavorare stanca*— como por el lirismo difuso que infundía a sus críticas o ensayos, particularmente aquellos en que tiende a la busca del mito ("Del mito, del símbolo e d'altro"). Centraba éste no el deseo de evadir lo real y fugarse a un mundo imaginario, sino en la desesperación de sentirse excluido de la comunicación llana y directa con la realidad, y en el deseo vital de encontrar un medio de acceso, un mágico sésamo mediador. "Il mito è insomma una norma" —escribía textualmente Pavese. Norma que no logró encontrar para sus personajes a la deriva, ni para sí mismo.

EN DEFINITIVA...

Pero, en definitiva —se dirá a estas alturas—, ¿dónde está el neorrealismo de Pavese? ¿Dónde está el neorrealismo de Piovene (*La gazzeta nera*), el de Jovine *(La tierra del Sacramento)*, por no hablar de Corrado Alvaro, perteneciente a una generación anterior, pero asimilado a lo neorrealista? ¿Dónde está el neorrealismo de otro autor, revelado posteriormente, como Italo Calvino, quien más bien puede adscribirse a lo fantástico, a una nueva suerte de "realismo mágico", según muestran las aventuras de su *Vizconde colgado,* de *El Barón rampante,* de *El caballero inexistente,* sin olvidar la inventiva irreal que despliega en sus originales *Racconti,* traducidos con los títulos *Idilios y amores difíciles* y *Memorias y vidas difíciles?* ¿Dónde está el neorrealismo de Carlo Cassola, el de Carlo Emilio Gadda, el de Quarantotti-Gambini? Y así sucesivamente, llegando hasta la más reciente leva. Si quince años después se volviera a abrir la *Inchiesta sul neorrealismo* que en 1951 practicó Carlo Bo, las respuestas de la cincuentena de novelistas y críticos consultados serían aún más huidizas o negativas que las de entonces, aclarando: "No estamos frente a una escuela organizada que se base en una doctrina, como sucedió en los tiempos del naturalismo francés". No hubo ni hay un jefe visible, un manifiesto o cosa parecida. Nadie pretendió imponer reglas o ejemplos. Inclusive autores que han sido tenidos por neorrealistas indudables, como Moravia, Prattolini, Vittorini, no llegaron a aceptar plenamente tal designación. El último, interrogado por Carlo Bo sobre "si el narrador debe fotografiar o debe interpretar, según el metro de su realidad interior", consideraba más bien la novela como "una busca de la verdad poética", sosteniendo que su interés por el neorrealismo había terminado con *Conversación en Sicilia,* precisamente el libro que para el público marcó un comienzo de tal estilo. Respecto a Moravia, el apelativo que más se le aplica es el de moralista. Éste, consultado sobre su actitud ante la realidad, opinaba que el narrador debe hacerlo con la mirada del "hombre común". Quienes únicamente hacían hincapié en la discutida etiqueta eran aquellos que veían esencialmente la novela desde un ángulo social, como reflejo de pleitos colectivos y no de conflictos individuales. Pero en conjunto —insistiremos— la encuesta de Carlo Bo, empero la diversidad de criterios, no llegaba nunca a formular una línea coherente o el menor asidero teórico. De tal suerte, el común denominador quedaba sólo adscrito con propiedad a un estilo cinematográfico, sin que en la ambicionada extensión a las artes plásticas pudiera nadie citar concretamente un solo pintor neorrealista, ya que en el caso del único posible mencionado, Guttuso, Eugenio Montale le negaba tal rótulo. ¿Cómo no recordar, finalmente, que acaso las dos novelas italianas más cabales del período examinado *(La isla de Arturo,* por Elsa Morante, y *El gatopardo,* de Lampedusa) poco tienen que ver con el neorrealismo? Y, sin embargo... El bien o mal llamado neorrealismo llena un período en las letras italianas.

Recordemos una respuesta con la que se hizo famoso cierto novelista francés, Paul Alexis, al ser consultado sobre la muerte del naturalismo, como consecuencia del manifiesto que cinco escritores publicaron contra Zola, poco después de *La tierra,* en 1891: "Naturalisme pas mort. Lettre suit". Pues bien, esta carta, llegada al otro lado de una frontera con sesenta años de retraso, ha sido la del neorrealismo italiano.

BIBLIOGRAFIA

Guido Aristarco: *Il cinema neorealista,* en "Almanacco Letterario Bompiani 1960", Milán.
Piero Bargellini: *Panorama storico della letteratura italiana. Il novecento.* Vallecho, Florencia, 1952.
Carlo Bo, a cura di...: *Inchiesta sul neorealismo.* Radio Italiana, Turín. 1955.
Massimo Bontempelli: *L'aventura novecentista.* Vallecchi, Florencia, 1938.
Oreste del Bueno: *Moravia.* Feltrinelli, Milán, 1962.
Gaetano Carancini, Gian Luigi Rondi y otros: *Il neorealismo italiano.* Roma, 1951.
Pío Caro: *El neorrealismo cinematográfico italiano.* Alameda, México, 1955.
Giulio Cesare Castello: *El cine neorrealista italiano.* Eudeba, Buenos Aires, 1963.
Eduardo Castelli: *El realismo en la novela italiana actual.* Colmegna, Santa Fe, 1964.
N. Chiaromonte: *Moravia et le ver rongeur de la conscience,* en "Preuves". París, núm. 129.
Benjamin Cremieux: *Littérature italienne.* Kra, París, 1928.
Enrico Falqui: *900,* en "Almanacco Letterario Bompiani 1960". Milán.
— *Novecento letterario.* Vallechi, Florencia, 1961.
— *Incontri e scontri. Novecento letterario. Serie settima,* Vallechi, Florencia, 1963.
Dominique Fernández: *Le Roman italien et la Crise de la conscience moderne.* Grasset, París, 1958.
Francesco Flora: *Historia de la literatura italiana, siglos XIX y XX.* Losada, Buenos Aires, 1953.
György Lukacs: *Essai über den Realismus.* Berlín, 1948. Trad. ital. *Saggio sul realismo.* Einaudi, Turín, 1950.
— *La théorie du roman.* Gonthier, Berlín, 1963.
José R. Marra-López: *Transición en la novela italiana,* en "Revista de Occidente", núm. 26. Madrid, mayo 1965.
Maurice Nadeau: *Littérature présente.* Corrêa, París, 1952.
Cesare Pavese: *La letteratura americana e altri saggi.* Einaudi, Turín, 1951.
Mario Puccini: *De d'Annunzio a Pirandello.* Sempere, Valencia, 1927.

Giuseppe de Robertis: *Altro Novecento*. Felice Le Monnier, Florencia 1962.
Alfonso Sastre: *Anatomía del realismo*. Seix Barral, Barcelona, 1965.
Ignazio Silone: *Nichilisti e idolatri*, en "Tempo presente", vol. VIII, números 9-10. Roma, septiembre-octubre 1963.
Varios: *Orientamenti culturale. Letteratura italiana. I contemporanei*. Marzorati, Milán, 1963.
— *Cinema della resaltà*. Bianco e Nero, Siena, 1955.

12

IRACUNDISMO Y FRENETISMO

ANTECEDENTES INMEDIATOS

Debo justificar la agrupación en un solo capítulo de dos de los ismos más significativos o relativamente considerables aparecidos en la segunda postguerra del siglo xx. Me refiero a los iracundos ingleses, es decir, a los "young angry men" y a los "beats" norteamericanos, cuya traducción por "vencidos" es insuficiente, sin que tampoco "beatíficos", como versión de "beatniks", resulte satisfactoria. "Frenéticos", en definitiva —según podrá deducirse, una vez expuestas sus intenciones— resultaría más exacto; y frenetismo, de hecho, valdría como común denominador de un muy parejo estado de espíritu para designar las dos tendencias mencionadas.

Una vez franqueada la primera valla terminológica, adelantemos que ni el iracundismo ni el frenetismo parecen asumir el sentido de necesidad estética que presentaron los ismos de las décadas anteriores. Lo confirma, ante todo, la circunstancia de sus lugares de nacimiento: el hecho de que se hayan producido en dos literaturas no tradicionalmente innovadoras o muy escasamente habituadas a las remociones por vía violenta: la inglesa y la norteamericana. Antes bien, en la primera, la sucesión ordenada bajo el ritmo cronológico, con arreglo al natural relevo de las generaciones, es su normal forma evolutiva. Se confirma mediante la costumbre de nombrar a los que llegan con un simple encuadramiento temporal en decenas: los "twenties", los "thirties", expresiones que suelen verterse en crudo a nuestro idioma —"los veintes", "los treintas", etcétera—, donde flotan como cuerpos extraños. El sistema decenal ha venido, pues, a remplazar las tradicionales agrupaciones por reinados —"victorianos", "eduardianos", "georgianos"...—, absolutamente ajenas al fenómeno puramente literario.

Como quiera que sea, imaginismo, vorticismo y alguna otra tendencia similar fueron, en la historia de las vanguardias, brotes aislados o sacudidas reflejas, cuyo epicentro no era insular ni atlántico.

Una órbita muy limitada alcanza cierta agrupación posterior, como la de los poetas apocalípticos, reunidos por Francis Scarfe (*Auden and after*) y en dos antologías a cargo de Henry Treece y C. F. Hendry, *The new Apocalypse* (1939) y *The white horseman* (1944). He aquí trechos de la especie de manifiesto que publicaron: "Apocalipsis afirma la libertad del espíritu, la coparticipación del hombre con lo divino. Apocalipsis no tiene nada que ver con la "marcha del progreso", la marcha fúnebre de los esclavos. La Vida es increíble. El Hombre es increíble. Dios es todo". Pero, en puridad, tras esta alocución de púlpito sólo había, literariamente, el propósito de reaccionar contra W. H. Auden y los demás poetas de la década de 1930, cuyo compromiso social reprobaban; contrariamente, los apocalípticos inician la exaltación del poeta que más influye a continuación, Dylan Thomas. Sin embargo, el eco del citado Auden, que junto con Cecil Day Lewis, Stephen Spender, John Lehmann, Christopher Isherwood y Louis MacNeice son, en lo poético, las seis figuras capitales de los "thirties", atraviesa la guerra y llega hasta mediados de la década del 40. Era lógico que así sucediera; sus poesías, sus dramas, sus críticas responden a preocupaciones entonces muy compartidas: reacción contra la amenaza dictatorial, busca de la solidaridad humana, ahondamiento en la psicología profunda de los seres. Todos los citados vierten generosamente su adhesión a las causas más urgentes: denuncia del hitlerismo ante una Inglaterra algo adormecida, lucha contra el fascismo, adhesión popular en la guerra de España. Si Auden, MacNeice, Spender y George Orwell se limitan al papel de testigos próximos o adherentes sentimentales, otros de la misma edad como Ralph Fox, Julien Bell, Christopher Caudwell y John Cornford mueren luchando en las Brigadas Internacionales. Los libros *Spain,* de Auden, *Homage to Catalonia,* de Orwell, *Nabara,* de Day Lewis, *Autumn Journal,* de MacNeice, y algunos poemas de Spender en *The still centre,* son testimonios de aquel período dramático. Y en las páginas de la autobiografía publicada por el último autor citado, *World within World,* se recogen las ilusiones y decepciones de los mismos años.

Los inmediatamente posteriores no crearon precisamente un clima propicio para el arte experimental. Durante la "blitzkrieg", toda la literatura que no ayudara a la causa común pudo ser calificada, sin gran injusticia, de "escapist", y un libro —por lo demás tan auténtico— que reflejase la lucha aérea, como *The lost enemy,* de Richard Hillary, suscitaría unánimes admiraciones. Cierto capítulo de Arthur Koetsler, en *El yogui y el comisario,* fue el primero en trazar la etopeya del heroico piloto del aire. Sin embargo, la literatura desinteresada no se extingue. Si T. S. Eliot —tironeado por sentimientos contrarios, grave pecado en un momento de opción...— deja de publicar, en 1939, su revista *Criterion,* Cyril Connoly funda una de las más vivaces que nunca hayan existido en Inglaterra: *Horizon,* y John Lehmann, por su parte, eleva de nivel los "pockets-books" con sus *Penguin New Writing.* Bajo el seudónimo de *Palinurus,* Connoly publica una suerte de apasionante autobiografía intelectual, *La tumba inquieta.* Agréguense, en la línea del ensayismo, los *Critical Essays* de George Orwell —maestro en el arte de la ironía, como Koetsler—, quien poco antes de morir tempranamente acertaría a encontrar el tono satírico más exacto para pintar el mundo regimentado, dictatorial en su novela de anticipaciones, *1984.*

Tras los años de guerra, y a semejanza de lo sucedido en otras literaturas, las revelaciones de nuevos valores y tendencias se manifiestan preferentemente por vía novelesca. No me refiero a los casos más famosos de Graham Greene y de Evelyn Waugh, ya prexistentes con anterioridad a la guerra: la mezcla de catolicismo y sensualidad del primero exagera, pero no hace olvidar, las novelas de François Mauriac, como tampoco la ironía del segundo supera la marca de un Aldous Huxley. Aludo a obras con precedentes inmediatos menos visibles, como las de Yvy Compton-Burnett, L. P. Hartley, Anthony Powell, C. P. Snow, Joyce Cary y Angus Wilson. Permítaseme marcar mi preferencia por las novelas del último: en *Actitudes anglosajonas* no sólo revive la mejor veta irónica que va desde Thackeray a Huxley, sino que incorpora otros matices y sabores. Fuera injusticia olvidar a Iris Murdoch, aunque su fama apenas haya trascendido al continente, tanto como no rebajar algo de las razones que hayan promovido la enorme difusión del *Cuarteto de Alejandría,* de Lawrence Durrell. Pero precisar lo anterior no es nuestro fin en el presente capítulo, como tampoco trazar un cuadro completo del estado último, tras 1949, de las letras británicas. Nuestra mirada ha de proyectarse concretamente sobre el grupo algo diverso de escritores que han querido unificarse bajo la etiqueta de "Angry Young Men".

LOS IRACUNDOS

¿Quiénes son? ¿Por qué tal nombre? Qué significan, qué aportan estos jóvenes algo más que enojados o irritados, y un punto menos que coléricos; estos escritores "iracundos", si aceptamos la traducción que se ha dado del adjetivo "angry"? Ante todo, algunos entienden (así Kenneth Alsop en *The angry decade,* refiriéndose a la del 50) que "anger" es un nombre erróneo y que el más adecuado para designar el estado de espíritu surgido a la sazón es el de "disentimiento". "Prefiero este verbo, "disentir", porque implica una separación del "establishment" ("institución"), ya que disentimiento o disconformidad manifiesta más categóricamente el desacuerdo con los sentimientos y opiniones de la mayoría". Lógicamente —explica Boris Ford, *The Modern Age*—, este disentimiento es distinto al de un D. H. Lawrence o un Wyndham Lewis, años atrás, y se relaciona con las circunstancias peculiares de la segunda postguerra, cuando, al parecer, los empeños del "Welfare State" pudieron satisfacer las necesidades materiales, pero no calmaron el desasosiego legado por la guerra a la generación más joven. Ninguna guerra, aunque sea victoriosa, deja una sensación de júbilo; todo lo contrario: cava una fosa entre las generaciones y saca a flote violencias antes reprimidas; si con la guerra internacional se complica una guerra civil (de hecho ya no hay guerras entre países, sino entre opiniones brutalmente excluyentes), la disgregación llega al límite. En Gran Bretaña, los sacrificios de los mayores, la disciplina exigida por la reconstitución, originaron como contrapartida un aumento del formalismo y de las convenciones, difícilmente aceptadas por los veinteañeros. De ahí su rebelión contra lo que éstos entienden burlonamente por "establishment", hecho de seguridades y cohibiciones a la par.

Se entiende que la "iracundia" como expresión tiene su origen en un texto de Leslie Paul, así titulado, *Angry Young Men* (1951), si bien sólo alcanza curso extenso y aun popularidad merced a la comedia de John Osborne, *Look back in anger,* estrenada en 1956. A parejo sentimiento responde el primer libro de Colin Wilson, *The outsider* (1956), y la autobiografía de George Scott, *Time and place.* Pero, naturalmente, son obras novelescas aquellas que popularizan la iracundia; tales, entre otras, *Lucky Jim* (1954), de Kingsley Amis, que se desarrolla en un medio universitario y refleja la desilusión cultural, así como en *Hurry on down,* de John Wain, se manifiesta el desencanto político. Otros aspectos de la misma desilusión se reflejan en la novela de John Braine, *Room at the top* (1957); su protagonista se presenta como un producto de la parcial revolución económica instaurada por el "Welfare State", con las garantías de seguridad y salubridad, pero desprovistas de incentivos políticos y morales. Un cuadro más profundo de semejante estado de ánimo y sus efectos sobre las relaciones humanas de obreros y empleados resalta en *Saturday night and sunday morning* (1958), de Allan Sillitoe. Por donde se evidencia que no es la lucha entre clases —cuyas diferencias más salientes fueron reducidas por los laboristas— el motivo fundamental de escisiones, sino la persistencia de lo que se ha llamado las "barreras intangibles", que siempre persistirán en una sociedad tan estratificada como la inglesa y basadas fundamentalmente en la educación y el lenguaje. La gran diferencia en el caso de los "iracundos" es que a la mayoría de ellos no les fue dado pasar por Eton, Oxford o Cambridge, y pueden desahogar su resentimiento con una libertad antes no conocida.

El interés humanosocial de tales obras y autores no nos impide adelantar ciertas reservas sobre su intrínseco valor literario, ni ocultar que el iracundismo, como tal, dista mucho de ser un movimiento coherente; cosa que, por lo demás, corresponde a la idiosincrasia insular de sus miembros. Aún más, casi nos atreveríamos a decir que no ha sido "inventado" por ellos y deriva de la apetencia de novedad experimentada, más que por los productores, por los usuarios; apetencia de lo nuevo, cansancio de lo conocido, que es uno de los rasgos más peculiares de los últimos tiempos y que en otro lugar analizamos. Contribuye a fortalecer esta presunción la lucidez autocrítica, el sentido de relatividad que muestran los iracundos cuando, muy moderadamente, se lanzan a emitir teorías.

Veamos algunas de ellas, según aparecen expuestas en el simposio *Déclaration,* así titulado en su edición inglesa, aunque sea más exacto el rótulo de la edición norteamericana (*Protest*) y superiormente llamativo el de la edición francesa *(Les jeunes gens en colère vous parlent...).* Incluye textos de los siguientes autores: Doris Lessing, Colin Wilson, John Osborne, John Wain, Kenneth Tynan, Bill Hopkins, Lindsay Anderson y Stuart Hollroyd. Leyendo a John Wain (cuyo testimonio es el más agudo de la serie), lo que primero se advierte es cuán poco poseído se halla de su papel de iracundo. "Verdaderamente —escribe— uno no tiene ganas de quedarse en una oposición permanente. Pero hay algo peor: quedarse en el conformismo permanente. Ninguna época de la historia humana es bastante aceptable, bastante exenta de males y plagas para que sus ciudadanos más lúcidos puedan permitirse aprobarla de continuo. El conformismo mecánico, como la rebelión mecánica, son igualmente inútiles. Pero el primero ofrece pocas tentaciones al artista, en tanto que el segundo las ofrece a granel."

EL DISCONFORMISMO MUDA DE CAMPO

Mas lo singular de los días actuales —añadiríamos por nuestra cuenta— reside en que el disconformismo muda de campo: ha pasado del artista al público. La consecuencia es que este disconformismo del lector o espectador no es sino el mismo conformismo de antes, pero con la cara al revés. Acepta lo nuevo con la misma facilidad e idéntica ausencia de discernimiento con que antes lo rechazaba. Hemos llegado al extremo paradójico de que ya no se critique al público por incomprensivo, sino por demasiado rápidamente comprensivo. John Wain condensa así este fenómeno: "La receptividad del público actual es inquietante." Censura su afán de "tomar las señales por milagros", de "hacer de un artista cualquiera, desde el momento en que llama la curiosidad, el vocero de su generación"; en suma, le reprocha inventar una tendencia en cuanto media docena de individuos presentan algún punto de coincidencia. Y John Wain apostilla, ahora sí, con auténtica ira: "La última de esas imbecilidades es el asunto de los jóvenes iracundos."

Con despego parejo, si bien más atenuado, se expresan los demás colaboradores del simposio citado. Recordamos una vez más, para no acentuar nuestra extrañeza, que se trata de escritores insulares, es decir, anclados en un individualismo irreductible. ¡Cuán distinto su caso del espíritu proselitista que animaba a los participantes de las primeras vanguardias, desde el futurismo y el expresionismo hasta Dadá y el superrealismo! Tampoco, por consiguiente, deberá asombrarnos que tal vez el rasgo más compartido de los escritores calificados, a su pesar, como "iracundos", sea lo que ellos denominan la "no afiliación"; el hecho de que, aun hallándose muy lejos de todo conservadurismo en el terreno social, e inclinándose más bien hacia un socialismo reformador, manifiesten, empero, una invencible incredulidad antes que insolidaridad. "Ya no hay causas nobles que defender", dice Jimmy Porter, el protagonista de *Mirando atrás con ira*. Porque ni en la solidaridad ni en la rebelión parecen hallar ningún asidero. *Rebeldes sin causa* rebasa el significado de su origen —como título de un libro norteamericano— y tiende más bien a convertirse en "slogan". Semejante carácter adquieren igualmente estos dos que no requieren ninguna glosa: *Los hijos de la violencia*, de Doris Kingsley, y *Salida del caos*, de Stuart Hollroyd; el segundo como posible perspectiva más que como realidad. Pero tal actitud no impide salientes diferencias de reacción ante la vida por parte de los iracundos. Así, mientras Bill Hopkins entiende que "el escritor debe asumir los deberes del iluminado, del apóstol social", pero "luchando contra corriente e insuflando la desesperación en todo lo que acometa", Lindsay Anderson no escatima las críticas contra la sociedad inglesa, a la que compara con una "nursery"; del mismo modo, Doris Lessing se muestra implacable frente a lo que llama el "provincianismo" de sus conciudadanos.

WILSON Y OSBORNE

¿Cómo sintetizar ahora los puntos de vista, abundantes, pero no muy claros, del más famoso representante de los "young angry men", esto es, Colin Wilson, el autor de *The outsider*? A sistematizarlos y prolongarlos tiende su aporte en *Declaration*. No sin jactancia, Colin Wilson estima que su *Disconforme* reveló el rostro de la época y ha creado un símbolo, como lo habían hecho —aduciendo ejemplos del mundo cinematográfico, no muy exactos— un James Dean en el decenio del 50 y un Rodolfo Valentino en el del 20. Pero, en rigor, tal personaje no existe: lo que hace Wilson es trazar la genealogía de un tipo de disconforme en la literatura y en el arte que empieza imprevistamente con el héroe de una novela de Barbusse —*L'enfer*— y cuyos demás nombres ya quedaron señalados en un capítulo anterior. ¡Curiosa miscelánea, reflejo de las lecturas revueltas propias de un joven autodidacto, deslumbrado por sus "descubrimientos"! Quizá para el lector británico *The outsider* haya pasado por un libro original, pero en rigor apenas contiene otra cosa que reflejos y constantes temáticas muy familiares para otros lectores europeos y americanos, junto con los más extendidos "leit-motiven" de los años penúltimos y que van desde el disconformismo a la filosofía del absurdo. Unica singularidad en Wilson —si bien compartida por varios de los "beatniks" norteamericanos, según veremos— puede ser cierta inquietud religiosa, la busca de una fe muy imprecisa, argumento de su segundo libro, *Religion and the Rebel*. En sus páginas analiza figuras como las de Pierre de Vaux y Wiclif, rebeldes contra la Iglesia católica, Boehme contra el protestantismo, Pascal contra el jesuitismo, William Lew contra la Iglesia liberal, Newman contra el humanismo victoriano, Kierkegaard contra el protestantismo, Bernard Shaw contra el materialismo científico o darwinismo. Preocupaciones semejantes expresa Stuart Hollroyd en *Emergence of Chaos;* para él lo caótico está representado por el inconsciente, del cual debe escapar el hombre en su condición de ser espiritual.

En contraste con los anteriores, y desde luego menos presuntuoso que Wilson, John Osborne no oculta su agnosticismo y su antimonarquismo, su resentimiento social, su disgusto por todas las formas del "establishment" británico. Más exactamente, éstas son las opiniones que transmiten los personajes de *Recordando con ira* y que lograron una enorme difusión, merced a la caja resonadora del teatro. No es excesivo considerar que dicha comedia, junto con los ensayos de *El disconforme*, por Wilson, y la novela *Jim el afortunado*, de Kingsley Amis, son las piezas más representativas o las armas más hirientes del arsenal de la iracundia. Pero al margen de tal circunstancia, ¿cuál es el efectivo valor literario de la comedia de Osborne? Si sólo atendiéramos a él no quedaría suficientemente explicada la repercusión conseguida por *Recordando con ira* en varios escenarios del mundo, ya que la comedia adolece de una composición muy deficiente. Repetir a lo largo de tres actos una misma situación, con muy escasas variaciones, puede efectivamente dar idea de algo obsesionante, pero ¿acaso tan débil sustancia dramática justifica semejante reiteración? Con todo, se ha juzgado como una comedia soberanamente representativa, que nadie puede jactarse de ignorar. Ahora bien, ¿"representativa" de qué? De algo —insistiremos— que en la escena inglesa podía sonar como un estado de ánimo poco sólito, pero que en otros climas, los espectadores ya estaban saturados de oír. Esto es, la insatisfacción integral, la protesta contra un estado de cosas que no es posible calificar enteramente como espiritual ni como material, puesto que participa de ambos puntos; un sentimiento aplanador sobre la futilidad y la gratuidad de todo —lo grande y lo mezquino—, latente en el seno de una sociedad que parece haber perdido sus cimientos y flota a la deriva como un témpano de hielo, entre amenazas y disoluciones. Pese a lo dicho, en la iracundia o, más exactamente, en el palabrerío burlón, en el mal humor sarcástico del protagonista, Jimmy Porter, sería difícil descubrir motivos o implicaciones que rebasen lo puramente inmediato. Porque se trata de un fracasado, al que su inteligencia, su criticismo confuso, pero implacable, hace más amarga e intolerable la mediocre existencia que soporta.

En una vacía tarde de domingo inglés (*La paix du dimanche* se

tituló la versión francesa, recogiendo así mejor el sentido irónico de
la obra), encerrado Jimmy en una habitación de casa de huéspedes,
con su mujer y un amigo, juegan a arrojarse interminablemente la
misma pelota de resentimientos y acrimonias, más duros cuanto menos explícitos. Parecen ejercicios de un verbalismo abrumador, alardes
de una suntuosa y brumosa retórica maldiciente, sobre todo en boca
del personaje principal, más propios, en suma, de un intelectual fracasado que de un vendedor callejero de golosinas como es Jimmy Porter. Éste, al igual que su mujer, Alison, y su amigo Cliff, entran,
pues, en la categoría antes enumerada de "rebeldes sin causa", sin
ningún escape hacia la aventura picaresca o hacia el budismo zen, como
es el caso de los "frenéticos" norteamericanos. Quizá la única persona
lúcida sea un cuarto personaje, Helena, la amiga de Alison, cuando
exclama refiriéndose a Jimmy: "He descubierto lo que le sucede. Ha
nacido fuera de lo que debió ser su época. Ya no hay cabida para personas como él... en materia de sexo, de política, de cualquier cosa.
Por eso es tan vano." Lo que no pasa de ser un conato de una muy
aproximada caracterización, pronto contradicho por la misma Helena,
quien en el tercer acto suplanta a Alison, como amante de Jimmy, e
integra el segundo trío de seres que se repiten los mismos agravios
verbales de los dos actos anteriores. Luego no se trata de un "mirar
atrás" o un recordar con ira, sino de una repetición de la misma inqui-
na cósmica. En cuanto a la comedia siguiente de Osborne, *El animador,* únicamente el arte de un gran actor, Lawrence Olivier, primero
en el teatro y luego en el cinematógrafo, ha podido dar relieve a un
tema muy exiguo. El mismo tema de los insultos domésticos, con
otras variantes, por supuesto, y explotado con menos balbuciente técnica escénica, reaparece en la comedia de un norteamericano, Edward
Albee, tangencial a los "beats", titulada *¿Quién teme a Virginia
Woolf?,* debiendo lamentarse que por un juego de palabras con la voz
"wolf" (lobo), y como reminiscencia de una canción famosa, se asocie
a tales desahogos maritales el nombre de una escritora cuya delicadeza
de espíritu repugna tal aproximación.

"FRENETISMO" CONTRA "ORGANIZACION"

"Lo que encoleriza a estos jóvenes es que no tienen contra quién dirigir su cólera", escribe un articulista, con ánimo censorio, desatando, ahora con un motivo claro, las réplicas hirientes de John Osborne. Pero la objeción no por eso queda arrumbada. Caso algo distinto, una más explícita motivación de su protesta es la que se da en los "vencidos" del otro lado del Atlántico. Si la "institución" contra la cual se rebelan los escritores británicos dista mucho de tener barrotes carcelarios y no es, al cabo, más que una "constante" tradicional, razón de ser de un país sólido, contrariamente la "american way of life", sobre todo cuando parece intentar extenderse a sistema universal, hace más legítimo y explicable cualquier acto de insumisión. En tanto que los jóvenes ingleses de 1950 se alzan contra el "establishment", los norteamericanos de la misma fecha protestan frente al "square", en el sentido de encuadramiento. Contra él se rebelan los "hipsters", "cool cats" o "beatniks", variantes de una misma especie, es decir, los disconformes o anticonvencionales. Pero detengámonos en las primeras nociones de la jerga que utilizan los "vencidos" (vencidos sin lucha visible). Basten tales rudimentos para darse cuenta de lo que son y pretenden ser estos "holy barbarians", según los denomina uno de sus intérpretes, Lawrence Lipton. Por cierto, su "barbarie" es un poco forzada y su condición de "sagrados" sólo puede basarse en reflejos lejanos de un budismo algo descolorido. Más lógico es verlos simplemente, dada su reacción contra el encuadramiento, como la antítesis vengativa, si no burlona, del "organisation man", es decir, del hombre despersonalizado, dominado por una organización empresaria, cuyo análisis sociológico ha hecho tan minuciosamente William H. Whyte (*El hombre organizado*).

DESDE THOREAU, MELVILLE Y HENRY JAMES

Ahora bien, ¿acaso el espécimen humano del disidente necesitó esperar a los frenéticos para manifestarse; acaso no tenía ya una ilustre tradición en las letras norteamericanas? Recuérdese simplemente el caso de un Walt Whitman, a quien alguno apellidó "el magnífico haragán", y, sobre todo, el de un Henry David Thoreau, cuyo *Walden* es la más bella apelación a la libertad del hombre que no quiere dejarse esclavizar por el medio urbano y se basta a sí mismo. Sin embargo, es curioso que no hayan sido Whitman ni Thoreau, mucho menos Emerson, las figuras erigidas como dioses tutelares por las nuevas generaciones literarias en lo que va de siglo. Tales hornacinas aparecen ocupadas por Herman Melville y Henry James. Mientras que *Moby Dick* fue leída a una nueva luz, tres cuartos de siglo después de su publicación, y la lucha entre la Ballena Blanca y el capitán Ahab hubo de adquirir una categoría de nuevo mito, en las novelas de Henry James se encontró un ejemplo de arte elaborado, a modo de reacción contra la espontaneidad instintiva dominante en los más. De esta suerte, en los libros como el *Retrato de una dama* y los siguientes se vieron condensados, por parte de los nuevos escritores, a partir de 1920, ciertos temas que habrían de ser capitales; tales, según John Brown, el de un ideal internacional, el del artista en conflicto con la sociedad, el del peregrino en busca de una sociedad no hostil. En suma, el autor de *The ambassadors, The wings of the dove* y *The golden bowl* —por citar las tres novelas más representativas del período de plenitud de Henry James— vino a ser, en cierto modo, el modelo moral de los escritores expatriados en la generación de 1920, aunque su influjo puramente literario se manifestase en sentido contrario al de ese grupo; es decir, reaccionando contra la saturación del realismo y restableciendo el imperio de la forma. En cualquier caso, Henry James es el primero en levantar el vuelo, en iniciar la desbandada hacia Europa, ejemplo que más de medio siglo después continuarán Er-

125. Stephen Spender
126. W. H. Auden
127. E. Hemingway
128. E. E. Cummings

129. Colin Wilson

130. John Osborne

131. John Wain

132. Jack Kerouac

133. Allen Ginsberg

134. Lawrence Ferlinghetti

nest Hemingway, John Dos Passos, Scott Fitzgerald, Gertrude Stein, Ezra Pound, E. E. Cummings, entre otros, a los que más o menos caprichosamente se dio en llamar —un poco equívocamente, según veremos— "generación perdida".

Importa recordarlos como antecesores de la "generación vencida", donde sobresalen los nombres de Jack Kerouac, Allen Ginsberg, Lawrence Ferlinghetti, Gregory Corso... A mitad de camino queda otra generación compuesta particularmente por novelistas de superior interés, la que va desde Norman Mailer, Nelson Algren, hasta J. D. Salinger, Saul Bellow, James Jones, William Styron...; marcan, en el eterno vaivén de tendencias, el paso de la "rebelión a la conformidad", según un crítico, Maxwell Geismar, cuyas vistas son más sociales que literarias, y por ello deben ser puestas en cuarentena. Y aún está por definir otra generación posterior, la de 1960, donde resaltan figuras como James Purdy, Bernard Malamud y John Updike, sin olvidar a dos mujeres: Katherine Anne Porter y Mary Mac Carthy; la primera, iniciada como cuentista, destacada después como novelista poderosa en una obra de alegórica titulación medieval —que había sido utilizada por Baroja—, *La nave de los locos* (*Ship of fools*); la segunda, procedente del ensayismo crítico, con otra novela de empeño, *The group*.

Los "beatniks" ya no rompen amarras con su país; al contrario, vagabundean libremente por sus cuatro extremos y su emigración se efectúa más en el tiempo que en el espacio, desde el momento en que se sumergen en las lejanías orientales, en un budismo zen muy personalmente interpretado. Con todo, el espíritu de grupo, la tendencia a obrar en pandilla, del mismo modo que cierto gusto por el escándalo y las drogas, parecen venirles a Kerouac y a sus amigos no de los Estados Unidos, sino de Europa. Es un caso semejante, respecto a la oriundez, del de los pintores del Pacífico, cuya simiente fue importada de Europa, aunque la planta que floreció resultase norteamericana. La apreciación pertenece a Herbert Read, si bien éste, acto seguido, la ponga entre interrogantes. Se alude con ella a Jack Pollock, Clifford Still, Sam Francis, Rothke, Mark Tobey, Franz Kilne, Willen de

Kooning y Philip Gustov, puesto que todos estos pintores, trátese de expresionistas abstractos o de los nuevos "action-painters", han estado, directa o indirectamente, en contacto con el arte y la filosofía de Oriente.

UN RÓTULO DEL AZAR: LA GENERACIÓN PERDIDA

Si el epíteto de iracundos —según hemos visto— puede aplicarse con cierta exactitud solamente a los personajes de la comedia de Osborne, *Recordando con ira,* y dista mucho de convenir a todos los miembros del grupo, más arbitrario o azaroso es el de vencidos o beatíficos referido a los norteamericanos. "Beat generation" no pasa de ser una parcial reminiscencia de "lost generation", con la circunstancia de que este último rótulo es caprichoso como ningún otro en el muestrario terminológico de las vanguardias. En primer lugar, porque Hemingway y sus coetáneos, lejos de extraviarse supieron encontrar la expresión directa, el tono áspero, cínico que convenía a la primera postguerra. Después, porque el nombre incriminado nace de un malentendido. Siempre lo había sospechado así, hasta que he encontrado una corroboración en la vivaz —aunque incompleta— autobiografía póstuma de Hemingway, *Paris, a moveable feast* (1964). En efecto, el origen de tal expresión es el siguiente. Cierto día, Gertrude Stein repitió ante Hemingway, en son de reproche, la expresión que había oído al patrón de un garaje dirigiéndose a un obrero descuidado: "Vous êtes tous une génération perdue". Expresión que pudo tener sentido aplicada a la desgana o la falta de responsabilidad mostrada por los más jóvenes que volvían de la guerra del 14, pero difícilmente aplicable a un escritor que, contrariamente, se preocupaba mucho de adquirir la técnica de su oficio como Hemingway. ¿Acaso —pudiera pensarse sin demasiada malignidad— que Gertrude Stein no entendió bien la frase y quiso darle un alcance que no tenía?

Porque, la verdad sea dicha, esta escritora no da precisamente la impresión de haber sido una inteligencia rápidamente receptiva, dada la lentitud de su ideación y al paso tardígrado de sus frases, con aire balbuciente, que comienzan y vuelven a empezar siempre. En cambio, es incuestionable que Gertrude Stein poseía una vanidad fuera de serie, al punto de hacerse llamar genial sin apelación y de acudir a la treta de poner su autobiografía bajo el nombre de una secretaria, Alice B. Toklas, con el fin de autoincensarse impunemente. Porque en cuanto a la novedad de su estilo, habría mucho que hablar. Sus turiferarios han escrito que "Gertrude Stein fue la primera en inventar la frase americana". Pero si ésta consiste en limitarse a las oraciones pronominales, repitiendo las mismas palabras, patinando siempre en idéntico lugar, la resultante no es otra que un penoso tartamudeo, según sucede en *The making of americans*. Cierto es que tal sintaxis paupérrima no pertenece a Gertrude Stein en exclusividad y hace asimismo sus víctimas en otros escritores de la misma literatura. De ahí, en contraste, el extraño efecto causado en las letras norteamericanas por algunos europeos, tales como George Santayana, G. A. Borgese y Vladimir Nobokov, cuando utilizaron el inglés, merced a su riqueza de vocabulario y su variedad de giros. El primero de los citados, el autor de una novela tan singular como *El último puritano,* tránsfuga de su español nativo, llegó a escribir: "He querido decir en inglés, de manera convincente, la mayor cantidad posible de cosas no inglesas." Ahora, en cuanto a la influencia —ya aludida— que Gertrude Stein, empero sus alardes, haya podido ejercer sobre los escritores de la década del 20, particularmente en dos muy personales, superiores a ella, como Hemingway y Sherwood Anderson —influencia que todos los críticos de tal período aceptan sin discusión—, sospechamos que, en rigor, debe de ser muy impugnable. En el caso de Hemingway, si de Stein deriva la técnica de repeticiones a que aquél sucumbe, tal influjo no es de alabar. Pero felizmente el autor de *Fiesta* y de *Por quién doblan las campanas* —para citar los dos libros suyos que centró en España— poseía una visión dramática de la vida y un sentido de lo viviente, unidos a una simpatía por sus personajes, virtudes de las cuales no hay el menor atisbo en Gertrude Stein. Su papel, por tanto, debe limitarse al de una memorialista, según aparece en la titulada *Autobiography of Alice B. Toklas,* libro que vale no por lo que cuenta de sí misma, sino por los retratos y escenas de los pintores a quienes trató en París, desde los primeros años del siglo hasta la última guerra. Y si su vanidad es punible, tanto como su estilo no recomendable, en cambio deberá ensalzarse su olfato —guiada por su hermano Leo Stein— al coleccionar cuadros que en aquellos tiempos apenas tenían gustadores, a partir de Cézanne y Matisse hasta Picasso, Juan Gris, Braque y otros cubistas.

EXALTACION Y AUTOANIQUILACION

Mas volviendo a los vencidos o acercándonos de una vez a ellos. "Vencidos da vida" —recordemos— se designaron Eça de Queiroz, Ranalhao Ortigao y otros escritores portugueses hacia fines de siglo, también sin motivo explícito, a no ser por la sensación de hallarse encerrados en el finisterre de Europa. En cuanto a los vencidos norteamericanos de 1960, uno de sus miembros, John Clellan Holmes, ha escrito con razón: "La palabra ha sido utilizada en contextos tan diferentes que todo el mundo se confunde. Para mí "beat" no significa vencido. Quiere decir agitado o desnudo o en carne viva." Y otro del mismo grupo, Neal Cassady, dice que la expresión "beatnik" le evoca "las visiones más altas que un hombre puede alcanzar". ¿Por qué medio? "La marihuana —agrega— es un camino para obtenerlas." Declaración que le sitúa literariamente casi un siglo atrás, en la época simbolista de los "paraísos artificiales", aunque podrá pretenderse que estas apelaciones al "miserable miracle" —según frase de quien lo ha experimentado, Henri Michaux— pueden modernizarse bajo los nombres de péyotl o mescalina, si bien estas "puertas de la percepción" —con palabras y también experiencia de Aldous Huxley— se cierran en seguida sobre el que las franquea. Por lo demás, y en correspondencia con otros aspectos de los frenéticos, no es difícil establecer su linaje literario y sus preferencias. Arrancan del confesionismo impúdico de un Henry Miller y quieren llegar a los delirios de un Antonin Artaud, pasando por el amoralismo de un Jean Génet y la voluntaria sumersión en el laberinto alegórico de un Samuel Beckett.

No se vea en esta ligera caracterización ningún afán de disminuirlos. Al menos, en relación con la manera como les pintan sus apologistas, Gene Feldman y Max Gartenberg *(The beat generation and the angry young men*, 1958), quienes para definirlos dicen: "Una generación de picoteadores de andrajos, en busca del Misterio, de la Magia, de Dios, en una botella, una aguja de inyecciones, una trompeta de jazz." Y en otro párrafo agregan: "El credo de la "beat generation" es muy sencillo y directo: el único camino para congraciarse con la vida en este planeta es carenarla hasta darse de bruces con la realidad tal como es, tal como uno la encuentra en todos los momentos de agonía y de goce." Pero, en rigor, si nos atenemos a las propias declaraciones de Kerouac y sus congéneres, lo que buscan simultáneamente es la exaltación y la autoaniquilación; exaltación por el camino de los sentidos; autoaniquilación por las vías del budismo zen, muy libremente imaginado, más que por otras del quietismo místico a la manera de Miguel de Molinos (cuya existencia ignoran), el heresiarca español del siglo XVII, y que sirvió de modelo a Valle-Inclán para sus propósitos de crearse una estética en *La lámpara maravillosa*. Dado el ardor con que los "beats" se lanzan a ambos extremos —el seudomístico y el sensual—, el calificativo que más les cuadraría, según páginas atrás anticipé, es el de frenéticos.

John Clellan Holmes atribuye tal desasosiego a la decepción que en ellos produjo la trasguerra del 49. Creyeron encontrarse con un mundo más libre, exento de amenazas y cohibiciones, y cayeron de bruces en la guerra fría. Pero la rebeldía o desconcierto de los veinteañeros nunca, desde los días del romanticismo, ha necesitado un pretexto explícito. La diferencia es que ahora su estampa ya no es la figura de un hombre desmelenado, en camisa, erguido en una roca frente al abismo, sino la de unos muchachos que se tuestan al sol en las playas de la costa de San Francisco —cuartel general de los "beatniks"—, viven en "camping" permanente, atraviesan como polizones los Estados Unidos; o el de otros —si no son los mismos— que en los "dancings" nocturnos recitan poemas entre el estrépito del "jazz", se drogan con marihuana, copulan promiscuamente y hacen todo lo imposible por vivir una también imposible y anacrónica bohemia; no advierten que el Montparnasse, el Bloomsbury y el Greenwich Village de 1925 —inclusive el Saint-Germain-des-Prés de 1950— son ya solamente anécdota retrospectiva.

Más allá de tal decorado, lo que diferencia —según Feldman y Gartenberg— a iracundos de frenéticos es que los primeros buscan su conexión con la sociedad, entienden que dentro del universo de falsas apariencias existe una verdadera realidad social; por el contrario, los segundos "abjuran en todo del mundo de los "squares" e intentan crear una nueva realidad". Tienden a una suerte de libertarismo anárquico y no rehúyen pasear por la cuerda floja del "humour". Así, un frenético ha dicho que "vivimos en la edad del Rinoceronte blanco" (¿de qué color es el de Ionesco, símbolo de la contagiosa masificación?), y otro le ha refutado que es la "edad de los zapatos fritos". Frases que muy bien pudiera suscribir un Dalí. No es extraña, pues, la conclusión de Caroline Freund cuando escribió que el frenetismo es "una fantasía burguesa, un producto de lujo; sus autores chocan y escandalizan sin producir inquietud; son los rebeldes sin causa, los rebeldes sin consecuencias".

Expresión la penúltima que no procede de un texto literario, sino científico. Trátase del libro de Robert Linder, *Rebel without a cause. The hypnoanalisis of a criminal psycopath,* donde se pinta a tal sujeto como "un rebelde sin motivo, un agitador sin emblema, un revolucionario sin programa", unido a otras cualidades del infantilismo, egoísmo e insolidaridad. En cuanto a los gustos literarios del "beatnik", Caroline Freund los define así: "Prefiere Jung a Freud, el concepto de lo colectivo al de lo personal. Otras influencias sobre su pensamiento han sido San Francisco de Asís, Uspenski y San Juan de la Cruz. Admira a Joyce por su oscuridad. Se adhiere a las convenciones del inconvencionalismo con el entusiasmo de un rotario por sus reglas." Respecto al tipo de existencia que llevan, a su nomadismo y, sobre todo, a cierto vago afán proselitista, uno de ellos ha escrito con indescifrable jactancia: "Podemos ser comparados con los primitivos cristianos. Somos los "fuera de la ley" en la "mentira social", el pueblo perseguido, el apocalíptico, el nocturno."

Relacionada con esta condición, no ya de "outsiders" o disidentes, sino de "outlaws" o fuera de la ley que se atribuyen, está su curiosa identificación con los negros, al punto de haberse designado como "blancos negros". La expresión pertenece a un novelista de la anterior promoción, Norman Mailer, autor del crudo libro de guerra, *Los desnudos y los muertos*. No se trata de una simpatía política, ni de una simple manera de protestar contra la segregación racial, sino de una especie de masoquismo que les lleva a identificar su destino con el de los negros. Norman Mailer explica cómo en la inquietante coyuntura, bajo la amenaza atómica, ha surgido "el existencialista americano, el "hipster", el hombre que sabe que nuestro destino colectivo es convivir con la muerte instantánea. Aclaremos que la acepción que el novelista citado da de "hipster" es el de "uno que rechaza la permanencia, el orden, la continuidad y todas las verdades, salvo la del momento..."

EL "AULLIDO" DE GINSBERG

Los frenéticos se han definido más bien mediante gritos y teorías sueltas que merced a obras articuladas, salvo en algunas poesías y otras tantas novelas. A un género epiceno pertenece el libro, ya en cierto modo famoso, que se titula precisamente *Aullido (Howl,* 1956), original de Allen Ginsberg, personaje que a semejanza de Génet no vacila en confesarse homosexual o más bien heterosexual, sin contar pequeñas licencias con la propiedad ajena. Ginsberg —que nació en la década del 20 como Kerouac, Holmes y otros—, tras graduarse en la Universidad de Columbia, servir en la marina mercante y adoptar otros oficios, estableció su cuartel general en San Francisco; después ha deambulado por América del Sur. Un poeta famoso, de una generación precedente, William Carlos Williams, ha alabado *Howl* con los términos más entusiastas. Se intentó contra su autor un proceso por obscenidad, si bien luego fue absuelto. Los adeptos de Ginsberg consideran dicho poema como "la extrema protesta de la generación vencida". Pero ¿qué es, en definitiva, este *aullido* sino una redición aumentada de cuanta "poesía maldita" ha caído sobre el mundo desde los días de Rimbaud, es decir, otra "temporada en el infierno", hecha de visiones discordantes, imágenes descoyuntadas, salidas escatológicas, a través de un verbalismo no por suntuoso menos retórico, y que por ello no se libra de sonar como un nuevo "poncif"? Pero mejor que sintetizar ningún juicio, limitémonos a traducir alguna estrofa. Comienza así:

> "*He visto a las mejores mentes de mi generación destruidas por la locura, pereciendo de hambre, histéricas, desnudas, | arrastrándose al alba por las calles de negros en busca de una poción colérica, |* hipsters [1] *con cabeza de ángel que ardían por el antiguo contacto celeste con el dínamo estelar de la maquinaria de la noche, | que (pobreza y harapos y ojos huecos y ebrios) fumaban sentados en la sobrenatural oscuridad de departamento sin agua caliente flotando entre las cimas de las ciudades contemplando el jazz..."*

LOS VAGABUNDEOS DE KEROUAC

Una imagen más clara y completa de los frenéticos nos la proporcionan las novelas de Jack Kerouac, señaladamente *En la carretera* y *Los vagabundos del Dharma*. Ante todo, porque se trata de obras en buena parte autobiográficas; después, porque en contraste con su deficiencia técnica y una inevitable pobreza de recursos expresivos, poseen una frescura, una espontaneidad que les otorgan subido valor testimonial. Diríase que Jack Kerouac, al modo de Henry Miller, ha vivido todo lo que cuenta y que igualmente, con la misma incontinencia del autor *Gran Sur y las naranjas de Jerónimo Bosco,* considera

---

[1] "Hipster": "uno que está en el asunto"; también "a cool cat": "un gato frío". "Cat" es el individuo no conformista, sin inhibiciones, desarraigado, sexualmente libre, movedizo, etc. Son expresiones peculiares de los "beatniks" que utilizan una jerga argótica, a bastante distancia del inglés usual y que, de continuar ensanchándose, algún día necesitará todo un Diccionario propio... Así "bread" (no pan, sino dinero); "gas" ("supremo, lo que está en la cumbre"); "dig", comprender, apreciar, gustar de algo; "pod" (no vaina o cápsula, sino marihuana, también llamada "té", y en distintos lugares y ocasiones "weed", maleza, cizaña).

digno de ser contado todo lo que le sucedió. Aunque Kerouac pasó por la Universidad de Columbia, más han influido en él sus tiempos en la marina mercante durante la guerra, otros oficios y posteriormente sus andanzas a través de gran parte del vasto territorio norteamericano.

Tales andanzas, un inacabable vagabundeo forman la sustancia temática de las dos principales novelas de Kerouac: *On the road* y *The Dharma Bums*. La traducción del título más rigurosamente exacta de la primera no es *En el camino,* según se ha hecho, sino *En la carretera,* puesto que las autopistas de los Estados Unidos son su escenario. Poseídos de una especie de "perpetuum movile", si no es más llanamente una infatigable desazón viajera, sus dos principales personajes apenas dejan trayecto por recorrer en el enorme mapa de la gran nación norteamericana. Como no tienen nada de caballeros y sí mucho de pícaros, sus itinerarios los cumplen no a lomos de caballos, tampoco por el aire, sino en calidad de polizones, practicando el "auto stop" en los camiones o viajando subrepticiamente en los trenes de carga. Ahora bien, acontece que estos deambulantes no son personajes de ficción, sino en una buena parte seres reales, al punto de que si en el sujeto que narra, Sol Paradise, es fácil reconocer muchos rasgos del propio Kerouac, en otro personaje, Dean Moriarty, tampoco es muy hipotético hallar rastros de Neal Cassady. Reales o imaginarios, estos dos seres viven poseídos por un verdadero frenesí: saltan de un automóvil a un tren de mercancías, cambian de mujeres, beben sin limitaciones, esporádicamente se aplican a trabajos manuales para subsistir o bordean la delincuencia. El alcohol, la marihuana, las conversaciones descosidas, aunque pretendan abordar temas trascendentales, llenan la mayor parte de sus días. Sin embargo, tales personajes vienen a quedar en un segundo plano ante el inacabable desfile de la más varia fauna humana con que se topan en su interminable vagabundeo.

Menos rica en este sentido, pese al título, es otra novela —superiormente lograda— del mismo Kerouac, *Los vagabundos del Dharma*. A ella se agrega, como nuevo elemento, la influencia oriental, los reflejos de un budismo más japonés que hindú, el deslumbramiento por paraísos menos artificiales que los producidos por la droga y que tienen su fuente en un zenismo, llegado a ellos por incógnitas vías. De ahí la mezcla o alternancia de aventurerismo y religiosidad, de pureza en las cumbres y abyección en la llanura; en suma, la búsqueda de un significado trascendente a existencias muy terrenas. Episodio capital en *Los vagabundos del Dharma* es la subida al pico de una montaña, el Matterhorn, sin duda existente, pero que por momentos parece tan irreal como "El monte Análogo" de René Daumal. A ese punto llega el realismo denso de algunos norteamericanos: a desrealizar y tornar fantástico el universo tan sólidamente real que les circunda. Uno de los personajes de *Los vagabundos del Dharma* se define así: "Mirad, cuando era un chiquillo en Oregón, nunca tuve la impresión de ser un norteamericano, con todo ese idealismo suburbano, esa represión sexual y esa gris censura periodística, tan general y aburrida, de cuanto constituye un valor auténtico. Y cuando descubrí el budismo y todo lo relacionado con él, comprendí de pronto que yo había pasado por otra vida hacía muchísimo tiempo, y que, a causa de mis defectos y pecados en esa vida, se me había degradado a esta más lastimosa existencia. Mi karma era nacer en los Estados Unidos, donde nadie sabe divertirse ni cree en nada, especialmente en la libertad. Tal es la razón de que yo siempre simpatizara con los movimientos libertarios, como el anarquismo en el Noroeste, los viejos héroes de la matanza de Everett y todos..."

HENRY MILLER Y SU "GRAN SUR"

Sería injusto concluir este capítulo, esta somera incursión por el mundo de los frenéticos, sin recordar cuánto deben estos escritores a un antecesor inmediato, Henry Miller. Pero me refiero no al autor fácilmente escandaloso de los *Trópicos,* durante algún tiempo prohibidos en su país, revelado en Francia a la par de los existencialistas; tampoco el autor de otros libros posteriores como *Roxy Crucifixion, Sexus* y *Plexus,* gravados por una pareja obsesión sexual y una anarquía romántico-apocalíptica, donde algunos quieren ver un soplo épico. Me refiero al autor de una de las más cáusticas sátiras contra el "modo americano de vida", lo que Miller llama "la pesadilla climatizada"

(*The air conditioned nightmare*); y más particularmente aún al libro autobiográfico *Gran Sur y las naranjas de Jerónimo Bosco*. Cierto es que autobiográficos son todos sus libros, pues Henry Miller nunca ha podido objetivarse en un relato autónomo, salir de sí mismo. Pero cabalmente esta limitación de sus presuntas novelas deja de ser un demérito en libros como el último mencionado, y donde, por otros medios, pretende llegar a un "paraíso" no muy distinto del de los frenéticos. Tampoco Miller compone ni cosa parecida: se deja llevar por el flujo de sensaciones, recuerdos, amistades con personajes estrafalarios.

Instalado en un apartado lugar del extremo de California ("éste es el Pacífico que descubrió Balboa desde el Pico de Darién, ésta es la faz de la tierra con el aspecto que se propuso darle el Creador"), Miller repite una vez más el sueño de quienes desean romper con la "civilización", prescindir de las trabas sociales y bastarse a sí mismos. Tal sueño no es nuevo: Etienne Cabot situó en Illinois su utopía *Voyage en Icarie,* Thoreau la llevó a cabo más verídicamente en los bosques de Concord, Robert Owen en Indiana; esto, por citar solamente algunos de los casos situados en el Nuevo Mundo. De suerte que lo importante no es la relativa novedad del experimento, tampoco el éxito o el fracaso con que Miller lo haya llevado a cabo, sino su valor sintomático; lo alegoriza en la "visión mágica" "del mundo pintado por el Bosco, quizá no muy exactamente, puesto que deja de lado las pesadillas, brujas y trasgos del artista escurialense y se fija únicamente en un fragmento de "El milenario", donde "unas naranjas forman arabescos de una realidad alucinante en tres árboles". Como quiera que sea, el hombre que por reacción contra su país, "fuente del Mal", había hecho de Francia la "fuente del Bien", que luego vio algo semejante en Grecia *(El coloso de Maroussi),* encuentra finalmente en Big Sur un reposadero para su hartazgo de la sociedad y su individualismo exasperado.

Siguen, pues, una línea ya en cierto modo tradicional, los frenéticos de la última postguerra, aunque ahora no busquen otros climas para amansar el descontento, y su fuga, más que en el espacio —estos vagabundos, como hemos dicho, fatigan incansablemente su propio territorio— se efectúe en el tiempo, pasando así del reino de la Utopía al de la Ucronía.

BIBLIOGRAFIA

Anónimo: *The Moral Anarchists,* en "The Times Literary Supplement". Londres, 17 de abril 1959.
John W. Aldridge: *After the Lost Generation. A Critical Study of the Writers of Two Wars.* MacGraw-Hill, Nueva York, 1951.
Kenneth Alsop: *The Angry Decade. A Survey of Cultural Revolt of the Nineteenth Fiftees.* Owen, Londres, 1958.
Alfred Aronowitz: *Voici les Beatniks,* en "L'Express". París, 21 de mayo 1959.
John Brown: *Panorama de la Littérature contemporaine aux Etats-Unis.* Gallimard, París, 1924. Trad. esp. Guadarrama, 1956.
Edith Copelan: *Novelas y novelistas de Estados Unidos,* en "Insula", núm. 215, Madrid, octubre 1964.
Malcolm Cowley: *Exile's Return. A Literary Saga of 1920's.* Viking Press, Nueva York, 1951.
Marcus Cunliffe: *The Literature of the Unitet States.* Pelican Books, Londres, 1959.
Gene Feldman. Max Gartenberg: *The Beat Generation and the Angry Young Men.* The Citadel Press, Nueva York, 1958.
Boris Ford: *The Modern Age.* Penguin Books, Londres, 1961.
Caroline Freud: *Beatnik,* en "Encounter", núm. 69, Londres, junio 1959.
Maxwell Geismar: *American Moderns, From Rebellion to Conformity.* Hill & Wang, Nueva York, 1958.
Claudio Gordier: *Hipsters e Angry Young Men,* en "Almanacco Letterario Bompiani 1960". Milán.
— *I Twenties,* en "Almanacco Letterario Bompiani 1960". Milán.
Ihab H. Hassan: *The Antihero in Modern British and American Fiction,* en "Comparative Literature. Proceedings of the ICLA", vol. I. Chapel Hill, North Carolina, 1959.
Ernest Hemingway: *A Moveable East.* Scribners, Nueva York, 1964. Trad. española: *París era una fiesta.* Seix Barral, Barcelona, 1964.
Jack Kerouac: *Beatific,* en "Encounter", núm. 71. Londres, agosto 1959.
Doris Lessing, Colin Wilson, John Osborne y otros: *Déclaration.* Mac Gibbon and Kee, Londres, 1957. Trad. fr. *Les Jeunes Gens en colère vous parlent.* Pierre Horay, París, 1958.
Lawrence Lipton: *The Holy Barbarians.* Messner, Nueva York, 1959.

Harry T. Moore: *Cool Cats don't dig the Squares,* en "The New York Times Book Review". New York, 24 mayo 1959.
Poetas ingleses en la guerra de España. Selección y traducción de William Shand y Alberto Girri. Prólogo de Guillermo de Torre. Buenos Aires, 1947.
Monique Nathon: *Une Nouvelle Avant-garde,* en "Critique", núm. 139. París, diciembre 1958.
Herbert Read: *En los confines de la pintura.* Universidad Nacional de Córdoba (Argentina), 1964.
Roberto Sanesi: *La nuova Apocalipse,* en "Almanacco Letterario Bompiani 1960". Milán.
— *Il twentismo,* en "Almanacco Letterario Bompiani 1960". Milán.
Stephen Spender: *World Within World.* Faber and Faber, Londres, 1950.
D. T. Suzuki, Erich Fromm: *Zen Buddhism and Psychoanalysis.* Harper Brothers, Nueva York, 1960. Trad. esp. *Budismo Zen y psicoanálisis.* Fondo de Cultura Económica, México, 1964.
Oliver Todd: *Colin Wilson ou le lumpen-intelectual,* en "Les Temps Modernes", núm. 152. París, octubre 1958.
Guillermo de Torre: *Escritores norteamericanos disconformes,* en "Luz", Madrid, 7 y 15 noviembre 1933.
— *Amazonas de las letras* (Sobre la autobiografía de Gertrude Stein), en "Revista de Occidente", núm. 146. Madrid, octubre 1934.
— *La autobiografía de Stephen Spender,* en *Las metamorfosis de Proteo.* Losada, Buenos Aires, 1956.
Varios: *Beatniks et les Jeunes Ecrivains américains,* en "Les Lettres Nouvelles", núm. 4, París, junio 1960.
Colin Wilson: *The Outsider.* Londres, 1954. Trad. esp. *El disconforme,* Emecé, Buenos Aires, 1957.
Harriet Zinnes: *Revolución y contrarrevolución en la crítica norteamericana,* en "Insula", núm. 215, Madrid, octubre 1964.

13
OBJETIVISMO

135. De izquierda a derecha: Alain Robbe-Grillet, Claude Simon, Claude Mauriac, Jérôme Lindon, Robert Pinget, Samuel Beckett, Nathalie Sarraute y Claude Ollier. París, 1959

136. "Zenit". Revista yugoeslava. Octubre de 1921

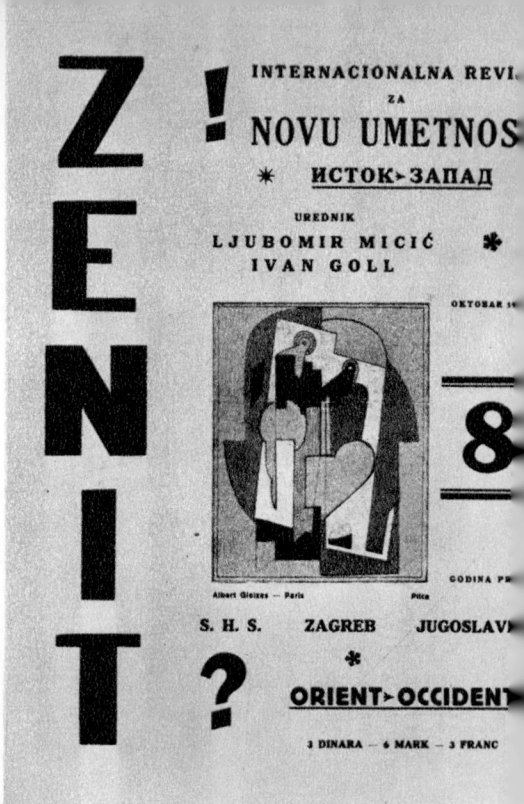

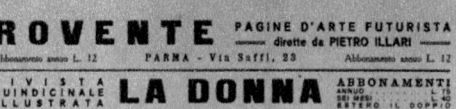

137. Una página de "Het Overzicht", con anuncios de las revistas de vanguardia en la década de 1920

A PARTIR DE CERO

La cosa empezó mal —pudiéramos escribir al comienzo de este capítulo, como si se tratara de iniciar una novela deliberadamente sin pies ni cabeza o cuyas extremidades se ocultan tanto como se ignoran, desde el momento en que lo único claro es el propósito de romper con todo amago de secuencia narrativa y quebrar bruscamente cualquier sentido sospechoso de convencionalismo—. ¿Y por qué empezó mal? Una innovación literaria o simplemente una desviación de corriente, máxime cuando se aspira a que cristalice en determinado estilo y no pare en intento, debe comenzar por definirse, hallando desde el primer momento un nombre inequívoco. Pero ¿no hubiera sido esto pedir demasiado cuando precisamente la presunta nueva escuela se presenta con el fin no de "llenar un vacío", sino de ser un vacío; no de expresar o afirmar un mundo, sino de decir simplemente que éste "está ahí"; un tipo de novela, en suma, que "parte de su propia negación"? Así veían ellos mismos su intento: los autores de libros que entonces (1955) llamaron "novelas blancas", que luego —cinco o seis años después— fueron considerados como integrantes de la "escuela de la mirada", más tarde se designaron como "objetalistas", por creer este barbarismo más preciso que "objetivistas"; como variante, miembros de la "escuela del rechazo", o "escuela de la materia"; más adelante campeones de la "antinovela" y, finalmente —al pasar diez años—, han bautizado a su género bajo el nombre de "nouveau roman". Este último, por lo mismo que lógicamente ha debido prosperar en una cadena de contrasentidos o una sucesión de condescendencias, es —como habrá de verse— el menos apropiado o el más caprichoso.

¿Acaso lo de "novela blanca", que propuso Bernard Dort (en "A la recherche du roman", *Cahiers du Sud,* 1955), tenía mayor sentido?

A primera vista, corría el riesgo de parecer designar una variante de la inefable "novela rosa" (ese género tan desmonetizado, pero que, con mayor o menor humorismo, pudiéramos profetizar como la novela imperante en un futuro, cuando se haya cerrado el ciclo de las novelas negras, sádicas o amorales); pero vista con más calma, no era del todo incongruente. En efecto, mediante el apelativo de "novelas blancas" se intentaba —según palabras del crítico citado— únicamente señalar un momento en que el sentido de la novela y el de la historia "se hallan en suspenso". "El hombre —afirmaba— todavía no está en el mundo. He ahí el postulado de las novelas blancas. He aquí nuestra evidencia original. Existe el hombre; existe el mundo. Pero no sabemos más. De ahí parte la novela. Parte de su propia negación." Punto de arranque nada original, común a cuantas revoluciones literarias en el mundo han sido, particularmente aquellas que pretendieron ser radicales, partiendo de la nada, del cero. La *tabula rasa,* el dejar todo en blanco para volver a empezar, ha solido ser siempre —declárese o no tan paladinamente— el desiderátum de quienes, al despertarse un buen día, quieren olvidar las arrugas del mundo, el paso de los siglos. Pero ¿es ello posible, cabe anular la gravitación de lo escrito o lo representado en imágenes; acaso eso que se llama "el peso de la tradición" no se sobrepone inexorablemente a cualquier propósito de rejuvenecimiento que intente el hombre de Occidente? Ya veremos que, en el caso de los novelistas del objetivismo, tal propósito fracasa, desde el momento en que cuidan de alegar precedentes. Pero sigamos antes sus primeros pasos.

Intencionalmente se encaran con un mundo vacío, con un universo postatómico, del cual, aparentemente, todo rastro humano fue barrido. Al menos, no queda nada profundo: las tres dimensiones se redujeron a una, la extensión. Pues lo primero que pretenden —según Robbe-Grillet— es "la destitución de los viejos mitos de la profundidad". Se limitan a la superficie "lisa, intacta, sin resplandor equívoco ni transparencia". Pero ¿qué cabe hacer con tal superficie? No otra cosa que describirla, tomar sus medidas. Tarea de dibujantes lineales, de agrimensores, de empleados del catastro, desde luego. Lo dudoso y supremamente discutible es que sea función de novelistas. Máxime cuando se eliminan o se dejan reducidos a espectros otros factores que se habían estimado siempre esenciales, irremplazables: los personajes, la acción, un asunto más o menos coherente, pero que preste cierta unidad y continuidad a lo que se narra o representa. Cómo llevan a cabo tan violenta ascesis, qué es lo que resta después de tan crueles eliminaciones, lo veremos más adelante. Por el momento, describamos, midamos a nuestra vez la naturaleza del intento.

¿ES POSIBLE UNA NOVELA EXPERIMENTAL?

Sin necesidad de remontarnos a ninguna época inasible personalmente, limitándonos a aquellas que, en cierto modo, podemos "palpar", penetrar con intimidad, desde el romanticismo hasta el día, una conclusión es fácilmente inferible: la poesía ha sido siempre, inicialmente, el terreno elegido para cualquier innovación formal, en tanto que la novela prefirió generalmente adaptar —a veces ensanchar y hasta llevar a un punto de perfección— procedimientos nacidos en la lírica o en otros géneros y técnicas. ¿Estaremos en la puerta de un cambio de trayectos, habrá llegado el momento en que la novela adelante resueltamente el paso sobre la poesía, convirtiéndose en punta de lanza, abridora de nuevos territorios? Como no se trata de manifestar preferencias, y menos aún entusiasmos (dudo que la novela objetivista pueda promoverlos; es significativo el tono reticente, cuando no la visible condescendencia que usan todos sus críticos, en contraste, claro es, con la autoapología y el mutuo elogio de los propios cultivadores), veamos la cuestión con el verdadero objetivismo que corresponde.

La novela ha sido siempre un hecho cumplido más que un proyecto, una realidad sólida antes que un experimento azaroso. Por lo mismo que el nacimiento del género fue indirecto, derivado, al surgir como un desgajamiento del mundo épico, debió afirmarse con cristalizaciones, no con ensayos. Aunque Lukacs (*Teoría de la novela*) afirma que "la novela es la forma de la virilidad madura, en oposición a la infantilidad normativa de la epopeya", más cierto resulta que la novela debió luchar largamente para imponerse como tal, para ser tomada en serio. En una palabra, tardó en ser reconocida como arte. ¿Por qué? Por la carga sustancial del elemento antiartístico que lleva encapsulada. Y este elemento retardatorio, este gravamen oneroso de la novela es el mismo que determina, simultánea y contradictoriamente, su bajeza y su nobleza: es la realidad. Antes de todo realismo, catalogado específicamente bajo tal nombre, después de Boccaccio, Chaucer y Rabelais, cuando, en suma, la novela se acunaba en los pañales de la "narración", estaba todavía muy distante de ser "un espejo paseado a lo largo de un camino", hay un largo período de incertidumbre sobre el rango estético del género, precisamente porque se pone en discusión si es o no un arte. Lo era, no obstante, en cuanto representación estilizada de un mundo, cada vez más circundante que fabuloso. No lo era, desde el momento en que el novelista necesita ineludiblemente apelar, para urdir sus puras ficciones, a la vida impura. Y ésta ha sido siempre, después del Renacimiento, la tragedia de la novela, vista como género autónomo, como producto de calidad. ¡Dificultad de hallar un punto de equilibrio! Si un exceso de realidad mata la novela —inclusive aquellas más elaboradas del siglo XX donde prevalece lo documental—, la ausencia de realidad determina que la novela no adquiera consistencia y se confunda con algo híbrido, bien lo poemático o lo fabuloso a destiempo.

Que la novela sea forma, que sea sustancialmente estilo —entendiendo por éste, claro es, cosa muy distinta del estilismo—: he ahí algo que al presente nos parece incuestionable. Sin duda el fondo o la materia de que está hecha una novela no es cosa baladí o secundaria. Pero "la materia —escribía Ortega y Gasset, *Ideas sobre la novela*— no salva nunca a una obra de arte, y el oro de que está hecha no consagra a la estatua". Recordemos el verso de Théophile Gautier: "Le buste survit à la cité". "La obra de arte —sigue escribiendo Ortega— vive más de su forma que de su material y debe la gracia esencial que de ella emana a su estructura, a su organismo." En la segunda mitad del siglo XIX —edad áurea, por antonomasia, de la novela europea, que llega entonces a su plenitud— se publican tantas novelas como folletones y, desde luego, éstos son infinitamente más leídos, a pesar de que sólo podamos conocer muy parcialmente la estadística de sus tiradas. Si tres cuartos de siglo después siguen leyéndose las novelas de Dostoievsky, Galdós, Tolstoi, Stendhal, Dickens..., no es porque sean superiores, en cuanto "materia", a las de Ouida, Ponson du Terrail, Carolina Invernizzio o Torquato Tárrago. Pero ¡cuántos años no hubieron de pasar hasta que penetrase en la mente de todos los lectores la idea de que la novela vale, importa, pervive en cuanto forma artística, como la poesía lírica o el drama!

Edgardo Cozarinsky *(El laberinto de la apariencia)* ha trazado someramente, a propósito de Henry James, las vicisitudes que debió atravesar el género hasta alcanzar reconocimiento artístico. Su misma ductilidad —recuerda— hoy admitida como su rasgo dominante, inspiraba desconfianza, cuyo último eco fue el "tous les écarts l'appartiennent" de Paul Valéry. La confusión de niveles se agravó merced a la introducción de aquel fermento equívoco llamado naturalismo. Henry James fue uno de los primeros —advierte Cozarinsky— en asociar el realismo con la exigencia formal, con el afán de crear una obra de arte. Cierto es que el realismo del autor de *The sacred fount* muy poco tiene que ver con el de los demás autores de su tiempo, y menos aún con el de las máquinas grabadoras últimas, algunas de cuyas transcripciones en bruto osan denominarse novelas. Pero después de todo, ¿acaso no hay tantos modos de realismo como temperamentos individuales? Lo incuestionable es el avance alcanzado en la jerarquización de la novela, aceptando que su forma, tanto interna como externa, merece una consideración de primer plano. Quien lee hoy a James Joyce, a Virginia Woolf, a Aldous Huxley, a André Gide —el de *Los monederos falsos*—, más allá del fondo, de la trama, se fija en la forma, en el esfuerzo de creación artística llevado a cabo por dichos autores. De esta suerte, el lector contemporáneo ha aprendido a ver no sólo el paisaje, sino el cristal a través del cual se contempla. ¿Prevalecimiento del arte, de su técnica? "Tecniquerías" —hubiera dicho Unamuno—. Pero ¿acaso su disconformidad con otras no es lo que le impulsó, consciente o subconscientemente, a ensayar la de *Niebla,* aun con aire de escapar por la tangente de la *nivola?* En cualquier caso, de modo general, bien pudiéramos afirmar que sólo los novelistas que de un modo u otro acertaron a plantearse, a resolver —aun a no resolver— los problemas de la forma, son casi los únicos que tienen garantías de seguir siendo leídos. Mark Schoerer *(Forms in Modern Fiction)* cita el caso de H. G. Wells y su despreocupación técnica, no compatible con las virtudes imaginativas que poseía. "Nunca me ha dado quebraderos de cabeza la escritura. Soy la antítesis absoluta de James Joyce. Hace tiempo, al charlar con Henry James, Joseph Conrad y Ford Madox Hueffer, me escapé de sus inmensas preocupaciones artísticas llamándome a mí mismo un periodista." "Precisamente —anota Schoerer—, Wells escapó, desapareció de la literatura en los anales de una era." En la autobiografía de Wells, *Experiment in autobiography,* se encuentran páginas que confirman el mismo desdén por lo artístico, a propósito de Henry James.

Sentado, pues, que la novela es un arte de jerarquía, y que por ello en su elaboración no puede prescindirse de la técnica, y si por un lado ha llegado a afirmarse que es un método de conocimiento del mundo equiparable a la filosofía, ¿cabrá también considerarla como un medio de innovación en el proceso de las formas literarias? ¿Será, en suma, posible hablar de una novela "experimental", en un sentido, por cierto, muy distinto al que Zola empleó para designar su empeño de dar trascendencia de pruebas científicas a las ficciones? En las páginas finales de su copioso inventario *(Histoire du roman moderne,* 1962), R. Marill-Albéres estima que la novela "puede reanudar las audacias de la poesía e intentar, a su vez, ser esotérica en sus expresiones de vanguardia, manteniéndose, en buena parte, accesible a un vasto público". El segundo supuesto es todavía muy dudoso. De suerte que por mi parte prefiero dejar en suspenso la pregunta antes enunciada, de un modo general. Mas en lo que se refiere a los experimentos llevados a cabo por los novelistas de la objetividad, me atrevo a adelantar su imposibilidad. En primer término, por lo escasamente legibles que son, hasta la fecha —salvo alguna excepción, la de Michel Butor, según veremos—, las novelas escritas con ese sistema; y no es que cualquier forma —presunta o auténtica— de arte nuevo deba ser "popular" al nacer, ni cosa parecida, pero la novela es un género que no tolera ambigüedades de aceptación: o se lee o se descarta. En segundo lugar, porque si bien tal forma debe alternar las afirmaciones con las negaciones, la apertura de vías con el cierre de otras, es evidente que en el "nouveau roman" dominan de modo absoluto las segundas. Muy dudoso es, por tanto, y por no decir imposible, que llegue a construcciones, a edificar algo que se tenga en pie.

Jean-Paul Sartre *(Situations,* V) acertó, el primero, a calificarlas de "antinovelas", a propósito del *Portrait d'un inconnu* de Nathalie Sarraute, aunque se equivocó rotundamente al englobar en la misma categoría las novelas incuestionables de Vladimir Nobokov y de Evelyn Waugh. Más certero estuvo, concretándose a los objetivistas, al escribir que si bien las "antinovelas" conservan la apariencia de lo contrario, en realidad lo hacen así "para defraudar mejor: se trata de refutar a la novela por sí misma, de destruirla bajo nuestros ojos cuando parece que se construye, de escribir la novela de una novela que no se desarrolla, de crear una ficción que sea, respecto a las novelas compuestas de Dostoievsky y de Meredith, lo que es respecto a los cuadros de Rembrandt y de Rubens, uno de Miró, titulado "Asesinato de la pintura".

Mas antes de exponer y analizar su larga lista de negaciones o exclusiones, preguntémonos: ¿Era menester tal empresa de liquidación? ¿Acaso, efectivamente, en el campo de la novela francesa se había llegado a un punto muerto?

UN PERIODO NOVELESCO DESBORDANTE

A tal extremo nunca se pudo llegar por defecto, sino por exceso. Y precisamente la superabundancia de novelas, mejor dicho, de libros a los que bastó un mínimo o un simulacro de intriga para que se les estampase el marbete de "novela", aunque su contenido esencial, su lenguaje expresivo o su fin último fuesen algo muy diferente; tal saturación de ficciones o semificciones lanzadas en un alud ininterrumpido es, sin duda, lo que determinó el esquilmamiento de un terreno falto de barbecho o pausas. Se comprueba cuando no sólo apelamos a nuestra memoria de las novelas leídas hace años, cuando recorremos algunas historias de tal género en las letras francesas durante los últimos cuarenta o cincuenta años, bien se trate de la muy panorámica que escribió Jean-E. Ehrard *(Le roman français depuis Proust,* 1932), bien de las más cernidas hechas por Claude-Edmonde Magny *(Histoire du roman français depuis 1918,* I, 1950) y Henry Peyre *(The contemporary french novel,* 1958), o, finalmente, del vademécum último de Maurice Nadeau *(Le roman français depuis la guerre,* 1963), sin olvidar el que rebasa lo francés y alcanza una órbita europea: R. M. Albérès *(Histoire du roman moderne,* 1962). Sin duda, en tan generosos inventarios no siempre hay una relación directa entre la acumulación de autores y la perduración de títulos. Pero también es incuestionable que además de la aportación capital representada por la obra de Proust, con epigonía imposible, pero muy rica en infiltraciones catalíticas sobre toda la novelística europea que siguió, son memorables otras sagas; así la de Roger Martin du Gard y su ciclo de *Les Thibault,* la de Jules Romains con los veintisiete tomos de *Les hommes de bonne volonté,* la de Georges Duhamel y su *Chronique des Pasquier.* No es menester caracterizarlas aisladamente. Importa sólo anotar, respecto a la segunda, el cambio de criterio valorativo que hubo de sufrir, producido entre la aparición de *Le 6 octobre* y *Crime de Quinette* (1932), y la media docena de volúmenes subsiguientes, hasta llegar a los finales, años después. Si en un principio este poderoso intento para reconstruir buena parte de la historia novelesca de casi medio siglo, al hilo de dos personajes (Jallez y Jerphanion) fue calificada de obra maestra, al punto de considerarse como una nueva "Comedia humana" balzaciana, después, insensiblemente, fue decayendo su valoración hasta la indiferencia. Quizá no resultaran ajenas a tal desmerecimiento causas algo extrínsecas, o más bien el cambio de visión del mundo, a través de sus fenómenos políticosociales, advertible entre el generoso humanismo de los primeros volúmenes y las reticencias de los últimos. Al margen de tal cuestión, y más allá del amplísimo fresco social que sus millares de páginas reflejan, *Los hombres de buena voluntad* marcan una fecha, aunque sólo atendiéramos a la estructura novelesca. Jules Romains lleva a pleno desarrollo la técnica de composición unanimista que ya había ensayado desde sus libros iniciales, en la primera década del siglo: *Les copains, Mort de quelqu'un,* como también la imaginación mixtificadora aplicada a *Donogoo-Tonka* y la comedia *Knock ou le triomphe de la Médécine.* Centra la ficción no en un individuo, sino sobre un vasto conjunto humano, siguiendo el rumbo de numerosos destinos individuales. Entrecruza de este modo variadas intrigas, abundantes personajes que se suceden o se yuxtaponen. Es la alternancia unanimista que Dos Passos inauguró en su trilogía *U. S. A.*, y por otro lado, con diferente sentido, Huxley en *Contrapunto,* que Sartre continuó en *Los caminos de la libertad* —particularmente en *La muerte en el alma*—, pero con la diferencia, según ha puntualizado Gaëtan Picon, de que Romains no confunde las imágenes y sólo apela a un ritmo de interferencias. Logra, en suma, Jules Romains cosa distinta que la superposición de varias novelas; instaura un método propio que podrá o no tener continuadores, pero cuya singularidad es incuestionable. Anotemos, finalmente, aparte la transparente fluidez narrativa, la destreza del autor de *Los hombres de buena voluntad,* su arte para hacer vivir, para dar presencia inmediata a una riquísima fauna humana.

En el capítulo —bastante limitado— de innovadores, dentro de la novelística francesa del primer medio siglo actual, habría que anotar asimismo a Jean Giraudoux. No porque sean verdaderamente novelas sus relatos; quizá precisamente por lo contrario, por tratarse de cosa muy distinta a los fáciles convencionalismos de la ficción, y sin duda por tal motivo, más plenos de arte y belleza. De hecho, cualquiera de sus gráciles, airosas criaturas —desde *Simon le pathétique* a *Bella,* desde *Suzanne et le Pacifique* hasta *Choix des élues*— se hallan más cerca de lo poético que de lo novelesco. Bien entendido que poesía, en este caso, no quiere decir ausencia de otros dones, o presencia de alguna supuesta virtud que no se sabe cómo calificar, sino verdaderamente una visión fresca y jugosa del mundo; de tal suerte los seres y las cosas pierden su gravidez y se mueven aéreamente movidos por vientos ilógicos de capricho y fantasía. Porque Giraudoux posee un arte instintivo de las correspondencias originales, usa el poder de situar en el mismo plano imágenes y sensaciones oriundas de mundos lejanos. Su instrumento es la imagen analógica, más exactamente, la capacidad para asociar imágenes inesperadas. No se trata de lo fantástico gratuito en la noche de la arbitrariedad, sino de lo fantástico visible bajo la plena luz del día.

En una línea semejante de fantasismo coherente, pero con anterioridad cronológica, análoga en su gusto por las muchachas en flor —que

Proust ciertamente perpetuó— y por un aire de exotismo, están las heroínas de Valéry Larbaud, en sus *Enfantines* y en *Fermina Márquez*. Desde el punto de vista que nos preocupa, o sea la evolución de las formas narrativas, no podemos olvidar sus tres novelas cortas, *Amants, heureux amants*, una de las primeras utilizaciones del monólogo interior, del fluir libre de la conciencia entre el sueño y la vigilia. Y acto seguido, continuando la misma vertiente de exotismo y cosmopolitismo —merced a las atmósferas en que se desenvuelven sus primeras novelas cortas, las de *Tendres Stocks, Ouvert la nuit* y *Fermé la nuit*—, enriquecida con especies nuevas, está Paul Morand. Extraña posteridad —en vida— la de este escritor, tan leído e influyente en los años interbélicos como disminuido e infravalorado después de 1945, víctima de ese "colaboracionismo" por el que se ha absuelto a un Marcel Jouhandreau, entre otros muchos, inclusive a un L. F. Céline, pero no al mundano Morand. Trátase asimismo de un imaginista, de un inventor de atrayentes metáforas (a su propósito Marcel Proust escribió que "sólo la metáfora puede infundir una especie de eternidad al estilo"), maestro en el arte, por cierto antiproustiano, de la síntesis visual. Tal vez más legibles hoy que sus novelas, delatando con menos engreimiento su familiaridad con países lejanos, como *Rien que la terre,* sean sus retratos de ciudades, *Nueva York* y *Londres*.

En la dirección de estos autores que rompieron, en su día, con tradiciones o herencias inmediatas, se hallan algunos libros semi o paranovelescos, originales de poetas, como las seminovelas de Jean Cocteau; otras *L'or* y *Moravagine,* de Blaise Cendrars; *Le bon apôtre* y *En joue!,* de Philippe Soupault, varios títulos de Joseph Delteil y demás autores similares, avecindados más o menos temporalmente en los dominios del superrealismo. Pero fue *Nadja* (1926), de André Breton —seguida después por otros relatos confesionales como *L'amour fou*— el libro que señala más explícitamente la desconfianza hacia la novela experimentada por la vanguardia de la primera postguerra. Incurrir de lleno con tal género equivalía poco menos que a una traición respecto al disconformismo radical que les poseía. Lo extraño, lo misterioso de ciertos seres, situaciones o lugares debía darse de forma bruta, sin ningún amaño de composición; así lo practica también Louis Aragon en *Le paysan de Paris* (1926), antes de pasar al otro lado y componer los densos novelones de *Les beaux quartiers* y *Aurélien*, antes asimismo de incurrir en la beatería apologética del ciclo *Les communistes*.

LA NOVELA PURA, SUMMA DE IMPUREZAS

Tal desconfianza por lo novelesco procedía, en buena parte, del intelectualismo puro de Paul Valéry, y encontró su expresión proverbial en aquella famosa bravata suya: "Je n'écrirai jamais: La marquise sortit à cinq heures"; con ella proclamaba que nunca se sometería a las referencias concretas, las trivialidades inevitables que fatalmente lleva aparejada toda reconstrucción del mundo real. Indirectamente, como reacción contra tales "impurezas", quedaba así postulada la novela pura. Pero ¿es posible la novela pura? ¿Acaso el novelista que aspire plenamente a dar una imagen de la vida no deberá hundir impávidamente sus brazos en la realidad, por fea, vulgar y aun repelente que sea en algunos de sus sectores, cuidando, empero, de evitar los dos escollos opuestos: la fealdad sistemática y el esteticismo aderezado? De otra suerte, lo novelesco se evapora, y si por el camino del realismo unilateral desciende a lo fotográfico, por el opuesto, el del intelectualismo extremado, se convierte en una abstracción de esencias.

El mismo Valéry demostró con su *Soirée avec Monsieur Teste* el anverso grandioso y el reverso inane de tales pretensiones. ¿Quién es el señor Cabeza? Un nombre, un personaje aislado, no una vida entre otras, no un destino en el mundo. Más exactamente, un embrión de personaje desdeñoso que, reaccionando contra toda vulgaridad o condescendencia fácil, empieza diciendo: "La bêtise n'est pas mon fort"; un ser que no tiene rostro ni cuerpo, situado en un limbo intemporal, ya que los pequeños rasgos de atmósfera más consiguen desdibujarle que definirle. Sin embargo —como ha dicho C.-E. Magny—, "era menester que *Monsieur Teste* fuera escrito a fin de que se hiciese manifiesto, de una vez por todas, cuán imposible es escribir una biografía puramente espiritual, ya sea real o imaginaria." Porque la posibilidad de expresar novelescamente el pensamiento puro es un mito. La novela de un Einstein pudo escribirla impunemente su amanuense, no él mismo. No hay novela si no hay encarnación, corporización. Y Valéry —en una página del libro citado— se manifestaba radicalmente incapaz para "sentir las novelas y los dramas"; "sus grandes escenas, sus cóleras, sus pasiones, sus movimientos trágicos —confesaba—, lejos de exaltarme me llegan como chispas miserables, como estados rudimentarios donde el ser se simplifica hasta la necedad...". No obstante, reconozcamos que en ningún otro autor como en Valéry, el intento de novela ontológica tuvo una expresión tan bella, a la par que un fracaso tan grandioso.

Por el contrario, André Gide intentó algo semejante y se quedó, en todos sentidos, a mitad del camino. No conformándose con lograr una novela de estructura tradicional, ni alcanzando tampoco a crear algo radicalmente nuevo, hizo una gran novela frustrada, más cerca, al cabo, del folletín que de la "supernovela" entrevista. Aludo, como se adivinará, a *Los monederos falsos,* su libro más falso y artificioso, pero el más fértil en reflexiones y perspectivas. "La novela —expresaba allí por boca de su *alter ego,* el novelista Eduardo— se ha ocupado de las vicisitudes del destino, de las relaciones sociales, del conflicto de las pasiones, de los caracteres; pero no se ha ocupado de la esencia misma del ser." Sin embargo, tampoco fue una ontología novelesca lo que intentó, sino más bien la novela del tipo "muñeca rusa", es decir, la novela insertada en otra, la novela vivida por un novelista, quien al mismo tiempo escribe una novela. Y no conforme aún con esto, multiplicando el juego de espejos, Gide escribió paralelamente, como libro aparte, el *Diario de los monederos falsos.* Con todo ello, o por eso mismo, el resultado fue el antitético a sus propósitos: intentando una "novela pura" realizó una novela "summa" de complejidades...

"UN NUEVO MAL DEL SIGLO"

A mitad de camino entre el rechazo de las formas dadas y las dificultades de abrir otras sendas se sitúan las novelas, tan empapadas de subjetivismo, compuestas en el mismo período por un Drieu la Rochelle, un Henry de Montherlant, un André Malraux. Los tres —enumerados en orden cronológico, pero inversos a sus méritos— personifican lo que en la década de 1930 —cien años después de las *Confesiones* de Musset— se llamó "un nuevo mal del siglo", reflejo de cierto desasosiego moral. Valor testimonial asumen en tal sentido las cuatro novelas cortas de Drieu la Rochelle, publicadas bajo el título *Plainte contre inconnu,* tanto como otra que el autor enderezaba (según la dedicatoria de mi ejemplar) a "acabar con la salacidad francesa", *L'homme couvert de femmes*. Otros libros —ya citados en un capítulo anterior— como *La valise vide* y *Le feu follet* son retratos de personajes flotantes en una sociedad sin trabas ni normas. Las vicisitudes ideológicas que atravesó el autor, debatiéndose entre extremos, se transparentan casi de modo autobiográfico en *Gilles,* con lo cual se reitera que todas sus obras de ficción son más bien confesiones disfrazadas que novelas propiamente dichas.

Frente a la flojedad moral, la ambición energética. Tal era la impresión que, en contraste con los libros de Drieu la Rochelle, producían los primeros de Montherlant, hijo de la misma época. Pero ni *Les onze devant la porte dorée* ni *Le paradis à l'ombre des épics* tienen voluntariamente nada de novelesco; se limitan a exaltar el culto del cuerpo, las proezas deportivas. En el campo novelesco sólo penetra más tarde con *Les célibataires* y la tetralogía iniciada por *Les jeunes filles,* que valen más allá de cierta inflamada retórica, por su ruda franqueza y aun cinismo.

El afán de heroísmo más o menos auténtico que caracteriza a ciertos personajes de Montherlant fulgura con puros colores en los de Malraux. Todos sus héroes se mueven entre la aventura y el heroísmo. Para ello, naturalmente, el autor comienza por situarlos fuera de los ambientes burgueses occidentales. Así sucede tanto en *Les conquérants,* que tiene a modo de fondo la revolución china, como en *La condition humaine,* donde se narran las luchas y violencias del Kuomintang en Sanghai. Ninguna ingenua apologética revolucionaria. Sus personajes quieren "transformar en conciencia" la experiencia; dan a los hombres la "conciencia de la grandeza" desesperada que hay en ellos, pero que ignoran. Un profundo sentimiento de lo trágico, la vida puesta al borde de lo que se llamaría luego, con frase de Jaspers, "situaciones límites". Y esto se advierte aún más claramente en *Le temps du mépris,* episodio de la resistencia contra el hitlerismo, y sobre todo en la novela de la guerra de España, *L'espoir.* Aquí la cercanía de los hechos, la falta de distancia para someterlos a criba y decantación, hace que lo novelesco parezca ceder ante lo documental. Se ha reprochado a Malraux, precisamente por un apologista, Gaëtan Picon, que sus personajes se muevan en una atmósfera de cierta calígine, sin adquirir entera individualidad, o más bien que todos ellos hablan el mismo lenguaje del autor, aunque filtrado, magnificado. Pero Malraux replica: "No creo que el novelista deba crear personajes; debe crear un mundo coherente y particular como cualquier otro artista. No debe tratar de hacer competencia al registro civil [como Balzac], sino a la realidad que le es impuesta, la de la vida, simulando tanto someterse a ella como transformarla para hacerla su rival."

¿Es menester agregar más nombres a este esquema, a este somero repaso de la novelería francesa entre las dos guerras? Como quiera que dista mucho de aspirar a ser completo, ya que se limita a registrar algunas contribuciones sustanciales, incorporemos solamente dos autores más, verdaderos creadores de mundos imaginarios, a la par que artísticos, François Mauriac y Julien Green, sobre todo el último. No es que el primero, el autor de *Génitrix,* de *Thérèse Desqueyroux,* de *Le noeud de vipères* —por citar sólo tres de sus novelas más características— resulte perjudicado por cierto espíritu de panegírico cristiano que infunde en sus libros, sino más bien por la atmósfera de lejanía, de vaga irrealidad poética donde los baña, restándoles proximidad novelesca. Se sobreponen por la mezcla de sensualidad y religiosidad que Mauriac dosifica hábilmente en todos sus relatos; el mismo equilibrio que existe

entre lo dramático de las situaciones y la contención de una estructura
y un estilo clásicos y vivaces a la par. Pareja densidad de atmósferas,
pero mayor dramatismo de situaciones, caracterizan las novelas auténticas de Julien Green, desde *Mont-Cinère* y *Adrienne Mesurat* hasta
Moïra, sin olvidar un extraño y poderoso relato, *Le voyageur sur la
terre*. Sus orígenes anglonorteamericanos confieren indudablemente a
las novelas de Julien Green un densidad de atmósfera, una fuerza de inventiva poco frecuente en la novelística francesa.

Si quisiéramos prolongar este recuento habría que traspasar el límite
de 1939, pasando por autores que reanudan después su obra, como Colette, Céline, Bernanos, Giono, entre otros, llegando inclusive a la generación del existencialismo y sus aledaños, es decir, Sartre, Camus,
Simone de Beauvoir. Pero sus obras ya quedaron examinadas en un capítulo anterior, y si los traemos ahora a colación es precisamente porque
marcan el punto de partida polémico del objetivismo; se diría, en efecto,
que reaccionando ásperamente contra la literatura *comprometida*, Butor, Robbe-Grillet y su grupo intentan imponer una literatura *desprendida;* frente al propósito de otorgar un sentido trascendente a la realidad
reflejada, un afán de desposeer de todo sentido a una realidad inmanente. Antes de encarar a quienes practican el último sistema, y como
quiera que a su propósito se han hecho una vez más vaticinios sobre la
agonía de un género, veamos de cerca el más importante.

EL FIN DE LA NOVELA

Al promediar el siglo, muchos novelistas —potenciales— dejaron
de creer en la novela. Sin embargo, no por ello habían renunciado a la
tentación de escribirlas. A la vez, se producía la paradoja, en los años
penúltimos, de que la superabundancia de libros bautizados como "novelas" haya alternado con diversas profecías sobre "el fin de la novela".
La más explícita fue la que titulada así publicó E. M. Cioran (en *La
Nouvelle N. R. F.,* 1953), aunque luego, al incorporarlo al libro *La
tentation d'exister,* 1956, atenuara su intención cambiando el rótulo por
"Au delà du roman". La tesis sostenida por E. M. Cioran —ensayista

de origen rumano, dueño de un francés impecable— no obedece a ninguna extravagancia nihilista o a un malhumorado capricho ocasional. Al contrario, se halla en perfecta coherencia con su actitud general ante el mundo. No es nada sorprendente si se repara que el autor de *Précis de décomposition* y *Sillogismes de l'amertume* —títulos igualmente reveladores por sí mismos— es un ensayista a quien calificar meramente de amargo equivaldría a darle un sabor casi azucarado; es un reflexivo lúcidamente y aun alegremente desesperado, cuyo programa no se limita a hacer *tabula rasa* de una simple futesa, como en fin de cuentas es la novela y cualquier otro género, sino cuyo extremado pesimismo tiene un alcance cósmico.

Para Cioran, el ocaso que amenaza a la novela se deriva, ante todo, de una exacerbación del intelecto, con la consiguiente disminución de las potencias instintivas. "Lo que mejor hace un artista —escribe no sin razón— son las ideas sobre lo que hubiera podido hacer. El sentido psicológico, nuestra más grande adquisición, nos ha metamorfoseado en espectadores de nuestros abismos." "Hay una cosa peor que el aburrimiento, y es el miedo al aburrimiento." Y esto es lo que experimentamos siempre que abrimos una novela. No llega a interesarnos la vida del personaje, demasiado común o demasiado distante de la nuestra, y la novela, al haber perdido su sustancia, no tiene objeto. Llega, pues, a inferir que "el género está en la agonía porque ha dilapidado su sustancia psicológica y el lector es ya incapaz de interesarse por la vida del héroe." La consecuencia —dice— "son esas novelas sin materia, donde no pasa nada. Hasta el autor parece ausente. Deliciosamente ilegibles, sin pies ni cabeza, podrían lo mismo detenerse en la primera frase que contener docenas de millares de páginas". Alude así Cioran —*nominatim*— a ciertos experimentos seminovelescos de Maurice Blanchot y —sin nombrarlos— a otros análogos de Samuel Beckett y los objetivistas. Experimentos, exploraciones, bizantinismos, en último extremo, que en diversos momentos literarios de este siglo se han dado, que nunca pusieron en riesgo la vitalidad del arte, pero sobre los cuales resultó y resulta siempre azaroso emitir conclusiones definitivas. Sin embargo, hay un hecho incuestionable; y es, como el mismo Cioran escribe, que "el sentido comienza a datar", a ser inactual, que lo incomprensible porque sí y el hermetismo gratuito gozan de un prestigio insospechado y que la clara legibilidad de una obra —no sólo literaria, sino plástica o musical— puede predisponer ya a algunos contra ella. El reinado de la evidencia llega al final. ¿Qué verdad clara —añade irónicamente Cioran— merece la pena de ser enunciada? Lo que puede comunicarse no merece la pena de detenerse en ello. Pero, ¿se deducirá de ahí que sólo el "misterio" puede retenernos? Es tan fastidioso como la evidencia. Mas la suprema antinomia se plantea al preguntarnos: ¿Por qué los novelistas que han "rebasado" la novela perseveran en ella? Tal es su capacidad de fascinación: subyuga a los mismos que se afanan por destruirla. Pero hay varias clases de fascinación...

CINEMATOGRAFISMO, CONDUCTISMO

Los objetivistas a ultranza se sienten tan fascinados por el mundo exterior como desdeñosos de calar en su interioridad. Tan desbordantes de negaciones respecto a cualquier método empleado por sus numerosos ascendientes en el género que pulverizan como escasos de contribuciones positivas a las que sea posible dar crédito. Para comprobarlo sigamos el itinerario de sus teorías, particularmente a través de quien más abunda en ellas, quizá por lo mismo que sus dones propiamente novelescos resultan menos visibles. Me refiero a Alain Robbe-Grillet en sus varios artículos, primero diseminados en revistas de varios países, con gran celo propagandista, y después reunidos en *Pour un nouveau roman* (1963). Desde luego, acierta al comenzar escribiendo: "Apenas parece razonable, a primera vista, que una literatura enteramente *nueva* sea ahora posible." De acuerdo, por lo que concierne a la que él propaga, hecha de restas más que de aportaciones. Según Robbe-Grillet, el arte de la novela perecerá si no cambia. El estímulo lo da el cinematógrafo, "heredero de la tradición psicológica y naturalista", cuyo fin es "transponer un relato en imágenes". De modo semejante, en las novelas, aquello que debe importar son los gestos y actitudes de seres y cosas. En efecto, ese reflejo existe y ha sido fértil, pero no esperó a Robbe-Grillet ni a sus colegas para manifestarse. Recuérdese simplemente el comienzo de *La condición humana,* de Malraux, donde los movimientos y reacciones de Chen, antes de levantar el mosquitero, para clavar el puñal en el cuerpo de un enemigo, durante la revolución en Sanghai, son descritos con una proximidad de "gros plan"; o bien, escenas captadas con la misma técnica en *El poder y la gloria,* de Graham Greene. No se olvide tampoco las secciones tituladas "El ojo de la cámara" y "Newsreels" o actualidades, compuestas por recortes de periódicos, fragmentos de discursos, etc., que llenan muchas páginas de la novela de John Dos Passos, rotulada *1919.* Y más atrás en el tiempo, los "collages" de los cuadros cubistas y dadaístas. Por consiguiente, el hallazgo de lo que se considera hoy como un lenguaje propiamente cinematográfico, es decir, el imperio de lo visual sobre lo descriptivo, de lo presentativo —según terminología orteguiana— sobre lo narrativo, es un hecho adquirido, un sistema utilizado mucho antes de los objetivistas. Por lo demás, ¿acaso éstos no lo falsifican o malentienden, desde el momento en que convierten el fin en un medio, y, sobre todo, hacen estático un sistema basado esencialmente en la sucesión, en el movimiento?

Sin menospreciar el influjo cinematográfico —algo desmonetizado, precisamente por su extensión—, quizá más importante hubiera sido tener en cuenta las conexiones con el "behaviorismo" o conductismo, es decir, con el método psicológico de los comportamientos, cuyos reflejos en la novela norteamericana acertó a poner de relieve Claude-Edmonde Magny. Consiste en "una actitud previa de considerar como únicamente real, en la vida psicológica de un hombre o de un animal, aquello que podría percibir un observador puramente exterior, representado, en último extremo, por el objetivo de un aparato fotográfico; se trata, en suma, de reducir la realidad psicológica a una serie de comportamientos donde las palabras o gritos sean tan importantes como las actitudes y los gestos fisonómicos". Diversas novelas de Faulkner, Hemingway, Dos Passos, Steinbeck y Caldwell nos dan "no los sentimientos o los pensamientos de sus personajes, sino la descripción objetiva de sus actos, la estenografía de sus discursos, el acta de sus conductas ante una situación determinada". Ahora bien, este es un procedimiento que conviene a los héroes de novelas norteamericanas como *Luz de agosto, Tener y no tener, De ratones y hombres* y *El camino del tabaco;* es decir, a seres rudimentarios, que articulan difícilmente sus limitadas ideaciones, pero resulta desplazado al aplicarse a seres de otros mundos más sutiles o evolucionados —sofisticados, si se quiere—. Luego, en modo alguno puede deducirse perentoriamente que la era del análisis psicológico ha terminado, ya que corresponde a "una concepción burguesa de la vida", según opina José María Castellet *(La hora del lector).*

Mas las flechas de este crítico se dirigen especialmente contra un personaje ya derribado o cuya entera expresión sólo se corporizó en los finales del siglo XIX: el novelista omnisciente, el que se mezcla en la vida de sus relatos y marca, a la vista del lector, el destino de sus personajes. Pero tampoco el objetivismo que ahora prevalece se realiza casi nunca cumplidamente. Los relatos en primera persona del singular, tanto como el monólogo interior y la narración objetiva, no suprimen el yo del autor, no eliminan el punto de vista narrativo: lo desdoblan o amplían; suprimen una convención, pero instauran un artificio, aunque con aspectos más nuevos. De suerte que considerar tales procedimientos como un primer paso en lo que Castellet denomina "una literatura sin autor", viene a ser un espejismo. Si el *Lazarillo de Tormes,* por ejemplo, no lleva nombre de autor, es porque no lo necesita; antes al contrario, lo rechaza; la identificación absoluta del personaje y del autor (fuere Hurtado de Mendoza o quien fuere, pues la pelota seguirá rodando en el tejado) afirma el triunfo genial de un artificio que haría camino, pero que nunca volvería a alcanzar meta tan cimera. Si el monólogo interior arquetípico, el de Mary Bloom, en el capítulo final del *Ulises,* resulta convincente, débese a su necesidad, a que el artificio aquí es irremplazable y constituye el mejor retrato de la personalidad de Joyce. Luego la "literatura sin autor" es una ilusión y el anonimismo una consecuencia de las obras mostrencas o de aquellas otras en que si el escritor se oculta es porque se lo traga su propia sombra.

DESCRIPCIONISMO DE LAS SUPERFICIES: EXTENUACION

Entrando ahora más a fondo —simple modo de decir, puesto que se trata de superficies— en las teorías de Robbe-Grillet, su visión de la novela se basa en la hipótesis de que "el mundo no es significativo ni absurdo; *es,* simplemente". Aun aceptándolo así, tal comprobación no pasará de ser una intuición fenomenológica, punto de partida para otras buscas, pero sin ningún valor literario y menos novelesco. La negación de tales posibilidades se acentúa cuando el teórico mencionado renuncia a toda calificación de las cosas y sostiene arbitrariamente que "el adjetivo óptico, descriptivo, es el que se contenta con medir, situar, limitar, definir". La demostración por el absurdo de tal procedimiento nos salta a la vista en la primera página de *La jalousie,* de Robbe-Grillet. "La sombra del pilar —el pilar que sostiene el ángulo suroeste del tejado— divide en dos partes iguales el ángulo correspondiente de la terraza. Esta terraza es una larga galería cubierta que rodea la casa en tres de sus fachadas. Puesto que su longitud es la misma, tanto en la parte media como en las laterales, el rayo de sombra proyectado por el pilar llega al centro de la casa; pero se detiene ahí, pues sólo alcanza las losas de la casa... Las paredes de madera de la casa —es decir, la fachada y el remate oeste— se hallan todavía protegidas de sus rayos por el tejado (tejado común a la casa propiamente dicha y a la terraza). De modo que en este momento la sombra del alero extremo del tejado coincide exactamente con la línea, en ángulo recto, que forman entre ellas la terraza y las dos caras verticales del rincón de la casa." La descripción externa de la casa no termina aquí; recomienza cada tantas páginas como un "leit motiv" obsesionante: "Ahora la sombra del pilar sudoeste —en el ángulo de la terraza del lado de la sombra— se proyecta sobre la terraza del jardín"; cortada por breves paréntesis, donde aparecen unas sombras de personajes, se extiende a lo largo de todo el libro, con la consecuencia rigurosamente opuesta a la buscada, esto es, la vaguedad e imprecisión..., sin contar la pérdida de paciencia por parte del lector, su extenuación, un irreprimible tedio. Con razón se ha dicho que la mayoría de sus páginas "son simples informaciones geométricas", que "no hablan al espíritu", que "una fotografía o un croquis darían una idea más clara del lugar donde suceden". Con dudosa eficacia logra Robbe-Grillet refutar tales objeciones cuando sostiene, por ejemplo, que acierta al escribir "paralelepípedo", en vez de tintero, más cualquier adjetivo, pues así lo sitúa lejos de la cosa nombrada; a este propósito se explaya sobre la "distancia" que debe tomar el novelista, cuando precisamente lo que importa es su acercamiento y su profundización en las cosas del mundo.

Si nos dejáramos llevar por el enfado diríamos que Robbe-Grillet es un ingeniero agrónomo —tal su profesión— extraviado en la literatura; desde luego, parece un maniaco del descripcionismo superficial. Pero esto no puede tomarlo como agravio quien —como dijimos— precisamente repugna toda "profundidad". Naturalmente, no se queda aquí; sus prohibiciones se extienden a la presencia en la novela de personajes, de caracteres. "La novela de personajes —escribe categóricamente— pertenece por entero al pasado; caracteriza una época: la que señaló el apogeo del individuo". En este último aserto, el imperio del hombre-masa, o de lo que Robbe-Grillet llama el "número matrícula", lamentablemente nadie le contradirá. Por algo Jean Bloch-Michel *(Le présent de l'indicatif)* relaciona este tipo de novela con la cultura de masas, donde la despersonalización es ley. "Si los lectores no creen en los personajes es porque no los sienten existir como tales"; "si no creen en sus pasiones y en sus conflictos es que para ellos tales pasiones y conflictos están estereotipados únicamente bajo las formas en que se les ofrecen, desde el crimen pasional a las aventuras de una estrella de cine".

Niegan el personaje individual, pero ¿acaso pretenden encarar el colectivo, la novela de las multitudes, aquellas "multitudes alucinadas" que Verhaeren, el de *Les villes tentaculaires* (1895), fue el primero en cantar y en las que Jules Romains, influido por la psicología de los grupos de Durkheim, quiso descubrir un alma unánime? El intento tampoco sería nuevo, puesto que más de una vez se encaró, pero al menos tal vez ofreciese resultados curiosos. Mas no hay tal cosa.

TODOS SOSPECHOSOS

En esta nueva negación del personaje, pero hecha con mayor vehemencia, ya le había precedido una novelista adherida a la misma escuela, Nathalie Sarraute, con *L'ère du soupçon*. Sospecha que, en última instancia, equivale, en mi parecer, a algo así como pérdida del candor, de la mínima inocencia que para afrontar un mundo usado ha de poseer todo escritor, de la buena fe necesaria para entrar en el espíritu de acciones y personajes. En suma, todo lo contrario de lo que da a entender Jean-Paul Sartre en el prólogo —ya mencionado— a *Portrait d'un inconnu*, de Nathalie Sarraute. Pero es evidente que la dialéctica sartriana· radica en nombrar las cosas al revés. Lo que él llama "la mala fe del novelista" es precisamente su buena fe, inclusive su ingenuidad para creer y hacer creer al lector lo que cuenta. Lo que designa como "inautenticidad", la expresión de lo común, es cabalmente la sustancia, que no puede rehuirse, de lo auténtico novelesco, mas no como ingrediente único, sino combinado con otros. Si lo que quería proscribir o excomulgar era la "vulgaridad", la coparticipación de sentimientos o visiones estereotipadas, más lógico hubiera sido definirlo con tal término, según hizo inequívocamente, años atrás, Aldous Huxley, a propósito de Dickens. Nathalie Sarraute, por su parte, niega que un novelista sea digno de tal nombre solamente cuando "es capaz de creer en sus personajes, cosa que le permite hacerlos *vivientes*". Acto seguido decreta, por sí y ante sí misma, que "la novela ha dejado de ser ya una historia donde se ve vivir y obrar a los personajes"; al autor ya no le interesa convertir sus criaturas de ficción en seres vivos y, por consiguiente, deja de creer en ellos; actitud de incredulidad y sospecha que se transmite al lector. "No solamente —remacha— el autor y el lector desconfían del personaje, sino que, a su través, desconfían el uno del otro". Algo así como si nos encontrásemos en plena novela de Chesterton *(El hombre que fue jueves)*, donde todos desconfían mutuamente unos de otros. Todos sospechosos. Hipótesis gratuita, enteramente personal y difícilmente compartible.

sobre cuya debilísima base es azaroso edificar cualquier teoría. Claro es que Nathalie Sarraute parte de un malentendido: el reproche de cierto crítico cuando sostiene que hoy día lo inventado importa poco y que sólo vale el documento, el hecho auténtico. Pero lo documental ya quedó hace tiempo incorporado a muchas novelas, sin que nadie se hubiera atrevido por ello a afirmar que todo lo restante debiera eliminarse. Y en primer término, los personajes, los caracteres, sin cuya presencia no habrá nunca novela verdaderamente digna de tal nombre. Podrá acusárseme —por una vez— de tradicionalista, pero yo entenderé siempre que la piedra de toque del gran novelista está en su capacidad para crear personajes vivos, auténticos, seres capaces de darnos la ilusión de ser tanto o más reales que los circulantes a nuestro alrededor. Cuando a un novelista le falta tal virtud, será muy difícil que logre convencernos con otras, aun por grandes que fueran.

INTERRELACIONES: INFORMALISMO PICTORICO E INFORMALISMO NOVELESCO

Solamente una observación (acotemos como paréntesis) merece tenerse en cuenta entre las que apunta Nathalie Sarraute. Me refiero a la posible relación entre las novelas sin personajes en profundidad y cierto tipo de pintura contemporánea. "Mediante una evolución análoga a la experimentada en la pintura —aunque infinitamente más tímida y más lenta, cortada por largas detenciones y retrocesos—, el elemento psicológico, del mismo modo que el elemento pictórico, se liberta insensiblemente del tema; tiende a bastarse a sí mismo y a prescindir en todo lo posible de soporte." Por su parte, Jean Bloch-Michel confirma esta precedencia plástica, afirmando que "fueron los pintores quienes comenzaron separando el color de la forma, la forma del objeto y el conjunto de sus medios de representación de las cosas representadas, para conservar solamente los elementos abstractos de su arte: valores, armonía, equilibrio". Recordemos que entre los varios nombres que ha recibido la nueva tendencia que nos ocupa se halla el de "escuela de la materia", puesto que se limita a operar con la parte material, no espiritual, de las cosas, rehuyendo otros aspectos. ¿No habría, pues, aquí cierto posible paralelismo con la pintura que un crítico italiano, Gillo Dorfles *(Ultime tendenze nell'arte d'oggi,* 1961) ha llamado, algo rudamente, "materica"? Es decir, aquella fase del informalismo que, sobre descartar de modo absoluto todo elemento figurativo, utiliza materiales insólitos —retazos de telas o sacos, madera quemada...—, o bien hace hincapié en la mera acumulación del material pictórico, de las formas levantadas, a veces con relieve orográfico? En suma, una suerte de concretismo no geométrico.

María Scuderi se había anticipado a señalar algunas interrelaciones entre el objetivismo literario y la neoplástica concreta; más exactamente, referidas a la precedencia de ésta sobre aquélla, puesto que las teorías y las obras de Piet Mondrian y Theo van Doesburg se adelantan varios lustros, ya que surgen en el seno del grupo y la revista holandesa *Die Stijl* en 1917. Van Doesburg, llevando al extremo su afán de asepsia, de despersonalización y ahumanismo estético, sostenía que "la obra completa y definitiva se crea fuera de nuestra personalidad"; "el pintor —agregaba— debe ser blanco, sin drama y sin mancha". "¿No es, pues, en verdad —se pregunta María Scuderi—, una misma locura aséptica y un mismo masoquismo los que configuran las obras de pintores neoplasticistas y novelistas objetivos?" Pero si la actitud de los primeros es legítima, desde el momento en que se limitan a un plano de dos dimensiones, aplicándose a combinaciones geométricas monocromas, no es posible hallar la misma legitimidad en quienes renunciando a los elementos tradicionalmente novelescos se obstinan, empero, en escribir novelas. Por lo demás, ya es sabido, en última instancia, que las artes visuales pueden prescindir de la figuración representativa, inclusive de lo antropomórfico, pues su esencia es puramente visual, está en el dominio de las formas y los colores, nada narrativos y menos aún explicativos.

FORMALISMO SIN ESTILO

Robbe-Grillet, según hemos visto, arroja por la borda los personajes y caracteres, la intriga y, finalmente, hasta el menor asomo de intención y "compromiso"; en suma, predica la más pura gratuidad, el más absoluto formalismo; un formalismo, por cierto, exento de forma, sin estilo, ya que, en resumen, su ideal viene a ser aquel "grado cero de la escritura" que teorizó Roland Barthes; un estilo neutro, invisible, última consecuencia de las desconfianzas por la retórica que Jean Paulhan había historiado como "el terror en las letras". Las teorías del mencionado Barthes son cifra de la hipnotización ante el lenguaje que padecen hoy muchos; mas no penetran en él, se detienen en el umbral de la palabra, dudan por completo de su eficacia, miran y remiran el significado de cada expresión, tornando siempre, después de innumerables vueltas, al mismo punto de partida. Afirman, sin mayores pruebas, que "el lenguaje tiende naturalmente a su propia destrucción"; son, en suma, el cangrejo que vuelve eternamente sobre sus propios pasos, o, más propiamente aún, la pescadilla que se muerde la cola.

Oponiéndose a aquellos que piden la fusión de fondo y forma, Robbe-Grillet diputa absurda la expresión de la crítica tradicional: "Fulano tiene algo que decir y lo dice bien", y se pregunta: "¿No podría adelantarse, por el contrario, que el verdadero escritor no tiene nada que decir?" Si tomásemos esta declaración al pie de la letra, ante semejante exhibición de vacío o superfluidad, dejaríamos de escribir su nombre. Pero luego agrega: "Tiene solamente una manera de decirlo. Debe crear un mundo, pero a partir de nada, del polvo...". Hazaña equivalente a la del Génesis, pero con la pequeña diferencia de que Robbe-Grillet no es Dios. Por todo ello, la "escuela de la mirada" no puede tomarse en modo alguno como un comienzo. ¿Un final acaso? Tampoco: una simple continuación de la empresa de demoliciones en que una clase de literatura, desde los verdes años de Dadá, se empeña ahora, planteada sin humor ni alacridad.

SURTIDO DE CRITICAS Y OBJECIONES

Y, sin embargo, más que adversarios ha encontrado panegiristas. Con menos frecuencia, críticos objetivos. Entre los primeros, quienes llenaban las páginas del número que la revista *Esprit* (7, 8, 1958) dedicó a "le nouveau roman". Entre los segundos, Jean Bloch-Michel, con varios artículos en *Preuves,* que integraron después el libro antes citado. También Ernesto Sábato, en algunas páginas de *El escritor y sus fantasmas* (1964). Olivier de Magny abre la marcha de los apologistas, como introducción a diez novelistas del nuevo grupo: Samuel Beckett, Michel Butor, Jean Cayrol, Marguerite Duras, Jean Lagrolet, Robert Pinguet, Alain Robbe-Grillet, Nathalie Sarraute, Claude Simon y Kateb Yasine. Grupo, por cierto, empero la resta de algunos nombres, que se ha mantenido coherente, cada vez más aplicado a su propia propaganda; inclusive se hizo dueño de una casa editora (Editions de Minuit), presentándose así como un bloque compacto. El procedimiento de Magny es muy sencillo. Convierte en méritos las carencias. Afirma, con cierta contradicción, que Proust agota el análisis psicológico, pero inaugura la atención hacia los movimientos psicológicos íntimos. Claro es que ni por casualidad se le ocurre citar a Azorín, maestro de la valoración estética de lo nimio, en los "primores de lo vulgar", aplicado tanto a seres como a objetos. Escribe luego Magny que los novelistas que hoy ponen en discusión la novela oscilan entre la busca de la novela por ella misma (Butor, Cayrol...) y la negación de la novela por ella misma (Beckett, Blanchot...). Reconoce —aludiendo a Robbe-Grillet— que, en cualquier caso, "por su lectura árida, por sus estrechos límites, por su modestia extrema y voluntaria, son novelas provisionales, novelas de la espera". Reconocimiento que no se compagina con un epígrafe titulado "La busca de la totalidad". Más bien se trataría de la falta de reconocimiento del mundo real en tales libros, pues asegura que "en una sociedad falsa, una sociedad de la impostura, desaparece toda realidad"; es imposible la sinceridad, de tal suerte que "no leemos una historia, sino su falsificación". Y concluye que todos los libros de esta escuela son "las novelas del *hombre ausente*. Desvelan nuestra ausencia; la aceptan. Rechazando una condición del hombre alienado, la paradoja de este realismo consiste en devolvernos a nuestra irrealidad". A falta de convicciones, lo que Olivier de Magny, como distintos comentaristas del mismo número de *Esprit,* nos transmite, es otra incertidumbre: cuán afortunados han sido los del "nouveau roman" al encontrar críticos adictos, expertos en la reversión de conceptos y aptos para llenar con inteligentes teorías el vacío de campana neumática que Robbe-Grillet y su clan producen mediante sus novelas.

El título común de los ensayos de Jean Bloch-Michel *(Le présent de l'indicatif)* se justifica porque halla una posible clave de identificación conjunta en el hecho de que la mayor parte de los libros criticados estén escritos preferentemente en el presente de indicativo. "Un mundo de objetos privados de toda significación y que sólo existen por su presencia, reducidos al estado de cosas con las cuales se choca o que nos rodean, no puede ser, en efecto, más que un mundo en el presente." Agrega que tal mundo es un mundo sin existencia verdadera. Y el mundo no encuentra su origen, para nuestra conciencia, más que en las significaciones que damos a las cosas. Además, "solamente en la duración hay una comunicación posible con los objetos que nos rodean". De modo contrario, el tiempo escogido por el relato en dichas novelas se emplea para indicar la ausencia de todo lazo entre nosotros mismos y los objetos que nos son extraños. "El presente de indicativo —resume— es el tiempo del solipsismo, de la extrañeza y de la soledad". Acierta Bloch-Michel, asimismo, al señalar que ese mundo de incomunicaciones es "el mundo del aburrimiento". Esto dicho sin intención peyorativa, desde el momento en que el aburrimiento no es un tema sin abolengo en la literatura. Ve sus antecedentes en el bovarysmo de Flaubert, en el Oblomov de Goncharov, en algunos personajes de Chéjov e inclusive en el José K. de Kafka. En nuestro idioma habría que agregar la sensación de tedio que transmiten muy vívidamente ciertas páginas novelescas de Pío Baroja. En cuanto a *La noia,* de Moravia, refleja asimismo —por vías novelescas más transitables, salpimentadas por el erotismo— la incomunicabilidad de los seres, su soledad. Pero con la diferencia —precisa Bloch-Michel— de que tal novela pertenece, no a la literatura del aburrimiento, sino a la literatura sobre el aburrimiento. No hay que olvidar que Eugenio d'Ors sistematizó idéntica sensación en su *Oceanografía del tedio*. También el mismo mundo se manifiesta en el filme *El año pasado en Marienbad*, de Robbe-Grillet y Resnais, que puede considerarse indirectamente como la obra maestra de la "nueva novela", precisamente porque remplaza las palabras con las imágenes, y el mundo de las cosas sin significado cobra así un relieve objetivo superior. Por otra parte, parecería que el propósito último de esos escritores fuera hacer libros no compuestos, integrados por hojas sueltas sin orden, como *Mobile*, de Michel Butor, o que cada uno pueda ordenar a su guisa, como un mazo de naipes, según sucede en otro de Marc Saporta, *Composition n.° 1*; en suma, libros que dispensan de la tarea de leerlos, realizándose una literatura "no escrita". Con frase de doble filo, Bloch-Michel concluye que "la nueva novela es lo contrario de una impostura literaria: es la literatura de la impostura".

Ernesto Sábato, al encararse con los objetivistas, aplica su ingenio irónico a volver del revés las teorías de tales autores, queriendo demostrar que hacen cosa distinta de lo que predican. Acierta con mayor evidencia al señalar las oposiciones que existen entre los miembros de ese grupo. "Para Robbe-Grillet el arte es un fin en sí, para Butor está liquidada toda literatura que no ayude a cambiar el mundo; Robbe-Grillet no describe ningún sentimiento, Nathalie Sarraute corta los cabellos sentimentales en cuatro; Robbe-Grillet describe el personaje desde fuera; Butor desciende al interior de las conciencias, etcétera". También Sábato hace diana al preguntarse: "¿Pero es que hay novelas que no son psicológicas?" y escribir a continuación: "No hay novelas de mesas, eucaliptos o caballos, porque hasta cuando parecen ocuparse de un animal (Jack London), es una manera de hablar del hombre. Y como todo hombre no puede no ser psíquico, la novela no puede ser no psicológica. Es indiferente que el acento esté colocado en lo social, en el paisaje, en las costumbres o en lo metafísico; en ningún caso pueden dejar de ocuparse, de una manera o de otra, de la psiquis, so pena de dejar de ser humanas". Niega luego, a propósito de ciertos puntos de vista de Robbe-Grillet —cuyas teorías desmenuza con tanto humor como encarnizamiento—, que sea imperativo optar entre una psicología analítica o una psicología conductista; también refuta el supuesto de que deba renunciarse a penetrar en el alma del personaje, aplicando a los seres humanos el mismo método de observación puramente exterior que se aplica a la conducta de los monos. "No tenemos por qué pasar de los átomos a los monos. El hombre no es un átomo, pero tampoco es un mono. Y no veo la ventaja de escribir novelas como si lo fuera". Sábato caricaturiza la implacable minucia descriptiva practicada por Robbe-Grillet, ya que, en definitiva, no obstante su propósito de totalidad, ésta nunca puede ser completa, pues a pesar de su técnica milimétrica quedan otras infinitas porciones sin describir de lugares u objetos. ¿No supondrá, en última instancia, tal intento un extraño salto ancestral, un imprevisto regreso a los orígenes de la novela, más bien del prenovelismo? [1].

Menos adversos en sus juicios que Sábato, entre los escasos escritores de nuestro idioma que, hasta ahora, han afrontado la novela objetivista, son Leopoldo Rodríguez Alcalde *(Hora actual de la novela en el mundo,* 1959) y Mariano Baquero Goyanes *(Qué es la novela,* 1961, y *Proceso de la novela actual,* 196). Aquél se limita a una somera caracterización de los libros de dicha escuela, marcando únicamente su preferencia por los de Butor, pero advirtiendo en *El empleo del tiempo* el "abuso de la lentitud y de la prolijidad". Por su parte,

---

[1] En este punto viene a mi memoria el procedimiento practicado por cierto autor tan ignorado por Robbe-Grillet como por sus apologistas. Me refiero al *Arcipreste de Talavera,* verdadero título, y no *El Corbacho,* del libro de Alfonso Martínez de Toledo. ("Sin bautismo —se lee en el encabezamiento de la edición de 1438— sea por nombre llamado Arcipreste de Talavera, dondequier que fuere levado"). Más allá de la "reprobación del amor mundano", sustancia de todos sus capítulos, nos importa aquí la técnica descriptiva utilizada por el arcipreste talaverano, quien no se satisface con presentar una imagen única de cada cosa y nos da varias yuxtapuestas o alternadas. Léase a este respecto ciertos párrafos ya transcritos por Dámaso Alonso en *De los siglos oscuros al de oro,* o, por ejemplo, las lamentaciones en el capítulo titulado "De los viçios e tachas e malas condiçiones de las perversas mujeres e primero digo de las avariciosas", sobre el uso de un huevo o la pérdida de una gallina.

Baquero Goyanes, en el primero de los libros susomentados, califica estas novelas como "un producto de laboratorio, demasiado trabajado, científico y cerebral". Juicios más detallados se hallan dispersos en *Procesos de la novela actual,* donde es de notar cierto perspectivismo sociológico, ya que Baquero Goyanes se afana por aclarar la posible actitud del lector ante semejantes libros. Muy interesante, a este respecto, es la relación que establece entre la nueva novela y el género policiaco. Sin este último "no importa el argumento, sino la habilidad mecánica de la intriga, la aclaración de lo que parecía absurdo e irrazonable, ¿por qué no trasladar, en otra escala de valores, esta misma característica a otras especies literarias, como la novela objetivista?" Pero en el primer caso —aclaremos— la intriga nunca desaparece ante la técnica, mientras que en el segundo sólo queda la última, reducida a un formalismo más bien informal, como el de la pintura de tal nombre. Por lo demás, según el mismo Baquero Goyanes advierte, "una novela policíaca es un relato que comienza por el final, es un agujero que se cierra y una historia que se reconstruye desde el presente hasta el pasado"; en cambio, las novelas objetivistas son "unas novelas que carecen de comienzo y de fin, unos agujeros que aumentan y unas historias que no cuentan nada, porque, en definitiva, siempre se están haciendo ante la vista del lector y nunca acaban de hacerse".

ALGUNOS TITULOS Y AUTORES

Michel Butor

Puesto que ya hemos hecho referencia a ciertos autores, parece llegado el momento de encararse concretamente con algunos de sus libros. Pero en ningún caso deberá tomarse como arbitraria la prioridad y la extensión que hemos concedido, en el caso de los objetivistas, a las teorías sobre las obras, ya que las primeras ofrecen un flanco polémico y una transparencia inencontrable en la "opacidad" —según vocabulario de los interesados— de las últimas. Una excepción —quizá la única— se halla constituida por dos novelas de Michel Butor: *El empleo del tiempo* y *La modificación.* Sin duda nos encontramos no sólo ante la cabeza más inteligente del grupo, sino ante el único dotado de una capacidad y un temperamento auténticamente novelescos. Butor, además, es un hombre de letras cabal, un ensayista lúcido, según ha evidenciado en los dos volúmenes de *Répertoire* (traducido el primero con el título *Sobre literatura*). Pero, ¡qué curioso!, Butor, que en cuanto crítico logra encender reverberos sobre lo lejano —así sus páginas sobre obras difíciles, como *El progreso del alma*, de John Donne, sobre *Finnegans Wake*, de Joyce, sobre los *Cantos* de Pound, entre otras—, no aporta ninguna claridad cuando habla sobre lo propio. Inclusive, en un esbozo "La novela como búsqueda", hay momentos en que parece contradecirse. Así al escribir muy obviamente respecto a la credibilidad que solicita el novelista: "Los personajes deben lograr ser convincentes, y vivir, en virtud de lo que él nos diga, y únicamente por ello, incluso en el caso de que realmente hayan existido". Luego, como se advertirá, oponiéndose categóricamente a Robbe-Grillet y Nathalie Saraute, Butor cree en los personajes e inclusive en la psicología. Por algo se ha señalado el influjo de Proust en *El empleo del tiempo,* y particularmente en su sentido del mismo, entendido como duración múltiple, si bien en tal aspecto la presencia más gravitante sobre Butor sea la de Faulkner. Esta nueva tentativa de reconquistar el tiempo se mueve en un mundo "objetivo" muy preciso que, sin embargo, a lo largo del relato se convierte en algo "problemático, fantasmal, evanescente", según escribe Maurice Nadeau *(Le roman français depuis la guerre*). El personaje, que habla en primera persona, reconstruye "a posteriori" los sucesos vividos en una ciudad inglesa, Bleston —que puede ser Manchester—, de la cual se nos da un plano gráfico para que sigamos mejor sus andanzas. Éstas se deslizan en una atmósfera de bruma —tanto física como mental—, aumentada por los avances y retrocesos del tiempo, entre lo narrado y lo vivido. Otra atmósfera, la de un misterio —un crimen— y una alegoría —representada por los vitrales de la catedral de Bleston donde se describe el crimen de Caín y Abel—, planea sobre la novela; mas en ella, lo importante, en suma, no es la tenue intriga, sino las morosidades, y las curvas del estilo, las disociaciones de ideas y sentimientos.

Tal lentitud, semejante detallismo microscópico, se acusan aún con más relieve e insistencia en *La modificación*. La originalidad y aun la atracción de este libro —largo soliloquio— radican sustancialmente en su técnica. El autor introduce desde el primer momento un tiempo del verbo —el "vous", el vocativo francés o tratamiento de cortesía— para designar al personaje. ¿Quién es éste, el autor reflejo o el lector? Desde luego, ese "usted" permanente da al lector una sensación de proximidad que otro pronombre, "él", o un nombre propio determinado, no le darían. "Usted ha puesto el pie izquierdo sobre la ranura de cobre y con su hombro derecho intenta en vano empujar un poco más la puerta corredera. Usted se introduce en la estrecha abertura, frotándose contra los bordes, y después su valija cubierta de granuloso cobre oscuro, color de botella espesa, su valija más bien pequeña, de hombre acostumbrado a largos viajes...". Así comienza el libro y la entrada del protagonista que no tiene nombre (puesto que puede ser "usted", cualquier lector) en el departamento del tren que desde París le llevará a Roma. En esas horas de viaje, en el paso por las sucesivas estaciones, narrado con minucia de guía ferroviaria, se condensa toda la acción, recordada, entrevista, imaginando cómo fue, cómo será, sin llegar a hacerse presente.

La modificación es la que experimenta ese "usted" en sus sentimientos durante el trayecto; el empleado que parte de París con la intención de llevar a París a su amante de Roma, pero que lentamente desiste de tal propósito, prefiriendo dejar las cosas como están y regresando a su hogar, a su mujer y a sus hijos. Pero no es la historia de tal desistimiento sentimental lo que importa, sino el minucioso tejido de descripciones y evocaciones que desfila ante nuestros ojos, donde se mezclan lugares y tiempos, lo real y lo imaginario, lo cotidiano y lo imprevisto, con un arte no disminuido por una inevitable monotonía, por cierta fatal repetición. Precisamente sobre *La repetición* de Kierkegaard ha escrito Butor unas curiosas páginas. Y tal vez por no repetirse él mismo y mostrarse demasiado sensible a las prédicas de Robbe-Grillet, Butor cambió de técnica, sin ningún provecho, puesto que su novela siguiente, *Dégrés,* no marca ningún ascenso, sino una sensible rebaja de grados.

Nathalie Sarraute

Quizá más ambiciosa aún de intenciones que el propio Robbe-Grillet, sea Nathalie Sarraute. Pero mientras el primero se llena la boca citando a destajo autores con los que quisiera empalmar y con los cuales no se le ve ninguna relación —Kafka, Joyce, Proust y otros totems de la novela contemporánea—, la segunda, sin que deje de teorizar con pareja temeridad, asimila astutamente las lecciones de Proust y de Virginia Woolf. Con la diferencia de que convierte una intuición en sistema permanente, privando a la novela de otros elementos e incurriendo así en una fatal monotonía. De esta suerte, el encantador mariposeo de sensaciones, la discontinuidad de *Mrs. Dolloway* se trueca en pura digresión y cháchara a través de las páginas de *El planetario,* una de las más expresivas novelas de Nathalie Sarraute. Pero ¿acaso dicha autora no había promulgado la ruina de la psicología, escribiendo que esta simple palabra "hace enrojecer y bajar los ojos de vergüenza"? Perfecto, pero si no hay psicología en los relatos, si los personajes desaparecen y la supuesta intriga es tan tenue que apenas puede palparse, ¿qué queda en sus tituladas novelas, las que van de *Tropismes* (1939) a *Les fruits d'or* (1954)? Queda un constante borboteo de palabras, una charla de seres que analizan con implacable minucia las mayores trivialidades. Un buen número de páginas de *El planetario* está compuesto de monólogos y conversaciones puestas en boca de una joven, que se cree con gustos artísticos, sobre el color de una cortina de terciopelo y otros trascendentales detalles de amueblamiento. No menos trascendente es otro motivo, consistente en la irritación de una vieja por un picaporte inadecuado que un obrero ha puesto en una puerta.

Se ha escrito que, a diferencia de Robbe-Grillet, quien entiende quedarse en la "superficie" del mundo y se limita a describirlo y medirlo, "Nathalie Sarraute sugiere la existencia, bajo apariencias triviales, de un submundo, provisto de una vida vibrante y frenética, que sería el verdadero mundo de las relaciones humanas". Se agrega —por

Nadeau— que bajo la superficie de la comunicación existe una "subcomunicación", la que refleja Sarraute, puesto que "la palabra ha sido dada al hombre para disfrutar su pensamiento". Y en este punto no podemos menos de recordar una frase idéntica del P. Malagrida [2], que cita Ramón Pérez de Ayala a la cabeza de un capítulo de *Belarmino y Apolonio,* novela donde se plantea el problema del lenguaje, hoy obsesionante para muchos, con una verdad y una transparencia novelesca inimaginable por los objetivistas.

Con *Les fruits d'or,* Nathalie Sarraute parece haber llegado al límite extremo de sus tan fatigosas como estériles buscas. Está compuesto el libro por una sucesión de diálogos y monólogos, sin que el lector acierte a saber nunca quién los pronuncia. Lo único adivinable es que estos "Frutos de oro" son el título de una novela y que ésta es el personaje del libro, donde se describen las reacciones favorables o adversas que semejante texto provoca. Quisiera ser, pues, algo así como la "novela de una novela", combinada con una posible sátira de la acogida que ha merecido la escuela incriminada: lo que es "una terrible advertencia para todo el que tenga la audacia de escribir sobre la señora Sarraute", según aclara J. G. Weightman, autor de uno de los más justos, no por severo, análisis críticos hechos sobre la "nueva novela".

Robbe-Grillet

En cuanto a las novelas del máximo teórico con que la misma escuela cuenta, ya antes quedaron anticipados algunos datos, un esquema de juicio, sobre *La celosía.* Quizá los primeros libros de Robbe-Grillet —*Las*

---

[2] "La palabra se le otorgó al hombre a fin de ocultar lo que piensa". Y Pérez de Ayala, al citar nuevamente la anterior frase en *Las máscaras,* a propósito del diálogo en Valle-Inclán, añade: "Sentencia jesuítica. No. La palabra, al común de los hombres les sirve para rellenar el hueco de los pensamientos y de los sentimientos, cuando no los hay. Se habla, generalmente, porque no se tiene nada que decir, por miedo al silencio. ¿Se ha de llevar esta manera de dialogar a la obra de arte? No existe el diálogo natural, sino el artístico; como no existe el *average man,* el promedio de las estadísticas".

gomas, El mirón—, por lo mismo que su procedimiento no era aún tan rígido, resulten comparativamente más novelescos, o legibles con menos impaciencia. El primero cobra un aire de intriga policiaca y en el segundo hay un asesinato a cargo de un viajante de comercio, cuyos pasos son seguidos "al ralentí". En *La celosía* (según la versión española, pero cuya otra acepción de ventana enrejada no aparece presente) los celos son difícilmente reconocibles en personajes que no tienen rostro (en algunos casos ni nombre, simplemente una inicial) ni antecedentes. Esta presunta novela da la impresión de ser, más que ninguna otra del mismo autor, una apuntación, un dibujo planista, un esquema sumamente impreciso para el argumento de una posible novela. El puro descripcionismo externo resulta extenuante aun para el más arriscado explorador.

Título rigurosamente exacto es el de su siguiente libro, *En el laberinto*. Efectivamente, nadie osará afirmar adónde conducen los pasos de ese soldado portador de un paquete, ni si es importante lo que ese paquete contiene, ni qué sentido asume esa mezcla de tiempos, presentando alternativamente la errabundez de dicho personaje en la nieve, a través de una ciudad desierta, y el interior de una casa no menos despoblada. Nadie, ni ése ni otros seres imprecisos, saben nada de nada, y la bruma se espesa implacablemente frente al mínimo afán de averiguación que pueda mantener durante algunas páginas el lector.

Samuel Beckett

¿Hasta qué punto puede considerarse a Samuel Beckett como integrante del grupo que examinamos? Mientras ocupaba un lugar destacado en la primera galería de "Le nouveau roman" (publicada por *Esprit* en 1958), Maurice Nadeau lo excluye de su último panorama de conjunto sobre "la novela francesa después de la guerra". Quizá se deba al hecho de considerarle preferentemente como un dramaturgo, dada la repercusión internacional que alcanzó *En attendant Godot* (1953). Pero su autor ya había publicado antes varias obras novelescas, a partir de *Murphy*, primero en inglés (1938) y luego en francés (1947), puesto que Beckett, nacido en Irlanda, residente en París, ha adoptado literariamente la segunda lengua. Otros libros suyos son *Malone meurt* (1951), *L'innommable* (1953) y *Comme c'est* (1964).

Mas para el público general, Beckett será siempre el autor de *Esperando a Godot,* representada ante auditorios de numerosos países, mientras que sus novelas, opuestamente, habrán de encontrar muy limitados lectores. ¿Acaso es más evidente el sentido de su obra escénica? No, pero, al cabo, la causa última de su éxito quizá no sea otra que la invasión de un refinado sinsentido, el cual permite las más varias interpretaciones. La más obvia radica en ese Godot al que se espera y nunca llega, ese Dios *(God)* latente, pero invisible e inexpresado a través de los diálogos de Estragon, Vladimir y Pozzo, vagabundos situados en un alto del camino, ante un árbol esquelético. Una atmósfera de tensión expectante se combina con cierto sadismo y la perfecta conciencia de que Godot no llegará nunca; de suerte que la misma historia podría recomenzar indefinidamente en el mismo punto donde termina. El supuesto enigma queda sin aclarar.

Y, sin embargo, esta obra tiene una fuerza de convicción que no poseen las novelas de Beckett. El universo de la ausencia que habitan sus personajes sólo adquiere relieve merced a la presencia escénica. Cualidad que falta por completo a ese conjunto de seres infranovelescos que aparecen bajo nombres equivalentes, todos bajo la inicial de una M, de un "Moi" absorbente: Murphy, Molloy, Moran, Mercier, Malone (yo, en la soledad), Mac Mann (el nombre irlandés, también "Moi"), Lemuel (Samuel en tercera persona), Mahood ("Manhood" el hombre en su humanidad), o descendido al nivel de un gusano (Worm), que llega inclusive a perder su nombre *(El innombrable).* Es la misma decadencia, el mismo descenso que experimentan en la escala humana: Molloy es un tullido, Malone un agonizante, Mahood un hombre sin piernas; los personajes de una posterior pieza escénica de Beckett, *Fin de partie,* aparecen metidos en unos toneles y solamente asoman las cabezas.

Comment c'est es un título por antífrasis, puesto que el autor niega hasta el menor barrunto de lo que puede ser ese vaguísimo personaje, que a veces se llama Pin, perdido entre el lodo, apenas emergente entre las sombras más cerradas. Por consiguiente, Beckett señala uno de los puntos más altos en la negación de la literatura —al menos de la literatura orgánica—. A fuerza de hipnotizarse sobre el lenguaje (según expresamos antes), de querer "escribir los silencios" (Rimbaud), en la literatura francesa parece haberse llegado a la aniquilación de la palabra, a escribir la nada. "Nombrar, no —dice el propio Beckett—; decir, no, nada es decible." "Tocamos en este punto —apostilla Boisdeffre— con los límites extremos del lenguaje, con los confines de la literatura, donde la palabra se niega a sí misma y sólo muestra la intención de destruirse."

Siguiendo este desnivel, ¿cuáles podrán ser los personajes de sus futuros libros: larvas, ectoplasmas...? ¿Adónde podrá llevar tal sistema a Beckett? ¿Hacia el reino de "Nowhere", pero despoblado, sin nada de común con el que imaginó William Morris? "Adelante hacia ninguna parte", se titulaba precisamente uno de los primeros artículos que se publicaron sobre *Molloy*. Este es el héroe, el personaje que cuenta su vida en la primera parte del libro de dicho título: unas ciento cincuenta páginas compactas, sin ningún punto y aparte. Pero en la segunda mitad, el que narra cambia de nombre, pero no de tema, y se llama Moran. Resulta inadecuado, contra lo que se ha hecho con frecuencia, hablar de Kafka a propósito de tales personajes: en contraste con la densa realidad de los kafkeanos, ninguno de ellos tiene consistencia. También es absurdo divagar sobre la posible influencia de Joyce —de quien Beckett fue secretario y uno de los traductores que pusieron en francés *Anna Livia Plurabelle*—, ya que deja como estaba el idioma y aplica toda su imaginación a borrar, a destruir seres y lugares.

Con todo, se le ha llamado —por Bernard Pingaud— "Beckett el precursor", situándole en los orígenes de la novela objetivista, gloria que sería cicatería negarle. El mismo crítico —que es, también, un novelista del grupo— agrega que "todo el arte de Beckett consiste en hacer algo con nada". Más exacto sería invertir la frase y decir que todo su arte consiste en convertir cualquier cosa en nada. Afirmación que, en último extremo, dados los supuestos de Beckett, no es peyorativa, pues no el absurdo, no el vacío, sino la nadificación del universo es su punto de partida y, a la vez, su meta. Nunca el sentido del sinsentido había llegado antes a tal límite.

OTROS NOMBRES

Si pretendiéramos agotar el examen del grupo objetivista deberíamos incluir también a otros novelistas del mismo clan, tales como Claude Simon, Claude Ollier y Robert Pinguet; y en las vecindades a Marguerite Duras, Jean Cayrol, Louis-René des Forest, Georges Bataille y Maurice Blanchot, si bien los dos últimos aplican preferentemente su inteligencia superior a la crítica. Hay algunos que consideran *La route de Flandres* (1961), de Claude Simon, como una excelente realización, atendiendo a su estructura, visible en párrafos donde sin solución de continuidad se yuxtaponen acciones y personajes situados en tiempos y lugares diversos. Pero en este punto, la mencionada novela no marca ninguna perfección y menos originalidad, ya que es la misma técnica utilizada en libros ya citados en anteriores capítulos, como algunos de Aldous Huxley, Jules Romains, John dos Passos y Jean-Paul Sartre.

En *Le maintien de l'ordre* (1962), de Claude Ollier —traducida con el título de *Garantía del orden*—, la amenaza que pesa sobre el personaje da una relativa atmósfera expectante al conjunto, pero le quita profundidad la forma esquemático-descriptiva, el empleo único del presente de indicativo. Análoga desventaja —desde el punto de vista del gradual acontecer, propio de lo novelesco— se advierte, tanto en *Moderato cantabile* como en *Una tarde de M. Andesmas* y otros libros de Marguerite Duras.

Ahora, en contraste con esta relación incompleta, incluyamos un nombre que los demás omiten injustamente. Me refiero a Marcelo Saporta, español, que firma sus libros, escritos en francés, con el nombre de Marc Saporta; es autor, a partir de 1959, de cuatro novelas compuestas con la técnica objetivista: *Le furet, La quête, La distribution* y *Composition n.º 1*. Saporta, en teoría, es menos extremado que otros. Confiesa su propósito de hacer una síntesis entre la "novela tradicional" y la "nueva novela". ¿Pero es posible tal juntura? ¿No son dos mundos inconciliables? Narrados desde fuera, los temas de las novelas de Saporta tienen más sustancia y contenido que las de Robbe-Grillet y congéneres. El argumento de *La quête,* por ejemplo, donde se trata de averiguar quién ha disparado contra una muchacha durante una manifestación estudiantil, confrontando puntos de vista opuestos, los de un hermano de la víctima y de un soldado, ofrecía indudables posibilidades novelescas. Pero el método narrativo, mejor dicho, puramente enumerativo, utilizado por Saporta, anula tales perspectivas. El "parti pris" de exterioridad, sin penetrar nunca en los actos ni en los personajes, excediéndose, por el contrario, en el detallismo de lo superficial, del "decorado", otorga al conjunto un aire similar al de los guiones cinematográficos, donde lo sustancial queda reservado a los actores. Pero aquí no hay corporización, no hay encarnación humana de ninguna clase. Víctima de su método, empero la inteligencia y el virtuosismo con que lo aplica, Saporta oculta las cualidades auténticamente novelescas que en su espíritu existen. Quizá piense que a él le corresponde únicamente apuntar los datos, entendiendo que el desarrollo, la realización plena de la novela, incumbe al lector. Y, en efecto, no es cosa distinta lo que otro libro suyo, *La distribution,* nos propone. Esta "distribución", según explica, es la de una obra de teatro, "La Pinède", que no ha sido escrita; el dramaturgo distribuye anticipadamente los papeles y modela los personajes, preparando así sus relaciones futuras. Pertenece al lector —dice— imaginar los detalles de la acción. Pero —comentamos— ¿no será pedirle demasiado?

¿EL LECTOR COMO AUTOR?

Sin duda la participación del lector no es una novedad. En mayor o menor grado ha existido siempre. El lector ideal es tanto receptivo como activo. Sobre todo, en los libros clásicos la contribución del lector es considerable. Con razón se ha dicho que cada nueva generación de lectores, redescubre *La Celestina,* el *Quijote* y otras obras maestras. Pero lo hace no en cuanto lector virgen, sino cultivado, en función de las lecturas, de experiencias e interpretaciones innumerables que acumularon históricamente las generaciones de lectores precedentes. De ahí deriva buena parte de su goce. Mas ¿es posible cosa semejante aplicada a los libros que no tuvieron antes lectores, a los libros del día, máxime si el acceso de éstos supone un esfuerzo, una paciencia que el lector de novelas, pasivo por excelencia, no parece dispuesto a concederles?

José María Castellet señaló la llegada de "la hora del lector", otorgando a éste una función importante. Diversos otros testimonios apuntalaron, antes y después, el valor de la colaboración entre autor y lector, pero siempre limitando el papel del último al de un captador de intenciones, nunca atribuyéndole la función de creador propiamente dicho. La confusión, la desmesura sobre la posible participación del lector se confunde con el descrédito de ciertas formas narrativas, o más bien con el desprestigio recaído sobre el llamado autor "omnisciente", quien imponía su visión de las cosas por modo "absolutista y autoritario" a los leyentes. La ambigüedad, inclusive la multiplicación del punto de vista es cosa distinta y, frente a todas las apariencias, sigue corriendo siempre a cuenta del autor. ¿No será, pues, un espejismo afirmar —como hace Castellet— que "el lector se ha convertido en protagonista activo de la creación literaria"? ¿No supondrá ello extender al lector común —que es el específico lector de novelas— una virtud sólo adscribible al minoritario, al lector-crítico? Pero tal actitud, tal creencia supone más exactamente tanto una ingenua supervaloración de los poderes del lector como una afligente disminución de los poderes del autor, en este caso, concretamente, del novelista.

EL ESTIAJE DE LA IMAGINACION

Porque, en efecto, quizá aquí radique la clave —al menos, una de las claves— de la fatal decadencia novelesca. Unas aclaraciones sobre el último miembro de la anterior frase. "Decadencia", tanto como "transición", son dos voces muy socorridas, pero que yo siempre me resisto a emplear, dada la elasticidad e imprecisión de sus significados; esto sin contar la fácil malignidad que suele insuflárseles. Cuando ahora me atrevo a hablar de una decadencia novelesca no deberá perderse de vista que circunscribo tal término a las expresiones imaginativas, abusivamente, en muchos casos, sobrenombradas "novelas", las que son materia del presente capítulo. De suerte que, en último extremo, más propiamente cabría hablar de un estiaje de la imaginación.

Partiendo de otros supuestos y con referencia a casos que significaron más bien ensanchamiento del género novelesco, en suma, encarándolos con un criterio canónico, Vladimir Weidlé *(Les abeilles d'Aristée)* disertó hace años sobre el "crepúsculo de los mundos imaginarios", cifrado en el "repudio de las fábulas" y en la "debilitación de los personajes"; empero, fijaba sus ejemplos en grandes obras que suponen sumas, no restas, suponiendo que marcaban la entrada en un callejón sin salida. Supuesto excesivo que hubiera sido más justo aplicar, treinta años después (la primera edición del libro de Weidlé data de 1936) a la novelería del 60. Con referencia a ésta, lo más exacto sería definirla —insistimos— como una consecuencia del estiaje de la imaginación. Y el estiaje es el nivel más bajo o el caudal mínimo de un río, causado por la sequía. Y esta sequía imaginativa ha sobrevenido tras uno de los períodos de cosecha más rica y desbordante, como fue la novelística francesa de entreguerras. Porque tal estiaje —conviene advertirlo— se localiza en tal literatura y no se extiende, al menos con la misma amplitud o parejos caracteres, a las literaturas de otras lenguas, si bien sean advertibles también algunos reflejos. Quizá, en último extremo, todo derive —según apuntamos antes— de la insistencia en un género que —al igual que la poesía—, cuando no se resigna a la repetición de lo nuevo o al calco de modelos pretéritos, trabaja sobre un terreno excesivamente laborado para el cual sería menester algún tiempo de barbecho o reposo.

CONTRA EL COMPROMISO, GRATUIDAD

Una causa —asimismo esbozada en páginas anteriores— de la aparición y extensión del objetivismo es el propósito de reaccionar contra la literatura comprometida del existencialismo. Marca así un punto opuesto de la balanza literaria. Tras una literatura radicalmente inserta en la época, otra que se sitúa en un espacio intemporal y abstracto. No puede, empero, hablarse, según hace Robert Kanters (en el epílogo a *Ecrivains d'aujourd'hui*, 1960), con términos parlamentarios, de un paso desde la extrema izquierda a la extrema derecha; y ello por la sencilla razón de que los objetivistas se instalan en un terreno neutro, distante de cualquier ideología, un terreno que diríamos inhumano, donde no aparece ninguna vibración, exento de cualquier color o sabor definidos. Por oposición a la literatura de la *praxis,* según denomina Sartre a la suya, esos escritores cultivan una literatura de la *exis,* marginal.

Es lógico que Simone de Beauvoir, en unas páginas finales del tercer libro de sus Memorias, manifieste una irritada decepción, enderezando algunas flechas contra su ex amiga Nathalie Sarraute y los demás del grupo. Denuncia las teorías "objetivas" como reaccionarias; entiende que sus cultivadores "escamotean el mundo real"; "ocultan con contorsiones formales la ausencia de contenido". Llega a afirmar sin rodeos: "Una de las constantes de esta literatura es el aburrimiento: quita a la vida su sal, su fuego, su impulso hacia el porvenir." "Construyen un universo muerto." Les reprocha, en suma, que "en ellos el hombre se disocie del autor". Objeción legítima, si en Simone de Beauvoir no estuviera inspirada por una actitud que rebasa la natural sensibilidad por los problemas del mundo y se colorea con un tono sectario que deforma cuanto mira. El mencionado reproche del apoliticismo de los objetivistas frente a la politización extrema de Sartre y Beauvoir fue también esgrimido en un coloquio sobre la nueva novela celebrado en Madrid a fines de 1963. Más exactamente, el coloquio giró en torno al realismo, y participaron en los debates varios escritores extranjeros y españoles. Se dibujaron (según la reseña inserta en *Insula*, n. 204, Madrid, noviembre de 1963) dos tendencias opuestas: una, representada por los partidarios del realismo social —a cargo de algunos últimos escritores españoles—; otra, defensora de una "literatura no comprometida con la sociedad en cuanto situación necesitada de apoyo del escritor", posición de algunos objetivistas. Sin embargo, los papeles estuvieron insuficientemente distribuidos; quedaron algunos sin proveer, faltó el sector de quienes se niegan tanto al sectarismo como a la gratuidad y entienden realizar su obra en un terreno distinto, allí donde el escritor habla por sí mismo, desde la sociedad, pero no supeditado a ella.

EXTREMOS SIN SALIDA

Por lo demás, ninguna de las dos tendencias que se nos presentan en pugna puede resumir, acaparar la literatura viva en toda su vastedad. Ni siquiera en la literatura francesa, tan adicta a estos fraccionamientos y a la concesión de monopolios.

La consecuencia inmediata es que en dicha literatura —escenario más visible de tales carencias— parece no leerse ya novelas; o, más exactamente quizá, el público consumidor que no puede prescindir de este producto limita su curiosidad a lo conocido, habiendo desistido de explorar lo nuevo. ¿Por qué no se leen ya novelas? —pregunta un articulista en un semanario de París, *Arts,* a fines de 1964. Porque el espíritu de búsqueda a todo trance, aplicado a un terreno dudosamente experimental, como es la novela —según expusimos al comienzo de este capítulo—, será siempre de un resultado dudoso. Y el hecho es que aplicándose a la pesquisa de la originalidad a cualquier precio, bien por medio del esteticismo, la discontinuidad del relato o la fuga de la realidad, los escritores jóvenes han pulverizado la novela. Se citan como ejemplos extremados de última hora varias presuntas novelas de Alain Bardion, Jean-Pierre Faye y Emmanuel Egmont —la última con la particularidad de hallarse tipografiada la prosa como versos—, cuyo análisis sería prematuro y rebasaría los límites previstos de estas páginas. La consecuencia inmediata es que "mientras un puñado de estetas ejecutan sus volteretas en el cielo, la literatura legible queda abandonada a los comerciantes que la envilecen".

La oposición antes enunciada, como toda dialéctica de extremos, es falsa, deja intacto el verdadero cogollo del problema: qué rumbo debe preferirse en la novela contemporánea, o, más ampliamente, cuál puede ser el sentido y la orientación de la literatura en un futuro inmediato. Lo más fácil, para dirimir esa falsa polémica, sería excluir ambos falsos extremos —indiferentismo objetivista, politización existencialista— y, superado el "tertium non datur", buscar no un punto de conciliación, siempre equívoco, sino de superación verdadera. Porque, en efecto, si acabo de calificar de falsos aquellos dos extremos es porque ninguno responde a un propósito de integración, sino a exclusiones absurdas. Absurda es la "escritura del vacío", flor del aire, al pie de un acantilado sacudido por las mareas; absurda es la escritura demostrativa, donde el autor abdica de su autonomía y se convierte en una pieza de recambio al servicio de ideologías que le dejan fuera.

BIBLIOGRAFIA

Anónimo: *The anti-novel in France,* en "The Times Literary Supplement". Londres, 13 de febrero de 1959.
Jean-Bertrand Barrère: *La Cure d'Amaigrissement du roman.* Albin Michel, París, 1964.
Simone de Beauvoir: *La Force des Choses.* Gallimard, París, 1963. Trad. española Sudamericana, Buenos Aires, 1964.
Olga Bernat: *Alain Robbe-Grillet: Le Roman de l'Absence.* Gallimard, París, 1964.
Roland Barthes: *L'Ecriture du Roman,* en *Le Degré zéro de l'Ecriture.* Seuil, París, 1953.
Mariano Baquero Goyanes: *Problemas de la novela contemporánea.* Ateneo, Madrid, 1956.
— *Qué es la novela.* Columba, Buenos Aires, 1961.
— *Proceso de la novela actual.* Rialp, Madrid, 1963.
Maurice Blanchot: *Le Roman, œuvre de mauvaise foi,* en "Les Temps Modernes", núm. 19, París.
Silvina Bullrich: *El objetivismo. Otra teoría de la soledad,* en "La Nación", Buenos Aires, 25 noviembre 1962.
Michel Butor: *La novela como búsqueda,* en *Sobre literatura.* Trad. española: Seix Barral, Barcelona, 1960.
— *Individuo y grupo en la novela,* en "Sur", núm. 283, julio-agosto, 1963, Buenos Aires.
— *Essai sur les modernes.* "Idées". Gallimard, París, 1964.
Jean Bloch-Michel: *Le Présent de l'Indicatif. Essai sur le nouveau roman.* Gallimard, París, 1964.
Enrique Canito: *Michel Butor y sus claves,* en "Insula", núm. 159. Madrid, febrero de 1960.
José María Castellet: *La hora del lector.* Seix Barral, Barcelona, 1957.
— *De la objetividad al objeto,* en "Papeles de Son Armadans", núm. 15. Palma de Mallorca, junio de 1957.
William Cooper: *Reflections on some aspects of the experimental novel,* en *International Literary Annual* (dirigido por John Wain), núm. 2. John Calder, Londres, 1959.
E. M. Cioran: *La Fin du Roman,* en *La Tentation d'xister.* Gallimard, París, 1956.

Edgardo Cozarinsky: *El laberinto de la apariencia. Estudios sobre Henry James.* Losada, Buenos Aires, 1964.
Jean Desternes: *La novela francesa contemporánea,* en "Cuadernos", núm. 28. París, enero-febrero 1958.
R. Domenech: *Una reflexión sobre el objetivismo,* en "Insula", núm. 180. Madrid, noviembre de 1961.
Ecrivains d'aujourd'hui 1940-1960. Dictionnaire anthologique et critique, dirigido por Bernard Pingaud. Grasset, París, 1960.
Jean E. Ehrard: *Le Roman français depuis la guerre.* Nouvelle Revue Critique. París, 1933.
Angel Facio: *Para una nueva novela,* en "Revista de Occidente", núm. 27, Madrid, julio 1965.
John Fletcher: *The novels of Samuel Beckett.* Chatto and Windus, Londres, 1964.
Paul Guth: *1926-1957 ou Les Modifications de Michel Butor,* en "Le Figaro Litteraire". París, 7 diciembre 1957.
Lucien Goldmann: *Sociologie du Roman.* Gallimard, París, 1964.
Kleber Haedens: *Paradoxe sur le Roman.* Grasset, París, 1964.
Helmut Hatzfeld: *Trends and Styles in the Twentieth Century French Literature.* Catholic University, Washington, 1957.
Storm Jameson: *The Writers Situation.* MacMillan, Londres, 1950.
Ludovic Janvier: *Une Parole exigeante.* Minuit, París, 1964.
René Lalou: *Le Roman français depuis 1900.* P. U. F., París, 1943.
Raffaele La Capria: *Nouveau Roman,* en "Almanacco Letterario Bompiani, 1960". Milán.
Michel Leiris: *Le Réalisme mythologique de Michel Butor,* en "Critique" número 129. París.
Claude-Edmond Magny: *L'Age du Roman américain.* Seuil, París, 1949.
— *Histoire du Roman français depuis 1918.* Seuil, París, 1950.
R. Marill-Albérès: *Portrait de notre héros. Essais sur le roman actuel.* Portulan, París, 1945.
— *Histoire du Roman moderne.* Albin-Michel, París, 1962.
— *Michel Butor.* Editions Universitaires, París, 1964.
Claude Mauriac: *L'Alittérature contemporaine.* Albin-Michel, París, 1958.
Benito Milla: *Presentación de Michel Butor,* en "Deslinde". Montevideo, 1958.
Bruce Morissette: *Les Romans de Robbe-Grillet.* Minuit, París, 1964.
Maurice Nadeau: *Le Roman français depuis la guerre.* Gallimard, París, 1963.
Louis Pavin: *Pourquoi ne lit-on pas de romans?,* en "Arts", núm. 982. París, 25 noviembre 1964.
Henri Peyre: *The Contemporary French Novel.* Oxford University Press, New York, 1955.

Gaëtan Picon: *La Littérature du XXe siècle,* en *Histoire des Litératures,* III. Encyclopédie de la Pléiade, Gallimard, París, 1958.
Roger Priouret: *Révolution dans le roman. Cinq Ecrivains aux prises,* en "Le Figaro Littéraire". París, 29 marzo 1956.
Alfonso Rangel Guerra: *La construcción novelística,* en *Dans le Labyrinthe, de Robbe-Grillet,* en "Humanitas", núm. 463. Universidad de Nuevo León, México.
Jean Renaudot: *Butor ou le Livre futur.* Gallimard, París, 1955.
Alain Robbe-Grillet: *Pour un nouveau roman.* Gallimard, París, 1964.
Leopoldo Rodríguez Alcalde: *Hora actual de la novela en el mundo.* Taurus, Madrid, 1959.
Ernesto Sábato: *Algunas reflexiones sobre "le nouveau roman",* en *El escritor y sus fantasmas.* Aguilar, Buenos Aires, 1963.
Marc Saporta: *Pré-romans et Prétextes,* en "Preuves", núm. 128, París.
Jean-Paul Sartre: *Situations,* IV. Gallimard, París, 1964.
Nathalie Sarraute: *L'ère du Soupçon. Essai sur le roman.* Gallimard, París, 1956.
Mark Schoerer: *Technique as Discovery,* en William Van O'Connor, ed.: *Forms of Modern Fiction.* Midlan Books, Indiana, Bloomington, 1959.
María Seuderi: *Objetivismo e informalismo,* en "Revista de Occidente", núm. 27, Madrid, julio 1965.
Guillermo de Torre: *Perspectivas de la novela contemporánea,* en "Revista de la Universidad de Buenos Aires". V época, año I, núm. 3.
Varios: *Problèmes du Roman.* Confluences. Lyon-París, 1943.
— *A la Recherche du Roman,* en "Cahiers du Sud", núm. 334. Marsella, 1956.
— *Le Nouveau Roman,* en "Esprit", núms. 7-8. París, julio-agosto, 1958.
Joseph Warren Beach: *The Twentieth Century Novel. Studies in technique.* Appleton, New York, 1932.
J. G. Weightman: *Nathalie Sarraute o la antinovela,* en "Cuadernos", número 87. París, agosto 1964.
Gerda Zeltner: *Situation du Roman,* en "Preuves", núm. 126, París.

14

EPILOGO Y NUEVOS ISMOS

UNA HISTORIA EN FUNCION DE LOS MOVIMIENTOS

El epílogo de un libro como el presente, que aun proyectándose sobre un centro focal muy determinado, se abre a perspectivas múltiples y cambiantes, no puede desembocar con facilidad en una síntesis, y sólo de un modo provisional, en un balance. Diversidad, más allá de la envolvente unidad, es uno de los signos dominantes en las vanguardias; y a este respecto se observará cómo siempre he preferido, para su denominación conjunta, el plural abierto al singular limitativo. Cualquier resumen sería, pues, desnaturalizador, aun hecho con el no desdeñable propósito de fijar conclusiones de carácter didáctico para el lector general. Lo que corresponde al autor es simplemente lanzar unas miradas de recapitulación al extenso panorama, más el complemento de algunos alcances y, sobre todo, intentar fijar la situación presente del espíritu de vanguardia en el mundo.

Pero antes permítaseme, sin jactancias, mas sin equívocos, repetir que esta *Historia de las literaturas de vanguardia* pretende instaurar un punto de vista crítico distinto del usual: el análisis del fenómeno literario contemporáneo visto en función de los movimientos, escuelas y tendencias donde se diversifican las expresiones más avanzadas o movidas por un afán de originalidad. No excluye —según se habrá visto— el examen particular de obras, tampoco el de personalidades, pero unas y otras son vistas insertas en el cuadro de un proceso plural, sobre el fondo de un telón histórico cuyo principal personaje vendría a ser el *Zeitgeist*. ¿Sistema crítico heterodoxo, método extrínseco? Todo lo contrario —me permitiré sostener—, puesto que arranca de una raíz sustancialmente literaria y se extiende a todas sus prolongaciones, combinando historia y crítica, teoría y anécdota, lo panorámico y lo monográfico. Discrepa así de la perspectiva unilateral encarada por aquellos sistemas que se autocalifican de "crítica intrínseca", cuando precisamente divagan extramuros del perímetro literario, ya que aplican sus microscopios, de órbita limitadísima, a lo extrínseco y no atraviesan la cáscara formal de las obras. Además, tienden a ver éstas en un plano abstracto, intemporal e inespacial, desprendidas de toda conexión con su época; las imaginan no como expresiones de un autor o un tiempo concretos, sino a modo de productos elaborados por entes sin color ni circunstancias. Contra tal supuesto, beatamente aceptado por algunos —puesto que deriva del deslumbramiento padecido ante todo aquello que se orne con un aura semicientífica—, yo entiendo que cabalmente esas técnicas, si no tanto como externas, sí son ancilares y suponen una desnaturalización de lo esencial. Se dirá que la hipnotización ante el lenguaje en sí mismo, advertible en algunos ismos de los últimos años —y sobre los cuales más adelante se encontrarán nuevos datos—, contagia a una crítica caracterizada, en general, paradójicamente como académica y, desde luego, poco propicia a aceptar subversiones.

TODA UNA EPOCA

Con más razón de lo que advertí en la introducción, este libro encierra toda una época intelectual, refleja una sucesión de corrientes con fisonomía muy próxima, empero su diversidad de intenciones. Aunque llegue hasta mediados del decenio de 1960, en rigor su núcleo se sitúa en la que pudiéramos llamar época áurea de las vanguardias, es decir, de 1910 a 1940. Comienza con movimientos tempranos, tales el futurismo y expresionismo; declina con los desmembramientos del superrealismo y el hiato de la guerra mundial número 2. Tendencias como el existencialismo, al situar los valores literarios en segundo plano y ofrecer el primero a lo filosófico y lo político, marcan ya un declive que no logran contrarrestar ninguno de los movimientos o grupos posteriores, desde el letrismo al iracundismo, pasando por neorrealistas y objetivistas. Las causas de tal declinación quedan señaladas, de modo explícito o entre líneas, a lo largo de los capítulos correspondientes; agréguese el contragolpe de las sacudidas políticas, sociales y económicas, sin que tampoco pueda establecerse su correlación estrecha con la evolución literaria. Stuart Hughes *(Contemporary Europe: A History,* 1961) concreta entre 1924 y 1939 un período de estabilización. Pero en la esfera de las letras, y por lo que concierne más particularmente al desarrollo de los movimientos innovadores, bien pueden ensancharse hacia atrás sus topes, fijando el punto más alto en la década entera del 20.

DEBILITACION O SUCESION DE LO MODERNO

Además de los apuntados, hay otros factores que influyen en la debilitación de tal estado de espíritu. Pudieran concretarse en dos extremos de rostros rigurosamente antitéticos, pero en rigor con rasgos afines: de un lado, la consolidación de las primeras vanguardias, hecho que equivale tanto a divulgación como academización de los estilos modernos; de otro, un cambio radical de actitud por parte del público; trocando en fácil, fulminante aceptación lo que antes era hostilidad instintiva. Distingamos ambos casos. Cuando, precisamente en el momento de máximo auge del espíritu innovador, Ortega y Gasset se apresta a filiar algunas de sus características, desde un punto de vista sociológico, cree advertir la más saliente en la impopularidad del arte nuevo, achacándola, en sustancia, no a una cuestión de preferencias en el gusto individual, sino a la circunstancia de que la masa, al contrario de la minoría, no lo entiende. ¿Podremos, opuestamente, asentir hoy, cuarenta años después, a la afirmación contraria, tal vez excesivamente categórica, de quienes afirman que las vanguardias se han institucionalizado y, por ende, comercializado, puesto que ya no suscitan resistencia? Cualquier generalización falsea un hecho concreto, pero sin duda sonaría hoy a redundante aquella exigencia de Ramón Gómez de la Serna cuando escribía (prólogo a *Ismos*) que la expresión "lo nuevo" debería repetirse tantas veces como los Bancos repiten su nombre en los cupones. Si el prejuicio adverso era nefando, ¿resultará estimulante el prejuicio apologético aplicado a formas de arte que necesitan una tensión polémica para subsistir y no anquilosarse? Cierto es que de este último extravío aparecen como presas fáciles aquellos estilos que nacen ya contaminados de pasadismo y son derivaciones, no inauguraciones. Aislarlos nunca ha sido fácilmente hacedero. Porque junto a la remoción profunda, en las vanguardias más que en ninguna otra estética, suele darse la innovación superficial. Aquélla concluye, no como suele creerse, plegándose a la tradición, sino creando una nueva tradición. La segunda pronto queda convertida en "poncif", si no es ya amaneramiento ingénito, cosa distinta, por supuesto, contra lo que se cre, de "manera", la cual es estilo, cuño personal. Por tanto, no es que la vanguardia desaparezca, pero sí perdura únicamente en la sucesión renovada, acorde y discorde a la vez: en el relevo de las generaciones provistas de un espíritu creador y polémico a la par. La dialéctica de los movimientos es, pues, su razón última de ser.

LAS MINORIAS SE ENSANCHAN

Ahora bien, frente a la fatal debilitación de lo nuevo, una vez asimilado, hay paralelamente un fenómeno muy singular, característico de los últimos lustros, que no ha sido aún debidamente subrayado y del cual ya anticipé ciertos rasgos, a propósito de algunos de los últimos ismos, a partir del objetivismo y del iracundismo. Es el ensanchamiento de la capacidad receptiva, que no cabe confundir con la capacidad comprensiva, por parte del usuario, el cual, en cierto modo, pasa a ser productor. De sujeto meramente pasivo, el público lector y espectador tiende así a convertirse en sujeto activo. Todo ello no es sino la consecuencia de una aceleración del tiempo artístico, que ya estudié en otro lugar *(Minorías y masas en la cultura y el arte contemporáneo)*. Parecería que los papeles se truecan, al punto de que buena parte de los últimos ismos dan la impresión de hallarse promovidos no tanto por los autores como por los consumidores, en particular por el mecanismo publicitario de las artes visuales; éste no tolera ninguna pausa en el acarreo de la novedad y necesita de modo incesante frescos materiales de consumo.

Surge así una disociación profunda entre la esfera de los intereses colectivos y los individuales. Mientras que los primeros, expresados en el desenvolvimiento politicosocial de los países, se estancan —cuando no retroceden—, sin encontrar ninguna nueva fórmula valedera, los segundos, traducidos en la técnica y en la estética, buscan infatigablemente cauces distintos. Cuando se contemplan de cerca las evoluciones en este segundo aspecto, no es muy azaroso llegar a la conclusión de que el mundo, en sus preferencias más espirituales o menos interesadas, experimenta una fuerte apetencia de novedad. Ahí radica la base de otra afirmación más precisa: el espíritu de las vanguardias, como tal, no ha prescrito, con independencia del valor de sus logros últimos, y aunque los vaivenes o períodos de sequía puedan engendrar la impresión contraria.

En cualquier caso, ¿a qué se debe tal apetencia de lo nuevo, semejante mantenimiento del afán renovador? En la lejanía, en su último trasfondo, está sin duda lo que, relacionado con la razón determinante de algunos ismos, hemos llamado el cansancio histórico; más próximo, otro fenómeno muy particular, brotado en los dos últimos decenios del siglo XIX, pero acrecido fabulosamente en los años últimos: me refiero al ensanchamiento de las minorías.

Se ha observado ya, desde diversos ángulos, la extensión creciente de las masas, con sus efectos perturbadores —al menos, hasta la fecha— en el plano de la cultura y de las artes; pero aún no ha sido debidamente estudiada la extensión, paralela en el tiempo, aunque menor cuantitativamente, alcanzada por las minorías. Porque no se trata ya, como en los días de Pareto, de la "circulación" de las *élites,* sino de la creación de otras nuevas; éstas, tal vez por lo mismo que carecen de una formación sedimentada históricamente, se vierten con una fresca curiosidad hacia cuantas expresiones presentan un rostro distinto al conocido. Llegan así a constituir una nueva clase, sin nada de común con la repartición de las antiguas clases económicosociales. Vienen a ser, por tanto, una minoría no clasista, que nadie podrá anexionarse con propósitos extraintelectuales, pues en su composición figuran elementos de muy distinta procedencia social, al hallarse integrada tanto por supervivientes del estamento económicamente más favorecido, como por miembros de una burguesía evolucionada y de un sector llano en trance de alcanzar un nivel superior. Es el público, mixto en sus orígenes, unificado en sus preferencias, que llena las salas de conciertos, los cine-clubs, los teatros experimentales, que inclusive lee las "little reviews" Un público, en definitiva, que tiende a formar una nueva clase y cuya influencia en los gustos, actividades y creencias sobre las generaciones en formación, aunque presumiblemente grande, todavía no puede medirse con exactitud. ¡Cuán lejos nos sitúa este cambio de las comunes interpretaciones sobre la "alienación" del individuo en la sociedad, tópico de oriundez marxista, muy siglo XIX, y como tal ya anacrónico! Es sensible, por tanto, que un crítico tan lúcido como Renato Poggioli *(Teoria dell'arte d'avanguardia)* tome en serio tal embeleco, tan desvaído lugar común, en sus improbables conexiones con la psicología de la nueva clase artística, clase que es —insistiremos— sustancialmente desclasificada. Sin embargo, ello no impide a Poggioli reconocer taxativamente que "el arte de vanguardia tiene un público no socialmente, sino intelectual y psicológicamente determinado".

REVOLUCION Y REACCION EN DOS PLANOS DIVERSOS

Junto a la quiebra de la falacia que supone asociar la vanguardia intelectual con un sector social determinado, viendo sus expresiones como entretenimientos o evasiones de la "ociosidad", del "aristocratismo", cual si perdurasen los preciosismos muy siglo XVIII, hay opuestamente otro malintencionado equívoco que urge denunciar. Es la tendencia hace años manifestada por algunos, particularmente por aquellos que pretendían monopolizar, con fines políticos, el espíritu de subversión ante la sociedad, homologándola paradójicamente con el reaccionarismo estético. ¿Es acaso más verdadero, en último extremo, el supuesto contrario: la interrelación entre revolucionarismo social y avanzadismo estético? Quizá, pero siempre, naturalmente, que relativicemos el primer concepto, ya que los cesarismos políticos —en que suelen parar las revoluciones—, a despecho de sus primeras apariencias, casi siempre concluyen en regresiones o estragos. A cambio de varios errores, Hans Magnus Enzensberger *(Einzelherten)* acierta al poner al desnudo los desafueros cometidos por quienes aplican el criterio social a la literatura, viéndola desde fuera de sí misma, rebajándola al nivel claramente engañoso de una "superestructura", y haciendo coro a teóricos como Gyorgy Lukacs. Sin embargo, frente a alguna afirmación del primero, es menester aclarar que las vanguardias no son cómplices, sino víctimas, de las políticas. El fascismo, por ejemplo, contra lo que algunos creen, no apresuró el triunfo del futurismo; al contrario, aceleró su descrédito, según es fácil comprobar (y así lo hicimos en el capítulo respectivo) rastreando minuciosamente sus anales. Menos equívoco fue el nazismo en su tratamiento de todo arte disidente, estigmatizando y persiguiendo como "arte degenerado" cuanto no se plegara a sus simplistas, aldeanas consignas. La última palabra nos lleva a recordar aquel lugar donde tales órdenes se prodigan con más tenacidad y cobran fuerza de ley; de ahí la breve luna de miel vivida en Rusia de 1917 a 1920, aproximadamente, entre la revolución soviética y el arte de vanguardia. No podía ser de otra forma. Un régimen inicialmente minoritario, impuesto con la máxima violencia, lógicamente para subsistir debía eliminar a quienes persistían en ser minoría; a quienes encarnaban la divergencia quizá más peligrosa, puesto que el arte representa la insumisión profunda e indomeñable del individuo frente al medio. De esta suerte, cuando la revolución política perdió dinamismo, a fin de estabilizarse y aun petrificarse, no sólo se autoeliminaron un Maiakovsky y un Yessenin; también un Kandinsky, un Chagall, un Malévich, un Gabo, un Pevsner y muchos otros, entre los artistas plásticos, viéronse obligados a traspasar las fronteras, tornando a los mundos más hóspitos que durante el zarismo les habían acogido. Finalmente —por no dar más ejemplos—, el superrealismo entra en barrena, y lo que era un movimiento orgánico concluye como tal en cuanto un ala del mismo antepone los intereses políticos partidistas a los literarios. "La revolución superrealista" había sido imaginariamente viable; "el superrealismo al servicio de la revolución" (título de la revista sucesora) resultó impracticable.

SENTIDO DE UN ARTE EXPERIMENTAL

Ya hemos señalado dos de los rasgos más expresivos comunes a la producción literaria de los últimos veinte años, es decir, desde el final de la segunda guerra: el ensanchamiento de las minorías y el apetito de novedad, visible quizá todavía más acusadamente en las artes visuales. La ambición de lo nuevo —pese a la ambigüedad del término, puesto que la mayoría de las veces no supone ningún hallazgo original y se limita a una continuación de lo penúltimo: caso de la pintura no figurativa— se impone de modo incontenible. En parte, puede explicarse esta apetencia de novedad por la circunstancia histórica más reciente, el hecho de brotar en generaciones que dictaduras o guerras mantuvieron durante algunos años sumergidas; debido a la ruptura o el desconocimiento de lo inmediatamente anterior, se asoman a un mundo que imaginan sin raíces, a una tierra rasa, susceptible de prestarse a todos los ensayos. Por ello bien pudiéramos deducir —al menos provisionalmente, a reserva de otras especificaciones más detalladas— que el espíritu radicalmente innovador y creador —peculiar de la década del 20— no ha prescrito y que el laboratorio de la literatura experimental mantiene sus luces en vigilia. ¿Cómo es así? —se dirá—; ¿la modernidad estética tiene alguna razón de ser en un mundo que cambia por los caminos científicos y técnicos, a la par que, salvo contadas excepciones, se destruye o retrocede, más que avanza, por las vías políticosociales? ¿Acaso las vanguardias de las primeras décadas de este siglo pueden reproducirse o encontrar pretextos para una nueva vigencia?

Renato Poggioli se solidariza con quienes afirman que "el proceso a que estamos asistiendo consiste en una liquidación o, al menos, una superación de la vanguardia"; no parece advertir quizá que, en puridad, esos dos son términos antitéticos: el primero supone un acabamiento y el segundo una continuación a cargo de otras generaciones, cosa esta última más cerca de la verdad. Cierto es que, a diferencia de cualquier clasicismo, el cual cifra su primera razón de ser en la continuidad, las vanguardias pretenden, más o menos conscientemente, llegar a una meta que no puede sobrepasarse. En este sentido no es erróneo hablar, como algunos lo hacen, del "mito de las vanguardias" y, más concretamente, del "mito de la modernidad". Pero lo mítico es tanto un elemento impulsor como retardatario. Y en cualquier caso, relacionado con las artes, su presencia apenas ha pasado de ser un elemento temático.

De suerte que para concretar el problema de la permanencia o extinción del espíritu de la vanguardia más importaría preguntarse: ¿Tiene o no tiene ya sentido un arte esencialmente experimental? Es decir, un arte que anteponga a todo la busca de nuevos medios expresivos. Aunque exista —según veremos más adelante, al repasar los ismos últimamente sobrevenidos—, ello no quiere decir que posea sentido o justificación suficiente, desde el momento en que, lejos de advertirse su necesidad profunda, queda al desnudo su gratuidad lúdica. Es demasiado obvia la observación de que el arte experimental equivale a lo que es la ciencia pura, mientras que el tradicional puede homologarse con la ciencia aplicada. Pero hay una insalvable diferencia que ya apuntó J. Huizinga *(Entre las sombras del mañana)*: mientras la ciencia no puede retroceder, al arte le son posibles las tornavueltas; además, determinadas regresiones equivalen a los más audaces avances: fenómeno del que en la plástica se dan ejemplos a granel.

"MODERNOS" Y "CONTEMPORANEOS"

Que la huella marcada por las vanguardias no desaparece, al menos en sus proyecciones históricas, aliadas, en muchos casos, a un sentimiento nostálgico, nos lo evidencian varias interpretaciones surgidas en el último decenio. En primer término, relacionadas con otro problema más actual, los alcances y riesgos del arte de masas, se hallan algunas consideraciones de Dwight MacDonald *(Mass-Culture,* 1953). Este vio, al pasar, el vanguardismo como el único antídoto posible, capaz de reparar los estragos causados por los subproductos del arte de masas. Mas, por otra parte, MacDonald imagina el vanguardismo no ya como un muro contra la cultura "Kitsch", adulterada y hecha esencialmente a base de lugares comunes, sino erguido frente al academismo, el cual, por cierto, ni en las Américas, ni en Europa, es ya ningún bastión.

Otra interpretación, también algo distante, aunque proceda de un testigo más próximo, es la que nos ha dado, en dos tiempos, Stephen Spender. Primeramente, en su contribución a un simposio norteamericano *(Highlights of Modern Literature,* 1954); después en un libro completo, *The Struggle for the Modern* (1963). Lo que ante todo advertimos en dichos escritos es una persistente confusión terminológica; designa como "modernismo" al vanguardismo de 1920, cantando sus exequias con más despego que melancolía, no obstante haberse beneficiado de soslayo con algunos restos. Además, Spender introduce una nomenclatura no rechazable por personal, sino por confusa. Inventa una división entre dos parejas opuestas: "contemporáneos" y "modernos" de un lado; "reconocedores" y "no reconocedores" —que pudiéramos verter por "simpatizantes" y "hostiles"— del otro. Pero esta distinción no puede tener curso. Unicamente parece más aceptable cuando califica de "contemporáneos" a aquellos escritores que, "aun aceptando la civilización moderna como una consecuencia de los desarrollos efectuados por la tecnología científica, piensan que su deber de escritores es incorporar su arte a la causa del progreso". Por el contrario, los "modernos" —según Spender— detestan la idea de progreso, aunque no dejen de reconocer la influencia ejercida sobre la cultura por ciertas formas de la arquitectura, la música, la poesía y otras artes.

LITERATURA Y CIENCIA

Dada la inclusión entre los "contemporáneos", ayer de H. G. Wells y hoy de C. P. Snow, podemos inferir que Spender convierte en hecho general una cuestión restringida: la suscitada por el segundo de aquéllos, el autor de *Las dos culturas y la revolución científica,* cuando en este libro, seguido de una polémica resonante, denunció la separación entre dos grupos intelectuales, los literarios y los científicos u hombres de ciencia. Una excepción —aparte de Snow, técnico y novelista— en este punto fue un escritor que reunía en su espíritu las virtudes de ambos sectores: Aldous Huxley. Este ha dedicado su libro postrero *Literatura y ciencia,* a examinar tal antagonismo, viéndolo como reflejo de dos experiencias, la privada y la pública. Pero tal cuestión, aunque transcendente en el plano general de la cultura, es más bien marginal en el puramente literario. La vieja distinción establecida por Marinetti, aunque obvia, entre pasadismo y futurismo, tiene más sentido; también la más sutil, desde el punto de vista de las generaciones, que Ortega trazó entre contemporáneos y coetáneos.

Por lo demás, y volviendo al tema planteado por Snow, deberá recordarse que los vanguardistas nunca experimentaron ningún desdén por la ciencia; antes al contrario, la mayor admiración, por lo mismo que su conocimiento de ella aparece como superficial. En este sentido no puede menos de reconocerse que su modernidad fue muy incompleta y que sus pujos de "creación" deben relativizarse. ¿Qué son las ambiciones demiúrgicas de ciertos líricos sino juegos pueriles comparados con la nueva concepción del universo instaurada por un Einstein, un Böhr, un Broglie, un Oppenheimer...? ¿Acaso no han venido a ser tales figuras, en nuestro siglo, los "desconocidos legisladores del universo", virtud que Shelley *(Defence of Poetry),* en el siglo pasado, atribuía a los poetas? Pero no incurramos, a la vez, en ninguna nueva mitificación. Admiremos únicamente el respeto, no la superstición, que ciencias y técnicas supieron conquistar, al punto de que sus cultivadores han venido a ser *totems;* por el contrario, cualquiera se cree autorizado a opinar con suficiencia sobre puntos de estética, concretamente sobre libros, cuadros, músicas nuevas, aunque sus fundamentos le sean tan ajenos como una ecuación matemática. Ahora bien, en descargo de las acusaciones formuladas por C. P. Snow contra los intelectuales literarios deberá recordarse que su universo privativo no es el abstracto, no el de los neutrones, sino el de las formas plásticas y sensibles corporizadas en palabras, colores y sonidos.

En el fondo, lo que Snow reprocha, lo mismo a escritores que a científicos, no es tanto la recíproca y despectiva ignorancia de sus especialidades, sino —dentro de la órbita británica, única a la cual alude— el "reaccionarismo" de algunos de los primeros, tales Yeats, Pound, W. Lewis, Eliot; en suma, su hostilidad a las ideas de progreso. Pero

el autor de *The two cultures* incurre en el mismo error del que se hace
víctima Stephen Spender cuando menciona los anteriores nombres como
exponentes de lo moderno y sus obras como documentos del espíritu
vanguardista. Pues sucede que midiendo rigurosamente sus características ninguno de ellos —ni otros semejantes que cita Spender— pueden
considerarse propiamente incluidos en tal estado de espíritu.

QUIENES SON LOS VANGUARDISTAS

Llegados a este punto, la cuestión que importaría plantearse y elucidar sería no ¿qué es el vanguardismo?, sino ¿quiénes son propia y
cabalmente los vanguardistas? De esta suerte acabaríamos con desfiguraciones como aquellas en que incurren los dos críticos comentados.
Se dirá que la segunda cuestión está sobradamente implícita en la
respuesta a la primera que este libro explana con toda latitud. Porque
no deberá confundirse la importancia de ciertas obras y autores, con-
sideradas cualitativamente o en sus repercusiones, con la importancia de
otros, examinados a la luz de su situación histórica, como exponentes
del *Zeitgeist* que los enmarca. Desde tal punto de vista, lo que importaría no es medir el valor de las obras individuales, sino determinar con
milimétrica exactitud la situación de sus autores respecto al conjunto de
valores que integran la vanguardia. En suma, juzgarles en la medida
que hayan sentido, interpretado los elementos genéricamente llamados
modernos, mostrando hacia ellos una comprensión, una sensibilización
total que rebasa lo estético. En tal sentido los reproches que Stephen
Spender hace a Herbert Read (en el capítulo "Dialogue with a recogni-
zer" del libro *The Struggle for Modern*) se vuelven contra el primero,
pues lo que imagina versatilidades —mostrándole un día como defensor
del geometrismo en las pinturas de Ben Nicholson, otro como superrealista y defensor de la "revolución de la palabra", después como apologista, en poesía, de los nuevos románticos y de los apocalípticos...— no
son sino permanencias de un espíritu alerta que no se resigna a quedarse
en una estación determinada. Así, pues, diríamos que un Herbert Read
es vanguardista y no lo es un T. S. Eliot. Lo fueron —o son—, por

diversas razones, un Joyce, un Apollinaire, un Moholy-Nagy, un Breton, un Kandinsky, un Gómez de la Serna, un Schönberg, un Le Corbusier..., pero no un Stravinsky, un Matisse, un Robbe-Grillet; y no agrego más nombres para evitar el equívoco de que la inclusión en el segundo apartado pueda tomarse por infravaloraciones, ya que el sentimiento de la modernidad no supone, en sí mismo, ninguna superioridad o inferioridad; es más bien —como antes dije— una sensibilidad y una actitud particulares ante lo contemporáneo "visto como un todo", según frase de Spender.

Tal sensibilidad no debe confundirse con un unilateralismo de preferencias estéticas; supone más bien una especial receptividad para la integración de valores que pueden hallarse situados en lejanos períodos, haciéndonos capaces de gustarlos parejamente. "Yo admiro —dice Herbert Read— a Piero della Francesca con la misma sensibilidad que admiro a Ben Nicholson; al Greco con la misma sensibilidad que a Soutine o a Kokoskha; el temprano gótico o la escultura mexicana, igual que a Henry Moore." He ahí por dónde, y puesto que tal actitud es hoy extensamente compartida, ya no tendría razón de ser la larga disputa entre los antiguos y los modernos (entre 1683 y 1719). Ni Charles Perrault ni Fontenelle, de un lado, ni La Bruyère ni Boileau del otro, podrían hoy plantear en los mismos términos la cuestión que les dividió sobre la supremacía o inferioridad de los autores griegos y latinos y los contemporáneos de Luis XIV.

FALSAS APORIAS

He ahí, también, una de las que pudiéramos llamar "aporías de las vanguardias" que, sin embargo, no recoge en su estudio de tal título Enzensberger. Opuestamente incluye otras antinomias presuntas o que distan mucho de serlo. Por ejemplo, sostiene que "la vanguardia decreta de modo arbitrario lo que habrá de tener vigencia en el porvenir; al mismo tiempo se somete disciplinada y fácilmente al estado de un futuro que ella misma impone; proclama como objetivo la libertad total y se entrega sumisa al proceso histórico que la redimirá de esa misma libertad". Mas ¿de dónde habrá extraído Enzensberger semejantes designios de las vanguardias? Parecería que sólo ha tenido "in mente", ha recordado vaga e inexactamente algunos propósitos del futurismo que, en rigor, no se formularon así, sino de un modo, no por estruendoso, menos matizado; además —según hemos advertido en el capítulo correspondiente—, dicho movimiento nunca avistó verdaderamente el futuro mutable al creerlo estático y hundirse en un actualismo sin ayer ni mañana. Empero, no hay por qué ensañarse en tales distorsiones, si tenemos en cuenta que de tal falseamiento de perspectivas no es culpable enteramente Enzensberger.

Pertenece este escritor alemán (nacido en 1929) a una generación de las que yo llamo "sumergidas", es decir, aquellas que vivieron incomunicadas en su mocedad o tiempo de formación; al haber roto forzosamente el cordón umbilical con las precedentes son a modo de eslabones sueltos; de ahí su ignorancia o amnesia, sobre todo del pasado inmediato, y las desfiguraciones en que incurren cuando tratan de juzgarlo.

OTROS ERRORES

Menos excusable es el caso de otro escritor que, aun procediendo asimismo de una literatura sumergida, y empero la mayor duración del régimen dictatorial italiano, no padeció en el mismo grado tan violenta ruptura. Me refiero a Alberto Moravia y a la expeditiva "Introduzione alla avanguardia", estampada al frente de unas ligeras retrospecciones de los ismos en el *Almanacco Letterario Bompiani 1960*. Incurre en el incomprensible error de identificar "vanguardia" y "bohemia", cuando en realidad pocos términos y modos de ver y vivir la realidad pueden encontrarse más divergentes. Cabalmente la primera se definió siempre, a través de las diversas latitudes donde hubo de manifestarse, como la negación de la segunda. Ningunas burlas tan violentas como las prodigadas por expresionistas, futuristas, dadaístas y superrrealistas, entre otros movimientos, contra el "artisticismo" y el "pompierismo" de la bohemia fin de siglo. Inclusive desde 1910, pero más acusadamente a partir de 1920, cambia no sólo la tipología espiritual del escritor, sino su atuendo exterior y cotidiano. En lo interno el "claro de luna", el crepuscularismo, el desprecio al "profond aujourd'hui —según frase de Cendrars— y la sumersión en lo nostálgico son remplazados violentamente por los arcos voltaicos de las "ciudades tentaculares" y por la entrega rendida a los elementos del mundo moderno; en lo exterior, mundanismo y deportismo arrojan el mayor descrédito sobre el modo de vida de quienes intentan prolongar aún la tipología convencional de Murger y sus últimos residuos, encarnados por decadentes y simbolistas. La única excepción, en este segundo aspecto, está representada por los pintores y su pululante fauna en torno. El error de visión que Moravia comete débese probablemente al hecho de confundir vanguardismo con antiburguesismo, viendo únicamente en el primero "una disposición de ánimo antisocial, una concepción estética casi exclusivamente formal", cuando en rigor la tensión entre arte y sociedad no procede de entonces; viene a ser una característica permanente cuyos orígenes y cuyo final no tienen fecha. Por lo demás, el balance rudimentario que Moravia pretende establecer de las aportaciones de la vanguardia —lo positivo y lo negativo— suena a lugares comunes y no aporta ninguna luz nueva.

Más fértil hubiera sido intentar la profundización de cierto fenómeno que yo hube de registrar hace una docena de años (en el capítulo "Rebelión y comunión" de *Las metamorfosis de Proteo*): la disminución, si no la carencia de espíritu revolucionario en el plano puramente artístico. Hecho que —contra la primera apariencia— no contradice un fenómeno ya antes señalado, la apetencia de novedad, pues esta última se da en el público, pero no —al menos con la misma extensión— en los escritores y artistas. Lo comprueba el hecho siguiente. Eugène Ionesco es uno más, entre los escritores últimos, que han sentido curiosidad por indagar las razones originarias y la posible pervivencia de la vanguardia a la cual se asimila su teatro. Pues bien, lo único evidente que extraemos, tras leer sus divagaciones sobre dicho tema *(Notes et contre-notes,* 1963), es, en primer término, que posee una noción muy insuficiente de qué cosa es o haya sido la vanguardia; después, que afronta la cuestión presionado por su público, el cual quiere encontrar una explicación congruente a las facecias incongruentes de *La cantatrice chauve* y ha de contentarse con oír hablar vagamente de "antiteatro".

Otro ejemplo: cuando a algún cultivador o teórico de la no figuración en pintura se le interroga sobre las razones últimas de la variante a que se aplica, sucede lo siguiente: en el caso de que él —o alguno de sus portavoces críticos— no se lance a cierta logorrea seudometafísica, con relentes heideggerianos, sobre la "des-ocultación del ser" en el arte, lo más probable es que apele, sin ninguna pudibundez, a la necesidad de satisfacer los gustos y necesidades de los contempladores —saturados de formas conocidas... y aun de las desconocidas— como determinante suprema de las "exploraciones impuestas al artista" —y la expresión entrecomillada tiene como autor a uno muy notorio".

TRASPASO DE PAPELES

Repárese en el cambio efectuado. En los decenios de 1910 y 1920, y en parte del 30, lo nuevo, lo inventivo, las intenciones y las técnicas de vanguardia brotaban del propio artista o escritor; respondían a una necesidad de expresarse, originada, a la vez, tanto por una disconformidad con el mundo heredado, como con sus formas tradicionales o, más bien, inmediatamente anteriores. Por ello su actitud iba de modo riguroso contra la corriente, y lejos de responder a ninguna solicitación se manifestaba como un desafío frente a la hostilidad o el estatismo de lectores y espectadores. ¿No se diría que después de la primera mitad de este siglo los papeles parecen haberse cambiado polarmente y que es ahora el público, su fatiga, su ahistoricismo, el que mueve al artista, al escritor joven, incitándoles para que en cada temporada muestren una piel distinta? A tal punto que cuando la novedad no se produce de veras, se "inventa", si bien esta "invención" —insistiré— corre a cargo de los "managers" como incitadores, no de los productores propiamente dichos. ¿Por qué, cómo se explica tal fenómeno, lindante, en definitiva, no con los cambios de una sociedad abierta, sino desarticulada, porosa, y que por tal motivo sólo quizá podría analizarse satisfactoriamente desde un punto de vista sociológico, si tal disciplina en general —con la excepción de Arnold Hauser—, fuera más fluida, a la par que precisa, menos opaca y amiga de moverse entre las ramas?

CRÍTICA DE DERECHAS E IZQUIERDAS

Sin embargo, no figura esta cuestión entre las numerosas y pertinentes que estudia Renato Poggioli —tempranamente desaparecido— en un libro ya antes mencionado *(Teoria dell'arte d'avanguardia)*, único con plena validez entre los exámenes y retrospecciones que venimos analizando. Sus certeras páginas están escritas con un difícil equilibrio entre simpatía y objetividad, propio de alguien que vivió el fenómeno vanguardista —primero desde su nativa Italia, luego desde su atalaya universitaria norteamericana— como algo afín y distinto a la par. Y aunque en su visión de amplia órbita prevalezca cierta mirada sociológica, más que psicológica, acierta a combinarla con la reflexión de alcance filosófico, sin olvidar otros modos de asedio crítico más puramente ligados a lo literario. Pero como quiera que aquí no he de hacer un examen completo de aportación tan capital, señalaré que, empero cierta tendencia a la abstracción y al excesivo desmenuzamiento de conceptos, Poggioli no pierde nunca el sentido superior de la claridad expositiva. Puesto que uno de sus principales puntos de mira es el estético, no resulta extraño que Poggioli comience alzándose contra quienes pretenden supeditar todo a la visión marxista de la historia y de la cultura, según es el caso de Gyorgy Lukacs. Y no olvidemos que éste es uno de los muy escasos —por no decir el único— crítico de tal ideología que merece leerse y al que no puede imputarse un sectarismo absoluto; lo evidencia las varias reprimendas que hubo de sufrir, por parte de los suyos, al encarar de modo "heterodoxo" ciertas cuestiones.

Verdad es que tampoco últimamente, en *El significado actual del realismo crítico* (obsérvese, ya en el título, la mutación experimentada por el antiguo "realismo socialista"), Lukacs ha podido desprenderse de sus resabios. Así sucede que aun partiendo de la proposición: sólo puede considerarse como "auténtica literatura de nuestros días" la literatura de vanguardia, no se libra de asociar ésta con la idea de "decadencia", unificando ambos términos como aspectos distintos del proceso de "degeneración de la cultura burguesa". Por lo demás, el crítico húngaro no pierde nunca de vista cuáles son, de acuerdo con sus principios teóricos, los dos hemisferios estéticos en abierta oposición: de un lado el realismo, absolutamente indisociable del materialismo dialéctico; del otro, el irrealismo, llevado a su más extrema expresión en las vanguardias, aunque luego, forzosamente, se vea obligado a calificarlo como decadente. Lukacs, empero, no renuncia a apoderarse, en cierto modo, de esa incriminada vanguardia, si bien fija un poco imprevistamente —pero de acuerdo con las tesis del XX Congreso del PCUS sobre la "apropiación crítica de la herencia cultural"— sus exponentes en Proust, Kafka, Joyce y Musil, mientras que condensa el realismo crítico en Thomas Mann (no hace mucho considerado por los marxistas como espécimen del "conformismo burgués") y el realismo socialista en Gorky y Shólojov.

Acierta Poggioli al señalar que mientras la crítica de "derechas", aplicada a las vanguardias, deriva únicamente del "tradicionalismo cultural y estético", la crítica de "izquierdas" se apoya en el concepto de degeneración, entendido en sus vertientes sociales, económicas y clasistas, y viendo parejamente el arte nuevo como expresión de la decadencia y crisis del sistema capitalista. Claro es que, para entendernos mejor, sería necesario restablecer previamente el sentido real de "derechas" e "izquierdas", pues a la hora actual, y en el terreno donde más se usan, el político, no significan absolutamente nada: la "enfermedad de las palabras", su corrupción, hace presa en ellas como en ningunas otras. En cualquier caso, ambas expresiones quedan descalificadas, ya que son igualmente heterónomas de los fenómenos artísticos. También aparecen como anacrónicas, pues si la crítica de "derechas" encara el arte con mirada nostálgica y retrospectiva, la crítica de "izquierdas" lo mira desde un punto de vista utópico y anticipatorio. Menos equívoco fue León Trotsky —según advierte Poggioli— cuando en su tempranera *Literatura y revolución* hubo de señalar la "inutilidad teórica y práctica del concepto de arte, literatura y cultura proletarias, y hasta la falsedad del supuesto parentesco entre *intelligentsia* y vanguardia, que estimaba como una relación ficticia y ambigua".

PRECISIONES TERMINOLOGICAS

Mas henos aquí con otra cuestión de palabras, ahora sustantiva, no ficticia. Es la que Poggioli encara y no alcanza a resolver, empero su agudeza, porque es de muy difícil, si no imposible, solución. Se trata de la cuestión terminológica, es decir, de precisar si ciertas denominaciones que habitualmente se alternan como sinónimas o se intercambian como equivalentes, lo son o no de modo verídico. Trátase de términos como "movimiento", "escuela", "tendencias", "corriente", etcétera, que a lo largo de este libro hemos empleado no indistintamente, sino tratando de adecuarlos a cada caso.

La calificación de "escuela" tiene muy lejanos orígenes, si bien no se manifieste originariamente en las letras, sino en las artes plásticas, a partir del Renacimiento, con las escuelas de pintura italianas —florentina, veneciana, sienesa, paduana—. En la literatura (y sin salir de la española según recordé en la Introducción) nos encontramos con las escuelas regionales poéticas —salmantina y sevillana, primero con Fray Luis de León y Herrera, respectivamente, en el Renacimiento; después con Meléndez Valdés y Arjona en el siglo XVIII—. De modo más adecuado, designando a un grupo no unido por vínculos territoriales, sino estéticos, la expresión sólo cobra vuelo en el país donde aquéllas tienden siempre a mayor coherencia, es decir, en Francia, a partir de la escuela parnasiana de 1866, seguida por la escuela simbolista lanzada o, al menos bautizada por Moréas, con su manifiesto de 1886, y continuada por la escuela románica, que también difundió el mismo poeta algunos años después, en 1891. Es curioso anotar que, salvo el antedicho simbolismo —pero "a posteriori", no en los años de su lanzamiento—, ninguno de los últimos grupos que entonces fermentan reciben el nombre de movimiento, sino el de escuela. Tales son los casos de escuelas —ya mencionadas en un capítulo anterior, mas recordémoslas nuevamente a simple título de curiosidad, ya que ninguna deja apenas otras huellas— como el naturismo (1897) de Saint-Georges de Bouthelier, el humanismo (1903) de Fernand Gregh, el integralismo (1904) de Lacuzon..., y la lista aún pudiera extenderse a subescuelas o grupos mínimos como el sinfonismo, el instrumentalismo, el de la poesía científica, etc.

Tampoco agrupaciones de otras literaturas como el "Sturm und Drang" prerromántico, el "lakismo" inglés, el "Stefan George Kreis" llegan a merecer el nombre de movimientos; son mencionados habitualmente como escuelas o corrientes, puesto que responden, a pesar de su mayor o menos extensión en sus comienzos, a impulsos unipersonales. Según escribe Poggioli: "la noción de escuela presupone un maestro y un método, el criterio de la tradición y el principio de autoridad". Y de modo menos discutible, añade: "El concepto de escuela es eminentemente estático y clásico, mientras que el de movimiento es en esencia dinámico y romántico". Más claramente afirmaríamos que mientras la noción de escuela supone un simple agrupamiento, sin una solidaridad estrecha entre sus miembros, la de movimiento implica homogeneidad y aun disciplina. De ahí que cuando la última desaparece, cuando los mismos principios que habían unido a sus componentes, éstos dejan de sentirlos con unánime radicalismo, el movimiento se extingue. Tal fue el caso arquetípico del futurismo y, en escala menor, el de Dadá y el superrealismo. Los dos primeros se designaron unívocamente como movimientos, figurando así —recordémoslo— inclusive en los membretes de sus papeles de cartas: "Movimento Futurista", "Mouvement Dada", ejemplo que apenas fue seguido por ninguna tendencia o corriente sucesiva. Ese mínimo detalle es muy revelador: testimonia cómo grupos que luego se abrieron paso tenían mucha menor coherencia y caducaron a los primeros embates. Por lo tanto, el nombre más legítimo que les cuadra es, indistintamente, uno de los dos antes apuntados: tendencias o corrientes. No aspiraban a unicidad o monopolio, coexistiendo con otras de signos opuestos, no específicamente vanguardistas. Tal es el caso de las que han surgido en los últimos lustros, a partir del personalismo y del existencialismo, ninguna de ambas —según queda explicado en los capítulos respectivos— fundamentalmente literaria.

Pero ¿acaso merece alguna —aun las más rigurosas— la denominación de sectas que Poggioli utiliza, escribiendo que "el espíritu de secta representa un momento estático dentro del espíritu del movimiento"? Por mi parte juzgo equívoca tal calificación, pues el sectarismo, visto históricamente, supone un estrechamiento de origen religioso y derivación política; a la vez implica el ejercicio de métodos compulsivos sobre las conciencias, reñidos con la libertad última que deja siempre abierto cualquier credo literario; éste nace de un grupo de individuos orgulloso de su minoritarismo, sin aspirar nunca a convertirse en totalidad. Movimiento y grupo: he ahí, pues, los dos extremos que representan la mayor y menor tensión, y extensión a la par, de todo proceso dialéctico plural y renovador.

UNA NUEVA OLEADA DE ISMOS

Exámenes críticos como el de este epílogo, retrospecciones como las llevadas a cabo por Spender y Poggioli, dado el perspectivismo histórico que en todos domina, parecerían referirse a una época y una materia extinguidas; es decir, parecen aceptar el supuesto del acabamiento de las vanguardias, o, más concretamente, la imposibilidad de que en esta segunda mitad del siglo puedan reproducirse. Verdad es que, curándonos en salud frente a cualquier rectificación posible, se ha hablado en páginas anteriores de la "superación de las vanguardias", entendida no como simple acabamiento, sino como continuidad diferente en el relevo de las generaciones. Porque el hecho es que los movimientos, o más exactamente grupos —según la distinción anterior y dado su menor alcance— innovadores no han cesado de aparecer. Queda así desmentida cierta escéptica frase de John Wain (integrante, se recordará, de las "angry young men") cuando escribe: "Ya no hay nuevos puntos de partida." Esta superabundancia se hace todavía más perceptible en las artes visuales; para comprobarlo bastará leer el "léxico de la nueva jerga crítica", incluyendo escuelas y términos, que recopila Gillo Dorfles al final de su *Ultime tendenze nell'arte d'oggi* (1961).

Desde muy distintas latitudes nos llegaban testimonios, pero la comprobación más terminante y completa reconozcamos que nos viene por la vía menos prevista. Me refiero a la oleada de nuevos ismos que ha presentado, en 1964, el *Times Literary Supplement* de Londres. Muestrario —pues de tal se trata— exhibido de una forma objetiva, según cuadra a un órgano tan "ponderado", pero también con la malicia correspondiente a una tribuna tan poco propicia a subversiones en ningún orden. De ahí que empiece por escribir que la vanguardia "ha sido uno de los grandes mitos de la cultura de Occidente", si bien poco después reconozca que "el mito no ha perdido su poder", punto en el que coincide con Renato Poggioli. Además de los ismos ya notorios, revelados en los últimos lustros, tales como el letrismo, el concretismo (única expresión iberoamericana) y el iracundismo —más un balbuciente e hipotético neodadaísmo—, *Times* ofrece un manojo surtido de ismos, casi una docena, por medio de artículos a cargo de sus respectivos teóricos o líderes, junto con diversas muestras poéticas de los mismos; éstas se limitan a reeditar aires demasiado conocidos. De donde el título conjunto que signa tal parada —*The changing guard*— no deja de traslucir cierta ironía, pues tal "cambio de guardia" es más bien otra vuelta de la misma ronda.

"SITUACIONISTAS", "PROGRAMATISTAS" "ET AL"

¿Cuáles son los nombres, las características, los exponentes de los últimos ismos? Empero su diversidad nominal, no es difícil unificar sus intenciones, al cabo muy parejas, ya que la mayoría de ellos se mueven en una órbita que llamaríamos preliteraria. ¿Por qué? Porque tanto los "situacionistas" escandinavos, como los "programatistas" (y aquí, contra mi costumbre, es menester acudir a los entrecomillados a fin de castellanizar aproximadamente sus rótulos), como los "espacialistas", los "posicionistas", los grupos de Viena y de Stuttgart, los "semanticistas", los "vocalistas" y otros se quedan en la palabra, a veces en la letra, no pasan a su organización, convierten el lenguaje-vehículo en lenguaje-meta.

Vemos algunos más de cerca, sin omitir el contorno anecdótico que les rodea. El "situacionismo", por ejemplo, ha sido fundado en Italia en 1957, durante una conferencia a la que acudieron artistas de varios países europeos. Muchos de ellos procedían de los movimientos de vanguardia nacidos en 1950, tales como *Cobra* y el grupo letrista. Se manifestaron por medio de revistas como *Internationale Situationiste, Situationistik Revolution* y *Der Deutsche Gedanke*.

Nada preciso hay en sus teorías o puntos de vista propiamente literarios. Continúan la distorsión del lenguaje, pero "rechazan proclamar cualquier género de doctrina" —escribe su portavoz, Michèle Bernstein—, del mismo modo que "rehúsan aceptar discípulos e insisten en reclutar únicamente genios". Rechazaron inclusive el nombre de situacionistas, "que sólo usan los enemigos del programa situacionista". Se quejan de haber sido víctimas de una usurpación por parte de la revista *Spur*, de Suecia, y de la holandesa *Situationist Times*, asegurando que influyen en cuantas obras revolucionarias surgen en España, el Congo, Escandinavia y Japón (!). Ahora bien, ¿quiénes son sus tremendos rivales? Los que forman la "Segunda Internacional Situacionista", defendidos por Jörgen Nash; se congregaron durante 1961, en las colinas de Hallandsasen, al sur de Suecia. Allí el grupo de los "Siete rebeldes", acaudillado por Jacqueline de Jong, Ansgar Elde y Jörgen Nash acordó romper con los primeros situacionistas y dio a luz un manifiesto, exponiendo su programa en materias muy diversas: filmes, pintura, urbanismo, poesía, música, arqueología, "décollage" —palabra internacional, pero que bien pudiéramos romancear libremente por "arte del pegote".

Rasgo de ese movimiento —no único, puesto que aparece también en los demás de los últimos años— es el internacionalismo. Tiene correspondientes o sucursales en varias ciudades norte y centroeuropeas, desde Kattegaat a Dublín, pasando naturalmente por Berlín y París. Es lógico, por lo tanto, que se definan con cierto humor: "no cosmopolitas, sino cosmonautas de la nueva sociedad". Aunque no surjan de forma muy explícita sus teorías, en lo social resalta su antibelicismo, su pacifismo. Publican un periódico "contra los papas, los políticos y las bombas atómicas", titulado *Drakabygget*. En él se inserta un manifiesto cuyo primer párrafo declara: "Prometemos que nunca, bajo ninguna circunstancia, buscaremos asilo en un refugio contra las bombas. Vale más morir de pie, con toda la herencia cultural de la humanidad; rehusamos tener nada en común con la nueva aristocracia de las cuevas". Se advierte en ellos cierto tipo de preocupaciones religiosas y filosóficas, si bien muy entreveradas, puesto que dicen inspirarse en la "descristianización de Kierkegaard, combinada con la doctrina económica británica, la dialéctica germánica y los programas de acción social franceses". Todo ello, a su parecer, "implica una profunda revisión de la doctrina de Marx y una completa revolución, cuyo desarrollo arraiga en el concepto escandinavo de la cultura".

Mas pasemos a otros grupos algo menos distantes de las letras o de las artes en general, ya que en la mayoría de los casos aparecen compuestos por pintores o son derivaciones de tendencias pictóricas. Así, en primer término, el "arte programado". ¿Qué entender por éste? Programático, en sustancia —según lo expusimos—, mucho más feliz en sus expresiones teóricas, en sus manifiestos, que en las obras propiamente dichas, ha sido el futurismo. Pero, sin duda, el programatismo que nos presenta un artista plástico, Bruno Munari, está muy lejos de tal recuerdo. "Programa" en la terminología de las máquinas electrónicas, a las que se han agregado funciones lógicas, como sucede en las máquinas de traducir, son los "datos" que recibe a la "entrada" uno de tales artificios, o más exactamente, la serie de operaciones que efectúa, cuyo resultado es la "salida". Pues bien, el programatismo de Bruno Munari —y sus posibles adeptos— no deja también de apelar a la máquina: "Un polarizador de luz —nos explica Gyula Kosice— colocado frente al objetivo; al girar en redondo hace que los colores se transformen, descomponiendo la luz." Porque del mismo modo que algunos poetas han renunciado a expresarse directamente con las palabras y apelan a la composición dibujístico-tipográfica o a las máquinas electrónicas, así Munari ha renunciado a los pinceles y pinta directamente con la luz. A base de dichas máquinas, Nino Balestrini ha "escrito" un poema titulado "Cinta mark 1", mientras que Pietro Grossi, en Florencia, compone música algorítmica. El arte cinético estudiado por María Scuderi, que deriva de los "mobiles" de Calder y de las "máquinas-esculturas" de Tinguely, goza de la preferencia de los "programistas" y su ideal último, en definitiva, linda con la máquina que después de funcionar ante el público se destruye a sí misma, ideada por Nicolás Schoeffer; viene, pues, a ser un nuevo Heautontimorumenos o traspaso al orden mecánico de la "mantis religiosa". El grupo *T* en Milán, el grupo *N* en Padua, revistas como *Mu* en París, *Vu* y *Sento* en Japón, *Zero* en Dusseldorf y *Nul* en Amsterdam se relacionan con la anterior tendencia. Asimismo el espacialismo poético, no sin conexiones con el espacialismo plástico, lanzado por Fontana en Milán.

Pero volvamos al plano literario. Ni la "máquina inútil" de Munari, ni la que se destruye a sí misma, ni el grupo *Zero*, que se define imprevistamente como "un nuevo realismo" (publica un manifiesto de este título y se ramifica por los Países Bajos), empero esas apariencias apocalípticas, marcan ningún final. Tampoco otra tendencia que se limita a cambiar las cosas de sitio o repetirlas incansablemente. Expresivo de estos designios es el *Primer manifiesto del arte permutacionista* publicado por Abraham Moles. Entiende que "la repetición y la combinación, según una especificada serie de reglas, es la clave del arte de nuestro tiempo". Opina que "el texto debe desprenderse del significado como sucede en las obras de Francis Ponge y de Max Bense y en las repeticiones de la novela objetivista". Encuentra que los fundamentos del arte de las permutaciones se hallan en los cuadros de Vasarely y en los ejemplos de la plástica cinética. ¿Que todo esto tiene algo —o mucho— de juego, en un sentido más avanzado que el entrevisto por Schiller? No importa, o tanto mejor. "El arte —escribe Moles— comenzó como un juego, se desarrolló como una profesión, floreció como un credo; ahora va hacia atrás al volverse nuevamente un juego".

ENTRADA DE LA CIBERNETICA

Cuando Marinetti y los suyos hicieron las primeras exaltaciones de la máquina, entonando ditirambos al "esplendor geométrico del mundo mecánico", no llegaron a entrever que el escritor rebelde, el elemento humano para ellos irrenunciable, llegaría a dejarse remplazar voluntariamente, en la ideación mental, por los cerebros mecánicos. Y aquí están, presentadas por Margaret Masterman, "las máquinas computadoras que construyen juguetes semánticos, modelos del lenguaje". Christopher Strachey hizo que una máquina de tal género, en la Universidad de Manchester, escribiera cartas de amor. El profesor Victor Yngve, del Instituto de Tecnología en Massachussets, compuso un "programa" para formar "frases gramaticalmente correctas, pero semánticamente desatinadas"; usó como vocabulario y guía gramatical diez frases de "Little Train", un poema —que ya es un "juguete semántico"— de Lenski. De frases como las siguientes: "El ingeniero Small tiene un pequeño tren —La maquinaria es negra y brillante —Cuida de que esté aceitada y limpia —El ingeniero Small está orgulloso de su maquinita" y pocas más semejantes; es decir, de esta "obra maestra" propia de un párvulo en la primera clase de composición, la computadora dio la siguiente variación levemente dadaísta: "Cuando está orgulloso y aceitado —Ingeniero —maquinita está limpia —su vapor está orgulloso de ruedas —una bomba de incendios está orgullosa de pequeño —vapor brillante".

¿Puede llamarse a lo anterior, dada su maravillosa incongruencia, una "matemática lingüística", según hace Victor Yngve en un libro (*Random generation of english sentences*), aunque asegure que ésta es "una de las más jóvenes tecnologías"? Desde luego, las posibilidades aún inexploradas de esos mecanismos parecen atrayentes, pero en lo que concierne a la literatura sus resultados son rudimentarios. ¿Dónde quedó aquella máquina de hacer novelas sobre la que se divagó hace años? Podemos asegurar que tal máquina nunca daría a luz una *Guerra y paz*, unos *Endemoniados,* una *Fortunata y Jacinta*; sí, desde luego, alguna novela "standard", no muy inferior, por cierto, de las que se manuscriben a docenas, mezclando en un recipiente temas manidos y retóricos lugares comunes. Y en cuanto —realidad ya en marcha— a las máquinas de traducir aplicadas a textos literarios, dada la complejidad y la costosa preparación de sus mecanismos, casi se llega a la conclusión de que resulta más sencillo formar buenos traductores humanos. Por lo demás, Delavenay (*Las machines à traduire*) concluye que estas máquinas en modo alguno remplazarán totalmente al hombre. Éste tomaría después el borrador salido de la máquina para mejorarlo y pulirlo. ¿Y acaso la revisión de un estilo no supone una pericia y una cultura infinitamente superiores a las exigidas para una traducción literal; es decir, a la versión aproximada salida de la máquina, buena para los extractos científicos, pero incapaz de trasladar los mil y un matices del lenguaje literario? Quizá, en definitiva, acierte más al verter la metalengua de la poesía, cuanto más abstracta mejor, ya que sólo una diferencia de grado, y no de naturaleza, la distingue de la metalengua producida por la máquina electrónica.

POESIA, TIPOGRAFIA Y LENGUAJE

Franz Moon, Max Bense y Diter Rot son otros teóricos que exploran experimentalmente caminos análogos, donde se mezclan el lenguaje, la pintura y la tipografía o, más exactamente, las letras sueltas concebidas como poesía, pintura y lenguaje. Los "textos pictóricos" del primero de los autores citados se reducen a una suerte de grafías tipográficas no muy diferentes a las combinaciones hechas por letristas y concretistas. No era menester que invocase antecedentes remotos como los murales de Egipto o los ejemplos más próximos de Mallarmé en un *Coup de dés,* de Apollinaire en sus *Calligrammes* o de Marinetti en *Les mots en liberté futuriste,* para llegar a resultados muy previstos. Los "collages" de los primeros cuadros cubistas y los fotomontajes de Kurt Schwiters, primero durante el expresionismo y más tarde cuando a Dadá, habían ya alcanzado la máxima medida de tales técnicas. El abandono de la habitual caja tipográfica y la dispersión azarosa de palabras o breves frases sobre la página en blanco, empero esa rotura de límites, no pasan de ofrecer combinaciones muy limitadas. Max Bense, profesor de filosofía en Stuttgart, nos propone una "teoría y práctica del texto" que considera como una "rama de la moderna estética". Ernst Schneider inventa una "escritura semántica" que "no es legible en sí misma, pero que a veces puede ser leída". ¿Y si en esta alternativa tan azarosa —se nos ocurre preguntar como mínima objeción— la paciencia del presunto lector se pierde y salta la página? H. C. Artman, en Viena, nos da una "poesía vocálica" que, para mayor claridad, utiliza un "dialecto esperanto". De la palabra al signo, de éste a la señal, luego al símbolo: he ahí la trayectoria de un proceso —estudiado por Charles Morris— que ya no se relaciona con los significados ni con los cambios de acepción de las palabras, sino con la semiótica o doctrina de los signos; he ahí un camino que se vale de "grafismos autónomos particulares" y que amenaza desembocar en "nuevos alfabetos individuales", según Dorfles. Por donde este encadenamiento bien pudiera parar no en la actual "teoría de la información", sino en la praxis de la incomunicación...

Algo de caligrafismo había ya en algunas de las acuarelas y óleos de un Kandinsky —aunque sus propósitos iniciales fueron lograr cierta identificación con la música—, pero esa tendencia se acentúa en los trazos oblicuos de Hastung y en las rúbricas de Mathieu. Así escribe Max Bense que semejantes experimentos "se relacionan menos con las obras de arte hechas con palabras (poesía) que con los dibujos hechos de palabras (anuncios)". Recuerda a este propósito la distinción efectuada por Schiller en su famoso ensayo de 1795, *Poesía ingenua y poesía sentimental*. Contrariamente a sus aserciones, ahora —según Bense— la poesía se interesa menos por el mundo externo de los objetos que por su propio mundo del lenguaje. O sea, una nueva muestra de la ya antes aludida hipnotización por las palabras en sí mismas, magnificadas a tal punto, hechas soberanas y autónomas en tal grado —podríamos pensar— que rechazan cualquier contexto. Desde luego, el mundo no terminará con un sollozo —según un verso de Eliot, en *The hollow men,* que tanto indigna a Snow—, pero muy bien pudiera acabarse con una saturación de voces aisladas, sin sentido. Mas hay quienes escapan por la tangente o cortan el nudo de la revuelta madeja en que se han extraviado. Así Diter Rot, quien compone páginas —según sus propias declaraciones— a base de "signos destrozados, letras cortadas y entremezcladas, ruinas de letras, cuadros despedazados, desechos de pinturas, de objetos, objetos perdidos..." Otra salida —si no callejón cortado— es una desembocadura por la cual todos estos experimentalistas claman de modo más o menos subconsciente, pero que sólo a un poeta hindú se le ha ocurrido ofrecer: la creación de una nueva lengua. Su autor es Kasheb Ranjou Chakbaborty, de Calcuta, y su neolengua se llama *Listeno*. Se trata de un "languageo", según su inventor, y como el nombre sugiere es una mezcla de inglés (básico, no shakespeariano, desde luego) y de esperanto. Inútil transcribir y demasiado arduo traducir ninguna frase. Señalemos únicamente que Chakbaborty es autor de un libro, *TPL o Tombeau de Pierre Larousse*, publicado por la revista ultraletrista: —*grammes*. Trátase de una obra maestra del "lenguaje sistemático-ortográfico-imaginario".

PALABRA E IMAGEN VISUAL

Siempre ha existido una interrelación directa entre la palabra y la imagen visual, entre la expresión escrita y la proyectada mediante líneas, formas y colores. Herbert Read ha estudiado la prioridad de la imagen sobre la idea en el desarrollo de la conciencia humana. Mas parecería que en los ismos antes reseñados dicha correspondencia —iniciada ya con el futurismo y el expresionismo, culminante en el cubismo, estética, al cabo, más plástica que literaria— se hace superiormente visible. ¿Qué son el letrismo en sus diversas expresiones, el concretismo, el vocalismo, el semantismo y otros modos semejantes sino equivalencias del arte abstracto, visto éste también en sus múltiples variantes? Todo escrúpulo de transcribir lo real fue implacablemente eliminado, resaltando, en cambio, la intención de producir conjuntos verbales o visuales que aun sin apoyatura, fuera de todo sentido, valgan por sí mismos. La ambiciosa frase de un poeta norteamericano, afirmando que "un poema no significa, es", en ningún caso encuentra más completa realización que aplicada a este arte donde se cumplen —y aun superan— las equivalencias de Leonardo: "La pintura es una poesía que se ve y no se oye, y la poesía es una pintura que se oye y no se ve".

Si fuésemos a considerar las últimas muestras gráfico-verbales como productos estrictamente literarios, fácilmente fallaríamos que valen muy poco. En cambio, vistos en conexión estrecha con las artes visuales, cobran un interés mayor.

TRANSFORMACION DEL OBJETO ESTETICO

Revelan, además, la profunda transformación —por no decir involución— experimentada por el objeto estético. Uno de los puntos en que hicieron mayor hincapié las vanguardias ha sido la rebelión contra el realismo, el naturalismo o cualquiera otra forma de arte enderezado a captar una realidad dada, el mundo de objetos y sensaciones de la vida en torno. Tendieron siempre no a reflejarlo, sino a interpretarlo, utilizando para ello, como puente de acceso, la estilización. El distorsionamiento de las formas era el camino; última meta, la metáfora elevada al cubo. Fue en tales estéticas, más que en ninguna otra, donde prevaleció de modo absoluto la voluntad de estilo. Inclusive las hipérboles, las violentas deformaciones de los objetos, las crueles anamorfosis de la figura humana no han sido, en última instancia, más que la aplicación extremada de ese principio de estilización. Llegaron así —en lo plástico— hasta el ensañamiento con el universo de la realidad, hasta la burla y el escarnio, apelando a la introducción de materiales extrapictóricos, al detritus, a las maderas quemadas, al barro, al yeso, a los pegotes inclasificables y otras "delicadezas", cual sucede en tantos ejemplos del informalismo, del manchismo y sus múltiples, pero muy parecidas, variantes.

Pues bien, he aquí que de esta confusión deliberada, o más bien de esta negación sistemática del mundo real, se pasa al extremo contrario: a su transcripción en bruto, al "directismo" más evidente. No es que la estilización se vuelva del revés, convirtiéndose en fotografía; es que el cuadro o la escultura —si podemos seguir llamándolos así: urge inventar otras denominaciones— se limitan a recoger en su superficie o en su espacio el simple objeto como tal. De ahí el "pop art". A mi parecer no se trata —según escribe Xavier Rubert de Ventós— de una "vuelta a la figuración, bajo la forma de copia de lo vulgar", ni de la "consumación y cumplimiento del llamado arte abstracto", sino de su negación más radical. O, en último caso, según dice el citado crítico, podrá aceptarse que el "pop art", al menos cronológicamente, sea "un hijo de la abstracción, pero un hijo destructor", en el cual "se resuelven y toman cuerpo de negación objetiva las contradicciones internas de sus progenitores". Aquello que se entendió por "objeto estético" desde los primeros cubistas, queriendo expresar con tal nombre que la obra de arte era algo totalmente autónomo, con motivos y leyes propias, sin deber nada al mundo natural, se ha transformado ahora en "objeto real", y por ello antiestético, puesto que en su ámbito ya no se *representa* ni se deja de representar nada: se *inserta* una realidad que lo mismo puede consistir en unas zanahorias que en la carrocería abollada de un automóvil. He ahí por dónde este "arte explosivo" produce un estallido, o más bien un simulacro de incendio, puesto que de él no surge ninguna iluminación, pero entre cuyas pavesas incombustibles es fácil reconocer algunos fragmentos del dadaísmo.

FRONTERAS INSUPERABLES

Pues bien, ¿no podríamos decir algo semejante de los experimentos seudoliterarios —o superliterarios, si queréis, pero sólo muy inciertamente literarios— llevados a cabo por concretistas, situacionistas y grupos similares? Si se comparan con los que seguiremos llamando plásticos, antes sintetizados, podremos advertir que son más audaces de intención, a la vez que menos libres en sus movimientos. La paradoja se explica porque tienden a subvertir un sistema de expresión más cristalizado y, en definitiva, inmodificable: el de la palabra escrita. Pues aquí hay fronteras insuperables. El hombre puede renunciar a entender una imagen pintada, pero no una frase que se le pone ante los ojos. En el primer caso no se le priva —antes bien, se le estimula— que imagine libremente la representación o deformación de un objeto. En el segundo nunca aceptará la incomunicación a que se le condena. Si podemos deleitarnos con la contemplación de un jeroglífico egipcio es porque —aun ajenos a la paleografía— nos retiene su espectáculo plástico. Y algo semejante sucede en otro plano, en el musical: siempre, antes del dodecafonismo, de la música concreta, de la electrónica, se aceptó tranquilamente que no fuera un arte representativo; cabalmente en su abertura sin límites hacia lo imaginario cifró —bajo unas u otras técnicas— su mayor atracción. Por donde una vez más, a la luz de las tendencias extremadas, se comprueba la superioridad, en punto a fluidez de movimientos —lo que llamaríamos capacidad experimental—, de las artes del espacio sobre las del tiempo, particularmente las del verbo.

¿Acaso pudo imaginar plenamente Paul Valéry (*Variété*, II) las conclusiones que habrían de extraerse de puntos de vista como los suyos, cuando afirmaba —en la línea de Croce, extremada por Heidegger— que "la poesía es esencialmente lenguaje" y que "el poeta debe construir un lenguaje dentro del lenguaje"? Georges Moumin ha hecho una distinción entre las seudolenguas —por ejemplo, el esperanto— que pretenden ser hablables, y las interlenguas o posibles lenguas auxiliares como las de Peano, Gode y Blair. Sabíamos también de la existencia de una metalengua filosófica y de otra que utilizan las máquinas de traducir. Tampoco se ignoraba la existencia de otra metalengua, la poética, cuyos primeros vagidos están en el gongorismo; los penúltimos, muy atenuados, a fines del siglo XIX, con el simbolismo, y los postreros en algunas expresiones de vanguardia, a partir del futurismo.

UNA METALENGUA DUDOSA

Pero ¿será una verdadera metalengua ésta que nos presentan actualmente o se tratará más bien de una "introducción", de un programa previo sobre las posibilidades e imposibilidades del lenguaje —sobre todo lo último—, cuando pretende convertirse, según antes indiqué, de vehículo de acceso en punto de llegada? La duda —más allá de cualquier ironía— es legítima, porque los ejemplos suministrados hasta la fecha no pasan de lo programático y lo seudocientífico. Son ejemplos máximos de un muy extendido espejismo ante el lenguaje —insistiremos— que paraliza a los autores o les lleva a dar vueltas en torno al mismo callejón sin salida. Formalismo, estilística, estructuralismo y otros métodos semejantes reflejan el mismo azoramiento, advertible en un sector de la crítica literaria. La presunta cuarta dimensión de la obra que pretenden indagar queda reducida a una sola cara de un mismo rostro monótono. Si Witgenstein denunció los cepos y trampas del idioma, enseñándonos a desconfiar del lenguaje ordinario, los practicantes de algunos ismos estéticos intensifican tal recelo, sin tener, empero, el valor de concluir, como el autor del *Tractatus Logico-Philosophicus,* que sobre lo que no cabe hablar más vale callarse. Porque esta metalengua de la literatura, combinada con el dibujo y la tipografía, ¿acaso no parece más bien una charlatanería gárrula? Pero no exageremos los reparos. Al aplicarse únicamente a un sector literario, el poético —ya que el traspaso a lo novelesco es muy eventual—, tales experimentos no podrán ir muy lejos; todo lo más desembocarán en otra zona, la plástica, donde lo expresado significa poco y sólo importa la sugestión visual.

PARA UN BALANCE

¿Qué demuestra, en último término, toda esta sucesión de teorías incitantes, experimentos posibles, caprichos personales o alardes sin porvenir —pues de todo hay en el anterior desfile—, sino que el afán innovador no ha muerto en las artes, que los ismos no se extinguen y el espíritu aventurero de las vanguardias continúa —según dijimos— mediante el relevo de las generaciones? A despecho de las sacudidas, de los retrocesos sufridos por un mundo fraccionado, pero interdependiente —y por ello unitario, en última instancia—, sobreponiéndose a las preocupaciones y ambiciones públicas de muy distinta índole que pesan sobre los jóvenes, otras de carácter más privado, y no obstante desinteresadas, siguen abriéndose paso en el plano literario y estético. No importa que muchas de las últimas, antes que creadoras parezcan destructivas, ya que rompen violentamente con normas y tradiciones remotas y modernas; tampoco que en su afán de llegar al fondo atenten contra los fundamentos mismos de todo arte expresivo, quiebren la inteligibilidad de la palabra escrita o de las formas plásticas significantes. Tales rupturas y aun atentados contra las secuencias lógicas, por su mismo ilogicismo, vienen a ser un aspecto más de la eterna pugna entre razón e imaginación, o, por decirlo con palabras de Apollinaire —que yo hube de parafrasear hace años, y que Poggioli reitera como un "leit-motiv" de su libro—, entre el orden y la aventura: "Je juge cette longue querelle de la tradition et de l'invention —de l'ordre et de l'aventure".

SUPERACION Y CONTINUACION

Si intentásemos hacer un balance —más provisional que ningún otro, puesto que comprende materias inacabadas, en gestación o transformación y aun tal vez en disolución...— dos conclusiones podrían esbozarse. En primer término, una mirada conjunta sobre los anteriores ismos nos permitiría —después de los tanteos esbozados antes— encararnos de una vez con la cuestión capital de si las vanguardias han sino o no superadas. Mas para ello sería menester avistar el interrogante en su doble vertiente: una cara que se hunde hacia el pasado inmediato, otra que pretende entrever el futuro inestable. Las primeras vanguardias, indudablemente, han prescrito, en el sentido de que resultaron consolidadas, y lo que fueron elementos subversivos en su día aparecen hoy incorporados al curso normal de las artes, sin suscitar asombro ni resistencia. Hablo sin partidismo, refiriéndome no a su escoria adventicia, a sus "gestos" del momento, sino a sus elementos valederos, en aquello que puede considerarse objetivamente como aportaciones: sumas y no restas.

Pero ¿acaso fueron superadas, en el sentido de haber encontrado formas, estilos sucesores radicalmente distintos que hagan olvidar los ya conocidos y, sobre todo, que sean inauguraciones válidas capaces de señalar inequívocamente nuevos puntos de partida? Esto último necesitaría un análisis detallado en cada caso, en cada nuevo ismo, para determinar con exactitud si no se nutren —como antes dije—, en buena parte, de residuos pertenecientes a los movimientos y escuelas que abrieron las primeras brechas durante la segunda y tercera décadas del siglo. Un examen de tal punto nos llevaría a la conclusión de que las continuaciones, la explotación de filones descubiertos por los antecesores prevalece sobre el hallazgo de otros nuevos; este hecho puede evidenciarse en las dos direcciones más abundantemente recorridas, la poética y la plástica. Ahora bien, frente a la inferencia de signo opuesto que otros puedan hacer —particularmente los veintiañeros, espectadores simpatizantes o partícipes entusiastas de los actuales experimentos—, podemos ofrecerles este punto de acuerdo, aproximarnos a ellos en el siguiente vértice de convergencia. Hayan sido o no superadas las vanguardias, incorporen o no efectivamente las nuevas generaciones elementos propios y fértiles, es incuestionable que los ismos no han prescrito, que su latido sigue escuchándose en miles de páginas, cuadros, esculturas, filmes, etc.—, inclusive en las criaturas engendradas por la cibernética—, procedentes de los cuatro puntos cardinales.

BIBLIOGRAFIA

Frederick Lewis Allen: *Only yesterday. An informal history of the nineteen twenties.* Harper, Nueva York, 1957. Trad. esp. Eudeba, Buenos Aires, 1957.
Giorgio Barberi Squarotti: *Neosperimentalismo,* en "Almanacco Letterario Bompiani", Milán, 1960.
Jacques Barzun: *El romanticismo en la actualidad,* en "Sur", núm. 277, Buenos Aires, julio-agosto de 1962.
Ch. Bell: *La poesía moderna y la búsqueda de sentido,* en "Diógenes", núm. 10. Buenos Aires.
Christopher Caudwell: *Illusion and reality: a study of the source of poetry.* Londres, 1937.
Louis Couffignal: *Les Machines à Penser.* Minuit, París, 1952.
Emile Delavenay: *La machine à Traduire.* P. U. F., París. Trad. esp. Eudeba, Buenos Aires, 1961.
Gillo Dorfles: *Ultime tendence nell'arte d'oggi.* Feltrinelli, Milán, 1961.
Hans Magnus Enzensberger: *Aporien der Avantgarde,* en *Einzelherten.* Suhktamp-Verlag, 1962. Trad. esp. *Las aporías de la vanguardia,* en "Sur". Buenos Aires, 1964.
Antoinette et René Fouque: *I novissimi, un Essai de Recupération du langage,* en *Cahiers du Sud,* núm. 382, Marsella, 1965.
Angelo Guglielmi: *Avanguardia e Sperimentalismo.* Feltrinelli, Milán, 1964.
J. P. Hodin: *The dilemma of being modern. Essays on art and literature.* Londres, 1958.
Hans Egon Holthusen: *Avantguardismus und die Zukunft der modernen Kunst.* Piper, Munich, 1964.
Aldous Huxley: *Literature and Science.* Chatto and Windus. Londres, 1964. Trad. esp. *Literatura y ciencia.* Sudamericana, Buenos Aires, 1964.
Eugène Ionesco: *Discours sur l'Avant-garde y Toujours sur l'Avant-garde,* en *Notes et Contre-notes.* Gallimard, París, 1962.
Gyula Kosice: *Geocultura de la Europa de hoy.* Losange, Buenos Aires, 1959.
Enrique Lafuente Ferrari: *Cuarenta años de deshumanización del arte,* en "Revista de Occidente", núms. 8-9, 2.ª época, Madrid, noviembre-diciembre de 1963.
Pierre de Latil: *La Pensée artificielle. Introduction à la Cybernétique.* Gallimard, París, 1954. Trad. esp. Losada, Buenos Aires, 1958.

Gyorgy Lukacs: *Zur Gegenwartsbedeutung des kritischen Realismus*, 1957. Trad. ital. *Il significato attuale del realismo critico*. Einaudi, Turín, 1957.

Stéphane Lupasco: *Science et art abstract*. Juilliard, París, 1964.

Dwight MacDonald: *Cultura de masas*, en "Diógenes", núm. 3. Buenos Aires, 1953.

M. Maidanik: *Vanguardismo y revolución. Metodología de la renovación estética*. Alfa, Montevideo, 1960.

Julián Marías: *Lo esperado y lo sucedido*, en "Revista de Occidente", núms. 8-9, 2.ª época, noviembre-diciembre de 1963. Recogido en *El tiempo que ni vuelve ni tropieza*. Edhasa, Barcelona-Buenos Aires, 1964.

Leonard B. Meyer: *¿El fin del Renacimiento? Notas sobre el empirismo radical de las vanguardias*, en "Sur", núm. 285, Buenos Aires, noviembre-diciembre de 1963.

Abraham Moles: *Erster Manifest der permutationellen Kunst*. Stuttgart, 1964.

Alberto Moravia: *Introduzione alle avanguardia*, en "Almanacco Letterario Bompiani", Milán, 1960.

Charles Morris: *Signs, language and behaviour*. Prentice Hall, Nueva York, 1946. Trad. esp. *Signos, lenguaje y conducta*. Losada, Buenos Aires, 1963.

Georges Mounin: *Pseudolangues, Interlangues et Métalangues*, en "Babel" vol. IV, núm. 2. París, junio de 1958.

José Ortega y Gasset: *El tema de nuestro tiempo*. Revista de Occidente, Madrid, 1923.

— *La deshumanización del arte*. Revista de Occidente. Madrid, 1925.

O. Pfister: *Der psychologische und biologische Untergrund expressionisticher Bilder*. Berna, 1920.

Marcelin Pleynet: *L'Avant-garde aujourd'hui*, en "Le VII", núms. 20-22. Bruselas, 1965.

Renato Poggioli: *Teoria dell'arte d'avanguardia*. Il Mulino, Bolonia, 1962. Trad. esp. Revista de Occidente, Madrid, 1964.

Herbert Read: *Icon and idea*. Harvard University Press, 1955. Trad. esp. *Imagen e idea*. Fondo de Cultura Económica, México, 1955.

— *A concise History of Modern Painting*. Thames and Hudson, Londres, 1961.

Hans Richter: *Dada-Kunst und Antikunst*. Du Mont Schoenberg. Colonia, 1965.

Harold Rosenberg: *The tradition of the new*. Horizon Press. Nueva York, 1959.

Xavier Rubert de Ventós: *El arte ensimismado*. Ariel, Barcelona, 1963.

— *Abstracción y Pop Art*, en "Revista de Occidente", núm. 22, 2.ª época, Madrid, enero de 1965.

M. Rychner: *Zur europäischen Literatur zwischen zwei Weltkriegen*. Zurich, 1951.

María Scuderi: *El arte y la cuarta dimensión*, en "Papeles de Son Armadans", núm. 106, Palma de Mallorca-Madrid, enero de 1965.

Emile Servant-Schreiber: *Regards sur un demi-siècle.* Julliard, París, 1964.
William E. Simmat, ed. *Europäische Avantgarde.* Galerie D. Frankfurt am Main, 1964.
C. P. Snow: *The two cultures and the scientific revolution.* Cambridge University Press, 1959. Trad. esp. *Las dos culturas y la revolución científica.* "Sur". Buenos Aires, 1963.
Stephen Spender: *Highlights of Modern Literature.* Mentor Books. Nueva York, 1954. Trad. esp. *Literatura contemporánea.* "Sur", Buenos Aires, 1954.
— *The struggle of the modern.* Hamish Hamilton, Londres, 1963.
H. Stuart Hughes: *Contemporary Europe. A History.* Trad. fr. *Histoire de l'Europe contemporaine.* Marabout, París, 1964.
David Thompson: *World History from 1914 to 1950.* Oxford, University Press. Londres, 1954. Trad. esp. Fondo de Cultura Económica, México, 1959.
Guillermo de Torre: *Para un balance del medio siglo europeo,* en *Las metamorfosis de Proteo.* Losada, Buenos Aires, 1956.
Varios: *Il movimenti d'avanguardia,* en "Almanacco Letterario Bompiani 1960" Bompiani, Milán, 1959.
— *Poesie per gli anni 60.* Rusconi e Paolazzi, Milán.
— *Cuarenta años después (1923-1963),* en "Revista de Occidente", números 8-9, 2.ª época, Madrid, noviembre-diciembre de 1963.
— *Gruppo 63. La nuova letteratura: 34 scrittori.* Feltrinelli, Milán, 1964.
— *Avanguardia e impegno.* Il Verri, núm. 8. Feltrinelli, Milán, 1964.
— *The Changing Guard,* en "The Times Literary Supplement", núms. 3.258 y 3.262. Londres, 6 de agosto y 3 de septiembre de 1964.
Ludwig Wittgenstein: *Tractatus Logico Philosophicus.* Trad. esp. Revista de Occidente, Madrid, 1957.
Ramón Xirau, Federico Alvarez y Juan García Ponce: *Tres opiniones sobre Lukacs,* en "Revista Mexicana de Literatura", núms. 3-4. México, marzo-abril de 1964.
— *I novissimi, poesie per gli anni 63.* Intr. de Alfredo Giuliani. Busconi e Paolozzi. Milán, 1964.

ÍNDICE DE ILUSTRACIONES

1. Portada de *8 anime in una bomba,* por F. T. Marinetti. Milán, 1919 ... 96
2. Los futuristas en París, 1912. De izquierda a derecha: Russolo, Carrà, Marinetti, Boccioni y Severini ... 96
3. Portada de *Zang Tumb Tumb,* por F. T. Marinetti. Milán, 1914. 96
4. Papel de cartas de "Il futurismo". Membrete por Balla. Carta autógrafa de Marinetti ... 97
5. Marinetti y su retrato en Praga ... 97
6. Severini: *Jeroglífico dinámico del Bal Tabarin.* 1912 ... 112
7. Cartel futurista por Prampolini ... 112
8. Gino Severini: *La danza del Pan-Pan en el Mónico* ... 112
9. Un manuscrito original de Marinetti ... 113
10. Cabeceras de dos manifiestos futuristas, 1922 ... 113
11. Restaurante "Montmartre", en Praga ... 168
12. Páginas de *Les mots en liberté futuristes,* de Marinetti. Milán, 1921 ... 168
13. Portada de "Noi", revista futurista de Roma, 1923 ... 169
14. Portada del número correspondiente al décimo aniversario de la revista "Die Aktion", Berlín ... 169
15. Cubierta del semanario "Der Sturm", 1910, con un dibujo y el comienzo de un drama por Oskar Kokoschka ... 169
16. Georg Kaiser ... 169
17. Georg Trakl ... 169
18. René Schickele ... 169
19. Herwarth Walden, dibujo de Kokoschka ... 169
20. Cubierta de L. Meldner para un libro de Johannes R. Becher ... 224
21. Ilustración de von Hofmann para una novela de Franz Werfel ... 224
22. *La danza,* por Archipenko ... 225
23. Cartel de Herbert Bayer ... 225
24. Cubierta de la revista "Der Sturm", 1925 ... 225
25. Portada de un número extraordinario de la revista "Bauhaus", 1924 ... 240
26. Cartel para una exposición Kandinsky, 1926 ... 240

27. Los catorce volúmenes de la editorial "Bauhaus" 240
28. Folleto de propaganda de "Bauhaus", en Weimar (1919-1923) ... 240
29. Franz Marc: *Destinos de animales* 241
30. Kirchner: *Escena callejera* 241
31. Franz Kafka 264
32. Una página del manuscrito de *El proceso,* de Kafka 264
33. Las dos primeras páginas de *La fin du monde filmée par l'Ange N. D.,* por Blaise Cendrars. Composición tipográfica y dibujos coloreados de Léger. París, 1919 265
34. *Apollinaire académico* y *Su Santidad Apollinaire*. Caricaturas de Picasso 265
35. Caligrama-poesía de Apollinaire 265
36. *La antitradición futurista*. Manifiesto de Apollinaire. París, 1913. 265
37. La calle del Cubismo en Bruselas. Victor Bourgeois, arquitecto. 265
38. *Les demoiselles d'Avignon,* por Picasso, 1907 265
39. *Guitarra y compotero.* Bodegón por Juan Gris, 1919 296
40. Autorretrato de Jean Cocteau y fragmento de carta 296
41. Juan Gris: *Retrato de Reverdy* y facsímil de un poema 296
42. Dibujo, retrato y autógrafo de Max Jacob 297
43. *La torre Eiffel,* por Robert Delaunay 297
44. *Naturaleza muerta*. "Collage", por Picasso, 1913 297
45. *Picasso, Marie Laurencin, Apollinaire, Fernande Olivier y la perra Frika,* por Marie Laurencin 297
46. *Tres músicos,* por Picasso, 1921 297
47. *Minotauromaquia,* grabado por Picasso, 1925 297
48. Cabecera de carta con membrete de la revista "L'Esprit Nouveau". 352
49. Dibujo de Fernand Léger para la obra de Ivan Goll "La Chapliniade", en *Le Nouvel Orphée* (Dresde, 1920) 352
50. Otro dibujo de Léger para "La Chapliniade" 352
51. Los dadaístas en Weimar (1922): Lisitzsky, Nelly Van Doesburg, Theo Van Doesburg; abajo: Hans Richter, Tristan Tzara, y Hans Arp 353
52. Georg Grosz y John Heartfield sostienen un cartel con una frase de Tatlin: "El arte ha muerto. Nace el nuevo arte de la máquina" 353
53. La primera exposición Dadá en Berlín, 8 de junio de 1920 ... 353
54. Portada de *Siete manifiestos* Dadá y retrato de Tristan Tzara por Francis Picabia. París, 1924 368
55. Carta de Tristan Tzara con membrete del Café Certa, donde se reunían los dadaístas, 1922 368
56. Cubierta de la revista "Dadá 3", Zürich, 1918 369

INDICE DE ILUSTRACIONES

57. Cubierta de *En avant Dada,* de Richard Huelsenbeck, Hannover, 1920 ... 369
58. André Breton lee, en un Festival Dadá, el *Manifiesto Presbita,* de Francis Picabia ... 369
59. Programa de un Festival Dadá. París, 1920 ... 369
60. En la Sala Gaveau de París, 1920. Una escena de la representación del sketch "Vous m'oublierez", original de André Breton (sentado) y Philippe Soupault (de rodillas): a la izquierda, Paul Eluard y detrás del sillón Th. Fraenkel ... 384
61. A la puerta de una exposición de Max Ernst en la Galería "Au Sans-Pareil", de París, 1920. De izquierda a derecha: B. Péret, Charchoune, Ph. Soupault (arriba), J. Rigaut (con la cabeza hacia abajo) y A. Breton ... 384
62. *Poema simultáneo,* por R. Huelsenbeck, M. Janco y Tr. Tzara recitado en el Cabaret Voltaire, de Zürich, 1918 ... 384
63. Portada de "Littérature", núm. 13, con *23 manifiestos del Movimiento Dadá.* París, mayo de 1920 ... 385
64. Cubierta de la revista "Merz", núm. 7, dirigida por Kurt Schwiters. Hannover, enero de 1924 ... 385
65. Cubierta de "Mecano", revista dadaísta holandesa, dirigida por Theo Van Doesburg ... 385
66. Cubierta de la revista "Le coeur à barbe", número único. París, abril de 1922 ... 385
67. Carta (1921) de Tristan Tzara a Guillermo de Torre. Al margen izquierdo, lista de siete revistas Dadá ... 400
68. Página de publicidad de las publicaciones dadaístas, compuesta por Tristan Tzara. París, noviembre de 1920 ... 400
69. Francis Picabia: *La noche española,* 1918 ... 400
70. *Cabaret Voltaire,* óleo de Marcel Janco, 1917 ... 400
71. *Rose Selavy y La Gioconda con bigotes,* por Marcel Duchamp, 1919 ... 400
72. Eluard, Breton, Ernst, Dalí, Arp y otros en la época de "La révolution surréaliste", 1930 ... 401
73. Portada de *La conquista de lo irracional,* de Dalí, y final de una carta a Guillermo de Torre ... 401
74. Man Ray: Fofo-dibujo de *André Breton* ... 401
75. Carta autógrafa de André Breton ... 401
76. "El superrealismo no es una escuela literaria, sino un estado de espíritu, un medio de conocimiento...", se lee en las dos últimas líneas de este manuscrito inédito entregado por Paul Eluard a Guillermo de Torre. En el centro, un poema del mismo ... 416
77. Paul Eluard ... 416

78.	Escenas del film *El perro andaluz,* de Buñuel y Dalí	416
79.	René Magritte: *Madame Récamier*	416
80.	René Magritte: *El modelo rosa,* 1935	416
81.	Chirico: *Estación Montparnasse,* 1914	417
82.	Chirico: *Melancolía turinesa,* 1915	417
83.	Salvador Dalí: *El hombre invisible,* 1930	417
84.	Dalí: *La ciudad de los cajones,* 1936	417
85.	Dalí: *Persistencia de la memoria,* 1931	432
86.	Giacometti: *Palacio a las 4 de la madrugada,* 1933	432
87.	Marcel Duchamp: *La novia desnudada por sus mismos célibes* (1915-1918)	433
88.	Miró: *Soga y personajes,* 1935	433
89.	Miró: *Retrato de bailarina*	433
90.	Miró: *Escultura*	433
91.	Max Ernst: *Au rendez-vous des amis,* 1922. De izquierda a derecha, primera fila: Crevel, Ernst, Dostoievsky, Fraenkel, Paulhan, B. Péret, Baargeld, Desnos; segunda fila: Soupault, Arp, Morise, Rafael, Paul Eluard, Aragon, A. Breton, Chirico y Gala Eluard.	448
92.	Leonora Carrington: *Retrato de Max Ernst,* 1940	448
93.	Man Ray: *La hora del observatorio — los amantes,* 1932-34	448
94-95.	Dos grabados "collages" de Max Ernst en su libro *La mujer cien cabezas*	449
96.	Ezra Pound	464
97.	Portada de "This Quarter"	464
98.	Hilda Doolittle	464
99.	James Joyce	465
100.	Primera página del manuscrito de *Ulises,* de Joyce	465
101.	Portada de "Grecia", Sevilla, 1920	544
102.	Portada de "Tableros", núm. 3. Madrid, 1922. Grabado en madera de Barradas	544
103.	Portada de "Ultra", núm. 1. Madrid, enero de 1921. Grabado de Norah Borges	544
104.	Portada de "Reflector", número único. Madrid, diciembre de 1920.	544
105.	*Vertical.* Manifiesto ultraísta de Guillermo de Torre. Madrid, 1920.	545
106.	Proclama de "Prisma", revista mural. Buenos Aires, 1922	560
107.	"Horizonte", Madrid, 1922. Grabado en madera de Norah Borges.	561
108.	Grupo de ultraístas durante una velada en el Ateneo de Madrid (1921). De izquierda a derecha: Antonio M. Cubero, César A. Comet, Pérez Domenech, E. Puche, Guillermo de Torre, Humberto Rivas, José de Ciria, Rivas Panedas, Vázquez Díaz, Jaime Ibarra, Rafael Barradas	561

ÍNDICE DE ILUSTRACIONES 909

109. Cubierta de "Proa", núm. 1. Buenos Aires, agosto 1922 561
110. *Hélices,* de Guillermo de Torre. Portada de Barradas, Madrid, 1923. 584
111. D. Vázquez Díaz: Retrato de Guillermo de Torre en el libro *Hélices,* 1923 ... 584
112. Portada de *Literaturas europeas de vanguardia,* por Guillermo de Torre. Madrid, 1925 ... 584
113. Poema autógrafo de Vicente Huidobro ... 584
114. *Vicente Huidobro.* Dibujo de Picasso, 1921 ... 584
115. "La Gaceta Literaria", núm. 1. Madrid, 1 de enero de 1927 ... 584
116. *Tapices,* de Ramón Gómez de la Serna. Portada de Bartolozzi. 585
117. *Retrato de Ramón,* por Rivera ... 585
118. Jean-Paul Sartre y Simone de Beauvoir. París, 1965. (Foto Gisèle Freund) ... 704
119. En el estudio de Picasso, después de la representación de su obra *El deseo atrapado por la cola.* Picasso (entre Valentine Hugo y Simone de Beauvoir); sentado, a la izquierda, Jean-Paul Sartre; Albert Camus, en el centro ... 705
120. Página de Ronaldo de Azevedo ... 720
121. Página de Vladimir Maiakovski ... 720
122. Poema de José Lino Grünewald ... 720
123. Dos portadas de "900", la revista de Massimo Bontempelli 721
124. Massimo Bontempelli, en 1929. ... 721
125. Stephen Spender ... 800
126. W. H. Auden ... 800
127. E. Hemingway ... 800
128. E. E. Cummings ... 800
129. Colin Wilson ... 801
130. John Osborne ... 801
131. John Wain ... 801
132. Jack Kerouac ... 801
133. Allen Ginsberg ... 801
134. Lawrence Ferlinghetti ... 801
135. De izquierda a derecha: Alain Robbe-Grillet, Claude Simon, Claude Mauriac, Jérôme Lindon, Robert Pinget, Samuel Beckett, Nathalie Sarraute y Claude Ollier. París, 1959. (Cortesía de Editions de Minuit) ... 816
136. "Zenit". Revista yugoslava. Octubre de 1921 ... 817
137. Una página de "Het Overzicht", con anuncios de las revistas de vanguardia, en la década de 1920 ... 817

AUTORES CITADOS EN EL TEXTO

Abril, M.: 548.
Abril, X.: 589.
Adam, P.: 117, 124.
Adán, M.: 589.
Adámov, A.: 438.
Adéma, M.: 264.
Adler, K.: 214.
Agrippa: 404.
Agustini, D.: 586.
Aisen, Dr.: 336.
Akmátova, A.: 174.
Alba, A. d': 147.
Albee, E.: 798.
Albers: 228.
Alberti, R.: 549, 573 ss.
Alberto Cuello, J.: 592.
Aldington, R.: 470, 476, 479, 488 ss., 491 ss.
Alembert, d': 658.
Aleixandre, V.: 573 ss.
Alexander, F.: 138.
Alexandrian, S.: 742.
Alexis, P.: 784.
Alfonso X el Sabio: 330.
Algernon Swinburne, C.: 417, 466, 485.
Algren, N.: 801.
Alighieri, Dante: 119, 131, 148, 472, 483.
Almada Negreiros: 173.
Almeida, G. de: 172, 580 s.
Alonso, D.: 66, 549, 575, 595 s., 599, 845.

Alquié, F.: 447.
Alsop, K.: 792.
Altman, R.: 742.
Altolaguirre, M.: 550.
Altomare, L.: 144, 152.
Alvar, G. de: 547.
Alvarez, V. A.: 549.
Alvaro, C.: 170, 772, 783.
Allen, G.: 468.
Allison Peers: 594.
Amis, K.: 793.
Amoré, F.: 244.
Anderson, L.: 794 s.
Anderson, M.: 473.
Anderson, S.: 803.
Andrade, C. D. de: 581, 756.
Andrade, M. de: 172, 580 s.
Andrade, O. de: 581.
Andreiev: 146.
Angelo Pinto, L.: 757.
Anguita, E.: 588.
Annunzio, G. d': 117, 120, 122, 124, 133, 136, 140 ss., 155, 158 s., 163, 165, 182, 469, 773 ss.
Anouilh, J.: 689.
Anski: 122.
Apollinaire, G.: 40 s., 79, 90, 116, 130, 157, 182, 186, 213, 243 ss., 247 s., 250, 253, 255, 258, 260 ss., 263 ss., 266 ss., 269 s., 277 s., 281, 288, 290, 293, 295 s., 298, 306, 308, 327, 335, 370, 385, 418, 422, 426, 434, 530, 532 s.,

544, 577, 598, 657, 742, 756, 879, 893.
Aragon, L.: 184, 250, 252, 261, 263, 290, 331, 335 s., 340 s., 343, 346, 348 s., 353 s., 368, 372 s., 381, 383, 388, 391 s., 424, 429, 435, 572, 619, 658, 827.
Araujo, M.: 581.
Arbaud, J.: 742, 748.
Arcimboldo: 440.
Arconada, C. M.: 549, 554.
Arcos, R.: 122, 294.
Archipenko: 243, 336.
Arenales, R.: 594.
Arenas, B.: 384, 588.
Arensberg, W. C., 336.
Aretino: 265.
Arezzo, M. d': 336.
Argensola, los: 32.
Aribau, C.: 577.
Aristófanes: 60.
Aristóteles: 766.
Arjona: 885.
Arland, M.: 257, 395, 429.
Arnauld, C.: 301, 336, 339, 369.
Arnaut, D.: 755.
Arnin, von: 395.
Aroca, J. de: 536.
Aron, Raymond: 625, 628, 638, 656.
Arp, H.: 327, 332, 336, 358, 440.
Artaud, A.: 261, 380, 388, 430, 437.
Artman, H. C.: 893.
Asseyev, N.: 175 s.
Astorg, B. d': 669.
Athayde, F. de: 758.
Aub, M.: 509, 513, 682.
Auden, W. H.: 790.
Auerbach, E.: 768.
Auric, G.: 282, 351.
Austen, J.: 658.
Avelino, A.: 592.
Ayala, F.: 596.

Azevedo, R.: 582, 755.
Azocar, R.: 587 s.
"Azorín", José Martínez Ruiz: 32, 60.
Azzari, F.: 147.

Baader, J.: 334.
Baargeld, J.: 333 s.
Babbit, I.: 472.
Bacarisse, M.: 514 s., 537, 549.
Bach, J. S.: 485.
Bachelard, G.: 383.
Backmair, F. S.: 211.
Bagritsky, E.: 181.
Bahr, A.: 226.
Bahr, H.: 198, 201 s., 204.
Bailly, A.: 336.
Balakian, A.: 406.
Balboa: 811.
Balestrini, N.: 890.
Balilla Pratella: 147.
Balzac, H.: 653, 830.
Ball, H.: 323, 327.
Balla, G.: 148, 150.
Ballagas, E.: 590.
Bandeira, M.: 580 s., 756.
Baquero Goyanes, M.: 845 s.
Barba Jacob, P.: 594.
Barbusse, H.: 390, 715, 796.
Bardion, A.: 859.
Barea, A.: 682.
Barlach, E.: 217, 219.
Baroja, P.: 35, 60, 801, 843.
Baron, J.: 372.
Barth, K.: 664.
Bary, D.: 530.
Barzum, H. M.: 308 s., 327.
Barr, A.: 209.
Barradas, R.: 546, 548, 550, 579.
Barrault, J. L.: 693.

AUTORES CITADOS

Barrès, M.: 348 ss., 366, 469, 548.
Basadre, J.: 589.
Basterra, R. de: 516, 567 s.
Bataille, G.: 421, 854.
Batlle Planas, J.: 441, 579.
Batista, T. L.: 591.
Baudelaire, C.: 41, 72, 87 s., 115, 117, 119, 139, 270, 272, 370, 373, 380, 385, 401, 405, 407, 409, 417, 444, 468, 698, 747.
Baudouin, C.: 631.
Baumeister, W.: 228.
Bazán, A.: 588.
Bazin, G.: 243.
Beardsley, A.: 468.
Beauduin, N.: 294 s., 304, 308 s., 311, 327.
Beaumarchais: 229.
Beauvoir, S. de: 420, 653 s., 656, 685 s., 690, 695, 697, 699 ss., 702 s., 722, 831, 858.
Beckmann, M.: 209.
Becher, J. R.: 211, 217.
Beckett, S.: 438, 804, 832, 842, 851 ss.
Bécquer, G.: 508 s.
Bedouin, J. L.: 367, 383 s., 444.
Beerbohm, M.: 468.
Beethoven: 273.
Béguin, A.: 376, 395.
Bell, J.: 790.
Bellonzi, F.: 126.
Bellow, S.: 801.
Benda, J.: 404, 475, 654, 664.
Benn, G.: 199, 217.
Benoit, P.: 262.
Bense, M.: 891, 893 s.
Berdiaef: 630 ss., 633, 664.
Berg, A.: 229.
Bergamín, J.: 516, 549.
Bergier, J.: 445.
Bergler, E.: 464.

Bergson, H.: 122, 131, 163, 404, 471, 475, 664.
Bernanos, G.: 831.
Bernard, C.: 769.
Bernárdez, F. L.: 584.
Bernhardt, S.: 124.
Bernstein, M.: 889.
Bertaux, F.: 211, 225.
Bertini, F.: 779.
Bertolozzi: 525.
Bertrand, A.: 272, 373, 406, 418.
Bertrand de Born: 481.
Biély, A.: 174, 180.
Bilbao, L. G.: 517.
Bill, M.: 755.
Billy, A.: 273.
Biran, M. de: 664.
Birot, P. A.: 248, 260, 294 s., 304, 306 ss., 336, 369 s.
Blake, W.: 411, 418, 427, 440, 467, 489.
Blair: 898.
Blanche, J. E.: 426 s.
Blanchot, M.: 832, 854.
Blass, E.: 211.
Bleiberg, G.: 542.
Bloch-Michel, J.: 837, 839, 843 s.
Blok, A.: 47, 174, 180, 299.
Blondel, M.: 664.
Bloy, L.: 406.
Bo, C.: 783 s.
Boccaccio: 768, 820.
Boccioni, U.: 128, 148 ss., 154, 156.
Böcklin: 439.
Boehme, J.: 796.
Böhr, N.: 877.
Boiffard, J. A.: 372, 378.
Boileau: 879.
Boisdeffre, L. de.: 853.
Bonaparte, N.: 625.
Bontempelli, M.: 170 s., 537, 772.
Bopp, R.: 581.

Borel, P.: 406.
Borges, G. J.: 583, 585.
Borges, J. L.: 172, 213, 363, 539, 541, 544, 547 s., 553, 555, 558, 565, 582 ss.
Borges, N.: 546, 548.
Borgese, G. A.: 803.
Bosco, J.: 440, 442, 811.
Bosschère, J. de: 295.
Botticelli, S.: 775.
Bourroughs: 136.
Bousoño, C.: 574.
Bouhélier, S.-G. de: 885.
Bóveda, X.: 536 s.
Bowra, C. M.: 47, 574.
Braga, D.: 182.
Braga, E.: 755 s.
Braine, J.: 793.
Brandes, G.: 671.
Braque, G.: 209, 242 s., 280, 293, 532, 804.
Bravo, M. A.: 384.
Brauner, V.: 441.
Brecheret: 581.
Brecht, B.: 222, 229 s.
Bréhier, E.: 619.
Brenes, R. A.: 592.
Brentano: 395.
Breton, A.: 48, 153, 185, 250, 260 s., 263, 265 s., 290, 302, 325, 329, 331 s., 335 s., 338 ss., 341, 343, 348 s., 351 ss., 355 s., 363 ss., 366 ss., 369, 371 ss., 374 s., 377 ss., 380 ss., 383 s., 387 s., 390 ss., 393 ss., 396 ss., 399 ss., 402 ss., 411, 413, 419, 422, 424 s., 429 s., 433 ss., 436 ss., 439, 442 ss., 445 ss., 449 ss., 572, 575, 578, 657, 663, 751, 826, 879.
Brett, D.: 492.
Breuning, L. G.: 245.
Brightman, E. C.: 637.

Brik: 176.
Brisa, J.: 507.
Brod, M.: 711, 713 s.
Broglie: 877.
Bronnen, A.: 199, 218 s.
Brooks, V. W.: 30, 412.
Brown, J.: 485, 800.
Browning: 485.
Bruckner, F.: 222, 224.
Brull, M.: 590.
Brum, B. Luz: 588.
Brunet: 698.
Buber, M.: 198, 630, 634 ss., 664.
Buchet: 336.
Büchner, G.: 229.
Buckle: 136.
Buendía, R.: 544, 551, 554.
Buffet, G.: 336, 347.
Buffet, M.: 340.
Bullrich, E.: 584.
Buñuel, L.: 380 s., 409.
Burluke, D.: 176.
Butler, R. D.: 667.
Butor, M.: 249, 822, 842, 844 ss., 847 s.
Buzzi, P.: 147, 152.
Byron, lord: 134, 396, 407, 409, 411, 658.

Cabanillas, A.: 512.
Cabanyes: 423.
Cabot, E.: 811.
Cabrera, M.: 592.
Cáceres, J.: 384, 588.
Cadalso: 405.
Caillois, R.: 34, 376.
Calder: 385, 890.
Calderón de la Barca, P.: 483, 573.
Caldwell: 682, 686, 834.
Calzada, E. M.: 432.
Calvino, I.: 783.

AUTORES CITADOS

Campanile, A.: 772.
Campbell, R.: 475.
Campendok, H.: 207.
Campoamor: 510.
Campos, A. de: 580, 582, 755.
Campos, H.: de: 755.
Camus, A.: 287, 412 s., 420 s., 444 ss., 653, 658, 661 ss., 668, 670, 685 s., 688, 700, 703 ss., 706, 712, 714 ss., 717, 719 ss., 722 s., 776, 831.
Candiz, A.: 599.
Cangiullo, F.: 147, 152.
Cansinos-Asséns, R.: 336, 512, 514, 520, 522 ss., 529 s., 536 ss., 544 ss., 547, 553, 565, 597 s.
Cantarelli: 336.
Canudo, R.: 251.
Capuana, L.: 125.
Caraffa, B.: 172, 583.
Carco, F.: 244.
Carducci: 120, 159, 163, 773.
Carefoot: 336.
Carli: 153.
Carnicer, R.: 775.
Carpeaux, O. M.: 581.
Carpentier, A.: 590.
Carswell, C.: 492.
Cartier, J.: 703.
Carvalho, R. de: 580.
Cary, J.: 791.
Carrà, C.: 144, 148, 150, 153 ss., 227.
Carré, J. M.: 415.
Carrera Andrade, J.: 593.
Carrere, E.: 507, 511.
Carrive: 372.
Carroll: 464.
Carrouges, M.: 395, 400, 434, 444, 447.
Carruth, H.: 481, 483.
Casais Monteiro, A.: 173.

Casal, J. J.: 550, 586.
Casanova: 404, 417.
Cascales, F.: 679.
Casiano, R.: 756.
Casirer, P.: 217.
Cassady, N.: 804, 809.
Cassanyes, M. A.: 579.
Cassola, C.: 783.
Cassorati: 537.
Cassou, J.: 241, 244 s., 274.
Castellet, J. M.: 506, 835, 856.
Castello, G. C.: 779.
Castillejo: 510.
Castillo Nájera, F.: 139.
Castre, V.: 394, 427, 444, 450.
Castro, A.: 505, 723, 739.
Castro, M. de: 512.
Catulo: 480 s.
Caudwell, C.: 790.
Cavacchioli, E.: 144, 152 s.
Cavalcanti, G.: 480 s.
Cayrol, J.: 842, 854.
Cebreiro, A.: 550.
Cela, C. J.: 682, 775.
Céline, L. F.: 655, 684, 826, 831.
Cendrars, B.: 83, 122, 134, 182, 243, 247, 250, 252 s., 255, 259 ss., 263, 266, 270, 275 ss., 278 ss., 281, 288, 295, 308, 327, 826, 881.
Cervantes, M. de: 32, 405, 573, 693.
Cesaire, A.: 438.
Cézanne, P.: 240, 242, 804.
Cid, T.: 588.
Cioran, E. M.: 741, 831 ss.
Ciria y Escalante, J. de: 547 s., 554, 556 s.
Cirlot, J. E.: 527.
Cirre, J. F.: 513.
Citroen: 336.
Clair, R.: 347.
Clarendon, A.: 491.

Claudel, P.: 60, 124, 146, 217, 366, 380, 414.
Clellan Holmes, J.: 804 s.
Coates, J. B.: 637.
Cocteau, J.: 77, 81, 133, 185, 243, 247, 251, 261, 263, 267, 272 ss., 276, 279, 281 ss., 284 ss., 287 s., 293 ss., 295, 306, 335, 343, 347, 352, 422, 548, 565, 689, 826.
Colette: 831.
Comet, C. A.: 536, 547, 549, 554
Compton-Burnett, Y.: 791.
Connoly, C.: 791.
Conrad, J.: 822.
Consiglio, A.: 120.
Constant, B.: 373, 685.
Conti, D.: 147 s.
Cornford, J.: 790.
Corso, G.: 801.
Corra, B.: 123, 125, 146, 152.
Corradini, A.: 147.
Correa Calderón, E.: 550.
Corretjer, J. A.: 592.
Cossío, J. M. de: 510.
Couto, R.: 580.
Cowley, M.: 321, 465.
Cozarinsky, E.: 481, 821.
Cranach: 208.
Crane, H.: 187, 432, 466.
Cravan, A.: 329 s., 336.
Crébillon: 265.
Crémieux, B.: 26, 160, 164, 170, 223, 617.
Crespo, A.: 755.
Crevel, R.: 261, 344, 372, 375, 396, 424, 428 ss., 437.
Croce, B.: 60, 67, 120, 127, 158, 164, 168, 898.
Crosby, H.: 432.
Crotti: 336.
Crowe Ranson, J.: 67.

Cubero, A. M.: 547.
Cummings, E. E.: 376, 486, 801.
Curtius, E. R.: 285.

Chabás, J.: 512, 548, 554.
Chagall, M.: 180, 209, 227, 244, 280, 440, 742, 873.
Chamie, M.: 757.
Chaplin, C.: 79, 279, 335, 574.
Chapsal, M.: 443.
Char, R.: 437, 751.
Chateaubriand, A.: 139, 373.
Chase, H.: 682.
Chaucer: 820.
Chazal, M. de: 386.
Chercheneviévich, V.: 178.
Chesterton: 274, 838.
Chestov, L.: 664, 669 s., 708 s.
Cheval: 385.
Chevalley, G.: 626.
Chiarelli: 153.
Chirico, G. de: 227, 282, 379, 429, 438, 440, 742.
Chiti, R.: 147.
Chrusecz: 336.

Dabit, E.: 305, 777.
Dalí, S.: 282, 328, 379 ss., 382 s., 409, 438, 440 s., 573, 576, 579, 742, 806.
Dalmau: 336, 577 s.
Dandieu, A.: 623, 625 s.
Darío, R.: 86, 262, 406, 434, 504, 508 s., 511 s., 529, 543, 587.
Däubler, T.: 224.
Daumal, R.: 810.
Davis, D.: 483.
Day Lewis, C.: 790.
Debussy, C.: 282.
Degas, E.: 240.

AUTORES CITADOS

Dehmel: 203.
Delacroix: 767.
Delaunay, R.: 175, 243, 265, 269, 279, 302, 308, 351.
Delaunay, S.: 277.
Delavenay: 892.
Délédalle, G.: 670.
Delteil, J.: 372, 379 s., 826.
Demócrito: 267.
Denis, M.: 240.
Depero, F.: 147, 150.
Dérain: 240, 243.
Derême, T.: 275, 294, 305.
Dermée, P.: 248, 250, 260, 263, 272, 299 ss., 338 s., 369, 530.
Desbordes-Valmores: 373.
Descartes: 403.
Desnos, R.: 261, 372, 375, 379 s., 437.
Dessy, M.: 123.
Déttore, U.: 111, 115, 187.
Deval, P.: 349.
Dewey, J.: 60.
Dhotel, A.: 415.
Dias Pino, W.: 759.
Díaz Casanueva, H.: 588.
Díaz-Plaja, G.: 510, 542, 577 s.
Dicenta, J. hijo: 545.
Dickens, C.: 820, 838.
Diderot: 404, 417, 658.
Diebold, B.: 222.
Diego, G.: 26, 504 ss., 534, 547, 551, 554 s., 559 s., 576, 596.
Diego Padró, J. I. de: 591.
Díez-Canedo, E.: 294, 307, 363, 512.
Dilthey, W.: 45, 50, 675, 679.
Divoire, F.: 309.
Dix, O.: 226 s.
Döblin, A.: 224.
Dodge Luhan, M.: 336, 492.
Doesburg, van: 228, 840.

Domenchina, J. J.: 506, 515 s.
Domínguez, O.: 430, 441.
Donati, E.: 441.
Donne, J.: 45, 847.
Doolittle, H.: 470, 473, 479, 488.
Dorfles, G.: 758, 840, 887, 894.
Dort, B.: 817.
Dos Passos, J.: 245, 259, 465, 682, 685, 697, 801, 825, 834, 854.
Dostoievsky, F.: 198, 415, 431, 653, 665, 669, 707 ss., 710, 715, 776, 780, 820, 823.
Dottori: 150.
Drawinghauser: 227.
Dreisser, T.: 767.
Drieu la Rochelle, P.: 213, 279, 294 s., 299 ss., 302 ss., 348, 350, 368, 426 s., 781, 829.
Du Bellay: 481.
Ducasse, I.: 406, 411.
Duchamp, M.: 243, 328 s., 336, 338, 347, 440.
Dufrène, F.: 742, 747.
Duhamel, G.: 122, 824.
Dühren: 421.
Dujardin, E.: 269.
Duprey, P.: 430.
Duras, M.: 780, 842, 854.
Durero: 208, 440.
Durkheim: 837.
Durrell, L.: 792.

Eça de Queiroz: 469, 804.
Echaurren, M.: 441.
Echaurri, M.: 384.
Eckhart, M.: 198, 385.
Edschmid, K.: 206, 218.
Edwards, J.: 336, 554.
Egmont, E.: 859.
Eguren, J. M.: 588.
Ehrard, J.-E.: 823.

Ehrenstein, A.: 216.
Einstein, A.: 713, 828, 877.
Elde, A.: 889.
Eliade, M.: 402, 741.
Eliot, T. S.: 38 s., 143, 469 s., 474 s., 478, 481, 483, 485 s., 492, 791, 877 s., 894.
Elster: 121.
Eluard, P.: 261, 335 s., 339 ss., 353 s., 358, 372, 378, 381, 391, 397, 399, 419, 434 ss., 437, 548, 575, 658.
Emerson: 138, 800.
Empson, W.: 745.
Engels: 380, 388, 404.
Ensor, J.: 208, 440.
Enzensberger, H. M.: 872, 879 s.
Epstein, J.: 41, 90, 131, 135, 246 s., 250 s.
Erasmo de Rotterdam: 404.
Erdman, N.: 179.
Ermatinger: 52.
Ernst, M.: 227, 333 s., 336, 338, 358, 379, 381, 385, 434, 438, 440, 742.
Escosura, J. de la: 547.
Escudero, G.: 594.
Espina, A.: 517 s., 568, 597.
Espinosa, A.: 551.
Espronceda: 396, 404 s., 675.
Esquilo: 64, 689.
Essenin: 432.
Etiemble: 444 ss.
Everling, G.: 336.
Evola, J.: 336, 549.

Fabri, M.: 309.
Fabureau, H.: 273.
Falk, W.: 203, 215.
Fargue, L. P.: 250, 373, 406, 422.
Fargus: 294.

Fatone, V.: 664.
Faulkner: 682, 684 ss., 770, 778, 847.
Faye, J. P.: 859.
Fechter, P.: 216, 222.
Feininger, L.: 228.
Felipe, L.: 36, 518, 569.
Feldman, G.: 804, 806.
Fellini: 779.
Ferl, W.: 214.
Ferlinghetti, L.: 801.
Fernández Almagro, M.: 524.
Fernández Ardavín, L.: 512.
Fernández, D.: 776, 782.
Fernández, M.: 583, 585.
Fernández Retamar: 590.
Ferrater Mora, F.: 629 s., 671.
Ferreira Gullar, F.: 755.
Ferres, A.: 775.
Feuerbach: 380, 404.
Filia: 150.
Fini, L.: 441.
Fischer, O.: 208.
Fitzgerald, S.: 801.
Flake, O.: 337, 419, 421.
Flamel: 404.
Flaubert: 272, 843.
Flechteim: 217.
Flint, F. S.: 470 s., 479, 489.
Flora, F.: 142, 159, 162 ss.
Flores, A.: 713.
Florit, E.: 590.
Fogelquist, D. F.: 510.
Foix, J. V.: 578.
Folgore, L.: 147, 152, 155, 577.
Folguera, J.: 577 s.
Fondane, B.: 415, 668 s.
Fontenelle: 879.
Ford, B.: 625, 792.
Forment: 579.
Forneret: 385.
Forster, E. M.: 143.

Fort, P.: 298, 486.
Foulquié, P.: 665.
Fourier, C.: 444, 450.
Fox, R.: 790.
Fraenkel, T.: 337, 349, 353.
France, A.: 63, 90, 380, 751.
Francés, E.: 441.
Francesca, P. della: 879.
Francis, S.: 801.
Franco, D.: 508.
Frank, L.: 206, 221.
Frank, W.: 486.
Fraser, G. S.: 464.
Freud, S.: 79, 368 s., 373 s., 378, 390, 398, 419, 574, 711, 806.
Freund, C.: 806.
Frobenius: 280.
Fumet, S.: 293.
Füsli: 440.

Gabo, N.: 181, 333, 873.
Gadda, C. E.: 783.
Gaitán, J.: 421.
Gallardo, S.: 593.
Galletti, A.: 109, 141.
Gance, A.: 277.
Gandillac, M. de: 667.
Gangotena, A.: 594.
Gaos, J.: 677.
García Lorca, F.: 256, 547, 549, 551, 569, 573, 579.
Garcilaso: 510.
Garfias, P.: 505, 536, 547, 549, 554, 556, 597.
Garnett, D.: 711.
Garnier: 122.
Gartenberg, M.: 804, 806.
Gasch, S.: 579.
Gauclère, Y.: 415.
Gaudí: 122.
Gaudier-Brzeska: 474, 480.

Gauguin: 240.
Gaunt, W.: 244, 468.
Gautier, T.: 468, 475, 820.
Geismar, M.: 801.
Gener, P.: 468.
Génet, J.: 420, 656, 698 s., 804, 807.
George, S.: 47, 203.
Gérard: 372, 380.
Gertel: 121.
Ghil, R.: 124, 311.
Giacometti, A.: 337, 385, 440.
Gide, A.: 16, 37, 60, 64, 93, 218, 323 s., 364, 389, 391, 394, 522, 696, 715, 821, 828.
Gilbert, S.: 466.
Gilson, E.: 668.
Giménez Caballero, E.: 551, 571, 574.
Ginsberg, A.: 801, 807.
Giono, J.: 831.
Giotto: 466.
Girard, P.: 296, 571.
Giraudoux, J.: 296, 571, 689, 825.
Girondo, O.: 584.
Glancier, G. E.: 295.
Gleizes, A.: 242 s., 338, 532, 549.
Gode: 898.
Goethe, J.: 35, 60, 201, 322, 393, 627, 749, 771.
Gogh, van: 207, 240.
Goll, I.: 181, 256, 299 ss., 302, 368 s., 750.
Gómez Carrillo, E.: 545.
Gómez Correa, E.: 588.
Gómez de la Serna, R.: 119, 170, 172, 245, 266, 274, 328, 382, 388, 405 s., 512, 517, 520, 524 ss., 527, 536, 547, 549, 556, 572, 869, 879.
Gómez Bedate, P.: 755.
Gomringer, E.: 759.
Goncharov: 843.

Góngora, L.: 508.
González Alberty, F.: 591.
González-Blanco, A.: 545.
González Correa, E.: 384.
González Lanuza, E.: 583 s.
González Martínez, E.: 511.
González Olmedilla, J.: 511.
González Ruano, C.: 507, 550.
Goriely: 179.
Gorki, M.: 230.
Gorky, A.: 441, 884.
Gorman, H.: 165.
Gorodestki, S.: 174.
Gould Fletcher, J.: 470, 479, 489.
Gourmont, R. de: 31 s., 404, 406, 411, 422, 551.
Govoni, C.: 147, 152 s., 155.
Goya, F. de: 440, 491.
Goytisolo, J.: 775.
Gozzoli: 466.
Gracián, B.: 75.
Gracq, J.: 386, 437, 444, 451.
Gray, D.: 469.
Greco, el: 879.
Gregh, F.: 885.
Greiff, L. de: 593 s.
Greene, G.: 259, 791, 834.
Green, J.: 830 s.
Gregh, F.: 305.
Grenier, J.: 618 s., 668.
Gris, J.: 242 ss., 300, 530, 564, 742, 804.
Groethuysen, B.: 661.
Grohman, W.: 208.
Gropius, W.: 150, 228.
Grossi, P.: 890.
Grosz, G.: 217, 223, 227, 302, 333 s., 337.
Grünewald, L.: 208, 582, 755, 758.
Guallart, A.: 337, 547.
Guénon, R.: 386.
Guérard, A.: 57.

Guerrero, J.: 551.
Guglielmini: 172.
Guiette, R.: 273.
Guillén, J.: 549, 551.
Guillén, N.: 590.
Guillot Muñoz, A. y G.: 406, 586.
Güiraldes, R.: 42, 583, 585.
Guirao, R.: 590.
Gullón, R.: 509, 574.
Gumilyev, N. S.: 174.
Gurvitch: 636, 681.
Gustov, P.: 802.
Gutiérrez Gili. J.: 548, 554, 557, 579.
Guttuso: 784.
Guzmán, E. A.: 529.
Guys, C.: 87.

Halévy, D.: 91.
Hankiss, J.: 39, 50, 56.
Hapgood: 337.
Hardekopf, P.: 337.
Haroldo: 582.
Hartlaub, G.: 225, 227.
Hartley, L. P.: 791.
Harrar: 412 s.
Harstung: 894.
Hasenclever, W.: 211, 217 ss.
Hauptmann, G.: 202.
Hausenstein, W.: 202.
Hauser, A.: 206, 882.
Hausmann, R.: 332, 337.
Hazlitt: 658.
Heartfield, J.: 333, 337.
Hebbel: 67.
Hecht, G.: 214.
Hefele, H.: 201.
Hegel: 127, 132, 325, 350, 382, 400, 447, 449, 665, 671, 674 s., 707, 721.
Heidegger: 214, 357, 633 s., 659,

664, 667, 669 s., 673 ss., 677 ss., 681, 688, 702 s., 707, 711, 745, 898.
Heine, H.: 270, 481.
Heisenberg: 661.
Hemingway, E.: 464, 682, 685, 715, 770, 778, 801 ss., 834.
Hendry, J. F.: 464, 790.
Henríquez Ureña, M.: 507, 592.
Heráclito: 404.
Hernández Aquino, L.: 591.
Heredia, J. M.: 742.
Hernández-Catá, A.: 546.
Hernández Franco, T.: 592.
Hernández Vargas, F.: 592.
Hertz, H.: 273.
Herrera, F. de: 48, 885.
Herrera y Reissig, J.: 514, 586.
Hesse, H.: 715.
Heym, G.: 214, 216.
Hidalgo, A.: 589.
Hickel: 207.
Hilsun, R.: 337.
Hillary, R.: 791.
Hiller, K.: 210.
Hindemith, P.: 229.
Hinojosa, J. M.: 573.
Hinz, H.: 214.
Hire, M. de la: 347.
Hodler, F.: 208.
Hofer, K.: 209.
Hoffmann: 404.
Hoffmansthal, H.: 202.
Hogarth: 440.
Hölderlin: 215, 385, 395, 423.
Holmes: 807.
Holthusen, H. E.: 229.
Hollroyd, S.: 794 ss.
Homero: 38, 768.
Honneger: 282.
Hopkins, B.: 794 s.
Huebner, F.: 205.

Huelsenbeck, R.: 321, 323, 327, 330, 332 s., 337, 365.
Hughes, G.: 470, 486, 488, 491.
Hughes, S.: 869.
Hugnet, G.: 329 s., 358, 433.
Hugo, V.: 139, 162, 373, 397, 401, 408 s., 411, 444, 691 s.
Huidobro, V.: 172, 337, 529 ss., 532 s., 537, 562, 576, 588.
Huizinga, J.: 668, 875.
Hulme, T. S.: 470 ss., 474 s.
Hunt, H.: 466.
Huret, J.: 239.
Hurtado de Mendoza: 835.
Husserl: 636, 665.
Huxley, A.: 221, 491, 493, 697, 791, 804, 821, 825, 838, 854, 877.
Huyghe, R.: 243.
Huysmans: 417, 469.

Ibáñez, S. de: 586.
Ibarbourou, J. de: 586.
Ibarra, N.: 584.
Ibsen, H.: 146, 198, 671.
Ichaso, F.: 590.
Iglesias, F.: 536.
Iglesias Caballero, P.: 536.
Ingenieros, J.: 545.
Invernizzio, C.: 821.
Ionesco, E.: 438, 806, 881.
Isherwood, C.: 790.
Isou, I.: 443, 582, 741, 746 s., 750 s., 753, 759.

Jackson, H.: 468.
Jacob, M.: 183, 243, 246 ss., 255, 260, 262 s., 271 ss., 274 s., 282, 286, 293, 295, 298, 306, 422, 532 s., 544, 556, 577.
Jahier, P.: 165.

Jahl, W.: 546.
Jaloux, E.: 355, 406.
James, H.: 60, 684, 800, 821 s.
James, W.: 122.
Jammes, F.: 217, 428.
Janco, M.: 327, 332.
Jarnés, B.: 16, 549, 571.
Jarry, A.: 265, 270, 335, 373, 385, 401, 404 s., 421 ss., 425 s.
Jaspers, K.: 46, 630, 639, 642, 659, 664, 680, 830.
Jean, M.: 405, 422, 439, 441.
Jeanson, F.: 692.
Jeschke, H.: 50.
Jiménez, J. R.: 46, 96, 291, 486, 504, 506, 509, 516 s., 520, 527 s., 548 s., 551, 559.
Johst, H.: 199.
Jolas, E.: 165, 465 s.
Jolivet, R.: 634 s., 687.
Jones, B.: 466.
Jones, J.: 801.
Jong, J. de: 889.
Josephson, M.: 321, 354, 380, 464.
Jouhandeau, M.: 826.
Jovine: 783.
Jouve, P. J.: 295.
Joyce, J.: 27, 42, 64, 79, 164 s., 170, 175, 259, 269, 399, 465 s., 473, 475, 479, 481, 665, 685, 745, 806, 821 s., 835, 847, 849, 879, 884.
Jung, C.: 337, 806.
Jünger, E.: 221, 669.
Junoy, J. M.: 337, 577 s.

Kaetsner, E.: 682.
Kafka, F.: 60, 215, 217, 219, 385, 653, 663, 665, 682, 706 ss., 711 ss., 714, 843, 849, 853, 884 .
Kahlo de Rivera, F.: 441.

Kahn, G.: 117.
Kahnweiller: 241, 243.
Kaiser, G.: 170, 218, 222.
Kandinsky, W.: 54, 123, 180, 207 ss., 228, 327, 873, 879, 894.
Kaniensky: 176.
Kant, M.: 630, 680.
Kanters, R.: 857.
Kästner, E.: 224.
Kaufman, F.: 669.
Kaun, A.: 175.
Kayser, R.: 217, 224.
Keats, J.: 423, 472, 487.
Kennedy: 136.
Kerouac, J.: 801, 805, 807 ss.
Kerr, A.: 75.
Khlevnikov, V.: 174 ss.
Kierkegaard, S.: 34, 60, 198, 415, 664 ss., 668 ss., 671 ss., 674 ss., 681, 711 s., 715, 796, 848, 890.
Kilne, F.: 801.
Kingsley, D.: 795.
Kinta-Niya: 593.
Kipling, R.: 134, 136, 142, 161, 182.
Kirchner: 207, 209.
Klages, L.: 629, 637.
Klee, P.: 207, 209, 227, s., 440, 742.
Klemm, W.: 213, 303.
Klosowski, P.: 418.
Knudson, A. C.: 637.
Koestler, A.: 389, 615, 661, 692 s., 791.
Kokoschka, O.: 209, 217, 219, 879.
Konehner: 176.
Kooning, W. de: 801.
Kosice, G.: 890.
Kraft-Ebbing: 421.
Kreymborg, A.: 469.
Kruchenik: 176.

Kubin, A.: 208.
Kummer: 53.
Kussikov, A.: 178.

La Berthonière: 664.
La Bruyère: 879.
Laclos: 404, 417, 419.
Lacoste, B. de: 413.
Lacroix, J.: 409, 631.
Lacuzon, A.: 305, 885.
Lafayette, Mme. de: 287.
La Fontaine: 64.
Laforet, C.: 682.
Laforgue, J.: 273, 742.
La Fresnaye: 243.
Lagrolet, J.: 842.
Laín Entralgo, P.: 49, 634.
Lalande: 629 s.
Lalou, R.: 308.
Lamartine: 408 s.
Lam, W.: 441.
Lamb, W.: 384 s.
Lampedusa: 784.
Landor: 658.
Landsberg, P. L.: 631, 664, 668.
Lang, F.: 229.
Lange, N.: 583 s.
Lanza, S.: 543.
Larbaud, V.: 63, 75, 137, 172, 254, 269, 278, 294 s., 355, 406, 777, 826.
Larionov: 122, 181.
Larmesein: 440.
Larra: 423.
Larrea, J.: 430, 444, 505, 534, 550, 557, 561, 575 s.
Lasker-Schuler, E.: 302.
Lasso de la Vega, R.: 337, 511, 544, 547, 554. 563.
Laurencin, M.: 243.
Laurens, H.: 300.

Lautréamont: 60, 335, 356, 380, 385, 388, 390, 392, 397, 399, 401, 403 ss., 406 ss., 409 ss., 412, 434, 742.
Lavelle, L.: 664.
Lawrence, D. H.: 464, 470, 475, 479, 490, 492 ss., 495 s., 792.
Lawrence, F.: 492 s.
Lawrence, T. E.: 715.
Le Corbusier: 301, 352, 879.
Léger, F.: 228, 244, 278, 302.
Leguina, E.: 512.
Lehmann, J.: 790 s.
Leibniz: 630.
Leiris, M.: 656.
Lély, G.: 418.
Lemaître, G.: 243, 245, 406.
Lemaître, M.: 742, 753 s.
Lemonnier, C.: 777.
Lenau: 423.
Leni, P.: 229.
Lenin: 393, 621, 693.
Lenski: 892.
Leopardi: 404, 481.
León, Fr. L. de: 48, 885.
Lermontov: 424.
Le Senne: 631.
Lessing, D.: 794.
Lethève, J.: 240.
Levet, H. J.: 278, 295.
Levi, C.: 775.
Levin, H.: 165.
Lew, W.: 796.
Lewis, C.: 402, 404 s., 417.
Lewis, W.: 473 ss., 481, 792, 877.
Lewisohn, R.: 469.
Lezama Lima, J.: 590.
Lichtenstein: 214.
Lilli, F.: 140.
Lima, J. de: 581.
Limbour: 372, 380.

Linde, O.: 206.
Linder, R.: 806.
Lindsay, V.: 473.
Linera, E. G. de: 543.
Lipchitz, J.: 244, 530, 549.
Lissitzky: 333.
List Arzubide, G.: 593.
Livingston Lowes, J.: 478.
Lizaso, F.: 590.
Lobo, G. E.: 510.
Loewith, K.: 667, 670.
London, J.: 844.
Longanesi, L.: 169.
Lope de Vega, F.: 35, 48, 266, 306, 483, 573.
López Parra, E.: 547.
López Salinas, A.: 775.
López Soler: 577.
Lora, J. J.: 588.
Lozano: 172.
Lowell, A.: 470, 476, 478 s., 486 ss., 489.
Lubicz-Milosz, O. W.: 294 s., 742.
Lucini: 144.
Luelmo, J. M.: 551.
Lugné-Poe: 422.
Lugo, S.: 591.
Lugones, L.: 432, 585.
Lukacs, G.: 771, 819, 873, 883 s.
Lulio, R.: 404.
Lunacharsky: 178, 180.
Luque, T.: 547.

Lleras Camargo, A.: 593.
Llinás, J.: 384.
Lloréns Torres, L.: 591.
Llosent y Marañón, E.: 551.
Llovet, J. J.: 511.
Lloyd, H.: 574.
Lloyd, M.: 330, 337.

Macari, M.: 169.
MacDonald, D.: 30, 875.
Mac Carthy, M.: 801.
Machado, A.: 512 s., 520, 549, 590, 634, 657, 680 s.
Machado, M.: 36, 504.
Macke, A.: 207, 209.
Mackenzie, H.: 242.
Mac Leish, A.: 293.
MacNeice, L.: 790.
Mac Orlan, P.: 170, 780.
Madox Brown, F.: 466, 474, 479.
Madox Hueffer, F.: 470, 822.
Maeterlinck, M.: 146, 290.
Maeztu, R. de: 35, 623.
Magny, C. E.: 67, 785, 770, 823, 827, 834.
Magny, O. de: 842 s.
Magritte, R.: 442.
Mahler, G.: 229.
Maiakovsky, V.: 174 ss., 177 s., 180, 299, 432, 756, 873.
Mailer, N.: 801, 807.
Malagrida, P.: 850.
Malamud, B.: 801.
Malévich: 181, 333, 759, 873.
Malfatti, A.: 580.
Malherbe: 660.
Malkine: 372, 379.
Malraux, A.: 34, 38, 259, 389, 411, 533, 644, 653, 658, 661, 712, 829 s., 834.
Mallarmé, S.: 117, 124, 130, 239, 272, 278, 289 s., 301, 311, 373, 405, 745, 755, 893.
Manent, M.: 488, 495.
Mann, H.: 197.
Mann, T.: 201, 203, 625, 713, 884.
Manoll, M.: 291.
Manrique, J.: 37, 724, 740.
Mantegna: 482.
Manzoni: 773.

Mañach, J.: 590.
Maples Arce, M.: 172, 593.
Mar, S. del: 588.
Maravall, J. A.: 636.
Marc, F.: 207 ss., 216.
Marc, K.: 199.
Marcel, G.: 630, 633, 642, 659, 664, 680.
Marcoussis: 300.
Marchena: 444.
Mariani, C.: 544.
Marías, J.: 50, 54 s., 673, 681.
Mariátegui, J. C.: 589.
Marienhof, A.: 178.
Marill-Albérès, R.: 663, 696, 705, 822, 824.
Marin, J.: 337, 587.
Marinello, J.: 590.
Marinetti, F. T.: 85, 109 ss., 112 ss., 115, 118, 120, 123 ss., 126 ss., 129 ss., 133 ss., 136, 141 ss., 144, 146 ss., 151 ss., 154 ss., 157 s., 161 s., 166 ss., 169, 171 s., 174, 182, 185 ss., 253, 259, 311, 327, 344, 474, 526, 544, 552, 756, 777, 877, 891, 893.
Maritain, J.: 626, 630, 639.
Marlowe: 230.
Martin du Gard, R.: 824.
Martín, F.: 202.
Martins, W.: 579.
Martínez Corbalán, F.: 512.
Martínez de Toledo, A.: 845.
Martínez Pascual: 444.
Martini, S.: 466.
Marx, K.: 380, 388, 404, 615, 633, 721, 890.
Massis, H.: 262.
Masson, A.: 380, 440.
Massot, P. de: 347.
Masterman, M.: 891.

Matisse, H.: 207, 240, 242, 804, 879.
Maturin: 385, 402, 411, 417.
Mauriac, C.: 403, 444, 696.
Mauriac, F.: 791, 830.
Maurois, A.: 262.
Maurras, C.: 471.
Mayo, H.: 593.
Mazza, A.: 148, 152.
Meger, A.: 210.
Mehring, W.: 224, 337.
Meireles, C.: 581.
Meister, H.: 211.
Meléndez Valdés, J.: 885.
Melville, H.: 653, 800.
Mendelsohn, E.: 228.
Mendes, C.: 124.
Mendes, M.: 581.
Méndez, E.: 584.
Menéndez Pelayo, M.: 65, 444, 511.
Menéndez Pidal, R.: 60, 769.
Mense: 226.
Mentré, F.: 57.
Meredith: 478, 823.
Meriano, F.: 337.
Mérida, C.: 384.
Merleau-Ponty, M.: 656, 692 s.
Mesnard, P.: 673.
Metzinger: 242 s.
Meyer, F.: 673.
Mezei, A.: 405, 423, 439, 441.
Micic, L.: 368, 750.
Mickiewicz: 407.
Michaud, G.: 50, 54 s.
Michaud, R.: 139.
Michaux, H.: 376, 804.
Michel, M. G.: 244.
Michelet: 673.
Michelli, M.: 201, 204.
Middleton-Murry, J.: 493, 611.
Miguel Angel: 139.
Milhaud, D.: 277.

Milton: 407.
Millais, J. E.: 466.
Miller, A.: 219.
Miller, H.: 655, 683, 804, 808, 810 s.
Milliet, S.: 581.
Mira de Amescua: 693.
Miranda Archilla, G.: 591.
Mirbeau, O.: 117.
Miró, G.: 262, 385, 522, 742.
Miró, J.: 440 s., 823.
Modern, R.: 214, 216.
Modigliani: 244, 327.
Moholy-Nagy: 228, 879.
Moles, A.: 891.
Molière, J. B.: 223.
Molina, E.: 384.
Molinos, M. de: 805.
Molnar, F.: 122.
Molzahn: 228.
Momigliano, A.: 165.
Mondrian, P.: 759, 840.
Monet, C.: 240.
Monguió, L.: 588.
Monnerot, J.: 443.
Monnier, A.: 292.
Monro, H.: 473, 491.
Monroe, H.: 473, 487.
Montaigne, M.: 404.
Montale, E.: 784.
Montayá, L.: 579.
Montes, E.: 537, 541, 554, 560, 597.
Montesinos, J. F.: 513.
Montherlant, H. de: 829.
Moon, F.: 753, 893.
Moore, G.: 469, 879.
Morador, F.: 586.
Moraes, V. de: 581.
Morales, T.: 517.

Morand, P.: 135, 250, 255 s., 259, 261, 278, 294 ss., 297, 558, 826.
Morante, E.: 784.
Moravia, A.: 682, 776, 780 s., 783, 843, 880 s.
Moréas, J.: 239, 305, 885.
Moreau, G.: 439.
Morenas de Tejada, G.: 511.
Moreno Jiménez, D.: 592.
Moreno Villa, J.: 513 s., 516, 549, 569.
Morhange, P.: 369.
Morice, C.: 305.
Morisse: 372, 379.
Moro, C.: 384, 589.
Morris, C.: 894.
Morris, W.: 466 s., 853.
Moscherosch: 200.
Mosquera, L.: 544.
Motherwell, R.: 327.
Moumin, G.: 898.
Mounier, E.: 622 s., 627, 630 ss., 633, 635, 637 s., 640 s., 645 s., 664, 670.
Mozart: 483.
Mueller, O.: 207.
Muir, E.: 478, 485.
Munch, E.: 54, 208.
Müller-Freinfels: 637.
Munari, B.: 890.
Muñoz Marín, L.: 592.
Murdoch, I.: 791.
Murguer, H.: 468, 881.
Murnau: 229.
Muschig, W.: 201.
Musil, R.: 581, 884.
Musset, A de: 223, 284, 395 s., 407 ss., 829.

Nadeau, M.: 367, 391, 824, 847, 850 s.
Nash, J.: 889.

AUTORES CITADOS

Navarro Luna, M.: 590.
Naville, P.: 372, 379, 391.
Nazaré, J.: 587.
Negri, A.: 165.
Neruda, P.: 532 s., 587.
Nerval: 376, 401, 404, 430, 444.
Neuhuys, P.: 96, 246, 253, 255, 295.
Newman: 796.
Nicholson, B.: 878 s.
Niemeyer: 581.
Nietzsche, F.: 55, 91, 168, 198, 348, 404, 419, 424, 471, 637, 664, 669.
Nijinsky: 715.
Nizan, P.: 628.
Noailles, condesa de: 262.
Nobokov, V.: 803, 823.
Nobre, A.: 580.
Nolde, E.: 54, 207.
Noll: 372.
Nordau, M.: 31, 468, 774.
Norton, M.: 337.
Nouveau, G.: 373.
Novalis: 50, 395 s., 404, 423.
Novo, S.: 593.
Núñez de Arce: 510.
Núñez, E.: 588 s.

O'Connor: 136.
Olivet, F. d': 444.
Olivié, E.: 337.
Olivier, A.: 656.
Ollier, C.: 854.
Ombiaux, M.: 244.
O'Neddy, Ph.: 406.
Onís, F. de: 504, 507, 590.
Ontañón, E. de: 550.
Oppenheimer, F.: 592, 877.
Oquendo, C.: 588.
Oribe, E.: 172.

Ors, E. d': 38, 94, 513, 537, 546, 549, 844.
Ortega y Gasset, J.: 34, 45, 50, 52, 54, 57, 75, 81, 83, 88, 92, 183, 256, 508, 513, 517, 520, 551, 584, 599, 613, 623, 634, 665, 670, 674 ss., 677 ss., 680, 820, 869, 877.
Ortelli, R.: 172.
Orvatov: 176.
Orwell, G.: 221, 790 s.
Osborne, J.: 793 s., 797 ss., 802.
Ossorio, M. A.: 594.
Ottaviano: 637.
Oud, J. P.: 150.
Ouida: 821.
Owen, R.: 811.
Oyarzún, A.: 587.
Ozenfant, A.: 351 s., 369.

Paalen, W.: 384, 430.
Pabst, G. W.: 229.
Pack, W.: 337.
Palacio, M. del: 510.
Palazzeschi, A.: 121, 144, 152 s., 155.
Palés Matos, L.: 591.
Pansaers, C.: 337, 359.
Panter, P.: 224.
Panzini, A.: 773.
Papini, G.: 111, 121, 152, 154 ss., 157 s., 160, 165, 773.
Pardo, J.: 482.
Pareto, W.: 871.
Parinaud, A.: 390.
Parmentier, F.: 305.
Parrot, L.: 419.
Pascal, B.: 88 s., 630, 641, 702 796.
Pascoli: 159, 163.
Passarge, W.: 50.
Pasternak, B.: 175.
Pater, W.: 468 s.

Patmore, C.: 466.
Patri, A.: 405.
Paul, E.: 466.
Paul, J.: 376, 395.
Paul, L.: 793.
Paulhan, J.: 64, 241, 348, 351 s., 408, 418 s., 656, 841.
Paulo Paes, J.: 758.
Pauwels, L.: 445.
Pavese, C.: 776 s., 779, 782 s.
Paz, O.: 384.
Peano: 898.
Pechstein, M.: 207.
Pedroso, R.: 590.
Peguy, C.: 404, 622, 626, 645 s., 664.
Pellegrini, A.: 384.
Pellerín, J.: 294.
Pellicer, C.: 593.
Pellizzi, C.: 154, 159.
Peña, M. de la: 550.
Peralta: 588.
Pereda Valdés, I.: 586.
Péret, B.: 261, 350, 372, 379, 385, 396, 437, 449.
Pérez Alfonseca, E.: 592.
Pérez de Ayala, R.: 506, 575, 585, 850.
Pérez Galdós, B.: 483, 820.
Pérez Jorba, J.: 248, 578.
Perrault, C.: 879.
Perron, H.: 700.
Perrot, L,. 276.
Pessoa, F.: 173.
Petersen, J.: 50, 52 s., 57, 61, 152, 613.
Petrovick, J.: 588.
Pevsner, A.: 181, 333, 873.
Peyre, H.: 49 s., 56, 262, 658, 824.
Pfeiffer, J.: 34.
Pfemfert, F.: 210, 213.
Pharamouse: 337.

Philippe, Ch. L.: 145.
Picabia, F.: 183, 328 s., 331 s., 335, 337, 339 ss., 342 s., 346 s., 350 s., 353, 356, 364, 369, 385, 424, 437, 544, 577.
Picasso, P.: 54, 79, 123, 157, 209, 227, 241 ss., 245, 264, 266, 271, 274, 280 s., 288, 327, 347, 438, 440, 524, 530, 549, 742, 804.
Picchia, M. del: 580 s.
Pichette, H.: 749.
Picon, G.: 239, 244, 372, 695, 825, 830.
Piel, J.: 165.
Pieyre de Mandriargues, A.: 438.
Pignatari, D.: 582, 755, 757, 759.
Pinder, W.: 50 s., 57, 61, 613.
Pingaut, B.: 853.
Pinguet, R.: 842, 854.
Pino, F.: 551.
Pinthus, K.: 217.
Piñero, F. M.: 583.
Piovene: 783.
Pirandello, L.: 79, 773.
Piranesi: 440.
Piscator, E.: 224.
Pissarro: 240.
Plagge, H.: 214.
Platón: 75, 399, 404, 665.
Plotino: 111.
Plutarco: 703.
Poe, E. A.: 117, 131, 373, 380.
Poggioli, R.: 872, 874, 883 ss., 886 ss., 900.
Polgar, A.: 224.
Pollock, J.: 801.
Ponge, F.: 891.
Porlán y Merlo, R.: 551.
Portal, M.: 588.
Porter, Anne, K.: 801.
Portinari: 581.
Poulenc: 282.

AUTORES CITADOS

Pound, E.: 135, 302, 469 ss., 472 ss., 475 s., 478, 480, 482 ss., 485, 488 s., 491, 755, 801, 847, 877.
Powel, A.: 791.
Prado, P.: 172, 529.
Prados, E.: 550.
Prampolini, E.: 150.
Prampolini, G.: 204.
Prattolini, V.: 776 s., 783.
Praz, M.: 319, 417.
Prebisch, A.: 584.
Prévert, J.: 350, 386, 437.
Prezzolini, G.: 119, 121, 141, 154, 159 ss., 165, 773.
Propercio: 480 s.
Proust, M.: 42, 79, 404, 469, 653, 685, 824, 826, 847, 849, 884.
Puccini, M.: 773.
Purdy, J.: 801.
Pusckin: 424.

Quarantotti-Gambini: 783.
Queneau, R.: 437.
Quental, A. de: 423.
Quevedo, F. de: 89, 200, 404 s.
Quincey, Th. de: 405, 429.
Quint, L. P.: 410, 412.
Quiroga, H.: 432.

Rabbe: 373, 406.
Rabelais: 267, 270, 404, 423, 768, 820.
Racine, J.: 90, 134.
Rachilde: 162.
Radcliffe, A.: 402, 411, 417.
Radiguet, R.: 263, 286, 294, 781.
Rafael: 158, 466 s.
Ráfols, J. E.: 577.
Raida, P.: 544.

Ramalhao Ortigao: 804.
Ranjou Chakbaborty, K.: 894 s.
Ravey: 174.
Ray, M.: 328 s., 352, 358, 385.
Raymond, M.: 187, 239, 246, 252, 257, 295, 301, 416, 433.
Raynal, M.: 77, 243, 247.
Read, H.: 43, 207, 242, 411, 447, 463 ss., 471 s., 479, 801, 878 s., 895.
Redon, O.: 439.
Regio, J.: 173.
Reinhardt, M.: 224.
Rello, F. y G.: 547.
Renard, J.: 273, 556.
Renéville, R. de: 415.
Renoir, A.: 240.
Renouf, E.: 384.
Renouvier, Ch.: 630.
Resnais, A.: 780, 844.
Restif de la Bretonne: 404, 417.
Reverdy, P.: 243 s., 247 s., 260 ss., 289 ss., 292 s., 295, 306, 353, 369, 373, 434, 530, 532, 544, 577.
Rewald, J.: 240.
Reyes, A.: 35, 63, 549, 746.
Reyes, S.: 588.
Ribemont-Dessaignes: 320 s., 327, 330, 336 ss., 339 s., 349, 353 ss., 358, 363, 369, 380, 388, 437.
Ricard, R.: 673.
Ricardo, C.: 581.
Richardson: 417.
Richter, H.: 337.
Rickert, M.: 478.
Riegl, A.: 202.
Rigaut, J.: 350, 353, 426 s., 430.
Rilke, R. M.: 42, 47, 203, 215.
Rimbaud: 60, 64, 182, 222, 270, 272, 335, 352, 371, 373, 380, 388, 390, 395, 397, 401, 405, 412 ss.,

415 s., 426, 432, 444, 615, 709, 715, 808, 853.
Río, A. del: 512.
Riopelle: 385.
Rivas, H.: 172, 546 s.
Rivas Panedas, J.: 505, 536, 546 s., 549, 555.
Rivera, D.: 271, 393.
Rivera Chevremont, E.: 591.
Rivera, J.: 591.
Rivière, J.: 327, 355, 395, 415.
Roades, K.: 337.
Robbe-Grillet, A.: 818, 831, 836 s., 841 ss., 844 s., 847 ss., 850, 854, 879.
Rodríguez Alcalde, L.: 845.
Rodríguez Feo, J.: 590.
Rokha, P. de: 587 s.
Roh, F.: 226 ss.
Roh, M. van der: 228.
Rojas Giménez, A.: 587.
Rojas Paz, P.: 583.
Rolland, R.: 303, 326, 391, 393.
Romains, J.: 122, 253, 294, 305, 824 s., 837, 854.
Romero, F.: 629, 636.
Romero y Martínez, M.: 544.
Romero, R.: 517.
Romoff: 350.
Ronsard: 270, 404.
Rops, D.: 626 s., 638.
Rosa-Nieves, C.: 591.
Rose, W.: 203.
Rosenberg, L.: 247.
Rosenthal, G.: 700.
Rosny, J. H.: 117.
Rossellini: 769, 778.
Rossetti, C. G.: 466 s.
Rossetti, D. G.: 466 s.
Rossetti, M.: 466.
Rot, D.: 753, 893, s.
Rothke: 801.

Rouault: 207, 240.
Rougemont, D. de: 622, 626, 628, 636, 642.
Rousseau, J. J.: 385, 406, 440, 445, 658.
Roussel, R.: 373.
Rousselot, J.: 291.
Rousset, D.: 700.
Rubens, P. P.: 139, 823.
Rubert de Ventós, X.: 896.
Rubiner, L.: 210 s., 216 s., 303.
Rudlinger, A.: 208.
Ruskin, J.: 159, 466 s.
Russell Lowell, J.: 486.
Russolo, L.: 144, 147 ss., 327.
Rychner, M.: 224.

Sá Carneiro, M.: 173, 580.
Sábato, E.: 446, 448, 842, 844 s.
Sade: 61, 265, 373, 380, 397, 403 ss., 416 ss., 419 ss., 653, 669.
Saint-Georges de Bouhélier: 305.
Saint-John Perse: 262, 295, 373.
Saint-Just: 669.
Saint-Martin, C.: 444.
Saint-Pol Roux: 370 s., 486.
Sainte-Beuve, C. A.: 68.
Sainz de Robles, F. C.: 507.
Salazar, A.: 548.
Salemson, H. J.: 466.
Salinas, P.: 30, 36 ss., 52, 508 s.
Salinger, J. D.: 801.
Salmon, A.: 243 s., 260 s., 263, 266, 268, 273, 294 s., 298 s.
Salvat Papasseit, J.: 577 s.
San Agustín: 198, 619, 664.
San Bernardo: 664.
San Francisco de Asís: 806.
San Juan de la Cruz: 508, 806.
Sánchez Barbudo, A.: 673.
Sánchez, J.: 543.

Sánchez-Juan, S.: 577, 579.
Sánchez Saornil, L.: 547.
Sand, G.: 223.
Sandburg, C.: 122, 302, 473.
Sanín Cano, B.: 60.
San Saor, L. de: 547.
Santa Rita: 173, 580.
Santayana, G.: 60, 803.
Sant'Elia, A.: 150, 154.
Santo Tomás de Aquino: 404.
Santos Torroella, R.: 543.
Saporta, M.: 854 s.
Sardar: 337.
Sartre, J. P.: 39 s., 67, 259, 287, 388, 420, 443 ss., 622, 635, 640 s., 653, 655, 658 s., 663, 667, 673 s., 677 ss., 681, 683, 685 ss., 688 ss., 691 ss., 694 ss., 697 ss., 700 ss., 704, 706, 715, 719, 722 ss., 725 ss., 823, 825, 831, 838, 854, 858.
Sarraute, N.: 823, 838 s., 842, 847, 849 s., 858.
Satie, E.: 282, 338, 347.
Scarfe, F.: 464, 790.
Scève, M.: 404.
Schad, Ch.: 337.
Schéhadé, G.: 386, 438.
Scheler, M.: 630, 636, 664.
Schickele, R.: 210 s., 217.
Schiff, F.: 226.
Schiller: 183, 891, 894.
Schlegel, W.: 201.
Schlumberger, J.: 655.
Schmidt, A. F.: 581.
Schmidt-Rottluff: 207.
Schoeffer, N.: 348, 759, 891.
Schoerer, M.: 821 s.
Scholtz: 226.
Schönberg, A.: 229, 879.
Schrimph: 226.
Schwitters, K.: 333 s., 337, 893.
Schwob, M.: 272.

Sciacca, M. F.: 670, 673 s.
Scott Fitzgerald: 464, 658.
Scott, G.: 793.
Scuderi, M.: 840, 890.
Sécrétain, R.: 618.
Segal, A.: 337.
Segall, L.: 580.
Seguel, G.: 588.
Segura de la Garmilla, R.: 507.
Selvinsky, I.: 181.
Séneca: 431, 681.
Sénéchal, C.: 50, 305, 308.
Serner, V.: 323, 327, 337.
Serrano Poncela, S.: 58, 60.
Settimelli, E.: 123, 146, 152 s.
Seurat: 54.
Severini, G.: 144, 148 ss., 153 s., 227.
Severyanin, I.: 175.
Shakespeare, W.: 35, 422, 483.
Shapiro, K.: 67.
Shattuck, R.: 244.
Shaw, B.: 60, 146, 222, 796.
Shelley, M.: 396, 404, 417, 423, 530, 658, 877.
Sica, V. de: 769, 778 s.
Sicuani: 588.
Silone, I.: 389, 775.
Silva, C.: 586.
Silva, G. de: 511.
Silva, J. A.: 432.
Sillitoe, A.: 793.
Simmel, G.: 88, 198.
Simon, C.: 842, 854.
Sironi, M.: 537.
Sisley: 240.
Sitwell, E.: 464.
Slevogt: 54.
Slonim, M.: 174.
Smith: 172.
Snow, C. P.: 791, 876 s.
Soares Amora, A.: 580.

Sócrates: 431, 664.
Soergel, A.: 202, 204 ss., 211, 214, 217, 225.
Soffici, A.: 121, 152 s., 155, 157 ss., 160, 182 ss., 772.
Solé de Sojo, V.: 577.
Soloviev: 664.
Sorel, G.: 116, 471.
Soupault, Ph.: 181, 250, 253, 255 s., 261, 263, 266, 290, 321, 331, 335, 337, 340 s., 343 s., 349 s., 353, 355 s., 359, 368, 370, 372, 374, 379 s., 388, 406, 408, 424, 430, 436, 548, 572, 574, 826.
Southey: 407.
Soutine: 879.
Souvirón, J. M.: 506.
Spacagna: 759.
Spagnoletti, G.: 153.
Spender, S.: 389, 790, 876, 878 s., 887.
Spengler, O.: 200, 387.
Spingarn, J. E.: 66 s.
Spitzer, L.: 250.
Spranger, E.: 44.
Stadler, E.: 210, 214, 216.
Stein, G.: 122, 175, 801 ss.
Stein, L.: 243, 804.
Steinbeck, J.: 682, 686, 834.
Steiner, R.: 198.
Stendhal: 348, 653, 820.
Stern, A.: 667.
Stern, W.: 631, 637.
Sternheim, C.: 217, 222 ss.
Stevenson, R. L.: 767.
Stieglitz, A.: 329, 337, 347.
Still, C.: 801.
Stirner, M.: 664.
Storni, A.: 432.
Strachey, C.: 892.
Stramm, A.: 214, 216.
Stravinsky: 229, 337, 879.

Strindberg: 155, 198, 217, 223.
Struve, G.: 180 s.
Stuart Merrill: 742.
Styron, W.: 801.
Suckert Malaparte, C.: 170, 772.
Sucre, J. M. de: 579.
Sue, E.: 417.
Suetonio: 704.
Supervielle, J.: 295, 586, 711, 742.
Survage: 280, 338.
Swendenborg: 444.
Swift: 373, 405.
Symons, A.: 469, 483.

Talbok Keller, J.: 213.
Tallet, J. Z.: 590.
Tanguy, I.: 385, 440.
Tapié, M.: 759.
Tárrago, T.: 417, 821.
Tatlin, V.: 181.
Tato: 150.
Tauler: 198.
Taut, B.: 228.
Teixeira de Pascoaes: 580.
Terán, C. de: 551.
Terrail, P. du: 821.
Thackeray: 791.
Thérive, A.: 777.
Thibaudet, A.: 49 s., 57, 63, 76, 262, 599, 616 s.
Thomas, D.: 464, 790.
Thoreau, D. H.: 800, 811.
Tieck: 395.
Tilgher, A.: 39 s., 163.
Tinguely, J.: 348, 759, 890.
Tirso de Molina: 693.
Tobey, M.: 801.
Toklas, A. B.: 803.
Tolstoi, L.: 820.
Toller, E.: 224.
Tony: 122.

Torino, E. de: 542.
Torre, G. de: 172, 337.
Toroop: 54.
Torrente Ballester, G.: 512.
Torres Bodet, J.: 172, 593.
Toulet, P. J.: 275, 294, 305, 308.
Toulouse-Lautrec: 54.
Towarnicki: 667.
Toynbee, A.: 108, 111 s.
Trakl, G.: 214 ss., 217, 302.
Träuber, S.: 337.
Treece, H.: 464, 790.
Tristán, F.: 444.
Troncoso, A.: 587.
Trotsky, L.: 366, 393, 884.
Tschichold, J.: 228.
Tzara, T.: 130, 183, 185, 261, 263, 302, 320, 322 ss., 325 ss., 330 ss., 334 ss., 337 ss., 340 ss., 343 ss., 346 ss., 350, 352 s., 356 ss., 363, 365, 368, 424, 429, 433, 436, 449, 544, 552, 572, 741 s., 751.
Tynan, K.: 794.

Uhde, W.: 242.
Unamuno, M. de: 36, 47, 91, 109, 322, 405, 504, 513, 517, 521, 568, 623 s., 631, 634, 665 s., 669 ss., 672 ss., 675 s., 706 ss., 821.
Ungar, H.: 222.
Ungaretti, G.: 182, 184, 350.
Unruch, F.: 219, 222.
Updike, J.: 801.
Urbina, L. G.: 545.
Uspenski: 806.

Vacaresco, H.: 741.
Vaché, J.: 335, 373, 424 ss., 427, 430.
Vagts, A.: 337.

Vaillant-Couturier: 644.
Val Baker, D.: 551.
Valbuena Prat, A.: 513.
Valdelomar, A.: 432.
Valcárcel, L. E.: 589.
Valéry, P.: 33, 39 s., 42, 46 s., 93, 163, 295, 335, 356, 375, 404, 426, 571, 695, 821, 827, 898.
Valverde, J. M.ª: 364.
Valle, A. del: 544, 547, 551, 554, 557, 565.
Valle, R. del: 587 s.
Valle-Inclán, R. del: 16, 35, 86, 262, 405, 521, 805, 850.
Vallejo, C.: 533, 550, 576, 589.
Vallette, A.: 422.
Van Gogh: 39, 715.
Vando-Villar, I. del: 544, 547, 554.
Varagnac, A.: 182.
Varallanos, A.: 588.
Vasarely: 891.
Vargas Vila: 545.
Vasseur, Armando: 671.
Vaux, P. de: 796.
Vauxcelles, L.: 242.
Vaz Ferreira, M. E.: 586, 636.
Vecchi, O.: 152.
Vega, D. de la: 529.
Vega, V. de la: 422.
Vela, A.: 593.
Vela, F.: 363, 398.
Velázquez: 441, 482.
Vera, S.: 550.
Verga, G.: 159, 773.
Vergalo, R. de: 742.
Vergani, O.: 772.
Verhaeren, E.: 136, 139 s., 155, 161, 182, 253, 278, 309, 515, 837.
Verlaine, P.: 117, 335, 407, 413 s., 483.
Verly, G.: 337.
Vermeer de Delft: 441.

Verona, G. da: 125.
Vico: 55.
Vidales, L.: 593.
Videla, G.: 535, 544, 553, 562, 598.
Viélé-Griffin: 742.
Vighi, F.: 548, 554, 557.
Vigny, A. de: 404.
Vildrac, Ch.: 122, 294.
Villacian, A. de: 537.
Villaespesa, F.: 511 s., 545.
Villa-Lobos: 581.
Villalón, F.: 551.
Villarrutia, X.: 593.
Villon, J.: 230, 270, 328, 404.
Vinci, L. de: 77, 93, 334, 895.
Virgilio: 404.
Visconti: 778.
Vita-Finzi, P: 162.
Vitier, C.: 590.
Vitrac, R.: 351 s., 372, 378, 380, 388.
Vittorini, E.: 770, 776, 778, 783.
Vlamimck: 207, 240.
Voirol, S.: 309.
Voltaire: 60, 283, 658, 703.
Vossler, K.: 767.

Waehlens, A.: 667, 669 s.
Waehlens, A. de: 702.
Wagner, R.: 220.
Wahl, J.: 634 s., 664, 711.
Wain, J.: 793 ss., 887.
Walden, H.: 203, 210, 333.
Walpole, H.: 402.
Warner, R.: 682.
Warnod, A.: 244.
Wassermann, J.: 203.
Waugh, E.: 221, 791, 823.
Webern, A.: 755.
Wechsler, E.: 57.
Wedekind, F.: 203, 219, 223.

Weidlé, V.: 857.
Weightman, J. G.: 850.
Weill, E.: 667.
Weill, K.: 229.
Weininger, O.: 156, 431.
Wells, H. G.: 111, 122, 125, 711, 821 s., 876.
Werfel, F.: 199, 206, 212, 216, 218, 220 s., 303.
West, R.: 474.
Westerdahl, E.: 382, 551, 576.
Westheim, P.: 205 s., 208.
Westphalen, E. A.: 384, 589.
Whitman, W.: 117, 122, 136 ss., 139, 155, 161, 182, 212, 253, 278, 322, 478, 480, 489, 515, 671, 800.
Whyte, W. H.: 799.
Wiclif: 796.
Wiene, R.: 229.
Wigman, M.: 337.
Wilde, O.: 73, 75, 77, 283, 330, 404, 469.
Wilson, A.: 791.
Wilson, C.: 715, 793 s., 796 s.
Willenski, R. H.: 466.
Winters, I.: 67.
Whiton Calkus, M.: 637.
Williams, C. W.: 470, 479, 807.
Witgenstein: 899.
Wolf, K.: 215.
Wolfenstein, A.: 212, 217.
Wölflin, H.: 46.
Wolkowitz, A.: 337.
Woolf, V.: 768, 821, 849.
Woolner, T.: 466.
Worringer, W.: 202.
Wright, F. L.: 150.

Ximénez, M.: 594.
Xisto, P.: 755, 757.
Xul Solar: 585.

Yagües: 545.
Yasine, K.: 842.
Yeats, G.: 47, 485, 877.
Yépez Alvear: 587.
Yesenin, S.: 178 ss., 873.
Yngve, V.: 892.

Zalamea, J.: 593.

Zavattini, C.: 779.
Zdánevich, I.: 175, 750.
Zech, P.: 210.
Zelinsky, K.: 180.
Zevi, B.: 150.
Zola, E.: 117, 655, 686, 766, 769, 784, 822.
Zubillaga, L.: 547.

INDICE GENERAL

Introducción 13

   Confrontaciones a distancia 15
   Concepto y evolución de la vanguardia 20
   Una literatura experimental 26
   El arte como tradición y el arte como originalidad 30
   Movimientos y personalidades 41
   El punto de vista de las generaciones 49
   Función de una crítica literaria 62
   Addenda 69

Prólogo a la primera edición 71

   El sentido de la nueva crítica 73
   Aire del tiempo 78
   El arte de ser joven 80
   El deber de fidelidad a nuestra época 82
   Fisonomía de la modernidad 84
   Valoración del propio tiempo o heroísmo de lo moderno ... 87
   Contra el concepto de lo eterno 89
   Actitud ante el pasado 92
   La falacia del retorno 93
   La valoración oportuna 96
   Bibliografía 99

1. FUTURISMO 105

   Elegía, no apología 107
   Un futurismo sin futuro 110
   Aquel día de 1909 112
   El mito de la modernidad 114
   El primer manifiesto 115
   Antipasadismo o el hartazgo de los siglos 118

La Italia del alba futurista ... 119
Atmósfera de una época inaugural ... 121
Marinetti y su obra programática ... 123
Al cumplirse casi medio siglo ... 126
Manifiesto técnico de la literatura futurista ... 128
La nueva sensibilidad maquinística ... 131
La religión moral de la velocidad ... 134
Filiación del futurismo ... 136

    a) Whitman ... 136
    b) Verhaeren ... 139
    c) D'Annunzio ... 140
    d) Kipling ... 142

Otras innovaciones del futurismo ... 143
El "teatro sintético" ... 146
El futurismo en las artes plásticas ... 148
Una síntesis de manifiestos ... 151
Los adeptos y su evolución ... 152
Las escisiones: Papini y su "experiencia futurista" ... 154
Un renegado: Soffici ... 157
...y un tránsfugo eminente: Prezzolini ... 159
Futurismo, "ápice de la decadencia romántica" ... 162
Huellas del futurismo ... 164
La esquina peligrosa: futurismo y fascismo ... 166
Bontempelli y el "900" ... 169
Perspectiva internacional ... 172

    a) El futurismo en Portugal ... 173
    b) El futurismo en Rusia ... 173
    c) Khlebnikov y Maiakosvsky ... 174

Futurismo y dadaísmo. La doctrina de "Lacerba" ... 181
Destrucción y construcción ... 186
Bibliografía ... 189

2. *EXPRESIONISMO* ... 195

Polifacetismo ... 197
Orígenes ... 198
Linaje de un estilo ... 200
Cambio de óptica ... 202
Impresionismo, futurismo, expresionismo ... 203
Expresionismo en el arte. Desde "El puente" al "Jinete azul" ... 206

Expresionismo, activismo. Revistas y grupos ... 210
Poesía y solidaridad ... 211
Georg Trakl y otros ... 214
Más antologías y revistas ... 217
Novela y teatro. La rebelión de los hijos ... 218
Franz Werfel ... 220
Georg Kaiser, Sternheim, Toller y otros dramaturgos ... 222
Nueva objetividad ... 225
Espejo de la realidad palpable ... 226
El "orden frío" en otras artes ... 228
Bertolt Brecht ... 229
Bibliografía ... 231

3. *CUBISMO* ... 237

El porqué de un nombre ... 239
Cubismo plástico y literario ... 241
Sumario de teorías-claves ... 246
Manumisión de la realidad. Creación ... 247
Eliminaciones ... 249
Ilogismo, antiintelectualismo ... 251
Antisentimentalismo. Instantaneísmo ... 252
Sentido planetario ... 254
Humor ... 255
Innovaciones: lo que desaparece y lo que queda ... 257
Una generación y sus límites ... 259
Guillaume Apollinaire ... 263
Max Jacob ... 271
Blaise Cendrars ... 275
Jean Cocteau ... 281
Pierre Reverdy ... 289
Paréntesis ... 293
Paul Morand ... 295
André Salmon ... 298
Paul Dermée, Ivan Goll, Pierre Drieu la Rochelle ... 299
Superabundancia de ismos ... 304
Nunismo ... 306
Poliplanismo ... 308
Bibliografía ... 312

4. *DADAISMO* ... 317

    Historia pasada; influjo presente ... 319
    Génesis. Definiciones ... 322
    El primer manifiesto de Tzara ... 324
    Situación histórica. Ambiente, personajes ... 326
    Protodadaísmo en Estados Unidos ... 328
    En Zurich: 1916-1918 ... 330
    Dadá en Alemania ... 332
    Dadá en París ... 335
    Apogeo ... 338
    Declinación ... 341
    Interludio. Semblanzas de Tzara y de Picabia ... 343
    El proceso a Barrès ... 348
    Hacia la disolución ... 350
    El frustrado Congreso de París ... 351
    Saldo en blanco. Ultimos episodios ... 352
    Para un balance final ... 355

5. *SUPERREALISMO* ... 361

    Un fin y un recomienzo ... 363
    Diferencias y afinidades con Dadá ... 365
    Preorígenes. La disputa de un nombre ... 368
    El primer manifiesto de Breton. Definiciones ... 370
    Primeras objeciones. Superrealismo y psicoanálisis ... 374
    Historia y anécdota ... 378
    Segundo tiempo. Desde 1940 ... 383
    "La revolución ante todo y siempre" ... 386
    Emancipación del espíritu o liberación social del hombre. Incompatibilidades ... 389
    Romanticismo y superrealismo ... 394
    Técnicas ... 399
    Del santoral superrealista. Idolos y antecesores ... 403

        Rimbaud ... 412
        Sade ... 416
        Jarry ... 421

    El superrealismo y el suicidio ... 423

        Jacques Vaché ... 424
        Jacques Rigaut ... 426
        René Crevel ... 428

Escolios ... 430
Figuras y obras literarias ... 432

    André Breton, Aragon, Eluard ... 434
    Tristan Tzara, Soupault, Artaud y otros ... 436

Superrealismo y artes visuales ... 438
Pro y contra ... 443
¿Conclusiones? ... 447
Bibliografía ... 452

6. IMAGINISMO ... 461

"Por qué los ingleses no tienen gusto" ... 463
Prerrafaelismo ... 465
Decadentismo: fin de siglo ... 468
Génesis del imaginismo ... 469
Un precursor: Hulme ... 471
Los primeros imaginistas ... 472
Vorticismo ... 474
Desenvolvimiento imaginista ... 476
Un manifiesto ... 476
Discusiones ... 477
Ezra Pound ... 480
Amy Lowell ... 486
H. D. ... 488
Fletcher. Flint ... 489
Richard Aldington ... 490
D. H. Lawrence ... 492
Bibliografía ... 497

7. ULTRAISMO ... 501

Interrogantes, perplejidades ... 503
Vindicación, escamoteos antológicos ... 504
¿Fue el modernismo una desviación? ... 508
Cuando acaba el modernismo ... 510
Más allá del modernismo. Los poetas de 1915 e inmediatos ... 513
Cuadro de enlaces ... 519

    Cansinos-Asséns ... 521
    Ramón ... 524
    Juan Ramón Jiménez ... 527
    Vicente Huidobro ... 529

Génesis del ultraísmo ... 535
Teorías ... 539
Revistas ... 542
Veladas ... 552
Libros, muestras ... 553
Continuaciones y reflejos ... 567
Un superrealismo cuestionable ... 572
Extensiones del vanguardismo ... 576

    Cataluña ... 576
    Modernismo en Brasil ... 579

Ultraísmo en América Hispánica ... 582

    Argentina ... 582
    Uruguay ... 586
    En el Pacífico: Chile y Perú ... 586
    Antillas ... 589
    México, Colombia, Ecuador ... 593

Balance del ultraísmo ... 594
Bibliografía ... 600

8. PERSONALISMO ... 609

Virajes del tiempo ... 611
Del esteticismo a la revolución ... 614
Crisis del concepto de literatura ... 616
Aparición de la ortodoxia ... 618
Cambio del perfil de las revistas ... 620
El personalismo y la revolución espiritual ... 622
Líneas directrices del personalismo ... 624
Objeciones y contrarréplicas ... 627
Qué es la persona ... 629
Las tesis de Mounier ... 637
Otros puntos de vista ... 639
Definiciones del compromiso ... 640
Antes del Apocalipsis ... 642
Puntualización final ... 645
Bibliografía ... 648

9. EXISTENCIALISMO ... 651

El existencialismo como literatura ... 653
Momento de postguerra. Vuelta a la libertad ... 657
Alternancia de los géneros. Auge novelesco ... 660

Breve genealogía y algunos perfiles del existencialismo 663
Existencialismo y nazismo 667
Un adelantado: Benjamin Fondane 668
Responsabilidades 669
Precedentes españoles 670

    a) Unamuno y Kierkegaard 671
    b) Ortega, Kierkegaard, Heidegger y Sartre 674
    c) Antonio Machado y Heidegger 680

Aparición de Sartre 681
Influencias norteamericanas 684
Anticipaciones sobre la náusea, el tedio y el absurdo 687
El teatro de Sartre 689
"Las manos sucias" y su reverso 691
Sigue Sartre: su mundo novelesco 694
El ensayista 698
Simone de Beauvoir 699
Tragedia de la infinitud 702
Aportaciones de Albert Camus 704
Estética y filosofía del absurdo 707
Dostoievsky y el hombre del subterráneo 708
Kafka y el absurdo verosímil 710
Del nihilismo a la esperanza. Trayectoria de Camus 714
Un moralista 719
El hombre rebelde. Polémica Camus-Sartre 721
Literatura comprometida 723
Responsabilidad, no dirigismo 727
Bibliografía 729

10. LETRISMO Y CONCRETISMO 737

    I.—Cauteloso preámbulo 739

Epílogo, no comienzos 740
Paréntesis sobre lo centrípeto y lo centrífugo de París 741
El lirismo, punta extrema 743
Extremos a que ha llegado la poesía 744
Qué es y qué pretende ser el letrismo 745
Restas y sumas 749
Enlaces, más que rupturas 750
El tiro y el retroceso 752
Ramificaciones 752

II.—Concretismo 754
Un lenguaje intransferible 757
La palabra visualizada 758
Bibliografía 761

11. *NEORREALISMO* 763

Principio y fin de la novela 765
Paradoja: realismo y falsedad 766
Selección, no acumulación 767
El realismo en perspectiva 768
Adquisiciones y menguas 770
Alternancias y contrastes 772
Neorrealismo, igual a antid'annunzianismo 774
Populismo 776
Influjos norteamericanos y cinematográficos 778
Guiones y novelas 779
Apunte sobre Moravia 780
Cesare Pavese 782
En definitiva 783
Bibliografía 785

12. *IRACUNDISMO Y FRENETISMO* 787

Antecedentes inmediatos 789
Los iracundos 792
El disconformismo muda de campo 794
Wilson y Osborne 796
"Frenetismo" contra "organización" 799
Desde Thoreau, Melville y Henry James 800
Un rótulo del azar: la generación perdida 802
Exaltación y autoaniquilación 804
Rebeldes sin causa 806
El "Aullido" de Ginsberg 807
Los vagabundeos de Kerouac 808
Henry Miller y su "Gran Sur" 810
Bibliografía 812

13. *OBJETIVISMO* 815

A partir de cero 817
¿Es posible una novela experimental? 819
Un período novelesco desbordante 823

INDICE GENERAL   945

    La novela pura, suma de impurezas   827
    "Un nuevo mal del siglo"   829
    El fin de la novela   831
    Cinematografismo, conductismo   833
    Descripcionismo de las superficies: extenuación   836
    Todos sospechosos   838
    Interrelaciones: informalismo pictórico e informalismo novelesco ...   839
    Formalismo sin estilo   841
    Surtido de críticas y objeciones   842
    Algunos títulos y autores   846

        Michel Butor   846
        Nathalie Sarraute   849
        Robbe-Grillet   850
        Samuel Beckett   851

    Otros nombres   854
    ¿El lector como autor?   855
    El estiaje de la imaginación   856
    Contra el compromiso, gratuidad   857
    Extremos sin salida   859
    Bibliografía   861

14. EPILOGO Y NUEVOS ISMOS   865

    Una historia en función de los movimientos   867
    Toda una época   868
    Debilitación o sucesión de lo moderno   869
    Las minorías se ensanchan   870
    Revolución y reacción en dos planos diversos   872
    Sentido de un arte experimental   874
    "Modernos" y "contemporáneos"   875
    Literatura y ciencia   876
    Quiénes son los vanguardistas   878
    Falsas aporías   879
    Otros errores   880
    Traspaso de papeles   882
    Crítica de derechas e izquierdas   883
    Precisiones terminológicas   885
    Una nueva oleada de ismos   887
    "Situacionistas", "programatistas" *et al*   888
    Entrada de la cibernética   891
    Poesía, tipografía y lenguaje   893

Palabra e imagen visual 895
Transformación del objeto estético 896
Fronteras insuperables 897
Una metalengua dudosa 898
Para un balance 899
Superación y continuación 900
Bibliografía 902

Indice de ilustraciones 905
Autores citados en el texto 911
Indice general 937

OTRAS OBRAS DEL AUTOR

Vertical. Manifiesto ultraísta (Edición fuera de comercio. Madrid, 1920.)
Hélices. Poemas. (Editorial Mundo Latino. Madrid, 1923.)
Literaturas europeas de vanguardia. (Caro Raggio, editor. Madrid, 1925.)
Examen de conciencia. (Humanidades, La Plata, Argentina, 1928.)
Itinerario de la nueva pintura española. (Edición no venal, Montevideo, 1931.)
Vida y arte de Picasso. (A.D.L.A.N. Madrid, 1936.)
Menéndez Pelayo y las dos Españas. (P.H.A.C., Buenos Aires, 1943.)
La aventura y el orden. (Editorial Losada, Buenos Aires, 1943. Segunda edición en dos volúmenes separados bajo los títulos *La aventura y el orden* y *Tríptico del sacrificio*, 1948; tercera edición, 1961.)
Attilio Rossi. Estudio preliminar en el album "10 dibujos". (Editorial Nova, Buenos Aires, 1943.)
Guillaume Apollinaire: su vida, su obra, las teorías del cubismo. (Editorial Poseidón, Buenos Aires, 1946.)
Valoración literaria del existencialismo. (Editorial Olántay, Buenos Aires, 1948.)
Torres-García. Monografía de arte. (Instituto de Arte Moderno, Buenos Aires, 1948; segunda edición, São Paulo, 1959; tercera edición, Instituto Di Tella, Buenos Aires, 1964.)
Problemática de la literatura. (Editorial Losada, Buenos Aires, 1951; segunda edición, 1958; tercera edición, 1965.)
Raquel Forner. Monografía de arte. (Galería Bonino, Buenos Aires, 1954.)
Qué es el superrealismo. (Colección Esquemas. Ediciones Columba, Buenos Aires, 1955. Segunda edición, 1959.)
Las metamorfosis de Proteo. (Editorial Losada, Buenos Aires, 1956.)
Claves de la literatura hispanoamericana. (Taurus Ediciones. Madrid, 1959.) Segunda edición, en prensa.
El fiel de la balanza. (Taurus Ediciones, Madrid, 1961.)
La aventura estética de nuestra edad. (Biblioteca Breve. Editorial Seix Barral, Barcelona, 1962.)
Minorías y masas en la cultura y el arte contemporáneos. (Colección El Puente, Edhasa, Barcelona-Buenos Aires, 1962.)
Tres conceptos de la literatura hispanoamericana (Editorial Losada, Buenos Aires, 1963.)
La difícil universalidad española (Editorial Gredos, Madrid, 1965.)